Manque de temps ?

Envie de réussir ?

Besoin d'aide ?

La solution

Le *Compagnon Web*:

www.erpi.com/voyer.cw

Vous y découvrirez, classées par chapitre, des adresses Web francophones et anglophones qui complètent le manuel et qui vous permettront de mettre à jour régulièrement vos connaissances.

Comment accéder
au Compagnon Web de votre manuel ?

Étape 1: Allez à l'adresse www.erpi.com/voyer.cw

Étape 2: Lorsqu'ils seront demandés, entrez le nom d'usager et le mot de passe ci-dessous:

Nom d'usager   vo6603   **Mot de passe**   ttfpqg

Étape 3: Suivez les instructions à l'écran

Support technique: tech@erpi.com

Soins infirmiers
aux **aînés** en **perte** **d'autonomie**

Une approche adaptée aux CHSLD

OUVRAGES PARUS DANS CETTE COLLECTION :

Notes au dossier – Guide de rédaction pour l'infirmière, Diane St-Germain avec la collaboration de Sylvie Buisson, Francine Ménard et Kim Ostiguy, 2001.

Diagnostics infirmiers, interventions et bases rationnelles – Guide pratique, 4e édition, Marilynn E. Doenges, Monique Lefebvre et Mary Frances Moorhouse, 2001.

L'infirmière et la famille – Guide d'évaluation et d'intervention, 2e édition, Lorraine M. Wright et Maureen Leahy, adaptation française de Lyne Campagna, 2001.

L'examen clinique dans la pratique infirmière, sous la direction de Mario Brûlé et Lyne Cloutier avec la collaboration de Odette Doyon, 2002.

Soins infirmiers en pédiatrie, Jane Ball et Ruth Bindler, adaptation française de Kim Ostiguy et Isabelle Taillefer, 2003.

Manuel de diagnostics infirmiers, traduction de la 9e édition, Lynda Juall Carpenito, adaptation française de Lina Rahal, 2003.

Guide des médicaments, 2e édition, Judith Hopfer Deglin et April Hazard Vallerand, adaptation française sous la direction de Nathalie Archambault et Sylvie Delorme, 2003.

Soins infirmiers en périnatalité, 3e édition, Patricia Wieland Ladewig, Marcia L. London, Susan M. Moberly et Sally B. Olds, adaptation française de Francine Benoit, Manon Bernard, Pauline Roy et France Tanguay, 2003.

Soins infirmiers – Psychiatrie et santé mentale, Mary C. Townsend, adaptation française de Pauline Audet avec la collaboration de Sylvie Buisson, Roger Desbiens, Édithe Gaudet, Jean-Pierre Ménard, Irène Robitaille et Denise St-Cyr-Tribble, 2004.

La dose exacte – De la lecture de l'ordonnance à l'administration des médicaments, Lorrie N. Hegstad et Wilma Hayek, adaptation française de Monique Guimond avec la collaboration de Julie Bibeau, 2004.

Soins infirmiers – Théorie et pratique, Barbara Kozier, Glenora Erb, Audrey Berman et Shirlee Snyder, adaptation française sous la direction de Sophie Longpré et Lyne Cloutier, 2005.

Soins infirmiers – Médecine et chirurgie, Brunner et Suddarth, Suzanne C. Smeltzer et Brenda G. Bare, adaptation française sous la direction de Lyne Cloutier et Sophie Longpré, 2006.

Pour plus de renseignements sur ces ouvrages, consultez notre site Internet : www.competences-infirmieres.ca/

Soins infirmiers
aux **aînés** en **perte** d'autonomie

Sous la direction de
Philippe Voyer

Une approche adaptée aux CHSLD

ERPI
ÉDITIONS DU RENOUVEAU PÉDAGOGIQUE INC.

5757, RUE CYPIHOT, SAINT-LAURENT (QUÉBEC) H4S 1R3
TÉLÉPHONE: (514) 334-2690   TÉLÉCOPIEUR: (514) 334-4720
erpidlm@erpi.com   www.erpi.com

Directeur, développement de produits
Sylvain Giroux

Supervision éditoriale
Sylvain Bournival

Révision linguistique
Émery Brunet, Jean-Pierre Regnault, Bérengère Roudil

Correction des épreuves
Marie-Claude Rochon, Émery Brunet, Bérengère Roudil

Recherche de droits
Chantal Bordeleau

Index
Monique Dumont

Supervision de la production
Muriel Normand

Conception graphique et réalisation de la couverture
Dessine-moi un mouton

Infographie
Dessine-moi un mouton

*Dans cet ouvrage, le terme infirmière a valeur de générique
et s'applique aux professionnels des deux sexes.*

Dépôt légal : 2e trimestre 2006
Bibliothèque nationale du Québec
Bibliothèque nationale du Canada
Imprimé au Canada

234567890 II 0987
20346 ABCD LHM9

ISBN 2-7613-1728-9

À Carole, la femme qui ensoleille ma vie,
et à ma famille.

P. Voyer

La signification de l'extrême vieillesse échappe en effet à toute rationalisation écono-mique et sociale. [...] Ce qui circule et s'échange entre jeunes et vieux est l'inscription dans le temps. Si l'ancien donne au nouveau la dimension du passé, c'est le vieux, et lui seul, qui, en témoignant de par son nombre d'années de la longueur de la vie, ouvre l'ave-nir au jeune. Par ailleurs, le vieux rappelle que la vie est passage: le grand âge, en tant que limite extrême de la vie, possède en lui-même une valeur symbolique. Le nombre croissant de vieux ne peut qu'acculer une société assoiffée de modernité à se recentrer en ce point crucial où la mort provoque la vie, c'est-à-dire la faire quitter ce lieu mythique d'une vie absolue, sans limite, close sur elle-même, et, par là, stérile. Parce qu'il est celui qui permet de changer de rive sans pour autant prétendre connaître le paysage du côté opposé et parce qu'il parle non plus de ce qui est passé mais de ce qui est à venir, le vieux est passeur.

– Bernadette Puijalon, anthropologue,
maître de conférences, Université de Créteil-Paris XII

Le présent collectif dirigé par Philippe Voyer m'apparaît monumental. En effet, l'envergure de son projet ne peut que susciter l'admiration et témoigne de sa ténacité à rehausser la qualité des soins infirmiers gériatriques. Je suis fière de répondre à sa demande de préfacer cet ouvrage, car non seulement les réflexions qu'il contient arrivent à point nommé dans le contexte de vieillissement démographique, mais il me fournit également l'occasion de réitérer mes préoccupations quant au sort des personnes soignées en CHSLD.

Au cours des dernières années, l'Ordre des infirmières et infirmiers du Québec (OIIQ) est intervenu à plusieurs reprises pour dénoncer la banalisation des besoins de soins des personnes âgées vulnérables. Malheureusement, les reportages télévisés, les scandales médiatisés, les rapports de coroner ou même les énoncés de la Commission des droits de la personne et des droits de la jeunesse témoi-gnent tous de la même réalité: le manque de soins et l'abandon de nos aînés en perte d'autonomie. Notre pro-fession est doublement interpellée: d'une part, elle doit continuer à participer au débat de société et à prendre la défense des personnes âgées et, d'autre part, l'infirmière doit relever le défi du rehaussement de ses compétences pour jouer adéquatement son rôle. Ce livre poursuit de façon remarquable la réflexion amorcée sur ces deux enjeux.

Depuis une décennie, les CHSLD sont devenus des milieux de vie. Il s'agit d'une orientation ministérielle qui visait à assouplir le fonctionnement de ces centres et à humaniser les services qu'on y offre. Hélas, la promotion de la gestion dite de milieu de vie a trop fréquemment servi à déprofessionnaliser les soins et à priver les personnes hébergées de l'attention d'infirmières expertes. Or, les besoins en soins infirmiers gériatriques dans les CHSLD s'avèrent d'une grande complexité. Les auteurs de ce livre en font la démonstration et recadrent les compétences attendues des infirmières en s'appuyant sur les résultats de la recherche.

À cet égard, l'ouvrage sort des sentiers battus en évitant de réduire les défis de soins à la notion de soins de longue durée. Philippe Voyer préconise une approche qui, tout en reconnaissant l'existence des problèmes de santé chroniques chez les personnes âgées, met en lumière les problèmes de santé aigus les plus fréquents. Il propose également treize chapitres sur les programmes préventifs et thérapeutiques qui reposent sur l'initiative de l'infirmière. Or, justement, lors d'une enquête réalisée par l'OIIQ dans un centre d'héber-gement et de soins de longue durée, les enquêteurs ont pu constater des lacunes importantes dans le déploiement de ces programmes. Les chapitres consacrés à la gestion de la douleur, à la gestion optimale des médicaments, à la ges-tion des contentions, à la prévention de la violence et de la négligence m'apparaissent de la plus haute importance dans le contexte actuel. Reconnaissant la prévalence de la démence et des déficits cognitifs des personnes soignées en CHSLD, M. Voyer consacre sept chapitres aux symptômes psychologiques et comportementaux de la démence. Cette maladie éprouvante pour les familles touchées ajoute beaucoup à la complexité des soins à donner aux aînés.

L'ouvrage définit le rôle de l'infirmière en tenant compte de son nouveau champ d'exercice, en vigueur depuis janvier 2003. Il met donc en valeur le jugement et la surveillance cliniques de l'infirmière et souligne l'importance du plan thérapeutique infirmier, sans toutefois nier l'importance de l'interdisciplinarité. Les auteurs nous ramènent à la base même de la compétence infirmière, à savoir une solide formation clinique. À cet égard, l'appellation anglophone *nursing home* me semble plus près de la réalité puisqu'elle évoque si bien que les aînés hébergés en CHSLD ont d'abord et avant tout besoin de soins. La mode des acronymes au Québec reflète hélas trop souvent la mainmise des technocrates sur notre système de santé. Quand j'étais jeune, on disait que les personnes âgées allaient à l'hospice. Le mot hospice n'est guère utilisé de nos jours – un peu comme on boude aujourd'hui le mot hôpital – car il est censément synonyme de mouroir. Pourtant, changer les mots ne modifie pas la réalité! Il est toujours extrêmement triste de voir s'installer de façon irréversible chez une personne qu'on aime des problèmes de santé qui exigent une aide constante et des soins professionnels. Je plaide depuis longtemps pour la valorisation des soins aux aînés.

Le respect de la dignité des personnes vulnérables demeurera un enjeu de société. Ne dit-on pas que l'on reconnaît le degré de civilisation d'une société à la façon dont elle traite ses personnes vulnérables? Je m'inquiète de la loi du silence qui s'installe trop souvent dans ces établissements et qui, inévitablement, conduit à une dérive. Le conseil des infirmières et infirmiers (CII) de l'établissement ou, à défaut, les infirmières soignantes d'un établissement privé doivent prendre la défense des résidents des CHSLD auprès du conseil d'administration en lui présentant une documentation probante qui fait ressortir les risques courus par les résidents. Le présent ouvrage sera utile dans le soutien des prises de position des infirmières pour la défense des besoins des résidents.

Le respect de la dignité des personnes passe certes par une offre de soins compétents, mais exige d'abord un niveau de financement adéquat. Ce dernier point demeure en soi extrêmement critique puisque la politique de financement des CHSLD repose sur une sous-budgétisation de la réponse aux besoins de soins. Peut-on respecter la dignité des personnes à 60, 70 ou 80 pour cent? Poser la question, c'est y répondre. La dignité des personnes est ou n'est pas! Le retour à la barbarie n'est jamais loin quand on commence à négocier les seuils de tolérance aux manquements à la dignité des personnes. L'infirmière doit contribuer de deux façons au débat actuel sur les soins aux aînés en perte d'autonomie: d'abord, par la tolérance zéro et la dénonciation de tous les abus manifestes dont elle est le témoin et, deuxièmement, en jetant un regard expert sur l'organisation des soins à donner aux personnes âgées.

Je félicite tous les auteurs de ce livre ambitieux de leur remarquable travail qui concourra à la formation d'une nouvelle génération d'infirmières expertes en soins gériatriques, mieux préparées pour répondre aux exigences d'une pratique adaptée aux CHSLD.

Gyslaine Desrosiers
Présidente
Ordre des infirmières et infirmiers du Québec

AVANT-PROPOS

C'est en 2001 que ma réflexion sur la nécessité de réaliser ce livre s'est amorcée. Je constatais alors que personne n'avait publié en français un livre sur les soins infirmiers pour les aînés en perte d'autonomie. De plus, aucun des livres traitant de soins infirmiers ne s'attardait aux soins à prodiguer aux personnes âgées hébergées dans des milieux de soins comparables aux centres d'hébergement et de soins de longue durée (CHSLD) québécois.

Or, avec le vieillissement de la population, la formation d'une relève compétente dans le domaine des soins infirmiers à prodiguer à l'aîné en perte d'autonomie est devenue indispensable – cela relève de l'évidence. En 2005, les aînés comptaient pour environ 13 % de la population québécoise ; ils compteront pour 30 % de celle-ci en 2050. La démographie québécoise soutient donc en quelque sorte la pertinence de ce livre. Dans les années à venir, la majorité des infirmières prodigueront des soins aux aînés en perte d'autonomie. Cela est tout aussi prévisible qu'est inévitable l'accroissement du nombre d'aînés qui auront besoin de services d'hébergement en CHSLD ou dans un établissement intermédiaire. Il faut par conséquent s'attendre à ce que le nombre d'infirmières prodiguant des soins dans les milieux de soins de longue durée augmente en proportion.

Néanmoins, la nécessité de réaliser ce livre ne m'est pas apparue seulement en raison des statistiques et des besoins dont il vient d'être question. Elle s'est aussi concrétisée en raison d'un manque, qui m'est apparu lorsque j'enseignais à l'université et pendant les formations continues que je donnais aux infirmières œuvrant dans les CHSLD. En effet, dans le cadre de mes cours donnés à la Faculté des sciences infirmières de l'Université Laval, il me fallait toujours créer des recueils de textes pour mes étudiantes, car aucun livre ne répondait réellement à mes besoins d'enseignant en matière de soins infirmiers aux aînés en perte d'autonomie. Ce manque se faisait également sentir lors des formations continues, puisque les infirmières me demandaient souvent quel livre elles pouvaient se procurer pour obtenir des informations complémentaires. Je devais malheureusement leur répondre qu'il n'existait aucun ouvrage qui les satisferait du point de vue de leur pratique de cliniciennes. Pour toutes ces raisons, j'ai entrepris à la fin de l'année 2002 de réaliser ce livre, qui comblera tant les besoins des étudiantes en soins infirmiers que ceux des infirmières d'expérience.

Pour rendre cet ouvrage pertinent pour ces deux groupes, les auteurs l'ont écrit avec deux principes en tête. D'une part, ils ont présenté le contenu des chapitres en gardant à l'esprit le fait que les étudiantes ont peu de connaissances liées à la spécialité des soins infirmiers aux aînés. D'autre part, ils se sont assurés que le contenu des chapitres réponde également aux besoins des infirmières pratiquant dans les CHSLD, et que leurs recommandations cliniques ou programmes de soins soient adaptés à la réalité des CHSLD. Grâce à cette double préoccupation, ce livre répond aussi bien aux besoins de la formation initiale des étudiantes des milieux collégiaux et universitaires qu'à ceux de la formation continue. Enfin, en raison de sa pertinence clinique, il se présente comme un ouvrage de référence fort utile pour toutes les unités de soins des CHSLD.

En effet, les auteurs de ce livre ont réussi un tour de force en examinant les défis cliniques actuels les plus importants, tout en discutant en profondeur des enjeux futurs propres aux CHSLD. Parallèlement, cet ouvrage a aussi le mérite de mettre en valeur le rôle autonome de l'infirmière. Dans chacun des chapitres, on démontre clairement que l'infirmière peut intervenir de façon non pharmacologique auprès des résidents de CHSLD, et ce, dans toutes les situations cliniques, pour le plus grand bénéfice des aînés en perte d'autonomie. Si les auteurs et moi-même avons privilégié ce type d'intervention, c'est qu'en raison de la fragilité des aînés qui vivent dans les CHSLD, il est essentiel de recourir aux solutions de remplacement thérapeutiques scientifiquement étayées afin de contribuer à l'atteinte d'un usage optimal des médicaments. Dans ce livre, nous avons donc tâché de mettre en valeur la contribution unique et complémentaire de la pratique infirmière pour la santé et pour la qualité de vie des aînés.

Contenu de l'ouvrage

Notre ouvrage débute par un chapitre portant sur les principes généraux des soins infirmiers à prodiguer aux aînés hébergés en CHSLD. La lecture de ce premier chapitre est indispensable pour toutes les infirmières ou futures infirmières désirant pratiquer dans les CHSLD. Les assises de leur rôle y sont décrites en détail. La suite du livre se compose de six parties abordant les grands thèmes des soins infirmiers gériatriques.

Dans la **première partie** du livre, il est question des principaux problèmes de santé chroniques qui, en raison de la perte d'autonomie qu'ils entraînent chez l'aîné, expliquent fréquemment le placement en CHSLD. Habituellement, ces problèmes affectent déjà l'aîné au moment de son admission. Si le premier chapitre de cette partie traite de la démence, c'est qu'il était nécessaire d'étudier cet aspect d'entrée de jeu: la majorité des résidents des CHSLD sont atteints de cette maladie. La maladie de Parkinson, les accidents vasculaires cérébraux, l'insuffisance cardiaque et les bronchopneumopathies chroniques obstructives sont les autres conditions que nous étudions dans cette section.

La **deuxième partie** du livre touche aux problèmes de santé aigus qui peuvent apparaître au cours de l'hébergement, à savoir le delirium, les infections, la dépression et le suicide. Nous y avons accordé une importance toute particulière à la capacité de l'infirmière à détecter ces problèmes par le recours, entre autres, à l'examen clinique.

Dans la **troisième partie** du livre, nous avons regroupé les chapitres qui présentent le rôle que doit jouer l'infirmière auprès des aînés en perte d'autonomie en matière de bien-être général au quotidien. On y traite ainsi de l'hydratation, de l'alimentation, de l'hygiène buccodentaire, de l'élimination vésicale et intestinale, de l'hygiène du sommeil, des chutes, de la podologie, des plaies de pression, de la douleur, de la violence et de la négligence, des contentions et des médicaments. Dans les chapitres de cette partie, nous avons mis en évidence le rôle fondamental que joue l'infirmière pour assurer une évolution clinique stable de la santé et du bien-être des résidents. Nous avons conçu et rédigé cette partie de façon à ce que les programmes de soins que nous y présentons puissent être implantés rapidement dans les CHSLD.

Comme le démontre la littérature scientifique sur le sujet, il est bien établi que, pour les infirmières prodiguant des soins aux aînés atteints d'une démence, les symptômes psychologiques (les hallucinations, par exemple) et comportementaux (l'errance ou les comportements d'agressivité, entre autres) de la démence constituent une source de stress importante. Il était donc essentiel de consacrer une partie entière de notre ouvrage à ce défi clinique, ce que nous avons fait dans la **quatrième partie**. Cela était d'autant plus nécessaire que, malheureusement, un manque de connaissances à l'égard de ces symptômes conduit parfois les soignants à recourir abusivement aux contentions physiques et chimiques. Ainsi, les chapitres de cette partie présentent des moyens novateurs et non pharmacologiques permettant de faire face à ces symptômes de la démence. En premier lieu, nous y abordons d'une manière globale le rôle de l'infirmière dans la prise en charge des symptômes psychologiques et comportementaux de la démence. Ensuite, nous examinons de manière plus spécifique certains de ces symptômes, notamment la résistance aux soins généraux et d'hygiène, l'agitation verbale, les comportements d'agressivité, l'errance et le syndrome crépusculaire.

Nous avons consacré la **cinquième partie** du livre aux différents programmes de promotion de la qualité de vie des aînés vivant dans les CHSLD. À cet égard, il doit y avoir un certain équilibre entre les deux fonctions du CHSLD. Il ne faut pas perdre de vue que le CHSLD est non seulement un milieu de soins, mais aussi un milieu de vie. Chaque infirmière doit avoir à cœur l'atteinte d'un équilibre entre ces deux fonctions du CHSLD. Chacune doit ainsi mettre sur pied des programmes qui visent à promouvoir la qualité de vie des résidents ou y participer lorsqu'ils existent déjà. De la sorte, si l'infirmière a diverses responsabilités concernant la santé physique de l'aîné en perte d'autonomie, elle a aussi celle d'apporter son concours aux activités de promotion de la qualité de vie. Étant donné qu'une bonne communication joue un rôle important sur le plan de la qualité de vie des aînés, nous en avons fait l'objet du premier chapitre de la cinquième partie. Nous nous penchons par la suite sur la stimulation cognitive au quotidien, l'intégration des familles, les loisirs, la zoothérapie, la musicothérapie et l'approche prothétique élargie.

Dans la **sixième** et dernière **partie** du livre, nous avons voulu aborder les grands défis auxquels devront faire face la profession infirmière et les CHSLD. Tous ces défis ont un point en commun: les relever et les surmonter permettra d'améliorer la situation des aînés en perte d'autonomie hébergés dans les CHSLD. De ce point de vue, il devenait primordial de consacrer un chapitre de cette partie à la notion de changement. Puisque plusieurs chapitres de ce livre suggèrent l'adoption et la mise en place de nouvelles méthodes clairement étayées par la littérature scientifique, il nous fallait examiner comment, au moyen d'une planification judicieuse, il est possible d'intégrer de nouvelles pratiques dans les milieux de soins. De même, puisque, pour planifier judicieusement un changement, un gestionnaire doit être doté d'un excellent sens du leadership, nous avons décrit en détail les nombreuses compétences que doit posséder une infirmière qui gère une unité de soins de longue durée. Enfin, les autres chapitres de cette section portent sur des défis tout aussi importants qui attendent les infirmières et les gestionnaires de CHSLD, à savoir la vie sexuelle des aînés en CHSLD, les soins interculturels, les soins de fin de vie, les questions d'éthique, l'interdisciplinarité et la formation en soins infirmiers gériatriques.

Caractéristiques pédagogiques

Au-delà des questions de contenu, nous avons tâché de rendre cet ouvrage aussi agréable, pertinent et dynamique que possible. Cela se reflète dans sa présentation graphique, dans l'étroite relation entre son contenu et la réalité actuelle de la pratique infirmière et dans ses qualités pédagogiques.

D'abord, du point de vue de la **présentation graphique**, diverses couleurs permettent de démarquer les parties du livre, ce qui facilite le repérage et rend plus aisée la recherche d'informations. Plus précisément, le recours à diverses couleurs et tailles de caractères pour les titres qui divisent et subdivisent la matière dans les chapitres permet aux étudiantes de s'orienter plus facilement. Par ailleurs, chaque fois que cela était possible, nous avons privilégié l'insertion de tableaux et de figures qui résument et illustrent le propos, mais aussi de photos lorsque cela était pertinent. Pour toutes ces raisons, cet ouvrage plaira assurément aux étudiantes ainsi qu'aux infirmières d'expérience.

Quant à l'étroite relation existant entre le contenu de l'ouvrage et la réalité actuelle de la pratique infirmière, nous avons tâché de présenter une **vision contemporaine du rôle de l'infirmière** auprès des aînés en perte d'autonomie hébergés dans un milieu de soins de longue durée. Pour y parvenir, nous avons tenu compte des toutes dernières dispositions législatives et politiques encadrant le rôle de l'infirmière au Québec et la mission des CHSLD, et ce, dans tous les aspects dont nous traitons. Par exemple, nous avons rédigé le contenu des chapitres touchant aux examens cliniques et aux contentions en considérant les implications découlant de la *Loi modifiant le* Code des professions *et d'autres dispositions législatives dans le domaine de la santé*, qui encadre désormais ces pratiques. De la même façon, c'est en examinant avec attention la nouvelle politique du médicament concernant l'usage optimal des médicaments ou, encore, le nouveau plan d'action gouvernemental relatif à l'utilisation exceptionnelle de mesures de contrôle que nous avons conçu les chapitres qui touchent de près ou de loin à ces aspects. D'autre part, étant donné que l'un des objectifs des CHSLD est d'atteindre un juste équilibre entre un milieu de vie et un milieu de soins, nous avons rédigé l'ensemble de l'ouvrage dans cette optique. Soutenant pleinement ce principe, nous considérons que l'infirmière doit satisfaire les besoins de base des résidents, sans pour autant négliger de leur offrir une bonne qualité de vie. C'est pourquoi nous avons inclus dans cet ouvrage une section portant sur la promotion de la qualité de vie des résidents.

Sur le plan de la **pédagogie**, nous avons déployé un effort considérable pour que le contenu des chapitres puisse être transmis aussi efficacement que possible aux étudiantes en soins infirmiers et en sciences infirmières. Ainsi, les chapitres de chacune des parties du livre possèdent une structure similaire, ce qui facilite le repérage des informations et leur recherche. Dans tous les chapitres, les auteurs ont procédé à la rédaction en passant des éléments de connaissance les plus simples aux éléments plus complexes. Afin de faciliter l'intégration des connaissances, on trouve à la fin de tous les chapitres une *étude de cas* fictive et des questions qui permettent aux étudiantes de vérifier leur compréhension de la matière et au professeur de s'assurer qu'elle a été bien intégrée. De plus, un Compagnon Web est à la disposition des lecteurs. On y trouve des questions supplémentaires relatives aux études de cas. On y propose également de nombreuses adresses de sites Internet d'intérêt qui permettront de consolider les connaissances fraîchement acquises. Enfin, nous avons consacré un chapitre entier à la formation des infirmières en matière de soins infirmiers gériatriques (chap. 45). Nous y traitons d'approches pédagogiques à adopter dans l'enseignement des contenus théoriques et pratiques propres aux soins infirmiers gériatriques. En somme, nous nous sommes efforcés de faire un ouvrage qui réponde le mieux possible aux besoins des étudiantes en soins infirmiers, à ceux des enseignantes en soins infirmiers et à ceux des infirmières d'expérience.

Philippe Voyer

POUR NOUS JOINDRE

N'hésitez pas à communiquer avec Philippe Voyer ou avec l'éditeur à propos de cet ouvrage en cliquant sur le lien « Questions ou commentaires » qui se trouve dans le Compagnon Web associé à ce livre, à l'adresse suivante:

www.erpi.com/voyer.cw/

Michèle Aubin, M.D., M. Sc., F.C.M.F., C.C.M.F. (chap. 20)
Professeur titulaire
Titulaire de la Chaire de soins palliatifs, Université Laval
Chercheure-clinicienne, Unité de recherche en gériatrie de l'Université Laval

Guylaine Belzil, B.A. (chap. 28)
Doctorante en psychologie, Université Laval

Annie Bernatchez, M. Ps. (chap. 35)
Psychologue
Directrice des activités cliniques, Zoothérapie Québec

Jacynthe Bilodeau, inf., B. Sc. (chap. 30)
Infirmière bachelière, Centre hospitalier affilié de Québec, Hôpital de l'Enfant-Jésus

Danielle Blondeau, inf., Ph. D. (chap. 43)
Professeure titulaire et chercheure, Université Laval

Monique Bourque, inf., M.A. (chap. 24)
Conseillère clinicienne en soins infirmiers, Institut universitaire de gériatrie de Sherbrooke
Chargée de cours, Université de Sherbrooke

Carole Brousseau, t.s. (chap. 35)
Organisatrice communautaire, Centre de santé et de services sociaux d'Ahuntsic et de Montréal-Nord

Rose-Anne Buteau, inf., Ph. D. (c) (chap. 14)
Infirmière clinicienne spécialisée en gériatrie, CHUQ
Professeur de clinique, Université Laval

Philippe Cappeliez, Ph. D. (chap. 9)
Professeur titulaire, Université d'Ottawa

Christian Caron, D.M.D. (chap. 13)
Professeur agrégé, Université Laval

Christine Danjou, inf., M. Sc. (chap. 2 et 11)
Infirmière bachelière, Centre hospitalier affilié de Québec et Hôpital Enfant-Jésus

Odette Doyon, inf., M. Éd. (chap. 5)
Professeure, Université du Québec à Trois-Rivières
Chercheure, Laboratoire de recherche sur le Caring de l'Université du Québec à Trois-Rivières

André Dupras, Ph. D. (chap. 40)
Professeur, Université du Québec à Montréal

Guylaine Ferland, Ph. D. (chap. 12)
Professeure titulaire, Université de Montréal
Chercheure, Centre de recherche, Institut universitaire de gériatrie de Montréal

Marie-Josée Fortin, inf. (chap. 3)
Unité des troubles du mouvement André-Barbeau, Hôtel-Dieu du CHUM

Denis F. Gagnon, inf., B. Sc., M.B.A. (chap. 17)
Conseiller clinicien et en milieu de vie, Hôpital Jeffery Hale, Québec

Robin Gagnon, inf., M. Sc. (chap. 22)
Conseiller en soins spécialisés, Centre de santé et de services sociaux du Nord de Lanaudière

Marielle Gauthier, inf. (chap. 6)
Infirmière clinicienne spécialisée, Service régional de soins à domicile pour malades pulmonaires chroniques, Hôpital Maisonneuve-Rosemont

Mariette Gauthier, inf., B. Sc. (chap. 25)
Programme régional de gériatrie, Centre hospitalier ambulatoire régional de Laval

Julie Houle, inf., M. Sc. Inf. (chap. 5)
Professeure, Université du Québec à Trois-Rivières

Shirley Imbeault, M. Ps. (chap. 29)
Neuropsychologue
Doctorante en psychologie, Université Laval
Membre de l'Unité de recherche en gériatrie de l'Université Laval

Philippe Landreville, Ph. D. (chap. 27)
Professeur titulaire, Université Laval

Marjolaine Landry, inf., étudiante au doctorat (chap. 33)
Professionnelle de recherche, Université de Sherbrooke

Ginette Lazure, inf., Ph. D. (chap. 41)
Professeure agrégée
Directrice des programmes de premier cycle en sciences infirmières
Responsable académique pour la formation à l'international, Université Laval

Geneviève Léveillé, inf. (chap. 42)
Auteur (*Guide d'intervention clinique en soins palliatifs*, Éd. Anne Sigier)

Louise Léveillé B. Sc. Inf. (chap. 36)
Chef d'unité de vie, CSSS Bordeaux-Cartierville-St-Laurent, pavillon St-Laurent

Hubert Marcoux, M.D., M.A., F.C.M.F., C.C.M.F. (chap. 42 et 43)
Professeur agrégé, Université Laval
Chef du Département de gériatrie, Hôpital Jeffrey Hale, Québec

Ginette Mayrand, inf. (chap. 3)
Directrice, Soutien – Information et formation, Société Parkinson du Québec

Anne Monat, erg. (chap. 32 et 37)
Ergothérapeute conseil en gérontologie, bureau de consultation privé

Pamphile-Gervais Nkogho Mengue, M. Sc., candidat Ph. D. (chap. 2, 8 et 23)
Microbiologiste, pharmaco-épidémiologiste
Chargé de cours, Université du Québec à Trois-Rivières et Université du Québec à Rimouski
Professionnel de recherche, Unité de recherche en gériatrie de l'Université Laval

Nicole Ouellet, inf., Ph. D. (chap. 16)
Professeure, Université du Québec à Rimouski

Michel Panisset, M.D. (chap. 3)
Professeur agrégé de clinique et codirecteur, Unité des troubles du mouvement André-Barbeau, Hôtel-Dieu du CHUM
Département de médecine (neurologie), Université de Montréal

Daniel Pelletier, M. Ps. (psychologie sociale) (chap. 31)
Spécialiste en gérontologie
Formateur et professionnel de recherche, Unité de recherche en gériatrie de l'Université Laval

Denise Pothier, B. Sc. Inf., M.A. (chap. 18)
Spécialiste en podologie
Directrice, École de formation professionnelle Denise Pothier

Solange Proulx, M.A. (chap. 20)
Professionnelle de recherche, Unité de recherche en gériatrie de l'Université Laval

Louise Roch, inf., M. Sc. (chap. 10)
Infirmière clinicienne spécialiste, Hôpital Douglas

Nathalie Rodrigue, inf., M. Sc., D.E.S.S. Adm. Pub. (chap. 4)
Infirmière clinicienne spécialisée et coordonnatrice du programme AVC, Hôpital général de Montréal du Centre universitaire de santé McGill

Odette Roy, inf., M. Sc., M.A.P., Ph. D. (chap. 22)
Infirmière clinicienne spécialisée, Hôpital Maisonneuve-Rosemont

Maryse L. Savoie, inf., M. Sc. (chap. 20)
Directrice adjointe des soins infirmiers et coordonnatrice de la recherche, Hôpital Sainte-Anne

Lori Schindel Martin, inf., Ph. D. (chap. 26)
Directrice, Ruth Sherman Centre for Research and Education, Shalom Village
Professeure clinique, McMaster Unversity

Rosa Sourial, inf., M. Sc. (A), C.N.N. (c) (chap. 4)
Infirmière clinicienne spécialisée et coordonnatrice du programme AVC, Hôpital neurologique de Montréal du Centre universitaire de santé McGill

Diane St-Cyr, inf., M. Éd. (chap. 19)
Infirmière stomothérapeute, Centre universitaire de santé McGill
Infirmière consultante, Diane St-Cyr Inc.

Lise R. Talbot, inf., Ph. D. (chap. 33)
Vice-doyenne et directrice, École des sciences infirmières, Université de Sherbrooke
Chercheure centre de recherche sur le vieillissement, Institut universitaire de gériatrie de Sherbrooke

Isabelle Tardif, inf., B. Sc. (chap. 45)
Étudiante à la maîtrise en sciences infirmières, Université Laval

Linda Thibeault, inf, M. Sc., D.E.S.S. (chap. 15)
Infirmière clinicienne spécialisée en gérontopsychiatrie, Institut universitaire de gériatrie de Montréal
Infirmière clinicienne associée, Université de Montréal

Louise Thouin, B. Sc. Ergothérapie, M.A.P. (chap. 44)
Directrice des services d'hébergement, CSSSSL

Lucie Tremblay, inf., M. Sc., Adm. A., C.H.E. (chap. 21 et 38)
Directrice des soins infirmiers et services cliniques, Centre gériatrique Maimonides, Montréal
Chargée de cours, Université de Sherbrooke

Margot Tremblay, inf., Ph. D. (chap. 41)
Professeure associée, Université Laval
Agente de planification, de programmation et de recherche Agence de santé et de services sociaux de la Capitale nationale

Jocelyne Trudel, B.A., Rec. Adm. (chap. 34)
Chef de service Loisir et Bénévolat, CSSS de Thérèse de Blainville

René Verreault, M.D., Ph. D., F.C.M.F., C.C.M.F. (chap. 20)
Professeur titulaire
Titulaire de la Chaire de gériatrie, Université Laval
Directeur, Unité de recherche en gériatrie de l'Université Laval

Jean Vézina, Ph. D. (chap. 28)
Professeur titulaire, Université Laval

Chantal Viens, inf., Ph. D. (chap. 39)
Professeur titulaire, Université Laval

Philippe Voyer, inf., Ph. D. (chap. 1, 2, 7, 8, 23, 24, 26, 44 et 45)
Professeur agrégé, Université Laval
Infirmier clinicien spécialiste en gériatrie, Hôpital du Saint-Sacrement
Chercheur, Unité de recherche en gériatrie de l'Université Laval

TABLE DES MATIÈRES

PARTIE 1 — PROBLÈMES DE SANTÉ CHRONIQUES

PARTIE

2 PROBLÈMES DE SANTÉ AIGUS

CHAPITRE 7

CHAPITRE 8

PARTIE 3 PROGRAMMES PRÉVENTIFS ET PROGRAMMES THÉRAPEUTIQUES

CHAPITRE 13

L'HYGIÈNE BUCCODENTAIRE 191

CHAPITRE 14

L'ÉLIMINATION VÉSICALE 205

CHAPITRE 15

L'ÉLIMINATION INTESTINALE 217

CHAPITRE 16

L'HYGIÈNE DU SOMMEIL 231

CHAPITRE 17

LES CHUTES 239

CHAPITRE 18

LES SOINS PODOLOGIQUES. 255

CHAPITRE 19

LES PLAIES DE PRESSION. 271

CHAPITRE 20

LA DOULEUR. 287

CHAPITRE 21

LA NÉGLIGENCE ET LA VIOLENCE
ENVERS LES RÉSIDENTS

CHAPITRE 22

LA CONTENTION PHYSIQUE

CHAPITRE 23

L'USAGE OPTIMAL DES
MÉDICAMENTS DANS LES CHSLD

PARTIE 4
SYMPTÔMES PSYCHOLOGIQUES ET COMPORTEMENTAUX DE LA DÉMENCE

CHAPITRE 24
LA GESTION DES SYMPTÔMES PSYCHOLOGIQUES ET COMPORTEMENTAUX DE LA DÉMENCE

CHAPITRE 25
LA RÉSISTANCE AUX SOINS

CHAPITRE 26
LA RÉSISTANCE AUX SOINS D'HYGIÈNE

PARTIE **5** PROGRAMMES DE
PROMOTION DE LA
QUALITÉ DE VIE

CHAPITRE 31

LA COMMUNICATION AVEC
LES RÉSIDENTS PRÉSENTANT
DES DÉFICITS COGNITIFS 437

CHAPITRE 37

L'APPROCHE PROTHÉTIQUE ÉLARGIE 495

P A R T I E **6** LES DÉFIS POUR LES CHSLD

CHAPITRE 38

ADMINISTRER UNE UNITÉ DE SOINS DE LONGUE DURÉE 509

CHAPITRE 39

LA PLANIFICATION DU CHANGEMENT EN CHSLD 517

CHAPITRE 40

LA VIE SEXUELLE DES AÎNÉS EN CHSLD . . . 525

CHAPITRE 41

LES SOINS INTERCULTURELS EN CHSLD . . . 533

CHAPITRE 42

LES SOINS DE FIN DE VIE. 543

CHAPITRE 43

LES SOINS EN CHSLD : ENJEUX ÉTHIQUES. 553

CHAPITRE 44

L'INTERDISCIPLINARITÉ 559

CHAPITRE 45

LA FORMATION EN SOINS INFIRMIERS GÉRIATRIQUES. 567

1 PRINCIPES GÉNÉRAUX DES SOINS INFIRMIERS DESTINÉS À L'AÎNÉ EN CHSLD

par **Philippe Voyer**

Les centres d'hébergement et de soins de longue durée (CHSLD) constituent des milieux de travail particuliers pour les infirmières, à cause de leur mission et de leur clientèle. Structures d'accueil pour les aînés en perte d'autonomie, ce sont à la fois des milieux de soins et des milieux de vie. Avant d'étudier les différents problèmes que peut rencontrer l'infirmière dans ce type de milieu, il est nécessaire de définir la mission des CHSLD et de son personnel infirmier, mais aussi les particularités des résidents, leur fragilité. À partir de la définition de ce contexte, on établira différents principes régissant le rôle de l'infirmière et assurant la qualité des soins.

Les CHSLD accueillent des individus qui, en raison d'incapacités physiques ou cognitives, ne peuvent plus répondre à leurs besoins de base, physiques et sociaux (Kane, Ouslander et Abrass, 2004). En France, il semble qu'on emploie le terme « institution » pour désigner ce qu'on appelle ici le CHSLD. Aux États-Unis, on parle de « nursing homes ». Les CHSLD hébergeraient environ 5 % des aînés de plus de 65 ans. Plus précisément, des statistiques américaines rapportent que 2 % des aînés de 65 à 74 ans, 7 % des 75 à 84 ans et 20 à 25 % des 85 ans et plus vivent en CHSLD (Kane et al., 2004; Ouslander et Schnelle, 1999). D'après les projections démographiques, les besoins en hébergement et en soins de longue durée devraient augmenter au cours des deux prochaines décennies (Hazzard, Blass, Ettinger, Halter et Ouslander, 1999). Les études montrent également que les nouveaux résidents des CHSLD sont de plus en plus âgés et en perte d'autonomie (Fulmer et Mezey, 1999; Millsap, 1995). En effet, de 40 à 70 % des résidents âgés de 65 ans et plus auraient une démence ou des déficits cognitifs. Ainsi, avec le vieillissement de la population, la demande de soins en CHSLD devrait croître, de même que la complexité des soins requis.

LA MISSION DES CENTRES D'HÉBERGEMENT ET DE SOINS DE LONGUE DURÉE

Les CHSLD sont en constante évolution depuis plusieurs années. Suivant les changements dans la constitution de leur clientèle, leurs dirigeants revoient régulièrement leurs objectifs. Par exemple, la proportion grandissante de résidents ayant des déficits cognitifs les oblige à adapter les soins en conséquence.

En réponse à l'évolution des besoins des résidents, des experts proposent de nouvelles approches pour remplacer l'approche institutionnelle considérée comme stérile. L'approche institutionnelle serait celle des CHSLD dont le fonctionnement et les objectifs de soins seraient similaires à ceux d'un hôpital de courte durée, c'est-à-dire

orientés vers la maladie. Les nouvelles approches sont l'approche milieu de vie, l'approche Carpe Diem et l'approche prothétique. Si leurs prémisses sont valables et leurs valeurs louables, leur efficacité ou leur supériorité restent à démontrer scientifiquement (Lalande et Leclerc, 2004). Cette situation concernant la valeur de ces nouvelles approches peut être comparée à celle qui règne entre les modèles conceptuels infirmiers: les autosoins d'Orem, les 14 besoins fondamentaux de Henderson, la promotion-famille de McGill ou encore l'adaptation de Roy. Ces modèles ont tous des postulats pertinents et des valeurs humanistes intéressantes, mais pas un seul ne se démarque des autres quant à sa valeur scientifique. En somme, à ce stade-ci des connaissances, il n'est pas possible d'appuyer une nouvelle approche de soins plus qu'une autre. C'est d'ailleurs ce qui explique en partie les différences entre les CHSLD. C'est également ce qui crée la confusion chez les soignants et les gestionnaires quant aux objectifs de leurs interventions (Ordre des infirmières et infirmiers du Québec [OIIQ], 2004).

Les valeurs des nouvelles approches se reflètent directement sur les objectifs des interventions et des soins. Par exemple, une approche qui accorde beaucoup d'importance à la stimulation cognitive des capacités résiduelles entraînera une façon de soigner différente de celle qui s'appuie d'abord sur l'environnement physique. Sans mettre en doute leur pertinence, il faut remarquer que ces approches peuvent avoir des effets inattendus et masquer ou minimiser d'autres aspects des soins à produiguer. Elles sont généralement présentées en opposition aux approches institutionnelles. Toutefois, certains éléments des soins dits institutionnels, tels que le suivi de l'état de santé et la surveillance clinique de certains paramètres de santé, demeurent essentiels. Or, il semble qu'une certaine proportion de gestionnaires, de soignants et d'infirmières des CHSLD aurait compris à tort que les besoins des résidents liés à la santé passaient au deuxième rang. Ainsi, des unités de type milieu de vie dévalorisent par leur discours les besoins en soins infirmiers, médicaux et pharmaceutiques, tout en privilégiant la qualité de vie.

S'il n'est pas souhaitable que l'approche institutionnelle ignore les besoins individuels des résidents et leur qualité de vie, en revanche, il n'est pas préférable que les approches de remplacement minimisent les besoins en soins infirmiers, médicaux et pharmaceutiques qui étaient auparavant les seules cibles des interventions dans les CHSLD (ministère de la Santé et des Services sociaux, 2004; OIIQ, 2000).

Sur ce dernier point, Geneau (2003) indique avec raison que le choix entre une approche institutionnelle et une approche de remplacement est bien artificiel et paradoxal. En effet, dans les faits, les besoins en soins médicaux et en qualité de vie sont indissociables. À titre d'exemple, une étude a démontré que les comportements dysfonctionnels, l'incontinence urinaire et les plaies de pression sont étroitement liés à la qualité de vie (Harrington, Zimmerman, Karon, Robinson et Beutel, 2000). Comme les résidents des CHSLD sont en perte d'autonomie, consomment divers médicaments et ont plusieurs problèmes de santé, ils requièrent des soins favorisant l'autonomie, l'administration et la surveillance clinique des médicaments, et un suivi rigoureux de leurs problèmes de santé. Comme le soulignent Kane *et al.* (2004), aucune stimulation cognitive, aucune récréologie ou zoothérapie ne pourront être pleinement efficaces si le résident n'est pas réceptif en raison d'une douleur non traitée, d'étourdissements dus à

une hypertension non corrigée ou encore d'un delirium lié à un déséquilibre électrolytique. En d'autres mots, il faut d'abord assurer un confort physique et psychologique minimal pour pouvoir retirer le meilleur des interventions de stimulation. Lorsque l'infirmière prévient ou soigne les plaies de pression d'un résident, elle contribue à sa qualité de vie. En bref, quand les soignants mettent le résident au centre de leur attention, ils tiennent obligatoirement compte, d'une manière générale, autant des besoins en soins infirmiers, médicaux et pharmaceutiques que de la qualité de vie.

La *Loi sur les services de santé et les services sociaux* (www.clsc-chsld.qc.ca) reconnaît tout à fait cette dualité fondamentale des besoins des résidents. Ainsi, elle explique que la mission d'un CHSLD consiste à offrir des services d'hébergement, d'assistance, de soutien, de surveillance ainsi que des services psychosociaux, infirmiers, pharmaceutiques, médicaux et de réadaptation. Ces services s'adressent aux personnes âgées en perte d'autonomie fonctionnelle ou psychosociale qui ne peuvent plus demeurer dans leur milieu de vie naturel.

Dans son énoncé de la mission d'un CHSLD, l'Association des CLSC et des CHSLD du Québec met clairement en évidence le rapport entre les besoins en soins des résidents et leur besoin d'un milieu non institutionnel. Elle indique ainsi que « le CHSLD est un milieu de vie et de soins où les personnes résident en permanence. Il s'agit d'un endroit sécurisant, bienveillant, spécialisé dans les soins et services pour adultes en perte d'autonomie. Il ne remplace pas les proches et le domicile de la personne, il prend simplement le relais. »

Selon la littérature scientifique, les buts d'un CHSLD devraient être d'offrir un environnement sécuritaire et de soutenir les personnes atteintes de problèmes de santé chroniques et en perte d'autonomie. Les soins visent le maintien, l'amélioration et l'optimisation de l'autonomie fonctionnelle, ainsi que l'amélioration constante de la qualité de vie. Ils visent aussi à ralentir la progression des maladies chroniques et à prévenir l'apparition des maladies aiguës. À l'apparition d'une maladie, les soignants doivent procurer les soins appropriés. Enfin, les CHSLD doivent favoriser le confort et la dignité des résidents qui sont en fin de vie, et soutenir les proches (Millsap, 1995; Ouslander, Osterweil et Morley, 1997).

En somme, il ne devrait pas y avoir de débat sur les besoins essentiels des résidents des CHSLD. En effet, la *Loi sur les services de santé et les services sociaux*, l'Association des CLSC et des CHSLD du Québec et la littérature scientifique donnent des indications claires à ce sujet. D'ailleurs, les chapitres de ce livre reflètent bien la réalité multidimensionnelle des besoins des résidents des CHSLD. Jusqu'aujourd'hui, l'approche interdisciplinaire semble être la plus efficace.

LE RÔLE DE L'INFIRMIÈRE EN CHSLD

Le rôle de l'infirmière rejoint tout à fait la mission des CHSLD. D'abord, selon la *Loi sur les infirmières* (Mercier, Thibault et D'Anjou, 2003), l'exercice infirmier consiste à évaluer l'état de santé d'une personne, à établir un plan de soins et de traitements et à l'exécuter, à prodiguer des soins et des traitements dans le but de maintenir la santé ou de la rétablir et de prévenir la maladie, enfin à fournir des soins palliatifs. Plus précisément, selon l'Ordre des infirmières et infirmiers du Québec (OIIQ, 2002), il vise, en soins de longue durée, le maintien de la santé, la qualité de vie, l'autonomie et le bien-être des résidents. Pour atteindre ces objectifs, l'OIIQ a défini 18 indicateurs de la qualité de l'exercice infirmier en soins de longue durée. Le tableau 1-1 présente chacun d'eux avec leurs principaux objectifs. Il énumère également les chapitres de ce livre dont le contenu est lié à l'indicateur correspondant.

Tableau 1-1	Indicateurs de la qualité de l'exercice infirmier en CHSLD	
INDICATEURS	**EXEMPLES D'OBJECTIFS**	**CHAPITRES DU LIVRE**
L'alliance avec le résident et les proches	• L'infirmière considère le résident et ses proches comme des partenaires. • L'infirmière crée une relation de confiance avec le résident et ses proches.	31, 33, 40, 43
L'évaluation de l'état de santé du résident	• L'infirmière évalue la condition de santé du résident dès son admission et de façon périodique par la suite. • L'infirmière évalue l'autonomie fonctionnelle et les capacités cognitives. • L'infirmière réalise l'examen physique lorsque approprié. • L'infirmière évalue la présence de facteurs de risques individuels pour différentes problématiques : chute, plaies de pression.	1 à 30, 40, 41
L'environnement propice au bien-être du résident	• L'infirmière connaît les facteurs de l'environnement physique qui favorisent le bien-être du résident (surstimulation et sous-stimulation). • L'infirmière contribue à procurer un environnement adéquat aux résidents.	21, 24, 22, 37, 38
L'adaptation du résident et de ses proches	• L'infirmière fait visiter l'unité et le CHSLD au résident et à ses proches. • L'infirmière encourage le résident et ses proches à poser des questions et à exprimer leurs besoins et préoccupations. • L'infirmière recommande au résident et à ses proches de participer aux rencontres interdisciplinaires, lorsque approprié. • L'infirmière propose des moyens pour composer avec le stress et relaxer. • L'infirmière participe à la mise en place d'un environnement et d'une approche prothétique.	33, 37, 41, 43
Le maintien de l'autonomie et l'actualisation des capacités fonctionnelles du résident	• L'infirmière évalue de façon régulière l'autonomie fonctionnelle du résident. • L'infirmière stimule les capacités résiduelles du résident par la mise en place d'un programme de marche, la rééducation vésicale ou intestinale, l'automédication, la stimulation cognitive, etc.	1 à 37, 40, 41
La prévention des accidents	• L'infirmière évalue les risques de chute du résident et met en place des interventions préventives appropriées. • L'infirmière évite l'utilisation de moyens de contention physique.	17, 22, 23, 29, 38
La prévention des plaies de pression	• L'infirmière évalue les risques de plaies de pression des résidents et applique des mesures préventives. • L'infirmière traite de façon appropriée les plaies de pression.	19
La prévention des infections	• L'infirmière détermine les risques d'infection individuels notamment par le dépistage de la dysphagie. • L'infirmière met en place des interventions personnalisées et préventives pour les infections. • L'infirmière respecte les principes d'asepsie et encourage la vaccination.	6 à 8

>>>

INDICATEURS	EXEMPLES D'OBJECTIFS	CHAPITRES DU LIVRE
Les soins lors de situations de santé instables	• L'infirmière connaît les principaux signes typiques et atypiques de la détérioration de l'état de santé, tels qu'une chute, une perte d'autonomie, un delirium, la perte d'appétit et de poids. • L'infirmière prodigue les soins infirmiers appropriés à la condition du résident dans un délai optimal.	2 à 30
Le soulagement et le contrôle de la douleur chronique	• L'infirmière évalue de façon systématique et appropriée la présence de douleur. • L'infirmière détecte les facteurs qui contribuent à la douleur et instaure des interventions complémentaires à la médication pour le soulagement de la douleur.	20, 23, 24
Le respect des droits et des volontés du résident	• L'infirmière donne toutes les informations nécessaires au résident et à ses proches en regard des interventions, afin qu'ils prennent des décisions libres et éclairées. • L'infirmière rappelle au résident ses droits. • L'infirmière insiste auprès des autres soignants sur l'importance de respecter les droits des résidents. • L'infirmière est toujours à l'affût des comportements négligents et violents.	21, 22, 33, 38, 40 à 43
L'administration des médicaments	• L'infirmière actualise ses connaissances sur les médicaments. • L'infirmière administre les médicaments selon le principe des cinq « b » : bon résident, bon médicament, bonne dose, bonne heure et bonne voie d'administration. • L'infirmière documente les effets thérapeutiques et secondaires des médicaments.	23
La communication et l'approche avec le résident atteint de déficience cognitive	• L'infirmière évalue les capacités cognitives du résident. • L'infirmière adapte sa communication et son approche au résident atteint de déficits cognitifs. • L'infirmière favorise l'expression des émotions du résident. • L'infirmière utilise les différentes activités de soins quotidiens pour appliquer les principes de stimulation cognitive. • L'infirmière enseigne les principes de communication aux proches.	24 à 32, 37
L'environnement adapté à la manifestation de comportements dysfonctionnels	• L'infirmière évalue la fréquence et détermine les causes potentielles des symptômes psychologiques et comportementaux de démence. • L'infirmière met en place des interventions visant à réduire la manifestation des symptômes psychologiques et comportementaux de démence.	24 à 30, 37
L'approche et les soins palliatifs auprès du résident en fin de vie	• L'infirmière donne des soins de confort. • L'infirmière fait la prévention des symptômes indésirables, tels que la nausée, les vomissements, la sécheresse de la bouche. • L'infirmière s'engage dans une relation d'aide en vue de favoriser un cheminement psychologique et spirituel optimal du résident et de ses proches.	13, 16, 20, 31, 33, 42, 43
La coordination et la continuité des soins	• L'infirmière note dans le dossier l'évolution de l'état de santé et psychologique du résident. • L'infirmière coordonne l'ensemble des activités de soins de l'unité. • L'infirmière communique aux autres soignants les éléments d'informations nécessaires à la continuité des soins.	1, 38, 39, 44
Les activités récréatives et sociales	• L'infirmière se renseigne sur les activités récréatives et sociales souhaitées par le résident. • L'infirmière suggère des activités récréatives adaptées aux capacités du résident.	34 à 37
L'intégration des membres de l'équipe de soins à l'exercice infirmier	• L'infirmière élabore le plan de soins et le communique aux soignants en assignant à chacun des soins à prodiguer. • L'infirmière favorise l'efficacité de l'équipe de soins en créant un climat dynamique et en valorisant le rôle de chacun. • L'infirmière favorise la communication entre les soignants et accueille favorablement l'initiative et la critique constructive.	38, 39, 44

Source : Adapté de Ordre des infirmières et infirmiers du Québec (H. Lévesque-Barbès)(2002). *L'exercice infirmier en soins de longue durée : Au carrefour du milieu de soins et du milieu de vie*. Bibliothèque nationale du Québec : Ordre des infirmières et infirmiers du Québec.

Nul doute qu'une expertise importante est requise pour satisfaire à tous les critères de qualité énoncés. Pourtant, les études mettent en évidence deux problèmes majeurs. Premièrement, on constate un manque d'expertise et de soignants dans les CHSLD, que ce soit au Québec (OIIQ, 2000) ou ailleurs (Schnelle *et al.*, 2004; Kane *et al.*, 2004). Deuxièmement, en relation avec ce qui précède, on observe une piètre qualité des soins dans les CHSLD (ministère de la Santé et des Services sociaux, 2004; OIIQ, 2000). Dans son mémoire sur l'exploitation des aînés, l'OIIQ remarque que les trois principaux problèmes sont l'insuffisance de soins, le manque de respect de la dignité des résidents et la violence physique et verbale. Concernant le premier, elle indique qu'en moyenne 68 % seulement des besoins de soins et d'assistance sont satisfaits. Cela signifie que les résidents ne reçoivent pas l'ensemble des soins requis par leur état de santé. Les deux autres problèmes peuvent être reliés au premier (voir les chapitres 21 et 43). En effet, l'insuffisance de soins accélère la perte d'autonomie et augmente la vulnérabilité des résidents. Or, il est évidemment plus facile d'abuser d'individus fragiles que d'individus plus autonomes (Rumak et Ravenda, 1997).

Des études américaines montrent clairement les effets qu'a l'insuffisance de soins: plus le nombre d'heures de soins par résident est grand, meilleurs sont les effets sur l'autonomie, la qualité de vie et divers autres paramètres se rapportant à la santé (Schnelle *et al.*, 2004; Harrington, Kovner *et al.*, 2000). De plus, dans ces études, on constate que, dans les CHSLD où le nombre d'heures de soins par résident était le plus élevé, il y avait moins de plaies de pression, d'infections urinaires, d'utilisation d'antibiotiques, de dysphagies non détectées, de dénutrition, de déshydratation, de perte de poids, de cachexie et de mortalité.

Les résultats des études sur l'expertise des infirmières mettent clairement en évidence le besoin crucial d'expertise des infirmières pour atteindre la qualité des soins en CHSLD définie par les indicateurs (Bliesmer, Smayling, Kane et Shannon, 1998; Mezey, Lynaugh et Cartier, 1989). Par exemple, on a constaté que, dans un CHSLD, parmi tous les soignants, c'était le nombre d'heures de soins directs donnés par une infirmière qui influait le plus sur la qualité des soins (Harrington *et al.*, 2000). D'ailleurs, dès 1996, l'Institute of Medicine recommandait une augmentation du nombre d'infirmières en CHSLD.

Ainsi, l'importance de la qualité des soins infirmiers en CHSLD n'est plus à démontrer. Elle prend également tout son sens lorsqu'on constate la vulnérabilité des résidents vivant en CHSLD.

RÉSIDENT ÂGÉ ET SYNDROME DE FRAGILITÉ

Trois phénomènes rendent vulnérables les résidents âgés des CHSLD. Le premier, le vieillissement normal, est non pathologique. Le deuxième, la comorbidité, est pathologique. Enfin, le troisième, le syndrome de fragilité, serait une conséquence des deux autres.

Vieillissement normal

Le vieillissement est l'effet sur l'organisme de l'avancement en âge. Malgré le nombre élevé de théories sur le sujet, les causes en demeurent encore inconnues (Timiras, 2003). Cependant, on estime que le vieillissement d'un résident s'explique à 35 % environ par la génétique et à 65 % par ses habitudes de vie et son environnement (Kane *et al.*, 2004).

Dans le cadre de cet ouvrage, le vieillissement normal correspond aux modifications normales et universelles qui surviennent avec l'âge. Ainsi, tous les individus, quels que soient leur patrimoine génétique, leur environnement physique et leurs habitudes de vie, présentent des modifications communes au fur et à mesure qu'ils vieillissent: diminution de l'acuité auditive, de la force musculaire et de la capacité respiratoire et cardiaque, fragilisation des téguments, etc.

Si cette définition du vieillissement est vraie, il importe d'y apporter quelques nuances en abordant le concept de l'hétérogénéité du vieillissement entre individus et pour un même individu. Prenons l'exemple de l'activité physique. Une personne qui est active physiquement durant toute sa vie verra apparaître beaucoup plus tardivement que la personne sédentaire une diminution de sa force musculaire. On parle d'une différence entre individus du vieillissement, due à l'effet protecteur de l'activité physique sur l'organisme humain. Toutefois, malgré les effets bénéfiques de l'exercice physique, la personne notera, comme la personne sédentaire, une diminution constante de son endurance musculaire avec l'âge. On parle d'une différence chez l'individu lui-même.

Cette hétérogénéité du vieillissement explique en partie pourquoi il est si difficile de déterminer dans les recherches l'âge à partir duquel l'acuité visuelle diminue, le tissu sous-cutané s'amincit ou la concentration de certains neurotransmetteurs du cerveau baisse. En clinique, les profils des résidents sont très différents les uns des autres, et il est parfois difficile de savoir s'il faut attribuer à la maladie ou au vieillissement les signes ou symptômes détectés. Par exemple, l'absence de réflexe plantaire d'un résident peut être due aux effets délétères du diabète ou encore à la démyélinisation des neurones moteurs qui apparaît avec le vieillissement normal. En somme, dans le contexte des soins apportés aux aînés, le vieillissement est comme une toile de fond dont il faut toujours tenir compte. Pour être compétente, l'infirmière doit connaître l'effet normal du vieillissement sur chaque système de l'organisme humain.

Comorbidité

En plus du vieillissement normal, l'organisme âgé connaît la polypathologie ou la comorbidité, c'est-à-dire un nombre élevé de maladies (Millsap, 1995; Ouslander et Schnelle, 1999). Il importe d'y prêter attention, car une prise en charge partielle seulement de ces maladies a des effets négatifs sur le confort, la santé et la qualité de vie du résident. Les problèmes de santé ou syndromes gériatriques fréquents des résidents des CHSLD sont les démences, les symptômes psychologiques et comportementaux de la démence, les accidents vasculaires cérébraux, la maladie de Parkinson, le delirium, la dépression, les troubles du sommeil, les déficits visuels et auditifs, les maladies cardiaques telles que l'hypertension et l'insuffisance cardiaque, les bronchopneumopathies chroniques obstructives, le diabète de type 2, la douleur chronique, les plaies de pression, les infections urinaires et pulmonaires, l'arthrite et l'arthrose, l'ostéoporose, les chutes, l'incontinence urinaire et la constipation. L'infirmière doit à la fois donner des médicaments et prodiguer divers soins pour réduire le plus possible les effets des maladies sur l'autonomie, la santé et le bien-être.

Syndrome de fragilité

Enfin, la majorité des résidents âgés des CHSLD vivent le syndrome de fragilité. Il s'agit d'un phénomène complexe qui attire de plus en plus l'attention des chercheurs et des cliniciens et dont doivent tenir compte les infirmières. On le définit comme la perte de résistance que présentent certains aînés aux stresseurs internes et externes. Parmi les aînés de 65 ans et plus vivant dans la communauté, 10 à 27 % seraient dans un état de fragilité. Chez les 85 ans et plus, ce serait 46 % et chez les 90 ans et plus, 56 % (Bortz, 2002; Fried et Walston, 1999). Dans les institutions de type CHSLD, la très grande majorité des résidents seraient en situation de fragilité (Fried, Ferrucci, Darer, Williamson et Anderson, 2004).

La définition, l'explication, les signes et les symptômes du syndrome de fragilité sont en constante évolution. Néanmoins, il semble qu'il s'agirait d'une accélération du vieillissement des différents systèmes, musculaire, cardio-vasculaire, hormonaux et immunitaire, causée principalement par l'inactivité physique. La sédentarité accentuerait les effets du vieillissement et la perte de réserve physiologique (Bortz, 2002). La réserve physiologique est la capacité de l'organisme à faire face aux stresseurs de l'environnement. Un exemple classique de perte de réserve physiologique due au vieillissement uniquement est la diminution de la résistance aux températures extrêmes. Par rapport à la personne plus jeune, l'aîné ne peut résister longtemps aux températures extrêmes. Il tombe rapidement en hypothermie et, si le stresseur se maintient, meurt dans un laps de temps plus court. Un autre exemple est la convalescence différentielle en cas d'infection respiratoire. L'aîné met beaucoup plus de temps que le jeune adulte à se rétablir complètement, en raison d'une réserve physiologique inférieure. Or, si l'aîné est inactif physiquement, ses différents systèmes physiologiques fonctionnent de moins en moins, s'approchent de plus en plus du seuil de fragilité. On estime que l'aîné atteint le seuil de fragilité lorsqu'un de ses organes n'est plus qu'à 30 % de sa capacité initiale (Bortz, 2002).

Le syndrome de fragilité se reconnaît à la présence d'un ensemble de signes et de symptômes (voir la figure 1-1).

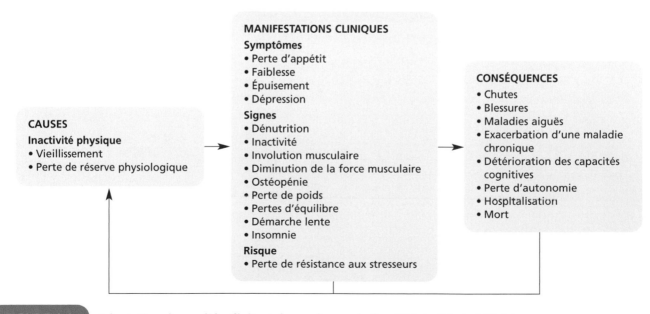

MANIFESTATIONS CLINIQUES
Symptômes
• Perte d'appétit
• Faiblesse
• Épuisement
• Dépression

Signes
• Dénutrition
• Inactivité
• Involution musculaire
• Diminution de la force musculaire
• Ostéopénie
• Perte de poids
• Pertes d'équilibre
• Démarche lente
• Insomnie

Risque
• Perte de résistance aux stresseurs

CAUSES
Inactivité physique
• Vieillissement
• Perte de réserve physiologique

CONSÉQUENCES
• Chutes
• Blessures
• Maladies aiguës
• Exacerbation d'une maladie chronique
• Détérioration des capacités cognitives
• Perte d'autonomie
• Hospitalisation
• Mort

FIGURE 1-1 **Adaptation du modèle clinique du syndrome de fragilité de Fried et Walston**

Source: L.P. Fried et J. Walston (1999). Frailty and failure to thrive. Dans W.R. Hazzard, J.P. Blass, W.H. Ettinger, J.B. Halter et J.G. Ouslander (dir.), *Principles of Geriatric Medicine and Gerontology* (p. 1387-1402). Toronto: McGraw-Hill.

Un signe ou un symptôme en particulier ne permet pas de détecter avec certitude le syndrome. Cependant, il peut être fort utile d'évaluer l'autonomie fonctionnelle (Nourhashémi *et al.*, 2001). Lorsqu'un résident présente les diverses manifestations du syndrome de fragilité, il fait plus de chutes, se blesse plus facilement, a plus d'infections, a une glycémie instable ou un problème d'arythmie cardiaque qui s'aggrave, perd son autonomie fonctionnelle, jusqu'à en mourir.

Comme le montre la figure, le syndrome de fragilité a aussi la particularité d'être un phénomène circulaire. En effet, ses conséquences accentuent elles-mêmes la situation de fragilité. De plus, le résident qui a fait une chute a souvent peur de retomber et diminue son niveau d'activité physique. Il accélère ainsi la fonte musculaire et la perte de minéraux osseux, et accentue sa fragilisation. Sans l'intervention des infirmières et des autres soignants, ce processus circulaire peut entraîner le résident vers une mort précipitée (Fried et Walston, 1999). Les études indiquent que, chaque année, 18 à 40 % des aînés fragiles meurent (Hogan, Macknight et Bergman, 2003).

Plusieurs stresseurs peuvent amorcer le cycle: une infection urinaire qui n'est pas détectée, un delirium, une dépression ou encore le fait de ne pas prendre de médicaments. Prenons l'exemple du résident atteint d'une démence qui, bien qu'il affiche une perte d'autonomie significative, a un état de santé stable. Il peut arriver qu'en raison de sa résistance aux soins l'infirmière ne puisse pas lui administrer ses médicaments. Si cela se produit à plusieurs reprises, de manière consécutive, l'état cardiaque du résident peut se détériorer ou une douleur peut apparaître. C'est parfois suffisant pour déclencher le cycle de la fragilité.

Lorsque le cycle de la fragilité est enclenché, la santé du résident se dégrade peu à peu. Les interventions les plus efficaces pour arrêter le processus sont une alimentation adéquate et l'exercice physique, ainsi que le contrôle médical des maladies chroniques (Bortz, 2002; Schnelle *et al.*, 2002; Fried et Walston, 1999). L'ensemble des membres de l'équipe interdisciplinaire est alors concerné, car une prise en charge maximale du résident est alors nécessaire. Mais l'infirmière a un rôle particulier. C'est elle qui détecte le problème, le prévient et participe à son traitement.

En somme, le syndrome de fragilité permet de comprendre à quel point les résidents des CHSLD ont besoin des soins infirmiers. S'ils ne reçoivent pas les soins nécessaires, ils ont plus de risques de connaître le syndrome de fragilité, et de voir leur santé, leur confort et leur qualité de vie se détériorer considérablement.

LES SOINS INFIRMIERS EN CHSLD

Si le syndrome de fragilité rend crucial le rôle de l'infirmière dans les CHSLD, il n'en demeure pas moins que les objectifs des soins infirmiers dépassent largement sa seule prise en charge. Les soins infirmiers en CHSLD visent en effet les indicateurs de la qualité de l'exercice infirmier présentés dans le tableau 1-1. Pour répondre à ces critères, l'infirmière doit d'abord faire une évaluation clinique approfondie qui va lui permettre d'établir le profil complet du résident. À partir des caractéristiques et des besoins du résident, elle va pouvoir fixer des objectifs de soins personnalisés et planifier des interventions spécifiques en respectant certains principes: la promotion de la santé et de la qualité de vie, la prévention. Par la suite, il lui faudra détecter les nouveaux problèmes qui peuvent survenir et faire le suivi des traitements.

Évaluation clinique du résident

L'évaluation clinique du résident est un préalable à la planification des soins infirmiers. L'examen clinique fait d'ailleurs maintenant partie d'une des principales fonctions du rôle de l'infirmière. Ses objectifs sont multiples (Donius, 2000). Il vise d'abord à établir le profil de base du résident à son admission dans le CHSLD, afin de permettre le suivi de l'état de santé. Il vise aussi à mettre en évidence les besoins spécifiques du résident dans divers domaines: médical, fonctionnel, psychologique, social. L'infirmière a un rôle pivot dans l'établissement des différents besoins.

À l'aide des informations obtenues, elle va élaborer un plan de soins adapté à l'état de santé du résident et répondant à ses besoins. À cet égard, lorsque le résident est atteint d'une démence, le rôle des proches est crucial à cette première étape. Ce sont eux, souvent, qui peuvent donner les informations nécessaires. Dans plusieurs cas, l'infirmière du centre local de services communautaires (CLSC) pourra également constituer une ressource utile. Dans le cadre de l'évaluation clinique, plusieurs aspects sont à étudier. Le tableau 1-2 les présente, avec les chapitres de ce livre qui sont particulièrement concernés.

Il est recommandé de faire cette évaluation complète du résident au cours des deux premières semaines suivant l'admission dans le CHSLD. Par la suite, l'infirmière réévaluera la situation périodiquement ou dès qu'elle observera une dégradation de l'état général. Par exemple, si elle constate une modification subite de l'autonomie fonctionnelle, elle devra réexaminer certains paramètres afin d'en découvrir les causes. Après stabilisation de la situation, elle fera un suivi rigoureux, hebdomadaire ou mensuel, de l'autonomie fonctionnelle. Le suivi pourra retrouver sa fréquence usuelle lorsqu'on ne constatera aucun nouveau changement pendant quatre semaines consécutives. Pour connaître les détails de la collecte de données pour chaque paramètre, le lecteur peut consulter le ou les chapitres énumérés dans la troisième colonne du tableau 1-2 (p. 8).

Tableau 1-2	Collecte initiale de données en CHSLD	
THÈMES	**FRÉQUENCE SUGGÉRÉE POUR UNE RÉÉVALUATION SI ÉTAT STABLE**	**CHAPITRES DU LIVRE**
Santé • Antécédents médicaux et chirurgicaux • Allergies • Alcool • Immunisation • Biographie	À l'admission seulement	24
Signes vitaux • Pouls, respiration, tension artérielle, température, poids, indice de masse corporelle, saturométrie • Examen physique	Tous les trois mois ou selon l'état du résident	4 à 6, 8, 12
Vision et audition	Tous les ans	7
Cognition • Mémoire, démence, delirium, symptômes psychologiques et comportementaux de la démence	Tous les trois mois	2, 7, 24 à 30
Santé mentale • Dépression, deuil récent, vie sexuelle, déménagements, violence	Tous les six mois	9, 10, 21, 33, 40
Mobilité • Autonomie fonctionnelle, démarche, équilibre, risques de chute, contention, podologie	Tous les mois pour l'autonomie fonctionnelle et tous les trois mois pour les autres paramètres	1, 2, 17, 18, 22
Alimentation • Nutrition, hydratation, santé buccodentaire, dysphagie	Tous les trois mois	11 à 13
Élimination • Urinaire et intestinale	Quotidienne	14 à 15
Médication • Liste des médicaments pris	Tous les six mois	20, 23
Confort • Douleur, sommeil, plaies de pression	Tous les trois mois	16, 19, 20,
Soutien social • Présence des proches, aspects culturels	Tous les six mois	33, 41
Qualité de vie • Loisirs, zoothérapie, musicothérapie, stimulation cognitive, famille	Tous les six mois	31 à 37, 40, 41

Promotion de la santé et de la qualité de vie

Dans le contexte de la gérontologie, la promotion de la santé se définit comme la promotion de saines habitudes, la mise en place d'un environnement adapté aux forces et aux limites du résident, et l'administration de soins visant à maximiser la qualité de vie et l'espérance de vie. Parmi ces trois composantes, les chercheurs suggèrent des cibles d'intervention préventive particulières pour les aînés de plus de 75 ans (Hazzard *et al.*, 1999). Ils encouragent évidemment l'exercice physique et la saine alimentation donnant un apport optimal en calcium, en vitamines et en protéines. D'ailleurs, des études ont démontré que même chez les résidents les plus affaiblis, l'exercice physique et

les suppléments alimentaires augmentaient les performances physiques (Fiatarone *et al.*, 1994).

Hazzard et ses collègues ajoutent qu'il est crucial de mettre en place et de favoriser un environnement qui corresponde bien aux besoins de l'aîné. À ce sujet, le chapitre 37 portant sur l'approche prothétique élargie décrit bien les dimensions de l'environnement qui sont favorables à la santé du résident. Enfin, Hazzard et ses collègues affirment que la surveillance de certains paramètres de santé est incontournable : la tension artérielle, la glycémie, la santé cardiaque, les capacités cognitives, le décompte des chutes et l'immunisation.

Outre qu'elle s'occupe de la santé du résident, l'infirmière doit viser la qualité de vie. Dix indicateurs de la qualité

Tableau 1-3	Indicateurs de la qualité de vie en CHSLD
INDICATEURS	**EXEMPLES**
Confort	L'infirmière surveille la température, l'alignement corporel, la douleur, le bruit et le sommeil.
Sécurité	Le résident est à l'abri des vols. L'infirmière répond rapidement à ses besoins.
Activité significative	Le résident apprécie les activités proposées par le personnel du CHSLD.
Relations avec les autres	Le résident noue et entretient des relations d'amitié avec d'autres résidents et avec au moins un soignant. Le personnel du CHSLD favorise les visites des proches.
Autonomie fonctionnelle	Le résident a facilement accès aux différents objets dans la chambre et la salle de bains.
Plaisir	Le résident aime manger. L'heure des repas lui convient.
Intimité	Les soignants frappent avant d'entrer dans la chambre. Le résident peut recevoir ou rencontrer d'autres résidents en privé.
Dignité	Les soignants sont polis avec le résident et répondent avec douceur à ses demandes.
Liberté de choix	Le résident se couche et se lève aux heures souhaitées et peut apporter les modifications qu'il désire à sa chambre.
Vie spirituelle	Le résident peut participer à des activités religieuses et a le sentiment que sa vie a de l'importance.

Source: R.A. Kane, K.C. Kling, B. Bershadsky, R.L. Kane, K. Giles, H.B. Degenholtz, J. Liu et L.J. Cutler (2003). Quality of life measures for nursing home residents. *Journal of Gerontology, 58A* (3), 240-248.

de vie, tendant à l'autodétermination et à l'autonomie fonctionnelle, sont à considérer (voir le tableau 1-3). Comme il est facile de les évaluer dans un CHSLD, l'infirmière devrait les prendre en compte dans son plan de soins, ses objectifs et ses interventions.

Lorsqu'un résident présente une détérioration importante de son autonomie, l'infirmière peut avoir beaucoup de mal à trouver des activités qui favoriseraient sa qualité de vie. En effet, dans un tel cas, il est fréquent que le résident et ses proches s'attardent sur les capacités qui ont été perdues. L'infirmière peut alors s'inspirer du modèle de sélection, compensation et optimisation en cours de vieillissement de Baltes et Carstensen (1996). Cela l'aidera à déterminer de nouveaux objectifs visant à maintenir une bonne qualité de vie et à réduire les pertes au minimum. Ce modèle suggère qu'en cas de diminution des capacités physiques ou cognitives, trois solutions principales se présentent au résident : la sélection, la compensation et l'optimisation.

Premièrement, le résident peut procéder à une sélection d'activités en fonction de ses capacités et de ses goûts, et avec l'aide de l'infirmière. Par exemple, s'il arrive un moment où il n'a plus l'énergie physique pour participer à toutes les activités offertes, l'infirmière va le soutenir dans le choix d'un certain nombre d'activités qu'il est en mesure de faire et aime faire.

Deuxièmement, le résident recourt à la compensation lorsqu'il ne peut plus faire seul quelque chose qui contribue à sa qualité de vie. Il utilise alors une aide pour conserver la possibilité de faire l'activité en question. Par exemple, un résident qui risque de tomber peut utiliser un déambulateur ou s'appuyer sur une personne pour pouvoir continuer à marcher et conserver cette activité de marche qui contribue à sa qualité de vie. Dans le cas d'une perte d'habileté de ce type, l'infirmière cherche avec le résident et ses proches une façon de compenser la perte, afin de préserver l'autonomie et de garder une activité bénéfique pour la qualité de vie. Elle se concentre donc avant tout sur la recherche d'une solution compensatrice.

Troisièmement, le résident peut se tourner vers l'optimisation lorsqu'il perd une habileté. Il se concentre alors sur les forces ou les habiletés qui lui restent et cherche à les améliorer. Par exemple, un résident qui a perdu l'usage d'un bras après un accident vasculaire cérébral pourra améliorer l'usage qu'il a de son autre bras par des exercices de flexibilité et d'endurance musculaire. Cela lui permettra notamment de faire de la peinture, si c'est sa passion.

Ainsi, en cas de changement dans l'état physique ou cognitif d'un résident, l'infirmière devrait guider le résident dans le choix d'activités accessibles et intéressantes pour lui, dans la recherche d'une aide pour compenser la ou les habiletés perdues et pouvoir continuer des activités qui contribuent à sa qualité de vie, et enfin dans l'optimisation et le développement de ses capacités résiduelles.

Prévention

Dans la planification des soins, l'infirmière doit inclure la prévention. Les préventions primaire, secondaire et tertiaire s'avèrent toutes pertinentes auprès des résidents des CHSLD. La prévention primaire vise à prévenir l'apparition d'une maladie en s'occupant des facteurs de risque qui y sont associés. Ainsi, dans les CHSLD, on recourt à la vaccination pour prévenir les infections. Il est en effet recommandé de vacciner les aînés contre la grippe et la pneumonie d'origine bactérienne à pneumocoque (Ouslander *et al.*, 1997). Une saine alimentation, l'exercice physique, la consommation modérée d'alcool et le fait de ne pas fumer ont des effets bénéfiques sur la santé et constituent à ce titre d'autres formes de prévention (Rowe et Kahn, 1998). Enfin, un environnement sécuritaire est un troisième type de prévention primaire. À ce sujet, l'infirmière fera attention au niveau de luminosité dans l'unité, à la température ambiante et à l'encombrement des corridors (Millsap, 1995; Ouslander *et al.*, 1997).

La prévention secondaire vise à dépister les problèmes potentiels d'une population à risque. Dans les CHSLD, les problèmes à surveiller en particulier sont la perte d'autonomie, la déshydratation, la dénutrition, la perte de poids et la dépression. La surveillance clinique quotidienne des médicaments pris par chaque résident permet, quant à elle, de déceler la présence de problèmes médicamenteux.

Enfin, la prévention tertiaire vise à limiter les complications occasionnées par une maladie. Pour les résidents diabétiques, c'est le suivi glycémique, cardiaque, circulatoire, visuel et tégumentaire. Pour les résidents atteints de la maladie de Parkinson, il s'agit de la vérification du bon alignement corporel, particulièrement lors des repas, afin d'éviter l'aspiration d'aliments et une pneumonie d'aspiration.

Il est important que l'infirmière place la prévention au centre de ses activités de soins. En effet, on constate que des résidents des CHSLD sont admis dans les hôpitaux de courte durée pour des problèmes qui auraient pu être évités. Les six causes principales d'hospitalisation des résidents des CHSLD sont les infections, la déshydratation, les problèmes cardiaques, les maladies gastro-intestinales, les fractures et les symptômes comportementaux de la démence comme l'agitation (Ouslander *et al.*, 1997).

Détection de nouveaux problèmes

Une composante importante du rôle de l'infirmière en CHSLD est la prompte détection de nouveaux problèmes de santé et la surveillance clinique de paramètres propres à chaque résident pour déceler une détérioration éventuelle de l'état de santé.

La détection des problèmes de santé chez les résidents âgés présente de nombreux défis. Les principaux sont dus au vieillissement, à la comorbidité, à la présentation atypique des problèmes de santé et à la comparaison entre l'état de santé et des paramètres préétablis qui rendent ardue l'interprétation des signes et symptômes observés. À tout cela s'ajoute le fait que les résidents ont parfois tendance à considérer comme normaux pour une personne de leur âge des symptômes qui sont en fait associés à un problème de santé. Cette tendance les conduit à ne pas faire part de certains malaises à l'infirmière (Eberle et Besdine, 2001). Par exemple, un résident peut justifier son manque d'énergie par une mauvaise nuit de sommeil, alors qu'il souffre en fait de déshydratation, de dénutrition ou d'hypothyroïdie.

Tout d'abord, l'infirmière doit être en mesure de distinguer les effets du vieillissement des symptômes des maladies. Cela n'est pas toujours facile, car les manifestations du vieillissement n'apparaissent pas au même moment chez les différents résidents. Néanmoins, il faut savoir que le vieillissement normal n'est jamais la cause d'un changement soudain touchant l'autonomie fonctionnelle, les capacités cognitives ou la santé du résident en CHSLD. Le lecteur trouvera des détails sur les effets du vieillissement normal sur l'organisme dans la majorité des chapitres de ce livre.

Ensuite, les résidents ont souvent plusieurs problèmes de santé en même temps: c'est le phénomène de comorbidité. Dans cette situation, le risque est grand d'attribuer le symptôme d'une nouvelle maladie à un problème de santé connu. Par exemple, il est fréquent d'associer une détérioration rapide des capacités cognitives à une démence déjà diagnostiquée, alors que cela peut être dû à l'effet cumulé d'une sous-stimulation cognitive et d'un delirium. C'est pourquoi il est particulièrement important d'évaluer les changements dans l'état de santé et le niveau d'autonomie fonctionnelle en tenant compte des autres problèmes. Il est aussi plus efficace de comparer l'état actuel du résident à son état antérieur plutôt qu'à celui des autres résidents (Kane *et al.*, 2004).

Enfin, les signes atypiques des problèmes de santé constituent un autre défi pour les infirmières des CHSLD, et pour le domaine de la gériatrie en général. Il s'agit de signes qui ne sont pas propres à un état de santé particulier, mais témoignent d'un problème de santé. Les plus fréquents en gériatrie sont la confusion ou le delirium, l'incontinence urinaire, les chutes et problèmes d'équilibre, la perte d'appétit, la perte de poids, les vertiges, les changements soudains dans le comportement ou dans le niveau d'activité ou encore dans l'autonomie fonctionnelle (Eberle et Besdine, 2001; Hazzard *et al.*, 1999). L'apparition de la somnolence chez un résident illustre bien la complexité liée aux signes atypiques. En effet, la somnolence peut être provoquée par une pneumonie, une insuffisance cardiaque, un infarctus du myocarde, une infection urinaire ou certains médicaments (Engberg et McDowell, 1999). Quant au delirium dont souffre le résident atteint d'une démence, il est généralement causé par une multitude de facteurs. L'infirmière doit donc être très vigilante. Le lecteur trouvera des exemples de signes atypiques d'un problème de santé dans divers chapitres, notamment celui sur les infections, celui sur les problèmes cardiaques et celui sur la dépression.

Reconnaître rapidement les nouveaux problèmes qui touchent les résidents des CHSLD permet à l'infirmière de solliciter une aide médicale dans un délai optimal. Les habiletés de l'infirmière dans la réalisation de l'examen clinique sont essentielles à l'accomplissement de sa mission.

Surveillance clinique

La surveillance clinique de différents paramètres selon l'état de santé physique et mentale du résident est un aspect crucial de la qualité des soins infirmiers en CHSLD. Pourtant, on constate que les infirmières notent souvent peu de choses dans les dossiers (Ouslander et Schnelle, 1999). Or, une piètre description de l'état de santé du résident à son arrivée même dans le CHSLD empêche la reconnaissance de détériorations ultérieures (Fulmer et Mezey, 1999 ; Ouslander et Schnelle, 1999). Pourtant, des problèmes comme les plaies de pression, les effets secondaires des médicaments, les chutes, la fonte musculaire et la perte de flexibilité dans les articulations, qui sont fréquents, pourraient être évités (Millsap, 1995)

Les résidents des CHSLD ont des problèmes de type chronique. Les traitements pharmacologiques et non pharmacologiques qu'on leur donne ne visent donc pas la guérison. Or, certaines infirmières ont de la difficulté avec cet aspect de longue durée des soins. Elles se découragent, ne se sentent pas utiles. Pourtant, un suivi de traitement rigoureux a beaucoup d'importance pour la santé et la qualité de vie des résidents. On a observé que des soins infirmiers optimums, comprenant la surveillance clinique des problèmes de santé, ralentissaient la progression des maladies, favorisaient le maintien de l'autonomie et amélioraient la qualité de vie (Kane *et al.*, 2004).

Idéalement, tous les paramètres pertinents pour un résident devraient faire l'objet d'un suivi attentif. Il peut s'agir de la température corporelle, de la fréquence des symptômes comportementaux de la démence, de la qualité du sommeil, des capacités cognitives, de l'humeur, de l'autonomie fonctionnelle. Cependant, le contexte des CHSLD ne permet pas actuellement de faire ce suivi optimal. Dans cette situation, des cliniciens suggèrent de sélectionner pour chaque résident un ou deux paramètres significatifs (Kane *et al.*, 2004). Pour chaque paramètre, l'infirmière établit la façon de mesurer, la fréquence d'observation, les interventions nécessaires et l'objectif à atteindre. Une fois l'objectif atteint, elle sélectionne un nouveau paramètre pour en faire le suivi. Par exemple, pour un résident atteint d'une démence de type Alzheimer dont l'état de santé est stable, il pourra s'agir de mesurer chaque mois les capacités cognitives. Les études longitudinales indiquent que les personnes atteintes d'une démence perdent chaque année de 2 à 4 points à un examen cognitif comme le mini-examen de l'état mental, MEEM (voir l'échelle MEEM dans le chapitre 2) (Ballard *et al.*, 2001). Par conséquent, si le résident présente un degré de perte similaire à celui qu'indique la littérature scientifique, cela signifiera qu'il a reçu des soins optimaux. Un suivi rigoureux de ces paramètres peut montrer aux infirmières l'importance des soins qu'elles prodiguent pour la préservation de la santé et de la qualité de vie des résidents (Kane *et al.*, 2004).

Il est essentiel de répéter l'importance qu'il y a à adapter les paramètres de suivi à l'état de santé du résident. Ainsi, pour un résident atteint d'une bronchopneumopathie chronique obstructive, la surveillance clinique consistera en des examens cliniques de la respiration ; pour le résident atteint d'insuffisance cardiaque, ce seront des examens cliniques du cœur ; pour le résident atteint d'une démence à corps de Lewy, ce sera l'étude des risques de chutes, des capacités cognitives et des symptômes psychologiques de la démence, etc. En bref, à chaque résident correspond un suivi particulier établi par l'infirmière.

Enfin, la surveillance clinique en CHSLD est bien différente de celle dans les milieux hospitaliers de courte durée. Dans les milieux de courte durée, on constate des réponses rapides et importantes aux traitements infirmiers et médicaux. Dans les CHSLD, au contraire, les changements mettent plus de temps à apparaître et sont plus progressifs. Pour cette raison, il est primordial de fonder le jugement clinique sur des instruments de mesure qui vont favoriser une surveillance clinique fiable et valide des différents paramètres (Kane *et al.*, 2004). De plus, en CHSLD, les médecins ont généralement moins de contacts directs avec les résidents. Dans cette situation, une surveillance clinique rigoureuse facilite la collaboration entre le médecin et l'infirmière, pour le plus grand bénéfice du résident. L'intégration de mesures standardisées pour effectuer un suivi rigoureux de l'état de santé des résidents s'avère essentielle (Kane *et al.*, 2004). À titre d'exemple, l'infirmière qui utilise le système de mesure de l'autonomie fonctionnelle (SMAF) permettra au médecin d'apprécier l'évaluation et la réponse thérapeutique du résident aux traitements pharmaceutiques. À noter que ces données seront utiles également pour l'équipe interdisciplinaire.

Soins thérapeutiques

Les résidents des CHSLD ont des besoins complexes. En raison de leur perte d'autonomie fonctionnelle importante, il leur faut beaucoup d'aide pour les besoins de base : boire et manger, se mouvoir, éliminer, s'habiller et se laver. La satisfaction de ces besoins demande énormément de temps aux soignants. En plus de cela, les résidents des CHSLD ont des besoins complexes associés à leur santé physique, psychologique et sociale. Ainsi, un résident peut requérir des soins infirmiers en raison de sa santé cardiaque précaire, de son humeur dépressive ou du récent déménagement de son fils.

Il est important de bien distinguer les deux types de besoins des résidents, car ils demandent des soins différents. Les besoins de base sont les mêmes chez tous les résidents des CHSLD. Seule la façon de donner les soins qui y sont associés diffère d'une personne à l'autre, en fonction des particularités de chacun. Les besoins complexes, eux, varient d'un résident à l'autre, selon l'état de santé physique, psychologique et sociale. Ainsi, les soins infirmiers qui y sont associés diffèrent d'une personne à l'autre.

Pour les deux types de besoins, l'infirmière a un rôle d'évaluation clinique du résident, d'enseignement auprès du résident, des proches et des soignants, de supervision et d'évaluation des soins. Cependant, elle agit plus directement et de manière plus active dans le cas des besoins complexes.

Prenons l'exemple de l'alimentation. Dans ce domaine, l'infirmière dépiste les problèmes de déglutition et détermine le risque de dénutrition. Elle enseigne aussi aux soignants et aux proches le positionnement que doit avoir le résident lorsqu'il mange. De plus, elle s'assure que les soignants appliquent ses recommandations et celles de l'équipe interdisciplinaire, par exemple celles de la nutritionniste. Enfin, en cas de changement dans l'état de santé du résident, elle évalue si des adaptations sont nécessaires et lesquelles. Cependant, elle ne doit consacrer que peu de temps à l'alimentation du résident en tant que telle.

Prenons maintenant l'exemple d'un résident qui est atteint d'une démence, d'hypertension et d'arthrite. Bien que l'infirmière assume les mêmes fonctions (évaluation, dépistage, enseignement, supervision, etc.), elle joue un rôle plus important dans les soins. D'abord, lors de l'examen clinique, elle évalue les capacités cognitives, la tension artérielle et la santé cardiaque, ainsi que la qualité de la prise en charge de la douleur. Elle pourra noter que le résident présente plusieurs comportements agressifs, qu'il est incontinent, qu'un moyen de contention de type ceinture pelvienne est en place, qu'il a un faciès rouge et qu'il adopte des positions antalgiques. À partir de toutes ces observations, elle élaborera un plan de soins. L'évaluation des capacités cognitives du résident lui permettra d'en établir une mesure de base (voir le chapitre 2) et de pouvoir noter par la suite tous les changements abrupts qui pourraient survenir dans ce domaine (voir le chapitre 7). À l'aide d'une grille adaptée (voir le chapitre 24), elle déterminera les causes des comportements agressifs (voir le chapitre 28). Ayant classifié l'incontinence urinaire, elle décidera des interventions à mettre en place pour ce syndrome clinique (voir le chapitre 14). Elle élaborera aussi un plan d'intervention visant à retirer de manière progressive et sécuritaire la ceinture pelvienne (voir le chapitre 22). À partir d'un examen approfondi de la santé cardiaque et en collaboration avec l'équipe interdisciplinaire, elle mettra en place des interventions visant à réduire l'inconfort du résident (voir le chapitre 5). Enfin, elle procédera à un examen clinique pour identifier la source de la douleur et suggérera des interventions non pharmacologiques pour augmenter le confort du résident. Elle administrera les analgésiques prescrits et fera un suivi des symptômes de la douleur (voir le chapitre 20). Les soins décrits ici requièrent une grande expertise de la part de l'infirmière, il est donc important qu'elle puisse assumer ses fonctions.

En somme, avec l'aide de l'équipe soignante, l'infirmière doit déterminer toutes les interventions à mettre en place en réponse aux besoins complexes du résident. Elle assume donc un rôle de leadership clinique très important dans la planification et la prestation des soins infirmiers pour les besoins complexes. Dans ce sens, elle explique les interventions à l'équipe soignante et à l'équipe interdisciplinaire afin d'obtenir leur collaboration. Évidemment, aux soins infirmiers prévus s'ajouteront les interventions planifiées par l'équipe interdisciplinaire. L'infirmière prodigue les soins requis par les besoins complexes et évalue de manière continue la situation du résident par rapport aux objectifs cliniques.

Comme on le voit, les besoins complexes exigent plus de connaissances et d'implication de la part de l'infirmière, par rapport aux besoins de base. C'est pourquoi il faut faire un usage judicieux du temps et de l'expertise des infirmières. Les résidents et les CHSLD en général ont tout avantage à ce que les infirmières passent plus de temps à s'occuper des besoins complexes qu'à prodiguer des soins récurrents, comme l'alimentation et les soins d'hygiène, qui n'exigent pas une supervision constante et le même niveau de connaissances. La satisfaction des besoins complexes est tout aussi importante pour le confort et la qualité de vie que les besoins de base. Il faut donc trouver du temps pour les deux en CHSLD.

Conclusion

Étant donné la mission du CHSLD d'être autant un milieu de vie qu'un milieu de soins, l'infirmière a un rôle crucial et central à jouer pour faire collaborer l'équipe interdisciplinaire.

Comme on l'a montré, les résidents des CHSLD constituent une population fragile, à cause du vieillissement et des diverses maladies. Ils requièrent une supervision constante de l'infirmière. Dans cette situation, une omission de soins ou la prestation non optimale de soins ont des effets néfastes sur leur état de santé, leur autonomie et leur qualité de vie.

Il est évident qu'une telle population a besoin de l'expertise clinique importante de l'infirmière. Les résidents des CHSLD ont des besoins de base, mais aussi des besoins complexes auxquels il convient de répondre de manière appropriée.

1 PROBLÈMES DE SANTÉ CHRONIQUES

Dans cette première partie, nous abordons les principaux problèmes de santé chroniques qui touchent les aînés hébergés en CHSLD, à savoir la démence, la maladie de Parkinson, les accidents vasculaires cérébraux, l'insuffisance cardiaque et les bronchopneumopathies chroniques obstructives. Comme nous le verrons, en raison de la perte d'autonomie qu'ils entraînent chez l'aîné, ces problèmes expliquent fréquemment le placement en CHSLD ; d'ailleurs, généralement, ils affectent déjà l'aîné au moment de son admission.

Nous accordons une importance particulière à la description de la maladie, à la surveillance clinique et à l'application d'interventions qui permettent de ralentir l'évolution des problèmes de santé chroniques ou, sinon, d'assurer le bien-être et la qualité de vie du résident.

2 LES DÉMENCES

par **Philippe Voyer**, avec la collaboration
de **Christine Danjou** et de **Pamphile-Gervais Nkogho Mengue**

Une majorité de résidents des CHSLD souffrent de l'une ou l'autre des diverses démences existantes, les quatre principales étant la démence de type Alzheimer, la démence à corps de Lewy, la démence frontotemporale et la démence vasculaire. Ces maladies affectent progressivement les capacités cognitives et les comportements, et par là même l'autonomie fonctionnelle et la qualité de vie des résidents.

Étant donné la prévalence élevée des démences en CHSLD, il est fondamental que l'infirmière en connaisse les diverses manifestations cliniques et assume ses différents rôles auprès du résident et de ses proches, mais aussi au sein de l'équipe interdisciplinaire. En particulier, elle doit veiller au respect de la dignité humaine du résident et à l'usage optimal des médicaments, et prévenir la détérioration précipitée des capacités cognitives. Enfin, elle doit s'assurer que les besoins de base et les besoins complexes des résidents sont satisfaits de manière optimale.

NOTIONS PRÉALABLES SUR LES DÉMENCES

Définition

Il existe plusieurs définitions de la démence, les deux principales étant celle de l'Organisation mondiale de la santé (OMS) et celle de l'Association américaine de psychiatrie (American Psychiatric Association, APA). Dans la dixième version de sa classification internationale des maladies et des problèmes de santé connexes (CIM-10), l'OMS (1994) définit la démence comme «une altération progressive de la mémoire et de l'idéation, suffisamment marquée pour handicaper les activités de la vie de tous les jours. Cette altération doit être apparue depuis au moins six mois et être associée à un trouble d'au moins une des fonctions suivantes: le langage, le calcul, le jugement, la pensée abstraite, les praxies, les gnosies, ou modification de la personnalité.»

L'Association américaine de psychiatrie (APA, 2000), quant à elle, décrit la démence comme un syndrome insidieux et progressif se caractérisant par des déficits multiples, à la tête desquels figurent nécessairement les troubles de la mémoire. Les troubles de la mémoire doivent s'accompagner d'au moins un autre type de déficit (langage, praxie, gnosie ou fonction exécutive). Ces déficits cognitifs doivent constituer un déclin par comparaison aux capacités antérieures et ils doivent compromettre les activités professionnelles ou sociales de la personne.

Enfin, ils ne doivent pas être liés à un delirium ou à une affection psychiatrique.

D'autres définitions décrivent précisément chacune des démences qui existent: la démence de type Alzheimer, la démence vasculaire, la démence à corps de Lewy et la démence frontotemporale. Nous les présentons, avec leurs implications cliniques, dans la section «Soins infirmiers».

Ampleur du problème

L'étude canadienne sur la santé et le vieillissement (Canadian Study of Health and Aging Working Group, 1994) réalisée auprès d'un échantillon représentatif de Canadiens âgés de 65 ans et plus montre que la prévalence* de la démence, toutes causes confondues, augmente de façon exponentielle avec l'âge: elle passe de 2,4 % chez les 65-74 ans à 11,1 % chez les 75-84 ans et à 34,5 % chez les 85 ans et plus. En CHSLD, ce sont de 70 à 80 % des résidents qui sont atteints d'une démence (Blazer, Steffens et Busse, 2004).

---

* **Prévalence**: Nombre de cas d'un trouble morbide, englobant les cas nouveaux et les cas anciens, dans une population déterminée, à un moment donné ou pendant une période donnée.

L'étude de l'incidence* de la démence au Canada révèle que les taux d'incidence de la démence sont de 21,8 femmes et 19,1 hommes pour 1 000 personnes âgées non démentes par année (Canadian Study of Health and Aging Working Group, 2000). Cela signifie qu'il y aurait chaque année 60 150 nouveaux cas de démence au Canada. Parmi eux, de 40 à 60 % seraient des cas de démence de type Alzheimer. Notons cependant que les chiffres varient d'une étude à l'autre selon les critères diagnostiques utilisés (Kempler, 2005).

Conséquences

La démence est un processus morbide qui affecte de façon marquée le résident et ses proches. Le résident vit intensément les conséquences de la démence, laquelle affecte son fonctionnement cognitif, son comportement, son humeur, son autonomie fonctionnelle et sa qualité de vie. La détérioration de ses fonctions cognitives lui fait perdre une aptitude fondamentale des humains, celle de parler et de socialiser avec son entourage de façon efficace. Le résident en souffre beaucoup ; ses proches se sentent impuissants. Sa mémoire défaillante lui fait oublier des mots, fait en sorte qu'il ne reconnaît plus certains objets et leur fonction (agnosie). Le résident vit aussi une désorientation temporospatiale qui fait qu'il se perd facilement et cherche souvent son chemin, ce qui est pour lui source d'anxiété. L'ensemble de ses déficits cognitifs affecte sa capacité à exprimer ses besoins, ses désirs et ses opinions. Il a ainsi de plus en plus de difficulté à exprimer aux soignants la faim, la soif, les malaises, la douleur, etc., qu'il ressent. À la longue, sa qualité de vie en pâtit beaucoup.

Près de 90 % des résidents des CHSLD atteints de démence présentent des symptômes psychologiques et comportementaux de la démence (Beck et Shue, 1994 ; Landreville, Bordes, Dicaire et Verreault, 1998 ; Margallo-Lana *et al.*, 2001). L'Association internationale de psychogériatrie regroupe sous cette expression de « symptômes psychologiques et comportementaux de la démence » (SPCD) une kyrielle de troubles apparaissant chez la personne atteinte d'une démence : l'anxiété, l'humeur dépressive, les hallucinations, les illusions, l'errance, l'agitation, l'agressivité, la désinhibition sexuelle et les comportements culturellement inappropriés (Margallo-Lana *et al.*, 2001). Ces troubles constituent une cause importante du placement prématuré des personnes âgées en CHSLD (Colerick et George, 1986 ; O'Donnell *et al.*, 1992 ; Rovner *et al.*, 1990 ; Steele, Rovner, Chase et Folstein, 1990). De plus, ils entraînent une diminution notable de la qualité de vie des résidents et de leurs proches (Burgio, 1986 ; Deimling et Bass, 1986). Comme on le verra plus loin, l'anxiété, les idées délirantes et les hallucinations sont des symptômes psychologiques fréquents de la démence. Inutile de dire qu'ils sont très difficiles à supporter pour les résidents, d'autant plus que l'équipe

interdisciplinaire ne s'en occupe pas toujours adéquatement en recourant aux moyens de contention chimiques et physiques.

Les résidents atteints de démence vivent aussi une perte d'autonomie fonctionnelle importante qui s'accentue avec l'aggravation des pertes cognitives. Par exemple, au stade sévère de la démence, les résidents ont besoin d'une aide permanente pour satisfaire les besoins de la vie quotidienne, s'alimenter, faire leur toilette, s'habiller, etc. De plus, ils souffrent fréquemment d'incontinence urinaire et fécale, à cause d'une perte de contrôle de leurs sphincters. En somme, la démence est une maladie qui retire petit à petit à l'être humain ses capacités cognitives et physiques fondamentales.

Causes

Les causes de la démence sont multiples et varient selon le type de démence. En effet, les causes de la maladie d'Alzheimer ne sont pas les mêmes que celles de la démence à corps de Lewy. Néanmoins, il existe des causes et des facteurs de risques communs à plusieurs démences, comme nous allons le voir dans cette section. Le tableau 2-1 les résume en distinguant, comme il est habituel de le faire, les démences dégénératives des démences non dégénératives.

Les démences dégénératives sont dues à une dégénérescence des cellules nerveuses cérébrales. Les principales sont la démence de type Alzheimer, la démence frontotemporale

Tableau 2-1	Classification des démences en fonction des principales causes

Démence dégénérative
• Maladie d'Alzheimer
• Démence à corps de Lewy
• Démence frontotemporale
• Maladie de Parkinson
• Maladie de Huntington
• Aphasie primaire progressive

Démence non dégénérative
• Démence vasculaire
 – Démence par infarctus unique ou multiple
 – Maladie de Binswanger
• Démence traumatique ou apparentée
 – Traumatisme crânien
 – Hématome sous-dural
 – Hydrocéphalie à pression normale
 – Métastases ou tumeurs cérébrales primitives
 – Démence des boxeurs (*dementia pugilistica*)
• Démence infectieuse
 – Démences liées au virus de l'immunodéficience humaine acquise
 – Maladie de Creutzfeldt-Jakob
• Démence toxique et métabolique
 – Déficience en vitamine B_{12} ou en folates
 – Démence hypothyroïdienne
 – Alcoolisme chronique
 – Médicaments

---

* **Incidence** : Nombre de nouveaux cas d'une maladie dans une population déterminée, pendant une période donnée.

et la démence à corps de Lewy, qui représenteraient respectivement environ 60 %, 25 % et 20 % des cas de démence (Knopman, 2001 ; Müller-Spahn et Hock, 1999). Les démences non dégénératives, pour leur part, sont provoquées par un agent ou un groupe de facteurs pathogènes de type vasculaire, infectieux, traumatique, toxique ou tumoral. Parmi elles, la plus fréquente est la démence vasculaire, qui représente près de 40 % des cas (Knopman, 2001 ; Müller-Spahn et Hock, 1999). Notons que, dans 10 à 50 % des cas, la démence vasculaire est associée à la démence de type Alzheimer, les deux constituant alors une démence mixte (Bowler et Hachinski, 2003 ; Knopman, 2001 ; Müller-Spahn et Hock, 1999). Encore une fois, les pourcentages varient d'une étude à l'autre et doivent donc être interprétés avec prudence (Kempler, 2005).

Facteurs de risque de la démence

Les facteurs de risque sont des caractéristiques ou des expositions qui semblent avoir un lien avec le développement d'une maladie. Précisons que les facteurs prédisposants et précipitants que nous présentons n'entretiennent pas de relation de cause à effet avec la maladie. Un résident qui présente ces facteurs voit son risque de développer la maladie augmenter, ce qui ne signifie aucunement qu'il va forcément la développer.

Facteurs prédisposants

Âge et sexe

L'âge est le facteur de risque individuel qu'on trouve le plus couramment dans les études épidémiologiques. La prévalence et l'incidence de la démence augmentent de manière exponentielle avec l'âge, après 65 ans (Fratiglioni *et al.*, 2000 ; Jorm et Jolley, 1998 ; Kukull et Ganguli, 2000). Quant au sexe, il est un facteur de risque controversé de la démence. Certaines études rapportent en effet que l'incidence de la démence est plus élevée chez les femmes que chez les hommes, mais toutes les études ne soutiennent pas cette association.

Niveau scolaire

Plusieurs études épidémiologiques ont mis en évidence une plus grande fréquence de la démence chez les sujets ayant un faible niveau scolaire (Cobb, Wolf, Au, White et D'Agostino, 1995 ; Dartigues *et al.*, 1991 ; Launer *et al.*, 1999 ; Ott *et al.*, 1995 ; Prencipe *et al.*, 1996 ; Stern *et al.*, 1994). Cependant, cela pourrait s'expliquer par un biais méthodologique, dans la mesure où les sujets ayant un niveau d'instruction élevé vont plus facilement réussir les tests neuropsychologiques utilisés dans le dépistage et le diagnostic de la démence. D'un autre côté, une autre hypothèse serait qu'un niveau d'instruction élevé contribuerait à augmenter les réserves neuronales et favoriserait la multiplication des connexions synaptiques (Katzman, 1993 ; Kempler, 2005 ; Swaab, 1991). Cela aurait pour effet de contrecarrer les effets de la démence.

Antécédents familiaux

La présence d'une démence chez des parents au premier degré multiplierait par deux ou quatre le risque d'être atteint d'une démence (Blacker et Tanzi, 1998 ; Launer *et al.*, 1999).

Facteurs génétiques

La présence d'allèles de certains gènes est un facteur de risque pour la démence. C'est le cas de l'allèle Ɛ4 de l'apolipoprotéine E (apoE) sur le chromosome 19. Dans la population générale, on a fait un lien entre cet allèle Ɛ4, d'une part, et la démence de type Alzheimer à début tardif et des cas de démences vasculaires, d'autre part (Corder *et al.*, 1993 ; Strittmatter et Roses, 1995). Par ailleurs, des mutations des chromosomes 1, 14 et 21 joueraient un rôle dans le développement de la démence (Black, Patterson et Feightner, 2001 ; Heston, Mastri, Anderson et White, 1981 ; Van Duijn *et al.*, 1991).

Traumatismes crâniens

Certaines études ont mis en évidence une relation entre les traumatismes crâniens avec perte de conscience et la démence de type Alzheimer (Gauthier *et al.*, 2001 ; Kukull et Ganguli, 2000). Cette relation s'observerait en particulier chez les patients de sexe masculin et chez les patients n'ayant pas d'antécédents familiaux de démence (Gauthier *et al.*, 2001).

Facteurs vasculaires

Les facteurs de risque des pathologies vasculaires sont bien connus pour accroître le risque de démence vasculaire, mais on les soupçonne aussi de plus en plus dans le cas de la démence de type Alzheimer (Guo, Viitanen, Fratiglioni et Winblad, 1997 ; Schmidt, Schmidt et Fazekas, 2000). Ce sont notamment les antécédents d'accidents vasculaires cérébraux, le souffle carotidien asymptomatique, le diabète de type 2, l'hypertension, les cardiopathies et l'ischémie transitoire (Broe *et al.*, 1990 ; Henderson, 1995).

Manque d'activité physique

Quelques études épidémiologiques suggèrent que le manque d'activité physique aurait un lien avec l'apparition de la démence de type Alzheimer (Richter et Richter, 2004 ; Yoshitake *et al.*, 1995).

Facteurs précipitants

Les facteurs environnementaux qui constitueraient des facteurs de risque potentiels pour la démence sont l'aluminium (Doll, 1993 ; Gauthier *et al.*, 2000 ; Graves *et al.*, 1990 ; Rondeau, Commenges, Jacqmin-Gadda et Dartigues, 2000) et l'exposition aux solvants organiques (Kukull *et al.*, 1995), aux ondes électromagnétiques (Sobel *et al.*, 1995) et aux pesticides (Gauthier *et al.*, 2001 ; Müller-Spahn et Hock, 1999). Ils augmenteraient le risque de démence chez les individus présentant des facteurs prédisposants. Cependant, des études supplémentaires sont nécessaires pour

confirmer l'effet de ces facteurs de risque sur l'histoire naturelle de la démence, c'est-à-dire sur son évolution.

Facteurs protecteurs de la démence

Les études épidémiologiques suggèrent que certains facteurs pourraient protéger l'individu contre la démence. Il s'agit de la consommation modérée d'alcool (Huang, Qiu, Winblad et Fratiglioni, 2002; Orgogozo *et al.*, 1997; Ruitenberg *et al.*, 2002), du traitement anti-inflammatoire (Andersen *et al.*, 1995; Broe *et al.*, 1990; Canadian Study of Health and Aging Working Group, 1994; Myllykangas-Luosujärvi et Isomäki, 1994) et de l'œstrogénothérapie substitutive (Tang, Jacobs et Stern, 1996; Waring *et al.*, 1999).

Relation avec le vieillissement

Comme la prévalence de la démence augmente avec l'âge, il arrive que l'infirmière confonde les premiers signes de la démence avec ceux du vieillissement normal. Il est donc important de bien distinguer l'effet normal du vieillissement sur la cognition de l'effet de la démence, car ce sont deux phénomènes différents.

Les sphères cognitives rassemblent un ensemble de fonctions permettant aux individus de fonctionner (voir le tableau 2-2). L'effet du vieillissement sur ces fonctions a donné lieu à de nombreux travaux dont les résultats sont divers et parfois contradictoires (Richter et Richter, 2004). Certains changements cognitifs, que nous présentons dans les prochains paragraphes, semblent faire consensus. Néanmoins, leur interprétation requiert de la prudence, car le groupe des aînés présente une grande hétérogénéité.

Sur le plan de la mémoire à court terme, les aînés présentent une diminution d'efficacité de leur mémoire de travail (Miller, 1999). Comme cette dernière est essentielle à l'encodage et à la récupération de l'information dans la mémoire à long terme, cette altération se répercute sur

Tableau 2-2	Principales fonctions cognitives
FONCTIONS COGNITIVES	
Mémoire	**Mémoire à court terme:** petite capacité d'emmagasinage d'informations, pendant une courte période. • Mémoire de travail: manipulation de l'information visant l'encodage. **Mémoire à long terme:** emmagasinage de l'information pendant une longue période. • Mémoire épisodique: emmagasinage d'informations concernant des phénomènes qui se sont produits à un moment précis et à un endroit précis. • Mémoire sémantique: emmagasinage de connaissances générales, signification des mots. • Mémoire procédurale: emmagasinage d'informations concernant les habiletés motrices. • Mémoire prospective: emmagasinage d'informations concernant des comportements à adopter dans le futur ou des événements à venir. **Mémoire quotidienne:** comportement de la mémoire dans la vie de tous les jours. **Métamémoire:** connaissances et croyances de l'individu concernant sa mémoire.
Langage	• Lexique: reconnaissance des mots. • Phonologie: reconnaissance du son des mots. • Sémantique: capacité de nommer des objets et des personnes.
Fonctions exécutives	Capacité de conceptualisation, de pensée, de contrôle de soi, d'abstraction, d'indépendance et de flexibilité.
Orientation	Capacité de se situer dans le temps et dans l'espace.
Intelligence fluide	Capacité de résoudre de nouveaux problèmes.
Intelligence cristallisée	Capacité de récupérer, de réutiliser des connaissances et des expériences accumulées.
Attention	Capacité de rester attentif ou vigilant durant l'accomplissement d'une activité, en l'absence de facteurs de distraction (bruit, douleur, etc.).
Concentration	Capacité de rester attentif durant l'accomplissement d'une tâche, en présence de stimuli non pertinents ou gênants.
Niveau de conscience	État de vigilance allant de l'hypervigilance (grande sensibilité à l'environnement), à l'état d'alerte (état normal) puis à l'hypovigilance, qui inclut la léthargie, l'état de stupeur et l'état comateux.
Capacité visuo-spatiale	Capacité de traiter l'information visuelle (reconnaissance des formes, orientation dans l'espace et organisation d'éléments visuels dans l'espace). Capacité qu'on évalue généralement en demandant à la personne de faire un dessin ou d'en copier un (capacité visuo-constructive).
Vitesse de traitement de l'information	Vitesse des processus mentaux lors de l'exécution d'une tâche.

l'emmagasinage des données dans la mémoire à long terme. Le processus d'encodage est plus long et demande plus à l'aîné (Blazer *et al.*, 2004). Néanmoins, celui-ci peut toujours faire des apprentissages (Miller, 1999). De même, la mémoire à court terme récupère moins efficacement l'information se trouvant dans la mémoire à long terme, en particulier dans la mémoire épisodique et dans la mémoire prospective. L'emmagasinage de l'information dans la mémoire sémantique et dans la mémoire procédurale ne serait pas affecté par le vieillissement ou ne le serait que très peu. Notons que le processus de rappel de l'information dans la mémoire à long terme est plus altéré que le processus de la reconnaissance. Ainsi, l'utilisation d'indices facilite grandement le rappel d'informations pour l'aîné (Blazer *et al.*, 2004).

En ce qui a trait à la mémoire quotidienne, les aînés apprennent mieux lorsque les textes sont bien organisés et lorsqu'ils ont déjà des connaissances sur le sujet. Ils ont tendance à considérer le sens général d'un texte bien organisé et à porter moins d'attention aux détails. Concernant la métamémoire, les aînés se plaignent davantage de leur mémoire et l'évaluent de manière plus négative que les jeunes. Cependant, le lien est faible entre l'évaluation subjective de la mémoire et la performance réelle de la mémoire.

Sur le plan du langage, le vieillissement a un effet sur son aspect sémantique uniquement. De même, il a un très faible effet sur les fonctions exécutives. Le déclin de ces dernières débuterait après 80 ans.

Sur le plan de l'intelligence, le vieillissement a un effet délétère sur l'intelligence fluide, alors qu'il aurait un effet minime, voire nul sur l'intelligence cristallisée (Blazer *et al.*, 2004 ; Miller, 1999). La capacité d'attention, la capacité de concentration et la vitesse de traitement des données diminuent toutes, quant à elles, avec l'âge (Blazer *et al.*, 2004). Le vieillissement a un effet notable sur la vitesse de traitement des données ; ce changement affecte l'ensemble des fonctions cognitives de l'aîné (Richter et Richter, 2004).

Si toutes ces modifications sont perceptibles lors des différents examens neuropsychologiques, elles ont un effet négligeable sur la vie de tous les jours (Blazer *et al.*, 2004). De plus, elles ne sont pas inéluctables et varient d'une personne à l'autre. Des études ont même démontré que certains aînés réussissaient, au cours de leur vieillissement, à améliorer leurs capacités langagières, d'abstraction et visuo-spatiale, et enrichissaient leur vocabulaire (Miller, 1999 ; Richter et Richter, 2004).

Notons que, lorsque l'aîné est anxieux et préoccupé et qu'il ressent de la pression concernant l'accomplissement d'une tâche mettant en jeu ses facultés cognitives, les effets du vieillissement deviennent plus apparents. Ainsi, dans sa pratique clinique, l'infirmière doit tenir compte des facteurs qui influencent la performance cognitive des résidents. Les principaux facteurs reconnus sont les suivants : l'environnement physique (luminosité, bruit) et social (confort), la motivation, les attentes, le sentiment de compétence, l'expérience, l'éducation, la personnalité, la tâche demandée, la familiarité du contenu à apprendre, les médicaments, l'alcool, la santé physique (douleur) et mentale (dépression)

(Miller, 1999). La capacité d'apprentissage dépend aussi grandement de la qualité de l'enseignement.

Pour finir, insistons sur le fait que le lien entre ces changements physiologiques dus au vieillissement et les démences reste à élucider. Cependant, pour Van Duijn (1996), comme l'âge est un facteur de risque de la démence, cela laisse supposer que les facteurs génétiques et environnementaux entrant en jeu dans le processus du vieillissement du cerveau contribuent au développement de la démence.

Manifestations cliniques

Il existe un profil global de la démence, regroupant les manifestations cliniques habituellement observées chez une personne atteinte d'une démence. Il existe aussi divers profils particuliers décrivant chacun précisément les manifestations cliniques propres à chacune des démences, notamment la démence de type Alzheimer et la démence à corps de Lewy. Dans cette section, il est question du profil général de la démence, les manifestations spécifiques à chacun des types de démences étant abordées dans la partie sur les soins infirmiers.

D'après sa définition, la démence implique que le résident présente des problèmes de mémoire et d'autres troubles cognitifs tels que l'aphasie, l'apraxie, l'agnosie ou des troubles affectant les fonctions exécutives. Ainsi, un résident atteint de démence voit nécessairement sa capacité d'apprendre des informations ou de se souvenir d'informations altérée.

La classification internationale des maladies (CIM-10) de l'OMS (1994) comporte une gradation fort intéressante de l'altération de la mémoire tout au long de l'évolution de la démence. Elle qualifie d'altération légère un trouble de la mémoire suffisamment sévère pour gêner l'accomplissement des activités de la vie quotidienne, mais pas assez pour empêcher l'aîné de vivre de façon indépendante. Une altération modérée apparaît lorsque l'aîné est sérieusement gêné dans son autonomie. L'aîné ne retient alors que des données très personnelles et des données ayant fait l'objet d'un apprentissage intense. Il ne mémorise que rarement et pendant une courte période seulement les nouvelles informations. Enfin, une altération sévère s'observe lorsque l'aîné ne retient aucune nouvelle information. Il ne conserve alors que des fragments d'informations apprises antérieurement et ne reconnaît plus ses proches.

L'aîné peut connaître différents troubles cognitifs en plus de ses problèmes de mémoire, notamment dans le domaine du langage. Il peut ainsi éprouver de la difficulté à exprimer sa pensée avec des mots. Il peut aussi présenter de l'apraxie, c'est-à-dire être incapable de réaliser une activité motrice, malgré des fonctions motrices intactes. Il peut aussi souffrir d'agnosie, c'est-à-dire être incapable de reconnaître ou d'identifier des objets et des personnes, malgré des fonctions sensorielles intactes. Enfin, il peut avoir de la difficulté à planifier et à organiser une activité, ou encore voir sa capacité d'abstraction réduite. Par exemple, il peut être incapable de s'habiller, de manger ou de se brosser les cheveux en raison d'une incapacité à comprendre les séquences de mouvements.

Une altération du contrôle émotionnel, du comportement social ou de la motivation peut également s'observer. Elle se manifeste par de l'irritabilité, par de l'apathie ou par de la labilité émotionnelle. La labilité émotionnelle correspond à des changements soudains ou à des fluctuations rapides des manifestations émotives (passer d'un état d'euphorie à un état de tristesse en quelques minutes).

L'échelle de détérioration globale (voir le tableau 2-3) est une échelle fort populaire qui décrit l'évolution progressive de la démence (Reisberg, Ferris, De Leon et Crook, 1982). On peut dire, pour généraliser, que la majorité des démences suivent cette progression (Reisberg *et al.*, 1999).

L'échelle de détérioration globale permet de préciser l'importance de la détérioration intellectuelle en fonction du degré de dépendance de l'aîné par rapport à son entourage. Elle met particulièrement en évidence l'effet des déficits cognitifs dus à la démence sur la capacité de l'aîné à accomplir des tâches. Les premiers stades correspondent à des tâches complexes que l'aîné est incapable d'accomplir.

L'aîné a toutefois suffisamment de capacités cognitives pour accomplir les tâches moins complexes des autres stades. Toutefois, plus la démence évolue, plus ses capacités diminuent et moins les tâches qu'il peut accomplir sont complexes. Au stade 3, par exemple, l'aîné n'a plus la capacité d'exercer ses fonctions professionnelles, trop exigeantes. Cependant, il est toujours en mesure de faire ses comptes ou l'épicerie, ou encore de conduire sa voiture. Le résident atteint d'une démence et vivant en CHSLD se situe généralement au stade 5, 6 ou 7 de l'échelle de détérioration globale. Cette échelle présentant un portrait global de la démence, il est également possible qu'un résident se trouve entre deux stades.

Détection du problème

Dans le contexte de la démence, six outils de détection et de suivi sont fort importants. Les deux premiers sont décrits ici. Il s'agit du mini-examen de l'état mental de Folstein (MEEM), qui vise à mesurer les atteintes cognitives, et du système de mesure de l'autonomie fonctionnelle (SMAF), qui vise à évaluer l'autonomie du résident de façon rigoureuse. Parmi les quatre autres outils, deux visent à évaluer les symptômes psychologiques et comportementaux de la démence, et sont présentés au chapitre 24.

Tableau 2-3	Échelle de détérioration globale : stades du déclin des facultés cognitives durant l'évolution de la démence	
STADES DU DÉCLIN DES FACULTÉS COGNITIVES		**QUELQUES CARACTÉRISTIQUES CLINIQUES**
Stade 1	Absence de troubles	• Pas d'atteinte fonctionnelle, objectivement ou subjectivement • Aucune difficulté dans le cadre de la vie quotidienne
Stade 2	Troubles de la mémoire	• Déficit subjectif – P. ex. : difficulté à trouver ses mots, à se rappeler de la localisation des objets ou de l'heure des rendez-vous • Pas de déficit objectif
Stade 3	Confusion bénigne	• Déficits observés au travail ou en société • Difficulté à se rendre et à circuler dans des endroits non familiers
Stade 4	Confusion avancée	• Besoin d'assistance pour les tâches complexes – P. ex. : finances, planification d'un repas avec invités, épicerie
Stade 5	Démence bénigne	• Besoin d'assistance pour le choix des vêtements • Besoin de stimulation pour l'hygiène
Stade 6	Démence moyenne : supervision constante	a. Besoin d'assistance pour s'habiller b. Besoin d'assistance pour prendre son bain, sa douche c. Besoin d'assistance pour aller aux toilettes d. Incontinence urinaire e. Incontinence fécale
Stade 7	Démence avancée	a. Langage limité à 6 mots/phrases intelligibles dans une journée b. Un seul mot/phrase par jour c. Incapacité de se déplacer sans aide d. Incapacité de se tenir assis e. Incapacité de sourire f. Incapacité de soutenir sa tête sans appui

Source : B. Reisberg, S.H. Ferris, M.J. De Leon et T. Crook (1982). The global deterioration scale for assessment of primary degenerative dementia. *American Journal of Psychiatry*, *139* (9), 1136-1139.

Les deux autres visent à mesurer la douleur et la qualité de vie et sont respectivement abordés aux chapitres 20 et 1.

Mini-examen de l'état mental

Il n'existe pas de test unique pour la détection de la démence. Néanmoins, le mini-examen de l'état mental (MEEM) est un test fort pertinent qui permet d'effectuer rapidement une première évaluation des capacités cognitives du résident (Folstein, Folstein et McHugh, 1975). Il permet d'évaluer la mémoire à court et à long terme, les compétences mathématiques, l'orientation et les capacités visuo-constructives (Richter et Richter, 2004).

Le MEEM est disponible dans toutes les unités des CHSLD et peut facilement être téléchargé par Internet. Le tableau 2-4 en présente quelques extraits. Grâce au résultat obtenu par le résident à ce test et en fonction de son impression clinique, l'infirmière peut décider si un examen médical plus approfondi est nécessaire. Si le résident obtient un résultat de 24 ou moins, elle l'orientera vers le service de psychogériatrie. S'il obtient 10 ou moins, cela signifie qu'il se situe à un stade sévère de sa démence.

De plus, le MEEM permet de comparer l'évolution des pertes cognitives d'un résident atteint d'une démence avec les résultats normatifs d'études longitudinales. Par exemple, il semble que les aînés atteints d'une démence subissent en moyenne des pertes cognitives d'environ 4 points par an (Clark *et al.*, 1999), pertes qui seraient similaires pour les démences de type Alzheimer, vasculaires et à corps de Lewy (Ballard *et al.*, 2001). Comme le rappellent Clark et ses collaborateurs, il reste que l'évolution de la démence varie en fonction des individus. Néanmoins, le suivi de l'évolution des pertes cognitives permet à l'infirmière de repérer les résidents qui présentent un déclin cognitif hors de l'ordinaire et de les orienter vers le service de psychogériatrie. Un résident dont le résultat diminue de 20 % en un mois peut être atteint d'un delirium (voir le chapitre 7). Ainsi, un MEEM mensuel permet de détecter des cas de delirium, et un MEEM trimestriel permet de suivre l'évolution de la démence du résident et de s'assurer que le déclin ne dépasse pas 4 points par année.

L'administration du MEEM dure environ 15 minutes. L'anxiété pouvant diminuer la qualité des réponses, une préparation psychologique du résident est souhaitable. De plus, il faut tenir compte du niveau de scolarité et de la culture du résident, qui peuvent influer sur les résultats. Une personne peu scolarisée peut obtenir des résultats négatifs à la suite de difficultés de lecture ou de calcul. La nervosité, l'anxiété, la dépression, la douleur, la maladie et des problèmes visuels et auditifs peuvent également influer sur les performances du résident (Kane, Ouslander et Abrass, 2004).

De plus, il est important que l'infirmière explique au résident la nature de l'examen et lui demande de bien

Tableau 2-4	Extraits du mini-examen de l'état mental

Nom, prénom :		Âge	Date	
A. Orientation			Cote max	Cote sujet
1. Quel est : [ ][ ][ ][ ] l'année [ ][ ] le mois [ ][ ] le jour [L][M][M][J][V][S][D] le jour de la semaine			5	
La saison : printemps ☐ été ☐ automne ☐ hiver ☐				
B. Apprentissage				
3. Dire à haute voix UN des groupes de mots suivants :				
[cigare, fleur, porte] ou [citron, clé, ballon] ou [chemise, bleu, honnête]			3	
Nombre d'essais				
Prendre une seconde pour prononcer chaque mot Demander de répéter les 3 mots choisis				
(Donner 1 point pour chaque bonne réponse au premier essai) (Répéter l'exercice jusqu'à ce que le sujet retienne les 3 mots) (Compter le nombre d'essais et le noter ; pour information seulement)				
E. Langage				
6. Montrer au sujet un crayon ( ) une montre ( ) et demander de nommer l'objet			2	
9. Lire et faire [FERMEZ LES YEUX]			1	

Source: Reproduit avec la permission spéciale de l'éditeur, Psychological Assessment Resources Inc., 16204 North Florida Avenue, Lutz, Florida, 33549, à partir du Mini Mental State Examination, de Marshal Folstein et Susan Folstein, copyright 1975, 1998 by Mini Mental LLC Inc., publié en 2001 par Psychological Assessment Resources Inc. Toute reproduction ultérieure est interdite sans la permission de PAR Inc. On peut se procurer la version anglaise du MEEM auprès de PAR Inc. au (800) 331-8378 ou au (813) 968-3003.

répondre à toutes les questions même si certaines lui paraissent plutôt simplistes et insignifiantes. Le résident dont la démence est légère manifestera souvent de la résistance par rapport aux tests cognitifs (Kane *et al.*, 2004). L'infirmière doit l'aviser qu'elle aimerait qu'il réponde quand même à toutes les questions et qu'elle discutera avec plaisir du test avec lui à la fin de l'examen. Par ailleurs, si le résident présente des déficits cognitifs évidents, elle doit être prête à accueillir ses émotions et celles de ses proches.

L'infirmière doit lire les questions lentement en articulant bien. Elle doit réaliser l'examen avec le résident dans un endroit calme et bien éclairé. Le résident ne doit pas avoir de douleur ou être sous médication sédative. En somme, il faut éviter les stimuli environnementaux et les éléments se rapportant à l'infirmière ou au résident qui pourraient nuire à la qualité de la réalisation de l'examen. L'objectif est d'obtenir des réponses qui reflètent le plus fidèlement possible les capacités cognitives du résident (Voyer, 2002).

L'autonomie fonctionnelle

L'autonomie fonctionnelle d'une personne se définit principalement comme sa capacité à effectuer les activités de la vie quotidienne (manger, s'habiller, se laver, etc.) et domestique (entretenir la maison, faire la lessive, faire ses comptes, etc.) d'une manière indépendante. S'inspirant des travaux de l'OMS, Hébert (1997) suggère que l'autonomie fonctionnelle est le résultat de l'interaction de trois composantes, soit la déficience, l'incapacité et le handicap. L'incapacité est causée par une déficience (une maladie, par exemple) qui limite le fonctionnement du résident ou restreint ses activités. Le handicap est le désavantage social qu'entraîne l'incapacité, compte tenu des exigences imposées au résident et des ressources matérielles et sociales dont il dispose pour pallier cette incapacité. Il se situe en quelque sorte au carrefour entre les incapacités et les ressources. Dans le cadre de ce chapitre, nous nous intéressons uniquement à la composante qu'est l'incapacité. Cette dernière découle d'une ou plusieurs déficiences qui en accroissent la gravité et affectent ainsi l'autonomie. On parle alors de perte d'autonomie.

La perte d'autonomie constitue l'une des manifestations les plus fréquentes des problèmes de santé chez les aînés. Ce syndrome clinique est le moyen typique par lequel la maladie s'exprime chez ceux-ci (Hébert, 1997). Les symptômes sont peu spécifiques, l'évolution se fait généralement de manière insidieuse et touche toutes les dimensions de la personne (physique, psychique, sociale et fonctionnelle). La perte d'autonomie est généralement réversible si l'équipe interdisciplinaire fait une évaluation exhaustive de la situation et met en place un plan de réadaptation gériatrique.

La perte d'autonomie est dite aiguë lorsqu'elle dure quelques jours, voire une semaine. L'infirmière doit alors considérer qu'il y a urgence et doit aviser le médecin dans les plus brefs délais. La perte d'autonomie peut être subaiguë. Elle se produit alors de manière plus insidieuse et est moins perceptible. Un instrument de mesure comme le système de mesure de l'autonomie fonctionnelle (SMAF) est indispensable pour détecter ce genre de cas (Hébert, 1997). Enfin, la perte d'autonomie peut être anticipée, compte tenu des problèmes de santé chroniques tels que la démence que connaît le résident.

Les causes de la perte d'autonomie aiguë sont multiples et englobent des problèmes de santé (infarctus du myocarde, décompensation de la maladie rénale, etc.) et des problèmes psychosociologiques (décès du conjoint, changement de chambre, etc.). Les causes de la perte d'autonomie subaiguë peuvent être liées à l'évolution d'une maladie connue comme l'emphysème, à l'apparition d'une nouvelle maladie comme le cancer, ou encore être iatrogènes c'est-à-dire être liées à des interactions médicamenteuses (Hébert, 1997). Les deux formes de perte d'autonomie, aiguë et subaiguë, peuvent apparaître au cours de l'évolution de la démence.

Les manifestations de la perte d'autonomie ne sont pas spécifiques et sont donc difficiles à détecter. Elles peuvent se situer dans les sphères physique, psychologique et sociale. À titre d'exemple, dans la sphère physique, on rapporte la faiblesse, la perte d'appétit et les chutes. Dans la sphère psychologique, on note de l'apathie, une humeur perturbée et un manque d'intérêt. Enfin, dans la sphère sociale, on observe l'isolement du résident et un intérêt très limité pour l'entretien de sa personne (Hébert, 1997).

Ces symptômes étant déjà présents chez plusieurs résidents des CHSLD, l'infirmière peut trouver difficile de noter des changements chez le résident. C'est pourquoi l'usage d'une échelle de mesure comme le SMAF est essentiel (Hébert, 1997), car cela permet de distinguer la perte d'autonomie aiguë ou subaiguë de la perte d'autonomie anticipée. En effet, tous les symptômes physiques, psychologiques et sociologiques décrits entraînent une perte d'autonomie fonctionnelle.

Sans outil, l'infirmière peut difficilement reconnaître la perte d'autonomie subaiguë chez un résident qui est atteint d'une démence et qui n'est pas en mesure d'exprimer clairement ses malaises. Par contre, grâce aux résultats obtenus avec le SMAF, elle peut déterminer si la perte d'autonomie est anormale, ce qui est le cas lorsqu'elle note une augmentation de 5 points ou plus en un mois. Notons que ce résultat correspond à l'évaluation de toutes les dimensions du SMAF, y compris celle des activités de la vie domestique. Dans le cadre de ce chapitre, nous excluons cette dimension, que nous jugeons moins pertinente dans le contexte d'un usage clinique en CHSLD. Ainsi, un changement de 5 points ou plus en un mois sur l'échelle du SMAF (voir le tableau 2-5, p. 24) a d'autant plus d'importance sur le plan clinique. À titre indicatif, un aîné atteint de démence a une augmentation moyenne de 5 points par an au SMAF (Hébert, 2005).

Dans ce contexte, il est important de mesurer l'autonomie fonctionnelle du résident afin d'obtenir un portrait objectif des effets de la maladie et de son évolution.

Mesurer l'autonomie fonctionnelle permet en outre de suivre la détérioration des capacités du résident, de noter si elle ne se fait pas trop rapidement par rapport à ce qui est normalement attendu : les aînés atteints de démence voient généralement leur autonomie décliner très lentement, sur une période d'environ 10 ans. Mesurer l'autonomie fonctionnelle permet de détecter des problèmes de santé aigus, qui affectent l'autonomie abruptement et de manière importante. Par exemple, une augmentation de 5 points au SMAF sur un intervalle d'un mois ou moins ne peut être attribué au vieillissement ou à la démence. Il doit alerter l'infirmière, qui doit réaliser un examen clinique.

Enfin, mesurer l'autonomie fonctionnelle d'un résident permet de déterminer l'intensité du soutien que doivent apporter les soignants. En effet, auprès du résident en perte d'autonomie et atteint de démence, les soignants doivent trouver le juste équilibre entre en faire trop et ne pas en faire assez. S'ils aident trop le résident, le font manger alors qu'il pourrait manger seul, bien que plus lentement, par exemple, ils favorisent la perte d'autonomie. À l'inverse, s'ils n'apportent pas le soutien suffisant, s'ils n'aident pas le résident lors de l'habillement, par exemple, le résident peut vivre de la frustration et se sentir atteint dans sa dignité.

Le système de mesure de l'autonomie fonctionnelle

Le système de mesure de l'autonomie fonctionnelle (SMAF) est un outil qui permet de détecter les incapacités et les handicaps chez les résidents. Il s'agit d'évaluer les besoins des résidents en mesurant leurs incapacités et leurs handicaps, et ce, afin de déterminer les soins à prodiguer. Le SMAF permet également de mesurer les capacités résiduelles des résidents, afin d'en faire des cibles de stimulations et de préserver ainsi l'autonomie fonctionnelle. Les capacités résiduelles sont les capacités que le résident atteint d'une déficience conserve. Par exemple, le résident atteint de démence (déficience) peut être incapable de tartiner ses rôties (incapacité), mais être toujours en mesure de les manger sans aide (capacité résiduelle). Les soignants doivent alors pallier l'incapacité en tartinant les rôties pour

lui, mais l'encourager à continuer à s'alimenter seul (stimulation des capacités résiduelles). Dans certains cas, on peut aider le résident à retrouver une capacité perdue.

Le SMAF comprend quatre sections, soit les incapacités, les ressources, les handicaps et la stabilité des ressources, et cinq dimensions, soit les activités de la vie quotidienne (AVQ), la mobilité, la communication, les fonctions mentales et les activités de la vie domestique (AVD). Il comporte 29 paramètres à évaluer.

Comme nous nous concentrons ici sur l'utilisation clinique du SMAF visant la détection de la perte d'autonomie et l'évaluation des capacités résiduelles, nous n'abordons que la section sur les incapacités et les quatre dimensions que sont les activités de la vie quotidienne, la mobilité, la communication et les fonctions mentales. Notons cependant que le SMAF peut être utile dans d'autres contextes que celui de la pratique clinique. Par exemple, il est utilisé dans la recherche et dans l'administration des services de santé. De plus, certains CHSLD, selon leur clientèle, pourront utiliser la dimension des activités de la vie domestique (par exemple, utiliser le téléphone, faire la lessive, prendre ses médicaments, faire ses comptes).

Pour se servir du SMAF (voir le tableau 2-5, p. 24), l'infirmière doit coter sur une échelle de 0 à –3 la performance réelle du résident, c'est-à-dire ce qu'il fait et non ce qu'il pourrait ou devrait pouvoir faire. Elle observe le résident et lui demande de réaliser certaines tâches. Elle peut consulter les autres soignants et les proches du résident. Puis elle porte un jugement clinique en fonction de la synthèse des informations disponibles. Pour chaque paramètre, l'infirmière note si le résident est autonome (0), s'il est autonome mais éprouve de la difficulté à effectuer la tâche (-0,5), s'il a besoin de supervision ou de stimulation pour effectuer l'activité (-1), s'il a besoin d'une aide partielle (-2) ou encore s'il a besoin d'une aide totale pour accomplir la tâche (-3). Pour bien utiliser le SMAF, il est souhaitable de se procurer le guide d'utilisation (Hébert, Guilbeault et Pinsonnault, 2005). On conseille d'administrer le SMAF au moins une fois aux trois mois, mais il est préférable de le faire une fois par mois, si possible.

SOINS INFIRMIERS

Le résident atteint d'une démence présente plusieurs défis cliniques pour les infirmières, les soignants et l'équipe interdisciplinaire. La qualité des soins infirmiers prodigués à cette population unique dépend de la compréhension qu'on a de la maladie. Ainsi, il est crucial que l'infirmière connaisse bien les caractéristiques des démences pour bien comprendre les résidents, leurs comportements, et pouvoir élaborer des plans de soins

adaptés. Comme nous allons le voir, l'infirmière a plusieurs rôles à jouer auprès du résident atteint d'une démence. Par la suite seront successivement abordés le respect de la dignité humaine chez le résident atteint de démence, la présentation des caractéristiques des différentes démences et la prévention de la détérioration précipitée des capacités cognitives, notamment par le recours aux médicaments et par la marche.

Tableau 2-5	**Grille abrégée de l'évaluation clinique de l'autonomie fonctionnelle**

S YSTÈME DE
M ESURE DE L'
A UTONOMIE
F ONCTIONNELLE

© HÉBERT, CARRIER, BILODEAU 1983 ;
CEGG inc., Révisé 2002 • Reproduction interdite

Nom : _____

_____

Dossier : _____

_____

INCAPACITÉS	STABILITÉ	STABILITÉ	STABILITÉ	STABILITÉ	STABILITÉ	STABILITÉ	STABILITÉ
A : ACTIVITÉS DE LA VIE QUOTIDIENNE (AVQ)	Date : ___	Date : ___	Date : ___	Date : ___	Date : ___	Date : ___	Date : ___
	Score : ___	Score : ___	Score : ___	Score : ___	Score : ___	Score : ___	Score : ___

1. SE NOURRIR

0 Se nourrir seul.

    −0,5 Avec difficulté   + + + + + + +

−1 Se nourrit seul mais requiert de la stimulation ou de la surveillance OU on doit couper ou mettre en purée sa nourriture au préalable.

−2 A besoin d'une aide partielle pour se nourrir OU qu'on lui présente les plats un à un.   • • • • • • •

−3 Doit être nourri entièrement par une autre personne OU porte une sonde naso-gastrique ou une gastrostomie.   − − − − − − −

    ☐ sonde naso-gastrique

    ☐ gastrostomie

2. SE LAVER	Score : ___	Score : ___	Score : ___	Score : ___	Score : ___	Score : ___	Score : ___

0 Se lave seul (incluant entrer ou sortir de la baignoire ou de la douche).

    −0,5 Avec difficulté   + + + + + + +

−1 Se lave seul mais doit être stimulé OU nécessite une surveillance pour le faire OU qu'on lui prépare le nécessaire OU a besoin d'aide pour un bain complet hebdomadaire seulement (incluant pieds et lavage de cheveux).   • • • • • • •

−2 A besoin d'aide pour se laver (toilette quotidienne) mais participe activement.   − − − − − − −

−3 Nécessite d'être lavé par une autre personne.

STABILITÉ : Comparativement au dernier score obtenu, est-ce que l'autonomie du résident :

     + a augmenté   • est restée stable   − a diminué

>>>

	Date:	Date:	Date:	Date:	Date:	Date:	Date:

3. S'HABILLER (toutes saisons)

	Score:	Score:	Score:	Score:	Score:	Score:	Score:

0 S'habille seul.

> −0,5 Avec difficulté

| | + | + | + | + | + | + | + |

−1 S'habille seul mais doit être stimulé
OU a besoin d'une surveillance pour le faire
OU on doit lui sortir ou lui présenter ses vêtements
OU on doit apporter certaines touches finales
(boutons, lacets).

| | • | • | • | • | • | • | • |

−2 Nécessite de l'aide pour s'habiller.

−3 Doit être habillé par une autre personne.

☐ bas de soutien

| | − | − | − | − | − | − | − |

4. ENTRETENIR SA PERSONNE
**(se brosser les dents ou se peigner ou se faire la barbe
ou couper ses ongles ou se maquiller)**

	Score:	Score:	Score:	Score:	Score:	Score:	Score:

0 Entretien sa personne seul.

> −0,5 Avec difficulté

| | + | + | + | + | + | + | + |

−1 A besoin de stimulation
OU nécessite de la surveillance pour entretenir
sa personne.

| | • | • | • | • | • | • | • |

−2 A besoin d'aide partielle pour entretenir
sa personne.

−3 Ne participe pas à l'entretien de sa personne.

| | − | − | − | − | − | − | − |

5. FONCTION VÉSICALE

	Score:	Score:	Score:	Score:	Score:	Score:	Score:

0 Miction normale

−1 Incontinence occasionnelle
OU en goutte à goutte pour éviter les incontinences

| | + | + | + | + | + | + | + |

−2 Incontinence urinaire fréquente

−3 Incontinence urinaire totale et habituelle
OU porte une culotte d'incontinence ou une sonde
à demeure ou un condom urinaire.

| | • | • | • | • | • | • | • |

☐ culotte d'incontinence ☐ sonde à demeure
☐ condom urinaire ☐ incontinence diurne
☐ incontinence nocturne

| | − | − | − | − | − | − | − |

6. FONCTION INTESTINALE

	Score:	Score:	Score:	Score:	Score:	Score:	Score:

0 Défécation normale

−1 Incontinence fécale occasionnelle OU
nécessite un lavement évacuant occasionnel.

| | + | + | + | + | + | + | + |

−2 Incontinence fécale fréquente OU
nécessite un lavement évacuant régulier.

| | • | • | • | • | • | • | • |

−3 Incontinence fécale totale et habituelle
OU porte une culotte d'incontinence ou une stomie.

☐ culotte d'incontinence ☐ stomie
☐ incontinence diurne ☐ incontinence nocturne

| | − | − | − | − | − | − | − |

7. UTILISER LES TOILETTES

0	Utilise seul les toilettes (incluant s'asseoir, s'essuyer, s'habiller et se relever).

  −0,5 Avec difficulté

−1	Nécessite de la surveillance pour utiliser les toilettes OU utilise seul une chaise d'aisance, un urinal ou une bassine.
−2	A besoin de l'aide d'une autre personne pour aller aux toilettes ou utiliser la chaise d'aisance, la bassine ou l'urinal.
−3	N'utilise pas les toilettes, la chaise d'aisance, la bassine ou l'urinal.

☐ chaise d'aisance ☐ bassine ☐ urinal

Date: ___ Date: ___ Date: ___ Date: ___ Date: ___ Date: ___ Date: ___
Score: ___ Score: ___ Score: ___ Score: ___ Score: ___ Score: ___ Score: ___

B : MOBILITÉ

1. TRANSFERTS (du lit vers le fauteuil et la position debout et vice versa)

0	Se lève, s'assoit et se couche seul.

  −0,5 Avec difficulté

−1	Se lève, s'assoit et se couche seul mais doit être stimulé ou surveillé ou guidé dans ses mouvements.

Préciser : _____

−2	A besoin d'aide pour se lever, s'asseoir et se coucher.

Préciser : _____

−3	Grabataire (doit être levé et couché en bloc)

☐ positionnement particulier
☐ lève-personne ☐ planche de transfert

Score: ___ Score: ___ Score: ___ Score: ___ Score: ___ Score: ___ Score: ___

2. MARCHER À L'INTÉRIEUR (incluant dans l'immeuble et se rendre à l'ascenseur)*

0	Circule seul (avec ou sans canne, prothèse, orthèse, marchette).
−1	Circule seul mais nécessite qu'on le guide, stimule ou surveille dans certaines circonstances OU démarche non sécuritaire.
−2	A besoin de l'aide d'une autre personne.
−3	Ne marche pas.

☐ canne simple ☐ tripode ☐ quadripode
☐ marchette

* Distance d'au moins 10 mètres

Score: ___ Score: ___ Score: ___ Score: ___ Score: ___ Score: ___ Score: ___

3. INSTALLER PROTHÈSE OU ORTHÈSE

0	Ne porte pas de prothèse ou d'orthèse.
−1	Installe seul sa prothèse ou son orthèse.

  −1,5 Avec difficulté

Score: ___ Score: ___ Score: ___ Score: ___ Score: ___ Score: ___ Score: ___

\>\>\>

	Date:	Date:	Date:	Date:	Date:	Date:	Date:

−2 A besoin qu'on vérifie l'installation de sa prothèse ou de son orthèse
OU a besoin d'une aide partielle.

−3 La prothèse ou l'orthèse doit être installée par une autre personne.

Type de prothèse ou d'orthèse :

| | − | − | − | − | − | − | − |

4. SE DÉPLACER EN FAUTEUIL ROULANT À L'INTÉRIEUR

	Score:	Score:	Score:	Score:	Score:	Score:	Score:

0 N'a pas besoin de fauteuil roulant (FR) pour se déplacer.

−1 Se déplace seul en FR.

   −1,5 Avec difficulté

| | + | + | + | + | + | + | + |

−2 Nécessite qu'une personne pousse le FR.

| | • | • | • | • | • | • | • |

−3 Ne peut utiliser un FR (doit être transporté en civière).

☐ FR simple   ☐ FR à conduite unilatérale
☐ FR motorisé   ☐ Triporteur
☐ Quadriporteur

| | − | − | − | − | − | − | − |

5. UTILISER LES ESCALIERS

	Score:	Score:	Score:	Score:	Score:	Score:	Score:

0 Monte et descend les escaliers seul.

   −0,5 Avec difficulté

| | + | + | + | + | + | + | + |

−1 Monte et descend les escaliers mais nécessite qu'on le guide, stimule ou surveille
OU monte et descend les escaliers de façon non sécuritaire.

| | • | • | • | • | • | • | • |

−2 Monte et descend les escaliers avec l'aide d'une autre personne.

−3 N'utilise pas les escaliers.

| | − | − | − | − | − | − | − |

6. CIRCULER À L'EXTÉRIEUR

	Score:	Score:	Score:	Score:	Score:	Score:	Score:

0 Circule seul en marchant (avec ou sans canne, prothèse, orthèse, marchette).

   −0,5 Avec difficulté

| | + | + | + | + | + | + | + |

−1 Utilise seul un fauteuil roulant ou un triporteur/quadriporteur*

   ↓ **−1,5** Avec difficulté

OU circule seul en marchant mais nécessite qu'on le guide, stimule ou surveille dans certaines circonstances
OU démarche non sécuritaire[1].

| | • | • | • | • | • | • | • |

−2 A besoin de l'aide d'une autre personne pour marcher[1]
OU utiliser un FR*.

−3 Ne peut circuler à l'extérieur (doit être transporté sur une civière).

[1] Distance d'au moins 20 mètres
*Stabilité

| | − | − | − | − | − | − | − |

C: COMMUNICATION

	Date:	Date:	Date:	Date:	Date:	Date:	Date:

1. VOIR

	Score:	Score:	Score:	Score:	Score:	Score:	Score:

0 Voit de façon adéquate avec ou sans verres correcteurs.

−1 Troubles de la vision mais voit suffisamment pour accomplir les activités quotidiennes.

−2 Ne voit que le contour des objets et nécessite d'être guidé dans les activités quotidiennes.

−3 Aveugle

☐ verres correcteurs ☐ loupe

+	+	+	+	+	+	+
•	•	•	•	•	•	•
−	−	−	−	−	−	−

2. ENTENDRE

	Score:	Score:	Score:	Score:	Score:	Score:	Score:

0 Entend convenablement avec ou sans appareil auditif.

−1 Entend ce qu'on lui dit à la condition de parler fort. OU nécessite qu'on lui installe son appareil auditif.

−2 N'entend que les cris ou que certains mots OU lit sur les lèvres OU comprend par gestes.

−3 Surdité complète et incapacité de comprendre ce qu'on veut lui communiquer

☐ appareil auditif

+	+	+	+	+	+	+
•	•	•	•	•	•	•
−	−	−	−	−	−	−

3. PARLER

	Score:	Score:	Score:	Score:	Score:	Score:	Score:

0 Parle normalement.

−1 A une difficulté de langage mais réussit à exprimer sa pensée.

−2 A une difficulté grave de langage mais peut communiquer certains besoins primaires OU répondre à des questions simples (oui, non) OU utiliser le langage gestuel.

−3 Ne communique pas.

Aide technique :

☐ ordinateur

☐ tableau de communication

+	+	+	+	+	+	+
•	•	•	•	•	•	•
−	−	−	−	−	−	−

D: FONCTIONS MENTALES

1. MÉMOIRE

	Score:	Score:	Score:	Score:	Score:	Score:	Score:

0 Mémoire normale

−1 Oublie des faits récents (noms de personnes, rendez-vous, etc.) mais se souvient des faits importants.

−2 Oublie régulièrement des choses de la vie courante (fermer la cuisinière, avoir pris des médicaments, rangement des effets personnels, avoir pris un repas, ses visiteurs…).

−3 Amnésie quasi totale

+	+	+	+	+	+	+
•	•	•	•	•	•	•
−	−	−	−	−	−	−

>>>

2. ORIENTATION

		Date:	Date:	Date:	Date:	Date:	Date:	Date:
		Score:	Score:	Score:	Score:	Score:	Score:	Score:

0 Bien orienté par rapport au temps, à l'espace et aux personnes.

−1 Est quelquefois désorienté par rapport au temps, à l'espace et aux personnes.

−2 Est orienté seulement dans la courte durée (temps de la journée), le petit espace (environnement immédiat habituel) et par rapport aux personnes familières.

−3 Désorientation complète

3. COMPRÉHENSION

Score:	Score:	Score:	Score:	Score:	Score:	Score:

0 Comprend bien ce qu'on lui explique ou lui demande.

−1 Est lent à saisir des explications ou des demandes.

−2 Ne comprend que partiellement, même après des explications répétées
OU est incapable de faire des apprentissages.

−3 Ne comprend pas ce qui se passe autour de lui.

4. JUGEMENT

Score:	Score:	Score:	Score:	Score:	Score:	Score:

0 Évalue les situations et prend des décisions sensées.

−1 Évalue les situations et nécessite des conseils pour prendre des décisions sensées.

−2 Évalue mal les situations et ne prend des décisions sensées que si une autre personne les lui suggère.

−3 N'évalue pas les situations et on doit prendre les décisions à sa place.

5. COMPORTEMENT

Score:	Score:	Score:	Score:	Score:	Score:	Score:

0 Comportement adéquat

−1 Troubles de comportement mineurs (jérémiades, labilité émotive, entêtement, apathie) qui nécessitent une surveillance occasionnelle OU un rappel à l'ordre OU une stimulation.

−2 Troubles de comportement qui nécessitent une surveillance plus soutenue (agressivité envers lui-même ou les autres, dérange les autres, errance, cris constants).

−3 Dangereux, nécessite des contentions OU essaie de blesser les autres ou de se blesser OU tente de se sauver.

SCORE TOTAL:

Rôles de l'infirmière

L'infirmière joue plusieurs rôles fondamentaux auprès du résident atteint d'une démence. Ils sont au nombre de sept.

Premier rôle : promotion de la dignité humaine

Le premier rôle de l'infirmière est de promouvoir la dignité humaine du résident atteint d'une démence (Miller, 1999). En raison de ses déficits cognitifs, le résident atteint de démence est très vulnérable à l'infantilisation, à la négligence, à la déshumanisation, à la perte d'identité et même à la violence. Il est donc essentiel que l'infirmière s'assure du respect de sa dignité ; nous verrons comment un peu plus loin.

Deuxième rôle : satisfaction des besoins du résident

Le deuxième rôle de l'infirmière est de s'assurer que les besoins de base et les besoins complexes du résident sont satisfaits. Le résident atteint de démence, en particulier aux stades sévères de la maladie, est dépendant de l'équipe soignante pour la satisfaction de ses besoins. Il n'a souvent plus les capacités cognitives pour exprimer efficacement ses besoins (par exemple, la soif ou l'envie d'uriner) ou pour se protéger de lui-même (Kempler, 2005). Avec ce type de résident, l'infirmière doit prendre les devants, c'est-à-dire mettre en place des interventions sans que des demandes n'aient été explicitement formulées, et doit se soucier de la sécurité de la personne. Elle doit constamment revoir le programme de soins afin de tenir compte de l'évolution de l'état de santé du résident.

Concernant l'anticipation des besoins du résident atteint d'une démence, notons qu'un programme d'hydratation est essentiel, car l'aîné ne pensera pas toujours à boire chaque jour une quantité suffisante de liquide (voir le chapitre 11). En fait, en raison de la dépendance du résident atteint d'une démence concernant la satisfaction de ses besoins, presque tous les programmes présentés dans ce livre sont pertinents. C'est le cas du programme d'alimentation (voir le chapitre 12), du programme d'hygiène buccodentaire (voir le chapitre 13), des programmes d'élimination (voir les chapitres 14 et 15), du programme d'hygiène du sommeil (voir le chapitre 16) et du programme de podologie (voir le chapitre 18). Par ailleurs, l'infirmière doit également se soucier des loisirs (voir le chapitre 34) et de la vie sexuelle (voir le chapitre 40) du résident atteint d'une démence. Enfin, la satisfaction des besoins du résident permet d'éviter une détérioration précipitée des capacités cognitives.

Concernant la sécurité, l'infirmière doit s'assurer qu'aucun produit dangereux ne se trouve à la portée du résident. Il est important qu'elle aborde le sujet avec le reste du personnel, en particulier avec les personnes responsables de l'entretien ménager. Il faut éviter que le résident ne soit attiré par une bouteille orange dont le contenu pourrait l'empoisonner s'il l'ingurgitait. De même, l'infirmière veillera à ce qu'aucun objet pouvant augmenter le risque de chute du résident ne traîne par terre. Il faut donc qu'elle soit aux aguets pour prévenir les accidents.

L'infirmière doit promouvoir la personnalisation des soins concernant le résident atteint de démence. Pour ce faire, il est souhaitable qu'elle connaisse bien l'histoire du résident (voir le chapitre 24) et fasse participer les proches aux soins (voir le chapitre 33). Il n'est pas rare de voir les soignants des CHSLD considérer les résidents atteints de démence comme un groupe homogène. Les soignants connaissent la maladie d'Alzheimer, mais en savent moins sur les autres types de démences. Pourtant, chaque démence possède ses caractéristiques propres, qu'il faut prendre en compte pour les soins, la surveillance clinique et le soutien aux proches.

Sur le plan des soins, l'infirmière peut, par exemple, expliquer aux soignants les effets de la démence à corps de Lewy sur les capacités motrices et l'équilibre : en raison de ces perturbations, le résident atteint de cette démence présente un risque particulier de chute. Elle peut encourager les soignants à mettre en place un programme de prévention des chutes pour ce type de résident et pour les résidents les plus à risque en matière de chutes. Connaissant les particularités des démences, elle peut avertir les autres soignants que, dans le cas de la démence à corps de Lewy, il est contre-indiqué de recourir aux neuroleptiques pour traiter les symptômes psychologiques et comportementaux (voir la section sur les caractéristiques des différentes démences). Pour la démence vasculaire, elle peut insister auprès des soignants sur l'importance de la prévention visant les facteurs de risque (tabagisme, cholestérol, hypertension, inactivité physique), afin d'éviter des infarctus cérébraux qui accéléreraient la perte de facultés cognitives (Bowler et Hachinski, 2003).

Sur le plan de la surveillance clinique, l'infirmière choisit les instruments adaptés à la démence en cause pour faciliter le suivi du résident. Par exemple, les symptômes psychologiques de la démence (hallucinations) sont très fréquents dans le cas de la démence à corps de Lewy. C'est pourquoi l'infirmière devrait utiliser l'inventaire neuropsychiatrique pour faire le suivi du résident atteint (voir le chapitre 24). Les hallucinations étant plus rares dans le cas d'une démence frontotemporale, elle aura alors recours à l'inventaire d'agitation de Cohen-Mansfield (voir le chapitre 24). En fait, dans le cas de cette démence, les hallucinations seraient le signe d'un problème plus grave tel que le delirium. L'infirmière devrait alors déterminer si les autres symptômes du delirium sont présents (voir le chapitre 7) et aviser le médecin au besoin. L'infirmière qui connaît bien les différentes démences saura adapter ses interventions et faire le suivi qui convient. Le suivi rigoureux de l'évolution de la maladie est un aspect très important des soins dans le cas des résidents atteints de démence (Richter et Richter, 2004).

Sur le plan du soutien aux proches, une connaissance approfondie des différentes démences permet à l'infirmière de bien assurer son rôle. Celle-ci peut expliquer aux proches qui s'interrogent à ce sujet les effets particuliers de la démence dont souffre le résident. Par exemple, la démence frontotemporale affecte profondément le comportement du résident, ce qui n'est pas le cas de la démence de type Alzheimer. Ainsi, le résident atteint d'une démence frontotemporale, désinhibé, peut porter tous les objets à sa bouche, être grossier verbalement ou même avoir des comportements sexuels en public (se masturber). L'infirmière, par ses explications concernant les effets de cette maladie, rassure les proches qui sont embarrassés et leur évite de se sentir responsables des comportements de leur père ou de leur mère.

Dans le cas de la démence vasculaire, les proches doivent savoir que la labilité émotionnelle fait partie du tableau clinique. L'infirmière peut le leur expliquer, leur assurer qu'ils ne sont pas responsables des sautes d'humeur, des pleurs de leur mère ou de leur père. Elle peut également leur expliquer comment accueillir les émotions de leur parent, en les validant ou bien en recourant à la diversion (voir le chapitre 24).

Troisième rôle : suivi rigoureux de l'état de santé du résident

Le troisième rôle de l'infirmière est d'assurer un suivi rigoureux de l'état de santé du résident atteint d'une démence (Miller, 1999). Ce dernier n'ayant souvent plus les capacités cognitives pour communiquer efficacement ses malaises (froid, douleur), la surveillance clinique de certains paramètres est fondamentale pour une détection rapide de ces malaises. À ce titre, l'infirmière doit au minimum mesurer chaque trimestre les capacités cognitives du résident et son autonomie fonctionnelle (voir la section « Détection du problème »), les symptômes psychologiques et comportementaux de la démence (voir le chapitre 24), la douleur (voir le chapitre 20) et la qualité de vie (voir le chapitre 1). Il est important qu'elle se serve des instruments disponibles et qu'elle ne s'appuie pas seulement sur son observation. En effet, en raison du vieillissement et de la démence, le résident qui a un malaise ou un problème de santé aiguë le manifestera d'une manière subtile et atypique (voir le chapitre 1) et verra son état changer progressivement, sur une semaine ou deux. Pour détecter rapidement les changements anormaux, l'infirmière doit compléter son observation par l'utilisation d'instruments de mesure spécifiquement conçus pour reconnaître les signes et symptômes des problèmes des résidents atteints d'une démence.

Rappelons par ailleurs que le résident atteint de démence a également d'autres problèmes de santé dont l'infirmière doit assurer un suivi rigoureux. À ce sujet, Jones (2004) résume les problèmes de santé dont souffrent le plus souvent les aînés atteints d'une démence (voir le tableau 2-6).

Quatrième rôle : communication

La communication est un aspect important des soins. Dans ce domaine, l'infirmière a une fonction de leadership à assurer au sein de l'équipe, et ce, lors de l'examen clinique

Tableau 2-6	Problèmes de santé fréquents chez les aînés atteints d'une démence

Diabète de type 2
Hypertension
Fibrillation auriculaire
Problèmes visuels et auditifs
Problèmes de pieds
Problèmes buccodentaires
Problèmes nutritionnels
Problèmes d'élimination (incontinence)
Chutes et fractures
Douleur non détectée
Effets secondaires des médicaments

Source : R. Jones (2004). Management of comorbidity in Alzheimer's disease. Dans S. Gauthier, P. Scheltens et J.L. Cummings (dir.), *Alzheimer's Disease and Related Disorders Annual* (pp.145-160). Scarborough (Ontario) : Taylor & Francis Group.

des sens, lors des soins eux-mêmes et lors de l'évaluation de la communication avec le résident. D'abord, l'infirmière doit effectuer un examen clinique des sens, en l'occurrence de la vision et de l'audition. Cela lui permet de repérer les résidents qui doivent recevoir les soins d'un médecin (cataracte, glaucome), d'un audiologiste (surdité) ou d'un optométriste (perte d'acuité visuelle). Quand les résidents portent déjà des prothèses pour leur vision et leur audition, l'infirmière en évalue le bon fonctionnement et l'ajustement. Une prise en charge optimale des sens est un préalable à la communication.

Ensuite, l'infirmière doit trouver du temps pour communiquer régulièrement avec le résident. Une communication quotidienne non seulement fait partie du respect de la dignité du résident, mais contribue également à son bien-être. Malheureusement, les soignants n'ont souvent pas suffisamment de temps pour bien communiquer avec le résident. Il en résulte alors une sous-stimulation. À ce sujet, il est crucial que les organisations revoient leur mode de fonctionnement pour permettre aux soignants de s'engager réellement dans une relation avec les résidents.

Enfin, l'infirmière doit déterminer quelles méthodes de communication sont les plus appropriées pour les différents résidents et communiquer ses résultats au reste de l'équipe soignante. Elle doit enseigner aux soignants quand et comment utiliser les techniques de communication que sont la réminiscence (voir les chapitres 9 et 24), la validation et la diversion (voir le chapitre 24), et la communication optimale (voir le chapitre 31). Elle doit aussi les encourager à stimuler les praxies des résidents lors des soins, par la stimulation cognitive (voir le chapitre 32). Il est important qu'elle rappelle aux soignants les principes de base en matière de communication avec les résidents. Elle leur recommandera de toujours utiliser des phrases simples, courtes et contenant un vocabulaire accessible lorsqu'ils font des demandes. Ainsi, lorsqu'ils supervisent un résident, ils doivent diviser les tâches et les demandes afin d'en faciliter la compréhension par l'aîné présentant une démence avancée. Une demande du type «Monsieur Lavoie, pouvez-vous vous laver les mains?» est à éviter, car elle est souvent trop complexe. Il faut plutôt demander: «Monsieur Lavoie, pouvez-vous ouvrir le robinet? Maintenant, pouvez-vous prendre le savon qui est là? Monsieur Lavoie, frottez vos mains comme ceci» (voir le chapitre 32).

Cinquième rôle: gestion optimale des symptômes psychologiques et comportementaux de la démence

Le cinquième rôle de l'infirmière concerne une composante importante des soins infirmiers en CHSLD. C'est celui qui consiste à effectuer une gestion optimale des symptômes psychologiques et comportementaux de la démence (SPCD, voir le chapitre 24). Ces derniers causent beaucoup de souffrance au résident concerné, à ses proches et aux soignants. Ils peuvent conduire le résident à mettre sa santé en danger s'ils le poussent à refuser les médicaments. Ils peuvent aussi entraîner l'isolement du résident et sa stigmatisation par les soignants s'ils se présentent sous forme de cris constants. Les proches qui ne comprennent pas ces comportements éprouvent de la honte et peuvent se sentir blessés par les propos tenus par le résident. Ils peuvent même avoir peur si le résident se montre agressif. Les soignants aussi peuvent avoir des craintes à l'égard de certains résidents. Ils peuvent vivre beaucoup de frustration lorsque le résident résiste lors des soins ou présente des comportements agressifs. S'ils ont alors recours aux neuroleptiques et à la contention physique, la situation s'envenimera. L'infirmière a un rôle très important à jouer ici. Elle doit fonder ses interventions sur des connaissances de pointe dans le domaine, sur des résultats de recherches. Elle doit bien saisir les enjeux de la gestion optimale des SPCD (voir le chapitre 24) et intervenir avec doigté dans les situations de résistance aux soins (voir le chapitre 25), de résistance aux soins d'hygiène (voir le chapitre 26), d'agitation verbale (voir le chapitre 27), d'agressivité (voir le chapitre 28), d'errance (voir le chapitre 29) et de syndrome crépusculaire (voir le chapitre 30). Elle doit également favoriser un usage minimal s'étendant sur une courte période des moyens de contention physique (voir le chapitre 22) et un usage optimal des neuroleptiques (voir le chapitre 23).

Sixième rôle: prévention de la détérioration précipitée des capacités cognitives du résident

Le sixième rôle de l'infirmière a trait à la prévention de la détérioration précipitée des capacités cognitives du résident, notamment par le recours aux médicaments et par la marche. Le résident atteint de démence est très sensible à son environnement. Ainsi, un environnement stimulant a des effets positifs sur ses capacités cognitives, alors qu'un environnement peu stimulant a sur elles des effets négatifs

(Miller, 1999). L'approche prothétique élargie, présentée au chapitre 37, vise justement à stimuler de façon adéquate le résident atteint de démence. Or c'est à l'infirmière d'élaborer des approches en tenant compte des capacités cognitives des résidents. L'infirmière-chef, en particulier, a un rôle de leadership à jouer dans ce domaine (voir les chapitres 38 et 39).

Concernant la prévention de la détérioration précipitée des facultés cognitives, l'infirmière a trois principes à respecter. Le premier principe est que le résident doit participer à des activités adaptées à son état de santé (voir les chapitres 34 à 36). Le deuxième est qu'il doit avoir des périodes de repos. Enfin, le troisième est que l'intensité des soins doit correspondre à son autonomie fonctionnelle (Miller, 1999). Cela signifie qu'il faut éviter de faire à la place du résident ce qu'il est en mesure de faire (se peigner, se rendre à la toilette) et, à l'inverse, l'aider dans ses incapacités (préparer son cabaret).

L'infirmière doit, par ailleurs, favoriser un usage optimal des inhibiteurs de l'acétylcholinestérase et des autres médicaments. Elle doit se soucier de l'usage des médicaments afin de s'assurer que le résident atteint de démence tire le plus de bénéfices possible des médicaments et subit le moins d'effets indésirables possible. À ce sujet, nous recommandons fortement la lecture du chapitre 23.

Les soignants en général doivent communiquer avec le résident de manière à stimuler ses sens et ses capacités cognitives (voir les chapitres 31, 32 et 37). Cette communication est quotidienne et ne doit pas être de type évaluatif (voir le chapitre 32). Le résident pouvant voir ses capacités cognitives se détériorer rapidement à la suite d'un problème visuel ou auditif non détecté, l'infirmière a ici encore un rôle de détection important à jouer.

Enfin, l'exercice physique est aussi un moyen de prévenir la détérioration rapide des capacités cognitives du résident. L'infirmière devra donc mettre en place un programme de marche. Nous abordons le sujet un peu plus loin.

Septième rôle: accompagnement des proches

Le septième rôle de l'infirmière est d'accompagner les proches du résident. En fait, ce rôle devrait normalement débuter avant même l'admission de l'aîné en CHSLD. Des rencontres de préadmission devraient toujours avoir lieu avec les proches et le résident, afin de faciliter l'adaptation et l'intégration dans le nouveau milieu de vie. Lors de ces rencontres, l'infirmière explique notamment qui fait quoi dans un CHSLD, milieu souvent peu connu des familles.

Les proches peuvent vivre difficilement la transition de l'aîné du milieu naturel au milieu institutionnel. Ils éprouvent de la culpabilité à laisser partir leur parent. Rapidement, ils cherchent quel rôle ils remplissent et comment ils peuvent contribuer aux soins, participer à la vie de leur parent dans le contexte du CHSLD. C'est pour eux une période pleine de stress. Des conflits peuvent même survenir avec l'équipe soignante et, lorsqu'ils persistent, les faire sombrer

dans la dépression. L'infirmière a un rôle central à jouer à cet égard : elle aide les proches à cheminer dans cette nouvelle réalité. Le chapitre 33 traite en profondeur de ce qu'elle peut faire pour accompagner les proches, dès l'admission. Ajoutons que la création d'un groupe de soutien pour les proches est recommandée (Kempler, 2005). De même, il est important de discuter dès l'admission avec les proches et le résident du niveau des soins visé (voir le chapitre 42).

L'infirmière a donc des fonctions particulières à assumer à l'égard du résident atteint d'une démence et hébergé dans un CHSLD. Elle doit remplir pleinement son rôle au bénéfice des résidents et des proches, et pour l'essor de la profession infirmière en CHSLD. Rappelons que même si elle est autonome, elle doit collaborer avec l'équipe interdisciplinaire pour obtenir plus de succès. Le tableau 2-7 résume ces sept rôles de l'infirmière que nous venons de décrire et indique dans quelles autres sections de ce chapitre et dans quels autres chapitres ils sont abordés.

Respect de la dignité du résident atteint d'une démence

Le respect de la dignité humaine est un aspect important des soins infirmiers, en particulier dans le cas des résidents atteints de démence. La dignité est le respect que mérite toute personne. Le soignant reconnaît la dignité du résident en s'adressant à lui au moyen des formules de politesse usuelles, en le vouvoyant, en lui demandant la permission de

le toucher, en lui expliquant les raisons d'une demande ou d'une intervention, en frappant à la porte de sa chambre avant d'entrer, etc. Il le fait également en considérant le résident comme un individu unique, ayant sa propre identité. C'est sur cet aspect particulier que nous nous penchons ici.

Dans son chapitre intitulé « Chaque personne est unique », Sherman (2000) souligne que, pour considérer le caractère unique de chaque résident, l'infirmière doit tenter de connaître la personne derrière la maladie. En effet, l'infirmière et les autres soignants doivent être bien conscients que, malgré la perte progressive de ses capacités cognitives due, à la démence, le résident reste un humain à part entière (Hudson, 2003). Pour respecter cette dignité humaine, il est essentiel qu'ils écoutent le résident atteint de démence et discutent avec sa famille. Ils ont également tout intérêt à s'intéresser à l'histoire du résident, à ses intérêts, à ses sujets de discussion favoris, à ses valeurs et aux activités qu'il aime pratiquer (voir le chapitre 24). Sherman (2000) dit encore que l'identité personnelle se rapporte au « soi », à ce que nous sommes et à la façon dont nous participons à la vie autour de nous. Ainsi, les rôles du résident et ses interactions avec son environnement font partie intégrante de son identité. En tenant compte de tout cela, le soignant respecte la dignité du résident.

Les repères identitaires sont des moyens de préserver l'identité, donc la dignité du résident atteint de démence. Ce sont les gestes, les paroles et les objets qui rappellent au résident qu'il est unique et en quoi il est unique, c'est-à-dire ce qu'il est et ce qui le distingue des autres résidents,

Tableau 2-7	Rôles de l'infirmière à l'égard du résident atteint de démence
RÔLE	**CHAPITRES**
Promotion de la dignité humaine	Section « Respect de la dignité du résident atteint d'une démence » de ce chapitre Chapitre 43 (éthique)
Satisfaction des besoins de base et des besoins complexes	Section « Caractéristiques des différentes démences » de ce chapitre Chapitres 24 (biographie) et 33 (intégration des proches). Chapitres 11 (hydratation), 12 (alimentation), 13 (soins buccodentaires), 14 et 15 (élimination), 16 (sommeil), 18 (podologie), 34 (loisirs) et 40 (vie sexuelle)
Suivi rigoureux de l'état de santé du résident	Section « Détection du problème » de ce chapitre Chapitres 1 (qualité de vie), 20 (douleur) et 24 (symptômes psychologiques et comportementaux de la démence)
La communication	Chapitres 9 (réminiscence), 24 (réminiscence, validation, diversion), 31 (communication optimale) et 32 (stimulation cognitive)
Gestion optimale des symptômes psychologiques et comportementaux de la démence	Chapitres 24 (gestion optimale des SPCD), 25 (résistance aux soins), 26 (résistance aux soins d'hygiène), 27 (agitation verbale), 28 (agressivité), 29 (errance), 30 (syndrome crépusculaire), 22 (moyens de contention physique) et 23 (usage optimal des médicaments)
Prévention de la détérioration précipitée des capacités cognitives	Section « Prévention de la détérioration précipitée des capacités cognitives » de ce chapitre Chapitres 32 (stimulation cognitive), 37 (approche prothétique élargie), 38 (administration d'une unité de soins) et 39 (changer le fonctionnement d'une organisation)
Accompagnement des proches	Chapitre 33 (intégration des proches)

ce qu'il a apporté et ce qu'il peut encore apporter à la vie sociale du CHSLD (Hudson, 2003). Ainsi, par leurs gestes et leurs paroles, les soignants peuvent fournir au résident des repères identitaires qui vont renforcer sa mémoire et éviter la dépersonnalisation souvent associée à la vie en CHSLD. La dépersonnalisation est l'atteinte à la dignité humaine, la perte d'identité (voir le chapitre 43). Le recours à la contention physique est un exemple classique de pratique favorisant la dépersonnalisation. Mais d'autres pratiques institutionnelles comme les heures de lever et de coucher imposées, l'obligation de faire sa toilette le matin, l'obligation de manger dans telle salle à telle heure sont aussi des exemples de pratiques de dépersonnalisation. En fait, quand la tâche prévaut sur l'individu, il y a dépersonnalisation.

L'écoute est le moyen le plus simple pour préserver l'identité du résident. Hudson (2003) affirme que l'écoute est une composante essentielle des soins auprès de la personne atteinte de démence. Elle a encore des choses à raconter, malgré sa maladie et ses déficits cognitifs. L'infirmière devrait ainsi permettre au résident atteint de démence de « se raconter ». Cette activité qui implique échanges et interactions; le fait de se sentir écouté, que quelqu'un lui consacre une partie de son temps revêt une importance considérable pour le résident. La clarté du message transmis est secondaire, c'est le fait de parler avec quelqu'un qui a un effet thérapeutique sur le résident. Le résident qui ne parle plus ou n'est plus écouté peut se sentir isolé, seul, éprouver de la frustration et de la souffrance. Lorsqu'il se raconte, le résident retrouve une identité. De plus, en l'écoutant, les soignants seront plus portés à le considérer comme un être humain à part entière et à le traiter avec respect et dignité.

La reconnaissance de la personnalité fournit un autre repère identitaire. Si le résident possédait un bon sens de l'humour avant l'apparition de sa maladie, les soignants peuvent l'inviter à raconter des blagues ou lui en raconter. Ils peuvent également, dans le même sens, parler des choses qui l'intéressent, ajouter des éléments personnels dans sa chambre (des miroirs, notamment), aider la personne à conserver une apparence soignée, se montrer intéressés, offrir des choix, permettre à la personne d'exprimer ses sentiments, respecter son intimité, encourager son indépendance et la féliciter (voir le chapitre 37). L'infirmière doit rappeler aux soignants et aux proches (voir le chapitre 33) qu'ils ont la responsabilité de découvrir et de valoriser l'individualité et l'originalité du résident atteint de démence.

Permettre à un résident de remplir un rôle dans le CHSLD est encore un autre moyen de favoriser son identité et de donner un sens à sa vie (Hudson, 2003). En fait, une partie de l'identité du résident découle des rôles qu'il assume dans le CHSLD. Les soignants peuvent aider le résident à conserver les rôles qu'il jouait avant son admission en CHSLD ainsi que les habitudes qu'il avait. Pour cela, il importe que l'infirmière et l'équipe interdisciplinaire discutent avec le résident et ses proches, afin de déterminer quels rôles l'aîné pourrait assumer dans le contexte du CHSLD. Dans un premier temps, il est essentiel d'établir les compétences que le résident a acquises et développées grâce aux rôles qu'il a remplis durant sa vie, et de déterminer le ou les rôles qui lui ont apporté le plus de gratification. Par la suite, il s'agit de permettre au résident d'assumer le rôle en question. Cela peut être de préparer la salle à manger, de tirer les balles lors du bingo, de prendre des photos lors des fêtes, de participer à l'organisation des activités récréatives, de faire ses comptes, etc. Concernant les anciennes habitudes, le résident pourrait recevoir son journal ou son magazine à sa chambre, et même avoir son ordinateur dans sa chambre. Parfois, le contexte du CHSLD ou les compétences cognitives du résident ne lui permettent pas de remplir le rôle défini. L'infirmière doit alors être créative afin de lui modéliser un rôle en fonction de ses capacités et des limites organisationnelles. Dans les situations complexes, elle pourra solliciter l'aide de l'équipe interdisciplinaire, en particulier de la récréologue.

Il est important de ne pas abandonner lorsqu'il n'est pas possible de permettre au résident de jouer le rôle qu'il aimerait. Adams et Manthorpe (2003) affirment qu'il faut éviter les attitudes d'âgisme et la perception tragique des incapacités du résident, car ils constituent parfois des obstacles plus importants que les capacités réelles du résident ou le contexte du CHSLD. Les attitudes défaitistes quant aux capacités cognitives du résident ne sont pas de bonnes attitudes. Non seulement elles n'encouragent pas à faire la promotion de l'autonomie du résident par la stimulation des capacités résiduelles, mais elles constituent en plus un manque de respect envers le résident.

Caractéristiques des différentes démences

Du point de vue de leurs répercussions sur les plans cognitif, fonctionnel, psychologique et comportemental, les démences ont entre elles des différences tantôt mineures tantôt majeures. Une composante cruciale de la compétence de l'infirmière travaillant auprès de résidents atteints de démence est de connaître le profil particulier et l'évolution attendue de chaque type de démence (Hudson, 2003). Cette connaissance permet à l'infirmière de mieux comprendre chaque résident et d'offrir un meilleur soutien à ses proches. Cela lui permet aussi d'intervenir précocement lorsque des problématiques anormales se présentent (delirium, par exemple) et de gérer adéquatement la situation lorsque des changements attendus se produisent (Bowler et Hachinski, 2003). À titre d'exemple, la perte totale des capacités langagières est possible aux premiers stades d'une certaine forme de démence frontotemporale, alors qu'elle est à peu près inexistante aux stades légers de la démence de type Alzheimer. L'infirmière qui a une bonne connaissance de l'évolution des démences peut offrir un meilleur soutien aux soignants et aux proches en leur expliquant les manifestations normales de ces maladies.

Les quatre démences les plus fréquentes sont abordées ici: la démence de type Alzheimer, la démence à corps de Lewy, la démence frontotemporale et la démence vasculaire.

Notons qu'un certain nombre de résidents sont atteints de deux démences en même temps, c'est-à-dire qu'ils présentent des signes et symptômes de deux démences. On parle alors de démence mixte. Il faut reconnaître également que plus les démences sont avancées, et donc que la perte de facultés cognitives et la perte d'autonomie sont sévères, plus les différences s'amenuisent entre elles.

Démence de type Alzheimer

Le diagnostic de la démence de type Alzheimer (DTA) repose sur des critères cliniques du National Institute of Neurological Disorders and Stroke (NINCDS) et de l'Alzheimer Disease and Related Disorders Association (ADRDA) (Kempler, 2005; McKhann *et al.*, 1984), ainsi que sur des critères cliniques du DSM-IV-R (APA, 2000). Le tableau 2-8 présente un sommaire de ces critères.

Déficits cognitifs

Le tableau clinique de la maladie d'Alzheimer se caractérise par un début insidieux et graduel. Sur le plan cognitif, les problèmes de mémoire constituent l'un des premiers symptômes (Blazer *et al.*, 2004). Ils peuvent se manifester par une difficulté à apprendre une nouvelle information ou à se rappeler une information déjà apprise (Cotter et Strumpf, 2002). Ils touchent en premier lieu la mémoire à court terme et plus tard seulement, dans l'évolution de la maladie, la mémoire à long terme. Dès le début, le déficit de la mémoire à court terme perturbe le fonctionnement quotidien de l'aîné de façon notable. L'aîné a de la difficulté à apprendre de nouvelles choses et à remplir ses fonctions professionnelles. Plus son problème de mémoire à court terme s'aggravera, plus il aura de la difficulté à faire ses activités de la vie domestique et, par la suite, ses activités de la vie quotidienne.

Bien qu'il soit toujours en mesure de faire des apprentissages, donc d'encoder de l'information et de l'emmagasiner dans sa mémoire à long terme, le résident atteint de la DTA éprouve beaucoup de difficulté à acquérir de nouvelles informations (Kempler, 2005). En fait, le problème d'encodage de nouvelles informations est souvent pour l'aîné atteint le problème initial (Richter et Richter, 2004).

Le résident a aussi de la difficulté à récupérer l'information apprise et stockée dans sa mémoire à long terme; il oublie souvent les choses. De manière globale, la récupération de l'information anciennement ou nouvellement apprise est grandement diminuée chez le résident atteint et vivant en CHSLD. Il ne se rappellera souvent pas ce qu'il a mangé au déjeuner ou le nom de l'infirmière qui vient tout juste de le visiter. Il posera souvent la même question ou égarera fréquemment ses objets personnels.

Concernant le rappel de l'information emmagasinée dans la mémoire à long terme, il faut noter qu'il suit une variation temporelle (Kempler, 2005; Richter et Richter, 2004). Cela signifie qu'au début de la maladie, le résident peut se rappeler de la période de sa vie s'étalant de l'âge de 10 ans à l'âge de 70 ans, mais qu'au fur et à mesure de la progression de la maladie, il a de la difficulté à se souvenir des événements tardifs de sa vie. Ainsi, avec le temps, il ne se rappellera que les événements vécus entre 10 et 60 ans, puis des événements vécus entre 10 et 50 ans, 10 et 40 ans, et ainsi de suite. C'est pourquoi le résident dont la maladie est avancée va parfois croire qu'il est l'heure d'aller travailler ou va demander où se trouve sa mère.

La DTA touche également la mémoire prospective (Kempler, 2005). Ainsi, le résident ne se souviendra pas qu'il doit se rendre à une activité l'après-midi ou rencontrer le médecin le lendemain. Il ne peut se rappeler quelque

Tableau 2-8	Sommaire des critères servant au diagnostic clinique de la maladie d'Alzheimer

Diagnostic clinique de maladie d'Alzheimer probable
- Démence établie par l'examen clinique (par exemple, grâce au MEEM)
- Au moins deux types de déficits parmi les déficits des fonctions cognitives suivants:
  - Aphasie
  - Apraxie
  - Agnosie
  - Déficit dans les fonctions exécutives (planification, organisation, capacité de faire une tâche comprenant plusieurs étapes et capacité d'abstraction)
- Aggravation progressive de la mémoire et détérioration d'autres fonctions cognitives
- Pas d'altération de la conscience
- Début se situant entre 40 et 90 ans, mais le plus souvent après 65 ans
- Absence de causes systémiques ou d'affections cérébrales pouvant être à l'origine des troubles

Éléments en faveur du diagnostic de maladie d'Alzheimer probable
- Détérioration progressive de fonctions cognitives telles que le langage, les praxies et les gnosies
- Perturbation des activités de la vie quotidienne et du comportement
- Existence d'une maladie neurologique similaire dans les antécédents familiaux

Diagnostic clinique de maladie d'Alzheimer certaine
- Diagnostic de démence probable et preuve histologique *post-mortem*

chose qu'il doit faire dans le futur. Il vit dans le moment présent.

Cependant, il est important de nuancer quelque peu les résultats des différentes études portant sur la cognition. Il faut, par exemple, reconnaître que le résident atteint de la DTA conserve une certaine capacité de récupération des informations stockées dans sa mémoire sémantique, qui se trouve dans sa mémoire à long terme. Par exemple, il peut dire le nom de son village ou le nom de son père. Il peut compter à l'endroit et à l'envers, et pourra compter à l'endroit très longtemps tandis que sa maladie évoluera (Calderon *et al.*, 2001). Bref, sa mémoire sémantique, bien que diminuée, demeure existante (Blazer *et al.*, 2004; Tulving, 1991). Sa mémoire procédurale résiste également longtemps, alors que sa maladie progresse (Kempler, 2005). Ainsi, même s'il ne se souvient plus de la façon de nommer une « fourchette », il sait tout de même utiliser l'instrument pendant plusieurs années après le diagnostic de la maladie. Parmi les sous-catégories de la mémoire à long terme, la mémoire épisodique serait la plus touchée par la DTA (Calderon *et al.*, 2001; Taylor et Monsch, 2004). Le résident éprouve d'importantes difficultés à situer les événements passés dans le temps et dans l'espace. Le résident atteint de la maladie d'Alzheimer perd chaque année en moyenne 3 ou 4 points au mini-examen de l'état mental (Richter et Richter, 2004).

Les déficits de la mémoire sémantique expliquent les problèmes de langage que connaît le résident atteint de la maladie d'Alzheimer. Aux premiers stades, il s'agit d'une imprécision verbale; l'aîné cherche ses mots et a de la difficulté à nommer les choses (Richter et Richter, 2004). Il a tendance à décrire l'objet ou à expliquer son utilité au lieu de le nommer. Il souffre également de paraphasie, c'est-à-dire qu'il utilise un mot en se trompant de sens ou qu'il emploie un mot phonétiquement ou sémantiquement semblable à celui qu'il devrait employer. Il souffre aussi d'anomie, c'est-à-dire d'une difficulté à nommer les objets. Ensuite, son vocabulaire s'appauvrit de plus en plus. Plus la maladie progresse, plus il a de la difficulté à nommer verbalement les choses, à répéter et finalement à comprendre les mots. Il lui est de plus en plus difficile de suivre une conversation complexe au contenu abstrait. En fait, même aux stades modérés de la maladie, il a du mal à comprendre les phrases d'une longueur moyenne. C'est pourquoi il faut s'adresser à lui au moyen de phrases courtes. Néanmoins, aux stades modérés, il prononce bien les mots et construit correctement ses phrases (Kempler, 2005). De même, il conserve longtemps la capacité de lire une phrase et d'en comprendre le sens. Malgré tout, avec le temps, il fait de plus en plus d'erreurs de langage et a des comportements verbaux inappropriés, notamment l'écholalie (répétition des propos des autres) et la palilalie (répétition de ses propres propos), ce qui le conduit pour finir à l'aphasie complète (Kempler, 2005).

Les problèmes d'apraxie et d'agnosie accompagnent les autres problèmes cognitifs (Richter et Richter, 2004). Le résident apraxique n'est pas en mesure d'ouvrir le robinet bien qu'il ait la capacité physique de le faire. Certains résidents vont pendant longtemps serrer la main ou saluer les gens, alors que d'autres perdent plus rapidement cette habileté (Kempler, 2005; Richter et Richter, 2004). Le résident souffrant d'agnosie a de la difficulté à comprendre l'utilité des objets familiers, tels que la télévision, un crayon, les ustensiles de cuisine ou les poignés de portes, car il ne les reconnaît pas. Il a également de plus en plus de difficulté à reconnaître des logos ou des symboles, comme le dessin indiquant les toilettes. Aux stades sévères de la maladie, en raison de l'agnosie, le résident ne reconnaît plus les membres de sa famille et peut même avoir de la difficulté à se reconnaître lui-même dans un miroir.

La maladie d'Alzheimer perturbe également les fonctions exécutives. L'aîné atteint a ainsi de la difficulté à effectuer des tâches cognitives plus ou moins complexes nécessitant un plan de travail et à faire des projets organisés, séquencés, ordonnés dans le temps ou abstraits. Plus simplement, le résident ne peut exécuter une tâche comprenant plus d'une étape. Par exemple, il a besoin que le soignant lui dise précisément de prendre sa brosse à dents, de mettre le dentifrice dessus et enfin de commencer à se brosser les dents. Il a également du mal à interpréter les concepts abstraits, notamment les expressions familières comme « prendre son bain ». De plus, il lui est très difficile de résoudre des problèmes. Par exemple, si on lui montre qu'il peut pousser sur une sonnette en cas de problème, aux stades modérés de la maladie il ne pensera le plus souvent pas à cette solution pour obtenir de l'aide. Il tentera plutôt d'aller à la porte et dans le corridor, ou encore de crier pour se faire entendre.

La DTA entraîne également une désorientation dans le temps, dans l'espace et par rapport aux personnes. Habituellement, la désorientation dans l'espace apparaît la première, suivie par la désorientation temporelle puis par la désorientation par rapport aux personnes. L'aîné a de la difficulté à se souvenir de la date du jour ou du mois de l'année, ou à reconnaître ses amis. La désorientation spatiale se manifeste par une difficulté à reconnaître des endroits peu familiers et à s'y orienter. Les perturbations des capacités visuo-spatiales dues à la DTA expliquent également que les résidents sont facilement désorientés, même dans un environnement familier (aux stades sévères).

Aux stades modérés de la DTA, le jugement du résident s'altère également. Il devient ainsi difficile pour le résident de déterminer si une situation est dangereuse, par exemple de reconnaître la température normale pour un bain ou un breuvage. Il peut ne pas se rendre compte qu'il n'est pas approprié d'être nu dans le corridor d'une unité de soins de longue durée ou de faire des avances sexuelles à une soignante. Par ailleurs, progressivement, le résident souffrant de la DTA perd sa capacité à maîtriser ses émotions. Cela peut expliquer ses réactions extrêmes ou inconvenantes. Il peut ainsi soupçonner injustement un soignant de l'avoir volé ou un membre de sa famille de l'avoir trahi. Il peut aussi ne pas réagir à un événement pourtant heureux.

Symptômes psychologiques et comportementaux de la démence

Les symptômes psychologiques et comportementaux de la démence (SPCD) sont très importants chez l'aîné atteint de la démence de type Alzheimer. Se manifestant chez plus de 80 % des aînés au cours de l'évolution de cette démence, ils sont très variés. L'agitation est fréquente et peut être présente chez plus de 64 % des aînés atteints de la maladie (Moran *et al.*, 2004). L'aîné peut errer çà et là, accomplir inlassablement un geste ou une activité, cacher ou chercher des objets, et répéter maintes et maintes fois la même question ou le même mot.

Les aînés atteints de la DTA souffrent fréquemment d'anxiété. Ce symptôme, qui se manifeste chez près de 56 % d'entre eux, est le deuxième en fréquence après l'agitation (Moran *et al.*, 2004 ; Richter et Richter, 2004). L'aîné anxieux s'inquiète de ses finances, craint constamment de manquer d'argent. Il peut également poser sans arrêt des questions concernant un événement à venir ou avoir peur qu'on le laisse seul. L'aîné atteint de la DTA réagit de façon anxiogène parce que sa mémoire est affectée et qu'il est incapable de mobiliser ses capacités de réflexion résiduelles. De plus, sa capacité de mettre les événements en perspective est réduite, et il peut ainsi réagir de façon excessive à un événement qui auparavant n'aurait pas eu d'importance pour lui.

Les problèmes affectifs, notamment la dépression, l'apathie et la détresse psychologique, sont également très fréquents chez les aînés atteints de la DTA (Moran *et al.*, 2004 ; Wragg et Jeste, 1989). Ainsi, de 8 à 43 % d'entre eux en souffriraient à un moment ou à un autre de l'évolution de la maladie. Il s'agit de problèmes difficiles à repérer aux stades sévères. La symptomatologie de la DTA peut en effet masquer les signes et symptômes de la dépression ou de l'humeur dépressive. Cependant, une humeur dépressive envahissante, une perte d'intérêt pour des activités habituellement appréciées ou la présence d'un désir de mourir peuvent signaler des problèmes affectifs (voir le chapitre 9).

L'apathie accompagne souvent la dépression. Néanmoins, elle peut également apparaître seule. Jusqu'à 70 % des aînés atteints de la DTA présentent de l'apathie à un moment ou à un autre (Richter et Richter, 2004). L'apathie se caractérise par une absence d'intérêt pour les activités quotidiennes, de la passivité, de l'indifférence, un manque de motivation et d'initiative, une diminution des contacts sociaux, des expressions faciales et des réponses émotives (Landreville, Rousseau, Vézina et Voyer, 2005 ; Richter et Richter, 2004).

Par ailleurs, aux stades sévères de la DTA, le tiers environ des résidents présentent une labilité émotionnelle (Landreville *et al.*, 2005).

De 25 à 30 % environ des aînés souffrant de DTA ont des idées délirantes (Kempler, 2005 ; Landreville *et al.*, 2005). Une idée délirante est une croyance erronée concernant la réalité extérieure, croyance à laquelle le résident s'accroche fermement malgré la présence d'une preuve contraire incontestable. L'un des thèmes délirants les plus fréquents est la conviction d'être victime de vol (Tariot et Blazina, 1994). Vient ensuite le délire de l'abandon, par exemple le sentiment d'avoir été abandonné au CHSLD par les proches ou celui d'être victime d'un complot des proches ou des soignants (Tariot et Blazina, 1994). Le résident atteint de la DTA peut également percevoir un proche ou un soignant comme un imposteur ou être persuadé que la chambre qu'il occupe n'est pas la sienne. Bien que moins fréquent, le délire d'infidélité du conjoint est également possible (Kempler, 2005 ; Tariot et Blazina, 1994). Enfin, le délire paranoïde est souvent un signe précurseur de comportement agressif (Gilley, Wilson, Beckett et Evans, 1997).

Les aînés atteints de la DTA ont également des troubles perceptuels. Ils ont fréquemment des illusions (interprétations erronées d'un stimulus), plus rarement des hallucinations (de 4 à 21 % d'entre eux) (Eustace *et al.*, 2002 ; Kempler, 2005). Lorsqu'ils ont des hallucinations (expériences sensorielles ne venant d'aucune stimulation externe), elles sont généralement visuelles, rarement auditives ou olfactives. Les hallucinations apparaissent surtout aux stades sévères de la démence. Quant aux illusions, elles peuvent s'expliquer par de l'agnosie visuelle due à la démence et par la diminution de la perception des contrastes due au vieillissement de l'œil. Le résident qui a une illusion va penser qu'il y a quelqu'un dans la pièce, alors que ce qu'il voit est une patère dans le coin de sa chambre, par exemple.

Les répercussions de la maladie sur la personnalité de l'aîné atteint de la DTA sont assez imprévisibles. L'aîné peut conserver ses traits de personnalité au cours de la maladie, mais peut également changer. Il peut devenir très sociable alors qu'il l'était peu, se mettre à aimer les loisirs manuels qui l'intéressaient peu par le passé. Des changements dans la personnalité et une accentuation de l'irritabilité s'observent parfois rapidement (Richter et Richter, 2004). Néanmoins, dans les premiers stades de la maladie, la personnalité est relativement stable (Richter et Richter, 2004). On pourrait résumer en disant que la personnalité prémorbide (avant l'apparition de la démence) est toujours présente, mais se conserve de manière variable d'un résident à l'autre.

Certains auteurs affirment que les SPCD qui se manifestent le plus tôt, dans l'évolution de la DTA, sont l'irritabilité, l'anxiété et la dépression, et que ceux qui se manifestent le plus tard sont l'agressivité et l'errance (Bowler et Hachinski, 2003). Les symptômes comme les hallucinations, les illusions et les idées délirantes seraient de plus en plus fréquents au fur et à mesure de l'avancement de la maladie (Kempler, 2005). Notons toutefois qu'il faut être prudent avec les généralisations ; plusieurs scénarios demeurent possibles.

Particularités de la DTA

L'une des particularités de la démence de type Alzheimer est que le niveau de conscience n'est pas touché. Un certain pourcentage de résidents présentent de l'inattention, mais seulement aux stades sévères. Une autre particularité de la DTA est que le résident conserve longtemps des conduites

sociales normales tandis que la maladie évolue. Le résident va s'asseoir convenablement sur un banc, feuilleter les pages d'un livre ou d'un journal normalement. Il faudra interagir avec lui pour se rendre compte de ses déficits cognitifs. Notons qu'au début de la maladie, bien que l'aîné soit généralement conscient de ses déficits, il les minimise dans un certain nombre de cas. Aux stades modérés et sévères, il minimise l'effet de la maladie dans la majorité des cas ou encore n'est pas conscient de certains de ses déficits (Richter et Richter, 2004). On parle alors d'anosognosie.

La perturbation du cycle veille-sommeil est une autre particularité de la DTA (Richter et Richter, 2004). Le résident a tendance à dormir beaucoup dans la journée (sommeil diurne) et éprouve des difficultés à s'endormir le soir. Il a aussi tendance à se réveiller tôt le matin. Environ 40 % des aînés atteints de la DTA auraient des problèmes de sommeil aux stades modérés de la maladie (Landreville *et al.*, 2005). Notons que cette perturbation du sommeil peut se corriger (voir le chapitre 16).

Sur le plan moteur, un petit nombre de résidents ont des contractions musculaires spontanées et involontaires nommées myoclonies. Ces contractions peuvent gêner énormément le résident dans l'accomplissement des tâches de la vie quotidienne, telles que se laver et manger (Godbolt *et al.*, 2004). Aux stades sévères de la démence, les muscles sont plus rigides, des contractures peuvent apparaître et des réflexes primitifs réapparaître. Ces changements modifient la démarche de l'aîné et entraînent des problèmes d'équilibre (Richter et Richter, 2004). Il semble que ces problèmes moteurs seraient plus fréquents chez les personnes dont la DTA s'est manifestée avant l'âge de 70 ans (Blazer *et al.*, 2004).

La paratonie, ou difficulté du relâchement musculaire volontaire, peut aussi affecter plusieurs résidents. Les soignants ont alors parfois l'impression, à tort, que le résident résiste à une mobilisation. Mais si on procède lentement, au rythme du résident, les effets de la paratonie s'estompent.

Des études ont démontré que la capacité olfactive était très affectée dans les premiers stades de la DTA. Certains chercheurs évoquent même la possibilité d'intégrer l'évaluation de l'odorat dans les tests de dépistage de la maladie (Richter et Richter, 2004).

Enfin, malgré l'existence d'un profil général de la personne atteinte d'une DTA, l'infirmière doit garder à l'esprit qu'il existe des différences entre les résidents atteints. Ainsi, tel résident pourra encore s'alimenter relativement bien et aura plus de difficultés lors des soins d'hygiène, tandis que ce sera l'inverse pour tel autre.

Démence à corps de Lewy

C'est un groupe de travail international réuni à Newcastle, au Royaume-Uni, qui a précisé, en 1995, les signes cliniques de la démence à corps de Lewy (Kempler, 2005 ; McKeith *et al.*, 1996). Le tableau 2-9 présente un sommaire de ces signes et critères. En résumé, sur le plan cognitif, cette démence se traduit par une fluctuation cognitive, une perturbation de la conscience, des hallucinations visuelles, une perturbation des fonctions exécutives et un déficit progressif de la mémoire. Sur le plan moteur, elle se manifeste par la présence du parkinsonisme (rigidité, tremblements, bradykinésie, akinésie, perturbation de la marche pour des raisons d'équilibre, problèmes posturaux).

Déficits cognitifs

La démence à corps de Lewy (DCL) se caractérise par une fluctuation importante des fonctions cognitives. L'aîné atteint de la DCL vit ainsi des périodes de lucidité franche et des périodes de confusion (McKeith, 2002 ; McKeith *et al.*, 1996). Il peut d'un jour à l'autre améliorer de 50 % son résultat au mini-examen de l'état mental de Folstein ou en l'espace d'une semaine passer d'une impossibilité de parler à la capacité de soutenir une conversation normale (Walker *et al.*, 2000). Cette fluctuation des fonctions cognitives peut se manifester sur une minute, quelques heures

Tableau 2-9	Sommaire des critères de la démence à corps de Lewy

1. Déclin cognitif progressif suffisamment important pour perturber la vie sociale ou les activités habituelles. Les troubles de la mémoire ne sont pas nécessairement présents ou dominants au début, mais deviennent généralement évidents lorsque la maladie progresse. Les déficits de l'attention, des fonctions frontales et sous-corticales et des capacités visuo-spatiales peuvent dominer.
2. Il y a diagnostic de démence à corps de Lewy probable en présence de deux des trois critères principaux suivants et diagnostic de démence à corps de Lewy possible en présence d'un seul des trois critères :
   a. Fluctuations cognitives avec variations prononcées de l'attention et du niveau de conscience
   b. Hallucinations visuelles récurrentes, typiquement bien formées et détaillées
   c. Signes moteurs spontanés de type parkinsonien
3. Les signes suivants appuient le diagnostic :
   a. Chutes à répétition
   b. Syncope
   c. Pertes de conscience temporaires
   d. Sensibilité aux neuroleptiques
   e. Délires systématisés
   f. Hallucinations
   g. Perturbation comportementale dans le cadre du sommeil paradoxal

ou quelques jours (Richter et Richter, 2004). Elle touche en particulier la capacité d'attention et le niveau de conscience (Richter et Richter, 2004). La capacité d'attention est très perturbée, et c'est elle qui fluctue le plus (Ballard *et al.*, 2001). Dès le début de la DCL, la fluctuation de ces sphères cognitives se manifeste chez 58 % des aînés ; ensuite, durant l'évolution de la maladie, ce sont 75 % des aînés qui sont touchés (McKeith et O'Brien, 1999). Les processus mentaux sont également globalement ralentis au cours de l'évolution de la DCL (Hazzard, Blass, Ettinger, Halter et Ouslander, 1999).

Les troubles mnésiques font partie des symptômes de la DCL, mais ne se manifestent généralement pas au début de la maladie (Richter et Richter, 2004). Ainsi, la mémoire à court terme et la mémoire épisodique sont affectées, mais moins que dans le cas de la maladie d'Alzheimer (Ballard *et al.*, 1999 ; Calderon *et al.*, 2001 ; Shimomura *et al.*, 1998). La mémoire sémantique, quant à elle, est touchée à peu près de la même manière que dans le cas de la maladie d'Alzheimer (Calderon *et al.*, 2001).

Les capacités exécutives, visuo-constructives et visuospatiales sont particulièrement atteintes, et ce, dès les premiers stades de la DCL (Richter et Richter, 2004). Ainsi, l'aîné atteint a de la difficulté à faire un dessin ou à en copier un. Il présente une piètre performance au test de l'horloge, à cause d'un déficit perceptuel, d'analyse et d'agencement des informations visuo-spatiales (Loy-English et Feldman, 2004). Il a également des difficultés d'orientation spatiale, que ce soit dans des lieux nouveaux ou dans des lieux familiers.

Symptômes psychologiques et comportementaux de la démence

Sur le plan des symptômes psychologiques et comportementaux, les résidents atteints de la DCL ont des hallucinations visuelles et parfois auditives (Klatka, Louis et Schiffer, 1996). Environ 30 à 80 % d'entre eux ont des hallucinations visuelles, et 10 % des hallucinations auditives (Landreville *et al.*, 2005). Les hallucinations visuelles les plus courantes sont souvent dramatiques, complexes et outrageantes (Knopman, 2001 ; Richter et Richter, 2004). Il s'agit fréquemment de personnages, d'enfants ou d'animaux mobiles et souvent inconnus du résident. Lorsque les hallucinations auditives accompagnent les hallucinations visuelles, il est possible que les personnages, les enfants ou les animaux s'adressent verbalement au résident. Ces hallucinations peuvent être à l'origine de différents comportements que les soignants ne comprennent pas. Ainsi, le résident peut préparer un repas pour la personne qu'il voit ou élaborer des moyens de protection pour se protéger de l'agression qu'il croit subir. Le résident atteint de la DCL a également des illusions (Knopman, 2001 ; Loy-English et Feldman, 2004). Ces troubles perceptuels apparaissent tôt dans l'évolution de la maladie.

Le résident atteint de la DCL peut présenter également des problèmes de sommeil, en particulier des problèmes moteurs au cours de la phase du sommeil paradoxal (Boeve *et al.*, 1998) (voir le chapitre 16). Durant le sommeil paradoxal, en raison de la DCL, il y a absence d'atonie musculaire. Le résident fait ainsi des mouvements comme frapper, donner des coups de pieds ou nager (Barber, Newby et McKeith, 2004 ; Richter et Richter, 2004).

Contrairement aux résidents atteints des autres types de démences, les résidents atteints de la DCL ont tendance à manifester très tôt dans l'évolution de leur maladie des délires de toutes sortes (de vol, d'imposture, d'abandon, de jalousie) et des hallucinations. Ils ont également davantage d'illusions. Environ 42 % des aînés atteints de la DCL présenteraient des idées délirantes (Landreville *et al.*, 2005). Évidemment, ces symptômes les perturbent et entraînent chez certains d'entre eux un changement de personnalité. Ils peuvent devenir méfiants et irritables.

L'aîné atteint de la démence à corps de Lewy présente des risques de dépression majeure ou de symptômes dépressifs. Ces symptômes ne sont pas essentiels pour le diagnostic de la DCL, mais ils l'appuient. Ils sont présents chez 16 à 50 % des aînés atteints de la DCL (Barber *et al.*, 2004 ; Landreville *et al.*, 2005). Habituellement, un traitement non pharmacologique permet de guérir la dépression, et ce n'est que rarement qu'une médication antidépressive est nécessaire (Barber *et al.*, 2004).

Particularités de la DCL

Environ 75 % des résidents atteints de la DCL présentent plusieurs caractéristiques motrices s'apparentant à la maladie de Parkinson (Richter et Richter, 2004). Ces problèmes moteurs constituent généralement les premières manifestations de la maladie. On observe ainsi, chez les résidents atteints de la DCL, de la rigidité, le faciès parkinsonien (air figé), une démarche trainante caractérisée par de petits pas, une posture courbée, de la dysphagie, une instabilité posturale, de la bradykinésie (lenteur des mouvements), de l'hypophonie (voix faible) et une altération de la capacité d'écrire à la main (Knopman, 2001 ; MacKnight, 2002). Tout cela explique qu'environ 30 % des aînés atteints de la DCL font des chutes à répétition (Richter et Richter, 2004).

Le syndrome parkinsonien de la DCL est en général moins sévère que celui de la maladie de Parkinson. Ainsi, le tremblement au repos est moins fréquent (Blazer *et al.*, 2004). Par contre, la myoclonie, qui ne fait généralement pas partie de la symptomatologie de la maladie de Parkinson, peut être présente dans celle de la DCL (Litvan *et al.*, 1998). De plus, les manifestations motrices de la DCL sont plus symétriques que celles de la maladie de Parkinson. Enfin, les résidents atteints de la DCL réagissent mal aux agents antiparkinsoniens et ressentent souvent des effets secondaires. Néanmoins, l'évolution des deux maladies est normalement ce qui permet de les distinguer le mieux.

Une autre caractéristique de la sémiologie de la DCL est l'hypersensibilité aux neuroleptiques (McKeith, Fairbairn, Perry, Thompson et Perry, 1992 ; Ballard, McKeith, Grace et Holmes, 1998). Ces médicaments sont donc à utiliser avec une très grande prudence, sinon à proscrire, dans le cas de la DCL, en raison des symptômes extrapyramidaux, notamment de la dyskinésie tardive (contractions musculaires répétitives et involontaires du visage et de la langue), de la dystonie (contractures et spasmes musculaires soudains et prolongés) et de l'acathisie (besoin irrésistible de bouger). Leurs effets secondaires chez les aînés atteints de la DCL peuvent comprendre également une somnolence suivie d'une hypertonie sévère avec instabilité posturale et chutes, une confusion majeure, l'immobilité et des complications parfois létales. Plus de 50 % des résidents atteints de la DCL réagissent mal aux neuroleptiques ; leur sensibilité à ces médicaments multiplie par 2 ou 3 les risques de mortalité (Richter et Richter, 2004).

Enfin, selon des chercheurs, six signes classiques permettent de bien distinguer la DCL de la DTA, en raison de leur fréquence. Il s'agit de la fluctuation cognitive (90 % des cas de DCL ; 4,8 % des cas de DTA), des hallucinations visuelles (80 % des cas de DCL ; 19,1 % des cas de DTA), des hallucinations auditives (45 % des cas de DCL ; 0 % des cas de DTA), des idées délirantes (80 % des cas de DCL ; 19,1 % des cas de DTA), des chutes à répétition (50 % des cas de DCL ; 23,8 % des cas de DTA) et enfin du syndrome parkinsonien (85 % des cas de DCL ; 19,1 % des cas de DTA) (Hazzard *et al.*, 1999).

Démence frontotemporale

La démence frontotemporale est en réalité un groupe hétérogène de maladies neurodégénératives comprenant la maladie de Pick, la dégénérescence frontotemporale, l'aphasie primaire progressive, le syndrome de dégénérescence corticobasale et l'affection du neurone moteur. Le diagnostic de ces maladies repose sur les critères de Lund et Manchester (Lund and Manchester groups, 1994). Le tableau 2-10 présente un sommaire de ces critères.

La description qui suit présente le profil général et le plus fréquent du résident atteint de ce type de démence. Comme on l'a signalé, il existe plusieurs démences frontotemporales présentant des différences subtiles et parfois importantes. Il faut ainsi garder ce fait à l'esprit.

Déficits cognitifs

Dans la démence frontotemporale (DFT), les modifications des facultés cognitives ont un effet sur le comportement de la personne principalement. En effet, les premiers signes que note l'entourage d'une personne atteinte de cette démence sont comportementaux. Les conduites sociales du résident s'altèrent très tôt. Nous revenons sur ce point un peu plus loin.

Parmi les capacités cognitives, les fonctions exécutives et la capacité d'attention sont celles qui sont le plus affectées par la DFT (Richter et Richter, 2004). Les perturbations qu'elles connaissent expliquent la persévération cognitive, le manque de flexibilité mentale et le manque de jugement (Kempler, 2005). Une atteinte du lobe frontal a des conséquences directes sur les fonctions exécutives (Richter et Richter, 2004).

Tableau 2-10	Sommaire des critères diagnostiques cliniques des démences frontotemporales

1. Troubles du comportement
   - Début insidieux, évolution progressive
   - Négligence précoce de l'hygiène
   - Perte précoce du sens des convenances sociales
   - Signes précoces de désinhibition
   - Hyperoralité
   - Comportements stéréotypés et de persévération
   - Distractivité, impulsivité
   - Rigidité mentale et inflexibilité
   - Perte de jugement autocritique

2. Symptômes affectifs
   - Dépression, anxiété
   - Indifférence émotionnelle (indifférence affective, apathie)
   - Hypocondrie
   - Préoccupation somatique bizarre
   - Inertie et aspontanéité

3. Troubles du langage
   - Réduction progressive du discours
   - Stéréotypies
   - Écholalie et persévérance
   - Perte du langage

4. Conservation de l'orientation spatiale et de la praxie

5. Signes physiques
   - Réflexes primitifs (précoces)
   - Incontinence et troubles des conduites sphinctériennes (précoces)
   - Tension artérielle basse et labile
   - Akinésie et rigidité, et tremblements tardifs

Par ailleurs, selon la DFT en cause, les troubles du langage peuvent être les premiers à se manifester (Richter et Richter, 2004). Ils sont le reflet de l'atteinte du lobe temporal due à la maladie. L'aîné atteint de la DFT a de la difficulté à commencer à parler. Il prononce habituellement bien ses mots, n'a pas de trouble articulatoire ou phonétique, mais fait de l'écholalie, de la palilalie et de la stéréotypie verbale (répétition de phrases ou de mots sans intention évidente et de façon presque mécanique). Son discours est imprécis et empreint de paraphasie sémantique (substitution de mots). Il perd de sa spontanéité, parle peu et a un discours de plus en plus pauvre, pour finir par se taire complètement. Notons cependant que dans certains types de DFT, le langage n'est affecté que tard dans la maladie (Kempler, 2005).

La mémoire est relativement bien préservée dans la DFT (Kempler, 2005). Les troubles mnésiques sont absents ou discrets. Ils tendent à devenir apparents dans les stades modérés seulement de la démence (Kertesz, Davidson et Fox, 1997). Contrairement à ce qui se passe dans le cas de la DTA, les problèmes mnésiques ne constituent pas le symptôme inaugural de la DFT. Si l'aîné atteint de la DFT ne présente pas de troubles mnésiques, il peut cependant avoir des difficultés d'encodage et de rappel d'informations en raison de l'atteinte du lobe frontal. Cependant, un indice améliore grandement la qualité du rappel spontané. La mémoire de travail et la mémoire sémantique sont les types de mémoires les plus atteintes dans le cas de la DFT, en raison du trouble de l'attention. Ainsi, une bonne proportion d'aînés présentent tôt dans la maladie une difficulté à calculer (Richter et Richter, 2004). Enfin, contrairement à ce qui se passe dans le cas de la DTA, les capacités d'apprentissage et de stockage d'informations à long terme sont relativement bien préservées.

Les capacités visuo-spatiales, l'orientation et la praxie, sont aussi généralement bien préservées dans les premiers stades de la maladie. Enfin, les capacités motrices restent intactes jusqu'aux stades sévères (Hazzard *et al.*, 1999).

Symptômes psychologiques et comportementaux de la démence

Précisons ici d'emblée que la DFT est une démence principalement comportementale (Richter et Richter, 2004). Le principal changement comportemental est la modification de la personnalité due à l'atteinte du cortex frontal (Kempler, 2005). Cela se traduit par de l'apathie, de l'indifférence par rapport aux comportements sociaux et de la désinhibition. L'aîné atteint de la DFT voit ses affects émoussés (indifférence) et présente de l'anhédonie, c'est-à-dire qu'il n'éprouve pas de plaisir; il devient fréquemment égocentrique; ses proches le décrivent comme distant, peu motivé ou désintéressé (Franczak, Kerwin et Antuono, 2004). Outre le changement de personnalité, la DFT provoque également des troubles de l'affectivité. L'aîné peut être irritable et excessivement émotif. Il peut aussi se montrer impulsif et agressif. Dans 49 % des cas, il présenterait une labilité émotionnelle (Landreville *et al.*, 2005).

L'apathie dont souffre le résident atteint de la DFT se manifeste par un manque d'initiative ou par un besoin de stimulation (Lebert, Pasquier, Souliez et Petit, 1998). S'il n'est pas stimulé, l'aîné a tendance à s'assoupir. L'apathie se rencontre plus au cours de la DFT qu'au cours de la DTA (Levy, Miller, Cummings, Fairbanks et Graig, 1996). En fait, 95 % des aînés atteints de la DFT présentent de l'apathie, et 16 % des symptômes dépressifs (Mourik *et al.*, 2004).

L'indifférence quant au respect des convenances sociales dans les comportements et la désinhibition se traduisent par une négligence de l'habillement et de l'hygiène personnelle (Richter et Richter, 2004). La désinhibition peut être gestuelle, verbale ou sexuelle. La négligence physique correspond à la malpropreté corporelle, capillaire et vestimentaire ainsi qu'au manque d'harmonie vestimentaire. L'aîné atteint de la DFT peut également manifester le syndrome de Klüver-Bucy, c'est-à-dire avoir tendance à explorer les objets avec sa bouche, à faire le bouffon, à faire preuve d'hypersexualité ou de persévérance gestuelle (Franczak *et al.*, 2004; Richter et Richter, 2004). De plus, dans environ 30 % des cas, ses comportements alimentaires ou oraux changent. Il devient glouton, se met à consommer des cigarettes ou de l'alcool de manière excessive, se précipite sur certains aliments et fait de la boulimie, ce qui explique

sa prise de poids fréquente. Le résident atteint de la DFT mange bruyamment et se tient mal à table. Il peut être grossier avec les soignants ou les autres résidents. Ses comportements asociaux le font peu souffrir moralement.

L'aîné atteint de la DFT peut également manifester de l'avidité pour un objet ou manipuler de façon répétitive un objet se trouvant dans son champ de vision (Franczak *et al.*, 2004). Par exemple, il peut mettre et enlever inlassablement ses lunettes. De plus, dans 77,8 % des cas, il présente une persévération idéique ou des comportements stéréotypés (Mourik *et al.*, 2004). Il a alors beaucoup de rituels et est très maniéré, surtout pour sa toilette et son habillage. Il peut collectionner des objets et imiter des comportements. L'aîné atteint de la DFT exprime également plusieurs plaintes somatiques ou hypocondriaques qui peuvent sembler bizarres et être à l'origine de plusieurs examens diagnostiques peu concluants.

Enfin, les hallucinations (6,3 % des cas), les illusions et les idées délirantes (12,7 % des cas) ne sont pas considérées comme des symptômes fréquents de la DFT (Mourik *et al.*, 2004). Toutefois, une étude rapporte une prévalence de 22 % de ces symptômes chez les aînés se situant aux stades modérés de la maladie (Levy *et al.*, 1996). Une autre étude indique la présence d'hallucinations chez 8 % des aînés atteints de la DFT (Bozeat, Gregory, Ralph et Hodges, 2000).

Particularités de la DFT

L'une des particularités de la DFT est que l'aîné atteint présente de l'anosognosie et de l'anosodiaphorie, c'est-à-dire qu'il ignore qu'il est malade et ne se soucie pas, affectivement, de ses comportements (Richter et Richter, 2004). Cela peut expliquer ses sautes d'humeur lorsqu'on lui souligne une déficience, ct certains comportements téméraires ou de fugue. L'anosognosie serait en partie due à des lésions au lobe frontal (Miller, 1999).

L'aîné atteint de la DFT présente fréquemment de l'incontinence urinaire ou des troubles sphinctériens. Ces problèmes peuvent être de type comportemental, c'est-à-dire être le reflet de la désinhibition, ou s'expliquer par l'altération du contrôle frontal du système neurovégétatif.

L'aîné atteint de la DFT peut avoir des réflexes primaires (Cotter et Strumpf, 2002; Richter et Richter, 2004). Ainsi, il peut présenter le réflexe palmo-mentonnier (contraction unilatérale des muscles du menton lors de la stimulation de la paume de la main située du même côté), le réflexe de la moue (grimace lors de la percussion douce de l'arête du nez) et le réflexe de la glabelle (clignement des yeux lors de la percussion de l'espace situé entre les deux arcades sourcilières). Ces réflexes sont présents dans un cas sur trois (Hy, 2000).

Miller et ses collaborateurs (1997) affirment que la perte de la conscience personnelle, la perte de la conscience sociale, l'hyperoralité et les comportements stéréotypés persévérants sont des symptômes sensibles (de 63 à 73 %) et bien spécifiques (de 97 à 100 %) de la DFT, qu'ils permettent de distinguer de la DTA. Associés à la réduction du langage et à la préservation de l'orientation spatiale, ils

permettent de différencier à 100 % la DFT de la DTA. Bozeat et ses collaborateurs (2000) ont également noté que les signes suivants permettaient de bien distinguer la DFT de la DTA : comportements stéréotypés (rituels), comportements alimentaires (boulimie), perte de conscience de l'environnement.

Démence vasculaire

La démence vasculaire est une altération du fonctionnement cognitif due à des lésions cérébro-vasculaires de nature ischémique ou plus rarement hémorragique. Le tableau 2-11 présente un sommaire des critères que proposent le National Institute of Neurological Disorders and Stroke et l'Association internationale pour la recherche et l'enseignement en neurosciences (Roman *et al.*, 1993) pour le diagnostic de la démence vasculaire. Notons toutefois que ces critères ne font pas l'unanimité (Bowler et Hachinski, 2003).

Rappelons que l'atteinte des capacités cognitives varie selon la région cérébrale infarcie, le nombre d'infarctus subis et l'ampleur de ces infarctus. Les signes et symptômes des résidents se trouvent donc également affectés par ces facteurs. Ainsi, le tableau clinique de la démence vasculaire (DV) varie énormément d'un résident à l'autre.

La DV est une démence non dégénérative qui apparaît soudainement et évolue soit par paliers, soit de manière progressive. L'évolution peut également être fluctuante, et il est de plus possible de noter une récupération. Ainsi, après un léger infarctus cérébral, l'aîné peut récupérer certaines facultés cognitives. Dans environ 30 % des cas, la démence vasculaire apparaît brusquement et évolue strictement par paliers (Bowler et Hachinski, 2003). Il semble que les régions frontales (zone corticale) et sous-corticale du cerveau soient souvent touchées dans la DV (Bowler et Hachinski, 2003), ce qui pourrait expliquer l'irritabilité et les problèmes de comportements, mais aussi les problèmes moteurs et vésicaux que présentent souvent les aînés atteints. En effet, les infarctus cérébraux qui touchent la zone corticale entraînent des symptômes différents de ceux que causent les infarctus touchant la zone sous-corticale. Pour résumer, une atteinte de la zone corticale entraîne des problèmes de mémoire, d'attention, d'orientation, etc., alors qu'une atteinte de la zone sous-corticale cause un ralentissement des processus mentaux, de l'apathie et des problèmes moteurs tels que de la rigidité, de la dysphagie, des problèmes lors de la marche, une perte du contrôle vésical, etc.

L'accident vasculaire cérébral (AVC) massif et les multiples petits infarctus cérébraux sont les principales causes de la DV. L'AVC peut être unique et assez important pour expliquer l'apparition d'une DV. Environ 30 % des aînés qui ont subi un AVC développent une DV dans les trois mois qui suivent (Bowler et Hachinski, 2003). De multiples infarctus cérébraux de petite taille peuvent également expliquer la DV. On parle alors de « démence à infarctus multiples ».

Aujourd'hui, les spécialistes du domaine suggèrent de nommer les démences vasculaires au moyen de l'expression « déficits cognitifs d'origine vasculaire », *vascular cognitive impairments* en anglais (Bowler et Hachinski, 2003). La raison de cette suggestion est que les déficits cognitifs inaugurant la DV ne sont pas toujours la mémoire. Or, l'expression « démence vasculaire » implique nécessairement qu'il y a un trouble de la mémoire. Malgré cela, nous choisissons ici d'utiliser l'appellation « démence vasculaire », que préfèrent encore les cliniciens.

Déficits cognitifs

Généralement, la DV touche principalement les fonctions exécutives (Bowler et Hachinski, 2003). L'aîné atteint a de la difficulté à commencer une tâche et même à l'effectuer si elle nécessite planification, organisation ou contrôle conscient. Il est incapable de rassembler le matériel nécessaire à l'accomplissement de la tâche. Par exemple, il ne sait pas de quel objet il a besoin pour ses soins d'hygiène ni de quelle façon il doit commencer à se laver. Il est peu persévérant, se décourage facilement, même quand la tâche est simple. Sa capacité d'abstraction est déficiente. Il a ainsi du mal à expliquer la signification d'un proverbe ou à suivre une discussion complexe. Enfin, il a de la difficulté à résoudre de nouveaux problèmes et son jugement est altéré.

L'aîné atteint de DV présente également des problèmes de langage. Il prononce difficilement les mots et a du mal à nommer les objets (anomie). Ses choix de mots peuvent être inappropriés ; il peut utiliser un jargon ou inventer des mots. De plus, il peut être incapable de répéter une phrase

Tableau 2-11	Sommaire des critères pour le diagnostic de démence vasculaire probable

1. Démence
- Déclin des facultés cognitives par rapport au niveau antérieur
- Déclin de la mémoire et d'au moins deux autres capacités cognitives, ce qui nuit aux activités de la vie quotidienne

2. Maladie cérébro-vasculaire
- Présence de signes neurologiques focaux à l'examen neurologique
- Preuve, aux examens approfondis, d'une lésion vasculaire cérébrale

3. Relation entre la démence et la maladie cérébro-vasculaire
- Début de la démence dans les trois mois suivant un accident vasculaire cérébral
- Détérioration brusque des fonctions cognitives, ou aggravation fluctuante ou par paliers des déficits cognitifs

4. Critères allant dans le sens du diagnostic (probable)
- Troubles de la marche précoces
- Antécédents d'instabilité, de chutes spontanées
- Troubles du contrôle mictionnel
- Paralysie pseudo-bulbaire, incontinence émotionnelle
- Modification de la personnalité et de l'humeur

ou, au contraire, il peut la répéter de façon persistante. Lorsqu'il parle, il utilise peu de mots, fait des phrases très courtes, à la syntaxe simple, et a un vocabulaire pauvre. Le calcul devient également très difficile. L'aîné emploie au total peu de mots et a une fluence verbale (capacité d'évocation rapide de mots appartenant à une même classe) réduite (Blazer *et al.*, 2004; Richter et Richter, 2004). Enfin, plus la DV évolue, moins il est capable de comprendre les mots, de lire (alexie) et d'écrire (agraphie).

L'aîné atteint de DV présente des déficits mnésiques. Il a de la difficulté à apprendre des informations ou à se souvenir d'informations acquises antérieurement. Ses déficits mnésiques sont généralement moins importants que ceux que connaît l'aîné atteint de la DTA (Blazer *et al.*, 2004) et ses facultés cognitives se détérioreraient moins rapidement (Bowler et Hachinski, 2003). De plus, dans les premiers stades, il semble conserver une bonne capacité de reconnaissance (Blazer *et al.*, 2004). Comme on le soulignait précédemment, les atteintes des facultés cognitives varient d'une personne à l'autre selon les lobes touchés par les multiples infarctus cérébraux. De même, elles peuvent présenter des variations pour une même personne (Blazer *et al.*, 2004). Ainsi, un résident peut avoir à un moment donné un souvenir très clair d'un événement (la visite de son fils), mais ne pas être en mesure de se rappeler un autre événement ayant eu lieu durant la même période (une activité de zoothérapie).

La DV touche également la perception. L'aîné atteint perçoit difficilement les stimuli. Il souffre d'agnosie. De plus, il reconnaît difficilement les objets et les personnes familières. Il souffre aussi d'apraxie, a du mal, par exemple, à mimer un mouvement ou une position corporelle (saluer avec la main).

Finalement, l'aîné atteint de DV présente de la désorientation, dans le temps, dans l'espace et concernant les personnes. Ses capacités visuo-spatiales sont déficientes, ce qui explique qu'il peut se perdre facilement.

Symptômes psychologiques et comportementaux de la démence

L'aîné atteint de DV a de grands risques de faire une dépression (Bowler et Hachinski, 2003). La dépression, présente dans un cas sur deux, peut se manifester de manière atypique. Ses signes peuvent être l'apathie, le retrait, l'irritabilité et les troubles du sommeil. L'anxiété est également fréquente. Des auteurs rapportent que dans 72 % des cas, l'aîné présente au moins deux symptômes d'anxiété (Landreville *et al.*, 2005). De plus, le résident a souvent des illusions et est souvent agité. Sa personnalité peut également changer. Il peut devenir plus irritable et contrôler difficilement ses humeurs. Il peut aussi devenir indécis et égocentrique. Il interagit peu ou mal avec les autres, et perd de l'intérêt pour les relations et activités sociales. Il peut devenir inflexible dans ses comportements et présenter un affect plat ou inapproprié. Tous ces changements touchant la personnalité seraient plus fréquents en cas d'atteinte du lobe frontal.

Enfin, la DV entraînerait moins d'hallucinations et de désinhibition que les autres démences (Bowler et Hachinski, 2003). On estime que 22 % des aînés atteints de DV souffriraient d'idées délirantes et que 13 % auraient des hallucinations (Landreville *et al.*, 2005).

Particularités de la DV

Les signes neurologiques focaux, les troubles de l'équilibre et l'incontinence urinaire constituent des particularités de la DV (Richter et Richter, 2004). Des symptômes et signes neurologiques focaux apparaissent rapidement, dans environ 40 % des cas (Bowler et Hachinski, 2003). Les symptômes focaux sont la faiblesse, la paresthésie (sensation anormale non douloureuse spontanée ou provoquée), les troubles langagiers, avec des difficultés de prononciation, et une atteinte sensorielle. Différents signes extrapyramidaux tels que l'akinésie (trouble se caractérisant par une diminution ou une disparition des mouvements spontanés et automatiques, et une lenteur du mouvement volontaire) et la rigidité musculaire peuvent également être présents.

Quant aux signes neurologiques focaux, il s'agit de la modification ou de l'apparition de certains réflexes. Ainsi, les réflexes ostéotendineux deviennent plus vifs, et le réflexe de Babinski réapparaît. La figure et la langue peuvent présenter une asymétrie; la déglutition peut devenir difficile et provoquer de la dysphagie. On peut également observer des troubles de la marche, allant de changements très subtils, tels qu'une réduction de l'oscillation du bras d'un côté, à la perte d'équilibre. Le résident peut avoir des spasmes musculaires ou des contractures musculaires. Enfin, il peut souffrir d'une faiblesse unilatérale des membres, d'un déficit sensitif ou d'hémianopsie (perte du champ visuel) (Kane *et al.*, 2004).

Des troubles de l'équilibre et de l'incontinence urinaire apparaissent souvent très tôt. Cela s'expliquerait par l'atteinte, par des infarctus cérébraux, des zones sous-corticales du cerveau (Kempler, 2005). Or, ces zones jouent un rôle notamment dans l'équilibre, dans la coordination et dans le contrôle sphinctérien. Lorsqu'elles sont touchées, on observe par ailleurs un ralentissement des processus mentaux.

L'aîné atteint de DV présente une labilité émotionnelle qui risque de le faire étiqueter comme manipulateur par l'entourage, en raison de ses pleurs spontanés. Son sommeil est perturbé. Il fait de l'insomnie et a besoin d'une plus longue période de sommeil. Il peut souffrir d'héminégligence quand la moitié de son corps est paralysée à la suite d'un AVC (voir le chapitre 4).

Pour conclure, on note qu'il existe de nombreuses différences entre les divers types de démences. Les différencier et les identifier avec succès constitue donc tout un défi pour l'infirmière. Cependant, cela lui est nécessaire pour assumer pleinement et avec compétence tous ses rôles auprès du résident atteint d'une démence. Le tableau 2-12 (p. 44), qui résume les aspects centraux de chacune des démences, l'aidera dans sa tâche de mémorisation.

Tableau 2-12 **Résumé des principales caractéristiques des démences**

CARACTÉRISTIQUES	DÉMENCE DE TYPE ALZHEIMER	DÉMENCE À CORPS DE LEWY	DÉMENCE FRONTOTEMPORALE	DÉMENCE VASCULAIRE
Début	Insidieux	Insidieux	Insidieux	Soudain ou insidieux
Symptômes inauguraux	Perte de mémoire, anomie	Troubles des fonctions exécutives, hallucinations visuelles, idées délirantes, inattention et altération du niveau de conscience	Modification des comportements et de la personnalité	Varient selon les sites des multiples infarctus cérébraux. Troubles des fonctions exécutives semblent cependant dominer.
Évolution	Perte progressive des capacités cognitives	Perte progressive des capacités cognitives. Fluctuations importantes des capacités cognitives.	Perte progressive des capacités cognitives	Possibilité de récupération d'une partie des capacités cognitives. Pertes cognitives par paliers, par la suite.
Mémoire	Perte de mémoire importante dès le début de la maladie	Peu de troubles de la mémoire dans les premiers stades. Mais augmentent tandis que la maladie évolue.	Pas de troubles de la mémoire dans les premiers stades. Détérioration aux stades modérés.	Peu de troubles de la mémoire dans les premiers stades, habituellement. Variabilité possible.
Apraxie	Perturbation aux stades modérés	Déficit notable dès le début	Pas d'atteinte dans les stades légers et modérés. Mais perturbation par la suite.	Atteinte à des moments variables dans l'évolution de la maladie, selon la zone cérébrale affectée.
Capacité visuo-constructive	Perturbation dès les premiers stades	Perturbation dès les premiers stades	Pas de perturbation dans les premiers stades, mais apparaît par la suite.	Perturbation à des moments variables dans l'évolution de la maladie, selon la zone cérébrale affectée.
Niveau de conscience	Pas d'atteinte	Atteinte	Pas d'atteinte	Pas d'atteinte
Hallucinations	Rares au début, puis ont tendance à augmenter	Présentes dès le début	Peu fréquentes dans le cadre de cette démence (environ 13 % des cas)	Peu fréquentes dans le cadre de cette démence (environ 13 % des cas)
Idées délirantes	Surtout aux stades sévères	Dès le début de la maladie	Plutôt rares	Plutôt occasionnels (22 % des cas)
Changements sur le plan moteur	Seulement aux stades sévères (rigidité et myoclonie)	Dès le début de la maladie (rigidité, bradykinésie)	Mouvements répétitifs et stéréotypés	• Dès le début, présence de signes et de symptômes neurologiques focaux (40 % des cas) • Faiblesse musculaire
Risques de chute	Seulement aux stades sévères	Dès le début de la maladie	Seulement aux stades sévères	Dès le début de la maladie
Incontinence urinaire	Seulement aux stades sévères	Seulement aux stades sévères	Fréquente aux premiers stades de la maladie	Fréquente aux premiers stades de la maladie
Dépression	Fréquente	Fréquente	Plutôt rare (16 % des cas)	Très fréquente
Personnalité	Peu de changements aux premiers stades, mais évolution imprévisible	Modification de la personnalité, habituellement	Modification majeure dès le début de la maladie	Modification, habituellement
Autres particularités	• Perturbation du sommeil aux stades modérés et sévères • Anosognosie aux stades modérés et sévères • Labilité émotionnelle dans 33 % des cas • Réflexes primitifs dans les derniers stades	Sensibilité accrue aux neuroleptiques	• Apathie importante • Perturbation des comportements alimentaires dans 30 % des cas • Anosognosie dès le début de la maladie • Labilité émotionnelle dans 49 % des cas • Réflexes primaires dès le début de la maladie dans plusieurs cas	• Labilité émotionnelle fréquente • Réflexe de Babinski habituellement présent

Prévention de la détérioration précipitée des capacités cognitives

Comme nous l'avons souligné dans la section sur les rôles de l'infirmière, le résident atteint d'une démence est très sensible à son environnement tant interne qu'externe. Sur le plan de l'environnement interne, les symptômes (anxiété ou douleur), les affections (troubles visuels et auditifs) et les problèmes aigus tels qu'un delirium ou une infection sont des facteurs qui peuvent entraîner une détérioration rapide des capacités cognitives du résident. Comme nous l'avons précisé dans la section sur la détection, les pertes cognitives auxquelles on s'attend correspondent à une perte de 4 points par année au mini-examen de l'état mental. Or, les facteurs de l'environnement interne peuvent faire augmenter ces pertes et les rendre permanentes en l'absence de stimulation cognitive intense. Comme il est très rare qu'un CHSLD ait les ressources humaines requises pour une stimulation cognitive intense, les efforts doivent se concentrer sur la prévention de l'apparition de ces facteurs (delirium, dépression) ou sur leur correction (appareil auditif). Enfin, comme nous l'avons signalé dans la section sur les rôles de l'infirmière, il est également essentiel, pour prévenir la détérioration précipitée des capacités cognitives, de satisfaire les besoins physiologiques du résident.

Sur le plan de l'environnement externe, un environnement stimulant a un effet positif sur les capacités cognitives, tandis qu'un environnement peu stimulant a des effets négatifs. L'infirmière doit ici suivre les principes présentés dans le chapitre 32 sur la stimulation cognitive et dans le chapitre 37 sur l'approche prothétique élargie.

De plus, l'infirmière doit respecter les trois grands principes évoqués dans la section sur les rôles de l'infirmière. Le premier de ces principes, c'est que le résident doit participer à des activités qui sont adaptées à son état de santé. Les loisirs (voir le chapitre 34), la stimulation par la musique ou par les animaux (voir les chapitres 35 et 36), la thérapie occupationnelle (voir le chapitre 29) sont des exemples d'activités adaptées. L'exercice physique décrit plus loin est un autre moyen de stimuler les capacités cognitives (Richter et Richter, 2004). Le deuxième principe, c'est qu'il faut éviter la surstimulation, prévoir des périodes de repos et favoriser le sommeil. Le programme BACE (voir le chapitre 24) est un exemple de programme équilibrant le repos et la stimulation, et visant le résident atteint d'une démence. Enfin, le troisième principe, c'est que l'intensité des soins doit correspondre à l'autonomie fonctionnelle du résident. Le chapitre 32 concernant la stimulation des praxies explique comment appliquer ce principe. Prenons l'exemple du résident qui n'est pas en mesure de prendre sa brosse à dents, de mettre du dentifrice dessus et de commencer à se brosser les dents. Le fait qu'il ne puisse faire tout cela ne signifie pas qu'il ne peut pas se brosser les dents. Ainsi, le soignant qui respecte l'autonomie du résident demandera d'abord à l'ergothérapeute d'adapter le manche de la brosse à dents afin d'en faciliter la préhension. Par la suite, au moment des soins buccodentaires, il mettra lui-même le dentifrice sur la brosse à dents, commencera le brossage en mettant sa main par-dessus celle du résident, puis retirera sa main pour laisser le résident continuer seul. Il faut éviter de faire à la place du résident ce qu'il est en mesure de faire lui-même.

L'exercice physique, la marche en particulier, est un moyen de stimuler les capacités cognitives du résident atteint d'une démence. En fait, ses effets bénéfiques sont très étendus. La marche maintient et même améliore l'autonomie fonctionnelle du résident, ce qui contribue à préserver sa dignité. Elle lui permet en effet de conserver certaines habiletés, de manger seul pendant plus longtemps. Elle lui permet aussi de collaborer plus lors des soins. Ensuite, la marche réduit les risques de chutes et offre au résident des occasions de socialiser en le faisant sortir de sa chambre. Elle constitue donc une forme de stimulation cognitive, puisqu'elle met le résident en contact avec un nouvel environnement. Le soignant peut augmenter cette stimulation cognitive en parlant au résident, en lui décrivant l'environnement tout au long de la marche. Lors de cet exercice, ce sont plusieurs habiletés cognitives qui sont sollicitées, notamment l'orientation, l'attention, la concentration et les fonctions exécutives. Enfin, la marche permet de diminuer l'errance en canalisant positivement les énergies du résident.

Plus spécifiquement, la marche, même lente et à petits pas, améliore la masse osseuse, la masse musculaire, la circulation sanguine, l'activité cardiaque et la fonction respiratoire (Podhorodecki et Simon, 2003 ; Remsburg, 2004). Elle a également des effets bénéfiques sur le système nerveux central, qu'elle stimule en le faisant réagir à la demande d'oxygène. Elle sollicite également les systèmes neurologiques, moteurs et cognitifs. Enfin, les programmes d'exercices mis en place en CHSLD ont permis de réduire les cas de dépression (Carvalho-Bastone et Filho, 2004). La dernière section de ce chapitre propose une méthode pour favoriser la marche chez les résidents des CHSLD.

Usage optimal des médicaments

L'infirmière doit viser l'usage optimal (voir le chapitre 23) des inhibiteurs de l'acétylcholinestérase, médicaments qui ont pour effet d'augmenter la concentration d'acétylcholine dans le cerveau. Les inhibiteurs de l'acétylcholinestérase ont pour objectifs d'améliorer les capacités cognitives (principalement la mémoire) et l'autonomie fonctionnelle, et de réduire les SPCD des aînés atteints d'une démence.

Les principaux inhibiteurs de l'acétylcholinestérase sont le donépézil (Aricept), la rivastigmine (Exelon) et la galantamine (Reminyl). Un autre type de médicament favorise la préservation de la mémoire ; il s'agit de la memantine (Namenba, Ebixa, Axura). La memantine a un mécanisme d'action différent : elle agit indirectement sur le système glutamatergique (Richter et Richter, 2004).

Dans les prochaines lignes, nous présentons l'état actuel des connaissances concernant l'efficacité de ces médicaments. Toutefois, il faut savoir que les connaissances évoluent

très rapidement dans le domaine. Il est donc nécessaire de consulter fréquemment les résultats des études scientifiques indépendantes afin de conserver un jugement clinique approprié.

Efficacité et innocuité des médicaments

Donépézil

Le donépézil vise à hausser la concentration d'acétylcholine dans les synapses cholinergiques du cerveau. Une méta-analyse de la Cochrane Library concernant 16 études indique que ce médicament a un effet bénéfique sur les capacités cognitives, l'autonomie fonctionnelle et les symptômes psychologiques et comportementaux de la démence (SPCD) chez une majorité d'aînés atteints d'une démence de type Alzheimer aux stades légers, modérés et sévères, et ce, pendant un an (Birks et Harvey, 2003). Le médicament agit sur la cognition en faisant augmenter le résultat du MEEM de 1,8 point en moyenne par rapport au placebo. Cela signifie globalement qu'il ralentit la progression de la démence de type Alzheimer. Comme on le signalait dans la section « Détection du problème », l'évolution annuelle de la démence correspond à une perte moyenne de 4 points au MEEM. Il y a donc un bénéfice très modeste à consommer ce médicament. Il faut de plus tenir compte du fait que 92 % des aînés qui prennent du donépézyl subissent des effets secondaires, qui sont sérieux dans 28 % des cas. Les effets secondaires les plus fréquents sont les nausées, les diarrhées, l'insomnie, la fatigue, les vomissements, les crampes, l'anorexie, les tremblements et la perte de poids. À cause de cela, environ 25 % des aînés prenant ce médicament l'abandonnent.

Une deuxième méta-analyse de la Cochrane Library concernant deux essais cliniques a évalué l'efficacité du donépézil auprès des aînés atteints d'une démence vasculaire (Malouf et Birks, 2004). Il en ressort que le médicament a des effets positifs sur la cognition et l'autonomie fonctionnelle pendant 24 semaines. Il n'y a pas de résultats concernant les SPCD. Quant aux effets secondaires subis par les aînés atteints de la démence vasculaire, ils sont assez similaires à ceux que vivent les aînés atteints de la maladie d'Alzheimer. Enfin, aucune étude ne permet d'appuyer l'usage du donépézyl dans les cas de la démence à corps de Lewy et de la démence frontotemporale.

Rivastigmine

La rivastigmine a aussi fait l'objet d'une revue systématique de la Cochrane Library (Birks, Grimley Evans, Iakovidou et Tsolaki, 2000) incluant huit études. Les résultats rapportent que ce médicament est bénéfique pour la cognition et l'autonomie fonctionnelle des aînés atteints d'une démence de type Alzheimer de degré léger ou modéré. Il n'existe pas d'étude contrôlée sur l'efficacité de la rivastigmine chez les aînés atteints d'une DTA de degré sévère. Les effets bénéfiques sont ici encore très modestes et d'une durée limitée (26 semaines). On parle d'une amélioration de 2,1 points sur une échelle de 0 à 70 points dans le cas de la cognition et de 2,2 points sur

une échelle de 100 points dans le cas de l'autonomie fonctionnelle. Notons que 24 % des aînés faisant partie de l'étude ont abandonné prématurément l'usage de la rivastigmine, avant la fin des 26 semaines, en raison des effets indésirables. Les nausées, les vomissements, la diarrhée, l'anorexie, les céphalées, les syncopes, les douleurs abdominales et les étourdissements sont les principaux effets secondaires rapportés. Enfin, il faut préciser que les aînés dont l'état de santé est qualifié de sévère ou d'instable sont exclus de ces études.

Il n'y a actuellement aucune preuve que la rivastigmine est bénéfique pour les aînés atteints d'une démence vasculaire (Craig et Birks, 2004). Par ailleurs, une étude (Moretti *et al.*, 2004) indique que, si la rivastigmine n'est pas bénéfique sur le plan cognitif pour les aînés atteints d'une démence frontotemporale, elle permet par contre d'améliorer leurs comportements et leur humeur. De même, la rivastigmine n'apporte pas de solution efficace aux troubles cognitifs des aînés atteints d'une démence à corps de Lewy (Wild, Pettit et Burns, 2003). Par contre, elle pourrait avoir un effet bénéfique sur les SPCD. Notons toutefois que l'efficacité serait modeste et que plusieurs aînés de l'étude ont éprouvé des effets secondaires.

Galantamine

La galantamine a fait l'objet d'une revue systématique de la Cochrane Library s'appuyant sur sept études (Loy et Schneider, 2004). D'après les résultats, elle a des effets bénéfiques pendant six mois sur la cognition, chez les aînés atteints de la maladie d'Alzheimer et se situant aux stades légers et modérés. On parle d'une amélioration moyenne de 3 points sur une échelle de 70 points, ce qui est très modeste. Concernant l'autonomie fonctionnelle et les SPCD, les preuves scientifiques des bénéfices de la galantamine sont limitées. Notons que le médicament n'a pas été testé auprès des aînés se situant aux stades sévères de la DTA. De plus, plusieurs participants des études cliniques ont abandonné prématurément le traitement en raison des effets indésirables : tremblements, anorexie, vomissements, nausées, perte de poids, céphalées, douleurs abdominales, diarrhées, étourdissements, somnolence et agitation.

Enfin, aucune étude ne permet d'appuyer l'usage de la galantamine dans les cas de démence à corps de Lewy, de démence frontotemporale et de démence vasculaire.

Memantine

La memantine a fait l'objet d'une revue systématique de la Cochrane Library (Areosa-Sastre, Sherriff et McShane, 2005). D'après les résultats, elle a des effets bénéfiques sur la cognition et l'autonomie fonctionnelle pendant six mois, chez les aînés atteints de la maladie d'Alzheimer et se situant aux stades modérés et sévères. Encore une fois, les bénéfices sont modestes. On parle ainsi d'une amélioration de 4,2 points sur une échelle de 100 pour la cognition, de 1,3 point sur une échelle de 54 pour l'autonomie fonctionnelle et de 2,8 points sur une échelle de 144 pour les SPCD. À titre indicatif, si l'on parle d'effets minimes du médicament, c'est parce que les auteurs mentionnent qu'il faudrait traiter

25 résidents atteints de la DTA pendant six mois pour éviter un seul comportement d'agitation. Les études de la revue de la Cochrane Library ne soutiennent pas le recours à la memantine pour les aînés se situant aux stades légers de la DTA. De plus, la memantine pourrait avoir des bénéfices minimes pour les aînés atteints d'une démence vasculaire légère ou modérée. Elle est très bien tolérée et entraîne peu d'effets secondaires. Les effets indésirables possibles sont la somnolence, l'agitation, la constipation et l'hypertension.

Aucune étude ne permet d'appuyer l'usage de la memantine dans les cas de démence à corps de Lewy et de démence frontotemporale.

Rôle de l'infirmière

Comme pour tout médicament, l'infirmière doit viser l'usage optimal de ces quatre médicaments. Pour cela, elle doit d'une part informer, d'autre part faire un suivi du traitement. Premièrement, il est important qu'elle réponde aux questions du résident et de ses proches en s'appuyant sur des données de recherches fiables. Elle doit donner des informations valides sur l'efficacité des médicaments et ne pas laisser espérer des résultats miraculeux. Comme on l'a indiqué, les médicaments évoqués ont des effets modestes et d'une durée limitée. De plus, seulement de 30 à 40 % des consommateurs en retirent des bénéfices (Hazzard *et al.*, 1999). L'infirmière doit donc être très prudente lorsqu'un proche lui demande si le médicament pourra aider son père ou sa mère. Par ailleurs, les familles ont souvent des questions sur les produits naturels. À ce sujet, il semble que la vitamine E soit bénéfique sur le plan de l'autonomie fonctionnelle pour l'aîné atteint de la DTA; elle ralentit la progression de la maladie vers l'état sévère (Blazer *et al.*, 2004). Concernant le Gingko biloba, les résultats des études cliniques ne permettent pas d'appuyer son usage pour prévenir efficacement la détérioration cognitive. En bref, il n'y a pas encore de remède miracle dans le domaine des démences. Il faut donc espérer que de nouveaux médicaments, plus efficaces, verront bientôt le jour.

Deuxièmement, l'infirmière doit déterminer l'efficacité du médicament lorsqu'il est prescrit à un résident (Blazer *et al.*, 2004). Pour cela, elle doit d'abord évaluer de manière valide les cibles thérapeutiques du médicament. Selon le cas, elle mesure les capacités cognitives avec le mini-examen de l'état mental (MEEM), l'autonomie fonctionnelle avec le système de mesure de l'autonomie fonctionnelle (SMAF) et les SPCD avec l'inventaire d'agitation de Cohen-Mansfield ou l'inventaire neuropsychiatrique (voir le chapitre 24). Puis elle évalue ces paramètres une fois par mois. De plus, elle doit en même temps porter attention aux effets secondaires éventuels des médicaments, en particulier les suivants: nausée, vomissement, céphalée, somnolence, diarrhée, constipation et perte de poids. Un examen physique de l'abdomen est parfois indiqué. Il ne faut pas oublier qu'en moyenne 25 % des participants des études portant sur le sujet ont abandonné le médicament

en raison des effets secondaires. Un suivi serré de la réponse du résident au médicament permet de réduire le nombre de résidents souffrant d'effets indésirables ainsi que le nombre de résidents consommateurs pour qui le médicament est inefficace. L'infirmière partage les résultats de ses observations avec le médecin et avec l'équipe interdisciplinaire. D'après les connaissances actuelles, jusqu'à 60 % des résidents qui commencent un traitement avec les inhibiteurs de l'acétylcholinestérase en cessent l'usage en raison de l'absence de bénéfices.

Programme de marche

Tout CHSLD devrait au minimum proposer à ses résidents un programme de marche (qui demande peu d'équipement) et aurait avantage à offrir de manière plus générale des programmes de réadaptation gériatrique. Ceux-ci comprennent plusieurs interventions qui visent à améliorer de façon spécifique l'autonomie fonctionnelle et la cognition des résidents. De nature interdisciplinaire, ils nécessitent le soutien de la direction du CHSLD pour leur mise en place (Johnson *et al.*, 2005).

La marche est bénéfique pour les résidents atteints de démence. Cependant, l'infirmière doit prendre certaines précautions et suivre certains principes pour faire marcher les résidents de manière sécuritaire.

Précautions

Quelles que soient sa condition physique ou ses affections, tout aîné tire des bénéfices de la marche. Même fragile et très âgé, l'aîné peut marcher, accroître sa force musculaire, améliorer son équilibre et augmenter sa vitesse de marche (Arcand et Hébert, 1997). Le manque d'activité des résidents des CHSLD découle du milieu institutionnel et non de leur état de santé (Koroknay, Werner, Cohen-Mansfield et Braun, 1995).

En matière de marche et d'exercice physique, l'infirmière doit cibler certains résidents, en particulier ceux qui sont les moins actifs et ceux qui présentent un risque élevé de chute. En effet, le résident atteint de la maladie d'Alzheimer qui erre continuellement n'a pas besoin qu'on le stimule davantage, mais plutôt qu'on canalise ses énergies. De plus, l'infirmière doit tenir compte de l'état de santé cardiaque, respiratoire, musculaire, articulaire et osseuse du résident. Elle doit aussi évaluer son risque de chute (voir le chapitre 17).

Avant d'entreprendre un programme de marche avec un résident, l'infirmière en discute avec l'équipe interdisciplinaire. Suivant son jugement clinique et l'opinion de l'équipe interdisciplinaire, elle adapte le programme. Le tableau 2-13 (p. 48) indique comment elle peut déterminer le soutien et le suivi nécessaires en fonction du risque de chute et de l'équilibre du résident. Si le résident a un problème cardiaque et ne présente pas de risque de chute, l'infirmière peut offrir un suivi cardiaque serré lors de la marche, c'est-à-dire mesurer des paramètres comme la fréquence cardiaque et la tension artérielle, et observer le résident.

Tableau 2-13	Détermination du soutien et du suivi nécessaires au résident lors de la marche	
RISQUE DE CHUTE	**PARAMÈTRES CLINIQUES**	**NIVEAU DE SOUTIEN ET SUIVI**
Absent	Aucun trouble d'équilibre	• Aucune aide nécessaire • Stimulation
Faible	Aucune perte d'équilibre	• Marche avec aide mécanique • Stimulation • Évaluation continue du risque de chute
Modéré	Perte d'équilibre occasionnelle	• Marche avec soignant • Évaluation continue du risque de chute
Élevé	Perte d'équilibre fréquente	• Marche avec deux soignants • Stimulation • Évaluation continue du risque de chute • Consultation avec la physiothérapeute

Ce qu'il importe de savoir, c'est qu'il n'existe quasiment pas de contre-indications à la marche. L'essentiel est d'adapter le suivi et le soutien à l'état de santé du résident.

Procédure à suivre

Comme pour toutes les activités physiques, l'infirmière doit intervenir progressivement pour encourager un résident à marcher. Selon l'autonomie du résident, elle suivra différentes étapes (voir le tableau 2-14). Par exemple, si le résident présente une faiblesse musculaire et une rigidité importante, elle effectuera d'abord des exercices passifs. Ensuite seulement, elle introduira des exercices actifs. Enfin, le résident pourra marcher avec deux soignants. Le but est d'augmenter la capacité physique du résident pour améliorer son autonomie. Il faut éviter d'exclure d'emblée d'un programme de marche le résident ayant beaucoup perdu de son autonomie physique, car c'est lui, dans les faits, qui peut en bénéficier le plus.

Tableau 2-14	Étapes du programme de marche selon l'autonomie fonctionnelle initiale
AUTONOMIE INITIALE	**ÉTAPES**
Bonne	1. Stimulation à la marche
Modeste	1. Exercices physiques actifs 2. Marche avec supervision 3. Stimulation à la marche
Limitée	1. Exercices physiques passifs 2. Exercices physiques actifs 3. Marche avec supervision 4. Stimulation à la marche

Voici maintenant la démarche que peut suivre l'infirmière pour amener progressivement le résident confiné au lit jusqu'à la marche. Évidemment, le scénario présenté est idéal. Ce qu'il faut surtout retenir, c'est que toutes les formes d'exercices sont utiles. La marche n'est pas le seul objectif. Par exemple, le résident qui ne retrouvera jamais la capacité de marcher seul bénéficiera quand même des exercices décrits. Il pourra faire une série de cinq levers de son fauteuil trois fois par jour, avec un soignant, sans marcher. Il pourra aussi faire des exercices avec ses membres supérieurs et des randonnées en fauteuil roulant.

Pour commencer, lorsque le résident ne bouge que dans son lit, l'infirmière prévoit des exercices d'amplitude articulaire. Ces exercices, qui font bouger les articulations après une période d'immobilité ou de repos, ont pour but d'entretenir la fonction articulaire, de maintenir ou d'améliorer la force musculaire et l'endurance, et de prévenir les contractures (Remsburg, 2004). Il en existe trois types : les exercices d'amplitude actifs, les exercices actifs assistés et les exercices passifs. Les premiers consistent en des mouvements volontaires et sans aide. Le soignant n'a alors pour rôle que de motiver le résident et de s'assurer de la bonne exécution des mouvements. Les deuxièmes consistent en des mouvements volontaires avec aide. Le résident commence les mouvements, puis le soignant prend la relève pour arriver à l'amplitude complète, en cas de faiblesse musculaire ou de rigidité. Pour ces deux premiers types d'exercices d'amplitude, il est possible d'utiliser des poids légers. Enfin, le troisième type d'exercices, les exercices d'amplitude passifs, consiste en des mouvements effectués totalement par le soignant, le résident étant incapable de commencer lui-même le mouvement, de participer de manière active. Le soignant veillera à faire des mouvements doux et à respecter le rythme et la fatigue du résident. Notons que les exercices d'amplitude peuvent également être effectués par un proche du résident ou un autre soignant, préalablement formé (Remsburg, 2004).

Ensuite, lorsque le résident est confiné dans son lit ou dans un fauteuil, l'infirmière prévoit des exercices musculaires. Ces exercices visent à améliorer la force musculaire. Ils se pratiquent lors des activités de la vie quotidienne (se brosser les cheveux) ou peuvent être spécifiques. Ainsi, le résident assis dans son fauteuil peut faire des exercices de flexion et d'extension du genou. Le résident alité, lui, peut contracter ses quadriceps. Des poids et des élastiques peuvent être ajoutés. À cette étape, le soutien d'un physiothérapeute est le bienvenu.

À l'étape suivante, l'infirmière combine des exercices d'amplitude et des exercices de musculation. Il s'agit de maintenir les acquis et d'améliorer les fonctions cardiaque et respiratoire. L'infirmière doit aussi prévoir des exercices de coordination (Remsburg, 2004). Il s'agit d'exercices répétitifs visant à faire travailler un muscle ou une articulation. Par exemple, le résident peut toucher un objet se trouvant par terre avec son pied ou faire se toucher ses deux gros orteils. Ces divers exercices favorisent l'équilibre et une démarche sécuritaire.

Lorsque le résident peut s'asseoir dans un fauteuil, on passe à l'entraînement aux transferts. Le soignant doit alors expliquer et montrer au résident comment se lever de son lit et s'asseoir dans le fauteuil. Il offre une aide minimale, au besoin, afin que le résident utilise au maximum ses capacités. Selon les besoins et l'atteinte cognitive du résident, il encourage, stimule et donne des consignes claires. Le soignant explique et montre également au résident comment se lever du fauteuil. Pour que le résident effectue cet exercice avec plus de facilité, il doit veiller à ce que le fauteuil soit à la bonne hauteur et comporte des accoudoirs solides.

Lorsque le résident effectue les exercices que nous venons de décrire de façon sécuritaire et sans difficulté, il peut passer aux exercices ambulatoires. Ces derniers consistent, par exemple, en une marche jusqu'à la salle de bain ou la salle à manger, ou tout simplement en une marche jusqu'à la fenêtre du bout du corridor.

Pour encourager les résidents à marcher, les programmes de marche comportent divers stratagèmes. Il peut s'agir de nommer un «chef de marche», d'utiliser un tableau pour illustrer les progrès de chacun, de distribuer des autocollants ou des prix de participation. Il peut s'agir aussi d'intégrer la marche aux activités de la vie quotidienne, par exemple de faire marcher le résident jusqu'à la salle à manger, trois fois par jour, ou jusqu'à la salle de bain pour les soins d'hygiène. L'avantage tient alors au fait que la marche se pratique de façon régulière et quotidienne. La marche pour la marche peut perdre de son intérêt pour le résident, dont la motivation peut diminuer avec le temps. En fonction de ses progrès, le résident peut petit à petit parcourir une distance de plus en plus grande. Ainsi, s'il parcourt facilement la longueur du corridor, il peut faire une promenade plus longue à l'extérieur.

Il existe plusieurs programmes de marche efficaces et faciles à intégrer dans la routine de soins des CHSLD. Ceux qui ont été instaurés dans les CHSLD pour maintenir ou accroître l'activité ambulatoire des résidents se sont avérés efficaces (Koroknay *et al.*, 1995; MacRae *et al.*, 1996; Tappen, Roach, Applegate et Stowell, 2000). Les exercices du programme de marche peuvent être effectués par l'infirmière, par les soignants, par la physiothérapeute, par l'ergothérapeute, par des bénévoles ou par les proches. Il est important de les commencer dès l'admission du résident et de les pratiquer de façon constante et assidue. L'infirmière doit instaurer ou participer à l'implantation d'un programme de marche dans son unité.

En résumé, la marche, même lente et de courte distance, a divers effets bénéfiques sur le résident, quel que soit son état de santé. De plus, la mise en place d'un programme de marche s'intègre facilement à la routine des soins. L'objectif n'est évidemment pas de former des athlètes, mais de maintenir et d'augmenter les capacités ambulatoires du résident, afin d'améliorer sa santé et sa qualité de vie, et de prévenir la détérioration rapide de ses capacités cognitives.

Conclusion

La démence est une maladie qui touche la majorité des résidents des CHSLD. Elle a des conséquences très importantes sur la santé et la qualité de vie du résident atteint. En assumant pleinement ses divers rôles, l'infirmière peut atténuer les effets négatifs de la démence dans la vie du résident et de ses proches.

L'infirmière doit promouvoir la dignité humaine du résident; satisfaire ses besoins de base et ses besoins complexes; assurer un suivi rigoureux de son état de santé; assurer la communication avec le résident, ses proches et les membres de l'équipe interdisciplinaire; gérer de manière optimale les symptômes psychologiques et comportementaux de la démence; prévenir la détérioration précipitée des capacités cognitives du résident; et soutenir les proches. Les directions des CHLSD doivent quant à elles s'assurer que les infirmières ont la possibilité de mettre en application leurs compétences pour le plus grand bénéfice des résidents et de leurs proches.

ÉTUDE DE CAS

Madame Côté vit en CHSLD depuis trois ans maintenant. Elle est atteinte d'une démence de type Alzheimer et se situe au stade 6 c de l'échelle de détérioration globale. Ses trois enfants lui rendent visite fréquemment. Mme Côté a vécu paisiblement, pendant un an, dans la même chambre que Mme Sirois, qui s'est éteinte il y a 10 jours.

Depuis trois jours, Mme Francœur, atteinte d'une démence à corps de Lewy, est la nouvelle voisine de chambre de Mme Côté. Mme Côté et ses proches ont du mal à comprendre cette dame, qui présente la symptomatologie typique de la démence à corps de Lewy. Enfin, M. Rivard, le voisin d'en face, a tendance à faire des entrées impromptues dans la chambre de ces dames. Il est atteint d'une démence frontotemporale.

Questions

1 Parmi les trois résidents de cette histoire, lequel présente le plus de risques d'avoir des hallucinations ?

2 L'infirmière, témoin des hallucinations de Mme Francœur, téléphone au médecin pour lui demander de prescrire un neuroleptique. Ce médicament est-il approprié dans ce cas-ci ? Justifiez votre réponse.

3 Quelles mesures doit prendre l'infirmière qui veut faire un suivi rigoureux de l'état de santé des résidents atteints d'une démence, en CHSLD ?

4 Par rapport aux trois démences évoquées dans l'étude de cas, quelle est la particularité de la démence vasculaire pour ce qui est du traitement ?

LA MALADIE DE PARKINSON

par **Ginette Mayrand, Marie-Josée Fortin**
et **Michel Panisset**

Deuxième maladie neurodégénérative après la maladie d'Alzheimer, la maladie de Parkinson est courante dans les CHSLD. Elle est complexe et cause une multitude de problèmes, physiques et psychiques, affectant l'autonomie et la qualité de vie du résident atteint. Si aucun médicament ne peut ralentir ou arrêter sa progression, il en existe plusieurs qui permettent d'en maîtriser les symptômes.

Une bonne connaissance de cette maladie et de ses manifestations cliniques est cruciale pour l'infirmière et l'entourage de la personne atteinte. Elle leur permet non seulement de bien surveiller les symptômes et les signes aux différents stades, ainsi que les réactions aux médicaments, mais aussi de mieux comprendre le résident, de mieux communiquer avec lui et d'intervenir adéquatement pour lui permettre de retrouver ou de conserver un certain degré d'autonomie fonctionnelle.

NOTIONS PRÉALABLES SUR LA MALADIE DE PARKINSON

Définition

Décrite pour la première fois en 1817 comme *paralysis agitans,* la maladie de Parkinson est l'infiltration de corps dc Lewy dans les neurones et la dégénérescence des neurones de la substance noire, structure située au sommet du tronc cérébral qui est responsable de la fabrication de la dopamine. La déplétion de dopamine qui en résulte explique les signes cliniques de la maladie.

Le syndrome clinique de la maladie de Parkinson, ou parkinsonisme, correspond à une combinaison d'au moins deux des trois signes suivants : akinésie ou lenteur et diminution des mouvements, rigidité et tremblements. Le tableau 3-1 présente les critères modernes utilisés pour le diagnostic de la maladie.

L'akinésie est la pauvreté des mouvements. Ce phénomène est souvent observé en même temps que celui de la bradykinésie, qui est la lenteur des mouvements ; il importe de bien distinguer les deux.

Le tremblement caractéristique de la maladie de Parkinson est un tremblement de repos, c'est-à-dire qu'il se manifeste lorsque le membre n'est pas sollicité pour un effort de posture ou une action. On prend souvent, à tort, le tremblement essentiel pour une manifestation de la maladie de Parkinson. Or, contrairement au tremblement de repos, le tremblement essentiel se manifeste principalement lorsque le membre est sollicité, par exemple

Tableau 3-1	**Critères modernes servant au diagnostic de la maladie de Parkinson**

Akinésie accompagnée de l'un des signes suivants
- Tremblement des membres
- Rigidité musculaire
- Manifestation asymétrique des symptômes (plus d'un côté que de l'autre) au début de la maladie

Absence de caractéristiques atypiques
- Absence de troubles du système nerveux autonomique en début de maladie : hypotension orthostatique, incontinence, dysfonction érectile, etc.
- Absence de démence marquée en début de maladie
- Absence de dysfonction corticospinale : hyperréflexe, signe de Babinski, etc.
- Absence de paralysie supranucléaire du regard, c'est-à-dire d'incapacité à diriger le regard dans une direction indiquée
- Absence d'éléments suggérant une autre cause :
  - Utilisation de neuroleptiques
  - Accidents vasculaires cérébraux
  - Épisode d'encéphalite en début de maladie (en cas d'encéphalite en début de maladie, on ne parle pas de maladie de Parkinson, mais de parkinsonisme postencéphalitique)

Source : Adapté de A.J. Hughes, S.E. Daniel et A.J. Lees (2001). Improved accuracy of clinical diagnosis of Lewy body Parkinson's disease. *Neurology, 57* (8), 1497-1499.

pour porter un verre à la bouche ou pour écrire. Les dessins et l'écriture en dents de scie des résidents ayant des tremblements essentiels sont typiques (Elble, 2000).

Plusieurs médicaments peuvent être à l'origine de syndromes parkinsoniens. Les plus fréquents encore aujourd'hui sont les neuroleptiques et les antiémétiques, qui sont de la famille des phénothiazines. Le syndrome parkinsonien peut alors être très semblable à celui de la maladie de Parkinson. C'est pourquoi il est important que l'infirmière puisse obtenir des renseignements précis sur les antécédents du résident. Avec un œil averti, elle saura remarquer les caractéristiques propres à ces syndromes, telles que les dyskinésies tardives qui prennent souvent la forme de mouvements de torsion involontaires de la bouche et de la langue (voir le chapitre 23).

Un diagnostic précis est nécessaire. Il aide les résidents et leurs proches à bien comprendre la maladie et ses manifestations. Contrairement à la maladie de Parkinson, la plupart des syndromes parkinsoniens répondront mal aux agents dopaminergiques et leur pronostic est plus sombre (Hobson, 2003).

Ampleur du problème

La maladie de Parkinson est la deuxième maladie neurodégénérative après la maladie d'Alzheimer. Dans la population générale, sa prévalence est d'environ 0,2 ou 0,3 %. Chez les aînés de 70 ans et plus, elle monte à 0,7 % (Rajput, 1992). L'incidence de la maladie de Parkinson est d'environ 10 à 20 nouveaux cas par année pour 100 000 habitants.

Pour ce qui est du parkinsonisme, sa prévalence est beaucoup plus importante. D'après une étude, 52,4 % d'une population d'une communauté de Boston souffrirait de parkinsonisme (Bennett *et al.*, 1996). Le taux serait de 50,6 % dans les CHSLD, dont la population a un âge moyen de 84 ans (Avorn, Monane, Everitt, Beers et Fields, 1994). Cela correspond tout à fait au taux de 52 % obtenu dans une recherche conduite dans trois CHSLD de la région de Montréal dont la population avait un âge moyen de 85 ans.

Conséquences

La maladie de Parkinson a un impact important sur la qualité de la vie du résident qui en est atteint. Elle est en effet à l'origine d'une multitude de problèmes, notamment les troubles de sommeil, les dysfonctions urinaires, la dysarthrie, la dysphagie, les troubles cognitifs et les troubles psychiatriques. Les troubles cognitifs ayant une incidence notable sur le plan fonctionnel apparaissent chez environ 25 % des parkinsoniens. Les signes psychiatriques les plus fréquents sont les hallucinations et la dépression. Ce sont les troubles cognitifs et psychiatriques, plutôt que les troubles moteurs, qui entraînent l'hébergement des personnes atteintes de la maladie de Parkinson en CHSLD. Les limites fonctionnelles font que le résident dépend de plus en plus des soignants. En Angleterre, le coût direct de la maladie de Parkinson était d'environ 100 000 $ par personne atteinte (Findley *et al.*, 2003).

Tableau 3-2	Facteurs pouvant causer la maladie de Parkinson

Facteurs génétiques
- Autosomique dominant
- Autosomique récessif

Réaction inflammatoire
- Stress oxydatif

Facteurs dérivés des études épidémiologiques
- Facteurs protecteurs
  - Cigarette
  - Café
- Facteurs environnementaux
  - Pesticides ou herbicides
  - Plastiques et résines d'époxy
  - Solvants
  - Métaux comme le manganèse
  - Substances toxiques comme le disulfide de carbone
  - Eau de puits
  - Traumatisme crânien

Causes

On ne connaît toujours pas la cause de la maladie de Parkinson. Cependant, de multiples recherches sur le sujet sont en cours. Il semble que des facteurs génétiques et des facteurs environnementaux joueraient un rôle dans l'apparition de la maladie (voir le tableau 3-2). Une combinaison de ces facteurs serait en cause. Dans plusieurs cas, aucun facteur spécifique ne peut être identifié (Lang et Lozano 1998 ; Stoessl, 1999).

De plus, des études épidémiologiques ont rapporté de nombreux facteurs de risque pour la maladie (Lai, Marion, Teschke et Tsui, 2002). Certains seraient liés à des mécanismes physiopathologiques, par exemple l'antagonisme de l'adénosine A2A vis-à-vis de la caféine et l'effet neuroprotecteur de la nicotine. Cependant, ces différents facteurs ne ressortent pas dans toutes les études.

Relation avec le vieillissement

Certaines caractéristiques du vieillissement normal ressemblent aux manifestations de la maladie de Parkinson. Il en est ainsi de la posture penchée, du raccourcissement de la longueur des pas, de la perte de plus de 60 % des réflexes posturaux liés à l'équilibre, du ralentissement des mouvements fins de 20 à 40 % et de la réduction des mouvements automatiques (Potvin *et al.*, 1981). Cependant, la rigidité et le tremblement ne font pas partie des manifestations du vieillissement normal, qui, par ailleurs, ne répondent pas à un traitement dopaminergique.

Les bases physiologiques des changements moteurs associés au vieillissement comprennent une perte de 20 à 50 % des neurones de la substance noire (Masdeu *et al.*, 1989), avec une diminution de 50 % de la concentration de dopamine dans le striatum et de celle des enzymes responsables de la fabrication de la dopamine. Une désorganisation dans la contraction musculaire pourrait aussi

contribuer à la symptomatologie (Woollacott, Shumway-Cook, et Nashner, 1982). Enfin, les troubles de l'équilibre, de la posture et de la démarche peuvent aussi être en partie expliqués par de l'arthrose avec des déformations osseuses, par une diminution des fonctions proprioceptives et par une perte neuronale des lobes frontaux.

L'âge est un facteur de risque important pour la maladie de Parkinson. Cette maladie n'est-elle donc pas seulement une manifestation du vieillissement du système nerveux? Plusieurs arguments poussent à répondre à cette question par la négative. Ainsi, le profil de la perte neuronale de la substance noire est différent dans le vieillissement normal et dans la maladie de Parkinson. De plus, la présence de marqueurs d'inflammation dans la maladie de Parkinson suggère qu'il s'agit d'un processus actif.

D'un autre côté, quel est l'effet de l'âge sur les manifestations de la maladie de Parkinson? Par rapport aux résidents diagnostiqués avant 40 ans, ceux dont la maladie s'est manifestée après 50 ans souffrent moins fréquemment et plus tardivement de complications motrices (Kostic, Przedborski, Flaster et Sternic, 1979), mais ont des handicaps et des taux de mortalité plus importants (Diamond, Markham, Hoehn, McDowell et Muenter, 1989).

Manifestations cliniques

Manifestations non motrices

La maladie de Parkinson est une maladie complexe dont les manifestations ne sont pas seulement d'ordre moteur. En effet, des troubles de l'humeur peuvent survenir tôt et même précéder les manifestations motrices. Jusqu'à 70 % des résidents atteints souffriraient de dépression. En fait, la moitié de ceux-ci sont atteints de dysthymie, dépression mineure ou réactionnelle, et l'autre moitié de dépression majeure (voir le chapitre 9). Après quelques années de progression de la maladie, 40 % environ des parkinsoniens souffrent de phénomènes hallucinatoires et 25 % environ de syndromes neuropsychologiques allant jusqu'à la démence (Juncos et Watts, 2003). Un grand nombre de résidents atteints souffriront d'une dysfonction du système nerveux autonome. Cela se manifeste notamment par des troubles de régulation de la tension artérielle, avec des hausses et des baisses pouvant occasionner des symptômes d'hypotension orthostatique, et par des troubles de régulation de la température, avec des épisodes de transpiration. La constipation, la pollakiurie et la nycturie sont aussi très fréquentes. La dysfonction érectile est maintenant mieux reconnue. Enfin, l'hypersalivation, ou sialorrhée, serait principalement causée par une diminution dans la fréquence et l'efficacité de la déglutition (Hubble et Weeks, 2002 ; Proulx, de Courval, Wiseman et Panisset, 2005).

Manifestations motrices

Les manifestations motrices de la maladie de Parkinson peuvent être regroupées en signes primaires et en signes secondaires. Les signes primaires, ou signes cardinaux, sont l'akinésie, la rigidité et le tremblement. Les signes secondaires sont les autres manifestations motrices. Toutes ces manifestations apparaissent à différents stades de la maladie et ne sont pas soulagées de la même façon par les médicaments.

Stade léger

Le tremblement de repos est un signe annonciateur fréquent de la maladie de Parkinson. La dystonie d'un membre, une posture anormale accompagnée de raideur et de douleur en sont d'autres. Les proches pourront aussi remarquer une diminution des expressions faciales, ou hypomimie. Enfin, la diminution des mouvements automatiques comme le balancement des bras lors de la marche, la micrographie ou l'écriture en pattes de mouche et la lenteur dans les activités requérant de la dextérité sont d'autres signes de l'apparition de la maladie.

Stade modéré

Lorsque la maladie progresse, on peut voir apparaître de la lenteur et une posture penchée lors de la marche, ainsi que des troubles de l'équilibre. L'hypophonie, ou voix faible, et la dysarthrie, ou difficulté à articuler, se manifestent aussi à ce stade. Parfois, la lenteur et la difficulté croissante dans les mouvements nécessitant de la dextérité feront en sorte que le résident aura besoin d'aide dans les activités de la vie quotidienne.

Stade avancé

Au stade avancé de la maladie, peut apparaître la dysphagie, ou difficulté à avaler, qui peut causer des pneumonies par aspiration. Ces dernières sont des causes fréquentes de décès chez les aînés. Aussi observés, les phénomènes de blocage lors de la marche, ou *freezing*, et les chutes qui peuvent causer des fractures. Les phénomènes de blocage se manifestent par l'incapacité momentanée de lever les pieds pour marcher. Ils surviennent surtout lors de changements de direction, lors de passages de la position assise à la position debout et lorsque le résident se retrouve devant une porte fermée ou au bout d'un corridor, ou au contraire dans un espace vaste comme une aire de stationnement.

Rapport entre les symptômes et la réponse aux médicaments

Les effets des médicaments utilisés sont importants et varient selon l'évolution de la maladie. En début de traitement, les médicaments soulagent bien les symptômes. Ensuite, l'effet de chaque dose diminue après quelques heures. En termes communs, on appelle «périodes *on*» les périodes pendant lesquelles les médicaments sont efficaces et «périodes *off*» les périodes pendant lesquelles les symptômes du parkinsonisme réapparaissent. Par ailleurs, le matin, après plusieurs heures sans médicaments, le résident peut avoir les membres raides et souffrir de dystonie. Enfin, au fil du temps et de l'évolution de la maladie, le résident peut devenir hypersensible aux médicaments. Au lieu de retrouver des mouvements normaux, il aura des mouvements exagérés et involontaires

qui peuvent faire penser à une danse. On appelle ces mouvements des dyskinésies (Nutt, 2002).

Autres manifestations

Parmi les autres manifestations de la maladie de Parkinson, mentionnons les syndromes douloureux, qui peuvent survenir soit lors des périodes *off*, soit à cause de la rigidité, et les troubles du sommeil. Les troubles du sommeil comprennent le bruxisme, ou grincement de dents, le syndrome des jambes impatientes, la fragmentation du sommeil, les anomalies du sommeil paradoxal, le myoclonus nocturne, c'est-à-dire des mouvements brusques et rapides d'une partie du corps, et la difficulté à bouger pendant la nuit (Comella, 2002).

SOINS INFIRMIERS

La maladie de Parkinson a des répercussions physiques, psychiques et sociales sur le résident qui en est atteint. Sur le plan physique, elle affecte la capacité à accomplir les mouvements de façon normale. Sur le plan psychique, elle affecte les capacités intellectuelles et l'humeur. Sur le plan social, au fil de son évolution, elle rend le résident dépendant de son réseau.

Les troubles de la mobilité, la difficulté à accomplir les activités de la vie quotidienne, la fatigue, la douleur, les troubles de la communication et de la déglutition, les troubles vésicaux et intestinaux sont autant de problèmes physiques requérant une surveillance particulière de la part de l'infirmière. La stimulation physique est primordiale pour les parkinsoniens. Elle leur permet de conserver ou de rétablir un certain degré d'autonomie fonctionnelle. De même, la stimulation cognitive a un impact direct sur le maintien de l'autonomie. Enfin, l'infirmière favorisera les interactions sociales, qui procurent un bien-être général au résident, ainsi que la satisfaction du besoin de communiquer et de se réaliser en tant qu'individu.

L'infirmière qui s'occupe d'un parkinsonien en CHSLD doit savoir quels paramètres en particulier elle doit surveiller et quelles interventions individuelles elle peut prévoir. Elle doit également être au courant des aspects pharmacologiques de la maladie ainsi que d'autres aspects spécifiques.

Paramètres à surveiller

Les principaux paramètres que l'infirmière doit régulièrement évaluer chez un résident atteint de la maladie de Parkinson sont d'abord les symptômes propres à la maladie, ensuite la cognition, l'humeur et l'autonomie fonctionnelle.

Symptômes propres à la maladie

Pour les symptômes propres à la maladie, il existe un outil de mesure fort utile, la *Unified Parkinson's Disease Rating Scale* (UPDRS), ou échelle d'évaluation unifiée pour la maladie de Parkinson. Comportant un questionnaire et un examen moteur, elle se divise en six sections : I) état mental, comportemental et thymique (l'humeur en général) ; II) activités de la vie quotidienne (en périodes *on* et en périodes *off*) ; III) examen moteur (en périodes *on* et en périodes *off*) ; IV) complications ou effets secondaires du traitement (dyskinésies, fluctuations, etc.) ; V) stades de Hoehn et Yahr ; et VI) échelle de Schwab et England.

L'UPDRS est une échelle validée, multidimensionnelle et simple d'emploi. Elle permet de faire le suivi de la maladie de Parkinson et d'évaluer les interventions thérapeutiques. La distinction entre les périodes *on* et *off* permet de l'utiliser pour étudier la réponse à la L-Dopa (Agence nationale d'accréditation et d'évaluation en santé, 2004).

Le tableau 3-3 présente des exemples de questions et de réponses inspirées de l'échelle UPDRS, qu'on pourra trouver en totalité en annexe, à la fin de ce chapitre. L'infirmière utilisera cet outil tous les six mois environ ou plus fréquemment si elle observe des changements cliniques chez le résident atteint.

Capacités cognitives

À tous les stades de la maladie de Parkinson, les fonctions cognitives peuvent être atteintes. Certaines semblent plus touchées que d'autres, notamment la mémoire, le raisonnement, le traitement de l'information, la concentration et l'attention, ainsi que l'orientation visuelle (Société Parkinson du Québec, 2002). Une évaluation régulière des fonctions cognitives du résident permet à l'infirmière de déceler l'apparition d'une déficience, et de trouver et de mettre en place des stratégies. Pour cela, le mini-examen de l'état mental de Folstein, présenté au chapitre 2, est très utile.

Il importe également de surveiller l'apparition de rêves animés qui semblent réels, d'illusions ou d'hallucinations visuelles nocturnes ou diurnes, mais aussi de propos incohérents, de problèmes de comportement, de désorientation et de confusion. Les hallucinations et les illusions pourraient être un signe de progression de la maladie ou un effet indésirable de la médication antiparkinsonienne. Cependant, l'apparition soudaine et aiguë de ces symptômes peut aussi suggérer un delirium causé par une infection, un déséquilibre métabolique ou électrolytique (voir le chapitre 7).

Humeur

La dépression, l'anxiété et les autres troubles de l'humeur sont fréquents. Des études ont montré que les parkinsoniens souffrant de dépression majeure présentaient une baisse notable d'intérêt dans l'accomplissement des activités de la vie quotidienne par rapport aux parkinsoniens

Tableau 3-3	Exemples de questions et de réponses inspirées du questionnaire UPDRS, section II, Activités de la vie quotidienne

SYMPTÔMES	
Le résident souffre-t-il d'hypersalivation ? Il doit constamment s'essuyer la bouche avec un mouchoir.	
Le résident éprouve-t-il des troubles de déglutition ? Il s'étouffe fréquemment et requiert de la nourriture à consistance molle.	
Le résident présente-t-il des troubles de la parole, de quelle nature ? À quelle fréquence ? Il est hypophonique et doit souvent répéter.	
Le résident a-t-il de la difficulté à écrire, à tenir ses couverts, à couper ses aliments ? Peut-il s'alimenter seul ? Il est incapable d'écrire la plupart du temps. Sa signature est presque illisible. Il peut s'alimenter seul lorsque sa nourriture a été coupée.	
Le résident a-t-il de la difficulté à se laver, à s'habiller, à se retourner dans son lit, à se lever d'une chaise, du lit, à se déplacer ? Il peut accomplir une partie de ses activités quotidiennes avec une aide partielle.	
Le résident présente-t-il des troubles de l'équilibre, des blocages lors de la marche, des chutes ?	
Est-ce que le résident atteint de la maladie de Parkinson présente un tremblement ? De quelle partie du corps et à quelle fréquence ? Est-ce que son tremblement représente un handicap ?	
Éprouve-t-il de la douleur, des crampes, des engourdissements, des raideurs ? À quelles fréquence et intensité et à quel moment de la journée ?	

Source : H. Petit, H. Allain et P. Vermersch (1994). Annexe 1. Dans H. Petit, H. Allain et P. Vermersch, *La maladie de Parkinson, clinique et thérapeutique* (p. 143-151). Paris : Masson.

N. B. : Le système de cotation varie selon le type de questions. Voir l'échelle complète.

non déprimés ou souffrant de dépression mineure (Chow, Masterman et Cummings, 2002). Le chapitre 9 présente deux outils de mesure facilitant la détection de la dépression chez les résidents des CHSLD ainsi que les traitements possibles.

Autonomie fonctionnelle

Le suivi de l'autonomie fonctionnelle est crucial. Il permet à l'infirmière, d'une part, de déceler les zones de dépendance du résident, d'autre part, d'intervenir rapidement pour mettre en place des interventions visant à suppléer aux manques d'autonomie ou à la rétablir. Pour ce suivi, l'infirmière peut utiliser le système de mesure de l'autonomie fonctionnelle, présenté au chapitre 2.

Interventions individuelles

Les interventions individuelles à prévoir pour le résident atteint de la maladie de Parkinson concernent l'activité physique et la prévention des chutes, ainsi que la dysphagie et l'alimentation, et les troubles du sommeil et de l'humeur.

Activité physique

L'infirmière s'engagera activement dans le traitement et le maintien de l'autonomie fonctionnelle du résident souffrant de la maladie de Parkinson. Elle travaillera dans ce but en partenariat avec une physiothérapeute. Elle offrira ainsi au résident un programme de marche, d'exercices et d'étirements spécifiques visant à maintenir sa force musculaire, à atténuer certains symptômes comme les troubles de posture et d'équilibre, et à diminuer ou à maîtriser sa

rigidité parfois très douloureuse. L'activité physique a pour ce résident de nombreux autres effets bénéfiques. Elle contribue à maintenir son appétit et à stimuler l'élimination urinaire et intestinale. Elle favorise le sommeil et contribue au maintien des capacités de communication. Elle apprend au résident à faire ses transferts de manière sécuritaire. Enfin, elle a un effet bénéfique sur son état émotif et psychologique. L'infirmière veillera à planifier les périodes d'exercices du résident atteint de la maladie de Parkinson après la prise des médicaments antiparkinsoniens, afin de favoriser sa pleine participation et de lui en assurer le maximum de bénéfices.

Prévention des chutes

La maladie de Parkinson affectant la posture, l'équilibre et la démarche, les résidents atteints présentent de grands risques de tomber et de voir leur mobilité et leur autonomie sérieusement réduites. Différentes stratégies permettent de prévenir les chutes. Le chapitre 17 de cet ouvrage les aborde en détail. Cependant, mentionnons ici certains aspects particulièrement pertinents pour le résident souffrant de la maladie de Parkinson. D'abord, le personnel soignant veillera à ce que les aires de déplacement du résident soient bien dégagées. Ensuite, on éliminera les carpettes en raison de la démarche caractéristique du résident atteint de la maladie. Cette démarche consiste souvent en de petits pas glissés et parfois en une festination, c'est-à-dire en une accélération involontaire et progressive du pas, qui devient de plus en plus petit, qu'il est très difficile de freiner.

Dysphagie et alimentation

La dysphagie est une conséquence fréquente et directe de la maladie de Parkinson. C'est pourquoi l'infirmière sera attentive à en déceler les signes et travaillera si possible avec une nutritionniste pour les contrer. Ainsi, tout en favorisant l'efficacité des médicaments et la réduction de leurs effets secondaires, toutes deux modifieront l'alimentation et la texture des aliments au besoin. Le chapitre 12 de ce manuel aborde la dysphagie plus en détail.

La constipation étant un problème important à tous les stades de la maladie de Parkinson, l'infirmière et la nutritionniste se préoccuperont aussi de prévenir les troubles de constipation en assurant au résident un apport quotidien suffisant en fibres et en liquides. Chez le résident atteint de la maladie de Parkinson, la constipation est généralement causée par un ralentissement du péristaltisme, par un apport alimentaire pauvre en fibres, par une hydratation insuffisante, par l'immobilisme et par les effets secondaires des médicaments antiparkinsoniens. À ce sujet, le chapitre 15 présente un programme d'élimination intestinale.

Concernant l'alimentation en général, l'infirmière évaluera la capacité du résident à s'alimenter seul. Elle pourra, pour ce faire, consulter le point 9 de l'UPDRS. L'expertise de l'ergothérapeute lui sera également utile, afin d'offrir au résident des couverts ergonomiques appropriés. Si de tels ustensiles ne sont pas disponibles, elle conseillera au résident l'utilisation de la cuillère plutôt que de la fourchette, pour l'assister dans son alimentation malgré les tremblements et les gestes mal contrôlés. De plus, un napperon antidérapant sous l'assiette permettra d'éviter les incidents. Pour une bonne hydratation, l'infirmière s'assurera que le résident ait à tout moment un verre d'eau et une paille flexible à sa portée.

Enfin, il est important de donner au résident ses médicaments antiparkinsoniens une trentaine de minutes avant les repas et de lui accorder tout le temps nécessaire pour manger. Le personnel soignant sera attentif et réchauffera les plats au besoin.

Troubles du sommeil

Une majorité de résidents vivant avec la maladie de Parkinson éprouvent de la difficulté à dormir et à se reposer. Parmi les nombreux désordres du sommeil, l'insomnie est le plus fréquemment rapporté lors des visites médicales (Société Parkinson du Québec, 2002). Les résidents atteints ont pour la plupart un sommeil fragmenté et agité. Ils peuvent souffrir de dystonie se présentant sous forme de raideur des membres et de crampes douloureuses aux pieds, aux mollets et aux cuisses, surtout en fin de nuit, lorsque le niveau de dopamine plasmatique est à son plus bas. En plus de leur difficulté à se retourner dans leur lit, certains ont du mal à trouver des positions confortables pour dormir. D'autres souffrent aussi du syndrome des jambes sans repos. La plupart doivent se lever plusieurs fois par nuit pour uriner. D'autres enfin font des cauchemars et ont des hallucinations. Bref, les nuits des résidents atteints de la maladie de Parkinson sont agitées et peu reposantes. Elles sont à l'origine de fatigue, d'irritabilité et d'anxiété durant le jour qui exacerbent les troubles de concentration et de mémoire. Ces résidents ont donc besoin de fréquentes périodes de repos au cours de la journée. Le chapitre 16 présente un programme visant l'amélioration du sommeil des résidents en CHSLD.

Humeur dépressive

Les résidents souffrant de la maladie de Parkinson peuvent présenter des troubles de socialisation. Leur expression faciale figée, leur difficulté à communiquer, leur lenteur à répondre peuvent donner l'impression d'un refus de socialiser.

Ainsi, la personne qui vit depuis plusieurs années emprisonnée dans un corps dont elle a perdu le contrôle connaît fréquemment l'isolement et la dépression. Plusieurs chapitres de ce manuel traitent de la socialisation et de la santé mentale des résidents.

Conseils spécifiques pour l'équipe de soins

Les soins que nécessitent les résidents souffrant de la maladie de Parkinson représentent un défi pour les soignants. Toutefois, des connaissances suffisantes et une gestion rigoureuse et pertinente des plans de soins assureront à ces résidents et à tous ceux qui gravitent autour d'eux une meilleure qualité de vie.

À ce sujet, pour le mieux-être du résident atteint de la maladie de Parkinson, l'infirmière-chef de l'unité s'assurera de rappeler périodiquement à son personnel soignant les signes et symptômes de la maladie, de même que ses particularités, notamment la fluctuation des capacités motrices. Elle prévoira une certaine flexibilité dans la planification des soins afin de tenir compte des changements imprévisibles et soudains qui caractérisent la maladie. L'horaire d'administration des médicaments sera établi en fonction des besoins spécifiques des parkinsoniens. De ce fait, il ne correspondra pas toujours aux tournées générales de distribution des médicaments du CHSLD. Par exemple, l'infirmière pourra prévoir de donner la première dose des médicaments antiparkinsoniens de la journée à la fin du quart de travail de nuit, afin de permettre au résident de se lever seul si possible, de se rendre seul à la salle de bains, de déjeuner sans aide et d'avaler plus facilement ses aliments, de faire sa toilette et de se vêtir seul. Cela contribuera au maintien de l'autonomie et de la dignité du résident.

Médication et chirurgie

Le résident souffrant de la maladie de Parkinson a besoin de sa médication pour se mouvoir et être autonome dans ses activités quotidiennes. L'infirmière accordera donc une attention particulière aux heures d'administration des médicaments, dont l'horaire sera établi par le neurologue pour en maximiser les effets et maintenir un certain degré d'autonomie fonctionnelle. Il est souhaitable de donner la première dose de la journée avant le lever, puis les autres une trentaine de minutes avant les repas et les activités quotidiennes. L'infirmière établira le plan de soins et d'activités du résident en fonction de l'horaire d'administration des médicaments antiparkinsoniens.

Traitements pharmacologiques

Il n'existe à ce jour aucun traitement permettant de guérir la maladie de Parkinson ou de ralentir sa progression. Cependant, les traitements offerts, qu'ils soient de nature pharmacologique ou chirurgicale, permettent dans la plupart des cas d'en maîtriser les symptômes de façon satisfaisante, pendant une période variant d'un individu à l'autre.

Parmi ces médicaments, on compte les précurseurs de la dopamine, les antiglutamatergiques, les agonistes de la dopamine, les anticholinergiques, les inhibiteurs de la monoamine-oxydase-B (ou MAO-B) et les inhibiteurs de la catéchol-O-méthyl transférase (ou COMT).

Au début de la maladie, les symptômes sont habituellement soulagés de façon continue par la lévodopa, précurseur de la dopamine qui se transforme en dopamine dans le cerveau. C'est la période appelée lune de miel. Dans sa forme standard, Sinemet ou Prolopa, la lévodopa commence à agir de 20 à 30 minutes après son ingestion. Les comprimés de lévodopa à libération lente, Sinemet CR, commencent à agir au bout de 60 minutes et plus. Ces derniers ne doivent pas être écrasés ni croqués.

Si la lévodopa a des effets bénéfiques indéniables, elle entraîne parfois divers effets secondaires. Les plus fréquents sont la nausée et les étourdissements. De plus, son utilisation à long terme peut provoquer des fluctuations motrices qui entravent les activités de la vie quotidienne. Cela s'expliquerait par le fait que, la maladie progressant, la réponse à la lévodopa serait moins fiable et prévisible qu'en début de traitement. Des fluctuations simples et complexes pourraient apparaître.

Le phénomène d'épuisement qui se manifeste en fin de dose est un exemple de fluctuation simple. Il se caractérise par un retour des symptômes de la maladie avant la prise suivante de lévodopa.

Les dyskinésies de pic de dose sont également des fluctuations simples. Il s'agit de mouvements anormaux et involontaires de forme choréique, c'est-à-dire qu'ils sont irréguliers, spasmodiques et ressemblent à une danse (le mot grec *khoreia* signifie « danse »). Les dyskinésies de pic de dose peuvent affecter différentes parties du corps, les bras, les jambes, le tronc, la tête, le visage ou la bouche, et apparaissent au moment où la concentration plasmatique de lévodopa est à son maximum. C'est comme si une surdose de médicament engendrait un surplus de mouvements. La fréquence, la durée et l'intensité de ces complications sont variables. Ces symptômes peuvent être gênants dans l'accomplissement des activités de la vie quotidienne et être à l'origine d'une certaine réserve ou gêne sociale.

Les fluctuations complexes, ou phénomènes *on/off*, sont typiques des stades avancés de la maladie. Elles sont très gênantes. Elles se présentent de façon anarchique et imprévisible, sans relation dans le temps avec la prise de lévodopa.

Elles sont donc difficiles à prévoir et à maîtriser. Sont associés aux fluctuations complexes les retards dans l'effet d'une dose. Par exemple, l'effet d'un comprimé de lévodopa à action régulière peut être retardé, c'est-à-dire prendre plus de 60 minutes à se manifester au lieu de 20 à 30 minutes.

On observe aussi des absences de réponses, ou échecs de doses, des phénomènes *on/off* et des dyskinésies biphasiques. Ces dyskinésies n'ont pas le même lien avec les niveaux plasmatiques et le moment de prise d'une dose que celles décrites précédemment.

Il est important de cerner les phénomènes de fluctuations et de les rapporter au médecin traitant, qui pourra parfois modifier l'horaire de prise ou la dose des médicaments. Les journaux de 24 heures permettent de déterminer les moments de la journée où se produisent ces fluctuations. Lorsqu'ils sont bien remplis pendant une semaine, ils permettent au neurologue de modifier de façon appropriée la posologie de la médication. Le tableau 3-4 (p. 58) en présente un exemple (Panisset, Fortin, Turcotte, Béland et Hall, 2003).

D'autres médicaments que la lévodopa peuvent faire partie du traitement thérapeutique du résident souffrant de la maladie de Parkinson. Ainsi, on trouve le ropinirole ou Requip, le pramipexole ou Mirapex, le pergolide ou Permax et la bromocriptine ou Parlodel, qui appartiennent à la famille des agonistes de la dopamine. Les agonistes dopaminergiques sont moins puissants que la lévodopa ; ils se fixent, comme le ferait la dopamine produite naturellement, sur les récepteurs dopaminergiques du cerveau et les stimulent ainsi (Société Parkinson du Québec, 2002). Ces médicaments peuvent causer des nausées et des étourdissements en début d'utilisation. Ils peuvent aussi provoquer de l'œdème dans les membres inférieurs, de la somnolence et des crises de sommeil. Enfin, la confusion, les hallucinations, les troubles du comportement tels que la dépendance au jeu et l'hypersexualité sont d'autres effets indésirables.

Autre famille de médicaments, les anticholinergiques sont utilisés pour contrer le tremblement surtout. Ce sont le trihéxyphénidyl, ou Artane, et la benztropine, ou Cogentin. Ils peuvent aussi causer ou augmenter la constipation, symptôme secondaire de la maladie de Parkinson. Les agonistes de la dopamine et les anticholinergiques doivent être prescrits avec précaution aux résidents âgés ou présentant des problèmes cognitifs, car ils peuvent provoquer de la confusion et des hallucinations.

Les inhibiteurs de la MAO-B comme la sélégiline, ou Eldepryl, empêchent l'enzyme MAO-B de dégrader la dopamine dans le cerveau. Celle-ci est donc plus disponible. La sélégiline est un faible médicament antiparkinsonien maintenant rarement utilisé. En potentialisant la lévodopa, les MAO-B peuvent aussi en augmenter les effets secondaires comme les nausées, les étourdissements, les dyskinésies et les hallucinations.

Enfin, les inhibiteurs de la COMT, comme l'entacapone, ou Comtan, sont une autre classe de médicaments utilisés au stade avancé de la maladie de Parkinson. Ils aident à maintenir un certain taux de lévodopa dans le sang et le cerveau, à maîtriser les fluctuations, à réduire

Tableau 3-4 **Journal de 24 heures**

Nom : _____

Date : _____

		AM												PM											
		1:00	2:00	3:00	4:00	5:00	6:00	7:00	8:00	9:00	10:00	11:00	12:00	13:00	14:00	15:00	16:00	17:00	18:00	19:00	20:00	21:00	22:00	23:00	24:00
Dyskinésie	Importante																								
	Modérée																								
	Légère																								
ON																									
OFF	Léger																								
	Modéré																								
	Important																								
Sommeil																									
Liste des médicaments																									
Nom	mg																								

Source : M. Panisset, M.-J. Fortin, H. Turcotte, M. Béland et J. Hall (2003). *Journal de 24 heures*. Document non publié.

la dose quotidienne de lévodopa et à mieux gérer les dyskinésies. Cependant, comme ils potentialisent les effets de la lévodopa, ils peuvent aussi en augmenter les effets secondaires. Notons par ailleurs qu'ils colorent les urines en orange foncé et peuvent causer de la diarrhée.

L'intensité des symptômes de la maladie de Parkinson et la réponse aux médicaments varient beaucoup d'un résident à l'autre. C'est pourquoi le traitement pharmacologique est très personnalisé. Il est important que l'infirmière observe et note dans le dossier les effets des médicaments, et les communique à l'équipe traitante. Les informations recueillies peuvent contribuer au succès d'un traitement pharmacologique et aider à maîtriser les symptômes de la maladie. Elles permettent ainsi d'améliorer la qualité de vie du résident.

Interventions chirurgicales

Différentes interventions chirurgicales sont pratiquées sur les personnes atteintes de la maladie de Parkinson. Il s'agit de chirurgies stéréotaxiques dont les cibles sont profondément enfouies au centre du cerveau. Elles visent soit la maîtrise du tremblement, soit celle des fluctuations, et comportent soit la pratique de lésions, soit l'implantation de stimulateurs semblables aux *pacemakers*. Bien que ces interventions soient rarement indiquées pour les sujets âgés, certains résidents pourraient en avoir subi avant leur admission.

Conclusion

Le résident atteint de la maladie de Parkinson requiert beaucoup de rigueur, de vigilance, mais aussi de flexibilité de la part de l'infirmière.

Afin de bien l'accompagner, l'infirmière doit constamment se rappeler que cette personne est emprisonnée dans un corps dont elle n'a plus toujours le contrôle; que, derrière un visage figé, elle éprouve des émotions qu'elle peut difficilement communiquer à cause du ralentissement de sa pensée et de ses troubles d'élocution; enfin, que, pour se mouvoir et conserver un certain degré d'autonomie fonctionnelle, cette personne dépend entièrement de la vigilance et de la diligence de l'infirmière à lui donner sa médication antiparkinsonienne aux heures prescrites et selon les directives correspondant à ses besoins. Le résident dépend également d'elle pour que des programmes d'interventions non pharmacologiques propres à sa condition soient mis en place.

Donner à ce résident le temps nécessaire pour s'exprimer, manger et accomplir ses activités quotidiennes, c'est lui permettre de conserver sa dignité, c'est le respecter dans son droit fondamental d'ÊTRE et son besoin légitime d'être perçu et reconnu comme la personne à part entière qu'il est.

ÉTUDE DE CAS

Monsieur S., âgé de 68 ans, est hébergé dans un CHSLD depuis trois mois. Atteint de la maladie de Parkinson depuis environ quinze ans, il doit prendre des comprimés de lévodopa toutes les deux heures lorsqu'il est éveillé et un comprimé de lévodopa à libération lente au coucher. Il connaît des fluctuations motrices de type *on/off*. En période *off*, il est dépendant pour ses activités quotidiennes. Il présente des tremblements de la main et de la jambe droite, de la rigidité et de la bradykinésie. Il a besoin d'aide pour ses transferts et ses déplacements. Il a aussi des blocages lorsqu'il marche et fait des chutes. Lorsqu'il mange, il a de la difficulté à avaler et s'étouffe facilement. Durant ce type de période, l'infirmière note qu'il est très anxieux, s'exprime avec difficulté et souffre d'hypophonie. Il refuse par ailleurs de participer aux activités et ne veut pas manger dans la salle commune. Il s'isole. L'infirmière a noté une diminution de l'expression de son visage; il paraît triste. À l'inverse, lorsqu'il est en période *on*, il est souriant et d'humeur agréable, se déplace seul et accomplit seul la majorité des tâches de la vie quotidienne, sauf lorsqu'il a des dyskinésies. Il se réveille très tôt le matin et a alors généralement des dystonies.

M. S. connaît des périodes *off* d'environ une heure qui surviennent à différents moments d'une journée à l'autre. Il a alors besoin d'aide pour s'alimenter, se laver et s'habiller. Sans aide, il ne peut terminer son repas et met deux heures à se laver et à s'habiller. Après cette activité, il se dit fatigué et demande à se recoucher. Ainsi, quand le soignant vient le chercher pour son programme de rééducation à la marche, il est épuisé et refuse d'y aller.

La semaine dernière, durant la nuit, M. S. a eu un blocage et est tombé en voulant se rendre aux toilettes pour uriner. Heureusement, il ne s'est pas blessé. Il dit ressentir souvent un besoin urgent d'uriner et avoir très peur de ne pas pouvoir se rendre aux toilettes à temps. Il se lève trois ou quatre fois par nuit pour uriner et a parfois de la difficulté à se rendormir.

Lors de la réunion multidisciplinaire hebdomadaire, l'infirmière de M. S. suggère de modifier son plan de soins afin de lui faire prendre seul ses médicaments, qu'il s'est plaint de ne pas recevoir à temps. La semaine précédente, elle a évalué les capacités cognitives du résident à l'aide du mini-examen de l'état mental de Folstein. Comme il ne présente pas de déficits cognitifs, elle pense qu'il serait un candidat potentiel à un programme d'automédication.

L'infirmière suggère par ailleurs à l'équipe soignante que M. S. attende d'être en période *on* (mobilité normale) pour accomplir ses activités du matin, c'est-à-dire s'alimenter, se laver et s'habiller. Il pourra se reposer en période *off*. Comme il a rarement de période *off* l'après-midi, l'infirmière propose de planifier ses exercices de rééducation de 13 h 30 à 14 h.

Concernant le problème d'envie impérieuse d'uriner, l'infirmière suggère de laisser à M. S. un urinoir pour la nuit. On pourra aussi lui conseiller d'éviter de boire des liquides diurétiques, tels que certaines tisanes, du thé et du café, après 18 h afin de réduire le problème de nycturie. Enfin, on lui suggérera d'aller uriner toutes les deux heures pendant la journée et en soirée, afin d'entraîner sa vessie à se vider selon un horaire régulier.

>>>

Après deux semaines d'application de ce nouveau plan, l'infirmière note que M. S. a pu aller faire ses exercices et accomplir seul ses activités quotidiennes, sauf lorsqu'il avait trop de dyskinésies. La veille, elle a donc demandé aux soignants de commencer l'observation des périodes de fluctuations à l'aide de journaux de 24 heures, afin d'étudier les dyskinésies. Au bout d'une semaine, elle devrait être en mesure de déterminer les moments de la journée où M. S. ne peut accomplir ses activités quotidiennes à cause de ses dyskinésies. Quant au problème des besoins urgents d'uriner, il est toujours présent. Récemment, d'ailleurs, le résident a fait une chute en voulant se rendre rapidement aux toilettes.

Questions

1 Pouvez-vous nommer deux types de complications motrices dont souffre M. S. ?

2 Nommez un symptôme primaire et un symptôme secondaire de la maladie de Parkinson dont souffre M. S.

3 Quel paramètre l'infirmière a-t-elle oublié d'évaluer ?

4 Que sont les dystonies et à quoi peut-on les associer ?

A N N E X E

Échelle d'évaluation unifiée pour la maladie de Parkinson

État mental, comportemental et thymique

1. Affaiblissement intellectuel

0 = absent.

1 = léger manque de mémoire habituel avec souvenir partiel des événements, sans autre difficulté.

2 = perte mnésique modérée, désorientation et difficultés modérées à faire face à des problèmes complexes. Atteinte légère mais indiscutable des capacités fonctionnelles avec besoin d'une incitation occasionnelle de l'entourage.

3 = déficit mnésique grave avec désorientation dans le temps et souvent dans l'espace. Handicap grave face aux problèmes.

4 = perte mnésique sévère avec uniquement préservation de sa propre orientation. Incapacité de porter des jugements et de résoudre des problèmes, demande d'aide pour les soins personnels, ne peut plus être laissé seul.

2. Troubles de la pensée (en rapport avec la démence ou une intoxication médicamenteuse)

0 = aucun.

1 = rêves animés.

2 = hallucinations bénignes critiquées.

3 = hallucinations occasionnelles ou fréquentes ou idées délirantes non critiquées, pouvant gêner les activités quotidiennes.

4 = hallucinations continuelles, idées délirantes ou psychose expansive, incapacité de prendre soin de soi.

3. Dépression

0 = absente.

1 = périodes de tristesse ou sentiment de culpabilité excessif ne persistant pas plusieurs jours ou semaines.

2 = dépression durable (une semaine ou plus).

3 = dépression durable avec symptômes végétatifs (insomnie, anorexie, perte de poids, perte d'intérêt).

4 = dépression durable avec troubles végétatifs, pensées ou intentions suicidaires.

4. Motivations

0 = normale.

1 = moins franche que d'habitude ; plus passif.

2 = perte d'initiative et désintérêt pour certaines activités non routinières.

3 = perte d'initiative ou désintérêt dans les activités quotidiennes routinières.

4 = absence d'initiative, perte totale d'intérêt.

ACTIVITÉS DANS LA VIE QUOTIDIENNE
(à déterminer en période *on* et en période *off*)

5. Parole

0 = normale.

1 = légèrement perturbée, pas de difficultés à être compris.

2 = modérément perturbée. On doit lui demander occasionnellement de répéter.

3 = gravement perturbée. On doit lui demander fréquemment de répéter.

4 = incompréhensible la plupart du temps.

6. Salivation

0 = normale.

1 = légère, mais excès habituel de salive dans la bouche ; peut baver la nuit.

2 = hypersialorrhée modérée ; peut baver un peu.

3 = hypersialorrhée nette avec un peu de bave.

4 = écoulement habituel de bave nécessitant en permanence un mouchoir.

7. Déglutition

0 = normale.

1 = s'étrangle rarement.

2 = s'étrangle occasionnellement.

3 = nécessite une alimentation semi-liquide.

4 = nécessite une alimentation par sonde gastrique ou une gastrectomie.

8. Écriture

0 = normale.

1 = légèrement ralentie ou micrographique.

2 = nettement ralentie ou micrographique, tous les mots sont lisibles.

3 = gravement perturbée ; tous les mots ne sont pas lisibles.

4 = la majorité des mots est illisible.

9. S'alimenter et manipuler les couverts

0 = normal.

1 = un peu lent et maladroit mais n'a pas besoin d'être aidé.

2 = peut se débrouiller seul pour la plupart des aliments mais lent et maladroit.

3 = a besoin d'une aide pour les repas mais peut encore s'alimenter lentement.

4 = on doit lui donner à manger.

10. Habillage

0 = normal.

1 = un peu lent mais ne doit pas être aidé.

2 = aide occasionnelle pour boutonner ou enfiler une manche.

3 = a besoin d'être très aidé mais peut faire certaines choses seul.

4 = totalement dépendant.

11. Hygiène

0 = normale.

1 = un peu lent mais n'a pas besoin d'aide.

2 = nécessite une aide pour la douche ou le bain ; très lent dans les soins hygiéniques.

3 = nécessite une aide pour se laver, se brosser les dents, se coiffer, se baigner.

4 = sonde urinaire ou autres aides mécaniques.

12. Se retourner dans le lit, arranger draps et couvertures

0 = normal.

1 = un peu lent et maladroit mais n'a pas besoin d'être aidé.

2 = peut se retourner seul ou arranger les draps mais avec une grande difficulté.

3 = peut commencer le geste mais n'arrive pas à se retourner ou à arranger les draps.

4 = dépendant.

13. Chute non liée au piétinement

0 = aucune.

1 = chutes rares.

2 = chutes occasionnelles mais moins d'une fois par jour.

3 = en moyenne une chute par jour.

4 = chutes pluriquotidiennes.

14. Piétinement lors de la marche

0 = aucun.

1 = rare, peut avoir une hésitation au départ.

2 = piétinement occasionnel lors de la marche.

3 = piétinement fréquent entraînant occasionnellement des chutes.

4 = chutes fréquentes dues au piétinement.

15. Marche

0 = normale.

1 = difficultés légères, peut balancer les bras, traîne les pieds.

2 = difficultés modérées mais ne demande que peu ou pas d'aide.

3 = difficultés importantes nécessitant une aide.

4 = ne peut marcher du tout même avec aide.

16. Tremblement

0 = absent.

1 = léger et rarement présent.

2 = modéré, gênant le patient.

3 = important, gênant certaines activités.

4 = marqué, gênant la plupart des activités.

17. Troubles subjectifs sensitifs liés au parkinsonisme

0 = aucun.

1 = occasionnellement, engourdissement, picotements, douleurs légères.

2 = engourdissement, picotements, douleurs fréquentes ; pas gênant.

3 = sensations douloureuses fréquentes.

4 = douleurs très vives.

EXAMEN MOTEUR

18. Parole

0 = normale.

1 = légère perte d'expression, de la diction et/ou du volume vocal.

2 = voix monotone, bredouillée mais compréhensible ; altération modérée.

3 = altération marquée ; difficile à comprendre.

4 = incompréhensible.

19. Expression faciale

0 = normale.

1 = hypomimie légère, semble avoir un visage normalement impassible.

2 = diminution légère mais franchement anormale de l'expression faciale.

3 = hypomimie modérée, lèvres souvent entrouvertes.

4 = masque facial, faciès figé avec perte importante ou totale de l'expression faciale ; lèvres entrouvertes (0,5 cm ou plus).

20. Tremblement de repos

0 = absent.

1 = léger et rarement présent.

2 = tremblement de faible amplitude mais persistant ; ou modéré mais intermittent.

3 = tremblement modéré en amplitude mais présent la plupart du temps.

4 = tremblement d'amplitude marquée et présent la plupart du temps.

21. Tremblement d'action ou tremblement postural des mains

0 = absent.

1 = léger, présent lors de l'action.

2 = modéré en amplitude, présent lors de l'action.

3 = modéré en amplitude tant lors du maintien postural que lors de l'action.

4 = amplitude marquée, gêne l'alimentation.

22. Rigidité (évaluée lors des mouvements passifs des principales articulations, avec un patient relâché en position assise, ne pas tenir compte de la roue dentée)

0 = absente.

1 = minime ou apparaissant lors des manœuvres de sensibilisation.

2 = légère à modérée.

3 = marquée mais la plupart des mouvements peuvent être effectués aisément.

4 = sévère, les mouvements sont effectués difficilement.

23. Tapotement des doigts (le patient fait des mouvements rapides et de grande amplitude du pouce sur l'index)

0 = normal.

1 = ralentissement léger et/ou réduction de l'amplitude.

2 = modérément perturbé, se fatigue nettement et rapidement, peut avoir d'occasionnels arrêts du mouvement.

3 = sévèrement perturbé, hésitation fréquente au démarrage du mouvement.

4 = peut à peine effectuer le mouvement.

24. Mouvements des mains (le patient ouvre et ferme les mains avec la plus grande amplitude possible, chaque main séparément)

0 = normal.

1 = ralentissement léger et/ou réduction d'amplitude.

2 = modérément perturbé, se fatigue nettement et rapidement, peut avoir d'occasionnels arrêts dans le mouvement.

3 = sévèrement perturbé, hésitation fréquente au début du mouvement ou arrêt en cours de mouvement.

4 = peut à peine effectuer la tâche.

25. Mouvements alternatifs rapides (mouvements de prosupination des mains verticalement ou horizontalement, avec la plus large amplitude possible, les deux mains simultanément)

0 = normal.

1 = ralentissement léger et/ou réduction d'amplitude.

2 = modérément perturbé, se fatigue nettement et rapidement, peut avoir d'occasionnels arrêts dans le mouvement.

3 = sévèrement perturbé, hésitation fréquente au début du mouvement ou arrêt en cours de mouvement.

4 = peut à peine effectuer la tâche.

26. Agilité de la jambe (le patient tape le talon sur le sol de façon rapide en soulevant tout le pied, l'amplitude doit être d'environ 7,5 cm)

0 = normal.

1 = ralentissement léger et/ou réduction d'amplitude.

2 = modérément perturbé, se fatigue nettement et rapidement, peut avoir d'occasionnels arrêts dans le mouvement.

3 = sévèrement perturbé, hésitation fréquente au début du mouvement ou arrêt en cours de mouvement.

4 = peut à peine effectuer la tâche.

27. Se lever d'une chaise (le patient assis essaie de se lever d'une chaise à dos en bois et en métal, les bras pliés devant la poitrine)

0 = normal.

1 = lentement ou a besoin de plus d'un essai.

2 = se pousse sur les bras du siège.

3 = tend à tomber en arrière, doit essayer plus d'une fois mais peut se lever sans aide.

4 = incapable de se lever sans aide.

28. Posture

0 = normalement droite.

1 = pas tout à fait droite, posture légèrement fléchie, cette attitude peut être normale pour une personne plus âgée.

2 = posture modérément fléchie, nettement anormale, peut être légèrement fléchie d'un côté.

3 = posture sévèrement fléchie avec cyphose.

4 = flexion marquée avec posture très anormale.

29. Stabilité posturale (réponse à un déplacement postural soudain, produit par une poussée sur les épaules alors que le patient est debout, les yeux ouverts et les pieds légèrement écartés, le patient doit être prévenu)

0 = normal.

1 = rétropulsion mais rétablit l'équilibre sans aide.

2 = absence de réponse posturale, peut tomber s'il n'est pas retenu par l'examinateur.

3 = très instable, tend à perdre l'équilibre spontanément.

4 = incapable de se tenir debout sans aide.

30. Démarche

0 = normale.

1 = marche lentement, traîne les pieds et fait de petits pas mais sans festination ni propulsion.

2 = marche avec difficulté, mais nécessite peu ou pas d'aide, peut avoir un peu de festination, des petits pas ou une propulsion.

3 = perturbation sévère de la marche, nécessitant une aide.

4 = ne peut marcher du tout même avec aide.

31. Bradykinésie corporelle ou hypokinésie (combinant la lenteur, l'hésitation, la diminution du ballant des bras, l'amplitude faible et la pauvreté des mouvements en général)

0 = aucune.

1 = lenteur minime, donnant aux mouvements un caractère délibéré, pourrait être normal pour certaines personnes, possibilité d'une réduction d'amplitude.

2 = degré léger de lenteur et de pauvreté du mouvement qui est nettement anormal, de plus certaine réduction d'amplitude.

3 = lenteur modérée, pauvreté et petite amplitude du mouvement.

4 = lenteur marquée, pauvreté et petite amplitude du mouvement.

COMPLICATIONS DU TRAITEMENT
(au cours de la dernière semaine)

A) Dyskinésies

32. Durée : durant quelle proportion de la journée les dyskinésies sont-elles présentes ? (information tenue par l'interrogatoire)

0 = aucune.

1 = 1 à 25 % de la journée.

2 = 26 à 50 % de la journée.

3 = 51 à 75 % de la journée.

4 = 76 à 100 % de la journée.

33. Incapacité : quelle incapacité entraînent les dyskinésies ?

0 = aucune.

1 = légère.

2 = modérée.

3 = sévère.

4 = complète.

34. Douleur : les dyskinésies entraînent-elles des douleurs ?

0 = aucune.

1 = légère.

2 = modérée.

3 = sévère.

4 = complète.

35. Présence d'une dystonie matinale précoce (information tenue par l'interrogatoire)

0 = non.

1 = oui.

B) Fluctuations cliniques

36. Y a-t-il des périodes *off* dont on peut prédire le moment après une prise médicamenteuse ?

0 = non.

1 = oui.

37. Y a-t-il des périodes *off* dont on ne peut pas prédire le moment après une prise médicamenteuse ?

0 = non.

1 = oui.

38. Est-ce que certaines des périodes *off* viennent soudainement, c'est-à-dire en quelques secondes ?

0 = non.

1 = oui.

39. Quelle est la proportion de la journée durant laquelle le patient est en moyenne en situation *off*?

0 = aucune.

1 = 1 à 25 %.

2 = 26 à 50 %.

3 = 51 à 75 %.

4 = 76 à 100 %.

c) Autres complications

40. Le patient a-t-il de l'anorexie, des nausées, des vomissements?

0 = non.

1 = oui.

41. Le patient a-t-il une hypotension orthostatique symptomatique?

0 = non.

1 = oui.

STADES DE HOEHN ET YARH

Stade 0 : pas de signe de la maladie.

Stade 1 : maladie unilatérale.

Stade 1,5 : maladie unilatérale plus atteinte axiale.

Stade 2 : maladie bilatérale sans trouble de l'équilibre.

Stade 2,5 : maladie bilatérale légère avec rétablissement lors du test de la poussée.

Stade 3 : maladie bilatérale légère à modérée avec une certaine instabilité posturale, physiquement autonome.

Stade 4 : handicap sévère, toujours capable de marcher ou de se tenir debout sans aide.

Stade 5 : malade en chaise roulante ou alité, sauf s'il est aidé.

ÉCHELLE D'ACTIVITÉ DE LA VIE QUOTIDIENNE DE SCHWAB ET ENGLAND

100 % : totalement indépendant, est capable d'effectuer toutes les activités sans lenteur, difficulté ou gêne, tout à fait normal, n'ayant conscience d'aucune difficulté.

90 % : complètement indépendant, est capable d'effectuer toutes les activités avec un certain degré de lenteur, de difficulté ou de gêne, peut mettre 2 fois plus de temps, commence à avoir conscience de ses difficultés.

80 % : complètement indépendant dans la plupart des activités, met 2 fois plus de temps, conscient de ses difficultés et de sa lenteur.

70 % : pas complètement indépendant, beaucoup de difficultés pour certaines activités, 3 ou 4 fois plus lent dans certaines d'entre elles, peut passer une grande partie de la journée pour des activités de base.

60 % : partiellement dépendant, peut effectuer un certain nombre d'activités mais très lentement et avec beaucoup d'efforts, fait des erreurs, certaines activités sont impossibles.

50 % : est plus dépendant, doit être aidé dans la moitié des activités, plus lent, etc., difficultés pour chaque chose.

40 % : très dépendant, peut effectuer toutes les activités avec aide mais peu d'entre elles seul.

30 % : effectue seul peu d'activités, avec effort, mais ne fait que les commencer seul, davantage d'aide est nécessaire.

20 % : ne fait rien seul, peut légèrement aider pour certaines activités, invalidité sévère.

10 % : totalement dépendant, ne peut aider en rien, complètement invalide.

0 % : certaines fonctions végétatives telles que la déglutition, les fonctions urinaires et les fonctions intestinales sont altérées, alité.

Traduction de l'Unified Parkinson's Disease Rating Scale (UPDRS) de S. Fahn, R.L. Elton *et al.* dans S. Fahn, C.D. Marsden, D.B. Calne et M. Goldstein (dir.) (1987). *Recent Developments in Parkinson's Disease*, t. 2. Florham Park N.J. : Macmillan Healthcare Information, 293-304.

Source : A.M. Bonnet (2000). Échelles et classifications : L'UPDRS (Unified Parkinson's Disease Rating Scale). *Revue neurologique*, *156* (5), 534-541.

CHAPITRE 4

L'ACCIDENT VASCULAIRE CÉRÉBRAL

par **Nathalie Rodrigue** et **Rosa Sourial**

Comme il touche le cerveau, l'accident vasculaire cérébral laisse diverses séquelles à la personne qui le subit et affecte plus ou moins ses capacités physiques et cognitives, donc son autonomie fonctionnelle, selon son degré de sévérité. Il est ainsi la principale cause de transfert dans les CHSLD.

L'infirmière qui s'occupe d'un résident ayant subi un accident vasculaire cérébral a pour mission non seulement de l'aider à récupérer, mais aussi de prévenir un nouvel accident. Elle doit bien connaître les symptômes et signes avant-coureurs et évaluer divers paramètres physiques et cognitifs au moyen d'outils appropriés. Outre qu'elle favorise de saines habitudes de vie, elle stimule le résident pour qu'il retrouve ses capacités physiques et cognitives.

NOTIONS PRÉALABLES SUR L'ACCIDENT VASCULAIRE CÉRÉBRAL

Définition

L'accident vasculaire cérébral (AVC) peut se définir comme un accident neurologique localisé provoqué par une lésion vasculaire cérébrale d'une durée supérieure à 24 heures. Il se distingue de l'ischémie cérébrale transitoire (ICT), qui en principe dure moins de 24 heures et ne laisse pas de séquelles. Dans 85 % des cas, l'AVC survient à la suite d'un blocage de la circulation sanguine vers le cerveau : on dit qu'il est ischémique. Dans 15 % des cas, il se produit à la suite de la rupture d'un vaisseau sanguin dans le cerveau : on dit qu'il est hémorragique (Hickey, 2003).

Ampleur du problème

Au Canada, on compte chaque année environ 50 000 nouveaux cas d'AVC. Les effets du vieillissement sur le système cardiovasculaire et la nature progressive des facteurs de risques de l'AVC font doubler le risque de subir un AVC tous les dix ans après l'âge de 55 ans (American Heart Association, 2001). Ainsi, l'AVC touche près des deux tiers des personnes de plus de 65 ans.

D'après les estimations, 300 000 personnes vivraient avec les séquelles d'un AVC (Heart and Stroke Foundation of Ontario, 2001). L'avancement des technologies peut permettre à plusieurs personnes de survivre à un AVC, même s'il est sévère. D'après certaines études, 15 % des personnes ayant subi un AVC sont transférées dans des unités de soins prolongés (Heart and Stroke Foundation of Ontario, 2003). L'AVC est la principale cause de transfert en CHSLD (Ouslander, Osterweil et Morley, 1997). Comme le risque d'avoir un AVC et donc la prévalence de l'AVC augmente avec l'âge, il serait raisonnable de déduire que le pourcentage de résidents ayant eu un AVC sera élevé en CHSLD.

Conséquences

Au Canada, en dépit de l'évolution des traitements, l'AVC est toujours une maladie dévastatrice, et l'une des plus coûteuses puisque les dépenses qui y sont associées sont de l'ordre de 2,7 milliards de dollars par année (Heart and Stroke Foundation of Ontario, 2003). L'AVC représente 7 % de tous les décès. Le taux de mortalité est de 47,8 individus pour 100 000. Il va sans dire que le taux de mortalité lié à l'AVC augmente avec l'âge. L'AVC constitue actuellement l'une des principales causes de morbidité au Canada. En effet, 75 % des personnes ayant subi un AVC en gardent des séquelles et doivent apprendre à vivre sur le long terme avec certaines incapacités (Heart and Stroke Foundation of Ontario, 2001). Le plus souvent, elles connaissent une perte d'autonomie fonctionnelle et des problèmes cognitifs.

Causes

L'AVC est principalement dû à un problème de circulation du sang dans le cerveau entraînant un apport insuffisant d'oxygène (Hickey, 2003). L'AVC de type ischémique, occasionné par le blocage d'une artère, est la plupart du temps associé à l'athérosclérose. Mais il peut aussi être d'origine embolique ou cardiogénique et est alors généralement provoqué par une fibrillation auriculaire (voir la figure 4-1, p. 66). Lorsque les petites artères pénétrantes du cerveau se bloquent parce qu'elles ont épaissi, on dit que l'AVC est de type lacunaire. Il est alors souvent dû à de l'hypertension.

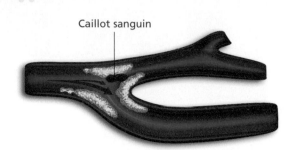

Caillot sanguin

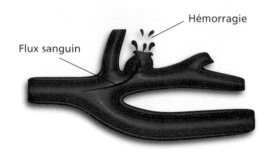

Hémorragie

Flux sanguin

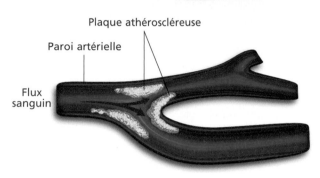

Plaque athéroscléreuse

Paroi artérielle

Flux sanguin

FIGURE 4-1   **AVC de type ischémique**

FIGURE 4-2   **AVC de type hémorragique**

Enfin, les AVC cryptogénétiques* n'ont pas de cause connue et les autres types peuvent être attribués à des problèmes de coagulation, à des migraines, à une infection ou à un abus de drogues.

Quant à l'AVC de type hémorragique, qui survient à la suite de la rupture d'un vaisseau sanguin, il est soit d'origine intracérébrale et généralement causé par de l'hyper-

---

* **Cryptogénétique** : dont on ne connaît pas la cause. AVC cryptogénétique : AVC dont l'origine n'a pu être trouvée lors de l'évaluation diagnostique.

tension, soit d'origine sous-arachnoïdienne et causé par un anévrisme ou encore une malformation artérioveineuse (Guillemin, Michel, Pradat, Riéra et Vignard, 1999) (voir la figure 4-2).

La figure 4-3 présente une classification générale des AVC selon leur origine pathologique, dont elle indique la fréquence.

Enfin, différents facteurs peuvent augmenter les risques d'AVC. Le tableau 4-1 énumère ceux qui se rapportent aux individus, car, en comparaison, les facteurs environnementaux ont peu d'influence sur l'AVC.

Relation avec le vieillissement

D'une manière générale, le vieillissement se traduit de différentes façons dans le système circulatoire et accroît notablement les risques d'AVC. D'abord, avec l'âge, les parois des artères se durcissent légèrement. On appelle ce phénomène l'artériosclérose. Ce durcissement accroît légèrement la résistance périphérique, ou l'élasticité des parois des artères, et diminue le rebond artériel, prédisposant l'organisme à l'athérosclérose (Eliopoulos, 2001).

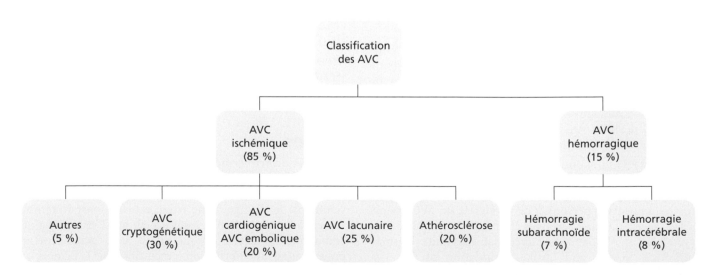

Classification des AVC

AVC ischémique (85 %)

AVC hémorragique (15 %)

Autres (5 %)

AVC cryptogénétique (30 %)

AVC cardiogénique AVC embolique (20 %)

AVC lacunaire (25 %)

Athérosclérose (20 %)

Hémorragie subarachnoïde (7 %)

Hémorragie intracérébrale (8 %)

FIGURE 4-3   **Origines pathophysiologiques des AVC**

Source : J.V. Hickey (2003). *The Clinical Practice of Neurological and Neurosurgical Nursing*, 5e éd. (p. 560). Philadelphia : Lippincott Williams & Wilkins.

Tableau 4-1	Facteurs de risque de type individuel de l'AVC

Facteurs sociodémographiques
- Âge supérieur à 55 ans
- Homme
- Antécédent familial d'AVC
- Race (Africain, Asiatique, Aborigène)

Habitudes de vie
- Alimentation riche en sel et en gras
- Inactivité physique
- Obésité
- Hypercholestérolémie
- Tabagisme
- Alcoolisme

Autres facteurs
- Hypertension
- Diabète Mellitus

Source: Heart and Stroke Foundation of Ontario (2001). *Tips and Tools for Everyday Living: A Guide for Stroke Caregivers* (p. 67). Toronto: Heart and Stroke Foundation of Canada.

L'athérosclérose, qu'il ne faut pas confondre avec l'artériosclérose, est un processus complexe de détérioration de la surface interne des grands vaisseaux. Elle peut commencer assez jeune et progresse au fil des ans. Des taux de cholestérol et de triglycérides élevés, l'hypertension, le tabagisme et le diabète en sont les principaux agents. L'athérosclérose est une accumulation de filaments graisseux sur les parois qui favorise la formation de plaques fibreuses. Les plaques s'agrégeraient et s'agrandiraient avec le temps, diminuant peu à peu la lumière des vaisseaux et conduisant finalement à une obstruction des artères (Hickey, 2003). L'athérosclérose est l'une des principales causes d'AVC. Par ailleurs, notons que la diminution de la lumière des vaisseaux due à l'athérosclérose favorise l'hypertension.

Ensuite, avec l'âge, les problèmes cardiovasculaires qui peuvent se manifester réduisent la circulation cérébrale et peuvent ainsi conduire à un AVC.

Enfin, en plus des facteurs circulatoires mentionnés, la perte neuronale liée au vieillissement normal nuit au rétablissement de la personne qui a subi un AVC (Eliopoulos, 2001; Ouslander *et al.*, 1997).

Manifestations cliniques

Le tableau 4-2 présente les principales manifestations cliniques de l'AVC aigu. Chez les résidents, ces manifestations cliniques dénoncent un nouvel AVC. Il faut alors intervenir rapidement pour réduire au minimum les nouveaux déficits qu'il pourrait causer.

Si un résident présente n'importe lequel des signes énumérés dans le tableau, il est important de communiquer immédiatement avec le médecin de garde du CHSLD

Tableau 4-2	Manifestations cliniques de l'AVC aigu

1. Faiblesse, engourdissement ou picotement soudains, qui peuvent être de courte durée, au visage, au bras ou à la jambe.
2. Problèmes d'élocution ou de compréhension soudains.
3. Double vision ou perte subite de vision, surtout à un œil.
4. Maux de tête soudains, intenses et inhabituels.
5. Étourdissements, manque de stabilité ou chutes soudaines, surtout en association avec l'un des signes déjà cités.

Source: Heart and Stroke Foundation of Ontario (2003). *Best Practice Guidelines for Stroke Caregivers* (p. 19). Toronto: Heart and Stroke Foundation of Canada.

ou de composer le 9-1-1. Le résident pourrait éventuellement recevoir le médicament activateur tissulaire du plasminogène recombinant. Ce médicament permet la lyse du thrombus si on l'administre dans les trois heures suivant l'apparition des symptômes, et limite ainsi les dommages du cerveau.

Les signes et symptômes de l'AVC varient selon l'artère touchée: carotide ou vertébrobasilaire.

L'artère carotide, qui correspond à la circulation antérieure, se divise en plusieurs branches et conduit le sang essentiellement dans les lobes frontaux et pariétaux. C'est son artère cérébrale moyenne qui est le plus souvent bloquée lors d'un AVC. Lorsqu'un AVC se produit à ce niveau, on observe surtout une paralysie et un déficit sensitif controlatéral du visage, du bras et de la jambe, ainsi que de l'aphasie, des problèmes cognitifs, de l'hémianopsie*, de l'apraxie et de l'incontinence urinaire.

L'artère vertébrobasilaire, qui correspond à la circulation postérieure, se divise elle aussi en plusieurs branches et irrigue principalement les lobes temporaux et occipitaux et les surfaces internes profondes. Lorsqu'un AVC se produit à ce niveau, on observe de l'hémianopsie, des problèmes de mémoire, de la persévérance*, des nausées ou vomissements, des vertiges ou étourdissements, de la dysphagie, de l'ataxie, du nystagmus*, de la diplopie*, une hémiplégie controlatérale et des troubles sensitifs, surtout de la douleur et de la température.

De plus, il y a plusieurs manières de décrire les signes et symptômes de l'AVC: selon les territoires vasculaires, selon les lobes ou selon les deux hémisphères. On décrit couramment les signes et symptômes en évoquant l'hémisphère atteint, gauche ou droit. L'hémisphère du

---

* **Hémianopsie**: perte de la vue dans la moitié du champ visuel d'un œil ou des deux yeux.

Persévérance: tendance à reproduire constamment les mêmes actions ou à répéter les mêmes mots.

Nystagmus: mouvements oscillatoires et quelquefois rotatoires du globe oculaire.

Diplopie: impression de voir deux images d'un seul objet.

Tableau 4-3	Manifestations cliniques selon l'hémisphère atteint	
PARAMÈTRE	**DOMINANT (HÉMISPHÈRE GAUCHE)**	**NON DOMINANT (HÉMISPHÈRE DROIT)**
Hémiplégie	Côté droit du corps	Côté gauche du corps
Vision	Déficits du champ visuel droit	Déficit du champ visuel gauche
Capacité verbale	Aphasie fluente (aphasie de Wernicke*) ou non fluente (aphasie de Broca*), ou encore globale	Pas d'aphasie, mais parfois autres problèmes de communication
Orientation et perception	Généralement pas affectés	Déficit de l'orientation spatiale et de la perception
Capacités cognitives supérieures	Diminution des fonctions intellectuelles : • Calcul • Raisonnement	Diminution de la créativité et du sens artistique
Autocritique	Conscience des déficits en général	• Diminution de la capacité de jugement • Déni ou conscience moindre des déficits (anosognosique) • Surestimation des capacités
Comportements	Comportements lents et prudents	Négligence concernant la partie gauche du corps, comportement impulsif, distrait

Source : J.V. Hickey (2003). *The Clinical Practice of Neurological and Neurosurgical Nursing*, 5ᵉ éd. Philadelphia : Lippincott Williams & Wilkins.

cerveau qui est le plus développé est considéré comme l'hémisphère dominant. Si un AVC se produit dans l'hémisphère dominant, ses manifestations cliniques seront différentes de ce qu'elles auraient été s'il s'était pro-duit dans l'hémisphère non dominant (voir le tableau 4-3). Dans cette perspective, Hickey (2003) indique que 90 % de la population est droitière et a donc un hémisphère gauche plus développé.

SOINS INFIRMIERS

Les personnes qui ont eu un AVC voient leurs fonctions motrices et cognitives touchées de manière plus ou moins grande, à long terme. La plupart des résidents des CHSLD souffrent d'incapacités sévères et ne sont pas complète-ment autonomes. Ils ont de la difficulté à bouger, à voir, à parler, à manger et à comprendre les autres (Eliopoulos, 2001). Dans ce contexte, l'infirmière doit dès l'admission faire un bilan physique et cognitif du résident, puis surveiller quelques paramètres spécifiques. Elle met aussi en place des interventions individuelles visant non seulement à pré-venir un autre AVC, mais aussi à améliorer ou à maintenir les capacités du résident. Il est important également qu'elle soit au courant des traitements pharmacologiques du rési-dent et des autres aspects cliniques à considérer.

Paramètres à surveiller et outils à utiliser

À l'admission d'un résident ayant eu un AVC, l'infirmière doit faire un bilan physique et cognitif lui permettant d'évaluer l'autonomie de la personne et de connaître ses forces et ses limites. Elle mesure alors les paramètres qui peuvent être touchés lors d'un AVC, c'est-à-dire l'état de conscience, les fonctions cognitives et les fonctions mo-trices. Soulignons que, si le résident n'est pas en bonne santé, les paramètres neurologiques peuvent se détériorer. Selon l'état du résident, l'infirmière peut utiliser différents outils d'évaluation, comme nous allons le voir.

Échelle de coma de Glasgow

Pour le résident dont le niveau de conscience oscille entre comateux, stuporeux et léthargique, on suggère à l'infir-mière de se servir de l'échelle de coma de Glasgow. Cet outil permet de déterminer le degré de coma d'une per-

* **Aphasie de Wernicke :** l'aire de Wernicke est le centre qui, dans le cerveau, le plus souvent l'hémisphère gauche, est responsable de la compréhension du langage. La personne qui a une lésion dans cette partie du cerveau peut parler, mais a de la difficulté à comprendre ce qu'on lui dit.

  Aphasie de Broca : l'aire de Broca est le centre qui, dans le cerveau, le plus souvent l'hémisphère gauche, est responsable de l'expression. La personne qui a une lésion dans cette partie du cerveau a de la dif-ficulté à parler, mais comprend habituellement ce qu'on lui dit.

sonne en fonction de l'ouverture des yeux, de la meilleure réponse verbale obtenue et de la meilleure réponse motrice obtenue. Les scores variant entre 3 et 15, un score inférieur à 8 indique un coma (Teasdale et Jennett, 1979). Le suivi du niveau de conscience permet à l'infirmière de détecter des changements dans l'état mental, à la suite d'une nouvelle lésion dans le cerveau ou d'autres problèmes médicaux.

Échelle neurologique canadienne

Pour le résident alerte, l'infirmière pourra recourir, entre autres, à l'échelle neurologique canadienne (ENC) de Côté, Battista, Wolfson, Boucher, Adam et Hachinski (1989), présentée dans la figure 4-4 (p. 70). Cet outil considéré comme fiable et valide permet d'évaluer la sévérité d'un AVC (Goldstein et Chilukuri, 1997). Les scores varient de 1,5 et 11,5. Plus un score est bas, plus l'AVC est sévère. Utilisée en soins de courte durée, cette échelle peut également être très utile en CHSLD pour déterminer le degré de sévérité initiale de l'AVC, puis pour détecter les détériorations neurologiques éventuelles de la cognition et de la réponse motrice du côté atteint. Ainsi outillée, l'infirmière pourra faire un suivi individualisé de l'état du résident.

L'échelle est bilingue. Sa traduction française est utilisée dans certains milieux, mais n'a pas fait l'objet d'un processus de traduction scientifique. Voici en résumé comment l'utiliser. Cependant, pour bien l'employer, il est recommandé de consulter la publication présentant l'outil (Côté *et al.*, 1989).

Lorsqu'elle utilise l'échelle neurologique canadienne, l'infirmière doit, premièrement, toujours noter le score le plus faible qu'elle obtient. Deuxièmement, si le résident souffre d'une aphasie expressive ou non fluente, l'infirmière ne doit compléter que la section 4A, tandis que si le résident souffre d'une aphasie réceptive ou fluente, elle ne remplit que la section 4B. Troisièmement, l'infirmière doit savoir à quoi correspondent les quatre niveaux de faiblesse. Le tableau 4-4 donne la description de chacun.

Il est important d'évaluer régulièrement l'état de conscience et les fonctions neurologiques du résident ayant eu un AVC, car une baisse d'un point sur l'échelle pourrait être le signe d'un nouvel AVC ou d'un autre problème de santé. Le soignant devrait alors déclencher les mesures d'urgence prévues par le CHSLD pour prévenir d'éventuelles complications.

Autres outils d'évaluation

Le mini-examen de l'état mental (MEEM) de Folstein, présenté au chapitre 2, est un outil reconnu pour l'évaluation des fonctions cognitives (Ruchinskas et Curyto, 2003). Cet instrument permet de mesurer l'orientation, l'attention, la mémoire à court terme et le calcul, souvent affectés lors d'un AVC. L'établissement du profil cognitif du résident au moment de l'admission permet à l'infirmière de remarquer les détériorations cognitives qui peuvent survenir par la suite. Une détérioration cognitive peut avoir plusieurs causes, notamment le manque de sommeil, le delirium, la démence, la dépression mais aussi un nouvel AVC. Ainsi, avec un suivi rigoureux des capacités cognitives du résident, l'infirmière peut agir rapidement et de manière adaptée. Notons que les résidents ayant subi un AVC ont plus de risques que d'autres de faire un delirium (voir le chapitre 7) ou une dépression (voir le chapitre 9) et d'être atteint d'une démence (voir le chapitre 2) (Registered Nurses, Association of Ontario [RNAO], 2003).

Le résident d'un CHSLD qui a subi un AVC présente le plus souvent des déficiences des fonctions motrices pouvant occasionner une perte d'autonomie importante. L'infirmière pourra se servir du système de mesure de l'autonomie fonctionnelle présenté au chapitre 2 pour évaluer cette perte d'autonomie ainsi que les besoins du résident pour les activités de la vie quotidienne. Lorsque le résident est hémiplégique, il importe d'évaluer séparément les deux côtés du corps afin de déterminer le côté le plus handicapé par l'AVC. À l'aide de l'échelle neurologique canadienne, l'infirmière sera en mesure d'évaluer la force musculaire du résident hémiplégique et de détecter une amélioration ou une détérioration éventuelle du côté atteint.

Tableau 4-4	Évaluation de la fonction motrice
SCORE	**EXPLICATION**
1,5 Absence de faiblesse	Pas de faiblesse détectable
1,0 Faiblesse légère	Portée ou geste normal du mouvement contre la gravité, mais cède à la résistance de l'évaluateur, partiellement ou totalement Par exemple, le résident sera capable de lever les deux bras à la hauteur des épaules, mais baissera l'un des deux quand l'évaluateur appuie sur les bras.
0,5 Faiblesse significative	Mouvement partiel contre la gravité Par exemple, le résident sera capable de bouger son bras, mais incapable de le soulever à la hauteur de l'épaule contre la gravité.
0 Faiblesse totale	Absence totale de mouvement d'un des membres Par exemple, le résident est incapable de lever les bras quand on le lui demande.

Source : R. Côté, R.N. Battista, C. Wolfson, J. Boucher, J. Adam et V. Hachinski (1989). The Canadian Neurological Scale : Validation and reliability assessment. *Neurology, 39*, 638-643.

Centre universitaire de santé McGill
The McGill University Health Centre

Hospital Site / Site hospitalier _____

Nursing Unit / Unité de soins _____

The Canadian Neurological Scale
L'échelle neurologique canadienne

Heure	Time									
	Date									
1. **Level of consciousness * / Niveau de conscience ***	**Pts**									
■ alert / alerte	3.0									
■ drowsy but arousable / somnolant mais éveillable	1.5									
2. **Orientation**										
■ oriented / orienté	1.0									
■ disoriented or non applicable / désorienté ou non applicable	0									
3. **Language and speech / Langage et parole**										
■ normal / normal	1.0									
■ expressive deficit / déficit expressif	.5									
■ receptive deficit / déficit réceptif	0									
4. **A. Motor function** *(no receptive deficit)* **/ Fonction motrice** *(pas de déficit réceptif)*										
1. Face • no weakness / pas de faiblesse	.5									
• weakness present / présence de faiblesse	0									
2. Arms / bras • no weakness / pas de faiblesse	1.5									
1. Proximal • mild weakness / faiblesse légère	1.0									
• significant weakness / faiblesse significative	.5									
• total weakness / faiblesse totale	0									
• no weakness / pas de faiblesse	1.5									
2. Distal • mild weakness / faiblesse légère	1.0									
• significant weakness / faiblesse significative	.5									
• total weakness / faiblesse totale	0									
3. Legs / jambes • no weakness / pas de faiblesse	1.5									
1. Proximal • mild weakness / faiblesse légère	1.0									
• significant weakness / faiblesse significative	.5									
• total weakness / faiblesse totale	0									
• no weakness / pas de faiblesse	1.5									
2. Distal • mild weakness / faiblesse légère	1.0									
• significant weakness / faiblesse significative	.5									
• total weakness / faiblesse totale	0									
4. **B. Motor response** *(receptive deficit)* **/ Réponse motrice** *(déficit réceptif)*										
1. Face • symmetrical / symétrique	.5									
• asymmetrical / asymétrique	0									
2. Arms / bras • equal / égal	1.5									
• unequal / inégal	0									
3. Legs / jambes • equal / égal	1.5									
• unequal / inégal	0									
Total	11.5									

* Si comateux, utiliser l'échelle de coma de Glasgow.

FIGURE 4-4 **Échelle neurologique canadienne**

Source : R. Côté, R.N. Battista, C. Wolfson, J. Boucher, J. Adam et V. Hachinski (1989). The Canadian Neurologic Scale : Validation and reliability assessment. *Neurology, 5*, 639.

Toutes les informations que pourra recueillir l'infirmière à l'aide des différents outils présentés permettent de faire un suivi étroit du résident, de communiquer les progrès ou les détériorations éventuelles à l'équipe soignante et aux proches, et d'intervenir de manière appropriée. Pour tous les paramètres évalués, rappelons pour terminer qu'un résident souffrant d'un problème de santé aigu non lié à l'AVC pourrait temporairement présenter une baisse de scores dans les échelles qui ne serait pas pour autant le signe d'un nouvel AVC.

Interventions individuelles

Le but des interventions individuelles est de maintenir les forces et l'autonomie du résident tout en l'aidant à compenser ses faiblesses et déficits. Bien que le potentiel de récupération après un AVC soit maximal durant les trois mois suivant l'événement, il existe encore, à un moindre niveau, sur le long terme (Ouslander *et al.*, 1997). Dans leur étude, Kwakkel, Kollen et Wagenaar (2001) affirment que les résidents ayant subi un AVC et suivant un programme d'activités et de réadaptation peuvent continuer à améliorer leur dextérité et leur capacité à marcher même un an après l'événement. Il faut préciser cependant que la récupération varie énormément d'une personne à l'autre. Dans ce contexte, le travail de l'infirmière avec un résident ayant fait un AVC consiste à l'aider à récupérer ses capacités, mais aussi à prévenir les détériorations et les complications telles que les plaies de pression, la dépression, les chutes et un autre AVC (Eliopoulos, 2001).

Pour le type d'interventions s'appliquant à divers cas, pas seulement aux résidents ayant fait un AVC, on pourra se reporter aux chapitres du livre correspondants. Ainsi, le chapitre 33 portant sur l'intégration des familles aborde des interventions qui peuvent aider les résidents ayant fait un AVC et leurs proches à voir l'hébergement en CHSLD de façon positive, non comme un échec et l'impossibilité de retourner à la maison.

Dans le cadre de ce chapitre, les interventions infirmières décrites concernent d'abord les déficiences de la cognition, de la perception et de la sensation, de la communication et des capacités motrices. Ensuite, elles se rapportent aux besoins spécifiques du résident ayant eu un AVC dans les domaines de la nutrition et de l'élimination, mais aussi sur les plans affectif et comportemental. Enfin, ce peut être des interventions pharmacologiques.

Déficits cognitifs

Le résident qui a subi un AVC peut présenter divers déficits cognitifs, notamment l'inattention, la désorientation, la perte de mémoire, la désorganisation de la pensée, des troubles dans la résolution de problèmes et dans le jugement. Bien que le résident ayant eu plusieurs AVC ait de grands risques de faire une démence vasculaire, il ne faut pas confondre les déficits évoqués ci-dessus avec la démence (Heart and Stroke Foundation of Ontario, 2001). La récupération des fonctions cognitives est la plus rapide durant le premier mois

suivant l'AVC. Mais des améliorations cognitives peuvent tout de même survenir à long terme (Hochstenbach, Den Otter et Mulder, 2003). Ainsi, on a noté des améliorations sur les plans de la mémoire, de l'orientation, des fonctions visuelles et de l'attention principalement.

Le tableau 4-5 (p. 72) présente les principales interventions infirmières favorisant le rétablissement sur le plan cognitif. L'infirmière intéressée par la stimulation cognitive pourra consulter le chapitre 32 qui traite le sujet en détail.

Au-delà des problèmes cognitifs courants, la RNAO (2003) conseille de surveiller les aînés, notamment les personnes ayant eu un AVC, pour détecter une dépression, un delirium et une démence.

Dépression

La dépression est un syndrome qui touche de multiples domaines et se manifeste parfois légèrement, parfois sévèrement sur les plans affectif, cognitif et physiologique (RNAO, 2003). Les détériorations cognitives, la dépendance, l'aphasie et le manque de soutien social font des résidents ayant subi un AVC des personnes à risque pour la dépression (Kauhanen *et al.*, 1999). Selon Kauhanen et ses collaborateurs, la prévalence de la dépression à la suite d'un AVC varie de 20 à 65 % et l'incidence augmente au cours de la première année. Lic, Polamaki, Lic, Lonnqvist et Kaste (2003) ont par ailleurs conclu de leurs études que les symptômes de dépression peuvent être fonction de la sévérité de l'AVC et des déficits fonctionnels. Selon eux, la dépression peut durer jusqu'à deux ou trois ans après l'AVC. Enfin, Ouslander et ses collaborateurs (1997) affirment qu'environ 30 % des résidents font une dépression majeure dans les deux premières années suivant l'AVC.

Il est donc important de détecter et de traiter la dépression, qui a un effet négatif sur la récupération fonctionnelle et sur la qualité de vie. L'infirmière devrait pouvoir la dépister dès l'admission, puis en surveiller les symptômes par la suite. Il existe plusieurs outils généraux de dépistage de la dépression. On pourra consulter à ce sujet le chapitre 9. Notons toutefois, pour les cas de résidents ayant subi un AVC, qu'il est important de tenir compte des déficits particuliers lors de l'évaluation. Par exemple, un résident aphasique aura de la difficulté à comprendre ou à répondre aux questions qui lui seront alors posées.

Delirium et démence

Le delirium est une perturbation cognitive transitoire qui apparaît brusquement puis évolue de manière variable, et altère le niveau de conscience. Il arrive souvent que les résidents ayant eu un AVC souffrent aussi d'un delirium et présentent alors des détériorations temporaires de leurs déficits. L'infirmière doit le savoir et être vigilante, afin de prévoir des interventions appropriées (voir le chapitre 7).

Le résident ayant subi de multiples AVC a aussi un plus grand risque de faire une démence vasculaire, à cause de l'athérosclérose des petits vaisseaux causant l'AVC

Tableau 4-5	Interventions infirmières visant la cognition
Attention	• Éliminer les distractions. • Donner des instructions courtes et simples. • Obtenir l'attention en essayant d'avoir un contact visuel direct. • Donner du temps pour penser et agir.
Mémoire / orientation	• Encourager l'utilisation d'aide-mémoire (agenda, calendrier, journal de bord). • Établir une routine quotidienne et s'y tenir. • Ranger les objets personnels aux mêmes endroits. • Donner des instructions courtes et simples. • Présenter les nouvelles instructions une à une. • Utiliser des signes, des photos et des repères familiaux pour aider le résident à se retrouver.
Pensée abstraite	• Présenter les nouvelles instructions une à une. • Donner des messages clairs et directs. • Ne pas se formaliser des réactions brusques, voire grossières, du résident. • Aider le résident à résoudre des problèmes en lui offrant des informations et en utilisant des rappels constructifs. • Éviter de mettre le résident dans des situations qui dépassent ses capacités. • Discuter avec le résident des changements de routine ou d'environnement afin de le préparer mentalement. • Lors d'un changement de routine, aider et soutenir émotionnellement le résident lors de la transition. • Favoriser l'entraînement à de nouvelles activités et tâches dans l'environnement familier.
Jugement	• Évaluer ce que le résident est capable de faire de façon sécuritaire. Éviter de se fier uniquement à ce qu'il dit être capable de faire. • Éviter de placer le résident dans des situations trop difficiles pour ses capacités. • Encourager le résident à demander de l'assistance. • Maintenir la même approche en tout temps lorsqu'on lui enseigne quelque chose.
Résolution de problèmes	• Se rappeler que la difficulté à entreprendre une tâche n'est pas signe de paresse pour le résident ayant eu un AVC. • Fournir des instructions simples, par étapes. • Aider le résident à planifier ses activités et tâches. • Donner du temps au résident pour effectuer la séquence d'instructions pour une activité donnée. À titre d'exemple, voici les instructions qu'on peut donner au résident pour qu'il mette un chandail : 1) Mettre en premier le bras paralysé ou plus faible dans la manche du chandail. 2) Mettre en deuxième l'autre bras. 3) Passer le chandail par-dessus la tête. 4) Tirer le chandail vers le bas. Le résident répétera chaque jour cette séquence en suivant l'ordre des instructions. Ces interventions peuvent être utiles également pour le problème de persévérance.

Source : Heart and Stroke Foundation of Ontario (2001). *Tips and Tools for Everyday Living : A Guide for Stroke Caregivers* (p. 45-46). Ontario : Heart and Stroke Foundation of Canada.

ischémique (voir le chapitre 2), dont l'évolution est non graduelle dans le temps parce qu'elle est occasionnée par plusieurs AVC (RNAO, 2003). La démence vasculaire est la deuxième forme de démence après l'Alzheimer. Mais contrairement à l'Alzheimer, on peut la prévenir en agissant sur les facteurs de risque liés à l'AVC. En cas de démence vasculaire chez un résident ayant subi un AVC, il faudra modifier le plan d'intervention interdisciplinaire.

Déficience de la perception ou de la sensation

La déficience de la perception ou de la sensation cause une inhabileté à interpréter, à comprendre et à organiser l'information sensorielle provenant de l'environnement interne et externe (Heart and Stroke Foundation of Ontario, 2001). Le résident ayant subi un AVC peut connaître un déficit visuel, comme l'hémianopsie ou la diplopie, une diminution de la sensibilité au toucher, à la douleur et à la température, une diminution de la proprioception, c'est-à-dire une négligence unilatérale, de l'apraxie et de l'agnosie (Hickey, 2003).

Le résident ayant un problème d'hémianopsie a perdu la vision sur la moitié de son champ visuel. Ainsi, il va manger la moitié du contenu de son plateau ou lire la moitié d'un mot seulement (Hickey, 2003). Les solutions pour ce déficit sont assez faciles à trouver. Ainsi, il suffira de tourner l'assiette du résident à 180° pour qu'il la termine. L'infirmière doit ici s'adapter au déficit de multiples façons, qui peuvent sembler être des détails mais qui sont importantes pour la qualité de vie du résident. Il faut, par exemple, qu'elle s'approche du résident par son côté non affecté pour éviter de le faire sursauter. Cependant, lorsqu'il veut encourager la réadaptation, le soignant peut s'approcher bruyamment du résident par le côté affecté, pour qu'il compense son problème de vision. Le résident ayant un problème d'hémianopsie ne doit pas se mouvoir seul et doit avoir sa cloche d'appel ou sa marchette de son côté non atteint, pour être en sécurité. Il est conseillé de faire évaluer sa vision par un ophtalmologue six mois après l'AVC (Hickey, 2003).

Si le résident, en plus d'un problème d'hémianopsie, a son hémisphère droit atteint par l'AVC, il aura plus de risques de souffrir du déficit de négligence. D'une part, il pourra ne pas être en mesure de reconnaître son propre bras ou sa propre jambe. D'autre part, il pourra même ne pas se rendre compte de la présence de l'infirmière si elle l'aborde du côté atteint. Pour remédier à ces problèmes, l'infirmière pourra prévoir des séances avec le résident visant à lui faire prendre conscience de son côté négligé et à l'encourager à l'utiliser. Elle l'invitera, par exemple, à regarder et à toucher son côté négligé et pourra aussi suggérer l'utilisation d'un miroir lors des soins d'hygiène afin qu'il puisse voir les deux côtés de son corps.

Comme on l'a dit, le résident ayant subi un ACV présente fréquemment un problème de paresthésie ou de déficit de la sensibilité. Lorsqu'il a un déficit de la sensibilité touchant le sens du toucher ou la perception de la température, il est d'autant plus nécessaire de le protéger. En effet, privé de certaines informations, il risque beaucoup de se brûler, de s'irriter la peau et de se faire des plaies de pression.

Le résident atteint de déficits de la proprioception est incapable de reconnaître la position de ses membres dans l'espace et, pour cette raison, risque beaucoup de se blesser lui aussi. Il sera, par exemple, incapable de savoir où son bras ou sa jambe sont situés dans l'espace ou encore si sa chaussure est bien mise (voir le chapitre 18). L'infirmière doit donc lui apporter une attention spéciale à cet égard. Lorsqu'il a les capacités cognitives correspondantes, elle peut lui apprendre qu'il est important pour lui de vérifier visuellement la position de son corps dans l'espace avant de se mouvoir, afin de réduire les risques de blessures ou de chutes.

Le résident ayant subi un AVC peut encore souffrir d'agnosie, c'est-à-dire d'une incapacité à reconnaître des objets familiers par l'intermédiaire des sens. Par exemple, il peut ne pas reconnaître son peigne lorsqu'on le lui met dans la main ou le bruit familier d'une cloche (Hickey, 2003). L'infirmière aidera ce type de résident à identifier ce qu'il ne reconnaît pas en lui en disant le nom ou en lui en montrant l'utilisation. Elle fera le nécessaire pour le protéger des objets dangereux qu'il ne pourra reconnaître et avisera les proches. Le résident souffrant d'agnosie pourrait se blesser avec ses couverts ou encore boire son shampoing.

L'apraxie est un autre problème que peut connaître le résident ayant subi un AVC. Il s'agit de l'incapacité de faire un mouvement appris ou volontaire, malgré un fonctionnement adéquat des fonctions locomotrices. C'est donc une déficience cognitive. Le résident concerné aura de la difficulté à accomplir ses tâches de la bonne manière, en suivant dans l'ordre les étapes de la séquence. Il pourra, par exemple, mettre ses deux bras dans la même manche de son chandail (Hickey, 2003). Une supervision lui est donc nécessaire pour garder une certaine autonomie (voir le chapitre 37).

Aphasie

Parmi les problèmes de communication, on distingue l'aphasie non fluente (également appelée aphasie expressive ou aphasie de Broca), l'aphasie fluente (également appelée aphasie réceptive ou aphasie de Wernicke) et l'aphasie globale (Hickey, 2003). De façon générale, le résident souffrant d'une aphasie non fluente n'a pas de problème de compréhension du langage, mais un problème d'expression. Il a de la difficulté à prononcer des sons et des mots. Son langage pourrait ressembler à ce qui suit : « Tu… hen (peux)… ma (me) donner le papaier (papier). » À l'opposé, le résident souffrant d'une aphasie fluente a un problème de compréhension du langage, mais pas d'expression. Il ne pourra exécuter les directives du soignant, non parce qu'il est incapable de faire ce qu'on lui demande, mais parce qu'il ne comprend pas ce qu'on lui demande. Il racontera de longues histoires n'ayant pas de sens : « Maman chien travailler pas malade demain. » Enfin, le résident souffrant d'une aphasie globale connaîtra une combinaison des problèmes de compréhension et d'expression. Il sera donc quasiment incapable de communiquer avec son entourage. S'il est difficile d'intervenir dans le cas d'une aphasie fluente, ça l'est davantage dans le cas d'une aphasie globale. D'une manière générale, avec les résidents aphasiques, il faut instaurer des systèmes de communication non verbale et recourir au silence et au toucher pour faire en sorte qu'ils se sentent compris (Sundin et Jansson, 2003). De plus, créer une atmosphère relaxante facilite la communication et donc une bonne compréhension (voir le chapitre 31).

Déficience physique et mobilité

La déficience physique la plus courante est la perte de mobilité causée par l'hémiplégie. L'hémiplégie est la paralysie totale du côté du corps opposé à l'hémisphère du cerveau touché par la lésion, l'hémiparésie étant une paralysie partielle (Hickey, 2003). La perte dc mobilité causée par l'hémiplégie peut être à l'origine de diverses complications, notamment des plaies de pression, des contractures, des subluxations de l'épaule, de l'atrophie musculaire, des thromboses veineuses profondes et des pneumonies, ainsi qu'une dépendance dans les activités de la vie quotidienne (Hickey, 2003).

Certains résidents pourront souffrir d'une spasticité motrice. Il s'agit d'une augmentation du tonus musculaire lors d'étirements passifs (Sommerfeld, Svensson, Holmqvist et Arbin, 2003). La spasticité peut causer une grande douleur, une perturbation des fonctions motrices et des problèmes d'hygiène. Étant limité dans ses capacités à bouger son ou ses membres, le résident affecté a des risques de souffrir de contractures. Pour limiter son problème de spasticité et prévenir les contractures, il est essentiel de lui faire adopter une bonne posture corporelle, de soutenir ses membres paralysés, de le manipuler doucement et de lui faire faire des exercices actifs et passifs plusieurs fois par jour. De plus, les professionnels de la réadaptation recommandent le port d'orthèses (Ouslander *et al.*, 1997).

Un bon positionnement peut aider à prévenir les plaies de pression et les contractures, et à réduire les subluxations de l'épaule. Malgré tout, le résident ayant subi un AVC souffre souvent dc subluxations de l'épaule et de contractures. Le sujet mérite donc d'être approfondi. La subluxation est une dislocation partielle de la jointure de l'épaule. Elle peut se produire chez 70 % des personnes ayant subi un AVC. La flaccidité* d'un membre paralysé favorise en effet l'étirement lors d'une mauvaise mobilisation. Il est important de ne pas tirer sur le bras paralysé, de soutenir l'épaule lors des transferts et de s'assurer que le bras est bien soutenu, soit par une aide à la posture, soit à l'aide d'une table ou simplement d'un oreiller, lorsque le résident est assis dans un fauteuil. Une ergothérapeute pourra indiquer l'aide à la posture la plus appropriée pour soutenir le bras paralysé. Si la subluxation cause une douleur persistante, l'infirmière sollicitera la collaboration des autres membres de l'équipe interdisciplinaire. Souvent, le traitement consiste à utiliser des compresses chaudes et des ultrasons si la sensibilité est intacte (Ouslander *et al.*, 1997). Pour les douleurs chroniques, une infiltration telle qu'une injection de cortisone peut être une solution efficace.

L'entraînement à la marche est essentiel pour maintenir l'autonomie du résident et réduire sa dépendance. Une étude a montré l'efficacité du programme de marche pour réduire les déficits chez des personnes ayant subi un AVC

et vivant dans la communauté (Ada, Dean, Hall, Bampton et Crompton, 2003). Bien que la plupart des résidents des CHSLD ayant subi un AVC aient besoin d'une aide à la marche telle qu'une marchette ou une canne, un programme de marche pourra leur être profitable (voir le chapitre 2).

Nutrition

Une alimentation saine est essentielle non seulement pour maintenir une bonne santé, mais aussi pour prévenir les complications comme les infections et les plaies de pression. Kumlien et Axelsson (2002) rapportent que 80 % des personnes ayant subi un AVC connaissent des problèmes de nutrition, liés ou non à de la dysphagie. Ces problèmes de nutrition peuvent être dus à des troubles cognitifs de l'attention et de la mémoire, à de la négligence ou à une dépression. Ils s'expliquent aussi par des déficits physiques tels que la faiblesse et le manque de coordination motrice.

La dysphagie est un problème de déglutition causé par la paralysie des muscles concernés. Elle empêche le bolus alimentaire d'être avalé de façon sécuritaire et expose la personne au risque de pneumonie d'aspiration (Scottish Intercollegiate Guidelines Network [SIGN], 2002). Sa fréquence chez les personnes ayant eu un AVC varie entre 25 et 50 % selon les études (SIGN, 2002 ; Rodrigue *et al.*, 2002). Des programmes sont souvent mis en place pour ce problème dans les centres de réadaptation. Mais ils sont aussi nécessaires dans les CHSLD (voir le chapitre 12).

Plusieurs interventions favorisent une bonne alimentation. Citons la posture adéquate dans le lit ou le fauteuil, l'hygiène buccale et dentaire quotidienne (voir le chapitre 13), le respect du rythme du résident lors de l'alimentation et un environnement stimulant (voir le chapitre 37).

Élimination

Les problèmes d'élimination tels que l'incontinence urinaire et fécale, la constipation, la rétention urinaire et les infections urinaires ne sont pas rares chez le résident ayant subi un AVC (Kong et Young, 2000). Les chapitres 14 et 15 présentent des programmes favorisant l'élimination vésicale et intestinale chez les résidents des CHSLD.

Problèmes émotionnels et comportementaux

Le résident ayant subi un AVC, surtout si c'est l'hémisphère droit qui a été touché, peut souffrir de problèmes émotionnels et comportementaux. Il peut ainsi être fatigué, connaître une labilité émotionnelle, être agressif, impulsif et changer de personnalité.

La fatigue est fréquente et sévère, même deux ans après un AVC. Or, elle est souvent sous-évaluée par les soignants (Glader, Stegmayr et Asplund, 2002). Elle peut entraîner des problèmes importants dans les activités de

---

* Flaccidité : absence de tonicité.

la vie quotidienne et fait monter le taux de mortalité. Glader *et al.* indiquent qu'il n'existe pas de traitement spécifique pour la fatigue. Une bonne alimentation, une hydratation suffisante et l'activité physique constituent actuellement les seules interventions préventives. Par ailleurs, en cas de fatigue, il est important de déterminer s'il peut s'agir d'une dépression, pour intervenir adéquatement.

Le résident ayant un problème de labilité émotionnelle, d'agressivité ou d'impulsivité présente des réactions inappropriées ou exagérées dans diverses situations (Hickey, 2003) (voir le chapitre 2). Il est donc important d'informer le résident et ses proches, de même que les autres soignants que ces réactions sont dues à l'AVC et ne sont pas intentionnelles. Comme il est difficile pour le résident de se maîtriser, il faut respecter sa dignité et le protéger ainsi que son entourage (voir les chapitres 2, 24 et 28).

Enfin, le résident qui a subi un AVC dans le lobe frontal (voir le chapitre 2) aura plus de risques de connaître des changements de personnalité. Ainsi, s'il était plutôt impulsif et agressif avant l'AVC, il pourrait devenir passif après. Les problèmes émotionnels étant moins perceptibles que les problèmes physiques, le résident concerné et ses proches auront besoin de soutien pour se comprendre et communiquer ensemble (voir le chapitre 33).

Interventions pharmacologiques

Pour le résident ayant eu un AVC, le but d'une intervention pharmacologique sera de faire de la prévention secondaire, c'est-à-dire de prévenir un autre AVC ou une ischémie cérébrale transitoire en diminuant ou en maîtrisant les facteurs de risque. Les principaux médicaments utilisés sont les antiplaquettaires, les anticoagulants, les régulateurs de la tension artérielle, les hypocholestérolémiants et les hypoglycémiants.

Les médicaments antiplaquettaires empêchent l'agglomération des plaquettes pouvant former un thrombus et diminuent ainsi les risques qu'un autre AVC se produise. Les principaux antiplaquettaires reconnus sont l'acide acétylsalicylique (AAS), le Dipyridamol et le Clopidogrel. L'AAS est considéré comme le premier traitement pour la prévention de l'AVC (Côté, Deveber et Roussin, 2003).

Les médicaments anticoagulants préviennent la formation de caillots causée par la fibrillation auriculaire en inhibant la synthèse des facteurs de coagulation dépendant de la vitamine K. Selon Koudstaal (2003), ils réduisent jusqu'à 66 % les risques d'avoir un autre AVC. L'anticoagulant de choix est le Warfarin (Côté *et al.*, 2003).

Les régulateurs de la tension artérielle, quant à eux, ont pour but de maintenir la tension artérielle à un niveau inférieur à 130 mm de mercure pour la tension artérielle systolique et à 80 mm de mercure pour la tension diastolique (Chobanian *et al.*, 2003). On distingue les catégories suivantes : les diurétiques, les bêtabloquants, les

inhibiteurs calciques et les inhibiteurs de l'enzyme de conversion de l'angiotensine.

Enfin, les médicaments hypocholestérolémiants préviennent la formation de plaques d'athérosclérose, facteur de risque de l'AVC. Les statines sont la catégorie de médicaments la plus utilisée. Les hypoglycémiants permettent aussi de contrôler la glycémie sanguine chez les personnes souffrant de diabète Mellitus, un autre facteur de risque de l'AVC.

Autres aspects à considérer en raison de cette maladie

Les autres interventions individuelles pour un résident ayant fait un AVC visent à prévenir les plaies de pression, les chutes et surtout un autre AVC. L'âge et l'AVC font que le résident risque plus qu'un autre de faire des chutes, surtout s'il en a déjà fait une. La plupart des facteurs associés aux chutes sont présents chez le résident ayant eu un AVC (voir le chapitre 17).

De plus, les conséquences physiques et cognitives de l'AVC sont telles que le résident concerné à de grands risques d'avoir des plaies de pression. La RNAO (2002) recommande à ce propos de faire une évaluation de la peau de la tête aux pieds lors de l'admission, lors d'un transfert vers un autre établissement ou une autre unité de soins et en cas de changement dans l'état de santé de la personne, surtout si elle est alitée. Le chapitre 19 présente un programme de prévention des plaies de pression.

Selon Ouslander et ses collaborateurs (1997), jusqu'à 25 % des résidents ayant subi un AVC en subiront un autre au cours de la première année suivant l'AVC. C'est pourquoi il est crucial de mettre en place toutes les stratégies permettant de réduire les risques qu'un autre AVC se produise. En plus de la médication, les soignants peuvent contribuer à la prévention en aidant le résident à acquérir de bonnes habitudes de vie, comprenant une alimentation faible en gras et en sel, en l'encourageant à faire des activités physiques, à cesser de fumer et à réduire sa consommation d'alcool. La collaboration de tous les membres de l'équipe interdisciplinaire, du résident et de ses proches est nécessaire (voir le chapitre 44).

Conclusion

L'AVC peut avoir des répercussions majeures sur le résident concerné. Ainsi, il peut être à l'origine tant de troubles cognitifs que de déficiences physiques qu'il est important de surveiller et auxquels les soignants doivent s'adapter.

Les soins et traitements appropriés permettent au résident de retrouver une qualité de vie acceptable. Diverses stratégies préventives permettent d'éviter les nombreuses complications possibles. Dans ce contexte, l'infirmière joue un rôle primordial pour prévenir un autre AVC ou des complications, et pour promouvoir de saines habitudes de vie. Il y a beaucoup d'espoir pour le résident qui a subi un AVC. Il faut le nourrir par une attitude positive et réaliste.

ÉTUDE DE CAS

Âgé de 80 ans et à la retraite depuis dix ans, M. Foulon est droitier et d'origine polonaise. Il est marié depuis cinquante ans. Sa conjointe de 75 ans est sa principale aidante naturelle. Il a deux garçons, dont l'un vit chez lui. Jusqu'il y a quelques mois, il était autonome pour ses activités quotidiennes. Il avait juste besoin d'un peu d'aide pour faire ses courses, en raison de légers problèmes arthritiques et de mémoire. Mais, il y a six mois, il a subi un AVC ischémique du côté droit, dans le lobe fronto-pariétal, causé par un thrombus de l'artère moyenne cérébrale. Hospitalisé en soins de courte durée pendant trois semaines, il a ensuite passé huit semaines dans un centre de réadaptation. C'est alors que son hébergement en CHSLD a été décidé. Son épouse ne pouvait le reprendre à la maison. Il avait des besoins supérieurs à ses capacités, même si elle se faisait aider en recourant aux ressources communautaires.

À son admission, l'évaluation neurologique qui a été effectuée a montré que M. Foulon était alerte et s'orientait par rapport aux personnes, mais pas dans le temps ni dans l'espace. L'infirmière a alors noté qu'il était impulsif et émotionnellement labile. De plus, il souffrait d'hémianopsie et de négligence du côté gauche et d'une hémiplégie plus sévère au bras qu'à la jambe. Enfin, il présentait une dysphagie légère.

Sur le plan de la mobilité, il se transfère du lit à la chaise avec de l'aide, mais a tendance à vouloir se lever seul. Il souffre d'une subluxation de l'épaule gauche et se plaint de douleurs lorsqu'il bouge le bras. Sur le plan fonctionnel, il mange avec de l'aide et a un régime alimentaire adapté à ses besoins. Il est continent sur le plan fécal seulement. Enfin, sur le plan émotionnel, il se met à pleurer facilement de façon incontrôlée. Son épouse dit qu'elle a de la difficulté à s'adapter à ses nouveaux comportements.

Questions

1 Quels sont les cinq signes et symptômes avant-coureurs de l'AVC ?

2 Comment l'infirmière pourrait-elle aider M. Foulon à être le plus autonome possible ?

3 Quelles sont les interventions à mettre en place pour réduire la douleur que ressent M. Foulon à l'épaule ?

4 Quels sont les enjeux de la situation pour M. Foulon et ses proches ?

5

L'INSUFFISANCE CARDIAQUE

par **Odette Doyon** et **Julie Houle**

Stade terminal des principales maladies cardiaques, l'insuffisance cardiaque est une affection chronique et évolutive grave et complexe. Elle affecte le fonctionnement des divers organes, rendant ainsi particulièrement vulnérable le résident qui en est atteint.

L'insuffisance cardiaque nécessite donc une surveillance clinique rigoureuse et régulière. Les soins prodigués au résident atteint visent à assurer un état de santé et une qualité de vie optimaux, et à prévenir les épisodes de décompensation et les complications. Les soins comprennent l'administration des médicaments ainsi que diverses interventions en matière d'alimentation, d'activité et de repos, de prévention des chutes et des infections. La caractéristique évolutive de la maladie fait en sorte qu'une surveillance quotidienne de l'état de santé du résident est nécessaire, afin de déceler précocement tout signe de détérioration et de prodiguer les soins requis. De plus, l'affection étant terminale, l'infirmière doit discuter à l'avance avec le résident et les membres de sa famille des traitements possibles lors des épisodes de décompensation cardiaque, tout cela avec honnêteté et compassion. Le résident et sa famille indiquent alors leur préférence entre les soins intensifs et les soins palliatifs, et guident l'équipe soignante dans leur approche thérapeutique.

NOTIONS PRÉALABLES SUR L'INSUFFISANCE CARDIAQUE

Définition

De toutes les affections cardiaques dont peuvent souffrir les aînés, l'insuffisance cardiaque* est la plus importante puisqu'elle constitue l'état terminal de l'évolution de toutes les maladies cardiaques principales, c'est-à-dire des syndromes coronariens aigus (angine et infarctus du myocarde), de l'hypertension artérielle et des maladies valvulaires*. L'insuffisance cardiaque se définit comme l'incapacité du cœur à assurer le débit sanguin nécessaire au métabolisme des tissus au repos ou durant une activité physique légère (Agence de santé publique du Canada, 2005). Deux formes de dysfonctions ventriculaires caractérisent l'insuffisance cardiaque : la dysfonction systolique, causée par la raréfaction des éléments contractiles observée lors de cardiopathies ischémiques*, et la dysfonction diastolique, causée par le développement hypertrophique du myocarde dû notamment à l'hypertension artérielle (Guérin, 1997). Dans la population âgée en particulier, les étiologies les plus couramment observées de l'insuffisance cardiaque sont les cardiopathies ischémiques et l'hypertension artérielle (Fitchett, 2002 ; Gottdiener *et al.*, 2002 ; Rich, 1997). L'insuffisance cardiaque peut altérer les hémicœurs* droit et gauche, ou uniquement le gauche. L'affection porte alors respectivement le nom d'insuffisance cardiaque globale ou d'insuffisance cardiaque gauche. Lorsque cet état clinique chronique évolue vers une décompensation*, il se nomme défaillance cardiaque*.

Ampleur du problème

La prévalence de l'insuffisance cardiaque dans la population connaît une croissance importante, voire épidémique, en raison principalement de l'amélioration des traitements de l'infarctus aigu du myocarde et de l'hypertension artérielle, ainsi que de l'augmentation de l'espérance de vie en général. Cela explique que l'insuffisance cardiaque affecte particulièrement la population vieillissante (Havranek *et al.*, 2002 ; Turpie et Heckman, 2004). Malgré ces connaissances, il existe très peu

---

* **Insuffisance cardiaque** : incapacité du cœur à assurer le débit sanguin nécessaire au métabolisme des tissus au repos ou durant une activité physique légère.

Maladie valvulaire : affection touchant les valvules du cœur.

Cardiopathie ischémique : affection du cœur due à l'arrêt ou à la réduction de l'irrigation sanguine.

Hémicœur : chacune des deux parties, droite et gauche, du cœur.

Décompensation : incapacité, pour un organe, d'effectuer la fonction qui lui est dévolue.

Défaillance cardiaque : état de décompensation de l'insuffisance cardiaque chronique.

de données spécifiques sur la prévalence de l'insuffisance cardiaque en CHSLD, car le sous-groupe de la population âgée a jusqu'à maintenant été peu étudié ou systématiquement exclu des différentes études portant sur ce problème, lesquelles ont recruté des sujets plus jeunes ou plus autonomes (Havranek *et al.*, 2002; Heiat, Gross et Krumholz, 2002).

Conséquences

L'insuffisance cardiaque a des effets biophysiologiques et psychosociaux majeurs et est responsable d'un taux élevé de morbidité et de mortalité.

Les effets biophysiologiques sont faciles à observer. Ainsi, la diminution de la capacité fonctionnelle et de la tolérance à l'effort, la présence de symptômes constants liés au faible débit cardiaque et la modification de la capacité d'adaptation homéostatique* sont des conséquences permanentes de l'insuffisance cardiaque. Les personnes atteintes présentent également une incidence élevée de complications pulmonaires, rénales, thrombo-emboliques, infectieuses et cérébrales et font davantage de chutes.

Quelques études récentes, menées notamment par Zuccala et ses collaborateurs (1997, 2001), ont permis de mettre en évidence un effet négatif majeur de l'insuffisance cardiaque sur la fonction cognitive, en particulier chez les aînés. Les causes de cette détérioration de la fonction cognitive sont multiples. Il s'agit de l'athérosclérose, de l'hypertension artérielle, du diabète de type 2 ainsi que des problèmes hémodynamiques, notamment de la faible fonction systolique, de la diminution du débit cardiaque et de l'hypotension qui en résulte (Turpie et Heckman, 2004). Tous ces problèmes sont par ailleurs à l'origine de multiples hospitalisations (Ekman, Fagerberg et Skoog, 2001; Zuccala *et al.*, 1997; Zuccala *et al.*, 2001). La déshydratation et les déséquilibres électrolytiques aggravent, quant à eux, les problèmes cognitifs et prédisposent au delirium (Inouye et Charpentier, 1996). Chez les aînés, l'altération de la cognition a des conséquences importantes. Elle est responsable d'une faible observance du traitement, d'une mauvaise adéquation du plan thérapeutique (le résident ne pouvant rapporter ses réactions avec justesse), d'un déclin plus rapide de l'état de santé et de difficultés à reconnaître les signes précurseurs nécessitant une consultation immédiate (Fitchett, 2002; Vinson, Rich, Sperry, Shah et McNamara 1990, Zuccala *et al.*, 2001).

L'insuffisance cardiaque constitue une source de stress importante pour l'aîné et sa famille, et influence la perception de la qualité de la vie et du bien-être. Plusieurs études ont mis en évidence des effets psychosociaux importants chez les personnes atteintes, notamment la détresse psychologique, la dépression modérée ou sévère, les sentiments d'hostilité, une interruption des relations sociales et du stress. L'incertitude quant à l'évolution de la maladie et

à la possibilité de la mort fait par ailleurs augmenter le stress perçu (Aldred, Gott et Gariballa, 2005; Bennett, Pressler, Hays, Firestine et Huster, 1997; Moser et Dracup, 1995; Winters, 1999).

Enfin, l'insuffisance cardiaque nécessite de multiples hospitalisations. Des données tirées d'études multicentriques ont confirmé qu'environ 30% des personnes seront réhospitalisées dans les six mois suivant leur première hospitalisation. Ce taux grimpe à 44% chez les aînés de plus de 65 ans. De plus, l'insuffisance cardiaque représente 18% de toutes les réhospitalisations (Krumholz *et al.*, 1997; SOLVD Investigators, 1991). L'insuffisance cardiaque est la première cause de décès et le principal motif d'hospitalisation en Amérique du Nord et au Canada, chez les aînés de plus de 65 ans. Un an après une hospitalisation, le taux de survie est d'environ 50% (Fitchett, 2002; Liu et Arnold, 2003; Ghali, Cooper et Ford, 1990). Chez les aînés souffrant d'insuffisance cardiaque, ayant en moyenne 89 ans et vivant en centre de soins prolongés, le taux de mortalité après un an atteint 87%, d'après une étude rétrospective (Wang, Mouliswar, Denman et Kleban, 1998). Enfin, des études ont démontré qu'au Canada, en 2000 et 2001, le taux d'hospitalisation pour insuffisance cardiaque triplait à chaque décennie d'âge entre 60 et 90 ans, et ce, tant pour les hommes que pour les femmes. Or, pour la tranche d'âge 60-90 ans, l'insuffisance cardiaque est plus considérée comme un facteur secondaire que comme un facteur primaire de l'hospitalisation, ce qui laisse supposer une sous-estimation de l'insuffisance cardiaque dans les statistiques relatives aux hospitalisations (Fondation des maladies du cœur du Canada, 2003).

Causes

L'insuffisance cardiaque est un état physiopathologique qui se caractérise par une atteinte du myocarde causant une diminution importante de la fraction d'éjection* du ventricule et donc du débit cardiaque, et entraînant par là même une congestion circulatoire centrale et périphérique. Cet état est secondaire à plusieurs affections, la plus fréquente étant la maladie coronarienne athérosclérotique, puisqu'elle est en cause dans plus de 70% des cas. Cette maladie est à l'origine du syndrome coronarien aigu que sont l'infarctus aigu du myocarde et l'angine instable, et de la dysfonction ventriculaire gauche (SOLVD Investigators, 1991). L'hypertension artérielle et les maladies valvulaires sont également des causes de l'insuffisance cardiaque. Enfin, l'hypertension et le diabète de type 2, qui sont fréquemment associés à l'insuffisance cardiaque, constituent des facteurs supplémentaires de morbidité (Chin et Goldman, 1997; SOLVD Investigators, 1991).

L'insuffisance cardiaque étant une affection secondaire, nous présentons ici les facteurs de risque de la maladie coro-

---

* **Adaptation homéostatique**: ensemble des mécanismes par lesquels l'organisme tend à maintenir ses différentes constantes à des valeurs proches de la normale.

* **Fraction d'éjection**: pourcentage du volume sanguin contenu dans le ventricule à la fin de la diastole et éjecté lors de la systole. La normale se situe aux environs de 60%.

narienne athérosclérotique, sa cause la plus importante. C'est l'étude de Framingham qui, en 1948, a pour la première fois déterminé les facteurs de risque de la maladie cardiovasculaire et mesuré leurs différentes interactions. Par la suite, plusieurs autres études se sont ajoutées et, encore aujourd'hui, les connaissances évoluent rapidement dans ce domaine. La prise en charge thérapeutique des différents facteurs de risque se justifie, lors d'une insuffisance cardiaque, par le fait qu'ils contribuent toujours à l'évolution de la maladie et à l'apparition de plusieurs complications.

Les études classifient les facteurs de risque de la maladie athérosclérotique en facteurs modifiables et en facteurs non modifiables. Cependant, dans cet ouvrage, nous présentons ces facteurs de risque sous deux rubriques différentes, soit les facteurs de risque individuels et les facteurs de risque environnementaux. Le tableau 5-1 (p. 80) présente les facteurs de risque individuels, alors que le tableau 5-2 (p. 81) résume les facteurs de risque environnementaux.

Relation avec le vieillissement

Vieillissement du cœur

Les changements spécifiques que connaît le système cardiovasculaire au cours du vieillissement altèrent les structures cardiaques et vasculaires ainsi que le processus d'adaptation homéostatique.

Le vieillissement s'accompagne de certaines modifications structurelles du cœur et des vaisseaux. Tout au long de la vie, on observe les phénomènes évolutifs suivants. Tout d'abord, le myocarde perd un certain nombre de cellules musculaires, ou myofibrilles. Puis, progressivement, de la lipofuscine, des composants lipidiques, du collagène et des dépôts amyloïdes s'infiltrent dans le tissu myocardique. Ces deux types de changements diminuent la capacité de contraction du myocarde. Ensuite, le myocarde perd également un certain nombre des cellules de son tissu nodal situées dans les nœuds sinusal et auriculo-ventriculaire et dans le faisceau de His, qui sont responsables du déclenchement et de la conduction de l'activité électrique. Or cette diminution peut causer un ralentissement de la fréquence cardiaque. Dans les valvules cardiaques, on note, avec le vieillissement, de la fibrose, des calcifications, une accumulation lipidique et une dégénérescence du collagène, changements qui amorcent le processus de dysfonctionnement et de sténose valvulaire*. Enfin, dans les vaisseaux, des calcifications et des dépôts lipidiques se font sur l'intima et dans la media, et causent de la sclérose* (Woods, Froelicher et Motzer, 2000 ; Voyer, 2002).

Tandis que ces changements se produisent, l'organisme recourt à divers mécanismes de compensation dans le but de pallier la perte de la fonction contractile du myocarde et de maintenir une éjection systolique adéquate. L'un de ces mécanismes de compensation est l'hypertrophie cardiaque.

À cause de l'augmentation du volume de sang non éjecté lors de la systole, les myofibrilles fonctionnelles ont tendance à s'hypertrophier pour produire la même force de contraction. De plus, l'augmentation des résistances opposées à l'éjection causée par une rigidité accrue des valvules et la sclérose des artères s'accompagne d'un accroissement proportionnel de la force contractile du myocarde. La force contractile augmente ainsi jusqu'à un seuil maximal au-delà duquel toute augmentation supplémentaire du volume sanguin à éjecter ou de la résistance la fera diminuer. Si ces changements sont responsables d'une moindre tolérance à l'effort de l'aîné, il est important de bien les distinguer des affections que constituent l'insuffisance cardiaque et l'hypertension artérielle.

Le processus d'adaptation homéostatique de la fonction cardiovasculaire est plus perturbé par le vieillissement que les structures. En effet, au repos, la fréquence cardiaque et le volume d'éjection ne changent quasiment pas avec l'âge. Les légères diminutions de la fréquence cardiaque et du volume d'éjection n'entraînent aucun symptôme spécifique lors des activités courantes. Il en va tout autrement lorsque l'organisme est soumis à un stress physique ou psychologique requérant une augmentation importante ou continue du débit cardiaque. Plusieurs réflexes assurent normalement l'homéostasie de la fonction cardiovasculaire, notamment le réflexe barorécepteur, l'un des plus efficaces. Les barorécepteurs sont des cellules sensibles aux variations de la pression artérielle. Situés dans les sinus carotidiens, la crosse de l'aorte et l'oreillette droite, ils transmettent les variations qu'ils détectent aux systèmes sympathique et parasympathique afin de faire changer la fréquence cardiaque, la vasoconstriction et la contraction myocardique. Or, le vieillissement entraîne une perte d'efficacité des barorécepteurs et de la capacité du cœur à répondre aux stimulations du système sympathique. Ainsi, en cas de variation de la tension artérielle due à un changement de position, en cas de déshydratation, de maladie ou de stress important, la lenteur des réactions homéostatiques entraîne une diminution de la capacité fonctionnelle du cœur à s'ajuster et à répondre aux besoins de l'organisme. De plus, comme il s'épuise plus rapidement qu'un organisme plus jeune, l'organisme de l'aîné supporte difficilement ces réactions pendant plusieurs heures consécutives.

Lien entre le vieillissement du cœur et l'insuffisance cardiaque

La fonction cardiovasculaire est sollicitée dans toutes les réactions d'adaptation homéostatique de l'organisme. La description des effets du vieillissement normal sur cette fonction a montré que tout stress physique ou psychologique pouvait menacer l'intégrité de l'organisme. Dans ce contexte, les effets négatifs de l'insuffisance cardiaque sur la fonction cardiovasculaire sont importants. Cela s'explique d'abord par les changements anatomophysiologiques causés par l'insuffisance cardiaque. La raréfaction des cellules myocardiques, conséquence de la maladie ischémique, s'ajoute à la diminution de la contractilité

---

* **Sténose valvulaire**: rétrécissement de l'ouverture des valvules cardiaques.

Sclérose: induration pathologique d'un organe, d'un vaisseau.

Tableau 5-1	Les facteurs de risque individuels

FACTEURS SOCIODÉMOGRAPHIQUES

- **Âge:** Plus l'âge est élevé, plus le taux de mortalité par maladie cardiovasculaire est élevé, et ce, pour les deux sexes. Ainsi, 5 % des infarctus surviennent chez les moins de 40 ans, et 45 % entre 40 et 65 ans. Le taux le plus élevé s'observe chez les plus de 65 ans.
- **Sexe:** Les hommes présentent une incidence de maladies cardiovasculaires supérieure aux femmes, quoique la différence entre les deux sexes diminue avec l'âge. Avant 60 ans, les femmes ont un risque de 10 % d'être touchées par un événement cardiaque, tandis que les hommes ont un risque de 27 %. Notons que, chez les femmes, la ménopause constitue un facteur de risque.
- **Origine ethnique:** Bien qu'on n'en connaisse pas l'explication à ce jour, on a noté que, dans la population, le sous-groupe des immigrants de première génération issus de l'Asie du Sud et de la Chine présentait de moindres taux de mortalité attribuables aux maladies cardiovasculaires que les natifs du Canada. Cependant, lorsque ces immigrants adoptent des habitudes de vie s'ac-compagnant de facteurs de risque, le taux de maladies cardiovasculaires rejoint celui de la population non immigrante. Quant aux populations autochtones, elles présentaient auparavant des taux de mortalité attribuables aux maladies cardiovasculaires inférieurs à ceux de la population non autochtone. Mais, depuis les années 1980, elles ont des taux similaires à ceux de la popu-lation canadienne. L'augmentation de la prévalence de l'hypertension, du diabète, de l'obésité et du tabagisme expliquerait en partie cette évolution.

HABITUDES DE VIE

- **Alimentation:** L'alimentation a fait l'objet de plusieurs études à titre de facteur de risque tout autant que de facteur préventif. On admet généralement qu'un régime alimentaire riche en calories et en matières grasses constitue un facteur de risque pour les maladies cardiovasculaires. Il contribue en effet à l'apparition ou à l'aggravation de l'obésité, de l'hypertension artérielle, du diabète de type 2 et des dyslipidémies. Par contre, une alimentation riche en fruits et en légumes constitue un facteur pro-tecteur contre les maladies cardiovasculaires.
- **Sédentarité:** La sédentarité se définit comme une dépense énergétique quotidienne inférieure à 1,5 kcal/kg, en plus du métabo-lisme de base. À l'opposé, un régime de vie actif correspond à la pratique quotidienne de 60 minutes d'une activité physique d'intensité légère ou de 30 minutes d'une activité d'intensité modérée. Ces périodes d'activité peuvent être continues ou inter-mittentes. Les personnes actives présentent des concentrations plus élevées de HDL-C (*high density lipoprotein-cholesterol*) et des valeurs plus basses pour l'indice de masse corporelle (IMC), la tension artérielle et les triglycérides. La sédentarité augmente l'effet négatif de l'hypertension artérielle, du diabète de type 2, de l'obésité et du stress psychologique.
- **Tabagisme:** À cause de ses effets toxiques sur le tissu endothélial et de ses effets thrombogènes et spasmogènes, le tabagisme fait augmenter l'incidence des principales formes de maladies cardiovasculaires. Il cause plus de décès par maladie cardiovascu-laire que de décès par cancer.
- **Consommation élevée d'alcool:** Le fait de prendre régulièrement plus de deux consommations d'alcool par jour augmente le risque de faire de l'hypertension artérielle et de développer une coronaropathie ischémique.

ANTÉCÉDENTS FAMILIAUX

- Les antécédents familiaux constituent un indicateur important pour la prédiction de l'occurrence des maladies cardiovasculaires et pour leur pronostic, en particulier dans les familles dont les membres sont atteints d'une maladie cardiovasculaire avant l'âge de 50 ans. Parmi les antécédents familiaux, on distingue ce qui relève de l'héritage génétique et ce qui relève de l'héritage com-portemental. Les antécédents familiaux d'hypertension artérielle, de dyslipidémies, de diabète et d'anomalies moléculaires de la physiologie vasculaire augmentent les risques. S'ajoutent à ces derniers l'obésité parentale attribuable aux habitudes alimen-taires ou au degré d'activité physique.

AFFECTIONS PRIMAIRES

Les affections primaires sont des facteurs de risque pour les syndromes coronariens aigus. L'hypertension artérielle, elle, est à la fois une cause primaire de l'insuffisance cardiaque et un facteur de risque des coronaropathies ischémiques.

- **Hypertension artérielle:** L'hypertension artérielle se définit, pour la plupart des personnes, comme une tension systolique égale ou supérieure à 140 mmHg ou comme une tension diastolique égale ou supérieure à 90 mmHg. Il s'agit d'un facteur de risque majeur pour la maladie coronarienne, l'accident vasculaire cérébral, la maladie vasculaire périphérique et l'insuffisance cardiaque. L'hypertension artérielle multiplie par deux ou trois le risque cardiovasculaire global. Elle produit un dommage mécanique à l'intima. Elle augmente également les résistances vasculaires périphériques, lesquelles conduisent à une hypertrophie ventriculaire gauche. L'obésité, la sédentarité et la surconsommation d'alcool et de sodium favorisent l'hypertension artérielle. Il en est de même de l'insulinorésistance et des dyslipidémies.
- **Dyslipidémies:** Les dyslipidémies se présentent comme un taux élevé de cholestérol, de LDL-C (*low density lipoprotein-cholesterol*) ou de triglycérides, comme un faible taux de HDL-C ou de petites particules de LDL-C, signalées par une augmenta-tion des ApoB (Apolipoprotéine-B) ou comme un rapport cholestérol total/HDL-C élevé. Ces anomalies sont fortement associées à la maladie vasculaire et plus spécifiquement coronarienne. À l'inverse, plusieurs études ont démontré que la diminution du taux de cholestérol à l'aide de médicaments avait permis de réduire le nombre d'infarctus du myocarde d'environ 25 % sur une période de quatre ans.
- **Diabète de type 2:** Le diabète accroît l'incidence de la maladie cardiovasculaire et en aggrave les conséquences. En effet, les diabétiques connaissent un taux de mortalité due aux cardiopathies plus élevé que les non-diabétiques. Le diabète est égale-ment un important facteur de risque pour l'hypertension artérielle, l'AVC et la maladie vasculaire.

>>>

- **Syndrome métabolique :** L'expression « syndrome métabolique » désigne une association de certains facteurs de risque. En effet, on considère qu'une personne est atteinte du syndrome métabolique lorsqu'elle présente au moins trois des critères suivants : obésité abdominale, hypertriglycéridémie, taux de HDL-C bas, hypertension artérielle et hyperglycémie à jeun. Les études récentes font clairement ressortir les effets négatifs de l'association de ces facteurs de risque. La prise en charge simultanée de l'ensemble de ces facteurs domine actuellement l'approche thérapeutique des maladies cardiovasculaires et leur prévention.
- **Obésité :** L'obésité correspond à un indice de masse corporelle (IMC) supérieur à 30, tandis que l'embonpoint correspond à un IMC supérieur à 25. Ces deux affections constituent des facteurs de risque importants de la maladie cardiovasculaire, particulièrement s'il s'agit d'une obésité abdominale ou androïde. En effet, cette morphologie peut contribuer au développement d'une maladie coronarienne, d'un diabète de type 2 et d'hypertension artérielle. Le tour de taille présente une corrélation positive avec la graisse abdominale. Chez les hommes, un tour de taille supérieur à 102 cm constitue un facteur de risque, alors que, chez les femmes, la valeur est de 88 cm et plus.

Tableau 5-2	Les facteurs de risque environnementaux

ENVIRONNEMENT SOCIAL

- **Stress psychologique :** Des études ont démontré que le stress mental pouvait précipiter l'ischémie myocardique. Les états émotionnels particulièrement mis en cause sont l'hostilité, la colère et l'anxiété. Ils accroissent la stimulation sympathique, provoquent ainsi de la vasoconstriction et une augmentation du besoin d'oxygénation, et conduisent à de l'agrégation plaquettaire qui pourrait contribuer au déclenchement d'événements cardiaques. Les origines du stress psychologique sont multiples : milieu de travail, famille, conditions socioéconomiques, pauvreté, préjugés sociaux, harcèlement et violence.
- **Milieu familial :** Les comportements familiaux néfastes en matière d'alimentation et d'activité constituent des facteurs de risque, surtout chez les enfants.

observée lors du vieillissement (Edwards, Maurer et Wellner, 2003). Cela se traduit par une diminution plus importante de la capacité contractile au repos ainsi qu'à l'effort, en fonction de la gravité de l'insuffisance cardiaque. L'organisme de l'aîné souffrant d'insuffisance cardiaque a atteint le niveau maximal de compensation ; toute variation des paramètres circulatoires, telle qu'une augmentation du volume sanguin, une tachycardie soutenue ou une vasoconstriction, provoquera une chute du débit cardiaque* et un état de défaillance cardiaque. La maladie cardiaque étant évolutive, elle se poursuit, et le phénomène de l'apoptose contribue à accélérer la diminution de la contractilité. En effet, l'insuffisance cardiaque est avant tout une maladie neuro-hormonale qui fait en sorte qu'à cause de la réduction constante du débit cardiaque, les personnes atteintes présentent des taux de catécholamines et de noradrénaline élevés, proportionnels au degré de sévérité de la maladie. Ces taux sont élevés dans le but de rétablir le débit cardiaque normal. Or des études ont démontré que la noradrénaline avait des effets toxiques sur les cellules myocardiques, dont elle favorise la mort programmée, ou l'apoptose, et accélérait ainsi l'évolution de la maladie (Packer, Bristow, Cohn, Colucci et Fowler pour le Carvedilol Heart Failure Study Group, 1996 ; Rich, 2002).

---

* **Débit cardiaque :** quantité de sang éjecté par le cœur en une minute.

Manifestations cliniques

Signes et symptômes

L'insuffisance de la pompe cardiaque entraîne deux types de conséquences sur la circulation. D'abord, le débit cardiaque diminue, parce que la force de contraction est faible. Ensuite, il se produit une surcharge en amont, due à l'incapacité du cœur à éjecter le volume sanguin prévu. Ces conséquences sur la circulation se traduisent par des manifestations cliniques différentes selon l'hémicœur atteint. Cependant, chez l'aîné, l'insuffisance cardiaque se présente plutôt sous la forme d'un portrait global combinant des manifestations circulatoires de l'insuffisance droite, des manifestations circulatoires de l'insuffisance gauche et les atteintes systémiques qui en découlent, atteintes des fonctions hépatique, gastro-intestinale, rénale, neurologique et tégumentaire, et exacerbation des complications infectieuses.

Insuffisance cardiaque gauche

Dans le cas d'une insuffisance cardiaque gauche, la diminution de l'éjection systolique se manifeste par une diminution de la perfusion cérébrale, coronarienne et systémique. Un bruit de galop ventriculaire*, le B3, détecté en diastole* lors de l'auscultation, signale toujours un épisode aigu de défaillance cardiaque (Doyon, 2002). Il est également possible que le B3 s'ajoute à un bruit de galop auriculaire*, le B4, qui caractérise un état d'insuffisance cardiaque chronique causée par une cardiomyopathie hypertrophique* ou de la fibrose myocardique*. La diminution de la perfusion cérébrale a des effets sur le fonctionnement neurologique et sur la cognition. Les signes et symptômes observés varient en intensité et vont des étourdissements

---

* **Bruit de galop ventriculaire ou B3 :** bruit diastolique ajouté, se faisant entendre au début de la diastole et traduisant une défaillance ventriculaire.

Diastole : phase de remplissage des cavités cardiaques.

Bruit de galop auriculaire ou B4 : bruit diastolique ajouté, se faisant entendre à la fin de la diastole et traduisant une insuffisance ventriculaire.

Cardiomyopathie hypertrophique : affection du cœur se caractérisant par une désorganisation des cellules et des myofibrilles et par une augmentation de la taille de ces cellules.

Fibrose myocardique : hyperplasie du tissu conjonctif remplaçant le tissu musculaire dans le myocarde.

jusqu'à la perte de conscience. Ce sont également des difficultés de concentration et des troubles de la mémoire, voire de la confusion, de l'anxiété et de l'insomnie.

La diminution de la perfusion coronarienne, quant à elle, entraîne l'apparition de douleurs angineuses ou l'augmentation de leur sévérité, l'apparition d'arythmies, une diminution de la tension artérielle, de l'orthostatisme*, une intolérance à l'effort, de la fatigue et une faiblesse musculaire. La mauvaise perfusion du système digestif provoque l'apparition de troubles digestifs tels que l'anorexie, des nausées, une distension abdominale et éventuellement de la cachexie. La diminution de la perfusion rénale cause une oligurie*, une nycturie et même de l'anurie*. Les signes de la surcharge en amont sont essentiellement respiratoires, car la stase circulatoire se produit dans les poumons. Leur gravité varie en fonction de l'augmentation de la pression hydrostatique* dans les capillaires pulmonaires, augmentation qui entraîne le débordement des canaux lymphatiques, la surcharge du parenchyme pulmonaire et l'inondation des alvéoles pulmonaires causant l'œdème pulmonaire. Ces phénomènes sont directement liés à la gravité de la défaillance cardiaque. Les signes et symptômes sont, par ordre croissant de gravité, une dyspnée de décubitus et de repos, une orthopnée*, une dyspnée paroxystique nocturne*, une toux sèche, l'apparition à l'auscultation de crépitants fins, bilatéraux, symétriques, non déplacés par la toux et se faisant entendre en fin d'inspiration, l'envahissement progressif des plages pulmonaires par ces crépitants et, enfin, des expectorations mousseuses blanchâtres puis rosées (Fitchett, 2002; Guérin, 1997; Shamsham et Mitchell, 2000; Woods *et al.*, 2000).

Insuffisance cardiaque droite

Dans le cas d'une insuffisance cardiaque droite, la diminution de l'éjection systolique se manifeste par une diminution du débit de sang éjecté vers le ventricule gauche, diminution qui causera éventuellement, si elle perdure, une insuffisance cardiaque gauche due au manque de volume sanguin. On observe alors les signes précédemment décrits. De plus, à l'auscultation, on pourrait entendre, lors d'une défaillance aiguë, un B3 (galop ventriculaire) et, éventuellement, lors d'une insuffisance cardiaque globale, un B4 (galop auriculaire) signalant un état d'insuffisance cardiaque chronique causée par une cardiomyopathie hypertrophique ou une fibrose myocardique. Les signes de la surcharge en amont sont systémiques, car la stase circulatoire se produit dans tout le réseau veineux. Leur gravité

varie en fonction de l'augmentation de la pression hydrostatique dans les capillaires veineux, causée par l'incapacité du ventricule droit à recevoir toute la quantité de sang revenant au cœur. Ce phénomène entraîne progressivement une surcharge dans les veines caves, dans les jugulaires et dans tout le réseau veineux, surcharge qui est à l'origine d'une hépatomégalie*, d'œdèmes périphériques puis d'épanchements. L'hépatomégalie explique la sensation constante de plénitude abdominale qui provoque l'anorexie et éventuellement la cachexie. Les signes et symptômes sont, par ordre croissant de gravité, l'élévation de la pulsation veineuse jugulaire, l'hépatalgie* et l'hépatomégalie puis l'apparition progressive d'œdèmes. Les œdèmes sont blancs, mous, indolores, symétriques et causent une augmentation notable du poids corporel. Ils prennent le godet et prédominent dans les régions déclives. Généralement, ils apparaissent aux malléoles puis s'étendent dans les membres inférieurs, dans la région prétibiale et jusqu'aux genoux. Lorsque la personne est le plus souvent assise ou alitée, ils sont davantage situés dans la région du sacrum et des hanches. Une surcharge veineuse périphérique sévère provoque l'apparition d'épanchements pleuraux, d'épanchements péricardiques et d'ascite. Par la suite, la stase circulatoire périphérique atteint les téguments et se manifeste d'abord par la froideur des extrémités. Les personnes se plaignent « d'avoir toujours froid ». La stase est également à l'origine d'une pâleur de la peau et d'une cyanose, due à la désaturation artérielle, aux lobes d'oreilles, aux lèvres, au nez, aux doigts, aux orteils et aux membres inférieurs. Enfin, la constance de l'insuffisance veineuse et la permanence des œdèmes provoquent une atteinte des tissus se manifestant par une coloration brunâtre au tiers inférieur des jambes et par l'apparition et le développement progressif d'ulcères variqueux et de plaies aux membres inférieurs (Heppell, 2002; Guérin, 1997; Shamsham et Mitchell, 2000; Woods *et al.*, 2000).

Il est important de rappeler que, chez l'aîné, l'affection cardiaque étant globale, les différents signes et symptômes décrits coexistent. Généralement, lorsque l'état clinique est stable, l'aîné présente un tableau d'insuffisance cardiaque droite ainsi qu'une tolérance à l'effort limitée. En cas d'épisode de décompensation s'ajoutent les signes de la défaillance gauche, en particulier l'œdème pulmonaire.

Évolution de la maladie

Outre qu'elle est une maladie grave, l'insuffisance cardiaque est un problème de santé complexe. Le pronostic dépend généralement de sa gravité, de la présence d'affections simultanées et des effets du traitement (SOLVD Investigators, 1991). De plus, la recherche a mis en évidence d'autres facteurs influençant le pronostic. Ainsi, la cachexie cardiaque, l'hypotension, l'insuffisance rénale, l'anémie, la dépression et l'âge avancé ont un effet négatif sur le

---

* **Orthostatisme**: baisse de la tension artérielle en station verticale.

  Oligurie: diminution de la quantité d'urine éliminée pendant 24 heures.

  Anurie: tarissement de la sécrétion urinaire.

  Pression hydrostatique: pression exercée par le plasma sanguin et opposée aux liquides extravasculaires.

  Orthopnée: dyspnée de décubitus.

  Dyspnée paroxystique nocturne: dyspnée subite survenant au cours de la nuit.

---

* **Hépatomégalie**: augmentation du volume du foie.

  Hépatalgie: douleur se situant dans la région du foie.

pronostic (Anker et Sharma, 2002 ; Chriss, Sheposh, Carlson et Riegel, 2004 ; Doehner et Anker, 2002 ; Jacobsson, Pihl-Lindgren et Fridlund, 2001 ; Murberg, Svebak, Tveteras et Aarsland, 1999).

L'aîné souffrant d'insuffisance cardiaque reste toujours atteint par l'affection primaire, hypertension artérielle, cardiopathie ischémique ou maladie valvulaire, qui a conduit à l'insuffisance cardiaque. Ces affections primaires évoluent progressivement. Habituellement, l'aîné souffrant d'insuffisance cardiaque est atteint d'une insuffisance rénale, d'une maladie pulmonaire obstructive chronique, d'arthrite, de diabète ou de dyslipidémie, facteurs de comorbidité aggravant la maladie (Chin et Goldman, 1997 ; Chriss *et al.*, 2004 ; Havranek *et al.*, 2002 ; Rich, 1997). De plus, le phénomène d'apoptose observé lors d'une insuffisance cardiaque contribue à la progression constante de la maladie. Les multiples affections chroniques requièrent un plan de traitement pharmacologique exhaustif ainsi que des interventions diététiques et des mesures d'hygiène de vie correspondant aux problèmes de santé de l'aîné (Johnstone *et al.*, 1994 ; Liu et Arnold, 2003). Enfin, l'anémie, la dénutrition menant à la cachexie, le déconditionnement physique et la dépression causés par l'insuffisance cardiaque sont aggravés par l'âge avancé (Anker et Sharma, 2002 ; Fitchett, 2002 ; Doehner et Anker, 2002 ; Jacobsson *et al.*, 2001 ; Murberg *et al.*, 1999).

Généralement, l'insuffisance cardiaque évolue par épisodes de décompensation, lesquels seront de plus en plus fréquents ou de plus en plus graves (Pantilat et Steimle, 2004). Les complications cardiovasculaires observées le plus souvent sont des troubles du rythme, tels que la fibrillation auriculaire, les extrasystoles ventriculaires ou la tachycardie ventriculaire, ainsi que des accidents thromboemboliques veineux et artériels, des œdèmes pulmonaires et des chocs cardiogéniques. Les épisodes de décompensation peuvent entraîner la mort ou contribuer à détériorer davantage l'état de santé. Peu à peu, la diminution du débit cardiaque et la surcharge circulatoire nuisent de plus en plus au fonctionnement d'autres organes tels que le foie et les reins et causent une insuffisance hépatique et une insuffisance rénale. L'atteinte du foie et des reins, lesquels jouent un rôle dans le métabolisme de tous les médicaments, ajoutée à l'insuffisance cardiaque toujours en évolution, rend plus complexe le traitement pharmacologique. Dès lors, le traitement de l'aîné est de plus en plus difficile à ajuster et les épisodes de décompensation se succèdent de plus en plus vite jusqu'à la mort.

Chez l'aîné atteint d'insuffisance cardiaque, un épisode de défaillance cardiaque peut être dû à un autre problème de santé. En effet, toute affection sérieuse, par exemple une infection, de la déshydratation, une pneumonie, une gastro-entérite, un accident ou une chute, entraîne diverses réactions homéostatiques : accélération de la fréquence cardiaque, vasoconstriction, réabsorption d'eau et de sodium visant le maintien du volume sanguin. Ces réactions sont essentielles au maintien du débit cardiaque et de la tension artérielle. Cependant, lorsqu'elles durent pendant plusieurs heures ou journées, elles précipitent la défaillance cardiaque, car le cœur insuffisant n'est pas en mesure de répondre aux variations de la circulation.

SOINS INFIRMIERS

Le plan de traitement interdisciplinaire du résident atteint d'insuffisance cardiaque a pour buts de réduire les symptômes, de diminuer le besoin de réhospitalisations et d'améliorer la survie et la qualité de vie (Johnstone *et al.*, 1994 ; Liu et Arnold, 2003). Il combine les approches pharmacologique et non pharmacologique. Des études effectuées dans les 10 dernières années ont démontré les effets bénéfiques des approches multidisciplinaires, comprenant l'intervention infirmière, dans le traitement de l'insuffisance cardiaque et ont ainsi confirmé la nature complexe de ce problème de santé (Blue *et al.*, 2001 ; Capomolla *et al.*, 2002 ; Cline, Israelsson, Willenheimer, Broms et Erhardt, 1998 ; Doughty *et al.*, 2002 ; Ducharme, Doyon, White, Rouleau et Brophy, 2005 ; Kasper *et al.*, 2002 ; McAlister, Lawson, Teo et Armstrong, 2001 ; Rich *et al.*, 1995 ; Stewart, Marley et Horowitz, 1999). Dans le contexte d'un CHSLD, l'infirmière agit en partenariat avec l'aîné. Elle l'assiste dans la réalisation des interventions de soins et de surveillance (Bull, Hansen et Gross, 2000).

De manière générale, l'infirmière œuvrant auprès de résidents atteints d'insuffisance cardiaque doit avoir trois grandes préoccupations. Premièrement, l'insuffisance cardiaque étant une maladie chronique et évolutive, elle doit fournir des soins thérapeutiques quotidiens afin d'assurer un état de santé optimal, de maintenir la qualité de vie et, par là même, de prévenir les épisodes de décompensation et les complications. Deuxièmement, elle doit assurer une surveillance clinique régulière afin de détecter rapidement tout épisode de décompensation cardiaque. Troisièmement, lors d'un épisode de décompensation, elle doit administrer certains traitements qui peuvent soulager le résident. L'approche thérapeutique doit alors considérer le problème de manière globale et tenir compte de la situation particulière du résident. Il est important de souligner l'importance des relations existant entre les divers éléments pharmacologiques et non pharmacologiques d'un traitement. De plus, rappelons que le vieillissement normal du cœur et des vaisseaux et les changements que connaît la capacité d'adaptation homéostatique de la fonction cardiovasculaire, s'ajoutant à l'affection cardiaque, peuvent rapidement conduire à un état de défaillance cardiaque ou encore aggraver toute autre affection non cardiovasculaire, et donc compromettre gravement la qualité de vie du résident.

Les soins à long terme de l'insuffisance cardiaque s'accompagnent par ailleurs de préoccupations éthiques. En effet, les interventions doivent répondre aux priorités de traitement dont doivent discuter clairement le résident, sa famille et les professionnels de la santé. Des questions importantes se posent :

- Doit-on sauver la vie du résident ?
- Doit-on aider le résident à vivre avec son incapacité ?
- Doit-on permettre au résident de mourir dans la dignité ?

Les réponses à ces questions établissent le contexte de l'intervention et éclairent la prise de décision lors d'un épisode de décompensation. Il est souhaitable que l'infirmière entreprenne avec le résident et sa famille des discussions empreintes d'honnêteté et de compassion, afin de déterminer avec eux le meilleur traitement possible et de connaître leur volonté concernant le recours aux soins palliatifs et l'utilisation de manœuvres de réanimation (Aldred *et al.*, 2005 ; Pantilat et Steimle, 2004).

Première préoccupation des soins infirmiers : maintien de l'état de santé et prévention de la décompensation et des complications

Le traitement de l'insuffisance cardiaque comporte plusieurs stratégies : l'approche pharmacologique, la chirurgie de correction des facteurs mécaniques tels que les anomalies valvulaires, la thérapie de resynchronisation du rythme cardiaque par une stimulation électrique multisites, l'implantation d'un cardioverseur-défibrillateur automatique et la transplantation cardiaque (Johnstone *et al.*, 1994 ; Liu et Arnold, 2003). Chez les résidents des CHSLD, le traitement se caractérise par des soins de stabilisation de l'état de santé et de prévention des complications (Rich, 2002). Les principales interventions sont l'administration de médicaments, un régime alimentaire particulier, des mesures de protection contre les infections et les chutes, et des mesures d'hygiène de vie visant l'équilibre entre les activités et le repos ainsi que le contrôle du stress. Ces différents traitements permettent de contrôler l'évolution de la maladie et ont un effet favorable sur la qualité de vie mais ils nécessitent, en contrepartie, l'observance des résidents de ce plan de traitement (Albert, 1999 ; Ekman *et al.*, 1998 ; Fitchett, 2002 ; Johnstone *et al.*, 1994 ; Liu et Arnold, 2003 ; Philips *et al.*, 2004 ; Rich *et al.*, 1993 ; Woods *et al.*, 2000 ; Young et Miles, 2001).

Approche pharmacologique

Les médicaments requis pour le traitement de l'insuffisance cardiaque sont essentiels pour contrer la maladie et la surstimulation neuro-hormonale ayant une action délétère sur l'ensemble de la fonction cardiaque déjà affaiblie (Packer, 1993). Depuis 2001, les guides de pratique clinique établissent clairement l'importance de l'administration d'inhibiteurs de l'enzyme de conversion de l'angiotensine (IECA) ou d'antagonistes des récepteurs de l'angiotensine (ARA) (Garg et Yusuf, 1995). Ils recommandent l'utilisation des bêtabloqueurs dans le traitement de l'insuffisance cardiaque pour réduire la mortalité et les multiples hospitalisations et pour améliorer la fonction cardiaque et la qualité de vie (Brophy et Rouleau, 2001 ; Liu et Arnold, 2003). De plus, les diurétiques, les dérivés nitrés, les vasodilatateurs artériels, les suppléments de potassium, la digitale, certains relaxants neuromusculaires et les somnifères font également partie de l'approche pharmacologique. Leurs effets primaires et secondaires sont multiples. Ainsi, ils ralentissent la fréquence cardiaque, provoquent le blocage adrénergique, provoquent la vasodilatation, inhibent l'effet du système rénine-angiotensine, inhibition qui a pour effet de réduire la sécrétion de catécholamines ainsi que la réabsorption d'eau et de sodium. Ils contribuent ainsi à améliorer ou à préserver la contractilité myocardique, à optimiser la fréquence cardiaque, à diminuer la précharge, soit le volume sanguin que le cœur doit pomper, et à réduire la postcharge, soit les résistances artérielles s'opposant à l'éjection (Albert, 1999 ; Liu et Arnold, 2003 ; Woods *et al.*, 2000).

L'objectif de ce chapitre n'est pas de décrire en détail l'approche pharmacologique visant le traitement de l'insuffisance cardiaque. Cependant, précisons qu'il est essentiel que l'infirmière connaisse parfaitement tous les effets primaires et secondaires des médicaments prescrits, ainsi que leurs effets synergiques. C'est que la plupart de ces médicaments produisent simultanément différents effets. L'exemple suivant illustre cette recommandation. Les IECA, en réduisant la sécrétion surrénalienne de catécholamines et la sécrétion d'aldostérone, premièrement réduisent la vasoconstriction artérielle, deuxièmement diminuent la réabsorption d'eau et de sodium par les reins ; ils contribuent ainsi efficacement à soulager le résident en réduisant à la fois la postcharge et la précharge que doit supporter le cœur à la force contractile diminuée (Woods *et al.*, 2000). De plus, les IECA réduisent la quantité de diurétiques et de potassium nécessaire, le potassium étant réabsorbé par le rein lors de l'élimination du sodium. Par ailleurs, ces médicaments peuvent provoquer une baisse de la tension artérielle, de la toux ou l'exacerbation de l'insuffisance rénale. C'est pourquoi l'infirmière doit surveiller le résident étroitement, puisque ces réactions sont le plus souvent imprévisibles et peuvent varier en intensité. Cet exemple montre l'importance du rôle que joue l'infirmière dans la surveillance clinique des réactions des résidents à la pharmacothérapie (voir le chapitre 23), la plupart des médicaments prescrits ayant des effets multiples et l'élimination de la médication par le foie et les reins pouvant être altérée par le vieillissement, l'évolution de l'insuffisance cardiaque et l'effet négatif de la diminution du débit cardiaque sur les fonctions hépatique et rénale.

Approche non pharmacologique

Bien que de multiples études aient démontré l'efficacité de la pharmacothérapie, l'utilisation seule des médicaments ne peut permettre d'atteindre les objectifs thérapeutiques. Plusieurs interventions de soins sont nécessaires pour réduire le nombre d'hospitalisations et améliorer la qualité de vie (Albert, 1999; Johnstone *et al.*, 1994; Liu et Arnold, 2003; Fitchett, 2002; Philips *et al.*, 2004; Young et Miles, 2001; Woods *et al.*, 2000). De manière générale, le plan thérapeutique vise le maintien de la fonction cardiaque, la diminution des influences neuro-hormonales, le contrôle de la rétention d'eau et de sodium et la prévention des infections et des chutes (Naylor *et al.*, 1999; Nohria, Lewis et Stevenson, 2002). Or différentes interventions de soins contribuent à l'atteinte de ces objectifs et ont, comme les médicaments, des effets bénéfiques multiples. Elles concernent l'hydratation, l'alimentation, le repos, le contrôle du stress, l'activité physique, les loisirs et la prévention des infections et des chutes.

Limitation de l'hydratation et de la consommation de sodium, et alimentation

Avec le résident atteint d'insuffisance cardiaque, il faut accorder une attention particulière à l'hydratation, à la consommation de sodium et à l'alimentation.

La recommandation concernant le maintien d'une limite concernant la consommation de liquide et de sodium (régime «sans salière» et non «sans sel») est connue depuis longtemps. Concernant la limite liquidienne, il s'agit de réduire le volume sanguin que le cœur doit éjecter quotidiennement et de contrôler la formation d'œdèmes (Albert, 1999; Johnstone *et al.*, 1994; Liu et Arnold, 2003; Woods *et al.*, 2000).

La limite liquidienne quotidienne se situe en général à 1 000 mL environ. Pour soulager la sensation de soif qui l'accompagne, l'infirmière peut recourir à différentes interventions. Par exemple, le résident peut consommer régulièrement des petits glaçons et des raisins congelés. Il se rincera toujours la bouche à l'eau glacée avant toute consommation d'eau et pourra ajouter des quartiers d'orange, de limette et de citron à un pichet d'eau conservée au réfrigérateur. Enfin, dans le même but, il doit avoir une bonne hygiène buccale (voir le chapitre 13).

La consommation de sodium fait également l'objet d'une restriction. Cette restriction est nécessaire, car le sodium a un effet direct sur la rétention des liquides par l'organisme, laquelle provoque la formation d'œdèmes. Il est recommandé de saler légèrement, une seule fois, les aliments, lors de la cuisson ou à la table, de limiter la consommation d'aliments en conserve ou de les rincer à l'eau et d'éviter la consommation d'aliments en sachet, de charcuteries et d'eau minérale contenant plus de 200 ppm de sodium. On peut remplacer le sel par des fines herbes, dont certains mélanges sont intéressants et peuvent être conservés au chevet du résident.

Enfin, le résident et l'infirmière doivent surveiller l'apparition de tout signe de déshydratation et faire attention à tout épisode de fièvre, de diarrhée ou de vomissements qui pourrait engendrer de la déshydratation. De même, ils doivent surveiller l'apparition éventuelle d'œdèmes par la pesée quotidienne.

Sur le plan de l'alimentation, il est de plus en plus évident maintenant que la qualité de la nutrition de l'insuffisant cardiaque peut permettre de contrôler la cachexie cardiaque (Anker et Sharma, 2002; Doehner et Anker, 2002; Genth-Zotz *et al.*, 2004; Heymsfield et Casper, 1988; Jacobsson *et al.*, 2001). C'est que l'insuffisance cardiaque entraîne souvent une anorexie secondaire qui s'explique, entre autres, par les effets secondaires des médicaments prescrits et par la sensation de plénitude abdominale causée par la congestion hépatique chronique. Or l'état de dénutrition dû à une malnutrition protéinique et calorique accélère le processus de la perte de poids, de la fonte musculaire et de la cachexie cardiaque (Heymsfield et Casper, 1988). Ses effets sont multiples. Ainsi, les études ont démontré que la malnutrition protéinique et calorique causait une diminution de la contractilité myocardique, une baisse du pic d'éjection ventriculaire, un œdème interstitiel et une atrophie des myofibrilles. De plus, le myocarde mal nourri consomme plus d'oxygène tout en étant moins efficace (Heymsfield et Casper, 1988). Les résidents insuffisants cardiaques souffrant de dénutrition se sentent plus faibles, se fatiguent plus rapidement et réduisent de plus en plus leurs activités. Les études ont également mis en évidence le fait que la cachexie entraînait une élévation des taux plasmatiques de norépinéphine et d'aldostérone, élévation qui contribue à aggraver l'insuffisance cardiaque et fait augmenter le taux de mortalité (Anker et Sharma, 2002; Genth-Zotz *et al.*, 2004; Jacobsson *et al.*, 2001). Elles montrent l'importance qu'il faut accorder à la qualité de l'alimentation des aînés insuffisants cardiaques.

Ce problème important que constitue l'alimentation des résidents insuffisants cardiaques nécessite l'intervention concertée de la nutritionniste clinique et de l'infirmière. Il faut adapter l'apport quotidien en protéines et en calories au cas de chaque résident, de manière à prévenir la cachexie cardiaque. Cela permet de maintenir la fonction cardiaque, de réduire les influences neuro-hormonales et donc la précharge* et la postcharge*, d'améliorer la sensation de bien-être en réduisant la sensation de fatigue et de permettre l'activité physique. Par ailleurs, Heymsfield et Casper (1988) ont démontré qu'une alimentation riche en protéines et en calories avait, chez les sujets malades d'un groupe expérimental comparés à ceux d'un groupe témoin, stabilisé le poids corporel, augmenté le volume musculaire, amélioré le débit cardiaque et diminué les œdèmes. Une fois que la nutritionniste clinique a déterminé les besoins nutritionnels du résident, l'infirmière doit favoriser son appétit et la consommation d'aliments sains. Pour cela, elle doit trouver avec le résident différents moyens, notamment connaître ses habitudes alimentaires avant son admission en CHSLD et intégrer ses mets préférés dans sa vie quotidienne. L'horaire des repas doit être

---

* **Précharge**: degré de remplissage du ventricule par le volume sanguin, à la fin de la diastole.

Postcharge: tension qui s'oppose au raccourcissement des myofibrilles lors de la contraction.

souple. Pour le résident atteint d'insuffisance cardiaque, il est recommandé de fractionner les trois repas habituels et le nombre total de calories en six petits repas et d'offrir les aliments les plus nutritifs. Des collations nutritives entre les repas et en soirée, comportant des glucides et des protéines, par exemple une compote de pommes et une portion de fromage, sont une bonne chose. Ces mesures ont pour avantage de tenir compte de la sensation de plénitude abdominale que ressent l'aîné, de lutter contre l'inappétence et de diminuer les réactions d'hypermétabolisme que provoque un repas copieux, car un pourcentage important du débit cardiaque (20 %) est consacré à la digestion en période postprandiale (Heymsfield et Casper, 1988). Enfin, lorsque la consommation de protéines et de calories n'est pas optimale ou lors d'un épisode de défaillance ou d'infection, l'infirmière pourra offrir au résident un supplément alimentaire liquide de type Ensure pour soutenir l'organisme.

Repos, contrôle du stress, activité physique et loisirs

Il est essentiel, pour le bien-être physique et psychologique du résident atteint d'insuffisance cardiaque, de trouver un équilibre entre les activités et le repos. En effet, d'une part, l'insuffisant cardiaque, ayant une tolérance limitée à l'effort, a besoin de périodes de repos au cours de la journée (Albert, 1999 ; Woods *et al.*, 2000). D'autre part, il tire des bénéfices de l'activité physique. Les recherches faites dans un contexte de réadaptation cardiaque ont démontré qu'après un programme d'exercices réguliers, même si la fraction d'éjection change peu, la capacité fonctionnelle et la perception de la qualité de vie s'améliorent de manière notable. De plus, les chercheurs ont observé que l'activité physique régulière avait pour effets d'atténuer des symptômes comme la douleur d'origine ischémique et la fatigue, de favoriser le contrôle du diabète et de réduire l'activation du système nerveux autonome lors de périodes de stress (Froelicher et Myers, 2000 ; Houle, 2000 ; Houle et Poirier, 2004 ; Robichaud-Ekstrand, 1993 ; Sullivan, Higginbotham et Cobb, 1989 ; Oka *et al.*, 2000). Certaines études ont porté spécifiquement sur les personnes insuffisantes cardiaques et même, très récemment, sur les aînés insuffisants cardiaques. Sullivan et ses collaborateurs (1989) ont ainsi mis en évidence le syndrome du déconditionnement musculaire propre à l'insuffisance cardiaque. Ils ont observé, chez les personnes atteintes, la persistance d'une fatigue générale, et ce, malgré un débit cardiaque acceptable et un état clinique stable. Le déconditionnement physique se caractérise notamment par une altération du métabolisme glycolytique* des muscles actifs, par une incapacité des muscles à utiliser l'oxygène fourni, par une atrophie musculaire et par une production de lactates* supérieure à la normale. Tous ces facteurs permettent d'expliquer l'état de fatigue générale (Coats *et al.*, 1992 ; Pina *et al.*, 2003 ;

---

* **Métabolisme glycolytique** : voie de dégradation du glucose permettant de fournir de l'énergie aux cellules.

Lactate : produit de dégradation du glucose dans les muscles squelettiques.

Sullivan *et al.*, 1989). L'entraînement régulier et d'intensité modérée, par exemple la marche, associé à des exercices musculaires chez des adultes et aînés atteints d'insuffisance cardiaque, a permis d'obtenir plusieurs résultats positifs : diminution de la fréquence cardiaque, augmentation de la capacité de faire des efforts, augmentation de la différence artérioveineuse en oxygène, augmentation de la masse musculaire et diminution de la production de lactates. Ces résultats ont contribué à la diminution de la fatigue générale, à l'amélioration de la circulation périphérique, à l'augmentation de la tolérance générale à l'effort et à l'amélioration de la qualité de vie (Hambrecht *et al.*, 1998 ; Froelicher et Myers, 2000 ; Pina *et al.*, 2003 ; Sullivan et Cobb, 1992 ; Sullivan *et al.*, 1989).

Ainsi, il est recommandé à l'infirmière d'introduire, dans le plan d'intervention d'un insuffisant cardiaque, des périodes d'activité physique. Un exercice aussi simple que la marche quotidienne réduit la fatigue chronique et la dyspnée et améliore la stabilité lors de réactions émotionnelles et la perception de la qualité de vie (Owen et Croucher, 2000 ; Oka *et al.*, 2000). Il améliore l'état physique et psychologique, contribue à maintenir la fonction cardiaque et facilite la circulation sanguine (Pina *et al.*, 2003). Or, il peut aisément se pratiquer en CHSLD (voir le chapitre 2, qui présente un programme de marche).

De plus, tout en améliorant l'état clinique, l'activité physique répond aux besoins du résident en matière de loisirs et de relations sociales. Comme l'activité physique diminue la sensation de fatigue chronique, il est essentiel que l'infirmière encourage le résident à s'y livrer chaque jour. Elle choisira avec lui diverses activités en tenant compte de ses goûts et de ses limites personnelles. Pour les activités ayant lieu à l'extérieur, il faudra impérativement tenir compte du climat. Des journées chaudes et humides, ou froides, ou venteuses sont moins adaptées à la condition de l'insuffisant cardiaque et nécessitent une plus grande prudence.

L'infirmière doit se préoccuper de l'équilibre entre les activités et le repos du résident insuffisant cardiaque, et doit se soucier de la qualité de son repos et de son sommeil (voir le chapitre 16). Tout effort, exercice physique, digestion ou activité de la vie quotidienne, exige du cœur un travail supplémentaire pour assurer le débit sanguin nécessaire à l'organisme. Chez les personnes souffrant d'insuffisance cardiaque, les aînés en particulier, le cœur a besoin de périodes de récupération entre les activités. L'infirmière pourra recourir, de manière temporaire et ponctuelle, à une médication anxiolytique ou sédative, mais elle devrait préférer de manière générale différentes interventions favorisant la détente, le sommeil et le contrôle du stress.

La recherche de l'équilibre entre les activités et le repos est un objectif important pour le résident et l'infirmière. Ensemble, ils peuvent s'entendre sur les principes suivants :

- Éviter tout effort pendant une heure après chaque repas, afin de tenir compte de l'augmentation du débit cardiaque nécessaire à la digestion.

- Faire suivre une activité physique par une activité plus calme.
- Limiter la durée des périodes d'activité physique, comme la marche, à environ dix minutes et répéter ces périodes de trois à six fois par jour selon la tolérance à l'effort.
- Répartir les activités sur toute la journée, en tenant compte des repas, et prévoir une période de repos entre deux activités.

Cependant, la consigne la plus importante, pour l'aîné, est d'apprendre à reconnaître les messages de fatigue de son corps et d'alléger ou de reporter ses activités au besoin. L'infirmière pourra évidemment l'aider et le guider à cet égard. Les principaux signes cliniques de l'intolérance à l'effort que le résident devrait apprendre à reconnaître sont les suivants : fatigue et essoufflements exagérés, palpitations, apparition d'une douleur angineuse, étourdissements, nausées ou pâleur inhabituelle. La sensation de fatigue exagérée persistant après un effort, souvent exprimée par le résident comme une « sensation de vide d'énergie », indique que l'intensité de l'activité réalisée dépassait sa capacité fonctionnelle. L'infirmière devrait alors s'assurer de la stabilité de l'état clinique du résident ou réviser le programme d'activités.

L'infirmière qui s'occupe d'un résident atteint d'insuffisance cardiaque doit se soucier de l'effet du stress qu'il perçoit. Il est connu que l'insuffisance cardiaque est une cause de stress, à laquelle s'ajoute l'incertitude quant à l'évolution de la maladie et à la possibilité de la mort (Hawthorne et Hixon, 1994 ; Moser et Dracup, 1995 ; Bennett *et al.*, 1997 ; Winters, 1999 ; Rumsfeld *et al.*, 2003). Or le stress se traduit par une sécrétion exagérée de catécholamines qui entraîne une augmentation de la fréquence cardiaque et une vasoconstriction et qui nuit à l'efficacité du cœur insuffisant. C'est pourquoi il est important de traiter ce problème. Le rôle de l'infirmière est ici de déceler le plus tôt possible les manifestations de stress et d'intervenir pour les réduire. Les manifestations les plus courantes sont la rigidité des membres et de la figure, une douleur à la nuque ou au cou, des tremblements, une sensation d'inquiétude diffuse et de l'insomnie. L'infirmière détermine avec le résident les sources de stress et d'anxiété et discute de manière franche et ouverte avec lui de cet aspect, afin de l'aider à résoudre ses difficultés et de l'apaiser (voir le chapitre 6).

Diverses techniques de relaxation s'avèrent utiles pour diminuer les effets du stress : exercices respiratoires de type yoga, technique de relaxation de Jacobson, imagerie mentale, musicothérapie. L'infirmière peut encourager le résident à choisir une technique de relaxation et à l'appliquer chaque jour. Pratiquée régulièrement, la relaxation permet de réduire l'utilisation de médicaments sédatifs. De plus, elle facilite le travail du cœur et permet à l'organisme de récupérer.

Prévention des infections et des chutes

L'insuffisance cardiaque et le vieillissement altèrent de différentes manières la fonction cardiovasculaire, la circulation et les mécanismes d'adaptation homéostatiques, tel que décrit précédemment. De plus, plusieurs médicaments ont comme effet secondaire de réduire la fréquence cardiaque, le volume sanguin et la vasoconstriction, qui permettent normalement l'ajustement du débit cardiaque en toute situation. Tout cela augmente les risques d'infections (voir le chapitre 8) et de chutes (voir le chapitre 17). Considérant l'effet négatif du vieillissement et de l'insuffisance cardiaque sur la guérison, il importe de prendre certaines mesures pour prévenir autant que possible les infections et les chutes.

Concernant les infections, l'augmentation des risques chez le résident atteint d'insuffisance cardiaque est due à la surcharge circulatoire pulmonaire et périphérique. Cette surcharge, elle-même provoquée par la diminution de la circulation, rend les poumons et la peau plus fragiles pour ce qui est du développement d'une infection primaire et complique la guérison de toute infection respiratoire bénigne ou de toute altération de l'intégrité cutanée. De plus, en cas d'infection, le fait pour l'organisme de devoir lutter en assurant pendant des heures des réactions homéostatiques peut entraîner rapidement un épisode de défaillance cardiaque. C'est pourquoi l'infirmière doit veiller à ce que le résident reçoive des soins corporels quotidiens adéquats et surveiller son intégrité cutanée. Des soins particuliers sont nécessaires pour la peau, les ongles des doigts et des orteils, les régions œdémateuses et les différents plis cutanés. Le résident doit impérativement recevoir l'aide dont il a besoin pour ses soins d'hygiène. Enfin, l'infirmière accordera une attention particulière aux différents produits utilisés pour les soins d'hygiène et l'entretien des vêtements et de la literie. Les produits entrant en contact avec la peau devraient être à la fois doux, non parfumés et anti-allergènes. Une crème hydratante de qualité pharmaceutique peut être appliquée, après le bain et lorsque la peau est complètement sèche. Les vêtements et la literie doivent être soigneusement nettoyés, pour qu'il n'y ait pas de contamination croisée. L'étape du rinçage est essentielle.

Enfin, de manière à prévenir les effets négatifs majeurs de la grippe et de la pneumonie, la vaccination annuelle contre l'influenza et le pneumocoque est recommandée chez l'aîné atteint d'insuffisance cardiaque (Ajani, Ford et Mokdad, 2005 ; Fitchett, 2002).

Concernant les chutes, les risques accrus du résident insuffisant cardiaque sont dus, notamment, aux médicaments qu'il consomme. En effet, les médicaments, en particulier les inhibiteurs de l'enzyme de conversion de l'angiotensine et les diurétiques, ont entre autres effets secondaires de réduire la tension artérielle et de causer spécifiquement de l'hypotension orthostatique lors du passage à la position verticale. De plus, les œdèmes plus ou moins importants aux pieds font également augmenter les risques de chutes, car ils rendent plus difficile le contact avec le sol. En présence d'œdèmes, des chaussures trop ajustées rendent plus dangereuses la station debout et la marche. Les chutes pouvant causer des fractures et entraîner l'immobilité, avec leurs conséquences, l'infirmière doit mettre en place des mesures de sécurité particulières pour le résident souffrant d'insuffisance cardiaque.

L'hypotension orthostatique doit être régulièrement dépistée et documentée. Pour cela, l'infirmière mesurera la tension artérielle en position couchée et debout. Une chute de tension de 20 mmHg ou plus en position debout, ou l'absence de normalisation dans les deux ou trois minutes, est un indicateur d'hypotension orthostatique (Doyon, 2002). En cas d'hypotension orthostatique, le résident doit veiller à effectuer ses changements de position par étapes et lentement, pour permettre l'ajustement de la tension artérielle grâce au réflexe barorécepteur.

Lorsque le résident a des œdèmes aux pieds, l'infirmière doit prévoir des mesures de sécurité particulières, car il a généralement des problèmes pour se chausser correctement (voir le chapitre 18). Or, des chaussures trop serrées, le fait de ne pas porter de chaussures ou l'utilisation de pantoufles en tricot peuvent être la cause de glissades et de chutes. Les chaussures et pantoufles doivent obligatoirement posséder une semelle antidérapante et être bien ajustées. L'infirmière doit tenir compte du fait que toute modification de l'état clinique exacerbant l'insuffisance cardiaque et un climat chaud et humide peuvent faire rapidement augmenter les œdèmes aux pieds. Le résident peut, de manière temporaire, ne pas pouvoir utiliser de chaussures. Il doit alors être accompagné lors de tous ses levers et déplacements.

Deuxième préoccupation des soins infirmiers : détection d'un épisode de décompensation cardiaque

L'insuffisance cardiaque est une affection grave, complexe et chronique. La dégradation progressive de la fonction cardiovasculaire puis des fonctions hépatique et rénale augmente la probabilité que surviennent des épisodes de décompensation cardiaque. L'insuffisance cardiaque requiert un plan thérapeutique complet dont le respect rigoureux est essentiel au contrôle de la maladie.

L'insuffisance cardiaque et le processus de vieillissement rendent le résident fragile dès que survient un autre problème de santé. En effet, le système cardiovasculaire ne peut soutenir longtemps les réactions homéostatiques de l'organisme, et le résident voit son état évoluer vers la défaillance cardiaque.

Plusieurs facteurs précipitants sont à l'origine de la défaillance cardiaque. Tout d'abord, dans le système cardiovasculaire, un épisode ischémique angineux, une poussée hypertensive et un épisode d'arythmie peuvent constituer des événements déclencheurs. Ensuite, certains états cliniques tels que l'anémie, la déshydratation, un épisode de fièvre, une infection pulmonaire ou urinaire, en causant de la tachycardie compensatoire et de la vasoconstriction, peuvent également provoquer une défaillance. L'ajustement non optimal de la médication, des difficultés à prendre correctement les médicaments et des difficultés à respecter les limites de consommation pour les liquides et le sodium constituent également des facteurs précipitants

de la défaillance cardiaque (Michalsen, König, Thimme, 1998 ; Bennett, *et al.*, 1998 ; Philips *et al.*, 2004). Enfin, le climat serait également un facteur précipitant. En effet, Aronow et Ahn (2004) ont démontré que, chez les aînés souffrant d'insuffisance cardiaque et vivant en centre d'hébergement, le nombre de décès était, de manière significative, plus élevé en hiver et à l'été qu'au printemps et à l'automne.

Le caractère chronique et évolutif de l'insuffisance cardiaque fait que les épisodes de décompensation cardiaque sont fréquents. Plusieurs études ont ainsi montré que 30 % des patients étaient réhospitalisés dans les six mois suivant leur première hospitalisation et que c'était le cas de 44 % des personnes de plus de 65 ans (SOLVD Investigators, 1991 ; Digitalis Investigation Group, 1997 ; Brophy, Deslauriers, Boucher et Rouleau, 1993 ; Jong, Vowinckel, Liu, Gong et Tu, 2002 ; Krumholz *et al.*, 1997). Dans cette perspective, afin d'en réduire au minimum les effets négatifs sur l'état de santé et la qualité de vie, la détection précoce de la décompensation est essentielle. Friedman (1997) a montré que des signes précurseurs pouvaient être observés avant une hospitalisation urgente. Ainsi, de 29 à 37 % des patients présentaient de la dyspnée le jour précédent leur admission en urgence à l'hôpital, et 91 % présentaient de la dyspnée trois jours avant. De plus, 35 % des patients avaient un œdème et 33 % avaient de la toux dans les sept jours précédant leur hospitalisation. En CHSLD, la détection de la décompensation se fait essentiellement grâce à un examen clinique partiel réalisé quotidiennement par l'infirmière et à l'autoévaluation effectuée par le résident.

Éléments de l'examen clinique

L'examen clinique quotidien réalisé par l'infirmière est très important. En effet, il est maintenant connu que la diminution du débit cardiaque causée par la dysfonction ventriculaire peut altérer certaines capacités cognitives et empêcher le résident d'évaluer lui-même les changements de son état (Cacciatore *et al.*, 1998). Par ailleurs, l'intervention précoce, dès l'apparition des premiers symptômes de la décompensation, permet de réduire le nombre d'hospitalisations et de prévenir les complications.

La surveillance clinique quotidienne de la fonction cardiovasculaire doit permettre de reconnaître les signes précurseurs de la décompensation cardiaque précédemment décrits. Les réponses du résident à des questions concernant la perception qu'il a de son état de santé permettront d'orienter la recherche de données objectives. Si son état général le permet, il est souhaitable de laisser le résident remplir lui-même chaque matin une fiche d'autosurveillance, afin de favoriser son autonomie et sa participation active aux soins. L'infirmière peut ensuite revoir la fiche avec lui. Le tableau 5-3 présente les données subjectives et objectives que doit recueillir quotidiennement l'infirmière pour pouvoir détecter les signes précurseurs d'une décompensation cardiaque.

Tableau 5-3	Surveillance clinique quotidienne de la fonction cardiovasculaire	
QUESTIONS OU AUTOSURVEILLANCE **Données subjectives**	**EXAMEN CLINIQUE** **Données objectives**	**JUSTIFICATION** **Phénomène recherché ou cause possible**
• Avez-vous de l'enflure aux pieds et aux jambes ?	• Mesure du poids • Mesure de la pression veineuse jugulaire (PVJ) • Auscultation cardiaque : B3 • Recherche du godet • Vérification de la dilatation des veines • Vérification du sacrum, du siège, des hanches	• Aggravation de l'insuffisance cardiaque droite : signes de surcharge et de stase veineuse en amont. Présence d'œdèmes.
• Ressentez-vous de la fatigue ? Vous sentez-vous plus fatigué qu'avant ? • Avez-vous l'impression que votre autonomie a diminué ces derniers jours ?	• Mesure de la tension artérielle (TA) • Auscultation cardiaque : B3 • Évaluation de la fréquence cardiaque et de l'amplitude cardiaque • Évaluation de la circulation périphérique : temps de remplissage capillaire • Évaluation de la vigilance	• Diminution du débit cardiaque périphérique et vasoconstriction possibles • Arythmies • Effets des médicaments • Diminution du débit cardiaque cérébral
• Avez-vous des étourdissements ?	• Mesure de la tension artérielle en position couchée et debout (si possible) • Évaluation de la fréquence cardiaque et de l'amplitude • Évaluation de la vigilance	• Diminution du débit cardiaque cérébral • Hypotension orthostatique • Arythmies • Effets des médicaments
• Ressentez-vous une douleur dans la poitrine ?	• Mesure de la tension artérielle • Auscultation cardiaque : B3 • Évaluation de la fréquence cardiaque et de l'amplitude	• Diminution de la perfusion coronarienne • Ischémie myocardique : angine, infarctus • Arythmies
• Avez-vous de la difficulté à uriner ? • Avez-vous observé une diminution de la quantité de vos urines ? • Ressentez-vous des brûlures lors de la miction ?	• Évaluation de la diurèse • Observation des urines • Mesure de la température	• Insuffisance rénale • Infection • Effets des médicaments
• Toussez-vous ?	• Mesure de la température • Auscultation pulmonaire : crépitants • Auscultation cardiaque : B3	• Infection • Aggravation de l'insuffisance cardiaque gauche : début d'une surcharge pulmonaire
• Avez-vous de la difficulté à respirer ? • Avez-vous ajouté des oreillers pour dormir ? • Devez-vous vous mettre en position assise la nuit pour mieux respirer ?	• Observation des caractéristiques de la respiration • Tirage ou utilisation des muscles accessoires • Auscultation pulmonaire : crépitants • Auscultation cardiaque : B3 • Mesure de la température • Mesure de la pression veineuse jugulaire • Évaluation de la saturation artérielle	• Aggravation de l'insuffisance cardiaque gauche : signes de surcharge pulmonaire • Surcharge secondaire de l'hémicœur droit
• Souffrez-vous d'insomnie ?	• Mesure de la tension artérielle • Évaluation de l'attribution par le patient • Évaluation de l'état de conscience et de l'attention • Évaluation de l'humeur	• Diminution du débit cardiaque cérébral • Effets des médicaments • Inquiétude, solitude, cauchemars, peur de mourir • État dépressif
• Avez-vous de la diarrhée ?	• Recherche de signes de déshydratation • Mesure de la pression veineuse jugulaire • Mesure de la tension artérielle • Mesure de la température • Évaluation de la vigilance	• Infection • Alimentation • Effets des médicaments • Problèmes secondaires : déshydratation, diminution du débit cardiaque, déséquilibre électrolytique

Identification et interprétation des signes cliniques de la défaillance cardiaque droite

De manière générale, les paramètres cliniques qui manifestent le plus la défaillance cardiaque droite sont l'apparition d'œdèmes aux membres inférieurs prenant le godet, ou leur augmentation, s'accompagnant souvent d'une prise de poids quotidienne de 2 kg pendant deux journées consécutives, ainsi qu'une élévation de la pression veineuse jugulaire au-delà de 4,5 cm. Si elle observe l'un ou l'autre de ces signes, l'infirmière doit rapidement appeler le médecin afin qu'il modifie immédiatement le traitement pour empêcher la dégradation de l'état clinique (Doyon, 2002).

La section suivante décrit de manière résumée la technique de la mesure de la pression veineuse jugulaire.

Description de la mesure de la pression veineuse jugulaire (PVJ) et interprétation (Doyon, 2002)

L'examen de la veine jugulaire interne droite permet d'évaluer la pression qui règne dans l'oreillette droite et donc d'apprécier le volume de remplissage du ventricule droit. Cela permet ainsi d'évaluer l'état de surcharge du ventricule droit en cas d'insuffisance ou de défaillance cardiaque. L'intérêt de l'utilisation de la veine jugulaire interne droite réside dans sa position anatomique. En effet, cette veine se situe dans le prolongement de la veine cave supérieure et de l'oreillette droite, ce qui en fait un manomètre jugulaire. L'examen consiste en l'observation des oscillations de la pulsation veineuse entre l'insertion du muscle sterno-cléido-mastoïdien sur le sternum, et la clavicule, ou encore directement sous le muscle sterno-cléido-mastoïdien. Pour chacune des pulsations, on observe les oscillations formées de deux sommets et de deux descentes qui alternent.

Pour la mesure de la pression veineuse jugulaire, le résident est allongé de manière détendue, en position semi-assise, à 45°. Placée à la droite du résident, l'infirmière doit repérer l'angle manubrio-sternal, ou angle de Louis, situé au niveau du deuxième espace intercostal, puis déterminer les oscillations de la pulsation jugulaire interne. Ensuite, à l'aide d'une règle graduée en centimètres qu'elle place de façon verticale sur l'angle manubrio-sternal (représentant la valeur zéro), et en utilisant une autre règle ou un abaisse-langue placé horizontalement pour former une équerre avec la règle, elle mesure la distance en centimètres entre l'angle manubrio-sternal et la pulsation jugulaire observée. La mesure qu'elle obtient indique la pression veineuse jugulaire. Il est recommandé de repérer le point le plus élevé des oscillations de la pulsation jugulaire, en fin d'expiration, pour éviter les modifications de pression liées aux phases de la respiration (voir la figure 5-1).

Pour interpréter la mesure de la pression veineuse jugulaire obtenue, il faut savoir qu'une valeur normale est une valeur inférieure à 4,5 cm. Une valeur supérieure à 4,5 cm indique une surcharge circulatoire veineuse causée par une insuffisance ou une défaillance cardiaque droite. Si la pulsation veineuse jugulaire s'observe au niveau de l'angle de

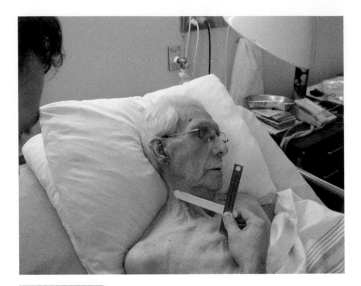

FIGURE 5-1 Mesure de la pression veineuse jugulaire

la mâchoire ou provoque un battement du lobe de l'oreille droite d'une vitesse identique à la fréquence cardiaque, cela signifie que la pression veineuse jugulaire est très élevée et qu'il y a présence d'une insuffisance cardiaque grave ou décompensée.

Identification et interprétation des signes cliniques de la défaillance cardiaque gauche

Pour déceler une défaillance cardiaque gauche qui s'annonce, il est impératif de reconnaître les signes précurseurs de la surcharge pulmonaire : toux sèche, orthopnée et ajout d'oreillers pour dormir, dyspnée paroxystique nocturne ou obligation pour le résident de s'asseoir dans un fauteuil durant la nuit. Ces signes peuvent précéder l'installation de la dyspnée constante et de la détresse respiratoire. De plus, l'auscultation cardio-pulmonaire permet d'observer la présence d'un bruit de galop ventriculaire B3 et l'apparition de crépitants* fins bilatéraux et symétriques. Si elle observe l'un ou l'autre de ces signes, l'infirmière doit rapidement appeler le médecin afin qu'il modifie immédiatement le traitement pour empêcher la dégradation de l'état clinique (Doyon, 2002).

L'infirmière doit également porter une attention particulière au dépistage de toute modification de la cognition ou de l'état de vigilance (voir le chapitre 7). Comme on l'a vu précédemment, cela peut être un signe clinique de déshydratation, de déséquilibre électrolytique, de diminution du débit cardiaque ou d'hypotension causés par une décompensation cardiaque ou par les médicaments.

Il est également important que l'infirmière connaisse bien les signes cliniques spécifiques que présente chacun

---

* **Crépitants** : bruits surajoutés à l'auscultation et perçus en cas de transsudation ou d'exsudation alvéolaire localisée ou étendue.

des résidents en cas de décompensation cardiaque. En effet, tout au long des interventions, l'absence ou le contrôle de ces signes cliniques constituera un critère d'évaluation de l'efficacité des soins.

Troisième préoccupation des soins infirmiers : traitement d'un problème de décompensation cardiaque

Qu'elle soit primaire ou secondaire, ou causée par un autre problème de santé aigu, la défaillance cardiaque peut rapidement conduire à l'œdème aigu pulmonaire et au choc cardiogénique. En principe, elle nécessite absolument le transfert du résident dans un centre hospitalier pour une approche de soins intensifs, afin que soient soutenues ses fonctions cardiaque, respiratoire et rénale, et pour le traitement des symptômes réfractaires à l'aide de thérapies intraveineuses et d'une assistance respiratoire. Cependant, lorsque survient un tel épisode de décompensation, l'état de santé global de l'aîné, le plan thérapeutique, la qualité de vie et le pronostic doivent être soigneusement évalués et discutés avec le résident lui-même et ses proches, avec la même approche de soutien professionnel qui est généralement utilisée lors de toute autre maladie terminale (Aldred, Gott et Gariballa, 2005). Un choix doit alors être fait entre une approche de soins intensifs et un traitement médical et infirmier de soutien associé aux soins palliatifs (Pantilat et Steimle, 2004).

Les soins palliatifs constituent une approche d'humanisation des soins pour accompagner le résident souffrant de défaillance cardiaque en phase terminale. Bien qu'ils existent depuis plusieurs années pour les personnes atteintes d'un cancer, ils ne sont utilisés que depuis récemment pour les personnes atteintes d'insuffisance cardiaque terminale (Gibbs, McCoy, Gibbs, Rogers et Addington-Hall, 2002 ; Hauptman et Havranek, 2005 ; Levenson, McCarthy, Davis et Phillips, 2000 ; Markowitz et Rabow, 2004 ; McCarthy, Lay et Addington-Hall, 1996 ; Morrison et Meier, 2004 ; Pantilat et Steimle, 2004 ; Stewart et McMurray, 2002). Lorsqu'un résident se trouve en phase terminale d'insuffisance cardiaque, l'infirmière doit apporter une attention particulière au soulagement de sa dyspnée et de sa douleur (voir les chapitres 6, 20, 42).

La phase terminale de la défaillance cardiaque s'accompagne d'une dyspnée importante chez plus de 60 % des personnes (Levenson et al., 2000 ; McCarthy et al., 1996). Une oxygénation légère par canule nasale, même s'il n'y a pas d'hypoxémie, ou un ventilateur apportant de l'air frais soulagent la dyspnée. Par ailleurs, l'examen clinique pourra révéler la présence d'un épanchement pleural. Or, cette complication fréquente est source de malaise et de souffrance. La ponction pleurale, intervention médicale simple, permet alors de retirer les fluides et de soulager le résident (Pantilat et Steimle, 2004).

Une étude sur l'expérience de la douleur en phase terminale d'une maladie cardiaque a mis en évidence le fait que ce symptôme était le plus affligeant pour 78 % des patients (McCarthy et al., 1996). De plus, il a été démontré que plus de 40 % des patients hospitalisés pour une défaillance cardiaque se sont plaints d'une douleur modérée ou sévère durant les trois derniers jours précédant leur mort. Ce taux correspond au taux observé lors de la phase terminale d'un cancer du poumon ou du côlon (Levenson et al., 2000 ; SUPPORT Principal Investigators, 1995). C'est principalement la présence d'une angine et d'un œdème qui cause la douleur. En cas d'ascite, l'extraction mécanique des fluides par ponction soulage l'aîné (Pantilat et Steimle, 2004).

L'infirmière prévoira des interventions particulières pour soulager la dyspnée et la douleur des résidents se trouvant en phase terminale d'une défaillance cardiaque. Elle peut soulager ces symptômes par l'administration régulière d'opiacés. Une vérification du degré de soulagement et l'ajustement optimal des dosages sont alors nécessaires. De plus, l'infirmière doit régulièrement faire un rapport au médecin concernant les réactions du résident au traitement, afin qu'il modifie ce dernier au besoin. Aux soins infirmiers s'ajoutent l'accompagnement du résident et de sa famille et les soins de confort habituellement prodigués dans ces circonstances. Pour plus de détails sur ces sujets, on consultera les chapitres traitant du soulagement de la douleur (20), de l'approche familiale (33) et des soins palliatifs (42).

Conclusion

Les aînés souffrant de maladie cardiaque sont plus vulnérables et plus facilement touchés par l'altération de l'ensemble de leurs fonctions, car les changements physiologiques associés au vieillissement interagissent avec ceux de la maladie amorçant ou renforçant une spirale de détérioration de l'état de santé. Récemment mise en évidence par les études, cette fragilité particulière due à l'insuffisance cardiaque et au vieillissement fait des aînés une population à risque pour la décompensation cardiaque, les atteintes rénale et hépatique, diverses complications telles que la détérioration des capacités cognitives, la dépression et l'isolement, les infections et les chutes, l'immobilité, la cachexie, la déshydratation et les thrombophlébites.

En CHSLD, les soins apportés aux résidents atteints d'insuffisance cardiaque visent avant tout la préservation de la qualité de vie, de la capacité fonctionnelle physique et cognitive et de la dignité humaine en fin de vie, et non pas le seul prolongement de la vie (Fitchett, 2002). Dans ce contexte, l'infirmière intervient de façon éclairée pour maintenir la stabilité de l'état clinique des résidents, dépister les complications, soulager la dyspnée et la douleur, soutenir psychologiquement et socialement les résidents et les accompagner tout au long de l'évolution de la maladie.

ÉTUDE DE CAS

Madame Champagne, âgée de 88 ans, souffre d'une insuffisance cardiaque globale depuis une dizaine d'années. Atteinte à l'origine d'hypertension artérielle et de diabète de type 2, elle a développé une sténose de la valvule aortique qui a nécessité deux interventions chirurgicales de remplacement valvulaire il y a 25 et 13 ans. Puis, il y a 6 ans, elle a subi un infarctus aigu du myocarde qui a réduit sa fraction d'éjection, laquelle se situe aujourd'hui aux environs de 30 %. Lors d'un épisode de défaillance cardiaque grave avec œdème pulmonaire, survenu il y a 3 ans, on a diagnostiqué une dysfonction de la prothèse valvulaire. Toutefois, une nouvelle intervention chirurgicale n'était pas envisageable, étant donné l'état cardiaque précaire et l'âge avancé de Mme Champagne. La solution de l'admission en CHSLD s'est alors imposée. En effet, Mme Champagne avait désormais besoin de soins constants et d'une surveillance étroite, à cause de son état clinique et du fait que la dysfonction de sa prothèse valvulaire provoque une hémolyse graduelle des hématies. De plus, les trois enfants de la dame, veuve depuis plus de 15 ans, ne pouvaient plus assurer les soins que son état de santé nécessitait désormais.

Mme Champagne reçoit les médicaments suivants : Metformin (500 mg TID), Captopril (25 mg TID), Coreg (12,25 mg BID) Lasix (60 mg AM, 40 mg PM), Lanoxin (0,25 mg DIE), Coumadin (selon le calendrier), sulfate ferreux (300 mg DIE), Ativan (2 mg HS). De plus, elle reçoit toutes les 6 semaines une transfusion d'un culot globulaire visant à compenser le processus rapide d'hémolyse sur valve. Il y a 5 semaines, elle a reçu, en centre hospitalier, deux culots sanguins. Le dernier prélèvement du taux d'hémoglobine (Hb), réalisé il y a 8 jours, indiquait un résultat de 96 g/L.

Ce matin, à son arrivée dans l'unité de soins, l'infirmière observe que Mme Champagne est très dyspnéique. La résidente est dans un état de confusion qui se manifeste par de la léthargie, un ralentissement psychomoteur et une incapacité à reconnaître l'infirmière et à répondre à ses questions. Ses signes vitaux sont les suivants : fréquence cardiaque régulière à 102/min, amplitude du pouls +, tension artérielle de 88/70, respiration superficielle de 28/min. À l'auscultation, l'infirmière entend des crépitants fins bilatéraux symétriques non déplacés par la toux ainsi qu'un B3. La PVJ atteint 7 cm.

Questions

1 Quelles sont les causes de l'insuffisance cardiaque globale de Mme Champagne ?

2 Quels sont les signes et symptômes de l'insuffisance cardiaque globale ?

3 Lors de son épisode de dyspnée, Mme Champagne a présenté des signes cliniques tels que confusion, léthargie, ralentissement psychomoteur, désorientation et inattention, ainsi que de l'hypotension, de la tachycardie, de la tachypnée, des crépitants à l'auscultation, un B3, une amplitude du pouls diminuée et une élévation de la PVJ. Parmi les signes que présente Mme Champagne, déterminez ceux qui sont liés à la défaillance cardiaque et ceux qui sont liés à la compensation homéostatique. Justifiez vos réponses.

4 Quels sont les paramètres de surveillance que l'infirmière devrait considérer pour effectuer le suivi clinique d'une résidente comme Mme Champagne ?

6

LES BRONCHOPNEUMOPATHIES CHRONIQUES OBSTRUCTIVES

par **Marielle Gauthier**

Cause majeure de décès dans le monde, les bronchopneumopathies chroniques obstructives (BPCO) – aussi appelées maladies pulmonaires obstructives chroniques, ou MPOC – atteignent en majorité les fumeurs. Elles se manifestent par des troubles respiratoires, de la toux, des expectorations qui ont des conséquences importantes sur la qualité de vie du résident atteint, son alimentation, son sommeil, ses activités et donc son moral.

Grâce à sa connaissance des signes et symptômes propres aux BPCO, grâce à un suivi rigoureux, l'infirmière peut ralentir l'évolution de la maladie, prévenir les exacerbations et limiter les conséquences sur la vie du résident. Par ses interventions individualisées, elle soulage les symptômes. Par son soutien psychologique, elle aide le résident à calmer son anxiété lors des crises dyspnéiques et à cheminer avec l'évolution de sa maladie. Elle l'encourage aussi à utiliser lui-même diverses techniques de respiration et de relaxation pour maîtriser ses problèmes.

NOTIONS PRÉALABLES SUR LES BRONCHOPNEUMOPATHIES CHRONIQUES OBSTRUCTIVES

Définition

La Société canadienne de thoracologie définit la bronchopneumopathie chronique obstructive (BPCO) en évoquant la présence d'un trouble respiratoire causé principalement par le tabagisme et se caractérisant par une obstruction progressive et partiellement réversible des voies aériennes. Les manifestations sont systémiques et ont des fréquences et un degré de gravité variables (O' Donnell *et al.*, 2003). La BPCO entraîne une gêne inspiratoire, mais surtout expiratoire. L'augmentation de la résistance des voies aériennes est progressive et conduit à une distension irréversible du parenchyme pulmonaire et à un déséquilibre des échanges gazeux. Puis, cela évolue vers l'insuffisance respiratoire. La bronchite chronique et l'emphysème sont des BPCO.

La bronchite chronique se définit cliniquement comme de la toux chronique productive durant trois mois par an et se présentant de manière consécutive depuis au moins deux ans. On observe une inflammation chronique des bronches et une augmentation des sécrétions qui entraînent une diminution du calibre des bronches et une obstruction bronchique.

L'emphysème, quant à lui, se caractérise par des anomalies anatomiques. La principale est un élargissement notable et permanent des alvéoles pulmonaires. En fonction de son origine, on distingue l'emphysème de type centrolobulaire de l'emphysème de type panlobulaire.

L'emphysème centrolobulaire se caractérise par une inflammation causée par la fumée de tabac. Les bronchioles respiratoires sont détruites ; le réseau vasculaire est épargné. Les changements pathologiques se situent au centre du lobule. Le lobule est la dernière subdivision des voies aériennes et comprend les bronchioles terminales, les bronchioles respiratoires, les conduits alvéolaires, les sacs alvéolaires ainsi que les alvéoles. L'emphysème centrolobulaire domine aux sommets des poumons.

L'emphysème panlobulaire est une destruction plus étendue touchant la bronchiole respiratoire, le canal alvéolaire et les alvéoles. En fait, toutes les parties du lobule ont plus ou moins augmenté de volume. Il faut noter que l'inflammation est faible dans ce type d'emphysème, car elle n'est généralement pas causée par le tabagisme. Elle se caractérise par une distension du thorax, une dyspnée prononcée à l'effort avec peu de toux et d'expectorations, et une perte de poids. Chez les jeunes personnes ayant peu fumé, un déficit en alpha 1-antitrypsine pourrait être à l'origine du problème. L'emphysème panlobulaire se situe surtout à la base des poumons. Il faut noter que les deux types d'emphysèmes peuvent être présents chez un même résident.

Le diagnostic de la BPCO se fonde sur la spirométrie, mesure du volume expiratoire maximal par seconde (VEMS) et de la capacité vitale forcée (CVF). Il y a obstruction lorsque le rapport entre les deux mesures est inférieur à 70 %. Ce test de fonction respiratoire est indispensable pour

le diagnostic et l'évaluation de la BPCO. La sévérité de l'obstruction est déterminée par un VEMS inférieur à 80 % de la valeur prévue. Cette valeur prévue est établie selon l'âge, le sexe, la taille et la race. Le spiromètre enregistre des débits et des volumes expiratoires. La mesure des débits expiratoires se fait lors d'une expiration forcée à partir de la capacité pulmonaire totale. Pour faire cette mesure, l'infirmière demande au résident d'inspirer lentement et de façon maximale jusqu'à ce que ses poumons soient remplis, puis d'expirer le plus rapidement et le plus complètement possible dans l'appareil. Le spiromètre donne la mesure du VEMS, volume d'air expiré pendant la première seconde de la phase d'expiration forcée, et la CVF, volume total d'air expiré durant la phase d'expiration forcée (Shwartzman, 2001).

Plusieurs organismes, tant américains qu'européens (American Thoracic Society, 1991 ; British Thoracic Society, 1997), décrivent quatre degrés de gravité pour la BPCO, en fonction de la sévérité des symptômes, de la mortalité et des risques de cancer du poumon (Tockman, Anthonisen, Wright et Donithan, 1987). Tous décrivent les degrés de gravité en se fondant sur le rapport entre la mesure du VEMS et la valeur prévue. Cependant, ils ne se servent pas des mêmes pourcentages pour décrire la sévérité de l'obstruction. De façon générale, un pourcentage inférieur à 30-40 % de la valeur prévue correspond à une obstruction sévère, tandis qu'un pourcentage supérieur à 60-70 %, à une obstruction légère. Le tableau 6-1 donne les quatre degrés de gravité de la BPCO tels que les décrit le rapport d'atelier de la Global Initiative for Chronic Obstructive Lung Disease (GOLD, 2003).

Ampleur du problème

Il n'existe pas de données spécifiques sur la prévalence de la BPCO en CHSLD. Cependant, les BPCO constituent un problème de santé majeur chez les aînés. Leur prévalence est sous-estimée dans la population. Dans ses recommandations relatives au traitement de la BPCO, la Société canadienne de thoracologie mentionne que cette maladie est largement sous-déclarée et sous-diagnostiquée (O'Donnell *et al.*, 2003). D'après un sondage effectué auprès de 2568 Canadiens, seulement 8 % des répondants ont affirmé avoir reçu un diagnostic de BPCO (Association pulmonaire de Canada, 2005). Étant donné le vieillissement de la population, la prévalence de la BPCO ira nécessairement en augmentant.

Conséquences

Les BPCO ont des conséquences importantes sur la santé et la qualité de vie des résidents. Elles provoquent inévitablement des problèmes musculo-squelettiques et une insuffisance cardiaque droite. Les résidents atteints, en particulier les emphysémateux, risquent de souffrir de dénutrition, car ils dépensent beaucoup d'énergie au niveau des muscles respiratoires et des muscles périphériques, et pour combattre l'inflammation. Ainsi, leur apport alimentaire peut être inadéquat. Ces problèmes, associés à une dyspnée causant des incapacités, conduisent à une détérioration de la qualité de vie du résident (O'Donnell *et al.*, 2003). De plus, les études rapportent également que les aînés atteints de BPCO sont exposés à la dépression (Van Ede, Yzermans et Brouwer, 1999). Ceci s'expliquerait par le fait que, à cause de la dyspnée, les personnes évitent les activités nécessitant un effort physique. Elles souffrent alors de faiblesse et d'une atrophie musculaire plus ou moins importante qui aggrave la dyspnée. Pour finir, elles se retrouvent forcées à l'inactivité et voient leur qualité de vie se détériorer de plus en plus. À ces difficultés se greffent l'anxiété, la frustration et l'isolement social.

Enfin, les BPCO sont une cause majeure de décès dans le monde. On estime que la mortalité due aux BPCO devrait doubler d'ici 2020 par rapport à ce qu'elle était en 1999, ceci, en raison du vieillissement de la population et de l'augmentation du tabagisme (Murray et Lopez, 1999).

Causes

La BPCO est principalement une maladie de fumeur. En effet, de 80 à 90 % environ des personnes atteintes fument ou ont fumé. Cependant, les recherches montrent que 10 % des personnes atteintes n'ont jamais fumé, ce qui suggère qu'il y aurait d'autres facteurs associés à la maladie (American Lung Association, 2003). Les facteurs de risque de la BPCO se divisent en facteurs prédisposants,

Tableau 6-1	Classification de la BPCO en fonction du degré de gravité
DEGRÉ DE GRAVITÉ	**CARACTÉRISTIQUES DE LA SPIROMÉTRIE ET SYMPTÔMES**
Léger	Rapport du VEMS sur la CVF inférieur à 70 % ; VEMS égal à 70-80 % de la valeur prévue. Absence ou présence de toux et d'expectorations.
Modéré	Rapport du VEMS sur la CVF inférieur à 70 % ; VEMS se situant entre 30 et 80 % de la valeur prévue. Toux et expectorations.
Sévère	Rapport du VEMS sur la CVF inférieur à 70 % ; VEMS inférieur à 30 ou 50 % de la valeur prévue. Insuffisance respiratoire ou signes suggérant une insuffisance cardiaque droite.

Source : Adapté de Global Initiative for Chronic Obstructive Lung Disease (2003). Executive summary (mise à jour 2003). Dans *Global Strategy for the Diagnosis, Management, and Prevention of Chronic Obstructive Pulmonary Disease*. National Institute of Health. Disponible sur Internet à l'adresse www.goldcopd.com.

Tableau 6-2	Facteurs prédisposants et facteurs précipitants des BPCO
FACTEURS PRÉDISPOSANTS	**FACTEURS PRÉCIPITANTS**
Déficit en alpha 1-antitrypsine	Tabagisme
Hyperactivité bronchique, asthme	Polluants professionnels
Prématurité à la naissance	Pollution domestique
Antécédents familiaux	Pollution urbaine
Sexe féminin	Infections respiratoires
Reflux œsophagien	Conditions socio-économiques défavorables

ou intrinsèques, et en facteurs précipitants, ou extrinsèques (voir le tableau 6-2). Leur importance est fonction de leur fréquence et de leur influence sur l'apparition de la maladie.

Les recherches suggèrent de plus en plus la présence d'autres facteurs de risque que le tabagisme pour la BPCO. Le facteur de risque génétique le mieux connu, bien que jouant un rôle mineur, est la déficience congénitale en alpha 1-antitrypsine (Boulet et Bourbeau, 2002). De plus, l'asthme peut accompagner une BPCO s'il est associé au tabagisme. D'autres recherches indiquent que la prématurité à la naissance peut être à l'origine d'un développement moindre des volumes pulmonaires dans l'enfance, de la naissance à 15 ans chez les filles et jusqu'à 25 ans chez les garçons, ou peut être à l'origine d'un développement moindre au niveau de la fonction pulmonaire après l'âge de 35 ans (Britten, Dowies et Colley, 1987). Le reflux gastro-œsophagien peut lui aussi favoriser l'émergence de certaines BPCO (Irwin, Zawacki, Wilson, French et Callery, 2002). Dernièrement, des recherches ont visé l'étude du rôle de la nutrition, des facteurs environnementaux et des facteurs génétiques contribuant à la pathogenèse de la BPCO (Britton *et al.*, 1995).

Enfin, le premier facteur de risque précipitant demeure le tabagisme. À ceci s'ajoutent d'autres facteurs, notamment la pollution associée au tabac et la pollution dans les milieux de travail, telle que l'exposition à la poussière et aux produits chimiques, surtout en milieu industriel. De plus, les infections bactériennes ou virales peuvent être des facteurs précipitants de la maladie. Ainsi, certains adénovirus et l'influenza A peuvent endommager de façon permanente les poumons des jeunes enfants. Tous ces agents nocifs associés à des facteurs génétiques, à des infections respiratoires et autres peuvent causer l'obstruction des voies respiratoires, puis la BPCO.

Relation avec le vieillissement

Bien que l'incidence de la BPCO augmente avec l'âge, la BPCO n'est pas un phénomène normal du vieillissement.

Néanmoins, le vieillissement entraîne des modifications notables de l'appareil respiratoire (Voyer, 2002).

Effet du vieillissement sur les poumons

Dans un premier temps, les structures anatomiques qui entourent les poumons se modifient. La décalcification des vertèbres thoraciques, la déshydratation des disques intervertébraux, la calcification des muscles intercostaux et la cyphose qui en résulte réduisent l'amplitude de la cage thoracique et la capacité à faire pénétrer l'air dans les poumons. De plus, le diaphragme perd 25 % de sa force, de même que les muscles intercostaux et accessoires nécessaires à la respiration, ce qui conduit à une réduction considérable de l'efficacité de la toux. Ainsi, la toux se déclenche plus difficilement, en raison d'une perte de sensibilité. Or, l'efficacité des cils vibratiles restants et le système immunitaire s'avèrent généralement moins efficaces, notamment à cause des macrophages et des neutrophiles. La combinaison de ces éléments rend l'aîné plus vulnérable aux infections. De plus, le parenchyme pulmonaire, tissu qui tapisse les alvéoles, perd normalement de son élasticité. Cela signifie que les poumons ont une moins grande capacité de se vider à chaque expiration.

Concernant les volumes pulmonaires, lors du vieillissement normal, la capacité vitale (quantité d'air qui peut être chassée du poumon par une expiration maximale après une inspiration maximale) diminue et le volume résiduel (air stagnant dans l'arbre bronchique) augmente. Ces changements limitent l'efficacité des poumons à réaliser les échanges gazeux.

Par ailleurs, avec l'âge, les chémorécepteurs de l'hypothalamus réagissent plus tardivement aux modifications qui se produisent dans le sang concernant la teneur en oxygène ou en gaz carbonique. Chez l'aîné, le seuil des chémorécepteurs serait plus élevé, et le sang atteindrait des limites plus élevées de PO_2 ou de PCO_2 avant que la respiration ne s'accélère. Certains chercheurs rapportent que ce seuil doublerait.

Enfin, les changements de l'appareil respiratoire qu'entraîne le vieillissement normal n'ont pas de conséquences sur la capacité de l'aîné à effectuer les activités de la vie quotidienne. Par contre, les effets du vieillissement se font plus sentir lors de l'exercice physique, l'aîné ayant moins d'endurance et de résistance à l'effort intense.

Lien entre le vieillissement et la BPCO

Chez l'aîné atteint de BPCO, les phénomènes du vieillissement des poumons sont amplifiés. Le tabagisme augmente le nombre de macrophages dans les alvéoles et ces macrophages produisent une substance chimique qui attire les leucocytes jusqu'aux poumons. Les leucocytes libèrent de la protéase telle que l'élastase, qui attaque le tissu élastique du poumon. Ainsi, en présence de BPCO, l'élasticité des poumons se trouve plus compromise qu'en son absence. La BPCO, l'emphysème en particulier, influe grandement sur la capacité respiratoire des aînés en entraînant une diminution excessive de la rétraction élastique des poumons. Le

rapport entre la ventilation et la diffusion (le mouvement des gaz des alvéoles vers les capillaires) est affecté. Ainsi, globalement, la capacité inspiratoire et expiratoire de l'aîné atteint d'emphysème est nettement inférieure à la normale (Timiras, 2003).

Manifestations cliniques

Plusieurs résidents atteints de BPCO présentent un thorax en forme de tonneau, font de la tachypnée, expirent de manière prolongée, ont une respiration sifflante, présentent un tirage et utilisent les muscles accessoires de la respiration. À l'auscultation, on note une diminution du murmure vésiculaire.

Les symptômes non respiratoires de la BPCO sont l'anxiété, la panique et la peur de mourir étouffé. À cet effet, il n'est pas rare de voir les résidents paniquer : à chaque crise de dyspnée, ils ont la sensation qu'ils vont mourir. Or, cette peur tend à accentuer la dyspnée, ce qui entraîne des complications dans le tableau d'épisodes d'hyperventilation ou d'hyperpnée. Les résidents sentent qu'ils perdent le contrôle de leur anxiété et de leur dyspnée. L'insuffisance respiratoire chronique grave est une maladie organique qui, du fait de ses manifestations et des troubles somatiques qu'elle provoque, peut entraîner chez les résidents des phénomènes psychologiques secondaires transitoires nécessitant parfois une aide psychologique.

La manifestation la plus importante de la BPCO est la dyspnée. Selon la gravité de la maladie, ce signe peut se présenter à un degré d'intensité variable (voir le tableau 6-3).

SOINS INFIRMIERS

Par sa formation et sa présence continuelle dans l'unité de soins de longue durée, l'infirmière joue un rôle pivot auprès des résidents atteints d'une BPCO. Les soins infirmiers présentés dans les prochains paragraphes se fondent sur les besoins que des personnes atteintes de BPCO jugent prioritaires (Gauthier, 1988), ainsi que sur les recommandations faites par un groupe d'experts (GOLD, 2003). Ils visent à prévenir la progression de la BPCO, à soulager les symptômes, à améliorer la tolérance à l'exercice, à prévenir et à traiter les exacerbations, à améliorer la qualité de vie et, si possible, à réduire le taux de mortalité. Notons qu'ils sont destinés aux résidents dont la BPCO est d'intensité modérée ou sévère. Le tableau 6-4 résume les principaux aspects de ces soins infirmiers.

Évaluation initiale

Dès l'admission en CHSLD, une évaluation de l'état de santé du résident atteint d'une BPCO modérée ou sévère est essentielle à l'établissement d'un programme thérapeutique. L'entrevue se fait de préférence en présence des proches, surtout si le résident présente des problèmes cognitifs. L'infirmière s'informe des attentes, des inquiétudes concernant le suivi en CHSLD. Elle s'intéresse aux antécédents du résident en matière de santé, s'informe de la situation pour ce qui est du tabac, des symptômes relatifs à la BPCO et des symptômes qui pourraient y être associés, comme un problème cognitif, un problème cardiaque ou circulatoire, de l'anxiété et de la dépression, et qui suggéreraient une comorbidité. Elle prend note également des antécédents médicaux chirurgicaux et de la thérapie médicamenteuse.

Tableau 6-3	Manifestations cliniques de la BPCO en fonction du degré de gravité
DEGRÉ DE GRAVITÉ	**MANIFESTATIONS CLINIQUES**
Léger	Le résident souffrant d'une BPCO de gravité légère s'essouffle quand il marche d'un pas rapide sur un terrain plat ou quand il monte une pente.
Modéré	Le résident souffrant d'une BPCO de gravité modérée tousse et présente des expectorations, et peut avoir une respiration sifflante. La dyspnée peut l'obliger à s'arrêter après avoir marché 100 mètres sur un terrain plat.
Sévère	Le résident souffrant d'une BPCO de gravité sévère présente une dyspnée au moindre effort, pour se laver ou s'habiller ou parfois au repos. La toux, les expectorations et la respiration sifflante sont souvent présentes. Les périodes d'infection sont récurrentes. Le résident risque de faire des complications. Il peut présenter de l'œdème aux membres inférieurs, en raison d'une insuffisance cardiaque droite et de la cyanose due à un faible taux d'oxygène dans son sang, ainsi que de la rétention de gaz carbonique (CO_2). La progression de la maladie et la dyspnée rendent la poursuite d'activités quotidiennes de plus en plus difficile. Il en résulte une faiblesse et une atrophie musculaire plus ou moins importante.

Source : M.A. Baltzan, H. Kamel, A. Alter, M. Rotaple et N. Wolkove (2004). Pulmonary rehabilitation improves functional capacity in patients 80 years of age or older. *Canadian Respiratory Journal, 11* (6), 407-413.

Tableau 6-4	Soins infirmiers destinés au résident atteint d'une BPCO
CATÉGORIES	**INTERVENTIONS**
Évaluation initiale	• Constitution d'un dossier sur les antécédents en matière de santé • Évaluation de la dyspnée et des incapacités qu'elle entraîne
Paramètres à surveiller	• Examen clinique • Rapports sur les signes et symptômes • Monitorage des symptômes et interventions thérapeutiques
Soutien psychologique	• Détection des signes et symptômes de l'anxiété • Soutien selon l'intensité de l'anxiété
Détection des aggravations des problèmes respiratoires	• Détection des exacerbations • Rapports sur les signes d'exarcerbations
Soin du résident atteint d'une BPCO et en perte d'autonomie	• Réadaptation pulmonaire
Aspects non pharmacologiques	• Arrêt du tabac • Nutrition • Oxygénothérapie
Aspects pharmacologiques	• Inhalothérapie • Corticothérapie • Antibiothérapie
Environnement	• Recommandations faites aux résidents selon les facteurs internes et externes • Vaccination

Parmi tous les symptômes décrits par le résident et ses proches, l'infirmière doit en priorité s'intéresser à la dyspnée et à l'autonomie, et les évaluer pour assurer un suivi individualisé. L'étude de Finesilver (2003) a démontré que l'effort respiratoire observé et la sévérité de la dyspnée, signalée par le résident, déterminent la sévérité de l'atteinte respiratoire. Ainsi, l'infirmière observe en particulier l'effort respiratoire que fait le résident au moindre changement de position. Elle peut également se servir de l'échelle de dyspnée du Conseil de recherche médicale (Fletcher, Elmes et Wood, 2003), outil facile à utiliser pour évaluer l'essoufflement et l'autonomie. Elle détermine alors à quel grade se situe le résident dans cette échelle (voir le tableau 6-5). La plupart des résidents des CHSLD se situent au grade 5.

Il est également important pour l'infirmière de connaître la fréquence et la gravité des exacerbations et des hospitalisations, ainsi que la saturation au repos, à l'air ambiant. Ces informations détermineront elles aussi le programme thérapeutique qui sera adopté. En effet, elles permettent de reconnaître les résidents cliniquement instables et présentant des risques d'infection ou de détérioration rapide de leur état de santé. Par exemple, un résident à risque est dans l'une des situations suivantes :

• Quatre exacerbations ou plus au cours de l'année ;
• Trois hospitalisations ou plus dans l'année ou visites aux urgences pour un problème respiratoire ;
• Saturation qui descend fréquemment au-dessous de 92 %.

À la lumière de toutes les informations qu'elle aura recueillies, l'infirmière pourra planifier des soins et des services adaptés au résident.

Paramètres à surveiller

L'infirmière doit d'abord faire un examen clinique du résident atteint d'une BPCO, avant de porter son attention sur les signes et symptômes propres à la maladie.

Tableau 6-5	Échelle de dyspnée du Conseil de recherche médicale
Grade 1	Est essoufflé quand il fait un effort vigoureux.
Grade 2	Manque de souffle lorsqu'il marche rapidement sur une surface plane ou lorsqu'il monte une pente légère.
Grade 3	Marche plus lentement que les individus du même âge sur une surface plane ou s'arrête pour reprendre son souffle lorsqu'il marche à son rythme sur une surface plane.
Grade 4	S'arrête pour reprendre son souffle après avoir marché 100 mètres.
Grade 5	Est trop essoufflé pour quitter le CHSLD ou s'essouffle lorsqu'il s'habille.

Source : C.M. Fletcher, P.C. Elmes et C.H. Wood (2003). The significance of respiratory symptoms and diagnosis of chronic bronchitis in a working population. *Canadian Respiratory Journal, 10* (8), 1-4.

Examen clinique

Aux premiers stades de la BPCO, il y a peu d'indicateurs cliniques. Par contre, lorsque la BPCO est sévère, le résident présente des problèmes respiratoires et cardiaques secondaires, ainsi qu'une perte de poids. En fait, on peut observer une hyperinflation pulmonaire, une insuffisance cardiaque droite et gauche et une fonte musculaire marquée. L'infirmière doit donc examiner le résident pour déterminer si ces problèmes sont apparus.

L'hyperinflation pulmonaire se caractérise par de la rétention gazeuse. Le poumon ne peut se vider complètement et une grande quantité d'air reste emprisonnée dedans à la fin de l'expiration.

L'insuffisance cardiaque droite se manifeste par de la dyspnée, de la toux sèche et de l'œdème aux membres inférieurs. Elle est due à la surcharge de travail que le cœur doit assumer pour faire circuler le sang et surmonter la résistance élevée qu'oppose le système vasculaire pulmonaire. L'insuffisance cardiaque gauche, quant à elle, se manifeste par de l'orthopnée et de la dyspnée paroxystique nocturne. Elle est due à une surcharge liquidienne (voir le chapitre 5).

Enfin, la fonte musculaire est le résultat de l'inactivité physique à laquelle la dyspnée incapacitante contraint le résident.

Inspection

L'infirmière observe et note tous les signes de fatigue, de perte musculaire et de cachexie, souvent présents chez l'emphysémateux. Concernant le système pulmonaire, elle examine le thorax et étudie la respiration. Un emphysémateux peut présenter une augmentation du diamètre antéropostérieur de son thorax, ou un thorax en forme de tonneau, à cause de la perte d'élasticité des poumons dans une cage thoracique qui a tendance à se dilater. L'infirmière vérifie aussi l'amplitude respiratoire et la régularité des mouvements respiratoires. Une douleur ou une obstruction peuvent limiter l'amplitude respiratoire. De plus, habituellement, un retard ou une altération des mouvements suggèrent une affection sousjacente du poumon ou de la plèvre, telle qu'une atélectasie ou une pleurésie. L'atélectasie est l'affaissement des alvéoles ou d'une région plus grande des poumons. Elle peut être causée par une compression des tissus pulmonaires qui empêche l'expansion normale des poumons à l'inspiration. La pleurésie, elle, est une inflammation de la plèvre viscérale, insensible. La plèvre viscérale enflammée frotte contre la plèvre pariétale qui, elle, est sensible. Cela provoque une douleur intense à l'inspiration qui limite les mouvements respiratoires. Il faut noter que l'aîné peut être atteint d'une pleurésie sans souffrir d'une douleur intense.

L'infirmière portera une attention particulière au cou, et vérifiera si le résident contracte ou non les muscles accessoires que sont les sterno-cléido-mastoïdiens. Ces muscles sont habituellement utilisés lors d'une respiration difficile.

Palpation et auscultation

Après l'inspection, l'infirmière procède à une palpation pour déterminer s'il y a des zones douloureuses sous la pression, telles que des douleurs musculaires ou des douleurs à la colonne vertébrale.

Ensuite, par l'auscultation, l'infirmière évalue s'il y a diminution du bruit trachéal, du bruit bronchique et du murmure vésiculaire, qui sont les bruits normaux que produit l'air en circulant dans la trachée, les bronches et les alvéoles (Brûlé, Cloutier et Doyon, 2002). On note souvent une diminution de ces bruits chez le résident atteint d'une BPCO. On peut aussi entendre des bruits anormaux. Ainsi, des ronchi au niveau des bronches signalent la présence de sécrétions, les sibilants, d'une obstruction bronchique pouvant être causée par des sécrétions ou un spasme bronchique.

L'infirmière poursuit l'auscultation, pour écouter le murmure vésiculaire. Elle pourra entendre des bruits anormaux, dont les crépitants, qui pourraient signaler un œdème aigu du poumon ou une pneumonie.

Enfin, l'infirmière terminera l'examen initial par l'évaluation du système cardiaque (voir le chapitre 5) et de l'état cognitif (voir le chapitre 2).

Étude des paramètres propres à la BPCO

Quand elle examine un résident atteint de la BPCO, l'infirmière doit étudier des paramètres particuliers : la respiration, la toux, les expectorations, la douleur thoracique, la cyanose et l'œdème. La connaissance des signes et symptômes de la maladie en état stable lui permet par la suite de déceler tous les changements qui se produisent et de reconnaître rapidement une détérioration de l'état de santé du résident.

Respiration

Paramètres objectifs

Toute anomalie de la fonction respiratoire se détecte par l'observation des mouvements thoraciques et, à la hauteur du cou, de l'utilisation des muscles accessoires, sterno-cléidomastoïdiens, à l'inspiration. Pendant l'inspiration, il peut se produire une rétraction, ou tirage, dans les espaces intercostaux, dans les régions sous-costales, dans les creux sus-sternal, sous-sternal et sus-claviculaires. Ces rétractions indiquent que les échanges gazeux se font difficilement. Quant à l'utilisation des muscles accessoires, elle est un signe objectif de dyspnée.

L'observation de la respiration vise à déterminer la fréquence, la profondeur et la régularité de la respiration. En évaluant la fréquence respiratoire, l'infirmière vérifie si le résident présente de la polypnée, c'est-à-dire une respiration rapide comprenant plus de 20 respirations par minute. La respiration rapide, ou hyperventilation, cause une inhalation excessive d'oxygène et une perte excessive de CO_2. On l'observe souvent chez le résident anxieux. La polypnée ne s'accompagne pas automatiquement de dyspnée. Par contre, la dyspnée s'accompagne presque toujours de polypnée. C'est pourquoi il est important de bien distinguer les deux. Le résident peut aussi présenter de la bradypnée, c'est-à-dire une respiration lente comprenant moins de 10 respirations par minute. Cette réduction anormale de la fréquence de la respiration, ou hypoventilation, se traduit par une diminution de la quantité d'air dans les alvéoles, pour les échanges gazeux, et cause une rétention excessive de CO_2, ou hypercapnie.

Chez le résident atteint d'une BPCO sévère associée à une insuffisance cardiaque gauche, l'infirmière pourra noter plusieurs altérations de la respiration, notamment l'orthopnée et la dyspnée paroxystique nocturne. L'orthopnée est une dyspnée plus intense en position couchée qu'en position assise. En position couchée, l'aîné voit normalement sa capacité vitale diminuer d'environ 10 %. Mais l'insuffisant cardiaque gauche, lui, connaît une diminution atteignant 30 %. En position couchée, le diaphragme est repoussé vers le haut, le sang reflue des membres inférieurs et de l'abdomen vers le thorax, la pression veineuse augmente et, avec elle, le débit cardiaque. L'orthopnée se corrige habituellement par l'adoption d'une position semi-assise. La dyspnée paroxystique nocturne, elle, est une dyspnée intense la nuit ou quelques heures après le coucher. Elle s'accompagne souvent d'une toux sèche appelée « toux cardiaque ». La position assise et plusieurs respirations profondes la soulagent (Leblanc, 1988).

Pour ce qui est des bruits respiratoires audibles, l'infirmière pourra entendre un sifflement (sibilance) pouvant être causé par un rétrécissement d'une voie aérienne ou par une inflammation. Elle pourra aussi noter un gargouillement témoignant d'un encombrement bronchique.

Paramètres subjectifs

Le symptôme majeur que signale le résident est la dyspnée. La dyspnée est décrite comme une respiration difficile et laborieuse. Elle est insidieuse dans les BPCO. En effet, la plupart des personnes atteintes de BPCO ne s'en préoccupent pas vraiment, sauf quand elle limite leur autonomie ou s'accentue lors d'une exacerbation aiguë (par exemple, en cas d'infection). On ne sera donc pas surpris d'apprendre que la capacité à percevoir des changements dans le travail respiratoire varie beaucoup d'un résident à l'autre. Une enquête téléphonique effectuée auprès de 3 000 personnes ayant reçu un diagnostic de BPCO a révélé de grandes différences de perception concernant la sévérité de la maladie (Rennard et al., 2002). Parmi ceux qui semblaient trop dyspnéiques pour quitter leur domicile, 35,8 % décrivent la gravité de leur état comme légère ou modérée. Pourtant, 60,3 % disent être dyspnéiques après avoir marché quelques minutes sur un terrain plat.

Le résident peut se plaindre d'être dyspnéique au repos le jour, ou d'être réveillé par la dyspnée la nuit, c'est-à-dire de souffrir de dyspnée paroxystique nocturne. Cela peut dénoter un début d'insuffisance cardiaque gauche. Le résident peut aussi se dire essoufflé au moindre effort, tel que parler, sortir du lit et se laver, ou après le repas, ce qui le rend plus anxieux. Il peut ressentir une sensation d'oppression, présenter de la diaphorèse et paniquer.

Toux

La toux est un réflexe visant la protection des voies aériennes par l'expulsion des particules, des gaz ou des vapeurs toxiques. Elle contribue, en même temps que l'activité ciliaire, à éliminer les sécrétions endogènes. Elle peut être nuisible ou utile.

Paramètres objectifs

Les paramètres de la toux sont le caractère, la nature, la fréquence, le moment, les effets et les mesures de soulagement.

L'infirmière note d'abord le caractère de la toux : grasse ou sèche, productive ou non, sous forme de quintes, émétisante. Chez le résident atteint de BPCO, la toux est habituellement sévère et épuisante et s'accompagne souvent de sécrétions importantes. Elle est due à une irritation de la muqueuse de n'importe quel segment des voies respiratoires. La toux peut aussi être due à une insuffisance cardiaque gauche. Elle est alors légère et par coups brefs. Elle se présente surtout la nuit. Des quintes de toux prolongées, ou toux syncopales, peuvent provoquer une perte de conscience ainsi que des vomissements. Enfin, la toux peut être d'origine nerveuse.

L'infirmière s'intéresse aussi à la nature de la toux : épisodique, paroxystique, émétisante, réflexe ou volontaire. La toux épisodique se manifeste sur de courtes périodes. Elle peut être déclenchée par une infection ou par une exposition à un agent irritant comme la cigarette ou la pollution atmosphérique. La toux paroxystique est une toux qui ne s'arrête pas. Elle est fatigante et peut entraîner des étourdissements et une syncope. La toux émétisante est celle qui déclenche de la nausée, des vomissements. Enfin, la toux réflexe se déclenche d'elle-même, comme dans la toux sèche, sans efforts, au contraire de la toux volontaire, qu'on provoque lors d'exercices pour dégager des sécrétions.

La fréquence de la toux correspond au nombre de fois que le résident tousse dans une période donnée.

L'infirmière note aussi le moment de la toux ainsi que les activités qui la déclenchent. La toux matinale accompagnée d'expectorations signale surtout une bronchite. La toux sèche, de nuit, peut être un signe d'insuffisance cardiaque gauche.

Les effets de la toux sont importants aussi à étudier. Par exemple, l'infirmière remarque quels sont les effets de la toux sur les signes vitaux, sur l'appétit, sur l'alimentation, sur le repos et le sommeil, et sur la résistance physique. La toux chronique est fatigante et peut causer une perte d'appétit, perturber le repos et le sommeil, et provoquer des nausées, des vomissements, de l'incontinence. L'infirmière observe également si la toux provoque de la douleur, une syncope, des étourdissements.

La multitude de préparations antitussives disponibles témoigne du besoin des résidents de soulager leur toux. Elles sont indiquées lorsque la toux est sèche ou non productive, se présente sous forme de quintes. Par contre, si la toux s'accompagne de sécrétions, le résident doit utiliser la technique de la toux, présentée plus loin dans la section sur la réadaptation pulmonaire.

Paramètres subjectifs

Le résident se plaint de sa toux quand elle se déclenche de façon répétitive. Elle s'accompagne alors souvent de dyspnée. Elle peut être sèche ou produire des sécrétions. Le résident peut aussi se plaindre du fait que la toux l'empêche de s'alimenter, le réveille la nuit et lui cause de l'incontinence.

Expectorations

Les expectorations sont le résultat de sécrétions bronchiques excessives. Il s'agit d'un mélange de mucus, de sécrétions nasopharyngées, de cellules épithéliales, de leucocytes, de bactéries et de poussières. Les expectorations proviennent de diverses sources, telles que les sécrétions des différentes glandes séreuses et muqueuses de l'épithélium respiratoire. Une inflammation des voies aériennes provoque leur augmentation. Les expectorations peuvent également provenir d'exsudat dû à l'inflammation des alvéoles et des bronchioles, comme dans la pneumonie. Enfin, elles peuvent provenir d'un transsudat causé par le passage de liquide du capillaire dans l'alvéole, dans le cas d'un œdème aigu du poumon.

Paramètres objectifs

Pour ce qui est des expectorations, l'infirmière s'intéresse à leur apparition, à leur augmentation ou à leur diminution, et aux changements de production par rapport à la production habituelle. Elle en étudie la quantité, l'occurrence, la couleur, l'aspect, la viscosité ou l'épaisseur et l'odeur. En général, elle évalue la quantité des expectorations en millilitres, sur 24 heures. De plus, elle observe si le résident expectore le matin, après le traitement, toute la journée ou durant la nuit. La couleur des expectorations peut l'informer de la présence éventuelle d'une anomalie. Les sécrétions blanches sont normales. Les autres nécessitent un questionnaire plus approfondi pour en connaître la cause. Des sécrétions jaune-verdâtre peuvent signaler une infection bactérienne. Des sécrétions brunes peuvent être simplement des sécrétions ayant stagné dans les bronches ou s'expliquer par l'ingestion de café. Les sécrétions rouille sont rares, mais peuvent apparaître chez l'aîné souffrant d'une pneumonie. Enfin, les sécrétions rosées, spumeuses, peuvent apparaître lors d'un œdème aigu du poumon. Dans les cas de pneumonie et d'œdème aigu du poumon, l'infirmière aura, à l'auscultation, reconnu la présence de ronchi, signalant la présence de sécrétions, et de crépitants.

Paramètres subjectifs

Les résidents comprennent mieux le terme « crachats » que celui d'« expectorations ». Ils peuvent remarquer une augmentation ou une diminution de la quantité des expectorations. Ils peuvent aussi signaler une modification de leur couleur, un passage du blanchâtre au jaunâtre, au verdâtre ou même à l'aspect sanguinolent. Enfin, ils peuvent se plaindre de congestion. Quand les sécrétions sont épaisses, il est possible qu'ils soient incapables de fournir l'effort requis pour expectorer.

Douleurs thoraciques

La BPCO n'entraîne pas toujours de douleur thoracique. Celle-ci peut apparaître en cas d'efforts pour expectorer, lors d'une toux quinteuse et lors d'une augmentation de la dyspnée ou d'une irritation des structures avoisinantes. Il faut savoir que la trachée, les bronches, les poumons et la plèvre viscérale sont des organes insensibles. Par contre, la plèvre pariétale est sensible et peut causer des douleurs thoraciques. Les douleurs pleurétiques sont aiguës, comme des coups de poignard, et plus intenses à l'inspiration. Les muscles intercostaux, les côtes, le sternum et les articulations costochondrales peuvent être à l'origine de douleurs musculo-squelettiques. Ces dernières apparaissent de façon insidieuse et sont souvent avivées par les mouvements. Enfin, le cœur et les gros vaisseaux, l'œsophage et le système digestif, et les seins, peuvent être à l'origine de douleurs thoraciques.

Paramètres objectifs

L'infirmière observe le résident afin de déceler des signes de souffrance : visage soucieux, agitation, diaphorèse (voir le chapitre 20). L'infirmière fait préciser au résident les caractéristiques des douleurs : la localisation, le caractère et l'intensité. Elle s'intéresse aussi à la durée de la douleur, à sa chronicité éventuelle et aux facteurs de soulagement. Par l'observation, elle vérifie s'il y a un lien entre la douleur et la position du résident. Par la palpation, en cas de sensibilité accrue, elle confirme souvent une atteinte musculosquelettique. Lorsque la respiration augmente les douleurs, c'est qu'il y a atteinte pleuropulmonaire et atteinte de la paroi thoracique (Nadeau et Gauthier, 1993).

Paramètres subjectifs

Dans le cas de la douleur thoracique, le résident se plaint souvent de douleurs musculaires au thorax postérieur, causées par l'effort qu'il fait pour respirer. Il peut déclarer que la douleur varie selon la position ou le mouvement. Il cherche alors une position confortable, une façon de se soulager. En phase aiguë, il peut ressentir une oppression au thorax antérieur.

Cyanose

La cyanose est la coloration bleutée des téguments. Elle peut être centrale ou périphérique. La cyanose est centrale lorsque les poumons n'apportent pas suffisamment d'oxygène au sang. Elle s'observe alors sous la langue, sous la muqueuse buccale et sous les conjonctives, au niveau des yeux. La cyanose est périphérique lorsque les artérioles périphériques se resserrent. Elle s'observe alors sur les lèvres, aux extrémités et aux lobes d'oreilles. La cyanose n'est pas un signe fiable. Elle est souvent mal interprétée et peu représentative de la quantité d'oxygène que contient le sang. Son absence n'indique pas nécessairement que les tissus reçoivent une quantité suffisante d'oxygène. En effet, la cyanose n'est évidente que si l'hémoglobine capillaire est descendue jusqu'à 5 mg par 100 ml de sang. Or, cela correspond à une saturation en oxygène de 70 %. Ainsi, pour évaluer le degré d'hypoxémie du résident, l'infirmière se sert plutôt d'un saturomètre.

Paramètres objectifs

Pour évaluer la cyanose, il faut tenir compte de l'éclairage et de la coloration de peau du résident. L'infirmière observe la coloration de la peau du nez, de la langue et de la muqueuse buccale pour détecter la cyanose centrale. Elle observe les doigts et les orteils pour détecter la cyanose périphérique. Dans ce dernier cas, il faut faire particulièrement attention, car une pièce fraîche, le fait d'avoir froid et un problème vasculaire provoquant de la vasoconstriction périphérique peuvent modifier la couleur de la peau. L'observation n'est alors pas très fiable. L'infirmière s'intéresse aussi aux causes de la cyanose et à son occurrence. Elle remarque si la cyanose se manifeste au repos ou à l'effort, et à quels efforts. Elle recherche d'autres signes pouvant accompagner la cyanose et signaler de l'hypoxie. Les signes d'hypoxie sont la pâleur du visage, une augmentation de la pression systolique, des céphalées matinales, de la polypnée, de la tachycardie, une atteinte cognitive (mémoire, attention, niveau de conscience), de l'inappétence et de l'asthénie. Si elle observe ces signes et conclut à de l'hypoxémie, elle doit mesurer la saturation pour déterminer la sévérité de l'hypoxémie. Une saturation inférieure à 90 % est préoccupante. Une saturation inférieure à 90 % dans l'air ambiant ou avec oxygène indique une détérioration de l'état pulmonaire.

Paramètres subjectifs

Le résident ignore souvent qu'il présente de la cyanose. Lorsque l'infirmière lui demande d'observer sa peau, il remarque parfois qu'il a les doigts bleutés. S'il manque d'oxygène, il se plaint habituellement d'une céphalée matinale « qui lui serre la tête », de dyspnée, de palpitations, de pertes de mémoire, de diminution de l'appétit. De plus, il se sent fatigué, manque de sommeil et sent une faiblesse musculaire.

Œdèmes

L'œdème est une accumulation anormale de liquide dans les tissus. Le liquide s'accumule dans les espaces extracellulaires, entre les cellules, et provoque une déformation des tissus. L'œdème dû à une insuffisance cardiaque droite apparaît surtout aux membres inférieurs, puis progresse le long des membres en cas d'aggravation. Chez les aînés alités, il se présente au sacrum. C'est un œdème à godet. L'œdème dû à une insuffisance veineuse chronique se voit surtout chez les aînés obèses et sédentaires. Il apparaît aux membres inférieurs et provoque des douleurs lors de la marche. Cet œdème est dur. D'autres facteurs causent un œdème périphérique (par exemple, aux membres inférieurs), notamment les corticostéroïdes et certains hypotenseurs (vasodilatateurs, bloqueurs des canaux calciques) (Brûlé *et al.*, 2002).

Paramètres objectifs

L'infirmière évalue d'abord la présence d'œdème et le site. Pour déterminer s'il y a présence d'œdème aux membres inférieurs, elle utilise la palpation. Elle presse fermement avec le pouce derrière les malléoles internes, sur le dos des pieds et sur les crêtes tibiales, pendant cinq secondes. Elle observe alors s'il se forme un godet. En présence d'œdème, elle en détermine l'importance :

- Légère (+) si la peau retrouve son élasticité après une seconde.
- Modérée (++) si la peau retrouve son élasticité après deux secondes.
- Importante (+++) si la peau retrouve son élasticité après trois secondes et plus.

Chez le résident alité, l'infirmière détecte la présence éventuelle d'un œdème au sacrum par la palpation.

Paramètres subjectifs

Le résident attribue rarement un œdème à une insuffisance cardiaque droite. Il remarque parfois des œdèmes à ses membres inférieurs, le soir. Il attribue alors souvent ce phénomène à la station debout, au fait d'avoir marché ou à la chaleur. Dans ce cas, cela devrait avoir disparu le matin. L'infirmière peut enseigner au résident comment se palper pour observer lui-même s'il y a présence d'œdèmes le matin.

Rapports sur les signes et symptômes

L'Agence de développement de réseaux locaux de services de santé et de services sociaux de Montréal (2002, rév. 2004) a élaboré un outil particulier pour le suivi des personnes atteintes de BPCO. Cet outil permet une meilleure prise en charge des personnes atteintes, tant par les hôpitaux que par les CHSLD et la collectivité (voir le tableau 6-6, p. 102). Chaque établissement peut l'adapter.

Les « Notes d'observation, suivi infirmier BPCO » facilitent l'inscription d'observations dans le dossier. Pour chaque catégorie, l'infirmière indique dans la case correspondante la ou les lettres indiquant le résultat du questionnaire clinique. Pour les catégories qui ont l'indication « voir note au dossier », l'infirmière précise son évaluation dans les notes d'observation. Pour l'auscultation, elle indique au besoin sur le dessin l'endroit où elle a perçu des bruits anormaux.

Monitorage des symptômes et interventions thérapeutiques

L'infirmière fait le monitorage des symptômes de la BPCO en se fondant sur l'évaluation des symptômes du résident en état stable. En cas de changement inhabituel et en fonction de la sévérité des symptômes, elle modifie, ajuste son

Tableau 6-6 Documentation propre aux résidents atteints de BPCO

Agence
de développement
de réseaux locaux
de services de santé
et de services sociaux

Québec ❖❖

| NOTES D'OBSERVATION |
| SUIVI INFIRMIER BPCO |

N° Dossier:
Nom à la naissance:
Prénom:
Autre nom utilisé:
Adresse:
Code postal:
Né le: A_____/M_____/J_____
N° ass. maladie:

Téléphone ( )
Sexe: M ☐ F ☐
Date exp.: A_____/M_____

N.B.: Se référer à l'aide-mémoire pour la définition des termes.
Il est essentiel d'inscrire une note dans chaque case. **Si un élément n'a pas été évalué, faire un trait dans la case correspondante.**

		DATES ET HEURES				
Respiration	Fréquence B = bruyante S = sifflante T = tirage					
Dyspnée	Φ = absente ↑ = augmentée ↓ = diminuée id = identique	Repos Élocution AVQ AVD				
Selon la perception du client						
Toux	Φ = absente S = sèche G = grasse P = productive NP = non productive Q = quinteuse E = émétisante F = fréquente O = occasionnelle Quand: à préciser J = jour N = nuit					
Expectorations	Φ = absentes 15 ml – (+) 15-30 ml (++) 30-100 ml (+++) 100 ml + (++++) B = blanc J = jaune V = vert S = sanguinolent Aspect: spécifier					
Cyanose	Φ = absente D = digitale L = labiale MB = muqueuse buccale (✔) Voir note au dossier					
Douleur thoracique	Φ = absente Selon échelle de douleur 1 à 10 (✔) Voir note au dossier					
Œdème	Φ = absent D = dur G = à godet Léger = + Moyen = ++ Important = +++ Site: préciser (MI) (MID) (MIG)					
Auscultation (dos)	PC = poumons clairs MV↓ = murmure vésiculaire diminué R = ronchus S = sibilances C = crépitants FP = frottement pleural	G D	G D	G D	G D	G D

	DATES ET HEURES			
Manifestation d'anxiété	⊖ = absente L = légère M = modérée S = sévère P = panique (✔) Voir note au dossier			
Médication spécifique	A = prise adéquate I = prise inadéquate (P) Voir note au dossier			
Oxygène	⊖ = absente Utilisation: Saturation: AA_____ Rx: Litres/min. hres/24 hrs Avec O₂_____			
Signes cliniques d'hypoxie/ hypercapnie Surveillance additionnelle	⊖ = absente C = céphalée matinale A = agitation S = somnolence D = diaphorèse CO = confusion MC = modif. du comport. (P) Voir note au dossier			
Signature de l'infirmière	*Signature de l'infirmière*			
Date	Date			

Source: Agence de développement de réseaux locaux de services de santé et de services sociaux de Montréal (novembre 2002, révisé février 2004). *Outils de suivi pour les soins infirmiers spécifiques à la clientèle MPOC*. Montréal: Agence de développement de réseaux locaux de services de santé et de services sociaux, 9.

programme thérapeutique. Les différentes possibilités d'interventions thérapeutiques, pour tous les résidents, sont l'éducation, l'aérosolthérapie et la réadaptation par l'exercice. Il est primordial que l'infirmière ait les connaissances requises pour intervenir efficacement selon les symptômes observés ou signalés par le résident atteint de BPCO.

Respiration et technique respiratoire

À chaque évaluation, l'infirmière compte les respirations du résident, à son insu, au repos et lors de la marche. Elle le fait pendant au minimum 30 secondes, et de préférence pendant une minute si elle soupçonne un problème respiratoire. De plus, elle interroge le résident sur la perception qu'il a de sa dyspnée et sur les moyens qu'il utilise pour la soulager. Elle doit reconnaître et comprendre les stratégies auxquelles il a recours en cas de crise de dyspnée. Comme lors de l'évaluation de la douleur, le résident est le seul à évaluer la perception qu'il a de son essoufflement. D'après des études, 70 % des personnes atteintes de BPCO adoptent alors la position penchée vers l'avant et se déplacent lentement (Sharp, Drutz, Moisan, Foster et Machnach, 1980). Cette position permet d'augmenter l'efficacité du diaphragme en libérant la cage thoracique. Le résident soulage parfois aussi sa dyspnée en adoptant la position couchée ou assise et en se penchant vers l'avant. Plusieurs ont découvert la respiration avec les lèvres pincées, qu'ils pratiquent constamment (Schilke, 1981). L'infirmière doit rester vigilante, de manière à remarquer tout changement qui se produit dans la respiration. Par exemple, le résident pourrait avoir de la difficulté à terminer ses phrases.

Selon les difficultés respiratoires du résident, l'infirmière pourra recommander l'utilisation d'une technique de respiration particulière. Le tableau 6-7 décrit différentes techniques et le tableau 6-8 recommande les techniques adaptées à chaque difficulté.

Tableau 6-7	**Techniques respiratoires**

Technique de la toux productive
But :
- Faciliter le désencombrement bronchique.
Technique :
- Respirer profondément par le nez.
- Retenir sa respiration.
- Tousser deux fois.
- Faire une pause.
- Inspirer doucement par le nez.
- Faire une pause.
- Répéter la procédure au besoin.

Respiration pour contrôler la panique
Buts :
- Apprivoiser une crise d'essoufflement.
- Éviter la panique.
Technique :
- Adopter une position de détente.
- Prendre une longue inspiration par le nez.
- Retenir sa respiration pendant 3 secondes, sans bloquer.
- Expirer avec les lèvres pincées.

Respiration avec les lèvres pincées
Buts :
- Diminuer la fréquence respiratoire.
- Augmenter le volume d'air inspiré et expiré.
- Conserver une pression adéquate dans les voies aériennes de petits calibres.
- Contrôler la durée du cycle respiratoire.
Technique :
- Se détendre le plus possible, surtout au niveau des épaules.
- Inspirer normalement par le nez, bouche fermée.
- Compter 1 et 2.
- Expirer par la bouche, lèvres pincées, la bouche en avant et en O.
- Expirer 2 fois plus longtemps que l'inspiration.

Respiration diaphragmatique
Buts :
- Corriger l'habitude consistant à utiliser les muscles des épaules et du cou.
- Augmenter la capacité de travail du diaphragme.
- Favoriser la ventilation ou le mouvement de l'air sans fatiguer les muscles thoraciques.
Technique :
- Se détendre le plus possible, surtout au niveau du cou et des épaules.
- Se coucher et plier les genoux, ou s'asseoir en appuyant le dos et le cou contre un support.
- Poser les deux mains sur l'abdomen.
- Inspirer par le nez et gonfler l'abdomen le plus possible. Cela permet au diaphragme de descendre. Garder le thorax détendu.
- Tirer doucement l'abdomen vers l'intérieur pour expirer lentement.

Exercice de relaxation de Benson
Buts :
- Contrôler l'anxiété.
- Détendre.
Technique :
- Choisir une aide mentale, comme un son ou un mot.
- S'asseoir dans une position confortable.
- Fermer les yeux.
- Relâcher les muscles en commençant par les pieds et en remontant jusqu'à la tête, au visage.
- Respirer lentement par le nez. Prendre conscience de sa respiration. Au moment de l'expiration, faire le son ou dire le mot et recommencer.
- Respirer normalement.
- Continuer pendant 10 à 20 minutes. Ouvrir les yeux pour regarder l'heure, mais ne pas utiliser de sonnerie. Lorsque l'exercice est terminé, rester assis pendant plusieurs minutes, d'abord les yeux fermés, puis ouverts. Ne pas se lever tout de suite.
- Garder une attitude passive et laisser la relaxation se produire à son propre rythme.
- Pratiquer cette technique une ou deux fois par jour, au moins deux heures après les repas.

Source : Adaptation des modules 1 et 2 de J. Bourbeau, M. Julien, F. Maltais, M. Rouleau, A. Beaupre, R. Begin, P. Renzi, D. Nault, E. Borycki, K. Schwartzman, R. Singh et J.P. Collet (2003). Reduction of hospital utilization in patients with chronic obstructive pulmonary disease : a disease-specific self-management intervention. *Archive Internal Medicine, 163* (5), 585-591.

Tableau 6-8	Recommandations de techniques respiratoires en fonction des difficultés
DIFFICULTÉ	**TECHNIQUES RECOMMANDÉES**
Dyspnée	• Respiration avec les lèvres pincées • Respiration diaphragmatique • Exercice de relaxation de Benson
Polypnée	• Respiration pour contrôler la panique • Respiration avec les lèvres pincées • Exercice de relaxation de Benson
Orthopnée	• S'installer en position assise ou semi-assise

Toux et interventions thérapeutiques

Si la toux est non productive et qu'il n'y a pas de rétention de sécrétions, l'infirmière recommande que l'hydratation du résident soit de 1 500 mL par jour, s'il n'y a pas de restriction liquidienne liée à une insuffisance cardiaque. De plus, elle maintient un taux d'humidité de 40 % environ dans la chambre du résident. Elle élimine aussi tous les agents irritants, tels que les parfums et les produits à forte odeur.

Si la toux est productive, l'infirmière encourage le résident à expectorer. Si la toux est grasse et peu productive, elle recommandera la technique de la toux productive.

En cas de toux sèche, la médication antitussive est indiquée. Si elle est récente et inhabituelle, il faut lui porter une attention particulière car elle peut être un signe d'infection. Il est primordial de faire expectorer le résident et de vérifier la coloration de ses expectorations. Si la toux est sèche, se produit par petits coups brefs la nuit et est inhabituelle, il faut vérifier la présence éventuelle d'autres signes, tels que la dyspnée paroxystique nocturne et des crépitants à l'auscultation, pouvant témoigner d'une insuffisance cardiaque gauche. En cas de détection de crépitants, l'infirmière devrait communiquer rapidement ses observations au médecin. Par la suite, elle assure, avec l'aide des autres soignants, une surveillance clinique étroite et modifie le programme thérapeutique en conséquence.

Expectorations et interventions thérapeutiques

La culture d'expectorations est utile. Elle permet d'établir un diagnostic microbiologique et de connaître la sensibilité des agents pathogènes respiratoires aux antibiotiques. Les résidents atteints de BPCO ont souvent les voies respiratoires inférieures colonisées par des bactéries. Cependant, les infections sont à l'origine de 50 % seulement des exacerbations. De plus, une culture positive n'exclut pas la possibilité d'un virus comme cause d'une exacerbation aiguë (Piché, 2005).

Douleur thoracique et interventions thérapeutiques

Si la douleur thoracique est causée par la toux, on peut la soulager en faisant pression avec les mains ou avec un coussin sur la cage thoracique. Les analgésiques soulagent aussi la douleur thoracique mais nécessitent une surveillance, car ils peuvent inhiber le centre respiratoire et la toux productive (Gélinas, 2004).

Cyanose et interventions thérapeutiques

L'infirmière note régulièrement le résultat de la saturation, dans l'air ambiant et avec oxygène si le résident reçoit de l'oxygène. Elle fait en sorte de maintenir la saturation à un niveau supérieur à 92 %, pour les résidents atteints d'une BPCO sévère accompagnée d'une insuffisance cardiaque droite (Nocturnal Oxygen Therapy Trial Group, 1980). Si la saturation diminue, l'infirmière évalue l'état clinique du résident pour noter d'autres signes éventuels témoignant d'une détérioration. Elle communique avec le médecin et fait ajuster l'oxygénothérapie en fonction des directives médicales. L'hypoxémie chronique contribue à l'apparition et à l'augmentation de l'hypertension pulmonaire. L'oxygénothérapie réduit ce risque ou en retarde l'apparition.

Œdèmes et interventions thérapeutiques

Si l'œdème observé est à godet, l'infirmière vérifie depuis quand il est là, les diurétiques que prend le résident et la fréquence des urines. Elle évalue la quantité de liquide bu dans les précédentes 24 heures et fait au besoin le calcul des *ingesta-excreta*. Elle étudie aussi l'utilisation du sel et des aliments salés. Si l'œdème est dur, elle recommande au résident de surélever son ou ses membres inférieurs le soir, au coucher. Si le résident prend des corticoïdes, l'infirmière communique avec le médecin pour l'informer de la situation et évaluer avec lui la pertinence de prescrire un diurétique.

Soutien psychologique

De nombreuses études ont démontré que le taux de troubles anxieux chez les aînés atteints d'une BPCO était très élevé (Mikkelsen, Middelboe, Pinsinger et Stage, 2004). Selon Bourbeau et ses collaborateurs (2003), toute personne atteinte d'une BPCO souffre d'une anxiété légère. L'anxiété est une sensation de malaise ou un état de tension pouvant aller d'une tension vague à une tension intense. Elle est une réaction au danger tel que le perçoit le malade. L'anxiété peut être provoquée par l'état pulmonaire. En effet, elle peut apparaître lors d'une augmentation de la dyspnée. Le résident ressent alors de la peur et même de la panique. Il ne connaît pas toujours les moyens qui permettent de maîtriser la dyspnée. Or, si cette dernière dure, un cercle vicieux dyspnée-anxiété-dyspnée-anxiété peut s'installer : la dyspnée augmente l'anxiété, qui à son tour augmente la dyspnée. À long terme, l'anxiété peut provoquer des changements d'humeur, tels que l'irritabilité et des changements fonctionnels, tels que des difficultés de concentration. Des symptômes physiques peuvent également apparaître, comme la sudation, le tremblement et les palpitations.

Signes objectifs de l'anxiété

Chez le résident anxieux, l'infirmière peut observer un visage aux traits tirés, des pleurs, de l'irritabilité, un langage rapide, une incapacité à se concentrer ou à comprendre les explications, une incapacité à retenir l'information donnée et de la somatisation. Au niveau des signes vitaux, de l'hypertension, de la tachycardie et de la polypnée. L'intensité de l'anxiété peut être légère, modérée ou sévère, et peut même aller jusqu'à la panique. L'infirmière tient compte de l'intensité de l'anxiété du résident pour décider de l'approche à adopter (voir le tableau 6-9).

Les différentes interventions de l'infirmière doivent permettre au résident de comprendre ses symptômes d'anxiété et de ne pas les aggraver en les interprétant de façon dramatique. Elles visent aussi à l'aider à utiliser des outils et techniques pour les maîtriser. Enfin, elles doivent lui permettre d'adopter une vision plus adaptée à sa situation.

Interventions infirmières en cas d'anxiété légère

Le résident qui présente une anxiété légère reconnaît qu'il est anxieux et veut être entendu dans ce qu'il vit. L'infirmière doit être à son écoute et adopter une attitude emphatique pour établir avec lui une relation de confiance et l'ouvrir à l'enseignement. De préférence, elle attendra de bien connaître et comprendre les craintes et la peur du résident avant de s'engager dans l'enseignement.

Interventions infirmières de soutien psychologique

Le résident a besoin d'être aidé et rassuré. Il ne veut pas être seul avec son problème d'anxiété. L'infirmière reconnaît la réalité des symptômes subjectifs tels que la sensation d'oppression. Elle permet au résident d'exprimer verbalement ce qu'il est en train de vivre : nature du problème,

Tableau 6-9	Interventions infirmières possibles en fonction de l'intensité d'anxiété du résident	
INTENSITÉ DE L'ANXIÉTÉ	**DESCRIPTION**	**INTERVENTIONS INFIRMIÈRES**
Légère	• Le résident est alerte et est capable de reconnaître l'anxiété comme signe d'alarme.	• Permettre l'expression des émotions. • Explorer et déterminer avec le résident les facteurs déclenchants et le sentiment suscitant de l'anxiété. • Déterminer avec le résident l'effet de l'anxiété sur son état de santé physique. • Expliquer la différence entre la dyspnée due à l'anxiété et la dyspnée due à la maladie. • Explorer avec le résident de nouveaux modes de comportement possibles. • Faire du renforcement positif.
Modérée	• Le résident a de la difficulté à se concentrer et à communiquer avec l'entourage. Il doit être encouragé à le faire. • L'apprentissage est possible, mais l'enseignement doit être adapté.	• Observer les facteurs anxiogènes présents que le résident peut contrôler. • Trouver avec le résident des activités qui permettent d'éviter l'anxiété proposées par le CHSLD. • Enseigner les exercices respiratoires. • Faire la démonstration de différentes techniques de relaxation et de visualisation. • Encourager le résident à utiliser ces techniques régulièrement, au moins une fois par jour.
Sévère	• Le résident n'a plus les habiletés pour percevoir les faits, les situations et pour en parler de façon détaillée. • Le résident perçoit les choses, mais ne peut faire de liens avec les informations reçues. • L'enseignement n'est pas possible à ce niveau.	• Déterminer les périodes de la journée où le résident se sent moins bien. • Structurer les activités de soins. • Donner au résident du temps pour se préparer. • Informer le résident des ressources professionnelles disponibles au CHSLD. • Au besoin, envoyer le résident vers l'une de ces ressources professionnelles. • Faire remarquer au résident quand il est calme et a le contrôle de lui-même.
Panique	• Le résident est incapable de communiquer ou de fonctionner. Il transforme chaque information et chaque détail perçu.	• Faire une évaluation psychogériatrique. • Établir et mettre en place un traitement interdisciplinaire. • Faire un suivi médical.

Source : Adapté de M. Gauthier (1988). *Interventions en soins infirmiers selon Orem pour aider l'insuffisant respiratoire à composer avec sa situation.* Rapport de stage de maîtrise. Université de Montréal, sciences infirmières.

importance qu'il lui donne. Elle explore avec lui les causes qui sont à l'origine du problème et les personnes qui font partie du problème. Elle l'interroge sur ce qu'il vit et sur ce qui le fait réagir. Elle favorise l'expression des sentiments par son empathie et accepte les réactions telles que les pleurs et la colère.

Interventions infirmières d'enseignement

Il est important d'expliquer au résident le rôle que jouent les émotions et les agents stressants dans le phénomène d'anxiété. L'infirmière décrit et explique le cercle vicieux de la BPCO dans lequel l'essoufflement entraîne une diminution des activités qui est elle-même à l'origine de la faiblesse musculaire. De plus, la diminution des activités cause souvent de la dépression et de l'isolement social. Ainsi, le résident devient anxieux et est à nouveau essoufflé. L'infirmière donne aussi de l'information, à l'aide de dessins et de dépliants, sur le dysfonctionnement des poumons, ceci pour montrer l'importance des exercices respiratoires tels que la respiration avec les lèvres pincées. Elle pratique les exercices avec le résident et le félicite lorsqu'il les utilise.

Interventions infirmières en cas d'anxiété modérée

Le résident qui présente une anxiété modérée veut être compris dans ce qu'il vit. S'il a une crise de dyspnée en se lavant, il a moins envie de se laver et devient craintif à l'idée de devoir se laver. Il ressent de plus en plus d'anxiété par anticipation. Cela le conduit à se laver plus vite, et il est encore plus essoufflé. L'infirmière partage avec le résident ses hypothèses de soignante, sa compréhension des événements et de la réaction de crise. Elle doit tenter de dédramatiser les choses sans pour autant minimiser la crise.

Interventions infirmières de soutien psychologique

L'infirmière montre au résident sa capacité à le comprendre et à lui apporter de l'aide. Elle l'amène peu à peu à établir un ordre de priorités. Elle l'aide à mettre des mots sur ce qu'il vit, ce qu'il ressent. Elle lui présente des pistes d'actions possibles. L'important est de diminuer le malaise du résident et d'augmenter son degré d'espoir. L'infirmière aide le résident à garder espoir en misant sur ses ressources internes, ses expériences de vie, ses réussites, ses forces qui lui ont déjà permis de surmonter des obstacles. Elle évoque également avec lui les ressources externes, les personnes qui sont importantes pour lui et à qui il peut faire appel au besoin. Elle l'aide à considérer le problème en fonction de ses besoins et de ses chances de succès grâce aux différentes solutions possibles. Elle établit avec lui un plan d'action en déterminant avec lui les activités de soins qu'il peut accomplir. Elle peut aussi l'assurer d'une présence pour l'aider dans ces activités. Ensuite, en tenant compte de ses préférences, elle lui suggère des activités de loisirs parmi celles que propose le CHSLD. Enfin, elle l'encourage et l'aide à passer à l'action.

Interventions infirmières d'enseignement

L'infirmière peut donner de l'enseignement au résident lorsque l'intensité de son anxiété a diminué ou en parlant d'« ici et maintenant », car le résident a des difficultés d'apprentissage causées par un manque de concentration. Le résident a besoin qu'on le dirige. Ainsi, l'infirmière pratique avec lui les techniques respiratoires au moins une fois par jour pour l'aider à maîtriser sa dyspnée. Elle l'assiste dans de courtes séances de relaxation musculaire progressive, par exemple. Elle peut aussi suggérer d'autres approches telles que la visualisation, la musique, l'humour et les distractions. Elle tient compte des préférences du résident.

Interventions infirmières en cas d'anxiété sévère

Le résident qui présente une anxiété sévère a besoin d'une présence calme et rassurante. L'infirmière doit lui montrer sa capacité à le comprendre et à lui apporter de l'aide. Elle l'aide à mettre des mots sur ce qu'il vit, ce qu'il ressent. Elle lui présente des pistes d'actions possibles.

L'infirmière amène peu à peu le résident à établir un ordre de priorités concernant ses besoins, selon le moment de la journée. Elle organise les activités de soins en conséquence. De plus, elle prévoit des périodes de repos entre les périodes de soins et de services du CHSLD.

Interventions infirmières de soutien psychologique

Le résident présentant une anxiété sévère a besoin d'être sécurisé. L'infirmière fait avec lui l'inventaire de ses besoins, afin de déterminer tout ce qui peut l'aider à se sentir en sécurité. Elle conclut avec lui une entente : elle peut l'assurer d'une présence de quelques minutes toutes les deux ou trois heures ou selon sa préférence, ou lui proposer de sonner pour obtenir de l'aide. Si, malgré cela, le résident a peur, elle lui suggère l'aide d'un autre soignant pour maîtriser son anxiété. Enfin, si les différentes approches pour calmer le résident échouent, l'infirmière propose de consulter l'équipe interdisciplinaire.

Interventions infirmières d'enseignement

L'enseignement n'est pas recommandé dans un cas d'anxiété sévère. Le résident a alors besoin de directives claires pour se calmer. L'infirmière respire avec lui et l'aide peu à peu à diminuer son rythme respiratoire. Puis, elle pratique avec lui la respiration avec lèvres pincées. L'infirmière doit maîtriser la situation. C'est ainsi qu'elle montre au résident qu'elle a les connaissances et les habiletés nécessaires pour l'aider à surmonter la crise de dyspnée-anxiété.

Interventions infirmières en cas de panique

La panique est le degré extrême de l'anxiété. Le résident atteint de BPCO a alors peur d'étouffer, de mourir. De plus, il a peur de s'évanouir, de devenir fou. Plusieurs

recherches indiquent que 80 % des visites aux urgences des aînés atteints de BPCO sont dues à des crises de dyspnée-anxiété-panique. Plusieurs résidents bénéficient d'une médication anxiolytique. Certains antidépresseurs sont reconnus comme sécuritaires et efficaces pour le traitement de l'anxiété-panique (Smoller, Simon, Pollack, Kradin et Stern, 1999). Cependant, l'infirmière doit rester vigilante et surveiller l'apparition d'effets secondaires (Gélinas, 2004). Au besoin, elle communique avec le médecin pour modifier la thérapie.

Interventions infirmières de soutien psychologique

Le résident qui présente des états de panique veut avant tout être soulagé. L'infirmière doit reconnaître la réalité de ses symptômes subjectifs, tels que la sensation d'oppression et d'étouffement. Lors de crises de dyspnée, elle le rassure par sa présence ou en lui envoyant un autre soignant. Il est important de faire diminuer sa panique, mais aussi son agressivité et ses pleurs.

Si le résident a un traitement d'anxiolytiques, l'infirmière s'assure qu'il les prend bien. Il lui faut aussi évaluer l'efficacité des médicaments en observant les comportements du résident, et informer éventuellement le médecin. Il est essentiel d'aider le résident à retrouver un degré de fonctionnement satisfaisant. Enfin, avant de quitter le résident, l'infirmière doit s'assurer que son degré d'anxiété a baissé.

Interventions infirmières d'enseignement

Il est impossible de faire de l'enseignement lorsque le résident est en train de paniquer. Cela n'est possible que lorsque l'intensité de l'anxiété a diminué. Alors seulement, l'infirmière informe le résident qu'il ne peut pas mourir de son essoufflement et l'assure d'une présence lors des crises. Elle vérifie que le résident connaît la respiration avec lèvres pincées. Elle lui annonce qu'elle ou un autre soignant pratiquera avec lui cette technique respiratoire une fois par jour, pour éviter l'apparition de la panique lors des prochaines crises de dyspnée ou lorsqu'il appréhende une crise de dyspnée.

Détection des aggravations des problèmes respiratoires

Il n'existe aucune définition universellement reconnue de l'exacerbation aiguë de la BPCO, bien que cette dernière soit considérée comme la cause la plus fréquente des hospitalisations et des décès (McIvor, 2005). De façon générale, on parle d'exacerbation lorsqu'il y a une détérioration marquée et soutenue de l'état des poumons, en plus des variations quotidiennes. La perturbation nécessite des changements dans la thérapie. Les critères cliniques majeurs sont une augmentation de la dyspnée, l'apparition de toux ou une aggravation de la toux existante et une augmentation des expectorations, dont la viscosité s'accroît et dont la couleur est foncée. L'exacerbation peut être purulente ou non. Le résident peut également présenter une respiration sifflante. Enfin, il faut noter que le nombre d'épisodes d'exacerbations augmente généralement lorsque la BPCO s'aggrave.

Les facteurs précipitants de l'aggravation des problèmes respiratoires, chez un résident atteint de BPCO, sont multiples. Les principaux sont l'infection bactérienne et l'infection virale. Ensuite viennent les irritants bronchiques tels que la fumée de cigarette, la pollution atmosphérique, les solvants, les détergents, la peinture et les changements brusques de la qualité de l'air. Les changements de la qualité de l'air sont essentiellement l'humidité, le froid, le vent et la chaleur. Par ailleurs, l'anxiété sévère peut être un facteur. Cependant, pour le tiers des résidents vivant une exacerbation aiguë de leur BPCO, les facteurs sont inconnus (GOLD, 2003).

Le résident dont les problèmes respiratoires s'aggravent voit sa respiration changer. Il peut se plaindre de dyspnée, de changements dans sa toux et ses expectorations et d'une douleur thoracique. L'infirmière peut alors noter une détérioration rapide de la fonction respiratoire du résident : modification, variation, changement, apparition, augmentation, diminution de signes et de symptômes liés à la respiration. Au fur et à mesure que l'exacerbation devient de plus en plus sévère, les échanges gazeux sont altérés et des anomalies se présentent sur le plan de la ventilation et la perfusion. Les anomalies de ventilation sont causées par l'inflammation des voies aériennes, l'œdème, la broncho-constriction et l'hypersécrétion de mucus. Les anomalies de perfusion peuvent être causées par la constriction des artérioles elle-même provoquée par l'hypoxie.

D'autres facteurs peuvent être responsables de la détérioration des fonctions respiratoires. C'est ainsi le cas de la fatigue musculaire, de la confusion, de la somnolence et de l'atteinte de l'état général par une maladie sous-jacente (GOLD, 2003). Les résidents affligés par ces facteurs sont habituellement les résidents ayant des BPCO sévères, qui sont hypoxémiques et hypercapniques. Ils présentent une céphalée matinale, de l'agitation et de la confusion. De plus, leur comportement change et ils ont de la diaphorèse. Ces résidents n'ont plus dans les poumons de réserves pour combattre longtemps une exacerbation. Ils décompensent rapidement et nécessitent souvent une hospitalisation.

En cas d'exacerbation, l'infirmière évalue l'état clinique du résident avant de communiquer avec le médecin. Elle transmet à ce dernier les informations suivantes :

- la fréquence et la sévérité de la crise de dyspnée ;
- les quintes de toux accompagnant la crise de dyspnée ;
- l'augmentation du volume des expectorations et l'évolution de leur couleur ;
- l'apparition de nouveaux symptômes, tels que la cyanose ou un œdème aux membres inférieurs ;
- la médication actuelle du résident.

Elle note toutes ces informations dans le dossier et assure les soins requis.

Soin du résident atteint d'une BPCO et en perte d'autonomie

Tandis que les soignants s'occupent d'évaluer sa fonction respiratoire, le résident, lui, s'inquiète de sa dyspnée, de sa fatigue et de son incapacité à accomplir certaines activités de la vie quotidienne. Avec l'évolution de la maladie, la dyspnée devient tellement handicapante que le résident est incapable de se laver, de s'habiller, de marcher pour se rendre à la salle à manger ou aux toilettes. Il dépend des soignants.

La plupart des résidents de CHSLD sont très dyspnéiques, hypoxémiques et hypercapniques. Ils sont âgés, présentent de multiples problèmes de santé et sont en perte d'autonomie. Ils nécessitent des soins pour l'oxygénation, ainsi qu'une médication complexe dont les voies d'administration sont diverses, comprenant notamment l'aérosolthérapie et les aérosols doseurs. Il importe d'ajuster au besoin l'oxygénothérapie en fonction de la saturation et d'adapter la médication de manière à atteindre une certaine stabilité de l'état de santé.

Le résident et ses proches s'attendent à des soins de qualité et de confort. De plus, le résident cherche à avoir un peu de contrôle sur sa vie et aspire à un certain mieux-être. En fonction de son état de santé, de ses priorités et des activités du CHSLD, l'infirmière établit avec lui un plan de soins et lui recommande des exercices respiratoires. Elle lui enseigne et fait avec lui les techniques respiratoires: respiration avec les lèvres pincées ou respiration diaphragmatique permettant de mieux maîtriser la dyspnée et d'être capable d'accomplir certaines activités. Si possible, selon la motivation du résident, elle l'inscrit au programme de réadaptation pulmonaire.

Réadaptation pulmonaire

La réadaptation pulmonaire est un programme de soins qu'on offre aux résidents atteints d'une BPCO incapacitante. Elle vise à améliorer la condition physique, le rôle social et l'autonomie. De plus, une étude a montré qu'un programme de réadaptation pulmonaire améliorait la capacité fonctionnelle des aînés de 80 ans et plus (Baltzan, Kamel, Alter, Rotaple et Wolkove, 2004). Cependant, il faut noter que la motivation du résident est essentielle au succès de l'intervention (Couser, Guthmann, Hamadeh et Kane, 1995). L'infirmière doit donc encourager le résident à participer à ce programme et stimuler sa motivation. Elle doit aussi combattre certains mythes. Par exemple, certains résidents croient que l'exercice va exacerber leurs symptômes et ainsi endommager leurs poumons. Cependant, cette croyance semble de plus en plus rare, car de plus en plus de résidents atteints d'une BPCO adhèrent aux programmes de réadaptation. Au cours des dernières années, plusieurs programmes de réadaptation ont été implantés dans les milieux cliniques.

Le programme de réadaptation pulmonaire vise à ce que le résident participe de façon active et selon ses capacités à la gestion au quotidien de la BPCO. Il comprend une partie éducation et une partie activités physiques. Plusieurs recherches ont recommandé les activités physiques et déterminé ce qu'elles devaient être. Le programme de réadaptation pulmonaire peut se donner en plusieurs sessions, aux individus pris séparément ou à des groupes restreints. La partie éducation favorise la maîtrise de la BPCO en fournissant des connaissances et des habiletés qui permettent de mieux gérer les symptômes, surtout lors des exacerbations. Un essai clinique effectué au Québec dans sept centres de santé sur un échantillon réparti au hasard a confirmé que le programme d'autogestion «Mieux vivre avec une BPCO», utilisé dans une approche de soins, améliorait la qualité de vie du patient atteint d'une BPCO (Bourbeau *et al.*, 2003). De plus, le comité scientifique BPCO du Réseau québécois en asthme et BPCO (RQAM) recommande et adopte les outils de ce programme: guide de référence, brochure d'enseignement, vidéo et cédérom pour les soignants. Le cédérom comprend sept modules d'enseignement:

1. Bien respirer, conserver votre énergie et relaxer.

2. Prévenir et contrôler vos symptômes.

3. Vos symptômes et votre plan d'action.

4. Adopter de bonnes habitudes de vie.

5. Prendre le temps de respirer les bonnes choses de la vie.

6. Programme d'exercices.

7. Oxygénothérapie à long terme.

L'infirmière peut donner cette documentation, au complet ou en partie, au résident de CHSLD et l'utiliser avec lui (Agence de développement de réseaux locaux de services de santé et de services sociaux, 2004). Si le résident ne montre aucun intérêt à participer au programme de réadaptation pulmonaire, l'infirmière tente de cerner les sentiments qui sont à l'origine de sa réticence à s'engager dans de nouvelles activités. Elle établit avec lui la liste des activités qu'il fait et, à partir de ses goûts, préférences et habiletés, la liste des activités qu'il pourrait faire. Avec les autres soignants du CHSLD et à l'aide des outils du programme, elle enseigne au résident ce que tous, lui y compris, jugent nécessaire: techniques respiratoires comme la technique de toux, la respiration avec les lèvres pincées et la respiration diaphragmatique pour maîtriser sa dyspnée.

Lorsqu'un résident participe au programme de réadaptation, il est important de bien souligner ses progrès, tant sur le plan de la quantité d'activités qu'il effectue que sur celui de l'augmentation de la tolérance à l'effort. C'est le programme d'exercices qui doit être au service des activités du résident, non l'inverse.

Aspects non pharmacologiques

Arrêt du tabac

Quel que soit le stade de la maladie, l'arrêt du tabac est la seule mesure qui puisse interrompre la progression de l'obstruction bronchique et retarder l'apparition de l'insuffisance respiratoire (Scanlon *et al.*, 2000). Grâce au

« Plan québécois d'abandon du tabagisme » du ministère de la Santé et des Services sociaux, des services d'aide à la cessation du tabagisme sont disponibles gratuitement partout au Québec (Collège des médecins du Québec, 1999). Cependant, 85 % des fumeurs ne veulent pas arrêter de fumer. Tashkin et ses collaborateurs (2001) ont démontré que des thérapies intensives, comprenant une médication de remplacement de la nicotine, une thérapie au bupropion ou une combinaison des deux, donnent de bons résultats pour l'arrêt du tabagisme chez les aînés ayant une BPCO modérée ou sévère. Ces thérapies sont couvertes par le Régime d'assurance-médicaments du Québec pendant une période de douze semaines consécutives par année. Par ailleurs, d'autres recherches montrent que des thérapies comportementales permettent d'augmenter l'efficacité des autres traitements et de prévenir les rechutes (Rolnick, Butler et Stott, 1997). Les travaux de recherche de Prochaska et DiClemente (1995) confirment la justesse d'un modèle de renoncement fondé sur les cinq étapes du changement. De plus, d'autres études ont montré que ce modèle était cliniquement applicable (Rohren et Croghan, 1994). Pour cesser définitivement le tabagisme, les fumeurs, qui se trouvent à différents stades de changement de comportement, doivent franchir certaines étapes (voir le tableau 6-10). Le meilleur moyen pour l'infirmière d'aider les résidents fumeurs est de comprendre les étapes de changement qu'ils doivent franchir et d'adapter ses interventions à l'étape où chacun se trouve (Prochaska et Prochaska, 1999).

Bien qu'il soit important de soutenir le résident qui chemine vers une décision d'arrêt du tabac, il est tout aussi important d'accompagner le résident qui vient d'arrêter. En effet, le changement du comportement est un processus cyclique dans lequel les rechutes sont normales. Après une rechute, 15 % des gens abandonnent, mais 85 % se reprennent et se préparent à une action future. La plupart de ceux qui arrêtent de fumer traversent en moyenne trois ou quatre cycles d'étapes du changement (Prochaska et Goldstein, 1991). Si, malgré tout, l'arrêt du tabac échoue, il faut proposer une réduction de consommation. Une réduction de consommation d'au moins 50 % permet de ralentir le déclin du VEMS.

Nutrition

Avec les résidents atteints de BPCO, il est important d'adopter une approche nutritionnelle adéquate, tenant compte des déficits nutritionnels. En effet, les résidents emphysémateux en particulier présentent des risques de dénutrition. Ils dépensent beaucoup d'énergie au niveau des muscles respiratoires et des muscles périphériques, et pour combattre l'inflammation. Ainsi, leur apport alimen-

Tableau 6-10	**Les étapes du changement et les interventions visant l'arrêt de la consommation de tabac**
ÉTAPES	**INTERVENTIONS**
Préréflexion Le résident est incité à penser à cesser de fumer, mais ne considère pas d'arrêter dans les six prochains mois.	• Motiver le résident qui n'est pas prêt à cesser de fumer. • Questionner sur les avantages et désavantages qu'il a à fumer. • Expliquer les bienfaits à cesser de fumer sur ses symptômes, telle la diminution de la toux, des infections. • Donner du matériel éducatif ainsi que des ressources d'aide comme la ligne J'arrête 1 888 853-6666, ligne téléphonique d'information, de soutien et de référence. Le site interactif www.jarreteqc.ca fournit de l'information, du soutien et des références.
Réflexion Le résident pense sérieusement à cesser de fumer.	• Explorer avec le résident la motivation et les freins à l'arrêt tabagique. • Assister le résident dans sa décision de cesser de fumer.
Préparation Le résident est décidé à cesser de fumer dans le prochain mois.	• Aider à décider d'une date d'arrêt. • Aider à trouver des stratégies à utiliser pour remplacer les comportements liés au tabagisme.
Action Le résident a cessé de fumer depuis moins de six mois. Les avantages dépassent les inconvénients, mais il est très exposé aux rechutes.	• Fournir beaucoup de soutien. • Demander l'aide des autres soignants pour aider l'individu dans les situations à risque, comme être en présence d'autres fumeurs ou lorsqu'il se sent plus vulnérable comme en périodes de stress.
Entretien Le résident est non-fumeur depuis six mois. Les inconvénients peuvent augmenter si l'effet du premier succès s'atténue.	• Féliciter et appuyer tout changement obtenu. • Assurer le résident de son écoute et de sa disponibilité pour vaincre les moments difficiles.

Source : C. Lacroix (2005). Une dépendance qui se soigne. Présentation de l'Université de Montréal dans le cadre de la « Mise à jour sur les problèmes respiratoires » de septembre 2004. *Le clinicien*, janvier, 76.

taire peut être insuffisant. Des études ont montré que 25 % des aînés atteints d'une BPCO sévère présentaient une fonte musculaire importante. Or, cela nuit au fonctionnement des muscles respiratoires. Il y a en effet réduction de la masse musculaire diaphragmatique, intercostale et accessoire. Selon Meyer, Mannino, Reed et Olson (2002), c'est un facteur de très mauvais pronostic. De plus, on a évalué que le coût énergétique de la respiration peut atteindre de 430 à 720 kilocalories par jour chez un résident ayant une BPCO, alors qu'il n'est que de 36 à 72 kilocalories par jour chez un aîné sain (Pison, Cano, Chérion, Roth et Pichard, 2004). Plusieurs autres facteurs perturbent la capacité d'ingestion des résidents souffrant d'une obstruction chronique grave des voies respiratoires. Ainsi, la dyspnée entraîne des difficultés à s'alimenter. La saturation en oxygène diminue pendant le repas et cause souvent de la fatigue et une perte d'appétit. Pour éviter la fatigue et réduire la dyspnée causée par la digestion, l'infirmière peut encourager le résident à faire plusieurs petits repas, à prendre par exemple le dessert une heure plus tard que le repas normal. De plus, des facteurs biologiques tels que des expectorations abondantes et épaisses, de la dysphagie et la prise de médicaments peuvent être à l'origine d'une perte d'appétit. À tout ceci peuvent s'ajouter des facteurs psychosociaux tels que l'isolement, la perte d'autonomie et la dépression.

L'infirmière consulte la nutritionniste, qui détermine le régime alimentaire approprié. En cas d'insuffisance cardiaque droite, il faut tenir compte des limitations liquidiennes et de l'apport en sodium. Pour le résident atteint de BPCO *et* diabétique, il faut tenir compte du taux de glycémie, car la prise de corticostéroïdes l'augmente. Ainsi, l'infirmière doit surveiller les signes d'hyperglycémie et vérifier la glycémie à l'aide du glucomètre. La médication doit être modifiée en conséquence. L'infirmière explique au résident l'importance du régime alimentaire, qu'il soit riche en protéines ou limité en sodium. Elle connaît les recommandations de la nutritionniste et surveille l'alimentation du résident et son poids. En cas d'inappétence, elle en détermine la cause et prévient le soignant concerné. Enfin, elle encourage et félicite le résident qui acquiert de nouvelles habitudes alimentaires.

Oxygénothérapie

Les études montrent que l'utilisation d'oxygène à long terme, plus de 15 heures par jour, augmente la survie des insuffisants respiratoires (Nocturnal Oxygen Therapy Trial Group, 1980). Cependant, l'oxygénothérapie n'empêche pas le déclin du VEMS. Elle vise à fournir de l'oxygène aux organes vitaux des malades ayant une baisse de l'oxygène sanguin au repos, ce qui équivaut à une saturation d'au moins 90 %.

L'Association des pneumologues de la province de Québec a établi des critères pour l'oxygénothérapie à long terme. Ainsi, elle recommande l'oxygénothérapie pour les aînés dont la BPCO est stable, qui sont sous traitement médical optimal et qui présentent une hypoxémie impor-

tante et persistante. Elle indique d'utiliser l'oxygène pendant une durée quotidienne minimale de 18 heures, comprenant la nuit (Boucher, 1984).

En même temps que l'oxygénothérapie fournit de l'oxygène aux organes, celle-ci provoque normalement une augmentation physiologique de la PCO_2 de 4 à 5 mm Hg. Le résident, au stade avancé de sa BPCO, retient du CO_2 (hypercapnie). En général, toute augmentation de PCO_2 témoigne d'une fatigue respiratoire incontrôlée plutôt que d'une toxicité de l'oxygène. Le saturomètre ne donnant pas d'information sur le CO_2, l'infirmière doit déterminer si le résident présente de l'hypercapnie ($PaCO_2$ supérieure à 45 mm Hg). Pour cela, comme on le suggère, elle peut effectuer une ponction artérielle pour vérifier si le résident a une $PaCO_2$ élevée en état stable. Si elle ne peut obtenir cette information, elle doit être très vigilante et surveiller tout signe d'hypercapnie : hypertension artérielle, bradypnée, tachycardie, irritabilité, perte de mémoire, somnolence ou tendance irrésistible à s'endormir et confusion.

Aspects pharmacologiques

Inhalothérapie

La combinaison d'un programme de réadaptation respiratoire et d'une thérapie bronchodilatatrice optimale réduit la rétention d'air ou l'hyperinflation pulmonaire et la dyspnée à l'effort. Qu'il soit à un stade modéré ou sévère de sa BPCO, le résident voit sa qualité de vie s'améliorer. Pour le résident ayant une BPCO sévère et connaissant de fréquentes exacerbations, le traitement optimal consiste en la combinaison d'un anticholinergique à action prolongée, d'un bronchodilatateur par inhalation bêta-2 agoniste à longue durée d'action et, au besoin, pour un soulagement immédiat des symptômes, d'un bêta-2 agoniste à courte durée d'action.

Corticothérapie

Une étude a montré que l'utilisation d'un bronchodilatateur bêta agoniste à longue durée d'action associée à un corticostéroïde en aérosol doseur, à haute dose, réduisait la durée des infections respiratoires (Sin, McAlister, Man et Anthonisen, 2003). Cependant, pour que des recommandations précises puissent être faites concernant la corticothérapie par inhalation à doses élevées lors d'exacerbations aiguës, des études plus approfondies sont nécessaires. Pour l'instant, il faut envisager les corticostéroïdes par inhalation pour le résident ayant une BPCO modérée ou sévère et ayant trois exacerbations aiguës par année, surtout s'il a besoin d'une corticothérapie orale.

Antibiothérapie

Les études ont clairement montré que l'antibiothérapie était justifiée et efficace chez les résidents atteints d'une BPCO et ayant une infection (Bach, Brown, Gelfand et McCrory, 2001 ; O'Donnell *et al.*, 2003). L'infirmière joue un rôle important dans la surveillance clinique du résident qui est sous antibiothérapie (voir les chapitres 8 et 23).

Environnement

Concernant l'environnement, l'infirmière intervient tout d'abord en demandant au résident de cesser de fumer et d'éviter la fumée secondaire. Elle s'efforce de lui procurer un environnement sans odeurs fortes telles que celles des nettoyants, de la peinture et du parfum. Elle lui recommande de ne pas fréquenter les endroits pollués, de ne pas s'exposer aux changements de température extérieure, ni à la pollution et aux infections respiratoires, qui sont nocives pour sa santé respiratoire. Tous ces éléments sont à éviter car ils peuvent déclencher de l'irritation bronchique, de la toux et de la dyspnée. De plus, il est raisonnable de ne pas exposer le résident à des conditions météorologiques associant froid, vent et humidité. De manière générale, les sorties seront limitées en cas de mauvaises conditions climatiques. Ainsi, s'il y a une alerte à la pollution, il est recommandé que le résident ne fasse pas d'efforts physiques et ne sorte pas l'été aux heures les plus chaudes. L'infirmière recommande alors au résident de rester dans un endroit frais. L'hiver, elle l'encourage à se mettre un foulard devant la bouche s'il doit sortir au froid. De plus, le résident doit éviter tout contact avec les personnes ayant une infection respiratoire. Enfin, à titre de prévention, le résident recevra chaque année le vaccin anti-influenza, qui diminue l'incidence des pneumonies, des hospitalisations et des décès (Comité consultatif national de l'immunisation, 2004). L'infirmière encourage aussi le résident à se faire administrer le vaccin antipneumoccique, qui diminue l'incidence des pneumonies invasives avec bactériémie. Cependant, il faut noter qu'aucune étude n'a montré l'efficacité de ce vaccin chez les résidents atteints de BPCO.

Conclusion

Les résidents des CHSLD qui sont atteints d'une BPCO ont besoin de soins infirmiers proactifs pour bénéficier de la meilleure qualité de vie possible. L'infirmière assure la prise en charge du résident atteint d'une BPCO en adoptant une approche holistique tenant compte des valeurs du résident, de ses préférences et de ses besoins. En collaboration avec les autres soignants, elle assure un suivi et une prise en charge individualisés. Les soins infirmiers optimaux qu'elle prodigue ralentissent l'évolution de la maladie et, par conséquent, rehaussent le degré de qualité de vie du résident.

Néanmoins, il faut admettre qu'il reste encore beaucoup à apprendre sur les résidents atteints de BPCO. Si les recherches en soins infirmiers concernant les BPCO ont augmenté ces dernières années, des études cliniques concernant les résidents atteints de BPCO et vivant en CHSLD sont nécessaires. L'infirmière doit acquérir des connaissances et développer ses habiletés pour aider le résident atteint de BPCO à vivre ses dernières années, ses derniers mois comme il le souhaite. Enfin, il faut reconnaître que l'infirmière, étant donné son rôle et ses fonctions, est une personne centrale dans les soins, les actions et les interventions visant le mieux-être du résident atteint de BPCO et vivant en CHSLD.

ÉTUDE DE CAS

Madame Thérèse Leblanc, âgée de 76 ans et veuve depuis six mois, vit dans un CHSLD depuis trois mois. Il y a 20 ans, on a diagnostiqué chez elle une BPCO. Pendant 23 ans, elle a fumé un paquet de cigarettes par jour, avant de réduire sa consommation à 6-7 cigarettes par jour. Elle a arrêté de fumer lors de sa dernière hospitalisation. Au cours de la dernière année, elle a été hospitalisée deux fois en raison de crises sévères d'exacerbation. La dernière hospitalisation a nécessité un séjour aux soins intensifs et une intubation. Cette expérience l'a rendue anxieuse ; elle a peur de mourir étouffée. Elle appréhende le futur, ne veut pas être un fardeau pour ses deux enfants qui viennent la voir toutes les semaines. Elle reçoit de l'oxygène 18 heures par jour à raison de 1 litre par minute, à cause d'une hypoxémie sévère découverte lors de sa dernière hospitalisation.

Lors des premières entrevues avec Mᵐᵉ Leblanc, l'infirmière du CHSLD a fait une évaluation initiale et noté les informations dans le dossier. À l'examen, elle remarque que la résidente est amaigrie, a perdu trois kilos, ceci avant son arrivée au CHSLD. Elle note aussi une cyanose labiale et digitale à l'air ambiant ainsi qu'un léger œdème aux chevilles. Au niveau du thorax postérieur, elle observe une cyphose, mais ne remarque aucun tirage intercostal. Les signes vitaux indiquent une tension artérielle de 136/80, un pouls régulier de 96/min et une fréquence respiratoire à 18/min. À l'auscultation, l'infirmière note un murmure vésiculaire très diminué à la base des poumons ainsi que des ronchi au niveau des bronches. En réponse au questionnaire, la résidente déclare tousser et expectorer tous les jours des sécrétions blanches, et se dit essoufflée au moindre effort, même pour se laver et s'habiller. Elle n'a pas de douleur thoracique. Les résultats des tests effectués lors de la dernière hospitalisation indiquent un rapport VEMS sur CVF de 50 %, qui appuie le diagnostic de BPCO, et un VEMS correspondant à 42 % de la valeur prédite, donc à une obstruction sévère. La ponction artérielle faite lors du départ de l'hôpital de Mᵐᵉ Leblanc montre que l'hypoxémie est corrigée par l'oxygène à 1 litre/min et témoigne d'une tendance à l'hypercapnie ($PaCO_2$ de 50). L'infirmière prend la saturation de Mᵐᵉ Leblanc. Elle est de 88 % à l'air ambiant et atteint 94 % avec l'oxygène à 1 litre/min. Enfin, l'infirmière fait le relevé des médicaments que prend Mᵐᵉ Leblanc : du salbutamol (Ventolin), deux bouffées au besoin, de l'ipratropium (Atrovent), deux inhalations quatre fois par jour, et du salmétérol (Sérévent), deux inhalations deux fois par jour. Mᵐᵉ Leblanc possède un aérochambre pour la prise de ses aérosols doseurs.

>>>

Quelques jours plus tard, Mme Leblanc sonne pour signaler qu'elle « étouffe », manque d'air. Elle est très nerveuse. L'infirmière observe qu'elle est assise et penchée vers l'avant, et qu'elle est polypnéique à 28 respirations par minute. Le reste des examens ne témoignent d'aucun changement par rapport à d'habitude. L'infirmière tente de calmer Mme Leblanc et lui administre, avec l'aérochambre, le bronchodilatateur, Ventolin, qu'elle peut prendre au besoin. De plus, elle lui demande de garder l'oxygène. Au bout d'une heure, Mme Leblanc parvient à se calmer.

Mme Leblanc vit maintenant en CHSLD depuis neuf semaines. Elle se plaint d'une douleur thoracique à droite, sous forme de point, qui s'intensifie lors de l'inspiration depuis deux jours. Elle évalue sa douleur à 7 sur 10. En réponse au questionnaire, elle déclare être plus dyspnéique et expectorer des sécrétions jaunâtres. À l'examen, les signes vitaux sont les suivants : tension artérielle de 152/88 ; respiration de 28/min ; et pouls régulier de 92/min. L'infirmière ne note aucune cyanose labiale ni digitale avec l'oxygène, et la saturation est à 88 %. À l'auscultation, il y a un murmure vésiculaire très diminué aux deux bases pulmonaires et des crépitants à la base du poumon droit. De plus, l'infirmière entend des ronchi et quelques sibilants au niveau des bronches. Mme Leblanc déclare avoir peur : « Chaque fois que je présente ces symptômes, dit-elle, j'ai toujours une pneumonie. » L'infirmière communique toutes ses observations au médecin.

Mme Leblanc est rétablie. Lors d'une visite, l'infirmière sent une odeur de tabac lorsque la résidente sort des toilettes.

Questions

1 Quel est le degré de la BPCO de Mme Leblanc ? D'après le résultat de la saturométrie effectuée par l'infirmière au CHSLD, la résidente aura-t-elle besoin d'une oxygénothérapie à long terme ?

2 Quels sont les signes et symptômes à surveiller chez Mme Leblanc, qui présente de l'hypoxémie avec une saturation à 88 % et une tendance à l'hypercapnie avec une $PaCO_2$ à 50 mm Hg ?

3 En tant qu'infirmière, quelles évaluations et interventions feriez-vous auprès de Mme Leblanc qui dit avoir la sensation d'étouffer ?

4 Pensez-vous que Mme Leblanc ait besoin d'oxygène pour calmer sa dyspnée ?

2 PROBLÈMES DE SANTÉ AIGUS

Dans cette deuxième partie, nous examinons les problèmes de santé aigus qui peuvent apparaître au cours de l'hébergement, c'est-à-dire le delirium, les infections, la dépression et le suicide. En raison de la fragilité physiologique des résidents et des conditions d'hébergement dans les CHSLD, le risque que les aînés y développent de nouveaux problèmes de santé est élevé. C'est pourquoi, dans les chapitres qui suivent, nous mettons l'accent sur la capacité de l'infirmière à détecter ce genre de problèmes, à les prévenir et à intervenir de façon thérapeutique lorsqu'ils apparaissent.

7

LE DELIRIUM

par **Philippe Voyer**

Perturbation du cerveau touchant les capacités cognitives, le delirium est souvent difficile à distinguer de la démence. Il est dû à plusieurs facteurs qui touchent fréquemment les aînés hospitalisés ou résidant en CHSLD, ce qui expliquerait sa prévalence chez cette catégorie de personnes. L'infirmière pourra le détecter en connaissant bien ses signes et symptômes et en se servant d'outils appropriés.

Comme la complexité du delirium rend son traitement difficile, il est important de tout faire pour le prévenir, en agissant non seulement sur les facteurs individuels, mais aussi sur les facteurs de l'environnement humain et physique. En cas de détection d'un delirium, il faut agir rapidement en suivant une procédure particulière et en observant certains principes.

NOTIONS PRÉALABLES SUR LE DELIRIUM

Définition

Le delirium est une perturbation du cerveau. L'Association américaine de psychiatrie (APA, 2000) le définit par la présence de quatre grandes caractéristiques. La première est une perturbation de l'état de conscience s'accompagnant d'une incapacité à soutenir l'attention. La deuxième est une atteinte des capacités cognitives ou de perception. Sur le plan cognitif, il peut s'agir de troubles de la mémoire ou de désorientation. Sur le plan de la perception, ce sont généralement des hallucinations et des illusions. La troisième caractéristique du delirium est le court laps de temps que mettent les symptômes à s'installer, de quelques heures à quelques jours, et leur fluctuation dans une période de vingt-quatre heures. Enfin, la quatrième caractéristique se rapporte aux causes du problème. Ainsi, pour qu'il y ait delirium, il faut une mise en évidence, d'après le dossier médical, l'examen physique et des examens complémentaires, que les perturbations observées sont les conséquences physiologiques directes d'un état de santé. Chez le résident de CHSLD, il est souvent difficile de trouver une cause unique pour le delirium. Une étude rapporte d'ailleurs que les causes du delirium chez l'aîné sont multiples dans plus de 86 % des cas (Culp *et al.*, 1997).

Ampleur du problème

Les études indiquent que de 10 à 20 % des aînés souffrent d'un delirium à leur admission dans un hôpital et que de 25 à 60 % en développeront un au cours de leur hospitalisation. En CHSLD, la prévalence du delirium est de 16 à 57 % et l'incidence serait de 4 à 40 % par semaine. Le grand écart entre ces pourcentages s'explique principalement par l'utilisation de méthodologies de recherche distinctes (Inouye, 1999).

Conséquences

Contrairement à ce qu'on croyait dans le passé, le delirium n'est pas qu'un problème cognitif transitoire et sans séquelles. Des recherches montrent en effet que, sans prise en charge rigoureuse, l'aîné gardera des pertes cognitives pendant plusieurs mois. Les conséquences du delirium sont diverses et ne se limitent pas à la sphère cognitive. D'après les études, le delirium réduit l'autonomie fonctionnelle de façon importante. Après une observation d'une semaine seulement, des chercheurs rapportent qu'ils ont constaté chez les aînés atteints d'un delirium une perte d'autonomie trois fois plus importante que chez les aînés n'ayant pas de delirium, et cela, en tenant compte de l'âge, de l'autonomie fonctionnelle à la première évaluation, de la démence et du niveau de comorbidité (Marcantonio *et al.*, 2003). Enfin, le delirium retarde la réadaptation suivant un accident vasculaire cérébral ou une chute et accroît la morbidité et la mortalité.

Facteurs prédisposants et facteurs précipitants

Facteurs prédisposants

Vieillissement normal

En vieillissant, le cerveau subit diverses modifications. Ainsi, sa taille chez l'aîné diminue. Ce phénomène peut s'expliquer par la perte de cellules nerveuses qui débute dès l'âge adulte et conduit à une diminution nette de la masse du cerveau. Comme il y a moins de tissu nerveux à nourrir, l'apport sanguin s'en trouve réduit. Cependant, s'il perd de son volume, le cerveau ne se modifie pas anatomiquement.

Les cellules nerveuses qui restent subissent des changements en raison de la lipofuscine et des radicaux libres. Les neurotransmetteurs sont généralement moins nombreux, ce qui entraîne une perte d'efficacité et un ralentissement de la communication intersynaptique.

Enfin, le vieillissement conduit à la démyélinisation des fibres nerveuses, et de ce fait à une réduction de la vitesse de transmission de l'influx nerveux.

Il est possible que ces différents changements physiologiques expliquent la vulnérabilité du cerveau et l'exposent au delirium. Ce serait principalement un déséquilibre des neurotransmetteurs qui déclencherait un delirium. Or, le vieillissement normal fragiliserait l'équilibre des neurotransmetteurs.

Maladies

L'importance des pertes cognitives due à une démence influe grandement sur la prévalence du delirium. Une étude clinique montre en effet que plus l'aîné affiche une détérioration cognitive, plus son risque d'être atteint d'un delirium est grand. Ainsi, 58 % des aînés dont les capacités cognitives étaient sévèrement atteintes souffraient d'un delirium, tandis que c'était le cas de 45 % des aînés atteints modérément et de 22 % des aînés atteints légèrement (Robertson, Blennow, Gottfries et Wallin, 1998). Dans une autre étude, 89 % des aînés atteints d'une démence souffraient d'un delirium, tandis que c'était le cas de 60 % des aînés sans atteintes cognitives préalables (Fick et Foreman, 2000).

Outre la démence, plusieurs maladies et affections peuvent contribuer à l'apparition d'un delirium. Inouye et Charpentier (1996) proposent un modèle théorique (voir la figure 7-1) qui illustre parfaitement l'interaction entre les facteurs prédisposants, c'est-à-dire la vulnérabilité du résident, et les facteurs précipitants, c'est-à-dire les éléments faisant partie de l'environnement du résident. Ce modèle suggère que, selon sa vulnérabilité, l'aîné présentera une sensibilité variable aux facteurs précipitants de son environnement. Ainsi, un aîné athlétique, donc peu vulnérable, sera atteint d'un delirium en cas de facteur précipitant important, par exemple après une opération chirurgicale à cœur ouvert. À l'inverse, l'aîné souffrant d'une démence, donc très vulnérable, pourra avoir un delirium causé par un facteur précipitant de faible intensité, par exemple, l'administration d'un sédatif hypnotique.

Inouye (1999) a testé et confirmé empiriquement ce modèle multifactoriel du delirium au cours d'une recherche prospective effectuée auprès d'aînés hospitalisés dans des milieux de courte durée. Elle a ainsi dégagé plusieurs facteurs expliquant la forte prévalence du delirium chez l'aîné.

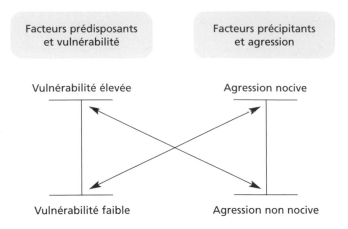

FIGURE 7-1 **Modèle multifactoriel du delirium**

Source : S.K. Inouye et P.A. Charpentier (1996). Precipitating factors for delirium in hospitalized elderly persons : predictive model and interrelationship with baseline vulnerability. *JAMA*, *275*, 852-862.

Parmi plus de vingt-cinq facteurs prédisposants potentiels, ceux qui constituent le modèle final sont la présence de problèmes visuels, la sévérité des maladies, la présence de déficits cognitifs et la déshydratation. L'aîné qui présente ces quatre facteurs prédisposants a un risque accru de 83 % d'avoir un delirium.

Or, ces facteurs prédisposants se retrouvent fréquemment chez le résident hébergé dans un milieu de soins de longue durée. On évalue en effet que 60 % des aînés placés en soins de longue durée ont des problèmes visuels (Sandberg, Gustafson, Brannstrom et Bush, 1998 ; VanNewkirk *et al.*, 2000), que plus de 50 % ont des problèmes cognitifs (Hazzard, Blass, Ettinger, Halter et Ouslander, 1999 ; Sandberg *et al.*, 1998) et que plus de 80 % souffrent d'une hydratation insuffisante (Kayser-Jones, Schell, Porter, Barbaccia et Shaw, 1999 ; Sheehy, Perry et Cromwell, 1999 ; Armstrong-Esther, Browne, Armstrong-Esther et Sander, 1996).

Facteurs précipitants

Les interventions des soignants ayant généralement des bienfaits pour les résidents peuvent parfois augmenter les risques de delirium. On distingue deux facteurs principaux dans cette catégorie : les médicaments et l'immobilité. Les médicaments, en particulier ceux qui ont des effets anticholinergiques, représentent la cause unique la plus fréquente du delirium. Ils seraient responsables de 22 à 40 % de tous les cas de delirium chez l'aîné hospitalisé dans les hôpitaux de courte durée. Les médicaments neuroleptiques pourraient aussi précipiter l'aîné vers le delirium (Inouye, 1998).

L'immobilisation est un autre facteur non négligeable du delirium. Ainsi, l'utilisation d'un moyen de contention physique ou d'une sonde urinaire favorise l'apparition d'un delirium en restreignant la mobilité du résident. Elle est donc à éviter. L'immobilité est notamment à l'origine d'une fonte musculaire et d'une perte de minéraux osseux, de même que d'une sous-stimulation sensorielle, qui accroissent les risques de delirium. L'étude de Fick et Foreman (2000) rapporte que 63 % des aînés atteints d'un delirium et d'une démence étaient sous contention physique.

Inouye et Charpentier (1996) corroborent l'importance de ces facteurs dans leurs recherches. Parmi les vingt-cinq facteurs précipitants et plus qu'ils ont évalués, les cinq principaux sont l'utilisation de moyens de contention, la malnutrition, l'ajout récent de trois médicaments, l'utilisation d'une sonde urinaire et les examens médicaux et radiologiques (facteurs iatrogènes). Un aîné qui présente les cinq facteurs précipitants cités a un risque accru de 88,4 % d'avoir un delirium.

Ces facteurs précipitants se retrouvent fréquemment eux aussi dans les CHSLD. En effet, plus de 40 % des aînés sont sous contention et plus de 40 % souffrent de malnutrition. De plus, la consommation de médicaments, les psychotropes en particulier, y est très importante.

Manifestations cliniques

Le delirium se manifeste par des changements sur les plans cognitif et moteur qui surviennent brusquement, par exemple, en une semaine et moins, et fluctuent au cours de la journée. On distingue les signes essentiels et les signes et symptômes non essentiels du delirium. Les premiers sont des signes dont l'absence empêche d'avancer l'hypothèse du delirium.

Signes essentiels

Les trois signes essentiels permettant de soupçonner un cas de delirium sont l'installation rapide des symptômes, la fluctuation des manifestations du delirium et l'atteinte du niveau de conscience. On parle d'installation rapide des symptômes quand les atteintes cognitives ou motrices sont apparues au cours des derniers jours. Habituellement, les symptômes apparaissent en quelques heures. Toutefois, chez le résident, ils peuvent mettre jusqu'à cinq jours à s'installer, ce qui rend la détection du problème plus difficile, puisque le contraste entre l'état initial et le delirium est moins évident.

La fluctuation des signes et symptômes du delirium correspond à l'alternance de périodes de normalité et de périodes de delirium. Il s'agit d'une particularité du delirium. Ainsi, le résident peut présenter de l'inattention le matin seulement, puis plus du tout le reste de la journée. Il faut donc être prudent et vigilant, ne pas croire que le problème est corrigé : cette fluctuation fait partie du problème. De plus, chez le résident atteint d'une démence, l'infirmière doit avoir une excellente capacité d'observation pour remarquer les perturbations cognitives dues au delirium. Par exemple, elle doit être en mesure de noter l'aggravation de la désorientation du résident atteint d'une démence. Ce dernier pourrait ainsi habituellement reconnaître la saison de l'année et nommer la province de son pays, mais ne plus être en mesure de le faire lors de l'apparition d'un delirium. Sa désorientation serait alors plus sévère.

Enfin, l'altération du niveau de conscience est un signe plus facile à observer, même en cas de démence. L'état de conscience normal est l'état alerte. Toute modification du niveau de conscience par rapport à cet état alerte devrait faire soupçonner la possibilité d'un delirium. Ainsi, le résident peut présenter une sensibilité accrue à l'environnement, sursauter facilement lorsque l'infirmière entre dans sa chambre ou réagir de manière exagérée aux bruits du corridor. À l'opposé, il peut être dans un état léthargique, stuporeux ou comateux. Léthargique signifie qu'il est somnolent, mais facile à réveiller. Stuporeux signifie qu'il est dur à réveiller. Enfin, comateux correspond à une inconscience totale de l'environnement.

Signes et symptômes non essentiels

Le delirium peut toucher toutes les capacités cognitives. Ainsi, le résident peut manifester de la désorientation à l'égard des personnes, des lieux et des objets, ainsi que dans le temps. Il peut aussi présenter une désorganisation de la pensée par des propos incohérents, un discours décousu, une incompréhension des concepts abstraits. Dans ce dernier cas, il ne comprendra pas l'expression «venez au petit coin» ou le dicton «l'habit ne fait pas le moine». Lorsqu'il ne trouve plus ses mots ou nomme incorrectement des objets, c'est qu'il a un trouble du langage accentué par un trouble de la mémoire. Lorsqu'il est incapable de rapporter ce qu'il a mangé au déjeuner ou de dire qui lui a rendu visite quelques minutes auparavant, c'est sa mémoire à court terme qui est touchée par le delirium. S'il se trouve à un stade avancé de la démence, l'infirmière devra évaluer sa mémoire à court terme différemment. Elle devra choisir une tâche de mémorisation qui lui est accessible. Par exemple, elle pourra lui demander de nommer les fruits dans son assiette. Quelques minutes plus tard, elle lui demandera de nommer de nouveau les fruits en question. Elle répétera l'exercice à quelques reprises durant la journée, afin d'être de mettre en évidence une fluctuation éventuelle.

Le delirium cause fréquemment un trouble de l'attention. Le résident a alors de la difficulté à suivre des directives simples ou est distrait. Il fait des erreurs en nommant à l'envers les douze mois de l'année à la demande de l'infirmière. Notons que, même chez le résident atteint d'une démence, il est possible de reconnaître l'inattention. En effet, assez souvent, même atteint d'une démence, le résident peut suivre les consignes de l'infirmière lors de l'habillement (mettre son pantalon, puis sa chemise, etc.).

Si subitement, depuis deux jours, il ne comprend plus les explications et ne peut plus suivre les consignes, l'infirmière peut noter de l'inattention.

Des troubles de la perception, tels que des hallucinations et des illusions ou encore une paranoïa soudaine, peuvent être provoqués par un delirium. L'infirmière pourra en même temps noter une perturbation du cycle du sommeil du résident. Par exemple, le résident qui avait un bon sommeil fera brusquement de l'insomnie, et dormira davantage le jour et pourra être éveillé la nuit.

Sur le plan moteur, le delirium conduit à quatre états différents : l'état hyperactif, l'état hypoactif, l'état mixte et l'état moteur normal. Le delirium de type hyperactif se manifeste par de la combativité, de l'agitation et de l'irritabilité. Il s'accompagne souvent d'hypervigilance et d'hallucinations. Le résident peut aussi se gratter constamment, par exemple. Le delirium de type hypoactif, lui, se caractérise par une réponse lente et imprécise aux stimuli de l'environnement, par un ralentissement psychomoteur. Il s'accompagne souvent de somnolence, de retrait et d'apathie. Le résident se déplace plus lentement que d'habitude ; son regard est plus fixe. L'état mixte est simplement une alternance des états hyperactif et hypoactif. Enfin, l'état normal est celui dans lequel le résident n'affiche aucun changement sur le plan moteur lorsqu'il est atteint d'un delirium, les symptômes cognitifs étant alors les seules manifestations.

Détection du problème

Il est crucial que l'infirmière ait des outils de détection du delirium, en raison des particularités de ce trouble cognitif. En effet, en raison de la fluctuation des symptômes, le résident peut se trouver dans un état normal lors de la visite du médecin, lequel ne pourra alors pas détecter le problème. De plus, les remarques notées dans le dossier peuvent être incomplètes, pas assez précises, et ne pas permettre de détecter le delirium.

Le Confusion Assessment Method (CAM) et le Minimum Data Set, Version 2 (MDS-2) (Morris, Murphy et Nonemaker, 1995) sont deux instruments de mesure valides et fidèles. Le premier est particulièrement efficace pour le résident dont les capacités cognitives ne sont pas atteintes, sinon légèrement. Le second est un instrument de mesure portant sur plusieurs aspects de l'état du résident de CHSLD, notamment le delirium. Ayant été conçu pour les résidents des CHSLD, il est très bien adapté aux résidents déments.

Le CAM (voir le tableau 7-1) est un outil de détection du delirium conçu pour les soignants autres que le psychiatre ou le médecin spécialisé en gériatrie. L'infirmière l'utilise pour détecter la présence de signes et symptômes du delirium en se fondant sur l'observation des derniers jours. Elle consulte le dossier du résident afin de trouver dans les notes des infirmières la présence éventuelle de manifestations du problème. Elle interroge également les autres soignants afin de mettre en évidence tous changements qui pourraient être dus au delirium.

Le CAM repose sur l'évaluation de quatre caractéristiques : l'apparition subite des symptômes du delirium, la présence d'un trouble de l'attention, la manifestation d'une pensée désorganisée et la présence d'une altération du niveau de conscience. L'infirmière peut confirmer la présence d'un delirium lorsque l'observation est positive pour les deux premiers points et l'un ou l'autre des deux derniers.

Il faut préciser que, même si le CAM cible certains symptômes, l'infirmière doit étudier et évaluer l'ensemble des symptômes cognitifs et moteurs possibles du delirium. Par exemple, du point de vue cognitif, elle doit noter si le résident présente un trouble de la mémoire, de la perception, du langage et de l'orientation, ainsi qu'une inversion du cycle veille-sommeil. De même, elle indiquera tous les changements moteurs observés. Toutes ces constatations lui permettront de tirer une conclusion sur la présence de la première caractéristique ciblée dans le CAM, c'est-à-dire l'apparition subite des symptômes.

Tableau 7-1	Confusion Assessment Method (CAM)
CRITÈRE 1 **Apparition subite et fluctuation des symptômes**	Les manifestations cognitives ou motrices du delirium doivent être nouvelles et fluctuer. Généralement, elles sont apparues au courant des trois derniers jours.
CRITÈRE 2 **Trouble de l'attention**	Le résident affiche une capacité diminuée à maintenir son attention sur une tâche ou à passer à une autre demande. Il n'est pas en mesure de suivre des directives simples. Il ne peut nommer les mois de l'année à l'envers.
CRITÈRE 3 **Désorganisation de la pensée**	Le résident tient des propos décousus. Il n'est pas en mesure d'exprimer clairement ses idées. Il est confus.
CRITÈRE 4 **Altération du niveau de conscience**	Le résident est hypervigilant, donc très sensible à son environnement. À l'opposé, il peut être léthargique, stuporeux ou comateux.

Source : S.K. Inouye, C.H. Van Dyck, C.A. Alessi, S. Balkin, A.P. Siegal et R.I. Horwitz (1990). Clarifying confusion : the confusion assessment method (a new method for detection of delirium). *Annals of Internal Medicine, 113*, 941-948.

Tableau 7-2	Minimum Data Set, Version 2	
CRITÈRES	**NOTE À ATTRIBUER**	0 = Symptôme non observé 1 = Symptôme observé, mais pas nouveau 2 = Symptôme observé et nouveau, et différent de l'état habituel
Distraction	Le résident a des difficultés de concentration et saute d'un sujet à l'autre.	
Épisodes d'altération de la perception de la réalité	Le résident parle à quelqu'un qui est absent, croit qu'il est quelqu'un d'autre et confond le jour et la nuit. Il a des hallucinations.	
Épisodes de propos incohérents	Le résident tient des propos dénués de sens, hors sujet et sans suite logique.	
Périodes d'agitation motrice	Le résident a la bougeotte, mutile sa peau et abîme son linge. Il change fréquemment de position, répète les mêmes mouvements et peut même pousser des cris.	
Périodes de léthargie	Le résident est apathique et a un regard hagard ou vide. Il est difficile à réveiller et présente de l'akinésie, c'est-à-dire un ralentissement des mouvements du corps et de l'immobilité.	
Fonctions mentales variables au cours de la journée	Dans la même journée, le résident va bien, collabore, communique et s'alimente seul, puis n'est plus en mesure de collaborer et de communiquer et ne comprend plus son environnement. En somme, tantôt il va bien, tantôt il ne va pas bien. Tantôt il est présent, tantôt il est absent.	
Changement d'état cognitif	Le résident présente un changement d'état cognitif, de compétences ou de capacités *depuis les 90 derniers jours* ou depuis la dernière évaluation si celle-ci date de moins de 90 jours.	

Source: J.N. Morris, K.M. Murphy et S.N. Nonemaker (1995). *Long Term Care Resident Assessment Instrument User's Manual, Version 2*. Baltimore, MD: Health Care Financing Administration.

Le MDS-2 (voir le tableau 7-2) est un instrument qui a été utilisé avec succès dans les études sur le delirium chez le résident atteint d'une démence et vivant en CHSLD. Il permet d'étudier et d'évaluer sept symptômes du delirium. Pour chaque symptôme, l'infirmière établit la présence ou l'absence au cours des sept derniers jours. Pour les changements cognitifs, elle le fait pour les 90 derniers jours.

Si le symptôme est absent, l'infirmière attribue la note zéro. S'il est présent mais pas nouveau, elle donne la note 1. S'il est présent et diffère de l'état habituel, elle donne la note 2.

Ce code rend l'instrument très utile pour les résidents déments des CHSLD. Le fait d'indiquer si le symptôme est nouveau ou non aide à faire la distinction entre les symptômes causés par la démence et ceux qui peuvent être causés par le delirium. Par exemple, si l'infirmière constate qu'un résident ne souffrant habituellement pas d'hallucinations a des hallucinations visuelles de façon intermittente depuis quelques jours, elle pourra soupçonner un delirium. De manière générale, elle soupçonnera un delirium lorsqu'elle attribuera la note 2 à au moins une caractéristique.

SOINS INFIRMIERS

Les études portant sur la prévention et le traitement du delirium ont surtout eu lieu dans les centres hospitaliers de courte durée. Elles mettent en évidence le fait que la prévention s'avère le moyen le plus efficace pour lutter contre le delirium. Deux raisons expliquent l'intérêt des chercheurs pour la prévention. D'une part, le traitement du delirium n'est pas évident en raison des multiples facteurs associés à son apparition (Inouye, 1998). D'autre part, la résolution du problème est beaucoup plus complexe qu'on ne le pensait avant. En effet, les pertes cognitives durent souvent et les taux de mortalité à moyen terme restent élevés. Dans ce contexte, la prévention présente l'avantage d'être simple et de permettre d'éviter les conséquences du delirium. Inouye et ses collaborateurs (1999)

sont l'une des rares équipes à avoir réussi à évaluer de façon expérimentale un programme d'interventions préventif visant à éviter l'apparition du delirium chez l'aîné, en milieu de soins de courte durée. Les résultats de leur intervention sont convaincants: ils ont réussi à réduire de 40% l'incidence du delirium.

Prévention du delirium

Le delirium étant causé par une multitude de facteurs, les programmes de prévention comptent habituellement de nombreuses interventions. Comme on l'a indiqué en début de chapitre, en effet, dans 86% des cas, chez les personnes âgées, cette perturbation est causée par plus d'un facteur.

Les interventions de prévention proposées ici ont été sélectionnées parce qu'elles visent des facteurs qui sont reconnus pour augmenter les risques de delirium et parce qu'elles font partie du rôle autonome de l'infirmière. On peut les répartir en deux grandes catégories : les interventions ciblant les facteurs liés au résident et les interventions ciblant les facteurs liés à l'environnement.

Interventions ciblant le résident

Démence

Il n'est évidemment pas possible de prévenir la démence. Cependant, on peut en réduire les impacts fonctionnels. L'objectif est de mettre en place des conditions d'échange avec le résident qui favorisent sa compréhension de son milieu de vie, et donc son bien-être.

L'approche de l'infirmière à l'égard du résident est centrale. Le chapitre 31 décrit en détail les principes d'une communication efficace. Insistons cependant ici sur certains points importants. D'abord, il importe de s'exprimer clairement avec le résident, en utilisant des phrases simples et des mots précis et en parlant lentement afin de favoriser sa compréhension. Lorsque le résident est atteint d'une démence, l'infirmière doit s'assurer d'obtenir un contact visuel avant d'engager la conversation, se placer à la hauteur physique de la personne, chercher à obtenir son opinion, expliquer les interventions et le faire participer le plus possible aux soins. Si elle n'applique pas ces principes, elle accroît artificiellement les pertes cognitives du résident, car ce dernier est généralement en mesure de comprendre et de collaborer lorsqu'on communique efficacement avec lui. L'application de ces principes de communication favorise également le maintien d'un niveau de stimulation cognitive approprié.

Vision et audition

Il faut d'abord bien dépister les résidents dont l'acuité visuelle est altérée. Pour cela, l'infirmière peut utiliser une échelle de Snellen portative, qui permet le dépistage rapide et efficace d'une perte d'acuité visuelle. Elle peut également solliciter les services d'un optométriste ou d'un ophtalmologiste, s'ils sont offerts dans le centre. Ensuite, elle procure des verres correcteurs aux résidents et veille à leur entretien quotidien.

Il est par ailleurs particulièrement important de dépister les troubles auditifs, qui empêchent le résident de communiquer efficacement avec son environnement et accroissent ainsi les risques de delirium. Pour cela, l'infirmière peut faire le test du chuchotement, très approprié pour le résident sans déficit cognitif. Elle se place derrière la personne, à une distance correspondant à la longueur d'un bras, et chuchote douze chiffres à chacune des oreilles. Elle se place derrière et à gauche pour l'oreille gauche et derrière et à droite pour l'oreille droite. Elle demande au résident de se cacher l'oreille opposée avec la main ou elle le fait elle-même. Si le résident répète six chiffres sur douze, il est peu probable qu'il soit atteint d'un trouble auditif. Avec le résident dément, l'infirmière suit la même procédure, mais note les réactions au chuchotement. Si le résident tourne la tête et réagit verbalement au chuchotement, il entend sans doute bien. À l'inverse, s'il reste immobile et ne réagit pas au chuchotement, il y a un risque qu'il souffre de surdité. Dans le doute, on peut recourir aux services d'un spécialiste. En cas de problème auditif, l'infirmière s'assure que le résident porte la prothèse auditive quotidiennement et veille à l'entretien de l'appareil. De plus, elle portera une attention particulière à la peau du pavillon de l'oreille, afin de s'assurer que l'appareil est bien ajusté et ne l'irrite pas.

Sévérité des maladies

Un grand nombre d'interventions visant la prévention du delirium ont pour but de réduire le plus possible les perturbations de toutes sortes qui seraient dues à une maladie ou à un problème connu. En effet, l'aggravation d'un problème de santé a un effet boule de neige sur le résident de CHSLD, en raison de sa vulnérabilité organique (voir le chapitre 1). Ainsi, pour le résident ayant des troubles cardiaques et circulatoires, il est crucial de faire un suivi rigoureux de la prise de médicaments et de vérifier les effets escomptés de ces derniers. De même, l'infirmière notera dans le dossier tous les signes et symptômes liés à l'état de santé du résident, afin de permettre une détection rapide d'une éventuelle détérioration. Par exemple, elle fera un suivi particulier de la santé respiratoire du résident atteint d'une bronchopneumopathie chronique obstructive.

Ainsi, la prévention du delirium passe par le traitement optimal de tous les problèmes de santé touchant le résident. C'est d'ailleurs pourquoi Inouye (1999) déclarait que le delirium pourrait être considéré comme un indicateur de qualité des soins : son apparition est souvent liée à la qualité des soins reçus.

Déshydratation

La déshydratation, qui toucherait plus de 40 % des résidents des CHSLD, accroît énormément les risques de delirium en augmentant les risques de déséquilibre électrolytique. De plus, en réduisant le volume sanguin, elle accroît les risques d'intoxications médicamenteuses, la concentration sérique des médicaments hydrosolubles augmentant alors dans le sang. Les médicaments hydrosolubles tels que l'acétaminophène, le salbutamol, la digoxine et les aminoglycosides sont fréquemment utilisés en CHSLD. Pour toutes ces raisons, il est important que l'infirmière s'assure d'un apport hydrique suffisant du résident. Le chapitre 11 présente les stratégies à utiliser pour une surveillance optimale de l'hydratation.

Troubles du sommeil

Le manque de sommeil et une perturbation du cycle veille-sommeil sont reconnus comme étant des facteurs qui contribuent à l'apparition d'un delirium. À cet effet, des chercheurs recommandent d'organiser la routine de soins de manière à respecter le sommeil des résidents (Inouye, 1998). En étant flexible quant au moment du bain ou des changements de culottes durant la nuit, l'infirmière peut retarder ou avancer une intervention selon que le résident dort ou est éveillé.

Par ailleurs, il est crucial de bien distinguer le sommeil normal de l'insomnie et de reconnaître lorsqu'un sommeil n'est pas réparateur. Les plaintes concernant le sommeil sont tellement nombreuses en CHSLD qu'elles finissent par être minimisées. Le chapitre 16 indique les caractéristiques d'un sommeil normal et décrit la façon d'évaluer et d'améliorer le sommeil du résident. De plus, ce chapitre présente une méthode de promotion du sommeil en cinq étapes, fort simple et dont l'efficacité a été démontrée. La première étape est d'attendre les signes d'endormissement tels que le bâillement et l'alourdissement des paupières pour coucher les résidents. La deuxième étape consiste à effectuer un massage du dos, la troisième étape est de donner du lait chaud et la quatrième étape consiste à mettre une douce musique. Enfin, la cinquième étape, si le patient ne dort toujours pas, consiste à administrer de la benzodiazépine. Par cette procédure simple, il est possible de réduire le recours à la benzodiazépine et d'améliorer la qualité du sommeil des patients, tout en prévenant le delirium.

Douleur

La douleur perturbe l'appétit et le sommeil du résident, ainsi que sa qualité de vie. Par ses effets sur des aspects importants de l'équilibre physiologique, l'apport alimentaire et hydrique et la qualité du sommeil, elle serait associée à l'apparition d'un delirium. C'est pourquoi il importe de la détecter afin de mettre en place des interventions favorisant son soulagement. L'infirmière portera une attention particulière au résident atteint de démence, car il n'a pas la capacité d'exprimer clairement qu'il souffre. Un soulagement optimal de la douleur permet d'éviter les conséquences néfastes et constitue par conséquent une prévention du delirium. À ce sujet, le chapitre 20 décrit en détail un programme de gestion de la douleur en CHSLD.

Interventions ciblant l'environnement

Les recherches sur les facteurs environnementaux du delirium sont moins nombreuses que celles qui portent sur les facteurs individuels. Cependant, celles qui ont été faites ont mis en évidence certains facteurs qui augmentent les risques de delirium. Défini dans un sens large, l'environnement inclut tous les facteurs externes à l'individu. Comme on l'a signalé dans la section sur les facteurs précipitants, les principaux facteurs qui favorisent l'apparition du delirium sont les médicaments et l'utilisation de moyens de contention et de sondes urinaires. Mais il y a aussi des facteurs liés à l'environnement humain et physique.

Médicaments

Il est indéniable que les médicaments améliorent la qualité et la durée de vie d'une majorité de résidents. En tant que tels, ils ne sont pas nocifs. Cependant, ils peuvent l'être s'ils ne sont pas adaptés à la personne, s'ils sont même contre-indiqués en raison de l'état de santé de la personne. De plus, ils doivent être bien dosés et ne pas interagir les uns avec les autres. L'infirmière, par sa fonction, a la responsabilité de vérifier si le médicament atteint la cible thérapeutique visée et si les bénéfices générés par le médicament

surpassent les effets secondaires (voir le chapitre 23). En ce sens, il est primordial qu'elle s'assure que l'effet souhaité du médicament est apparent. Par exemple, elle doit vérifier si la prise de benzodiazépine au coucher améliore le sommeil du résident. Pour ce faire, elle utilise une échelle de mesure ou évalue certaines caractéristiques du sommeil. Par la même occasion, l'infirmière s'intéresse à la présence éventuelle d'effets secondaires. Enfin, en collaboration avec le pharmacien et le médecin, elle participe à la revue systématique et périodique des médicaments pris par le résident. Elle a alors un rôle central à jouer, parce qu'elle présente ses observations concernant la réponse aux traitements, la présence d'effets secondaires et les bénéfices que semble retirer le résident des médicaments. Cette revue des médicaments et de leurs effets permet un usage optimal des médicaments et réduit ainsi les risques de delirium (Inouye, 2000). Le chapitre 23 décrit le rôle de l'infirmière concernant les médicaments en CHSLD.

Contention physique

Généralement, l'infirmière utilise les moyens de contention physique pour réduire les risques de chutes ou maîtriser les symptômes comportementaux de la démence. Pourtant, les études montrent que la contention est inefficace pour ces objectifs-là. De plus, l'étude de Sullivan-Marx (1994) montre également que la contention physique augmente les risques de delirium chez le résident. Dans ces circonstances, l'usage de moyens de contention doit être limité et temporaire. Le chapitre 22 décrit en détail la façon dont l'infirmière peut arriver à faire un usage rationnel des moyens de contention, ainsi que le processus pour retirer un moyen de contention physique utilisé depuis plusieurs mois.

Sonde urinaire

La sonde urinaire augmente les risques de delirium chez le résident parce qu'elle lui fait perdre sa mobilité. D'après les observations, le résident est plus souvent seul dans sa chambre et est sous-stimulé. De plus, la présence d'une sonde dans l'urètre et l'immobilité favorisent l'infection urinaire (voir le chapitre 8), qui peut elle-même causer un delirium. Ainsi, lorsque le résident a un problème d'incontinence urinaire, l'infirmière doit éviter de recourir au cathétérisme vésical ou à la sonde urinaire. Elle doit plutôt mettre en place un système d'élimination vésicale programmé adapté à la situation. Outre qu'elle diminue ainsi les risques de delirium, elle contribue au maintien de l'autonomie, entretient l'estime de soi du résident et contribue à sa qualité de vie. Le chapitre 14 présente les étapes d'implantation d'un programme d'élimination vésicale.

Facteurs de l'environnement humain

Les soignants travaillant en CHSLD peuvent eux aussi, avec une série de facteurs, constituer un facteur d'apparition du delirium. À cet effet, la stabilité du personnel soignant semble souhaitable (Inouye, 1998), des chercheurs ayant noté des taux de prévalence du delirium plus élevés dans les milieux où les employés changent le plus.

Les changements de chambres sont aussi à éviter (Chan et Brennan, 1999; Simon, Jewell et Brokel, 1997; Treloar, 1998), car ils constitueraient occasionnellement un facteur déclencheur du delirium. Si le déménagement devient nécessaire, l'infirmière doit s'assurer que la transition se fasse à un rythme adéquat et dans le respect des besoins du résident. Le chapitre 33 discute de l'enjeu de la transition d'un milieu à l'autre.

Enfin, les infirmières et les soignants doivent se soucier du bruit dans les CHSLD. À cet effet, ils doivent penser à baisser le ton de leur voix lors des conversations dans les corridors, où les sons ont tendance à résonner. De plus, ils veilleront à mettre leur téléavertisseur sur le mode vibration, afin d'éviter tout bruit inutile. Enfin, tant pour réduire les bruits qu'au bénéfice du résident, ils essayeront de répondre rapidement à la cloche d'appel.

Facteurs de l'environnement physique

Le cadre de vie du résident est également un facteur d'importance dans l'apparition du delirium. En effet, Szokol et Vender (2001) rapportent avoir observé dans les unités de soins intensifs une réduction de 50 % de l'incidence du delirium chez les patients admis dans les chambres avec fenêtre, par rapport aux patients admis dans les chambres sans fenêtre. La luminosité arrivant par la fenêtre favoriserait l'orientation temporelle et stimulerait les cycles naturels tels que le rythme circadien. La valeur de cette étude est par contre inconnue, car les auteurs ont fourni très peu de détails méthodologiques. Néanmoins, ces résultats peuvent faire réfléchir sur l'importance de l'environnement.

Dans ce sens, il est recommandé de vérifier la luminosité de la chambre, de faire en sorte qu'elle respecte le rythme circadien et favorise le sommeil (Treloar, 1998). On suggère aussi de toujours installer un calendrier et une horloge dans la chambre, pour permettre au résident de se situer dans le temps (Chan et Brennan, 1999). La décoration personnalisée de la chambre, avec des photos de famille, un trophée, une horloge, une radio ou une couverture personnelle au pied du lit, est une bonne chose.

Enfin, l'infirmière doit trouver un juste milieu entre la sous-stimulation sensorielle et la surstimulation (Chan et Brennan, 1999; Treloar, 1998). Elle devrait favoriser des périodes de repos, mais aussi, lorsque c'est possible, stimuler le résident par de la musique ou en le touchant. Ces principes se sont montrés efficaces dans un contexte expérimental de prévention du delirium (Inouye *et al.*, 1999).

Soins thérapeutiques en cas de détection d'un delirium

La prévention constitue le meilleur moyen d'éviter le delirium. Toutefois, malgré les interventions préventives, un certain nombre de résidents présenteront un delirium à un moment ou à un autre. En cas de détection d'un delirium, une série d'interventions sont nécessaires pour réduire la durée de la perturbation et ses conséquences néfastes éventuelles.

Consultation

Le delirium est un état de santé qui requiert les services d'un médecin dans les plus brefs délais. Le médecin effectuera une évaluation médicale approfondie afin de vérifier si une maladie expliquerait la présence du delirium. Plusieurs problèmes de santé, notamment un infarctus du myocarde, une infection respiratoire ou un problème métabolique, pourraient en effet expliquer le delirium. Au bénéfice du résident atteint d'un delirium, la collaboration de toute l'équipe interdisciplinaire est importante, que ce soit pour la mobilisation, la nutrition ou la stimulation cognitive.

Détermination des facteurs prédisposants et précipitants

Lors de l'évaluation médicale, l'infirmière doit mettre en lumière les facteurs prédisposants et précipitants qui pourraient être à l'origine du delirium. Les plus fréquents sont énumérés au début du chapitre et repris dans le tableau 7-3, avec des suggestions d'interventions.

Approche du résident par l'infirmière

Le résident qui a un delirium présente d'importantes difficultés à communiquer avec son environnement. Ne pouvant exprimer ses inconforts et ses besoins, il devient anxieux. De plus, les hallucinations visuelles et auditives éventuelles augmentent son anxiété. S'il était auparavant atteint d'une démence, il pourra présenter encore plus de confusion à cause de son delirium. Cela pourrait susciter chez lui de la peur et le rendre irritable. À l'opposé, le delirium qui s'ajoute à la démence peut provoquer de l'apathie ou un retrait chez un autre résident. Dans les deux cas, l'infirmière doit tenir compte des dispositions cognitives et émotives du résident, respecter son rythme et agir avec douceur et sans ambiguïté.

De plus, comme le résident atteint d'un delirium n'a souvent pas la capacité d'interpréter ses besoins et de les exprimer, l'infirmière doit les pressentir et devancer les demandes. Ainsi, elle doit s'assurer de la satisfaction des besoins de base du résident et chercher à lui procurer un environnement calme tout en le stimulant de manière appropriée. Le résident ne devrait pas être isolé; l'infirmière devrait utiliser des principes adéquats pour communiquer avec lui (voir le chapitre 31). Si les capacités cognitives du résident n'étaient pas atteintes avant le delirium, l'infirmière devrait favoriser son orientation dans le temps et l'espace et par rapport aux personnes et aux objets, lorsqu'elle communique avec lui. Cela lui permettrait de faire la distinction entre la réalité et les perturbations cognitives et perceptuelles qu'il vit et qui proviennent de la pathologie. Par le fait même, cela devrait

Tableau 7-3	Facteurs prédisposants et précipitants du delirium, et suggestions d'interventions
FACTEURS PRÉDISPOSANTS	**SUGGESTIONS D'INTERVENTIONS**
Physiques • Déshydratation • Dénutrition • Incontinence urinaire • Fécalome • Douleur • Insomnie • Démence à un stade avancé • Déficits visuels • Déficits auditifs • Difficultés pour les déplacements • Perte d'autonomie fonctionnelle • Comorbidité	• Alimentation et hydratation adéquate • Programme d'élimination vésicale • Programme d'élimination intestinale • Programme de gestion de la douleur • Sommeil de qualité • Stimulation cognitive • Port de prothèses visuelles et auditives • Exercices physiques et respiratoires • Programme de marche • Prise en charge optimale des problèmes de santé du résident
Psychologiques • Dépression • Stress psychosocial • Veuvage	• Relation d'aide • Propos rassurants
FACTEURS PRÉCIPITANTS	

Environnement
• Médicaments
  – Benzodiazépines
  – Neuroleptiques
• Moyens de contention
• Sonde urinaire
	• Évaluation de l'efficacité des médicaments
	• Revue interdisciplinaire des médicaments
	
	• Programme de gestion des moyens de contention
	• Programme d'élimination vésicale

Environnement physique • Isolement • Sous-stimulation • Hyperstimulation par le bruit et la lumière	• Programme d'intégration des familles • Principes de communication • Calendrier et horloge dans la chambre • Stimulation sensorielle • Réduction du bruit (téléavertisseurs, cloche d'appel)
Environnement humain • Environnement non familier • Changements dans la routine des soins • Changement de chambre	• Changement de chambre à éviter • Décoration personnalisée de la chambre • Individualisation des soins • Stabilité du personnel soignant • Programme de déménagement

réduire son niveau d'anxiété. Sur le plan de la surstimulation, il est impératif de contrôler le bruit et la luminosité et de prévoir des périodes de repos pour le résident.

Lorsque c'est possible, l'infirmière fera participer les proches aux interventions. La famille apporte une image familière et procure un soutien émotionnel au résident, qui peut exprimer ses peurs (Chan et Brennan, 1999 ; Inouye, 1998).

Suivi des symptômes

Si la détection du delirium est une étape importante pour la mise en place des interventions thérapeutiques, le suivi des symptômes l'est tout autant, puisqu'il permet d'évaluer l'efficacité des interventions. Ainsi, l'infirmière notera dans le dossier tous les signes et symptômes observés. Elle pourra aussi les évaluer quantitativement à l'aide d'un instrument de mesure tel que le MDS-2, présenté précédemment. De cette façon, elle est en mesure de déterminer, en collaboration avec l'équipe interdisciplinaire, à quel moment le delirium a disparu et quand il est possible de revenir à l'intensité antérieure des soins.

Conclusion

Le delirium est un problème cognitif qui peut toucher plusieurs résidents des CHSLD. Il a des conséquences importantes sur l'autonomie et la qualité de vie des résidents.

De plus, il peut laisser des séquelles. C'est pourquoi il importe de le traiter rapidement lorsqu'il apparaît. Mais surtout, on peut le prévenir de plusieurs manières. L'infirmière, en particulier, peut s'attaquer à la grande majorité de ses facteurs en fournissant des soins de qualité. De plus, elle a une place privilégiée pour détecter le delirium et en faire le suivi lors du traitement.

Le delirium devrait être au centre des préoccupations de l'infirmière qui travaille en CHSLD, car les interventions qui permettent de le prévenir sont aussi les interventions qui permettent une bonne prise en charge de la santé du résident. De plus, en évitant l'apparition du delirium, l'infirmière contribue au maintien de l'autonomie fonctionnelle et de la qualité de vie du résident.

ÉTUDE DE CAS

Madame Sirois, âgée de 82 ans, vit depuis bientôt deux ans dans une chambre semi-privée d'un CHSLD. Elle est atteinte de la maladie d'Alzheimer et a quatre autres problèmes de santé, à savoir l'hypertension, l'arthrose, l'insomnie et une dégénérescence maculaire. Au cours des trois derniers mois, elle est tombée à deux reprises. Depuis, la majeure partie du temps, elle est immobilisée à l'aide d'un moyen de contention physique. Ces dernières semaines, elle a tendance à avoir des comportements agressifs. Ainsi, parfois, elle frappe, crache ses médicaments ou empoigne fermement le personnel lors des soins.

Mᵐᵉ Sirois prend six médicaments pour ses problèmes de santé. L'Aricept (donepezil) doit ralentir la progression de la maladie d'Alzheimer. Le Norvasc (amlodipine) et le Lasix (furosemide) font diminuer son hypertension. Le Novasen (AAS) traite son arthrose. Enfin, l'Ativan (lorazepam), qu'elle prend depuis un an au coucher, et le Risperdal (risperidone), qu'elle a depuis un mois, doivent réduire la fréquence de ses comportements agressifs.

Au courant de la dernière semaine, l'infirmière a noté que Mᵐᵉ Sirois était plus amorphe à certains moments. Lors de la toilette et de l'habillement, il fallait lui répéter à plusieurs reprises des demandes qu'elle comprenait bien ordinairement. Toutefois, Mᵐᵉ Sirois n'était pas ainsi tous les jours. L'infirmière discute de la situation avec une collègue, qui lui rapporte que Mᵐᵉ Sirois fonctionnait très bien mardi matin et mercredi après-midi. D'autres infirmières suggèrent de ne pas trop s'inquiéter, car tout le monde a de mauvaises périodes.

L'infirmière poursuit ses observations et note dans le dossier que Mᵐᵉ Sirois présente des changements importants sur les plans cognitif et moteur. Elle décide d'utiliser le MDS-2. Elle attribue la note 2 au critère de la distraction, car elle doit répéter fréquemment ses demandes à Mᵐᵉ Sirois avant d'obtenir sa collaboration, et au critère sur la léthargie et les fonctions mentales variables au cours de la journée. Elle donne la note 1 aux autres critères. Ensuite, elle informe le médecin des symptômes. Le médecin se dit préoccupé et avance l'hypothèse d'un delirium. Il prévoit de passer voir Mᵐᵉ Sirois dans les prochaines heures.

Questions

1 Comment Mᵐᵉ Sirois vit-elle psychologiquement le delirium ?

2 Quels sont les facteurs prédisposants du delirium dans la situation décrite ?

3 Quels sont les facteurs précipitants du delirium dans la situation décrite ?

4 Que pourrait faire l'infirmière concernant les médicaments pour aider à la guérison du delirium de Mᵐᵉ Sirois ?

LES INFECTIONS

par **Philippe Voyer** et **Pamphile-Gervais Nkogho Mengue**

Les infections constituent un problème très fréquent dans les CHSLD, non seulement parce que la personne âgée a plus de risques que l'adulte d'être atteinte d'une infection virale ou bactérienne, mais également parce que les résidents vivent dans une relative proximité les uns des autres. Or les résidents âgés ont plus souvent que les jeunes adultes des infections graves et fatales.

C'est pourquoi on peut dire que les infections constituent des défis pour l'infirmière. Celle-ci doit bien en connaître tous les signes, typiques mais surtout atypiques, pour les détecter le plus tôt possible. Puis, elle doit prendre toutes les mesures de prévention nécessaires pour que la maladie ne se propage pas aux autres résidents. Enfin, elle doit administrer les médicaments requis, effectuer des interventions complémentaires cruciales et faire un suivi rigoureux de l'état de santé du résident atteint d'une infection.

NOTIONS PRÉALABLES SUR LES INFECTIONS

Définition

L'*infection* se définit comme l'invasion et la multiplication d'agents infectieux dans les tissus d'un organisme hôte. Elle est dite asymptomatique quand l'agent infectieux ne cause pas de dommages aux cellules ou aux tissus. Elle est symptomatique lorsque l'agent infectieux se multiplie et que les symptômes apparaissent. Une infection qui survient chez l'aîné hébergé en CHSLD et qui est due à des micro-organismes présents dans le milieu de soins est une infection nosocomiale. Enfin, quand les micro-organismes se développent et se multiplient chez un résident sans envahir ses tissus ni altérer ses cellules, on parle de colonisation (Santé Canada, 1999).

Le processus infectieux

L'évolution d'une infection suit un cycle comportant six maillons: l'agent infectieux, le réservoir, la porte de sortie, le mode de transmission, la porte d'entrée et l'hôte réceptif.

Le premier maillon, l'agent infectieux, est un micro-organisme qui peut être une bactérie, un champignon, un parasite ou un virus.

Le deuxième maillon, le réservoir, est un endroit où l'agent infectieux peut survivre en se reproduisant ou non. Les réservoirs des micro-organismes responsables d'infections chez les résidents des CHSLD peuvent être humains ou inanimés. Les réservoirs humains incluent les flores cutanées, digestives et vaginales, ainsi que la flore des voies respiratoires inférieures et supérieures. Les réservoirs inanimés, eux, sont situés dans l'environnement du CHSLD. Il s'agit, par exemple, de l'eau, de l'air, des surfaces ainsi que du matériel de soins utilisé par l'infirmière et les autres soignants.

Le troisième maillon du cycle du processus infectieux, la porte de sortie, est la voie par laquelle l'agent infectieux quitte le réservoir. Les portes de sortie des réservoirs humains sont, par exemple, les lésions de la peau ou d'une partie du corps, le système respiratoire, le tube digestif, l'appareil génito-urinaire et le sang. Les lésions peuvent notamment être causées par les aiguilles hypodermiques et le matériel chirurgical.

Le quatrième maillon est la transmission de l'agent infectieux du réservoir à l'hôte. Les modes de transmission possibles sont le contact, les gouttelettes, la voie aérienne, le véhicule et le vecteur (voir la figure 8-1, p. 128). La transmission par contact comprend la transmission par contact direct et la transmission par contact indirect. Il y a transmission par contact direct lorsqu'un contact physique direct entre un résident infecté ou colonisé et un hôte réceptif se solde par le transfert de micro-organismes (Santé Canada, 1999). Ce type de transmission peut se produire lors des soins, par exemple, lors de l'examen physique, du changement de pansements, de la pose d'un dispositif ou du bain. Il y a transmission par contact indirect lorsqu'un objet inanimé contaminé est responsable du transfert d'un agent microbien d'une personne à une autre. Cet objet peut être un brassard à tension artérielle contaminé par des *staphylococcus aureus* résistants à la méthicilline (SARM) qui aurait été utilisé sur un résident colonisé et par la suite sur un autre résident. La transmission par contact indirect suppose que l'agent infectieux puisse survivre assez longtemps sur des surfaces inertes. C'est le cas des spores de *Clostridium difficile*, qui peuvent survivre plusieurs jours sur une surface sèche, à moins d'un nettoyage minutieux (Santé Canada, 1999). La transmission par gouttelettes s'effectue lorsque des micro-organismes contenus dans des macrogouttelettes sont projetés d'une personne à une autre lors de l'expression verbale, de la toux ou de l'éternuement. Ces gouttelettes franchissent une distance maximale d'environ un mètre et atteignent les conjonctives, la muqueuse nasale ou la bouche d'une

personne hôte (Santé Canada, 1999). L'influenza, le virus respiratoire syncytial et la coqueluche illustrent bien ce mode de transmission. Les micro-organismes qui se transmettent par des gouttelettes sont particulièrement préoccupants, en raison des graves épidémies qu'elles peuvent provoquer chez les résidents des CHSLD (Falsey, 1991 ; Falsey, Treanor, Betts et Walsh, 1992). La transmission par voie aérienne est la dissémination de micro-organismes dans l'air. Les micro-organismes proviennent de microgouttelettes qui sont des résidus de gouttelettes évaporées et qui peuvent rester suspendues dans l'air pendant longtemps et franchir plus d'un mètre (Couch, Cate, Douglas, Gerone et Knight, 1966 ; Santé Canada, 1999). La tuberculose et la varicelle sont des maladies infectieuses qui se transmettent par voie aérienne (Centers for Disease Control and Prevention, 1994 ; Houk, Baker, Sorensen et Kent, 1968). Il est à noter que certaines maladies peuvent se transmettre par plusieurs modes à la fois.

Direct

Indirect

< 1 mètre

Gouttelettes

CONTACT

> 1 mètre

VOIE AÉRIENNE

VÉHICULE

VECTEUR

FIGURE 8-1   **Modes de transmission des agents infectieux**

Source : Adaptée de Santé Canada (1999). *Guide de prévention des infections. Pratiques de base et précautions additionnelles visant à prévenir la transmission des infections dans les établissements de santé* (n° 25S4). Ottawa : gouvernement du Canada, Santé Canada, 13.

La transmission par un véhicule commun désigne la transmission d'une maladie infectieuse à de nombreux hôtes à partir d'une source unique contaminée, comme un aliment, de l'eau, des médicaments ou du sang (Santé Canada, 1999). La transmission par un vecteur se fait à la suite d'une morsure par un animal ou d'une piqûre par un insecte porteur d'un agent infectieux. Le virus du Nil occidental est un exemple d'infection qui se transmet par un vecteur. Ce type de transmission n'a pas été rapporté dans les CHSLD, au Canada.

Le cinquième maillon du cycle du processus infectieux, la porte d'entrée de l'agent infectieux, est la voie par laquelle l'agent infectieux pénètre dans l'organisme hôte. À tous égards, les portes d'entrée sont similaires aux portes de sortie. Il s'agit en effet des voies respiratoires, du tube digestif, des voies génito-urinaires, des muqueuses et des lésions cutanées.

Enfin, le sixième maillon est l'hôte réceptif. Tout contact de l'hôte avec l'agent infectieux ne se solde pas nécessairement par une infection. Cependant, de nombreux facteurs prédisposants et précipitants augmentent la vulnérabilité des résidents aux infections.

Ampleur du problème

On estime que la *prévalence* des infections nosocomiales dans les CHSLD varie de 1,6 à 32,7 % (Capitano et Nicolau, 2003; Nicolle, Strausbaugh et Garibaldi, 1996; Smith, Daly et Roccaforte, 1991; Yoshikawa et Norman, 1996). Les infections les plus fréquentes chez les résidents touchent les sites urinaires, respiratoires et tégumentaires (Lee *et al.*, 1992; Nicolle, 2000; Stevenson, 1999; Strausbaugh, 2000). Ces infections représentent environ 80 % de toutes les infections qui touchent les résidents des CHSLD (Yoshikawa et Norman, 2001). Les gastro-entérites sont également fréquentes en CHSLD.

L'*incidence* des infections, quant à elle, varie de 1,8 à 33 infections pour 1 000 résidents-jours (Capitano et Nicolau, 2003; Nicolle *et al.*, 1996; Richards, 2002; Stevenson, 1999; Strausbaugh, 2000). Les variations dans les taux de prévalence et d'incidence seraient dues aux devis de recherche des études, aux caractéristiques des CHSLD, à la fenêtre temporelle d'exposition et aux critères utilisés pour définir les infections (McGeer *et al.*, 1991; Simon, Cocquelin et Cassou, 2002; Yoshikawa et Norman, 1996). Cependant, pour montrer l'importance des infections en CHSLD, on peut citer une étude qui a porté sur 3 899 résidents de 53 CHSLD et dont la conclusion a été qu'au cours d'une année, un résident sur deux s'était fait prescrire un antibiotique. Selon les chercheurs de cette étude, dans un cas sur cinq, la prescription d'antibiotique n'était pas requise, pour différentes raisons, notamment le fait que l'infection était d'origine virale (Warren, Palumbo, Fitterman et Speedie, 1991).

Conséquences

Les infections représentent une cause importante de transfert des résidents des CHSLD vers des établissements de soins de courte durée et une cause majeure de morbidité et de mortalité des résidents.

Près d'un quart des hospitalisations des résidents des CHSLD dans des hôpitaux de soins de courte durée seraient attribuables aux infections (Ernst et Ernst, 1999; Fried, Gillick et Lipsitz, 1997; Irvine, Van Buren et Crossley, 1984; Muder, 2000; Naughton et Mylotte, 2000; Zimmerman, Gruber-Aldini, Hebel, Sloane et Magaziner, 2002). Les aînés hospitalisés sont atteints de deux infections dans 29 % des cas et de trois dans 39 % des cas (Brawley, Weber, Samsa et Rutala, 1989). Une première infection, comme la grippe, peut en effet favoriser l'apparition d'une deuxième infection (Yoshikawa et Norman, 2001). Une infection virale telle que la grippe facilite l'adhésion des bactéries à la muqueuse des poumons, gêne le transport du mucus hors des poumons et affaiblit le système immunitaire, ce qui a pour effet de faciliter l'installation d'une pneumonie bactérienne (Cantrell et Norman, 1999; Hecht, Siple, Deitz et Williams, 1995). En plus de l'infection initiale, le résident, très vulnérable, qui est admis dans un centre hospitalier de courte durée va pouvoir subir une nouvelle infection nosocomiale ainsi que les effets négatifs du transfert. En effet, le résident tolère mal un changement radical d'environnement. Son appétit peut diminuer, son sommeil se fragmenter davantage. Son immobilité peut augmenter, sa perte d'autonomie s'aggraver et ses capacités cognitives se détériorer. En somme, bien que le transfert du résident à l'hôpital soit essentiel dans un cas d'infection virulente, il est important de comprendre que l'hôpital n'est pas une panacée. Le séjour des résidents dans les hôpitaux doit être le plus court possible, afin que les effets de la sous-stimulation sur l'autonomie fonctionnelle et sur les capacités cognitives soient réduits au minimum.

La morbidité associée aux infections est importante chez les résidents des CHSLD. Quand un épisode de pneumopathie infectieuse survient, le résident présente une altération rapide de son état général, dont témoignent l'apparition ou l'aggravation d'une asthénie, d'une anorexie, de signes de déshydratation ou de dénutrition (Veyssier *et al.*, 2001). Son état mental peut également être touché (Veyssier *et al.*, 2001). Les infections constituent également un facteur aggravant des pertes d'autonomie fonctionnelle des résidents (Barker, Borisute et Cox, 1998; Büla, Ghilardi, Wietlisbach, Petignat et Francioli, 2004; Fried *et al.*, 1997; Loeb, McGeer, McArthur, Walter et Simor, 1999). Les résidents ont de la difficulté à se déplacer et à s'habiller et peuvent avoir un problème d'incontinence urinaire et fécale (Veyssier *et al.*, 2001).

À l'opposé des personnes jeunes, les résidents âgés ont des infections habituellement sévères et fatales, le taux de mortalité directe ou indirecte variant de 10 à 58 % (Capitano et Nicolau, 2003; Mehr *et al.*, 2001; Nicolle et Garibaldi, 1995; Rothan-Tondeur *et al.*, 2003; Yates *et al.*, 1999). Les infections du tractus broncho-pulmonaire sont de loin la cause immédiate de décès la plus fréquente chez les résidents âgés (Kammoun *et al.*, 2000; McGee, 1993; Rothan-Tondeur *et al.*, 2003). Dans une étude, Beck-Sague et ses collaborateurs (1994) ont démontré que, chez les aînés, les principaux facteurs de risque de

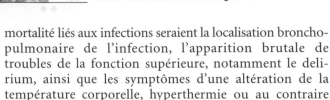

mortalité liés aux infections seraient la localisation broncho-pulmonaire de l'infection, l'apparition brutale de troubles de la fonction supérieure, notamment le delirium, ainsi que les symptômes d'une altération de la température corporelle, hyperthermie ou au contraire hypothermie.

Facteurs prédisposants et facteurs précipitants

Facteurs prédisposants

Âge

L'âge est le premier facteur prédisposant à considérer pour les risques d'infections chez les résidents des CHSLD. Les infections nosocomiales augmentent de manière importante avec l'âge (Emori *et al.*, 1991 ; Saviteer, Samsa et Rutala, 1988). De la naissance à 50 ans, il y aurait 10 infections nosocomiales pour 10 000 admissions à l'hôpital. Après 70 ans, le taux atteindrait 100 infections pour 10 000 admissions (Gross, 1983). Par rapport au jeune adulte, l'aîné a 3 fois plus de risques d'être atteint d'une pneumonie, de 5 à 10 fois plus d'avoir une infection urinaire et jusqu'à 20 fois plus d'avoir une infection intra-abdominale (Yoshikawa et Norman, 2001).

Sénescence immunitaire

Le système immunitaire est un réseau complexe de cellules et d'organes qui fonctionnent de façon équilibrée et intégrée pour lutter, entre autres, contre les agressions des agents infectieux. La sénescence immunitaire, ou vieillissement normal du système immunitaire, explique l'importance des infections et l'apparition de maladies auto-immunes chez les aînés (Sterberg, 1997).

La personne âgée a donc plus de risques que l'adulte d'être atteinte d'une infection virale ou bactérienne, et ce, pour plusieurs raisons. La première raison, c'est que l'organisme de l'aîné met plus de temps à réagir à la présence d'un agent pathogène. Sa réponse immunitaire est donc plus tardive que celle de l'adulte d'âge moyen. L'organisme de l'aîné se rend moins bien compte de la présence d'un agent pathogène extérieur et reconnaît moins rapidement un agent pathogène qui l'a déjà infecté. Sa réponse tardive s'expliquerait par le fait que les lymphocytes T à mémoire reconnaissent moins bien les anciens antigènes et que les macrophages reconnaissent également moins bien les agents pathogènes, qu'ils doivent présenter aux lymphocytes T et aux lymphocytes B. Or, comme ils jouent un rôle majeur dans la réponse immunitaire de l'organisme à l'infection, les lymphocytes T doivent être activés rapidement. Les lymphocytes T auxiliaires, ou « helpers », orchestrent toute la réponse immunitaire de l'organisme à une infection en sécrétant des lymphokines telles que les interleukines 2 à 6.

La réduction de la production de cytokines par les macrophages et de lymphokines par les lymphocytes T serait à l'origine du délai de la réponse immunitaire, les lymphokines et les cytokines étant nécessaires, notamment, à la prolifération lymphocytaire. La réduction de la production de l'interleukine-2 par les lymphocytes T expliquerait également la perte d'efficacité du système immunitaire, cette interleukine étant nécessaire à l'amorce de la prolifération lymphocytaire et jouant un rôle dans le choix des lymphocytes de produire soit des lymphocytes T à mémoire, soit des lymphocytes T tueurs, soit des lymphocytes T auxiliaires. Le système immunitaire de l'aîné produit plus de lymphocytes à mémoire que de lymphocytes auxiliaires. Or, les lymphocytes auxiliaires répondent plus efficacement à une infection, car ils réagissent beaucoup mieux à la prolifération lymphocytaire. Le système immunitaire de l'aîné produirait moins de lymphocytes tueurs ou des lymphocytes tueurs moins efficaces, les recherches ne sont pas encore concluantes à ce sujet. En tout état de cause, l'efficacité des lymphocytes tueurs diminue avec l'âge. L'aîné non seulement a un problème d'« aiguillage », de choix quant à la production de tel ou tel type de lymphocyte, mais en plus a besoin de plus de temps pour produire des lymphocytes, pour l'expansion clonale. Enfin, les macrophages et les neutrophiles perdent jusqu'à 50 % de leur efficacité phagocytaire (Murasko et Bernstein, 1999). Il faut noter aussi que les macrophages diminuent leur production de facteurs nécessaires à la nécrose des cellules cancéreuses.

D'un autre côté, la réponse immunitaire humorale ne serait pas plus efficace. Chez l'aîné, lorsqu'ils sont stimulés, les lymphocytes B produisent moins d'anticorps. Ainsi, lorsque le résident souffre d'une infection, son armée d'anticorps est moins grande que celle de l'adulte et donc nettement moins puissante. Qui plus est, la capacité des anticorps de l'aîné à neutraliser l'antigène est moins efficace. Enfin, les lymphocytes B font de plus en plus d'erreurs dans la reconnaissance des antigènes et identifient comme des antigènes des tissus sains et des cellules saines. Ainsi, l'aîné produit plus d'auto-anticorps.

En résumé, l'aîné réagit tardivement à une invasion et produit une armée plus petite et moins efficace pour combattre l'ennemi. Ces modifications expliquent sa plus grande vulnérabilité (Sterberg, 1997).

Vieillissement normal du système respiratoire

Le système respiratoire a pour fonction essentielle de fournir de l'oxygène à l'organisme et de le débarrasser du dioxyde de carbone. Son vieillissement normal, décrit au chapitre 6, entraîne des modifications anatomo-physiologiques qui augmentent les risques d'infections pulmonaires. Par exemple, la diminution du réflexe de la toux et de l'activité ciliaire des bronches est à l'origine d'une difficulté de l'aîné à libérer ses voies respiratoires de leurs sécrétions, difficulté qui accroît le risque d'infection (Rossi, Ganassini, Tantucci et Grassi, 1996 ; Voyer, Cloutier et Michaud, 2003).

Vieillissement normal du système urinaire

Le vieillissement du système urinaire, décrit au chapitre 14, contribue à augmenter la vulnérabilité des aînés aux infections urinaires (Merrien, 2002 ; Nicolle, 2000 ; Nicolle *et al.*, 1996). Par exemple, chez la femme âgée, le déclin de la production d'œstrogènes entraîne une modification du pH vaginal et de la morphologie de l'urètre, ce qui facilite la prolifération des bactéries vers la vessie.

Vieillissement normal du système tégumentaire

Le système tégumentaire a notamment comme fonction de constituer la première barrière physique de l'organisme contre l'invasion microbienne. Son vieillissement, décrit au chapitre 19, entraîne certaines modifications qui sont responsables d'une grande sensibilité de l'aîné aux infections cutanées et font de la peau tant une porte d'entrée qu'une porte de sortie plus facile pour les agents infectieux. Ces modifications sont d'abord l'atrophie de l'épiderme et du derme ainsi que la réduction du nombre de fibres élastiques (élastines), qui facilitent les lésions cutanées et l'entrée de micro-organismes. Ensuite, la vascularisation du réseau capillaire tégumentaire diminue, ce qui augmente la durée de cicatrisation des plaies ainsi que la période pendant laquelle la peau peut être infectée.

Colonisation bactérienne

La colonisation est la présence de micro-organismes qui se développent et se multiplient chez un hôte sans envahir les tissus ni altérer les cellules (Irwin *et al.*, 1982 ; Nicolle, McLeod, McIntyre et MacDonell, 1986 ; Santé Canada, 1999). Entre 25 et 50 % des résidents ont leur système urinaire colonisé par des bactéries (Hazzard, Blass, Ettinger, Halter et Ouslander, 1999). De plus, les lésions chroniques de la peau comme les plaies de pression sont habituellement colonisées par de nombreux micro-organismes. La colonisation des résidents par des micro-organismes pathogènes résulte de l'immunosénescence, de la comorbidité et de l'état d'affaiblissement (Nicolle *et al.*, 1996). Par ailleurs, l'utilisation inappropriée des antimicrobiens contribuerait à accroître cette colonisation et à augmenter la résistance microbienne (John et Ribner, 1991 ; Shlaes, Lehman, Currie-McCumber, Kim et Floyd, 1986).

Maladies

Les affections chroniques et dégénératives sont fréquentes chez les résidents des CHSLD (Merrien, 2002 ; Nicolle *et al.*, 1996 ; Ouslander, 1989). Or elles contribuent à augmenter la vulnérabilité du résident aux infections. Ainsi, le diabète de type 2 augmente le risque d'infection pour plusieurs raisons. Tout d'abord, le système immunitaire du diabétique n'effectue pas efficacement la phagocytose des particules infectieuses, à cause d'un déficit fonctionnel des lymphocytes (Kolterman, Olefsky, Kurahara et Taylor, 1980). Ensuite, les taux élevés de glucose font des tissus des milieux propices à la culture de micro-organismes. Enfin, la neuropathie périphérique et les troubles circulatoires causés par le diabète de type 2 augmentent aussi les risques d'infections tégumentaires.

Par ailleurs, des recherches ont mis en évidence le fait que les résidents atteints d'une démence, de la maladie de Parkinson et d'une insuffisance cardiaque ainsi que les résidents ayant subi un accident vasculaire cérébral (AVC) ont plus de risques d'avoir des infections, en particulier une pneumonie (Yoshikawa et Norman, 2001). La démence, la maladie de Parkinson et l'AVC sont également à l'origine d'une perturbation du fonctionnement de la vessie qui a pour effet d'augmenter le résidu post-mictionnel et par là même d'augmenter les risques d'infections urinaires.

Les bronchopneumopathies chroniques obstructives comme l'emphysème, qui détériorent les défenses innées de l'organisme en réduisant l'activité ciliaire et en causant un épaississement du mucus, augmentent quant à elles le risque de pneumonie.

Chez l'homme âgé, l'hypertrophie bénigne de la prostate accroît les risques d'infections urinaires. Chez la femme âgée, la réduction de la production d'œstrogènes, la ménopause et ses effets sur le système urinaire (affaiblissement du plancher pelvien) accroissent les risques d'infections urinaires (Cotter et Strumpf, 2002).

L'un des problèmes les plus fréquents chez les résidents des CHSLD, c'est la perte d'autonomie fonctionnelle découlant de leurs nombreux problèmes de santé. Or cette perte d'autonomie fonctionnelle entraîne un risque élevé d'infection chez les résidents (Alvarez, Shell, Woolley, Berk et Smith, 1988 ; Nicolle *et al.*, 1996 ; Rothan-Tondeur *et al.*, 2003). Par exemple, les résidents hémiplégiques à la suite d'un AVC ont un plus grand risque de faire des pneumonies dites par aspiration en raison de la dysphagie (voir les chapitres 4 et 12). Par ailleurs, qui dit perte d'autonomie dit risque d'immobilité, phénomène qui augmente les risques de plaies de pression et, par conséquent, les risques d'infections.

Satisfaction des besoins de base

La malnutrition est un autre problème courant en CHSLD. Souvent, la moitié des résidents souffre d'une malnutrition protéique et énergétique (Cowan, Roberts, Fitzpatrick, While et Baldwin, 2004 ; Nicolle *et al.*, 1996). La réduction de l'apport protéique et d'autres nutriments, comme les hydrates de carbone, les lipides, les vitamines et les minéraux, cause une diminution des défenses de l'organisme contre l'infection et un retard dans la guérison des blessures. En fait, l'association entre la malnutrition et les infections est un véritable cercle vicieux. En effet, si la malnutrition est l'un des facteurs de l'infection, l'infection à son tour mène à la malnutrition, qui encore une fois augmente les probabilités d'infections sévères chez les aînés (Gavazzi et Krause, 2002 ; Lesourd et Mazari, 1999 ; Yeh et Schuster, 1999).

Une hydratation optimale permet quant à elle de prévenir les infections, notamment les infections urinaires (Veyssier et Belmin, 2004).

Les incontinences fécales et urinaires, pour leur part, accroissent les risques d'infections urinaires et tégumentaires, de même que l'immobilité, qui augmente la stase urinaire et favorise l'apparition de plaies de pression.

Facteurs précipitants
Manque d'hygiène des mains des soignants

Les soignants sont constamment en contact, par l'intermédiaire de leurs mains, avec les résidents et leur environnement.

Ainsi, ce sont eux qui risquent le plus d'être contaminés pendant les soins et, partant, de favoriser le transfert de micro-organismes entre les résidents, entre les résidents et les autres membres du personnel soignant et entre les résidents et les surfaces de l'environnement. Un rapport du Centers for Disease Control and Prevention des États-Unis, cité par Tortora, Funke, Case et Martin (2003), a révélé que, dans les établissements de soins prolongés, les infirmières se lavaient les mains avant d'intervenir auprès des résidents dans 27 % des cas seulement. Or, la bonne observance des consignes concernant le lavage des mains entraîne une diminution des taux d'infections nosocomiales (Conly, Hill, Ross, Lertzman et Louie, 1989 ; Doebbeling *et al.*, 1992). Il semble toutefois difficile d'améliorer le comportement des infirmières et des médecins à cet égard ; les programmes d'éducation et de promotion dans ce domaine n'ont qu'un effet de courte durée (Conly *et al.*, 1989 ; Dubbert, Dolce, Richter, Miller et Chapman, 1990 ; Larson, Bryan, Adler et Blane, 1997 ; Mayer, Dubbert, Miller, Burkett et Chapman, 1986). Nous abordons cette question plus loin dans le chapitre.

Il semble aussi que le nombre d'infirmières par rapport au nombre de résidents joue un rôle important dans les infections et leur prévention. En effet, une étude a démontré qu'il y avait un lien entre le nombre d'heures de soins, l'utilisation des antibiotiques et la fréquence des infections urinaires. Par exemple, plus une infirmière consacre d'heures de soins dans une unité, moins les risques d'infections urinaires des résidents sont élevés (Harrington *et al.*, 2000).

Utilisation des médicaments

La polypharmacie est un problème bien connu des CHSLD. Les résidents reçoivent en effet de 5 à 10 médicaments différents (Beers *et al.*, 1988). Or, certains d'entre eux prédisposeraient les résidents aux infections. C'est le cas, paradoxalement, des antibiotiques, qui perturbent la flore intestinale. Les antibiotiques provoquent une croissance excessive des bactéries endogènes et accroissent le risque de colonisation par des micro-organismes exogènes, notamment par des bactéries multirésistantes aux antibiotiques (Greene, 1996 ; Jarvis, 1996). Les antidépresseurs tricycliques, qui favoriseraient la rétention urinaire, sont d'autres médicaments qui prédisposent les résidents aux infections. De même, des médicaments comme les benzodiazépines et des substances comme l'alcool, en perturbant le fonctionnement de fermeture de l'estomac, favorisent le reflux gastro-œsophagien et donc les broncho-aspirations, et augmentent ainsi les risques de pneumonies par aspiration (Yoshikawa et Norman, 2001). Certains sédatifs inhibent le réflexe de la toux et favorisent l'immobilité, accroissant ainsi le risque de pneumonie par aspiration.

Interventions

Les soins réunissent souvent toutes les conditions favorisant les infections chez les résidents. Par exemple, les contacts à haut risque de contamination des mains des infirmières avec les plaies de pression, les manipulations de sondes, les soins d'hygiène et les changements de culottes

exposent tous les résidents aux infections. Par ailleurs, les dispositifs invasifs, comme les sondes urétrales et nasogastriques et les cathéters veineux, en fragilisant les barrières tégumentaires, créent une porte d'entrée pour les micro-organismes. Certains d'entre eux, comme les cathéters et les sondes urinaires, peuvent être le siège d'une colonisation microbienne.

Mode de vie dans les CHSLD

L'une des missions des CHSLD est d'offrir aux résidents atteints de déficits fonctionnels et cognitifs graves un milieu de vie sécuritaire dans lequel la socialisation et la vie en communauté occupent une place importante. Or, la concentration d'un grand nombre de personnes fragiles dans un même endroit augmente le risque de transmission des infections. De plus, les activités de groupe comme les repas et les loisirs peuvent favoriser la transmission des infections d'un résident à un autre. Il en est de même de l'utilisation commune d'équipements comme les baignoires et les toilettes, ainsi que des objets de réadaptation (Nicolle *et al.*, 1996 ; Ouslander, Osterweil et Morley, 1997).

Manifestations cliniques

Nous allons maintenant décrire les signes et symptômes de trois types d'infections : les infections respiratoires, les infections urinaires et les infections tégumentaires. Puis, nous conclurons par une courte discussion concernant les signes et symptômes des infections en général chez les résidents.

Infections respiratoires

Grippe

La grippe est une infection respiratoire aiguë très contagieuse. Elle est causée par les virus du type *influenza*. Dans sa forme typique (syndrome grippal), elle se caractérise par un début brutal, une congestion nasale, après une courte période d'incubation de 24 à 48 heures. Le résident présente alors des symptômes tels que la gorge sèche, une céphalée, des courbatures, une douleur aux yeux, qui n'existaient pas auparavant, et des signes tels qu'une toux sèche, de la fièvre, des frissons et une voix éteinte.

Toutefois, chez le résident âgé, le tableau clinique peut être dominé par des signes atypiques ou brouillés. Le résident peut ainsi se plaindre d'un sentiment diffus de fatigue, de malaise et de faiblesse, ou souffrir uniquement d'une perte d'appétit avant de perdre du poids (Voyer *et al.*, 2003). Il peut aussi se plaindre de nausées et d'étourdissements (Cotter et Strumpf, 2002). Enfin, l'infirmière pourra détecter la présence d'un delirium.

Pneumonie

La pneumonie est une maladie infectieuse qui provoque l'inflammation du parenchyme pulmonaire (Nicolle *et al.*, 1996). L'infection entraîne une accumulation de pus, de sécrétions et de liquides dans les alvéoles pulmonaires, qui ne peuvent plus alors assurer les échanges gazeux avec efficacité. Les manifestations cliniques classiques de la pneumonie sont l'hyperthermie (38,5 °C), les frissons, une diaphorèse, la toux ou l'aggravation d'une toux existante, des expectorations, de la dyspnée, une douleur thoracique, des céphalées, de la tachycardie et de la tachypnée. La pneumonie peut aussi s'accompagner de nausées, de vomissements et de diarrhées. À l'examen physique, lors de la palpation, on notera une augmentation du frémissement vocal et lors de l'auscultation, on entendra des crépitants au niveau du lobe atteint par l'infection. Enfin, il est possible, dans certains cas, d'entendre un frottement pleural.

Il importe de s'attarder un instant sur la tachypnée, qui est une fréquence respiratoire élevée. La tachypnée constitue un excellent indicateur d'infection respiratoire chez les résidents âgés des CHSLD. Une fréquence respiratoire normale est une fréquence de 12 à 20 respirations par minute. Au-dessus de 25 respirations par minute, la fréquence respiratoire présente une sensibilité de 90 % et une sensibilité de 95 % pour la détection de la pneumonie (Bentley *et al.*, 2000 ; McFadden, Price, Eastwood et Briggs, 1984). Autrement dit, quand un résident présente une fréquence respiratoire supérieure à 25 en plus des autres signes et symptômes suggestifs d'une infection, dans 90 % des cas, il est atteint d'une infection respiratoire. De plus, il est possible de déterminer la gravité de l'état respiratoire du résident atteint d'une pneumonie en combinant trois paramètres : la fréquence respiratoire, la tension artérielle systolique et la tension artérielle diastolique. Ainsi, si la fréquence respiratoire est de 30 respirations ou plus par minute, si la tension artérielle systolique est inférieure à 90 mm Hg et si la tension diastolique est inférieure à 60 mm Hg, le résident doit recevoir une attention médicale d'urgence (Yoshikawa et Norman, 2001).

Cependant, le tableau clinique de la pneumonie peut également être dominé par des signes atypiques. Il peut s'agir d'une faiblesse, d'une apathie ou d'un isolement du résident, d'une perte d'appétit et de poids, d'un delirium, d'une léthargie, de chutes, de changements de comportements inexpliqués (en particulier chez le résident atteint d'une démence), d'un déclin soudain de l'autonomie fonctionnelle (dans 50 % des cas), d'une tension artérielle systolique inférieure à 100 mm Hg ou même d'une incontinence urinaire (Chassagne *et al.*, 1996 ; Cooper, Shlaes et Salata, 1994 ; Jarrett, Rockwood, Carver, Stolee et Cosway, 1995 ; Norman et Toledo, 1992).

Plus spécifiquement, l'aîné atteint d'une pneumonie ne tousserait pas dans 20 à 25 % des cas (Gleckman, 1991), n'aurait pas de fièvre dans 68 % des cas (Cantrell et Norman, 1999) ni de dyspnée dans 71 % des cas, n'expectorerait pas dans 65 % des cas, n'aurait pas de frissons dans 76 % des cas ni de douleurs dans 86 % des cas. À l'inverse, il présenterait un delirium dans 63 % des cas (Veyssier et Belmin, 2004).

Infections urinaires

L'expression « infection urinaire » est une expression générique désignant toutes les infections du système urinaire. Des termes plus précis indiquent le foyer de l'inflamma-tion due à l'infection. Par exemple, la pyélonéphrite est l'infection des reins, l'urétrite est l'infection de l'urètre, la cystite est l'infection de la vessie et la prostatite est l'infection de la prostate. Les infections urinaires représentent le tiers de toutes les infections qui touchent les aînés (Veyssier et Belmin, 2004).

Les signes et symptômes typiques de l'infection urinaire sont les suivants : fièvre ou hypothermie, frissons, sensation de brûlure lors de la miction, pollakiurie, présence de pus ou de sang dans l'urine, urine trouble, besoins urgents d'uriner, tension ou malaise dans la zone sus-pubienne pour la cystite et lombaire pour la pyélonéphrite, forte odeur de l'urine et incontinence urinaire.

Cependant, il faut rappeler que la majorité des infections urinaires chez les résidents sont asymptomatiques (Nicolle, 1999). Lorsqu'ils sont présents, les signes sont moins marqués chez les aînés que chez les jeunes adultes. Par exemple, la fièvre est moins élevée, les frissons sont exceptionnels, la douleur est plus vague et moins circonscrite à la zone sus-pubienne ou lombaire, et l'urine peut avoir une odeur normale.

Parmi les signes atypiques, le résident peut présenter de la fatigue, un déclin soudain de l'autonomie fonctionnelle, une perte d'appétit, des nausées et des vomissements (Castle, Yeh, Toledo, Yoshikawa et Norman, 1993 ; Fraser, 1993 et 1997). L'infirmière devra aussi suspecter une infection urinaire en cas de syndrome comme le delirium. Veyssier et Belmin (2004) ajoutent les chutes et l'état de faiblesse comme signes pouvant être associés à l'infection urinaire. Enfin, l'obstruction de la sonde urinaire par la pyurie (présence de pus dans l'urine) est un autre signe possible de l'infection urinaire.

Infections tégumentaires

Les infections tégumentaires chez les résidents sont dominées par la contamination des plaies de pression (Ladouceur, 1987 ; Tortora et Grabrowski, 1994) (voir le chapitre 19). Les manifestations cliniques d'une infection d'une plaie de pression sont l'érythème (rougeur), l'induration, l'œdème, l'augmentation de la superficie de la plaie ou de l'exsudat, la présence d'une sécrétion verdâtre, la fétidité, la sensibilité ou la douleur (Durand-Gasselin et Rothan-Tondeur, 1998). Il faut ajouter à ces signes la décoloration de la plaie et une granulation friable (Veyssier et Belmin, 2004). Enfin, le résident peut présenter de la fièvre et des frissons.

Concernant les manifestations atypiques de l'infection d'une plaie de pression, on rapporte que 50 % des individus ayant une plaie de pression surinfectée disent ne pas ressentir de douleur (Allman, 1999). De plus, il est possible que la plaie ne présente pas d'odeur fétide malgré l'infection. Lorsque la plaie de pression ne guérit pas au rythme habituel, il est possible que cela soit un signe d'infection. L'absence de fièvre et de frissons est possible malgré l'infection de la plaie. Enfin, un delirium peut avoir pour origine l'infection d'une plaie de pression.

Les infections en général

Le défi pour les infirmières, concernant les infections, n'est pas la détection des signes et symptômes typiques. En effet, les infirmières sont généralement très bien préparées, par leur formation, aux manifestations classiques des infections. Ainsi, leur défi est plutôt de reconnaître les manifestations atypiques des infections. Il est facile de tomber dans le piège de la normalisation, de la banalisation des manifestations du résident. On dit alors du résident qui présente un déclin soudain de l'autonomie qu'il a « pris un coup de vieux » ou qu'il a « une mauvaise journée », comme tout le monde en a. Le problème, c'est que souvent la perte d'autonomie dure plusieurs jours et que les soignants continuent d'attribuer le changement aux autres problèmes de santé du résident. On dit alors que le résident a perdu son autonomie à cause de sa démence, de son arthrite ou de son insuffisance cardiaque. C'est ainsi qu'on rate l'occasion de détecter un nouveau problème chez le résident. Le délai qui s'écoule entre la manifestation des premiers signes de l'infection (perte d'autonomie) et l'apparition des signes plus classiques, tels que la toux et la fièvre, fait perdre au résident des chances de guérison en début de traitement.

L'infirmière qui veut contribuer à la bonne santé des résidents et à leur bien-être doit donc adapter ses connaissances à la réalité des CHSLD. Elle doit apprendre quels sont les signes et symptômes atypiques des infections chez les résidents des CHSLD. À ce sujet, certains indices importants d'une infection devraient toujours la pousser à effectuer un examen clinique approfondi. Globalement, elle devrait suspecter la présence d'une infection lorsque le résident présente les signes décrits dans le tableau 8-1 (Ouslander *et al.*, 1997).

Il est bon de mentionner que, en CHSLD, il faut s'attendre à tous les scénarios possibles concernant la manifestation des infections. Ainsi, certains résidents vont présenter l'ensemble des signes et symptômes typiques de la grippe, alors que d'autres présenteront un mélange de manifestations typiques et de manifestations atypiques. Par contre, une proportion considérable de résidents ne manifesteront que les signes et symptômes atypiques de la grippe. C'est ce groupe de résidents justement qui constitue un défi pour les infirmières, pour intervenir rapidement.

Les signes peuvent être non seulement atypiques mais également très complexes à détecter par la nouvelle infirmière travaillant en CHSLD. Pensons au résident qui erre toujours dans les chambres des autres et que les soignants sont fatigués de ramener dans sa chambre, jour après jour. Une infirmière note que, depuis trois jours, ce résident reste dans sa chambre. Nul besoin de dire que l'ensemble des soignants en est bien heureux. Toutefois, cela peut constituer un premier signe d'infection chez le résident atteint d'une démence. Dans cet exemple, le changement soudain de comportement et le déclin de l'autonomie fonctionnelle peuvent constituer deux signes atypiques.

Comme on le voit, la détection des infections en CHSLD requiert une grande expertise s'appuyant sur une bonne capacité d'observation et sur de bonnes connaissances des infections en gériatrie.

Détection du problème

Dans cette section, nous nous contenterons de traiter de la fièvre. En effet, les particularités de l'infection respiratoire, de l'infection urinaire et de l'infection tégumentaire ont été décrites précédemment dans ce chapitre et abordées plus en détail dans d'autres chapitres (voir les chapitres 6, 14 et 19, respectivement).

La fièvre est une température corporelle supérieure à la normale qui est causée par une modification du réglage du thermostat hypothalamique. Elle constitue une manifestation cardinale d'infection chez les jeunes adultes (Yoshikawa et Norman, 1996). Par contre, elle est considérée comme absente chez 20 à 33 % des aînés atteints d'une infection grave comme la pneumonie, la tuberculose, l'endocardite et la septicémie (Norman et Yoshikawa, 1996). Elle est considérée comme absente, car la température corporelle de l'aîné n'atteint pas la température seuil de 38 ou 38,5 °C. En fait, 8 % seulement des aînés ayant une infection présentent une température rectale supérieure à 38,5 °C.

Choix du thermomètre et du site de prise de température

La valeur de la température mesurée chez l'aîné dépend essentiellement du point de thermométrie. La bouche, le canal auditif (mesure tympanique), le creux axillaire et le rectum sont les sites habituels de prise de température. La mesure rectale de la température est la plus précise (Darowski, Najim et Weinberg, 1991; Zimmer, Bentley, Valenti et Watson, 1986). La prise de température dans le creux axillaire et dans le canal auditif est à éviter. En effet, le thermomètre doit rester en place pendant trop longtemps dans le creux axillaire pour qu'on puisse utiliser cette

Tableau 8-1	Signes pouvant indiquer une infection chez le résident d'un CHSLD

- Déclin soudain de l'autonomie fonctionnelle
- Delirium
- Agitation
- Léthargie
- Perte d'appétit
- Déshydratation
- Chute
- Fièvre :
  – Température buccale > 37,8 °C
  – Augmentation de la température corporelle de 1,1 °C
- Hypothermie :
  – Température buccale < 35,8 °C
- Tachypnée
- Hypotension orthostatique
- Changement soudain de comportement
- Faiblesse
- Incontinence urinaire

méthode en CHSLD. Concernant la mesure dans le canal auditif, les changements que connaît la membrane tympanique font en sorte que la précision du thermomètre tympanique reste à démontrer. La présence de cérumen affecte également la précision du thermomètre tympanique (Doezema, Lunt et Tandberg, 1995). Enfin, plusieurs auteurs, s'appuyant sur des études indépendantes sérieuses, découragent l'utilisation du thermomètre tympanique avec des adultes, dans des milieux de soins de courte durée (Giuliano *et al.*, 2000 ; Manian et Griesenauer, 1998 ; Roth, Verdile, Grollman et Stone, 1996). L'étude de Stavem, Saxholm et Smith-Erichsen (1997) effectuée auprès de 119 sujets fait ressortir que 40 % des cas de fièvre ne sont pas détectés par le thermomètre tympanique. Celle de Hooker et Houston (1996) mène, quant à elle, à un pourcentage de 32 % de cas de fièvre non détectés. Pour leur part, Jensen, Jensen, Madsen et Lossl (2000), s'appuyant sur les résultats qu'ils ont obtenus auprès de 200 sujets, recommandent clairement d'éviter l'utilisation du thermomètre tympanique. Enfin, le thermomètre tympanique n'a pas été testé auprès d'une population âgée fébrile et vivant en CHSLD (Castle, Yeh *et al.*, 1993 ; Castle, Toledo, Daskal et Norman, 1992). Ainsi, étant donné l'état de la connaissance dans le domaine, il est évident que nous ne pouvons pas encourager l'utilisation du thermomètre tympanique en CHSLD. Nous recommandons plutôt l'utilisation du thermomètre électronique dans la bouche ou le rectum.

Définition de la fièvre gériatrique

Une étude de Castle, Yeh et leurs collaborateurs (1993), au cours de laquelle on a mesuré la température de résidents de CHSLD par les voies orale et rectale et à l'aide d'un thermomètre électronique, suggère qu'une température de 37,8 °C prédit une infection avec une sensibilité de 70 % et une spécificité de 90 %. Ainsi, une température de 37,8 °C semble être un critère fiable de la présence d'une infection chez les résidents âgés des CHSLD (Bentley *et al.*, 2000). Des auteurs suggèrent également qu'une augmentation de la température basale d'au moins 1,1 °C serait un indicateur

fiable d'infection chez les résidents des CHSLD (Castle, Yeh *et al.*, 1993 ; Norman et Yoshikawa, 1996).

Ainsi, les deux critères qui semblent les plus fiables pour la détection d'une infection chez un résident sont une température (orale ou rectale) de 37,8 °C et une augmentation de la température corporelle de 1,1 °C, par rapport à la température habituelle. L'utilisation d'un standard de 38 ou 38,5 °C pour qualifier une hyperthermie de fièvre n'est pas justifiée sur le plan scientifique. Elle est même nuisible pour la santé des résidents, car elle entraîne un délai dans le traitement des infections.

Pour pouvoir s'appuyer sur le critère de l'augmentation de 1,1 °C, l'infirmière doit connaître la température habituelle du résident lorsqu'il ne souffre pas d'une infection. Ainsi, elle doit établir le profil de base de tous les résidents concernant la température corporelle. Comme cette température peut varier de 0,6 °C environ au courant de la journée, l'infirmière doit établir sa mesure de base à quatre moments différents : le matin, l'après-midi, le soir et la nuit (voir le tableau 8-2). Elle a besoin de 12 mesures et peut demander le soutien de l'équipe soignante pour les obtenir. Le site de la prise de température doit toujours être le même, oral ou rectal. L'équipe de soins doit faire les 12 mesures pendant une période où le résident n'est pas atteint d'une infection et ne prend pas de médicament pouvant affecter le contrôle de sa température corporelle. Habituellement, on se donne deux semaines pour effectuer les 12 relevés de température. Ensuite, l'infirmière calcule la moyenne de la température corporelle pour chaque moment de la journée. Cela permet de déterminer aisément, pour chaque résident et selon le moment de la journée, ce qui constitue une réponse fébrile. Une fois le profil de base du résident bien établi, il est inutile de prendre la température corporelle du résident sur une base mensuelle ou trimestrielle. En effet, moins de 2 % des hyperthermies sont détectées de cette façon (Pals *et al.*, 1995). Le plus efficace est de recourir au jugement clinique de l'infirmière, qui est en mesure d'observer et de noter les signes et symptômes typiques et atypiques de l'infection chez le résident.

Tableau 8-2	Établissement de la température corporelle de base (orale) d'un résident				
HEURE	**TEMPÉRATURE JOUR 1**	**TEMPÉRATURE JOUR 2**	**TEMPÉRATURE JOUR 3**	**TEMPÉRATURE MOYENNE**	**ÉTAT FÉBRILE**
Matin (entre 8 h et 11 h)	36,2 °C	36,1 °C	36,2 °C	36,2 °C	37,3 °C
Après-midi (entre 13 h et 15 h)	36,4 °C	36,5 °C	36,3 °C	36,4 °C	37,5 °C
Soir (entre 19 h et 21 h)	36,7 °C	36,6 °C	36,6 °C	36,6 °C	37,7 °C
Nuit (entre minuit et 5 h)	36,6 °C	36,5 °C	36,5 °C	36,5 °C	37,6 °C

Dans cette deuxième grande partie du chapitre, nous mettons l'accent sur deux composantes centrales du contrôle des infections. La première concerne la prévention des infections en général, et la deuxième, les soins à prodiguer à un résident atteint d'une infection.

Prévention des infections

La prévention des infections comprend un ensemble d'interventions. Évidemment, en tête de liste figure, avec le lavage des mains, la vaccination, compte tenu de son fort potentiel de prévention et de la quasi-absence de risque associée à son utilisation. Ensuite, arrivent les pratiques de base, dont on discutera abondamment. On suggère également de porter une attention particulière à certains facteurs de risque que peuvent présenter les résidents. Enfin, à titre indicatif, on décrit de manière sommaire les mesures à prendre en cas d'épidémie de grippe dans un CHSLD.

Vaccination

Après le lavage des mains, la vaccination est sans doute la mesure préventive la plus efficace contre les infections. Elle immunise le résident contre des micro-organismes spécifiques. Tous les résidents devraient recevoir les vaccins contre la grippe et les infections à pneumocoques, comme le recommande le *Guide canadien d'immunisation* (Comité consultatif national de l'immunisation [CCNI], 2002). Ils devraient également recevoir les doses de rappel pour d'autres maladies telles que la diphtérie et le tétanos. Concernant le vaccin pneumoccocique, des auteurs ont estimé que 50 % des décès des aînés liés à la pneumonie auraient pu être évités par la vaccination (Yoshikawa et Norman, 2001).

Bien qu'ils ne répondent pas à la vaccination de manière optimale, en raison de la sénescence immunitaire (Goronzy *et al.*, 2001), les résidents produisent néanmoins des taux d'anticorps suffisamment élevés pour qu'on les considère comme immunoprotégés. Ainsi, la vaccination antigrippale protège de 70 à 80 % des aînés (CCNI, 2001). Elle réduit de 50 à 60 % les taux d'hospitalisation et d'apparition de la grippe et d'une pneumonie secondaire, et de 85 % les risques de décès (CCNI, 2001). En raison de la réponse non optimale des résidents âgés à la vaccination, il est recommandé de donner le vaccin antigrippal vers la mi-novembre seulement. Cela assurerait aux résidents une meilleure protection pour les mois d'hiver comportant le plus de risques d'infections.

La vaccination est également recommandée pour les membres du personnel travaillant auprès des résidents. Tous les soignants doivent se sentir concernés par la prévention des infections. Ceux qui acceptent d'être vaccinés non seulement se protègent eux-mêmes, mais protègent aussi les résidents. Des études ont montré que la vaccination annuelle des soignants contre la grippe réduisait la mortalité totale des résidents dans les cas de syndromes grippaux (Carman *et al.*, 2000). En outre, le nombre annuel d'éclosions dans des milieux fermés comme les CHSLD décroît en même temps que croît le taux de couverture vaccinale du personnel soignant (Stevenson, McArthur, Naus, Abraham et McGeer, 2001).

Pratiques de base

Les pratiques de base consistent en l'application de mesures de prévention des infections lors des soins, quel que soit le diagnostic que les résidents ont reçu ou le degré présumé de contagion. Elles comprennent, conformément aux recommandations de Santé Canada, le lavage des mains, le port de gants, le port d'une blouse et le port d'un masque et de protections oculaires (Santé Canada, 1999).

Lavage des mains

Le lavage des mains constitue la précaution fondamentale et le moyen le plus efficace pour lutter contre la transmission des infections (Garner et Favero, 1985). En CHSLD, deux types de lavages des mains répondant à différents objectifs sont requis : le lavage hygiénique et le lavage antiseptique. Le lavage hygiénique vise à éliminer la majeure partie de la flore microbienne transitoire, constituée de micro-organismes acquis par l'infirmière lors des soins prodigués au résident. Cette flore microbienne est le reflet de l'environnement et de l'écologie microbienne du milieu de soins. Elle est le plus souvent pathogène et à l'origine d'infections nosocomiales. Le lavage hygiénique doit se faire avant et après chaque geste de soins infirmiers, de soins de confort et de service comme le changement de draps, ainsi que lorsque les mains sont souillées par des saletés, du sang ou d'autres matières organiques. Le soignant doit également l'effectuer avant et après l'utilisation de gants. Ce type de lavage requiert un savon liquide neutre et doux et doit durer au moins 30 secondes. Ensuite, les mains doivent être séchées avec un essuie-mains à usage unique dont on se servira pour fermer le robinet.

Le lavage antiseptique, lui, vise à réduire la flore microbienne transitoire et la flore microbienne résidente, également appelée flore commensale. Cette dernière est constituée de micro-organismes qui habitent, survivent et se multiplient normalement sur la peau. Habituellement peu virulents, les micro-organismes de la flore résidente peuvent devenir très nocifs lorsqu'ils sont introduits, au cours de procédures invasives, dans les tissus du résident fragile. Le lavage antiseptique est impératif avant tout geste invasif comme une ponction veineuse, mais également après des soins prodigués à un malade porteur d'un micro-organisme multirésistant (*Staphylococcus aureus* résistant à la méthi-

cilline ou SARM, entérocoque résistant à la vancomycine ou ERV, bacille à Gram négatif résistant à de nombreux antibiotiques) (Santé Canada, 1999). Le lavage antiseptique s'effectue avec une solution comme la chlorhexidine ou avec des produits à base d'alcool (Garner, 1996; Santé Canada, 1999).

Port de gants

Le port de gants est une autre mesure préventive générale. Il ne remplace pas l'hygiène des mains, mais la complète. Ainsi, il est essentiel de se laver les mains après avoir retiré une paire de gants. Le port des gants n'est pas obligatoire pour des soins de base et si le contact se limite à la peau intacte du résident. Par exemple, il n'est pas nécessaire de porter des gants pour nourrir les résidents, à moins qu'il n'y ait un contact direct avec les muqueuses ou les sécrétions buccales. Par contre, le port de gants est requis pour tout soin impliquant un contact avec du sang, des liquides organiques, des sécrétions, des muqueuses, des plaies exsudatives ou de la peau non intacte (Santé Canada, 1999).

Port de la blouse

Le port de la blouse n'est pas recommandé de manière systématique, mais lorsqu'il y a des risques d'éclaboussures (Santé Canada, 1999). La blouse permet à l'infirmière de protéger sa peau et empêche que ses vêtements soient souillés durant ses interventions auprès des résidents.

Port du masque et des lunettes protectrices

Le port du masque et des lunettes protectrices n'est pas recommandé de manière systématique lors des soins de routine (Santé Canada, 1999). Il est requis lorsqu'il y a des risques d'éclaboussures de sang, de liquides organiques, de sécrétions ou d'*excreta*, ou des risques de projections de gouttelettes.

Précautions additionnelles

En plus des pratiques de base, certaines précautions additionnelles sont nécessaires lorsque les résidents sont porteurs de micro-organismes contagieux ou importants sur le plan épidémiologique. Ces mesures additionnelles visent à lutter contre la transmission des infections par contact, par gouttelettes et par voie aérienne.

Précautions contre la transmission par contact

Les mesures préventives relatives à la transmission par contact comprennent le port de la blouse à manches longues et des gants, que l'infirmière devra retirer avant de quitter la chambre du résident. Bien que cette mesure soit souvent difficile à appliquer, le résident malade devrait se trouver dans une chambre à un lit ou cohabiter avec des résidents porteurs de la même infection ou du même micro-organisme. Comme il peut constituer un vecteur de transmission (Santé Canada, 1999), le matériel médical, notamment le stéthoscope, le sphygmomanomètre et le thermomètre, doit ne servir que pour le résident infecté ou les résidents isolés entrant dans cette catégorie. Le lavage antiseptique des mains est également recommandé. De plus, les déplacements des résidents infectés doivent être limités. Il est bon de rappeler que la transmission par contact serait un mode privilégié de contagion pour les bactéries multirésistantes aux antibiotiques (Santé Canada, 1999; Yoshikawa et Norman, 2001).

Précautions contre la transmission par gouttelettes

La transmission par gouttelettes se produit généralement lorsque le résident éternue, se mouche ou parle. Les précautions relatives à ce mode de transmission comprennent l'hébergement du résident dans une chambre à un lit ou avec d'autres résidents atteints de la même maladie infectieuse, ainsi que le port d'un masque par le résident qui doit sortir de sa chambre. La porte de la chambre peut rester ouverte, mais les déplacements du résident doivent être limités. Les soignants devraient porter un masque lorsqu'ils se trouvent à moins d'un mètre du résident. Ces mesures s'ajoutent évidemment aux pratiques de base, valables pour tous les résidents.

Précautions contre la transmission par voie aérienne

Comme on le signalait en introduction de ce chapitre, la transmission par voie aérienne désigne la dissémination des micro-organismes dans l'air. Or, les micro-organismes peuvent rester suspendus dans l'air pendant longtemps. La tuberculose, le zona et la rougeole sont des maladies infectieuses qui se transmettent par la voie aérienne. Dans ce genre de cas, le soignant doit porter un masque à haut niveau de filtration quand il entre dans la chambre du résident. L'infirmière en prévention des infections pourra lui procurer ce type de masque conçu spécialement pour prévenir la transmission par voie aérienne (par exemple, le masque N95). De plus, le résident devrait être dans une chambre à un lit dont la porte et les fenêtres devraient toujours rester fermées. Les déplacements du résident doivent être limités. Enfin, bien qu'on retrouve très rarement des chambres à pression négative dans les CHSLD, les résidents devraient normalement se trouver dans ce genre de chambre permettant d'éviter le risque de contagion à l'intérieur de l'unité. Comme on le constate, les mesures en cas d'infection se transmettant par voie aérienne sont très contraignantes. D'ailleurs, Santé Canada reconnaît l'enjeu éthique de situations de ce genre (1999). Parfois, si elle constate que les mesures restrictives sont responsables d'une détérioration physique, mentale et cognitive du résident, l'équipe interdisciplinaire aura avantage à consulter les spécialistes de la question pour qu'ils l'éclairent.

La figure 8-2 (p. 138-139) résume les diverses précautions particulières à prendre contre la transmission par contact, la transmission par gouttelettes et la transmission par voie aérienne.

PRÉCAUTIONS CONTRE LA TRANSMISSION PAR CONTACT

Aux visiteurs: veuillez vous présenter au poste de soins infirmiers avant d'entrer dans la chambre.

PLACEMENT DU PATIENT

Maintenir une distance d'au moins 1 mètre (3 pieds) entre les patients. On peut laisser la porte ouverte.

MATÉRIEL

Utiliser uniquement pour un patient ou désinfecter après usage.

BLOUSE

S'il y a risque de contamination ou de souillure.

GANTS

En entrant dans la chambre du patient ou en arrivant à son chevet.

LAVAGE DES MAINS

Après avoir retiré les gants. Après avoir touché à des articles contaminés.

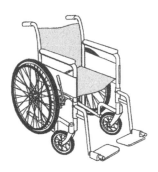

TRANSPORT DU PATIENT

Transport uniquement lorsque c'est essentiel. Avertir le bureau de réception du service.

FIGURE 8-2 **Précautions particulières à prendre contre la transmission par contact, par gouttelettes et par voie aérienne**

Source : Santé Canada (1999). *Guide de prévention des infections. Pratiques de base et précautions additionnelles visant à prévenir la transmission des infections dans les établissements de santé* (n° 25S4). Ottawa : Santé Canada, 90.

Prise en compte optimale des facteurs de risque

Certaines stratégies contribuent à accroître la résistance des résidents aux infections. Il s'agit d'abord de la prévention de la déshydratation (voir le chapitre 11) et du maintien d'un état nutritionnel optimal (voir le chapitre 12). Ensuite, il importe de faire un dépistage efficace des résidents dysphagiques et de favoriser une alimentation ne présentant pas de risque d'aspiration (voir le chapitre 12). Une hygiène bucco-dentaire de qualité (voir le chapitre 13) réduit les risques d'infection bucco-dentaire et, par la suite, d'aspiration des bactéries par l'appareil respiratoire.

Il importe d'éviter l'immobilité en favorisant la pratique d'exercices physiques ou de la marche (voir le chapitre 2). Il faut également prévenir les plaies de pression en instaurant un programme de prévention dans ce sens (voir le chapitre 19), qui sera complété, si le profil du résident l'impose, par des programmes d'élimination vésicale (voir le chapitre 14) et intestinale (voir le chapitre 15).

Surveillance des populations

En raison de leurs caractéristiques, certains résidents devraient faire l'objet d'un suivi plus rigoureux concernant leur risque d'être affligés d'une infection. C'est ainsi le cas des résidents souffrant de dysphagie. De même, les résidents atteints d'une démence et de la maladie de Parkinson et ayant subi un AVC devraient régulièrement être examinés au niveau de leur appareil respiratoire, en raison de leur risque accru de faire une pneumonie par aspiration.

PRÉCAUTIONS CONTRE
LA TRANSMISSION PAR GOUTTELETTES

Aux visiteurs: veuillez vous présenter au poste de soins infirmiers avant d'entrer dans la chambre.

PLACEMENT DU PATIENT	MASQUE	LAVAGE DES MAINS	TRANSPORT DU PATIENT
Maintenir une distance d'au moins 1 mètre (3 pieds) entre les patients. On peut laisser la porte ouverte.	Masque chirurgical à moins d'un (1) mètre (3 pieds) du patient.	Avant tout contact direct avec le patient. Après avoir touché des articles contaminés. Après tout contact direct avec le patient.	Transport uniquement lorsque c'est essentiel. Le patient doit porter un masque chirurgical durant le transport. Avertir le bureau de réception du service.

PRÉCAUTIONS CONTRE
LA TRANSMISSION PAR VOIE AÉRIENNE

Aux visiteurs: veuillez vous présenter au poste de soins infirmiers avant d'entrer dans la chambre.

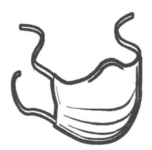

PLACEMENT DU PATIENT	MASQUE	LAVAGE DES MAINS	TRANSPORT DU PATIENT
Chambre à un lit. Tenir la porte fermée.	Masque spécial de haute efficacité avant d'entrer dans la chambre.	Avant tout contact direct avec le patient. Après avoir touché des articles contaminés. Après tout contact direct avec le patient.	Transport uniquement lorsque c'est essentiel. Le patient doit porter un masque chirurgical durant le transport. Avertir le bureau de réception du service.

FIGURE 8-2 **Précautions particulières à prendre contre la transmission par contact, par gouttelettes et par voie aérienne (*suite*)**

Source: Santé Canada (1999). *Guide de prévention des infections. Pratiques de base et précautions additionnelles visant à prévenir la transmission des infections dans les établissements de santé* (n° 25S4). Ottawa: Santé Canada, 88-89.

Dans le même sens, l'infirmière portera une attention spéciale au résident atteint d'une plaie de pression afin de déceler rapidement tous les signes et symptômes d'une infection. Elle surveillera également de près le résident diabétique, en raison des risques liés à une plaie aux membres inférieurs. Le programme préventif de podologie est indispensable pour ce type de résident (voir le chapitre 18).

Évidemment, les résidents souffrant d'incontinence urinaire ou fécale ont de grands risques d'avoir des infections urinaires, mais également des plaies de pression. Un programme de prévention des plaies de pression (voir le chapitre 19) est essentiel pour eux. Enfin, les résidents porteurs d'une sonde urinaire sont un autre type de résidents nécessitant la supervision serrée de l'infirmière.

Nous ne pouvons décrire toutes les situations requérant un suivi rigoureux de l'infirmière concernant la prévention des infections. Toutefois, ce survol du sujet vise à faire prendre conscience à l'infirmière et aux autres soignants que tous les résidents ne présentent pas le même risque face à l'infection. Il montre également que la personnalisation des soins prend ici tout son sens. L'infirmière doit utiliser son jugement clinique quant à la surveillance de l'état de santé des résidents présentant le plus de risques de développer une infection.

Épidémie de grippe dans un CHSLD

Nous allons maintenant décrire rapidement les mesures à prendre lors de l'épidémie d'une infection, en nous inspirant des travaux du ministère de la Santé et des Services sociaux (2003). Le but ici est de faire connaître les principes généraux du contrôle d'une épidémie aux infirmières soignantes. Ces dernières pourront ainsi offrir un meilleur soutien à l'infirmière en prévention des infections, au médecin et à l'équipe de prévention des infections lors d'une éventuelle éclosion. Notons par ailleurs que la participation des soignants est essentielle au succès de tout programme de prévention des infections (Yoshikawa et Norman, 2001).

L'épidémie, ou éclosion, d'une infection est l'apparition d'un nombre de cas d'une infection donnée qui dépasse la normale. Les principales infections qui peuvent devenir épidémiques dans un CHSLD sont la grippe, la gastroentérite, l'infection à *Clostridium difficile* et la gale (Santé Canada, 1995).

Pour illustrer les mesures à prendre en cas d'éclosion d'une infection, nous allons prendre l'exemple de la grippe, l'une des principales maladies épidémiques en CHSLD. Malgré une couverture vaccinale estimée à 90 % dans les CHSLD du Canada, McGeer et ses collaborateurs (2000) rapportent que près de la moitié des CHSLD connaissent au moins une éclosion de grippe par année. Lorsqu'une épidémie de grippe se déclare, elle peut toucher de 50 à 100 % des résidents (Nicolle *et al.*, 1996 ; Nicholson, Webster et Hay, 1998). La grippe peut exacerber les maladies chroniques cardiaques et pulmonaires des résidents et entraîner des taux de mortalité pouvant dépasser 5 % au cours d'une éclosion (Bradley, 1999).

Il est important de signaler, avant de commencer, que la procédure à suivre varie quelque peu selon l'agent infectieux en cause. Ainsi, les mesures à prendre pourront différer en cas d'épidémie de gale ou de gastro-entérite.

Confirmation d'une éclosion de grippe

En période d'activité grippale, une éclosion correspond à l'apparition de deux cas ou plus de syndromes d'allure grippale (apparition brusque des signes et symptômes de la grippe, température rectale supérieure à 38 °C, toux) dans le même milieu de soins ou la même unité de soins dans un délai de 10 jours, avec confirmation de la présence du virus influenza dans au moins l'un des cas. En période d'éclosion de grippe, le syndrome d'allure grippale permet de poser un diagnostic de grippe dans 60 à 87 % des cas chez le jeune adulte en bonne santé (Boivin, Hardy, Tellier et Maziade, 2000 ; Gubavera, Kaiser et Hayden, 2000 ;

ministère de la Santé et des Services sociaux, 2003). La valeur prédictive du syndrome d'allure grippale n'est cependant que de 44 % chez l'aîné vivant en communauté (Govaert, Dinant, Aretz et Knottnerus, 1998) et serait plus faible chez le résident vivant en CHSLD (McGeer *et al.*, 2000). Mais, faute de critères supplémentaires, le ministère de la Santé et des Services sociaux du Québec a retenu le syndrome d'allure grippal et sa triade « apparition brusque des signes et symptômes de la grippe, température rectale supérieure à 38 °C et toux » dans le contexte des CHSLD (ministère de la Santé et des Services sociaux, 2003).

Lorsque le virus influenza ne circule pas dans la région, l'éclosion correspond à l'apparition de deux cas ou plus de syndromes d'allure grippale dans un délai de 10 jours, avec confirmation de la présence du virus dans au moins deux cas. Le délai de 10 jours est la période de contagiosité et d'incubation du virus influenza.

Contrôle d'une épidémie de grippe en CHSLD

Quand une éclosion de grippe est confirmée en CHSLD, il faut rapidement prendre plusieurs mesures pour limiter la propagation du virus. La figure 8-3 illustre ces mesures (ministère de la Santé et des Services sociaux, 2003) dans une situation idéale, situation qui ne correspond malheureusement pas à la situation de tous les CHSLD qui souffrent souvent d'un manque de ressources.

En cas d'épidémie de grippe, il convient premièrement d'être particulièrement rigoureux concernant l'hygiène des mains et d'appliquer les mesures préventives contre la transmission par gouttelettes et par contact (ministère de la Santé et des Services sociaux, 2003). Idéalement, les résidents infectés doivent être isolés dans une chambre privée.

Deuxièmement, il faut bien distinguer, parmi les résidents et les membres du personnel, les sujets malades des sujets non malades. Les résidents malades pourraient recevoir un traitement antiviral (AV). Les résidents non malades pourraient également se voir offrir une prophylaxie antivirale (CCNI, 2001), qu'ils soient vaccinés ou non, en raison de la moins grande efficacité du vaccin chez les aînés (Goronzy *et al.*, 2001).

Quant aux soignants malades, ils devraient ne plus travailler auprès des résidents jusqu'à la disparition des signes et symptômes. Le personnel non vacciné ou vacciné depuis moins de deux semaines et ayant des contacts étroits avec les résidents pourrait également se voir offrir une prophylaxie antivirale. Il est primordial de proposer la vaccination à tout le personnel non vacciné.

Pendant la durée de l'épidémie, il faudra suspendre les nouvelles admissions dans l'unité et ne pas transférer dans une autre unité les résidents atteints de l'infection. Un encadrement des visites des proches sera nécessaire pour éviter la contagion. De plus, on suggère de limiter la circulation dans l'unité durant la période d'infection. Ainsi, il faudra suspendre la participation des résidents aux activités sociales. Toutefois, en raison des effets négatifs que peut avoir l'isolement sur la santé mentale des résidents, il

Dès confirmation de l'éclosion d'influenza*

- Appliquer les mesures de base et les mesures additionnelles (contact/gouttelettes)
- Repérer, parmi les résidents et les employés, les personnes malades et non malades

Malades

Résidents
- Isolement dans une chambre privée
- Traitement AV selon médecin traitant
- Si isolement impossible, suivre les directives de l'équipe en prévention des infections

Employés

Exclusion du travail auprès des résidents jusqu'à la disparition des symptômes ou au plus tard jusqu'à 5 jours après le début des symptômes

(pour éviter la transmission)

Non malades

Déterminer le statut vaccinal

Vaccinés

Employés

(protection suffisante)

Résidents

Offrir AV en prophylaxie *(protection additionnelle)*

Non vaccinés

Résidents

- Vaccination immédiate
- Offrir AV en prophylaxie

Employés

- Vaccination
- Offrir AV en prophylaxie

Non malades

Continuer la prophylaxie avec les AV pendant la durée de l'éclosion

Malades

- Cesser prophylaxie *(re : résistance virale ou autre cause)*
- Faire cultures et détection rapide
- Isolement jusqu'à disparition des symptômes ou au plus tard jusqu'à 5 jours après le début des symptômes
- Traitement selon résultat et médecin traitant

Si vaccination et prophylaxie acceptées
- Prophylaxie pendant 2 semaines, puis cesser *(travail auprès des résidents autorisé)*

Si vaccination refusée et prophylaxie acceptée
- Prophylaxie pendant la durée de l'éclosion *(travail auprès des résidents autorisé)*

Si vaccination acceptée et prophylaxie refusée
- Exclusion du travail auprès des résidents pendant 2 semaines *(temps nécessaire pour produire des anticorps)*

Si vaccination et prophylaxie refusées
- Exclusion du travail auprès des résidents pendant la durée de l'éclosion

*Éclosion d'influenza confirmée

En 10 jours, 2 cas de SAG (syndrome d'allure grippale : syndrome d'apparition brusque avec fièvre et toux).

Si influenza circule :
- 1 prélèvement positif

Si influenza ne circule pas :
- 2 prélèvements positifs

FIGURE 8-3 **Mesures de contrôle à prendre lors d'une éclosion d'influenza en CHSLD**

Source : Adaptée du ministère de la Santé et des Services sociaux (2003). *Protocole d'intervention influenza en milieu d'hébergement et de soins de longue durée. Prévention, surveillance et contrôle.* Québec : gouvernement du Québec, ministère de la Santé et des Services sociaux, 94.

conviendra parfois de demander l'opinion de l'équipe en prévention des infections quant à la pertinence de cette mesure.

Il est important de préciser que les mesures d'isolement sont temporaires et s'appliquent dans le cas d'infections passagères. Ainsi, on adoptera une démarche différente pour un résident infecté par une bactérie multirésistante, car il n'est pas possible d'isoler la personne sur une longue période. Dans ce cas-là, on demandera plutôt au personnel de porter une attention particulière au résident et d'appliquer des mesures de protection plus rigoureuses afin qu'il ne transmette pas la bactérie multirésistante aux autres résidents.

Soins infirmiers à prodiguer au résident atteint d'une infection

Le résident atteint d'une infection pulmonaire a un très grand risque de voir sa santé se détériorer. En effet, sa fragilité est telle que l'infection sollicite toute l'énergie de son organisme. Il peut ainsi avoir un delirium, perdre davantage de son autonomie et même mourir. De 70 à 90 % des décès par pneumonie se produisent chez les aînés de 65 ans et plus (Veyssier et Belmin, 2004).

L'infirmière joue alors un rôle capital pour aider le résident à guérir de son infection. L'antibiothérapie mise à part, elle doit effectuer plusieurs interventions pour éviter au résident les séquelles de l'infection, l'effet domino, également appelé glissement ou effet cascade, c'est-à-dire la détérioration brusque de l'état de santé causée par le stress important que constitue une infection. En effet, l'infection favorise la déshydratation, la dénutrition, l'immobilité, les plaies de pression, les chutes, l'exacerbation des maladies chroniques (par exemple, des problèmes cardiaques et des problèmes métaboliques), l'apparition des effets secondaires des médicaments, etc. (Veyssier et Belmin, 2004 ; Yoshikawa et Norman, 2001). Il faut savoir que l'aîné fragile peut mettre jusqu'à deux mois pour se rétablir complètement d'une pneumonie (Yoshikawa et Norman, 2001).

Pour aider le résident atteint d'une infection, l'infirmière adoptera une démarche comportant trois étapes :

1. Évaluation de l'état de santé et détermination des facteurs de risque.
2. Le recours à des interventions pharmacologiques et à des interventions complémentaires.
3. L'évaluation de la réponse thérapeutique.

Pour illustrer cette démarche, nous prenons l'exemple d'un résident atteint d'une pneumonie.

Évaluation de l'état de santé et détermination des facteurs de risque

Dès la constatation de l'infection, l'infirmière dresse dans le dossier du résident son profil de départ en étayant sa description des données subjectives et objectives obtenues lors de l'examen clinique.

En interrogeant le résident pour établir son histoire de santé, l'infirmière note les symptômes qu'il lui rapporte, par exemple un sentiment de malaise général, des étourdissements, des céphalées et une douleur ressentie lors de la respiration. Elle inscrit également les signes qu'elle a elle-même observés, comme le déclin soudain de l'autonomie, l'apathie et le retrait du résident.

Lors de l'examen physique, elle consigne au dossier les signes vitaux. Elle porte particulièrement attention à la température corporelle et à la fréquence respiratoire du résident. Elle recourt aussi à la saturométrie, méthode non invasive qui permet de déterminer le niveau de saturation en oxygène de l'hémoglobine. Un aîné a normalement une saturométrie de 95 % et plus. Par contre, un résident atteint d'une bronchopneumopathie chronique obstructive (BPCO) telle que l'emphysème aura une saturométrie plus basse. Le médecin, le pneumologue ou l'inhalothérapeute pourra déterminer la saturométrie idéale de ce type de résident atteint d'une BPCO. Dans tous les cas, en situation d'infection respiratoire, la saturométrie peut descendre jusqu'à 80 %.

Lors de la palpation, elle décrit si la transmission du frémissement vocal est accrue ou non. Lors de l'auscultation, elle consigne clairement la présence éventuelle de ronchi au niveau bronchique et de crépitants et sibilants au niveau vésiculaire.

L'infirmière peut également faire une évaluation cognitive du résident et en indiquer les résultats dans le dossier (voir le chapitre 7). Compte tenu de la présentation souvent atypique de la pneumonie chez l'aîné, elle doit accorder de l'importance à l'observation de problèmes tels que la faiblesse, la perte d'autonomie fonctionnelle, la diminution des capacités cognitives (delirium) et l'incontinence urinaire.

L'infirmière doit prendre soin de déterminer les facteurs de risque propres au résident atteint de l'infection. Elle surveillera la glycémie du résident diabétique, portera une attention particulière au risque d'œdème aigu du poumon du résident insuffisant cardiaque, surveillera la déglutition et le positionnement du résident dysphagique, etc. L'infirmière doit repérer les vulnérabilités physiologiques du résident et en assurer un suivi rigoureux afin de détecter rapidement les signes d'une détérioration de l'état de santé.

Recours à des interventions pharmacologiques et à des interventions complémentaires

En cas d'infection respiratoire telle qu'une pneumonie, l'infirmière prodiguera au résident les soins pharmacologiques et les autres soins complémentaires requis. Il est très important qu'elle assume son entière responsabilité professionnelle en mettant en place les mesures complémentaires essentielles à la guérison du résident et qu'elle fasse bien part à l'équipe de soins de l'aspect crucial des interventions complémentaires pour la santé du résident (Ouslander *et al.*, 1997).

Interventions pharmacologiques

Sur le plan pharmacologique, le médecin va généralement prescrire l'administration d'un antibiotique et d'un antipyrétique. L'infirmière a alors comme rôle d'administrer ces médicaments selon les principes d'usage optimal décrits dans le chapitre 23. Elle a également une responsabilité dans l'évaluation de la réponse du résident au traitement pharmacologique.

L'antibiotique visant la guérison de la pneumonie, l'infirmière effectuera des examens cliniques des poumons durant toute la durée du traitement (voir le chapitre 6 et la section «Évaluation de la réponse thérapeutique» de ce chapitre, un peu plus loin). Elle guettera par ailleurs l'apparition d'effets secondaires de l'antibiotique ainsi que les signes et symptômes d'une interaction médicamenteuse.

Concernant l'antipyrétique, l'infirmière vérifiera la température corporelle du résident tous les jours.

Enfin, elle notera bien dans le dossier du résident sa réponse thérapeutique au traitement pharmacologique ainsi que la présence ou l'absence d'effets secondaires des médicaments.

Interventions complémentaires

Lorsqu'un résident est atteint d'une infection, l'infirmière doit prévoir plusieurs interventions complémentaires au traitement pharmacologique. Dans le cas d'une pneumonie, en raison de la dyspnée, elle peut administrer de l'oxygène au résident, en suivant les recommandations du médecin à ce sujet. De plus, elle s'assurera que la température de la pièce est confortable et que le taux d'humidité est optimal, pour faciliter la respiration et le dégagement des voies respiratoires.

Si le résident a les poumons très encombrés par les sécrétions, elle effectue un drainage postural avec percussion.

Cette technique facilite le dégagement des voies respiratoires (Cotter et Strumpf, 2002). Il s'agit de frapper le thorax avec la main en forme de cuillère, le résident étant dans une position qui permet de tirer profit de la force gravitationnelle, dans le but de décoller les sécrétions bronchiques (voir la figure 8-4). Le résident doit avoir des capacités cognitives suffisantes pour comprendre la démarche et être en mesure de tousser avec vigueur.

L'infirmière doit s'assurer que l'apport hydrique du résident est suffisant. Ceci est primordial, en raison des grands risques de déshydratation associés à la réponse immunitaire et à la fièvre. De plus, en situation d'infection, le résident est peu porté à boire. Une hydratation optimale liquéfie les sécrétions et aide ainsi le résident à les éliminer. Elle prévient également les conséquences néfastes de la déshydratation, telles que l'hypotension et les chutes. L'infirmière doit privilégier l'administration de liquides par la voie orale et éviter les liquides ayant un effet diurétique tels que le café (voir le chapitre 11). Cependant, dans des situations particulières, si le résident vomit ou se trouve dans un état critique, l'administration de solutés par voie intraveineuse pourra être prescrite.

De même, il est essentiel que le résident s'alimente bien pour soutenir les efforts de son système immunitaire luttant contre l'infection. L'infirmière l'encouragera à prendre plusieurs petites collations par jour. En effet, la respiration du résident pourrait être gênée après un repas copieux, car ce dernier crée une distension de l'estomac. Malheureusement, la perte d'appétit figure fréquemment parmi les symptômes de la pneumonie. Si le résident refuse alors de s'alimenter, il faut faire appel à une nutritionniste pour élaborer un régime qui réponde à ses besoins et à ses goûts.

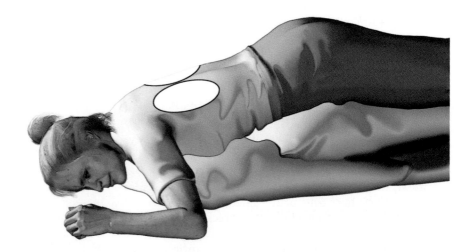

FIGURE 8-4 **Drainage postural avec percussion**

Note: Les deux formes ovales indiquent les endroits où il faut effectuer les percussions pour dégager les voies respiratoires basses.

Source: Adaptée d'une illustration tirée du site Internet de Quest Diagnostics: www.questdiagnostics.com/kbase/as/ug1720/how.htm.

La mobilisation fait également partie des interventions complémentaires cruciales. Toutes les heures, l'infirmière doit encourager le résident à se mouvoir, à marcher même, si possible. Le fait de bouger favorise le dégagement des voies respiratoires et permet d'éviter l'apparition de plaies de pression. L'infirmière invite aussi le résident à tousser pour libérer ses bronches des sécrétions. Enfin, elle lui demande de prendre des inspirations profondes dans le but de faciliter les échanges gazeux. Elle peut lui enseigner différents types de respirations, notamment la respiration avec les lèvres pincées à l'expiration (voir le chapitre 6). S'il en est capable, le résident peut apprendre à utiliser le spiromètre.

Le sommeil du résident atteint d'une pneumonie est souvent fragmenté. En effet, durant une période d'immobilité prolongée, les sécrétions s'accumulent dans l'arbre bronchique et en viennent à gêner la respiration, provoquant le réveil. Ainsi, l'infirmière doit planifier des périodes de repos pour le résident afin d'éviter qu'il ne s'épuise. Pour lui assurer un certain confort, elle peut l'installer en position semi-assise. De même, pour son confort comme pour son hygiène, elle prévoira des changements de draps et de vêtements régulièrement. Quant aux soins bucco-dentaires, ils doivent suivre chaque repas.

Étant donné la gravité d'une pneumonie, il importe que l'infirmière s'attarde également aux autres problèmes de santé chroniques touchant le résident. En effet, bien qu'elle doive mettre l'accent sur le traitement de la pneumonie, elle doit aussi donner au résident les médicaments et les autres soins complémentaires visant le traitement de ses autres problèmes de santé. Il faut s'assurer que le diabète, l'arythmie, l'hypertension, la douleur arthritique, etc. reçoivent les soins requis. De plus, il faut éviter la décompensation des autres systèmes, car ils ont tous un rôle à jouer dans la guérison du résident et son confort (Ouslander *et al.*, 1997).

Le résident qui a les bronches très encombrées peut avoir peur de s'étouffer dans ses sécrétions. L'infirmière doit alors porter une attention spéciale aux signes et symptômes de son anxiété et lui offrir son soutien psychologique (voir le chapitre 6).

Évidemment, avec le résident atteint d'une infection, les soignants doivent appliquer les pratiques de base en matière de prévention des infections, afin d'éviter la transmission à d'autres résidents fragiles. Ils prendront également les précautions additionnelles contre la transmission par gouttelettes.

Pour stimuler le résident, l'infirmière doit favoriser les visites des proches. Elle peut également demander la collaboration d'un bénévole ou d'un récréologue, selon la situation et l'état du résident. Elle enseignera à ces personnes les pratiques de base et les précautions additionnelles. Si tout cela n'est pas possible, elle prévoira dans la journée des moments où elle lui rendra visite pour discuter avec lui et éviter ainsi les effets néfastes de la sous-stimulation.

Évaluation de la réponse thérapeutique

L'évaluation de la réponse thérapeutique consiste à faire le point sur l'état de santé du résident. L'infirmière réalise alors un examen clinique. Elle interroge le résident sur ses symptômes en prenant soin d'évoquer ceux qui ont déjà été nommés dans une évaluation précédente. Cela lui permet de noter une amélioration, une stabilité ou une aggravation de ces symptômes. Elle évalue aussi les capacités cognitives du résident. En effet, comme nous l'avons signalé précédemment, le delirium et la détérioration des capacités cognitives font partie des signes atypiques de la pneumonie chez les résidents. Avec le résident atteint d'une démence avancée, elle favorise l'observation de l'état général et la comparaison des signes actuels de la pneumonie avec les signes présents lors de la détection de l'infection. Elle s'intéresse en particulier à son autonomie fonctionnelle lors de l'alimentation, de l'habillage et des soins d'hygiène.

L'infirmière effectue ensuite un examen physique. Lors de l'inspection, elle s'intéresse à la respiration du résident et guette la présence d'une dyspnée et l'utilisation des muscles accessoires. Elle examine également la coloration des téguments et le retour capillaire, et effectue une saturométrie. Elle décrit les caractéristiques des signes tels que la toux (fréquence, moment de la journée, présence ou absence d'expectorations) et les expectorations (couleur, quantité, consistance).

Lors de l'auscultation, elle écoute les bruits bronchiques et le murmure vésiculaire. Elle note l'apparition ou la disparition éventuelle de ronchi et fait de même pour les crépitants et sibilants. Si ces derniers sont présents, elle évalue s'ils se font entendre à l'inspiration ou à l'expiration.

Cet examen clinique devrait être réalisé tous les jours pour permettre d'évaluer la réponse du résident au traitement. Selon les résultats obtenus, l'infirmière encourage l'équipe soignante à poursuivre les interventions complémentaires et peut signaler au médecin si l'état du résident s'améliore ou pas. L'infirmière a la responsabilité de faire en sorte que le résident reçoive les soins requis. De même, elle doit communiquer de manière efficace avec le médecin pour lui faire part de l'évolution de l'état de santé du résident.

Conclusion

Les infections constituent un problème de santé aigu très fréquent dans les CHSLD. Les infections respiratoires, urinaires et tégumentaires, en particulier, sont les infections que l'infirmière rencontre le plus souvent. Ces infections qui apparaissent en CHSLD représentent pour l'infirmière plusieurs défis. Le premier d'entre eux concerne leurs manifestations atypiques, qui exigent de la part de l'infirmière une grande vigilance afin de permettre la détection des infections dès les premiers signes. L'infirmière doit absolument connaître ces manifestations atypiques afin de faire en sorte que les résidents reçoivent les soins requis dans un délai raisonnable qui leur garantira un meilleur rétablissement.

Le deuxième défi des infections concerne la prévention, compte tenu de la sénescence du système immunitaire et de la proximité d'existence des résidents. La vaccination et les pratiques de base semblent pour le moment les meilleurs moyens de prévenir les infections nosocomiales.

Enfin, le troisième défi des infections concerne la prise en charge thérapeutique par l'infirmière. Lorsqu'un résident est atteint d'une infection telle que la pneumonie, l'infirmière a un rôle crucial à jouer pour permettre la guérison du résident. Il est fondamental qu'elle effectue les interventions infirmières complémentaires afin d'assurer le succès de la thérapie pharmacologique et le rétablissement du résident.

ÉTUDE DE CAS

Madame Côté, âgée de 83 ans, vit dans un CHSLD depuis plus d'un an déjà. Les problèmes de santé qu'elle avait à son admission étaient l'emphysème (saturométrie idéale de 94 %, selon l'inhalothérapeute), des problèmes de mémoire et de langage dus à un accident vasculaire cérébral et de la dysphagie.

Tout au long de la dernière année, l'infirmière a appris à connaître Mme Côté. La résidente, qui est veuve, reçoit la visite de sa fille à intervalles irréguliers. Elle s'alimente et s'hydrate bien et a un bon appétit. Cependant, elle a de la difficulté à se mobiliser en raison de l'essoufflement causé par son emphysème et d'une faiblesse de ses membres inférieurs due à son AVC.

Depuis trois jours, l'infirmière remarque que Mme Côté ne participe pas aux activités récréatives. La résidente prétend préférer rester dans sa chambre. L'infirmière note également une diminution de l'apport hydrique et une perte d'appétit. Elle demande alors au préposé si le degré de collaboration de Mme Côté a diminué pour l'alimentation, l'habillement et les soins d'hygiène. Ce dernier

répond que les soins prennent plus de temps, que la résidente est facilement distraite et qu'elle s'essouffle plus rapidement.

L'infirmière décide alors de réaliser un examen clinique pour voir si Mme Côté ne serait pas en train de couver une maladie aiguë. Lorsqu'elle l'interroge sur son état de santé, ses symptômes, la résidente lui dit se sentir plus faible que d'habitude, s'essouffler plus rapidement et ne trouver aucun soulagement. Mis à part les efforts physiques, elle n'a pas noté d'activité ou de contexte qui fait empirer ses symptômes. Elle décrit ses essoufflements comme gênants, mais moins graves que dans des situations similaires dans le passé. Elle a une température corporelle de 37,1 °C (matin), ne tousse pas, n'a pas de sécrétions. Ses signes vitaux sont les suivants : pouls de 78, tension artérielle de 130/80, respiration de 26 et saturométrie de 84 %. Enfin, elle dit moins bien dormir depuis les trois derniers jours. L'infirmière effectue un examen physique. Ses démarches lui confirment la présence d'une pneumonie.

Questions

1 Quels sont, chez Mme Côté, les signes atypiques de l'infection respiratoire ?

2 Quelle est la signification d'une saturométrie de 84 % chez Mme Côté ?

3 Quelle est la signification d'une fréquence respiratoire de 26 chez Mme Côté ?

4 Quels sont les bruits au niveau des bronches et au niveau vésiculaire que l'infirmière peut entendre à l'auscultation et qui sont les signes d'une infection respiratoire ?

9

LA DÉPRESSION

par **Philippe Cappeliez**

Les aînés font face à de nombreux problèmes qui influent sur leur santé mentale : pertes physiques et psychosociales, maladies, isolement, limitations et incapacités, perte de contrôle. Ces circonstances de vie les rendent vulnérables à la dépression. L'aîné résidant en CHSLD cumule plusieurs d'entre elles, puisqu'il a perdu son foyer et son autonomie, a une maladie physique, éprouve un sentiment de solitude, manque de stimulation et de renforcement positif.

L'infirmière qui travaille en CHSLD doit connaître les facteurs prédisposants et précipitants de la dépression afin de surveiller les résidents à risque. Son éveil à la symptomatologie particulière de la dépression chez les aînés, moins manifeste que chez les plus jeunes, lui permettra de mieux détecter et évaluer la maladie, à l'aide d'instruments adaptés. L'infirmière joue un rôle important de prévention à différents niveaux. Elle est bien placée aussi pour conduire divers types de thérapies permettant de soulager la dépression.

NOTIONS PRÉALABLES SUR LA DÉPRESSION

Définition

On peut conceptualiser la dépression soit en termes de catégorie de trouble psychiatrique, soit en termes d'intensité de l'état dépressif.

La conceptualisation catégorielle se fonde sur un modèle médical des maladies mentales. Elle définit la dépression comme un diagnostic formulé selon les critères de la nomenclature psychiatrique contemporaine (DSM-IV ; American Psychiatric Association, 1994). Le diagnostic de dépression majeure requiert la présence de cinq des neuf symptômes suivants pendant une période minimale de deux semaines : humeur dépressive, perte d'intérêt ou de plaisir, perte ou gain de poids, insomnie ou hypersomnie, agitation ou ralentissement psychomoteur, fatigue, sentiment de culpabilité ou autodévalorisation, diminution de la capacité à penser ou à se concentrer, et idéation suicidaire. Le DSM-IV propose aussi, à titre expérimental, un diagnostic de dépression mineure fondé sur au moins deux des neuf symptômes cités plus haut. La dépression mineure est aussi appelée « dépression sous-syndromale » ou « dépression sous-dysthymique ».

En cas de démence, le diagnostic de dépression s'appuie sur au moins trois des symptômes suivants présents pendant un minimum de deux semaines : humeur dépressive, anhédonie ou perte de la capacité d'éprouver des émotions positives et du plaisir, isolement social, pleurs, réduction de l'affect positif ou du plaisir lors de contacts sociaux ou des activités habituelles (Olin *et al.*, 2002).

La condition dépressive peut aussi être envisagée selon une perspective dimensionnelle, c'est-à-dire comme se situant sur un continuum d'intensité allant de l'absence de symptômes dépressifs à la dépression sévère. En pratique, elle se fonde sur des inventaires de symptômes dépressifs (voir la section intitulée « Détection du problème » du présent chapitre). Ainsi, une dépression importante du point de vue clinique se caractérise par des symptômes dépassant un certain seuil en quantité et en intensité. Soutenue par la recherche empirique, cette conception dimensionnelle de la dépression l'emporte sur la conception catégorielle (Morin et Chalfoun, 2003). Elle permet notamment une compréhension plus globale de l'étiologie de la dépression et une meilleure prise en compte de la gamme des états dépressifs ayant des conséquences négatives sur le fonctionnement de l'aîné (Mossey, 1997).

Ampleur du problème

Les estimations de la prévalence et de l'incidence de la dépression en CHSLD varient d'une étude à l'autre. Cependant, on peut affirmer qu'il est probable qu'environ 14 % des résidents des CHSLD souffrent de dépression majeure et que 19 % manifestent une dépression mineure (Katz et Parmelee, 1997). Il faut préciser que ces chiffres ne tiennent compte que des résidents qui jouissent de la capacité cognitive de répondre aux questions de manière cohérente. Ils n'incluent donc pas les résidents les plus gravement atteints sur le plan cognitif et pour lesquels il est difficile d'estimer la présence de la dépression et son degré de sévérité. À ce sujet, la prévalence de la dépression parmi les patients atteints de la maladie d'Alzheimer est, d'après les estimations, de 20 à 25 % pour la dépression majeure et de 20 à 30 % pour la dépression mineure (Lyketsos et Olin, 2002). Cela signifie qu'entre un tiers et la moitié des résidents des CHSLD manifestent des symptômes dépressifs (Rovner et Katz, 1993). En terme d'incidence, la dépression majeure et mineure apparaît chez environ 14 % des résidents sur une période d'une année. Approximativement, un tiers des cas sont diagnostiqués comme des dépressions majeures et les deux autres tiers comme des dépressions mineures.

Conséquences

La dépression s'accompagne d'une augmentation de 6,5 % en termes de temps des besoins en soins infirmiers. Le résident dépressif a tendance à rapporter une plus grande intensité de douleur et à se plaindre davantage de douleurs localisées. Il manifeste un déclin notoire de son fonctionnement cognitif et de son statut fonctionnel. La dépression grave, c'est-à-dire la dépression majeure avec symptômes sévères, est associée, dans la population des CHSLD, à une multiplication de la mortalité par un facteur de 1,6 à 3. L'explication fait l'objet de débats. D'une part, la dépression pourrait avoir une influence néfaste directe sur le fonctionnement physiologique, en agissant sur le système immunitaire, par exemple. D'autre part, elle pourrait aussi être à l'origine de comportements mettant la vie en danger, par exemple, le refus de s'alimenter ou la réticence à réclamer un traitement médical.

À tout âge, la dépression peut mener au suicide. Dans les CHSLD, les comportements dangereux les plus souvent rencontrés sont un refus conscient et persistant de manger, de boire ou de prendre ses médicaments.

Facteurs prédisposants et facteurs précipitants

Facteurs prédisposants

Les facteurs prédisposants permettent de reconnaître les aînés qui présentent un plus grand risque de dépression.

Vieillissement normal

Il est important de répéter que vieillesse ne signifie pas inéluctablement dépression. Le problème, c'est que plus une personne avance en âge, plus elle risque de vivre des pertes, telles que le décès de proches, et des limitations physiques qui peuvent influencer négativement son sentiment de valeur personnelle, d'identité et de signification de sa vie. Les ressources personnelles et sociales favorisant l'adaptation peuvent s'avérer insuffisantes. De plus, si la personne

présente une vulnérabilité émotionnelle et si elle a déjà vécu des dépressions, sa réaction dépressive peut être importante.

Maladies

À tout âge, les problèmes de santé physique constituent un facteur de risque pour la dépression. Cependant, avec l'âge, ils augmentent et prennent une plus grande importance dans le déclenchement de la dépression (Williamson, Shaffer et Parmelee, 2000). Ils peuvent contribuer à l'apparition de la dépression de plusieurs manières. D'abord, certaines maladies peuvent produire des effets physiologiques directs résultant en des symptômes dépressifs. C'est le cas de la maladie de Parkinson. Ensuite, certains médicaments peuvent avoir comme effets secondaires des symptômes dépressifs.

La douleur et les limitations fonctionnelles associées à la maladie peuvent constituer des sources de stress chronique. La réduction de la capacité à accomplir ses activités courantes de façon satisfaisante semble expliquer en grande partie le lien entre problèmes de santé physique et dépression. Bien entendu, la relation entre l'état de santé et la dépression peut être réciproque, la dépression précipitant ou exacerbant les limitations fonctionnelles ou la douleur.

Il est aussi possible que les maladies de nature vasculaire cérébrale prédisposent, précipitent ou perpétuent des syndromes dépressifs (Lyness et Caine, 2000).

Comme il est mentionné plus haut à propos de la prévalence de la dépression en CHSLD, la dépression est l'une des complications psychiatriques les plus fréquentes de la maladie d'Alzheimer. Elle touche une proportion importante de patients, surtout dans les phases de démence légère et modérée (Lyketsos et Olin, 2002).

Facteurs psychologiques et sociaux

La perte d'un parent, la pauvreté et la scolarisation interrompue figurent parmi les stresseurs sociaux et économiques subis plus tôt dans la vie qui favorisent la dépression à l'âge adulte avancé (Krause, 1999). De plus, un degré réduit de soutien parental, de chaleur dans les relations et d'intimité ainsi qu'une intégration sociale restreinte constituent également des facteurs de risque (Morin et Chalfoun, 2003).

Le trait de personnalité connu sous le nom de névrosisme contribue aussi à la dépression. Cette caractéristique stable se traduit par une propension à réagir intensément de manière anxieuse et dépressive aux situations stressantes. Dans le contexte d'un CHSLD, le résident présentant cette tendance ressentira plus fortement à la fois de la dépression et de l'anxiété dans des situations telles que le changement de chambre, un deuil, une aggravation de la perte d'autonomie.

Parmi les facteurs de risque modifiables de la dépression, on compte la perception d'une faible capacité à résoudre des problèmes et à être efficace, ainsi qu'une faible estime de soi et le sentiment d'un lieu de contrôle externe, c'est-à-dire le sentiment que les circonstances et les autres plutôt que soi sont responsables des événements négatifs de sa vie. Par ailleurs, un style d'attribution « dépressif » se définissant

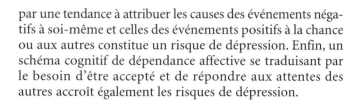

par une tendance à attribuer les causes des événements négatifs à soi-même et celles des événements positifs à la chance ou aux autres constitue un risque de dépression. Enfin, un schéma cognitif de dépendance affective se traduisant par le besoin d'être accepté et de répondre aux attentes des autres accroît également les risques de dépression.

Facteurs environnementaux

Le stress en général constitue un facteur de risque pour la dépression. Y contribuent des conditions de vie négatives comme une atmosphère de tension ou de conflit, une exposition à la violence verbale ou physique, une intimité restreinte, un degré réduit de communication et de soutien social. Or, elles peuvent se retrouver en CHSLD comme ailleurs.

Facteurs précipitants

Les soignants et leurs interventions

Certaines attitudes et certains comportements des soignants encouragent la dépendance et accentuent ainsi le sentiment de perte de contrôle, facteur de la dépression reconnu comme important en CHSLD. Il est clair aussi que les attitudes et comportements qui renforcent une vision négative et défaitiste de l'avancement en âge contribuent à valider les pensées négatives que le résident peut entretenir à son propre égard. C'est le cas, par exemple, d'une approche qui infantilise le résident, le considère comme quelqu'un d'incapable.

Contexte psychologique et environnement physique

À tout âge, les événements de la vie qui provoquent le plus de réactions dépressives sont ceux qui sont vécus sur le mode de la perte. Or, l'aîné qui est admis dans un CHSLD quitte sa maison et sa famille, et perd son réseau de soutien naturel. Il perd ainsi en partie le sentiment de sa valeur personnelle, de son identité. De plus, des facteurs contextuels tels qu'une organisation rigide des bains et des repas, l'isolement, la fréquentation quotidienne de personnes malades et handicapées, ainsi qu'un milieu peu stimulant peuvent aussi contribuer à provoquer la détresse psychologique. L'entrée en CHSLD implique une réorganisation complète du mode de vie. En ce sens, on peut envisager la dépression en CHSLD comme une réaction au stress de l'institutionnalisation plutôt que comme une « maladie ».

De plus, le décès de la conjointe ou du conjoint peut être à l'origine de symptômes dépressifs. Les aînés très âgés, surtout les hommes, sont particulièrement vulnérables, dans la mesure où le décès se traduit par une perte de soutien émotionnel.

Ainsi, pour mieux comprendre les réactions dépressives de certains résidents, il est nécessaire de considérer le processus de perte de sens et de but dans la vie, ainsi que les questions existentielles concernant la fin de vie et l'approche de la mort.

Manifestations cliniques

Il est possible que le résident manifeste sa détresse par des symptômes différents de ceux de la présentation typique évoquée dans la section « Définition ». En effet, des manifestations évidentes de détresse comme les pleurs, l'expression de culpabilité et des idées suicidaires sont moins fréquentes chez l'aîné dépressif que chez le dépressif plus jeune. De plus, l'aîné dépressif a moins tendance à reconnaître ce qu'il ressent comme de la dépression. Par contre, l'aîné va manifester sa détresse psychologique par des plaintes répétées concernant sa santé physique. Il va ainsi se plaindre de douleurs, de constipation, de difficultés de mémoire ou de problèmes de sommeil. Dans le tableau de l'aîné dépressif, on va encore retrouver des idées délirantes de persécution ou de méfiance concernant les intentions d'autrui.

Enfin, la perte d'intérêt et d'énergie, le ralentissement psychomoteur et le désespoir représentent des manifestations typiques de la dépression chez l'aîné dépressif. Newmann, Engel et Jensen (1991) ont proposé d'utiliser l'expression « syndrome d'épuisement » pour désigner cet ensemble de symptômes.

Détection du problème

Les soignants en général ont tendance à minimiser, voire à ignorer, les symptômes dépressifs que manifestent les résidents. Or, il faudrait dépister la dépression systématiquement dès l'admission en CHSLD, puis à intervalles réguliers. Étant donné le lien manifeste entre dépression et suicide, la détection d'une dépression devrait conduire à une évaluation soigneuse des risques de suicide (voir le chapitre 10).

Parmi les instruments d'évaluation de la dépression les plus utilisés figurent l'Échelle de dépression gériatrique (EDG ; Yesavage *et al.*, 1983 ; version française : Bourque, Blanchard et Vézina, 1990) et l'Échelle de Cornell (voir le tableau 9-1, p. 151) pour évaluer la dépression dans la démence (Alexopoulos, Abrams, Young et Shamoian, 1988).

L'EDG consiste en 30 affirmations correspondant à des manifestations de dépression non somatiques. Le résident répond chaque fois par « oui » ou par « non » selon que l'affirmation s'applique ou non à lui. Chaque signe de dépression se traduit par un score de 1 point. Pour le résident de CHSLD, un score de 10 points ou plus est considéré comme un indicateur de dépression (Parmelee, Lawton et Katz, 1989). Un score se situant entre 11 et 20 indique une dépression légère (dépression mineure ou sous-syndromale). Un score se situant entre 21 et 30 indique une dépression modérée ou sévère. Bien qu'il soit recommandé d'utiliser la version intégrale avec les 30 affirmations lorsque le temps et les capacités du résident le permettent, on peut noter qu'une version abrégée de 15 affirmations existe (Sheikh, 1986). Avec cette dernière, un score se situant entre 5 et 7 suggère la dépression. Normalement, c'est le résident lui-même qui indique ses réponses aux affirmations de l'EDG. Cependant, quand le résident présente des déficiences cognitives, il est préférable, pour que l'évaluation soit fiable, d'utiliser l'instrument dans le cadre d'une entrevue, afin de vérifier soigneusement la compréhension du résident pour chaque affirmation et de rediriger avec patience les réponses vers le « oui-non ». L'entrevue permet par ailleurs de poser des questions permettant de découvrir et de préciser ce qui déprime la personne.

Bien que cela reste un sujet de débats, l'EDG semble constituer un instrument de mesure à la sensibilité et à la fidélité acceptable, même pour le résident présentant une démence à un degré faible ou modéré, c'est-à-dire ayant un score supérieur à 14 au mini-examen de l'état mental de Folstein (MEEM) (Lichtenberg, 1998 ; Stiles et McGarrahan, 1998) (voir le chapitre 2 pour des détails sur le mini-examen de l'état mental de Folstein). Un avantage notoire de l'EDG est qu'elle fait partie du domaine public et qu'elle est disponible en de nombreuses langues, dont le français (voir Internet à l'adresse suivante : www.stanford.edu/~yesavage/GDS.html).

Pour le résident atteint d'une démence modérée ou sévère et éprouvant donc de la difficulté à rapporter son expérience dépressive à cause de déficits de mémoire, de langage ou de conscience, l'EDG comme procédure d'autoévaluation ne convient pas. L'infirmière pourra dans ce cas utiliser l'Échelle de Cornell (Alexopoulos *et al.*, 1988), spécifiquement conçue pour évaluer les symptômes de dépression de résidents présentant une démence (voir le tableau 9-1). Cette échelle comporte 19 rubriques permettant de rassembler des informations provenant de diverses sources, principalement d'observations et d'entrevues avec le résident, mais aussi d'autres personnes qui sont en contact régulier avec le résident. Les 19 rubriques correspondent aux symptômes dépressifs les plus fréquents. Elles sont réparties dans les catégories suivantes : signes liés à l'humeur, troubles comportementaux, signes physiques, fonctions cycliques (variations de l'humeur et du sommeil) et troubles des pensées. Chaque fois, l'infirmière indique 0 pour un signe absent, 1 pour un signe léger ou intermittent, et 2 pour un signe sévère. L'Échelle de Cornell se remplit en deux étapes. D'abord, l'infirmière interroge le proche du résident et les autres soignants au sujet des 19 signes. Ensuite, elle fait de même avec le résident. En tenant compte de multiples sources d'information, l'Échelle de Cornell contourne les problèmes de fiabilité que présentent les instruments d'autoévaluation en cas de démence. Comme elle n'a pas été conçue comme un outil de diagnostic mais plutôt comme un moyen de déterminer la sévérité des symptômes dépressifs, elle ne propose pas de seuil critique significatif d'une dépression majeure. Cependant, à titre de repère, un seuil critique de 7 correspond à de bons degrés de sensibilité et de spécificité pour la dépression (Vida, Des Rosiers, Carrier et Gauthier, 1994).

SOINS INFIRMIERS

Prévention

La fréquence élevée des cas de dépression en CHSLD justifie l'idée d'un programme général de prévention ciblant les facteurs environnementaux et organisationnels cités plus haut. À l'heure actuelle, aucune étude empirique sur ce genre de programme en CHSLD n'a été faite, même si plusieurs auteurs en ont souligné l'utilité (Konnert, Gatz et Hertzsprung, 1999 ; Morin et Chalfoun, 2003). Sur le plan économique, la plupart des études rapportent que les bénéfices retirés des programmes de prévention excèdent les coûts associés à leur implantation. Il est important que ce soit le personnel soignant travaillant régulièrement dans le CHSLD qui instaure un tel programme et que le plus grand nombre de personnes possible puisse en bénéficier, en fonction des ressources disponibles.

Un programme de prévention vise à améliorer l'adaptation de l'aîné à l'environnement physique et social du CHSLD. Il agit d'une part sur la capacité de la personne et l'optimisation de ses ressources, d'autre part, sur la qualité de l'environnement. En ce qui concerne l'adaptation, les interventions des infirmières peuvent favoriser le sentiment de contrôle personnel et renforcer systématiquement les comportements d'autonomie et les comportements sociaux menant à une meilleure intégration dans le milieu. Outre qu'il règle le problème de l'isolement et du sentiment de solitude, le soutien social, en particulier un lien d'intimité et de confiance, atténue l'effet négatif des situations stressantes et revalorise la personne. Par ailleurs, en réalisant conjointement des projets personnels à la mesure de leurs capacités physiques et cognitives et de leurs intérêts, les résidents peuvent consolider leurs capacités adaptatives.

Concernant l'amélioration de la qualité de l'environnement, les infirmières peuvent s'assurer de réduire les sources de stress organisationnel. Elles peuvent aussi prévoir des interventions à caractère éducatif sur les causes de la dépression et les manières de surmonter les sentiments dépressifs. L'approche cognitivo-comportementale (voir plus bas) est un bon cadre pour de telles interventions. La planification d'activités en général et d'activités plaisantes en particulier (voir plus bas) est recommandée dans un programme de prévention de la dépression. Un programme de ce type visant l'activation comportementale et faisant participer les résidents, leurs proches et les soignants a été proposé pour réduire la dépression de résidents frêles ayant des limitations physiques et cognitives (Thompson et Gallagher-Thompson, 1997).

Le tableau 9-2 (p. 152) présente les principales cibles d'un programme de prévention de la dépression, ainsi que des exemples d'interventions et les numéros des chapitres de l'ouvrage ayant un lien avec le sujet.

Tableau 9-1	Échelle de Cornell

ÉCHELLE DE DÉPRESSION AU COURS DES DÉMENCES

Système de notation :

A : Impossible   **0** : absent   **1** : modéré ou intermittent   **2** : sévère

	A	0	1	2
A. Troubles de l'humeur	**A**	**0**	**1**	**2**
1. Anxiété : Expression anxieuse, ruminations, inquiétude.	☐	☐	☐	☐
2. Tristesse : Expression triste, voix triste, au bord des larmes.	☐	☐	☐	☐
3. Manque de réaction : Aux événements plaisants.	☐	☐	☐	☐
4. Irritabilité : Facilement irrité, facilement en colère.	☐	☐	☐	☐
B. Troubles du comportement	**A**	**0**	**1**	**2**
5. Agitation : Impatience, mouvements de frottement des mains, d'étirement des cheveux.	☐	☐	☐	☐
6. Ralentissement moteur : Mouvements ralentis, discours ralenti, lenteur des réactions.	☐	☐	☐	☐
7. Plaintes fonctionnelles multiples : (Coter 0 en présence de symptômes gastro-intestinaux exclusifs.)	☐	☐	☐	☐
8. Perte des intérêts : Moins engagé dans les activités habituelles (coter seulement si un changement brutal est intervenu depuis moins d'un mois).	☐	☐	☐	☐
C. Signes physiques	**A**	**0**	**1**	**2**
9. Diminution de l'appétit : S'alimente moins que d'habitude.	☐	☐	☐	☐
10. Perte de poids : (Coter 2 si perte supérieure à 2 kg en un mois.)	☐	☐	☐	☐
11. Manque d'énergie : Se fatigue facilement, incapable de soutenir une activité (coter seulement si un changement brutal est intervenu depuis moins d'un mois).	☐	☐	☐	☐
D. Modification des rythmes	**A**	**0**	**1**	**2**
12. Variations de l'humeur dans la journée : Symptômes plus intenses le matin.	☐	☐	☐	☐
13. Difficultés d'endormissement : Endormissements plus tardifs que d'habitude.	☐	☐	☐	☐
14. Nombreux réveils nocturnes :	☐	☐	☐	☐
15. Réveil matinal précoce : Réveil plus précoce que d'habitude.	☐	☐	☐	☐
E. Troubles idéatoires	**A**	**0**	**1**	**2**
16. Suicide : Sentiment que la vie ne vaut pas la peine d'être vécue. Désir de suicide, tentative de suicide.	☐	☐	☐	☐
17. Autodépréciation : Auto-accusation, diminution de l'estime de soi, sentiment d'échec.	☐	☐	☐	☐
18. Pessimisme : S'attend au pire.	☐	☐	☐	☐
19. Délire congruent à l'humeur : Idées délirantes de ruine, d'incurabilité, de perte.	☐	☐	☐	☐

Sources : G.S. Alexopoulos, R.C. Abrams, R.C. Young et C.A. Shamoian (1988). Cornell Scale for Depression in Dementia. *Biological Psychiatry, 23*, 271-284 (l'échelle se trouve dans l'appendice A) ; V. Camus, L. Schmitt, P.J. Ousset et M. Micas (1995). Dépression et démence : contribution à la validation française de deux échelles de dépression : Cornell Scale for Depression in Dementia et Dementia Mood Assessment Scale. *L'Encéphale, xxi*, 201-208.

Tableau 9-2	Éléments pour un programme collectif de prévention de la dépression en CHSLD
CIBLES	**EXEMPLES D'INTERVENTIONS**
Individu	
Sentiment de contrôle	• Offrir aux résidents des occasions d'exprimer des choix et préférences. • Lire les chapitres 1, 21, 33, 37, 40 et 43.
Renforcement des comportements d'autonomie	• Encourager la participation lors des soins de base et complexes. • Automédication. • Lire les chapitres 2 (marche), 32 et 37.
Renforcement des comportements sociaux	• Lire les chapitres 31, 33, 34, 35, 36 et 40.
Organisation	
Réduction des sources de stress	• Entraînement à la relaxation ou à la méditation de pleine conscience. • Lire les chapitres 2, 7 et 24.
Formation des infirmières	• Programme de formation sur les causes de la dépression, la détection et les interventions. • Résolution de problèmes. • Activités récréatives. • Lire les chapitres 39 et 45.

Comme il est possible de reconnaître le résident présentant un risque particulier de dépression à partir des caractéristiques et grâce aux outils présentés plus haut, on peut envisager des programmes sélectifs de prévention. Dans ce cas encore, aucun appui empirique pour cette approche en CHSLD n'est jusqu'à présent disponible. Il s'agit ici d'une intervention précoce pointue, ciblant le résident présentant un risque élevé de dépression. À ce titre, l'une ou l'autre des méthodes d'intervention décrites plus bas peut servir.

Soins thérapeutiques

Les modes d'intervention proposés dans cette section sont valables pour le résident dont les capacités cognitives ne sont pas atteintes, ou légèrement. Pour le résident présentant une démence à un stade avancé, il est recommandé de consulter les chapitres 2 sur la démence, 31 sur la communication, 24 sur la validation, 37 sur l'approche prothétique élargie, 34 sur les loisirs, 32 sur la stimulation cognitive, 35 sur la zoothérapie, 36 sur la musicothérapie, 40 sur la vie affective et sexuelle, et 43 sur l'éthique. Ces chapitres comportent plusieurs éléments de réponse pour la prévention et le traitement de la dépression en CHSLD.

Plusieurs types d'interventions permettent de traiter efficacement la dépression des aînés (Conn et Kaye, 2001; Vézina, Landreville, Bizzini et Soucy, 2000). Les traitements pharmacologiques principaux comprennent les antidépresseurs tricycliques ou les inhibiteurs sélectifs du recaptage de la sérotonine. Ces médicaments produisent une amélioration substantielle des symptômes dépressifs auprès de 50 à 70 % des patients faisant une dépression majeure.

Les nouveaux produits causant moins d'effets secondaires, ils sont généralement bien tolérés. Ils ont aussi moins tendance à créer une dépendance physique.

Les traitements psychologiques le plus souvent utilisés sont la thérapie de résolution de problème, la thérapie cognitivo-comportementale, la thérapie interpersonnelle et la thérapie de la réminiscence. Ils sont généralement courts, entre 10 et 20 séances hebdomadaires d'une heure environ. Leur efficacité est similaire et généralement équivalente à celle des médicaments, sauf lorsque la dépression comporte des symptômes psychotiques d'idées délirantes pour laquelle la pharmacothérapie constitue l'intervention de premier choix. Les études empiriques suggèrent que la combinaison des deux types d'interventions, pharmacothérapie et traitement psychologique, peut être plus efficace dans les cas de dépression sévère. De plus, un traitement psychologique, du fait qu'il cible les facteurs de vulnérabilité et contribue à l'acquisition et au développement d'habiletés d'adaptation, permet de réduire les risques de rechute.

Il faut toutefois noter que la plupart des recherches empiriques ont été conduites auprès d'aînés menant une vie indépendante, c'est-à-dire auprès d'aînés majoritairement autonomes et en relativement bonne santé physique et cognitive. Les données émanant du milieu des CHSLD sont minimes.

Les traitements psychologiques constituent une solution particulièrement intéressante lorsque le résident ne peut pas prendre d'antidépresseurs pour des raisons médicales ou ne souhaite pas en prendre pour des raisons personnelles. Dans tous les cas, il est important pour l'infirmière de déterminer le contexte d'origine de la dépression, qu'il s'agisse d'un deuil avec complications, d'une perte d'un lien avec la famille, d'un changement abrupt de milieu de vie ou d'un traumatisme. Cela permet d'élaborer un plan de traitement pertinent, nécessaire quelle que soit l'approche de traitement privilégiée. À ce sujet, la collaboration d'un psychologue clinicien facilitera le travail de l'infirmière.

Dans certains cas, une intervention avec le couple ou avec la famille peut constituer un moyen efficace pour aider le résident à surmonter sa dépression en CHSLD. Cela peut permettre d'aborder de manière plus constructive des questions comme l'impact des divers changements vécus sur la relation, l'absence de communication sur des sujets importants, les questions d'abus physique ou psychologique.

Il est conseillé de faire une évaluation de la dépression, au moyen soit de l'EDG, soit de l'Échelle de Cornell, régulièrement au cours de l'intervention. Dans le cas d'une intervention brève, l'évaluation sera faite au bout de trois ou quatre semaines et à la fin. Un suivi sera effectué après deux ou trois mois, après six mois et après un an.

Thérapie de résolution de problème

La thérapie de résolution de problème offre au résident la possibilité d'apprendre de nouvelles habiletés pour aborder et résoudre les problèmes. Elle comporte six étapes qui sont enseignées et appliquées tout au long des séances : 1) l'orientation par rapport au problème, 2) la définition du problème, 3) la détermination de solutions, 4) la prise de décision, 5) la mise en application de la décision et 6) l'évaluation. Habituellement, une séance est consacrée à chaque étape et suit elle-même une certaine structure : a) élaboration d'un ordre du jour pour la séance en cours, b) révision des efforts déployés pour appliquer les nouvelles habiletés au cours de la semaine écoulée, c) apprentissage d'une nouvelle étape de la résolution de problème, d) détermination d'applications dans la vie courante et planification de ces applications dans la semaine à venir, e) revue du déroulement de la séance.

La première séance vise généralement à faire comprendre au résident les raisons pour lesquelles on aborde la dépression sous l'angle de la résolution de problème. La première étape, l'orientation par rapport au problème, consiste à faire réfléchir le résident sur le fait qu'une attitude négative élimine d'emblée toute possibilité de trouver une solution au problème. La deuxième étape, la définition du problème, consiste à remplacer une conceptualisation vague et confuse du problème par une définition concrète et détaillée, comportant des objectifs intermédiaires spécifiques dont l'atteinte peut être observée et quantifiée. La troisième étape consiste en un « remue-méninges ». Le résident avance librement le plus grand nombre de solutions possibles, en s'abstenant de porter un jugement sur leur faisabilité et sur leurs conséquences. Cette ouverture des possibilités et cette mise à l'écart de l'esprit critique limitent le risque d'éliminer hâtivement une solution qui pourrait s'avérer utile. Suit la quatrième étape, la prise de décision. Chaque

solution suggérée est alors examinée séparément en fonction des objectifs, de l'impact pour soi-même et pour les autres, et de la faisabilité. La cinquième étape, la mise en application, consiste dans la planification détaillée de la solution choisie et des étapes qui vont y mener. Elle inclut les récompenses que le résident envisage de s'octroyer pour les efforts déployés tout au long de la mise en application. Enfin, la sixième étape est l'évaluation. L'infirmière et le résident discutent ensemble des résultats de la mise en application de la solution choisie. Ils abordent les objectifs effectivement atteints, les apprentissages effectués, les modifications éventuelles à apporter, et plus globalement la valeur de la solution choisie et l'intérêt de l'utiliser à nouveau dans le futur. Finalement, quelques séances sont consacrées au bilan de ce qui a été accompli depuis le début de l'intervention, à l'utilisation de l'approche pour d'autres problèmes afin de généraliser l'apprentissage et à l'élaboration de stratégies permettant de rebondir en cas de rechute.

Thérapie cognitivo-comportementale

L'approche cognitive se concentre sur la reconnaissance et la remise en question des pensées et des attitudes négatives sous-jacentes à la dépression, ainsi que sur leur remplacement par des pensées et des attitudes plus équilibrées et plus constructives (Abraham, Onega, Reel et Wofford, 1997 ; Bizzini et Favre, 1997 ; Laidlaw, Thompson, Dick-Siskin et Gallagher-Thompson, 2003 ; Thompson et Gallagher-Thompson, 1997). Cette intervention peut se faire individuellement ou en groupe. Elle comporte trois phases : l'évaluation des domaines problématiques et la formulation des objectifs ; l'apprentissage de stratégies qui permettront d'atteindre les objectifs ; et la mise en place de moyens qui permettront de maintenir les bénéfices après l'intervention.

Dans la première phase d'évaluation, l'infirmière recueille de l'information sur les attitudes et les croyances qui sont à l'origine de la dépression, par rapport à soi (par exemple, « je ne vaux pas la peine d'être aimé »), par rapport aux autres (par exemple, « les gens ne m'aiment pas ») et par rapport au monde en général (par exemple, « le monde entier est cruel »). Elle aide le résident à cerner les pensées négatives associées à ces croyances dans les différents domaines de fonctionnement, tels que les rôles sociaux, la santé physique, les relations avec les enfants et petits-enfants. La prémisse de cette approche est que les pensées négatives et les comportements négatifs sont les vecteurs de la dépression. Le but est d'enseigner au résident des habiletés l'aidant à remettre en question ces attitudes, pensées et comportements qui maintiennent la dépression. Il s'agit aussi de lui apprendre à s'engager dans des activités qui lui procurent du plaisir dans son fonctionnement quotidien. La thérapie cognitive se concentre sur l'« ici et maintenant », s'organise autour d'une collaboration active entre le résident et l'infirmière, vise des objectifs fixés en commun et mesurables, et aide le résident à acquérir et à développer certaines habiletés qu'il pourra réutiliser par la suite. Les objectifs mesurables sont, par exemple, la réduction des pensées négatives et la participation à des activités sociales.

Thérapie interpersonnelle

La thérapie interpersonnelle met l'accent sur les problèmes interpersonnels qui se trouvent au cœur de la dépression (Hinrichsen, 1999). De plus, elle souligne l'impact néfaste de la dépression elle-même sur les relations. Son élaboration et sa mise en place pour le traitement de la dépression des aînés se fondent sur la constatation que les aînés souffrant de dépression majeure présentent un plus mauvais pronostic à long terme si leur relation avec leur conjoint ou un enfant adulte est tendue.

La thérapie interpersonnelle envisage quatre genres de problèmes interpersonnels : un deuil difficile, des disputes ou conflits avec des proches, une transition de rôle ou un changement majeur de situation de vie, et un déficit interpersonnel ou un manque d'habiletés sociales. Cette intervention est de courte durée et comporte de 16 à 20 séances. Elle se concentre sur le présent, sur les relations actuelles. Elle encourage l'action plutôt que l'exploration, concernant la situation interpersonnelle. La phase principale consiste en la mise en application de stratégies. Par exemple, pour un problème de transition de rôle, fréquent en CHSLD, l'infirmière aide le résident à faire le deuil de son rôle antérieur et à envisager le nouveau rôle plus positivement, mais aussi à acquérir un sentiment de compétence dans le nouveau rôle. Pour une dispute avec un proche, elle aide le résident à comprendre la nature du désaccord, à élaborer un plan d'action pour désamorcer le conflit et à mettre en place une bonne communication permettant de mener à une solution satisfaisante.

Thérapie de la réminiscence

La thérapie de la réminiscence, également appelée « approche de la rétrospective de vie » ou encore « bilan de vie », a recours aux souvenirs, au rappel des expériences du passé (Bohlmeijer, Smit et Cuijpers, 2003 ; Cappeliez et Watt, 2003 ; Watt et Cappeliez, 1996, 2000). Elle a pour objectif d'aider le résident à accéder à des souvenirs et à les réévaluer de manière constructive. L'utilisation des réminiscences dans le traitement de la dépression part de la conceptualisation de la fin de vie comme période marquée par une tension critique entre le pôle de l'intégrité et celui du désespoir, selon la théorie d'Erikson. La thérapie est envisagée comme une occasion de mettre les réalisations et les échecs personnels en perspective, de découvrir un sens, une continuité à sa vie et de retrouver un sentiment de valeur personnelle permettant de combattre la dépression. Cette approche utilise la propension des aînés à réguler leurs émotions en faisant resurgir des souvenirs à tonalité positive (Mather, 2004). Elle peut être utilisée avec des résidents présentant un degré modéré de déficit cognitif.

En effet, elle ne vise pas toujours un degré élevé de restructuration cognitive, mais tente plutôt d'utiliser les souvenirs pour favoriser l'émergence de pensées et d'images de soi positives.

La thérapie de la rétrospective de vie peut se faire individuellement ou en groupe. La version individuelle permet une exploration plus large et détaillée. Cela dit, la version de petit groupe (quatre à six participants) est plus courante. Elle comporte généralement de six à douze séances hebdomadaires d'une durée de 60 minutes. Cependant, la durée des séances et la longueur de l'intervention dans son ensemble peuvent être écourtées quand les capacités cognitives et le niveau d'éveil des résidents sont réduits. Un ou deux soignants dirigent le groupe, qui doit être relativement homogène en termes de degré de fonctionnement cognitif et de sévérité de dépression. Des thèmes choisis pour chaque rencontre permettent d'amorcer le rappel de souvenirs personnels et les échanges entre participants (voir le tableau 9-3). Un thème de départ comme les relations avec les parents et frères et sœurs de la famille d'origine conduit le résident à se présenter. Le thème des réalisations dans la vie fournit une occasion unique d'aborder le domaine des sources de valorisation personnelle et de faire naître des sentiments d'accomplissement et de fierté. Le thème des tournants de la vie favorise le rappel d'épisodes d'adaptation et de résolution de situations difficiles. Le thème des objectifs de vie invite au rappel d'expériences donnant un sens de continuité et de cohérence. Enfin, le thème du legs aux générations suivantes, qui oriente vers les valeurs personnelles et les leçons de vie à partager, favorise la synthèse et la conclusion des activités du groupe. Les thèmes sont annoncés dès le début de l'intervention et les résidents qui en sont capables sont invités à se préparer mentalement ou par écrit à chaque rencontre.

Les méthodes employées lors de thérapies de la réminiscence vont du rappel non structuré de souvenirs personnels à l'examen systématique des souvenirs, en vue de recadrer les pensées et les attitudes dans une perspective constructive et de se concentrer sur les facultés d'adaptation et une vision positive de soi. Dans le contexte de l'intervention pour la dépression, il est particulièrement utile d'encourager les réminiscences de types intégratif et instrumental (Cappeliez et Watt, 2003).

On entend par réminiscence intégrative le processus par lequel la personne acquiert et développe la capacité d'envisager de manière positive les causes et conséquences de moments difficiles de l'existence tels que les pertes, les échecs et les rejets. Il s'agit d'aider le résident à se construire une vision plus équilibrée de l'épisode négatif et de ses effets, à remettre en question les pensées et les attitudes négatives et à s'ouvrir à des interprétations positives. Par exemple, l'infirmière peut amorcer le processus en demandant : « Y aurait-il d'autres façons de voir cette situation ? » « Toutes les conséquences ont-elles été négatives ? Quelque chose

Tableau 9-3	Exemples de thèmes pour la thérapie de la réminiscence	
THÈMES	**OBJECTIFS**	**QUESTIONS DE DÉPART**
Les relations avec les parents et les frères et sœurs (famille d'origine)	Présentation personnelle	Comment pouvez-vous décrire votre vie avec vos parents et frères et sœurs ? De qui vous sentiez-vous le plus proche ?
Les réalisations dans la vie	Revalorisation personnelle	Quelle est la réalisation personnelle dont vous êtes le plus fier ?
Les tournants de la vie	Rappel des épisodes d'adaptation et des moyens d'adaptation	Quel événement, quelle expérience, quelle relation ont eu un impact majeur sur le déroulement de votre vie ?
Les objectifs de vie	Redécouverte de la continuité de la vie, de sa cohérence et de son sens	Quels projets de vie aviez-vous à ce moment-là de votre vie ? Comment ont-ils évolué ? Quels sont-ils maintenant ?
Le legs aux générations suivantes, en termes de valeurs et de leçons de vie	Synthèse et conclusion	Qu'aimeriez-vous transmettre aux autres de ce que la vie vous a appris ?

de bon en est-il sorti ? » Les réminiscences intégratives permettent aussi d'aider le résident à considérer les moments difficiles de la vie comme des expériences ayant contribué au développement personnel, et d'intégrer ces épisodes dans le tissu de la vie tout entière avec une plus grande sérénité et un meilleur sens de leur signification. L'infirmière peut amorcer le processus avec les questions suivantes : « Avec le recul, comment pensez-vous que cette expérience vous a changé ? » « Qu'est-ce que cela veut dire pour vous aujourd'hui ? »

Les réminiscences instrumentales, elles, correspondent à des souvenirs d'épisodes d'adaptation et de résolution de problème. Elles aident le résident à considérer l'adéquation entre les objectifs de vie passés et les objectifs actuels, et font naître un sentiment de compétence et d'efficacité personnelles. Dans ce cas, l'infirmière guide le processus en adoptant une attitude de soutien. Lorsqu'un résident a donné les éléments principaux d'un de ses souvenirs en rapport avec le thème de la séance, elle l'aide, au moyen de questions ouvertes, à déterminer les stratégies d'adaptation et les ressources personnelles utilisées, et à revoir les étapes de résolution de problème. Le résident retrouve ainsi une image de soi comme personne compétente. Par exemple, l'infirmière peut demander : « Quelles habiletés, quelles ressources personnelles vous ont aidé à faire face à cette situation ? » « Qu'est-ce que cela dit de vous ? » « Qu'en avez-vous appris ? »

Au cours de la séance, l'infirmière invite périodiquement les autres membres du groupe à faire des commentaires et à parler de leurs propres expériences qui seraient similaires. Une séance permet de travailler sur deux ou trois souvenirs personnels. À la fin de la rencontre, l'infirmière résume les échanges et en dégage des conclusions pratiques quant aux manières de composer avec les souvenirs et les pensées négatives dans la vie quotidienne. Par exemple, elle dira : « Qu'avez-vous appris lors de cette séance qui pourra vous aider pendant la semaine qui vient ? » « Comment pensez-vous mettre en pratique ce que vous avez appris ? »

Conclusion

La dépression représente un problème sérieux et fréquent en CHSLD. Elle ruine la qualité de vie du résident et celle de ceux qui l'entourent. Elle a de plus des répercussions négatives sur la santé physique et l'espérance de vie du résident. Heureusement, comme nous l'avons vu, des outils et des moyens permettent de la prévenir et, lorsqu'elle se présente, de la détecter précocement et d'intervenir efficacement sur les plans biologique, psychologique et social. Encore faut-il que ces moyens soient utilisés systématiquement et judicieusement par des personnes adéquatement formées. Or, on sait que, dans la réalité, les besoins des aînés en santé mentale sont très souvent négligés, notamment dans les CHSLD. Il incombe à tous les professionnels de la santé, en particulier aux infirmières qui se trouvent en première ligne, de se sensibiliser aux questions de santé mentale en général et de dépression en particulier, d'obtenir une formation aux pratiques efficaces et de militer pour que la valeur de leur travail sur ce plan soit reconnue par les employeurs et les pouvoirs publics.

ÉTUDE DE CAS

Madame Louise Potvin, âgée de 86 ans, réside en CHSLD depuis huit mois. Il y a dix-huit mois, on a diagnostiqué chez elle la maladie d'Alzheimer. Ses enfants avaient constaté que son fonctionnement s'était progressivement détérioré, qu'elle perdait la mémoire et était désorientée dans la cuisine. Elle vivait alors seule dans son domicile, son mari étant décédé. Puis, ses difficultés croissantes à vivre de manière autonome ont conduit au choix de l'admission en CHSLD. Mme Potvin a bien accepté ce changement au départ. Depuis qu'elle est arrivée, le degré de la démence, modéré, est resté relativement stable. Mais son humeur est devenue maussade ces dernières semaines. L'infirmière soupçonne une dépression. Si Mme Potvin ne se plaint pas particulièrement aux soignants et si sa tristesse n'est pas évidente, l'infirmière a remarqué qu'elle a perdu le goût de manger. Mme Potvin ne prend plus plaisir aux activités sociales et a de plus en plus tendance à s'isoler. Ces symptômes dépressifs justifient un diagnostic potentiel de dépression.

L'infirmière fait part de ses observations à l'équipe multidisciplinaire. On décide alors d'effectuer une évaluation complète pour déterminer la nature et les causes de la dépression. Outre un examen du fonctionnement cognitif et des analyses de laboratoire, cette évaluation comprend une entrevue et une estimation, au moyen de l'Échelle de Cornell, du degré de dépression. Les analyses de laboratoire éliminent les causes de dépression telles qu'une infection des voies urinaires ou d'autres problèmes médicaux primaires. L'évaluation de la dépression conduite par l'infirmière révèle que les symptômes dépressifs ont commencé à se manifester peu après la nouvelle du déménagement de la fille de Mme Potvin, qui venait souvent la visiter Lors de l'entrevue, Mme Potvin se met à pleurer en disant qu'elle ne se sent plus capable de rien faire correctement et qu'elle ne vaut plus rien pour personne. Sur la base de ses propres observations et de l'entrevue avec la résidente, l'infirmière établit un score de 20 sur l'Échelle de Cornell, ce qui correspond à un degré sévère de dépression. Sur la base de son examen et des observations de l'infirmière, le médecin prescrit un antidépresseur de type inhibiteur sélectif du recaptage de la sérotonine à faible dosage, pour une période initiale de six semaines. Il prescrit également une thérapie de la réminiscence guidée. Ainsi, Mme Potvin se joint à un petit groupe de trois résidents vivant eux aussi des problèmes de dépression. C'est une autre infirmière qui dirige le groupe. Les réunions ont lieu une fois par semaine et durent quarante-cinq minutes seulement, à cause du fonctionnement cognitif faible des participants. La distance affective avec les enfants semble être une cause commune de la dépression pour l'ensemble des participants. C'est pourquoi l'infirmière met l'accent sur les réminiscences de type instrumental, c'est-à-dire les souvenirs d'adaptation et le rappel de comportements de compétence dans des situations problématiques, afin de faire renaître chez les participants du groupe le sentiment de valeur et de confiance en sa capacité de surmonter les difficultés. Étalé sur six semaines, ce travail se conclut par la mobilisation de comportements prosociaux, l'encouragement à entrer en contact avec des membres de la famille et des amis. Deux mois après l'évaluation initiale, les symptômes de dépression de Mme Potvin ont nettement diminué, puisqu'ils correspondent à un score de 6 sur l'Échelle de Cornell.

Questions

1 Est-il surprenant que Mme Potvin, qui souffre de la maladie d'Alzheimer, fasse une dépression ?

2 Pourquoi l'infirmière considère-t-elle une thérapie de la réminiscence, en plus de l'antidépresseur ?

3 Pourquoi l'infirmière a-t-elle utilisé l'Échelle de Cornell pour son évaluation ?

4 Mme Potvin présente-t-elle des symptômes que l'on pourrait considérer comme atypiques ?

LE SUICIDE

par **Louise Roch**

Le suicide de l'aîné semble moins déranger que celui de l'adolescent dans notre société. Pourtant, il est tout aussi tragique, puisqu'il reflète le désespoir et la souffrance d'un être humain. La vieillesse est une période de changements, d'adaptations à faire, d'autant plus pour le résident de CHSLD, qui non seulement vit des pertes physiques, mais aussi arrive dans un nouveau milieu.

Le suicide ou les idées suicidaires apparaissant le plus souvent lors d'une dépression, l'infirmière aura à jouer un rôle de prévention similaire à celui qu'elle a pour la dépression, quoique plus important encore. Sa connaissance des facteurs et manifestations du problème et sa vigilance sont d'autant plus nécessaires pour détecter les résidents à risque et intervenir de manière appropriée. Avant cela même, dans le cadre d'un programme collectif de prévention, elle établira une relation avec le résident, surveillera son attitude et l'aidera à s'adapter à la vie en CHSLD.

NOTIONS PRÉALABLES SUR LE SUICIDE

Définition

Le suicide se définit comme un comportement autodestructeur avec intention délibérée de mourir. La personne suicidaire est une personne qui pense à commettre un acte autodestructeur, qui exprime son intention de passer à l'acte ou qui a récemment attenté à sa vie ou commis un geste suicidaire.

Selon le ministère de la Santé du Canada (1994), « le comportement suicidaire est l'aboutissement d'une interaction complexe de divers facteurs neurobiologiques, psychologiques, culturels et sociaux qui ont marqué la personne, à différents niveaux, mais qui, isolément, ne suffisent pas à expliquer le recours au suicide ».

Ampleur du problème

Le suicide est un problème majeur de santé mentale et de santé publique. Au cours de la dernière décennie, le taux de suicide a augmenté au Canada, comme dans plusieurs autres pays. Il est passé de 12,5 décès pour 100 000 habitants en 1989 à 15,8 en 1992 puis à 18,3 en 1999.

La population âgée n'échappe pas à cette triste réalité, en particulier celle des CHSLD. Ainsi, plusieurs auteurs (Fortin, 1996; Lalonde, Aubut et Grundberg, 2001; Townsend, 2004) ont mis en évidence le fait que, dans la majorité des pays, le taux de suicide au sein de la population âgée est plus élevé que celui de tous les autres groupes d'âge. Au Canada, les taux de suicide les plus élevés se retrouvent chez les

hommes de 20 à 24 ans et de 70 ans et plus. Très peu d'informations sont disponibles sur les suicides en CHSLD. Quant aux tentatives qui n'aboutissent pas, selon Fortin (1996) et Douguet (2001), elles sont plutôt rares, car la détermination avec laquelle les aînés s'enlèvent la vie explique le nombre de suicides réussis.

Conséquences

Les conséquences du suicide touchent autant le résident lui-même, qui perd la vie, que ses proches, les soignants et le CHSLD. Un suicide peut être à l'origine de plusieurs sentiments négatifs. Premièrement, les soignants et les proches se sentent coupables de n'avoir pu déceler et prévenir ce geste. Les proches éprouvent également de la colère envers le résident, à cause de son geste. Les conséquences sont donc d'ordres émotif, éthique et juridique. Par ailleurs, lorsqu'un suicide survient dans un CHSLD, tous les acteurs concernés devraient s'interroger sur les pratiques administratives et cliniques, sur la qualité des soins et de la vie en CHSLD en général.

Facteurs prédisposants et facteurs précipitants

Plusieurs auteurs ont déterminé les principaux facteurs prédisposants et facteurs précipitants du suicide (Fortin, 1996; Lalonde *et al.*, 2001; ministère de la Santé et du Bien-être social, 1994; Préville, Boyer, Hébert, Bravo et Séguin, 2003).

Tableau 10-1	Facteurs prédisposants et facteurs précipitants du suicide		
FACTEURS PRÉDISPOSANTS		**FACTEURS PRÉCIPITANTS**	
Maladie	**Facteurs psychologiques**	**Soignants**	**Environnement**
• Dépression et antécédents de dépression • Démence • Maladies chroniques	• Difficulté à exprimer ses problèmes • Réticence à demander de l'aide • Diminution de l'estime de soi • Affaiblissement du sentiment de dignité • Haine de soi-même • Perte d'espoir d'amélioration de ses conditions de vie • Sentiment d'inutilité • Mauvaise adaptation au processus du vieillissement • Croyances culturelles et religieuses • Alcool • Veuvage	• Abus et mauvais usage de médicaments • Nombre de soignants trop bas par rapport au nombre de résidents • Roulement élevé des employés	• Isolement • Réseau social pauvre • Absence de personnes significatives • Télédiffusion des comportements suicidaires des aînés • Suicide chez les aînés jugé socialement acceptable • Changement d'environnement • Accessibilité aux moyens permettant de passer à l'acte • Absence de services de prévention du suicide

Pour Fortin (1996), les maladies physiques étaient présentes dans 85 % des cas et la dépression dans 22 à 28 % des cas. Pour Préville et ses collaborateurs (2003), 68,3 % des aînés avaient vécu des événements stressants dans les six mois ayant précédé le suicide.

Cependant, avant d'énumérer et d'exposer tous les facteurs, il importe de distinguer l'urgence suicidaire du risque suicidaire. L'urgence suicidaire se définit comme le risque que la personne qui manifeste son intention de se suicider passe à l'acte dans les 48 prochaines heures, tandis que le risque suicidaire se définit comme le risque que la personne passe à l'acte dans les deux prochaines années. Les facteurs de risque présentés dans le tableau 10-1 concernent le risque suicidaire.

Facteurs prédisposants

Parmi les divers facteurs prédisposants du suicide, la dépression et les antécédents de dépression arrivent en tête. Puis vient la démence, dont le pronostic inéluctable amène un certain nombre de résidents à considérer le suicide comme la solution pour éviter les conséquences de la maladie. Quant aux maladies chroniques, elles sont souvent dégénératives et causent le désespoir, sentiment qui favorise les idées suicidaires. Le résident voit en effet le suicide comme la seule issue à sa souffrance.

Plusieurs facteurs psychologiques peuvent également mener au suicide. Il s'agit principalement de la perception qu'a le résident de lui-même concernant son admission en CHSLD. Dans ce contexte, le résident hésite à exprimer ses sentiments et à demander de l'aide, de peur de déranger. Il peut aussi ne pas vouloir dévoiler certains indices de suicide afin que les soignants n'interviennent pas et ne l'empêchent pas de passer à l'acte. Par ailleurs, il arrive que la philosophie des soins ne favorise pas l'autonomie et l'autodétermination. Le résident perd alors de son estime de soi, se sent inutile et a le sentiment que sa condition physique ou psychologique ne fera que se détériorer.

De façon générale, certains résidents peuvent présenter des difficultés d'adaptation au processus de vieillissement, aux multiples pertes qui y sont associées. Dans le contexte des CHSLD, ils doivent en plus s'adapter à un nouveau milieu de vie, aux règlements, aux soignants. Sur le plan de la dignité, le résident peut vivre une perte d'intimité. Les soins peuvent être impersonnels ou dispensés de façon infantilisante, ce qui contribue à l'accroissement du désespoir puis aux idées suicidaires.

Facteurs précipitants

Parmi les facteurs précipitants du suicide, signalons le rôle des soignants, lesquels peuvent prévenir les idées suicidaires, mais aussi les favoriser. De plus, les soignants ont une responsabilité concernant l'usage qui est fait des médicaments. Ils doivent vérifier que l'usage des médicaments est adéquat, afin de prévenir l'apparition de tout risque suicidaire. Ainsi, il est important qu'ils ne laissent jamais les médicaments sur la table de chevet du résident, afin d'éviter toute accumulation. Ils doivent au contraire attendre que le résident prenne les médicaments devant eux.

L'étude de Fortin (1996) indique que si le nombre de soignants par résident est trop bas ou le roulement d'employés, de soignants surtout, est élevé, les risques suicidaires en sont d'autant plus importants. Cela s'explique par le fait que les soignants, manquant de temps, se concentrent plus sur les soins nombreux et parfois complexes que sur la relation et la communication avec le résident. Par ailleurs, le changement fréquent de soignants laisse les relations avec les résidents à un niveau superficiel. Le manque de temps et d'expertise des nouveaux soignants limite grandement la possibilité pour les résidents d'exprimer leurs sentiments ou idées suicidaires.

Tableau 10-2	Comportements autodestructeurs de résidents atteints de problèmes de santé chroniques	
COMPORTEMENTS	**LIENS AVEC LE RISQUE DE SUICIDE**	**EXEMPLES CLINIQUES**
Refus de se conformer aux règlements du CHSLD	Un suicidaire qui fugue pour commettre son geste est plus difficile à retrouver et a plus de temps pour passer à l'acte. Le refus de l'examen médical permet au résident d'éviter une évaluation qui mettrait en lumière une dépression ou des idées suicidaires.	Le résident peut refuser de porter le bracelet obligatoire, de passer l'examen médical annuel et de respecter le nombre d'heures et de visiteurs indiqués.
Conflits avec les soignants	Les conflits avec les soignants entraînent un manque de communication et empêchent toute alliance thérapeutique, pourtant essentielle à la prévention de l'acte suicidaire.	Un résident qui établit un lien superficiel avec le soignant ou qui cherche les conflits.
Refus soudain de suivre les recommandations alimentaires et tabagiques	Ces refus constituent des comportements suicidaires ou autodestructeurs significatifs.	Il peut s'agir d'un résident diabétique qui refuse soudain de suivre les recommandations concernant un régime alimentaire, ou d'un résident atteint d'une maladie pulmonaire qui refuse de suivre les recommandations concernant la consommation de cigarettes.
Refus de traitement	Il s'agit d'un comportement autodestructeur chez le résident qui n'a pas de problèmes cognitifs ou de déglutition.	Le résident peut être atteint d'une pneumonie et refuser de prendre un antibiotique.
Conflit avec les autres résidents	Le conflit avec les autres résidents conduit à l'isolement social, qui est un facteur de risque.	Le résident suicidaire refuse, par exemple, de participer à des activités sociales ou de loisirs.
Abus de médicaments	L'abus de médicaments peut être un geste prémédité, un passage à l'acte.	Le résident use de stratégies pour cacher ses médicaments afin de ne pas les prendre. Il les accumule ainsi afin de s'empoisonner ensuite.
Comportements autodestructeurs directs	Ces comportements manifestent clairement le désespoir du résident, sentiment qui est un facteur important chez la personne suicidaire.	Le résident utilise la pendaison ou fait une chute depuis le balcon.

Enfin, différents facteurs se rapportant à l'environnement augmentent les risques de suicide. Il en est ainsi de l'isolement et d'un réseau social pauvre, qui font diminuer la qualité de vie du résident. Qui plus est, ces mêmes facteurs de risque ont pour conséquence de laisser le résident suicidaire seul avec ses idées noires, sans personne à qui en parler. Les pensées suicidaires diminueront si le CHSLD offre une bonne qualité de vie et fait la promotion de la dignité humaine.

Manifestations cliniques

Les manifestations cliniques d'une urgence suicidaire ou d'idées suicidaires incluent souvent des signes de dépression. Par exemple, l'infirmière pourrait noter la présence d'une humeur dépressive, une diminution marquée de l'intérêt ou du plaisir pour les activités de la vie quotidienne, de l'agitation, ainsi que la présence de sentiments de dévalorisation ou de culpabilité. En plus des symptômes de la dépression, Fortin (1996) rapporte que six comportements peuvent être liés à des idéations suicidaires. Ces comportements sont de type autodestructeur et se retrouvent chez des résidents atteints d'une maladie chronique. Le tableau 10-2 les énumère, donne des explications de liens avec le risque de suicide et propose des exemples cliniques.

Détection et évaluation du risque suicidaire

Plusieurs outils aident l'infirmière à détecter et à évaluer le risque suicidaire d'un résident, qui peut varier de faible à élevé.

Bien qu'il existe plusieurs grilles d'évaluation du risque suicidaire, l'échelle proposée par Daigle, Labelle et Girard (2003; voir le tableau 10-3, p. 160) semble la plus appropriée pour les résidents des CHSLD. En effet, elle associe l'état de vulnérabilité psychologique et le sentiment de perte de contrôle du résident sur sa vie dans la situation, la naissance et le développement d'idées suicidaires se rapportant au comment, au où et au quand du geste fatal.

Le but de cette grille est de permettre une évaluation des idées suicidaires du résident et d'évaluer s'il y a urgence suicidaire ou risque suicidaire. Rappelons que l'urgence suicidaire correspond à une probabilité élevée de passage à l'acte dans les 48 prochaines heures, et le risque suicidaire dans les deux prochaines années.

Cette grille devrait être utilisée à l'admission du résident en CHSLD, lors de la collecte d'informations initiale, et lorsque des signes ou gestes suicidaires sont notés. L'infirmière remplit la grille avec le résident et peut inviter les

Tableau 10-3	Évaluation du risque suicidaire à moyen terme		
NUL OU FAIBLE	**LÉGER**	**MODÉRÉ**	**ÉLEVÉ**
1. Le résident est en état de vulnérabilité. Le résident est anxieux, mais demeure calme. Le résident n'a pas d'idées suicidaires. 2. Le résident est en état de vulnérabilité. Le résident est anxieux, mais sans perte de contrôle. Le résident a des idées suicidaires passagères.	3. Le résident est en déséquilibre partiel. Le résident a des idées suicidaires qui reviennent à quelques reprises à chaque semaine, mais n'a pas de plan suicidaire. Le résident garde espoir en l'avenir et accepte l'aide.	4. Le comment, le où et le quand (COQ) prennent forme. Le résident est en état de déséquilibre. Le résident pense au suicide presque tous les jours et élabore provisoirement un plan suicidaire. Le résident est très ambivalent. 5. Le comment, le où et le quand sont dans plus de 48 heures. Le résident devient obnubilé par le suicide et le plan peut être mis à exécution dans un délai variable. Le résident est moins ambivalent et le désir de mort s'installe.	6. Le comment, le où et le quand sont dans moins de 48 heures. Le résident est agité ou coupé de ses affects. Le résident a complété la planification de son suicide. Le moyen est disponible. 7. Le comment, le où et le quand sont immédiats. Le résident est agité ou coupé de ses affects. Le résident menace de se suicider durant ou après la fin de l'entretien. Le moyen est disponible. 8. Tentative de suicide en cours. Le résident a mis en œuvre son plan. Une intervention médicale est requise.

Source: M. Daigle, R. Labelle et C. Girard (2003). *Cadre de référence pour la prévention du suicide dans les établissements psychiatriques du Québec* (appendice B, p. 82). Montréal: Regroupement des directrices de soins d'établissements psychiatriques. Grille adaptée du programme accrédité de formation «Intervenir en situation de crise suicidaire»-Tous droits réservés, Association québécoise de prévention du suicide, 2003.

proches à compléter ou à confirmer certaines informations. Lorsque le résident est atteint d'une démence, il est fortement recommandé de faire l'évaluation avec les proches et,

Tableau 10-4	Questions permettant de déterminer le risque suicidaire
Vous sentez-vous seul ou abandonné?	
Avez-vous déjà souhaité vous endormir et ne jamais vous réveiller?	
Est-il difficile pour vous de continuer à vivre?	
Avez-vous déjà souhaité être mort?	
Pensez-vous que les autres seraient mieux sans vous?	
Avez-vous présentement des idées suicidaires?	
Avez-vous un plan bien défini, soit où, quand et comment?	
Le moyen choisi est-il accessible?	

Source: Adapté de Claire Lavigne-Pley (1987). Le suicide chez les adultes âgés. *Santé et vieillissement*, Québec: Les cahiers des journées de formation annuelle du Sanatorium Bégin, 2e éd. n° 4, p. 54, cité dans L. Berger et D. Mailloux-Poirier (1993), *Personnes âgées: Une approche globale* (p. 422). Montréal: Éditions Beauchemin.

si possible, les soignants antérieurs du résident, tels que les soignants d'une résidence privée ou du centre local de services communautaires (CLSC).

Dans cette grille, l'état de vulnérabilité correspond au déséquilibre psychologique que vit le résident et la souffrance qu'il engendre. Quant à l'ambivalence, elle concerne le désir à la fois de mourir et de vivre.

Les questions proposées par Berger et Mailloux-Poirier (1993) et présentées dans le tableau 10-4 peuvent aider l'infirmière à faire son évaluation. Notons qu'il est important d'aborder directement la question du suicide, en utilisant les vrais mots.

Grâce à cette évaluation, l'infirmière détermine le risque suicidaire et peut immédiatement établir un plan thérapeutique infirmier.

L'évaluation du risque suicidaire doit également comporter l'examen de facteurs de risque et de facteurs de protection (voir la figure 10-1).

Concernant les facteurs de risque, l'infirmière doit étudier le projet suicidaire, sa planification, la létalité du geste planifié et l'accessibilité du moyen envisagé. Les données recueillies concernant ces quatre éléments sont essentielles à l'évaluation, car plus ces éléments sont clairs et précis pour le résident, plus le risque est élevé. Concernant les facteurs prédisposants majeurs, il s'agit de s'interroger sur

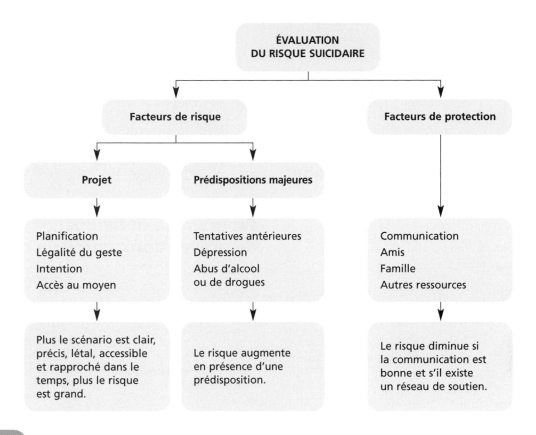

ÉVALUATION DU RISQUE SUICIDAIRE

Facteurs de risque → **Projet** / **Prédispositions majeures**

Facteurs de protection

Projet :
- Planification
- Légalité du geste
- Intention
- Accès au moyen

Plus le scénario est clair, précis, létal, accessible et rapproché dans le temps, plus le risque est grand.

Prédispositions majeures :
- Tentatives antérieures
- Dépression
- Abus d'alcool ou de drogues

Le risque augmente en présence d'une prédisposition.

Facteurs de protection :
- Communication
- Amis
- Famille
- Autres ressources

Le risque diminue si la communication est bonne et s'il existe un réseau de soutien.

FIGURE 10-1   **Évaluation des facteurs de risque suicidaire**

des tentatives antérieures éventuelles, la présence de dépression et d'abus d'alcool ou de drogues.

Enfin, concernant les facteurs de protection, l'infirmière doit déterminer les facteurs qui, dans la vie du résident, vont contribuer à diminuer le risque suicidaire. La présence d'un réseau de soutien est capitale (Fortinash et Holoday-Worret, 2003 ; Townsend, 2004). De plus, plus les ressources psychologiques sont nombreuses, plus le risque

suicidaire diminue (Fortinash et Holoday-Worret, 2003). Le tableau 10-5 présente une liste détaillée de facteurs de protection.

Même en l'absence de projet suicidaire, tout facteur de risque du suicide doit toujours être pris au sérieux. Sa détection devrait toujours mener à la mise en place d'interventions infirmières visant à l'éliminer si c'est possible ou à en diminuer l'effet sur la qualité de vie du résident.

Tableau 10-5	Facteurs de protection pour le risque suicidaire
Communication	• Capacité du résident à exprimer ses émotions • Capacité à communiquer adéquatement • Capacité à demander de l'aide • Bonnes habiletés sociales • Présence d'un réseau familial et social
Ressources personnelles	• Capacités personnelles d'adaptation et de gestion du stress du résident • Bonnes stratégies de résolution de problèmes • Intérêts et compétences diversifiés
Bien-être psychologique	• Bonne estime de soi du résident • Tolérance élevée à la frustration • Expériences de succès et de réussites

En CHSLD, deux types de programmes d'intervention concernent le suicide : le programme collectif de prévention du suicide et le programme individuel de prévention auprès du résident à risque élevé.

Programme collectif de prévention du suicide

Le programme collectif de prévention du suicide vise deux objectifs principaux : l'adaptation optimale du résident à son nouveau milieu et l'intervention proactive sur les facteurs de risque, dépistés de façon systématique.

Adaptation optimale du nouveau résident

Pour favoriser l'adaptation du tout nouveau résident, le programme collectif de prévention du suicide prévoit un processus d'accueil du nouveau résident, diverses explications concernant le milieu de vie, l'encouragement à exprimer craintes et inquiétudes. Ainsi, dès l'arrivée du résident, l'infirmière peut évaluer certains éléments et intervenir de manière appropriée pour faciliter l'adaptation. L'intégration des proches est également importante. Le chapitre 33 aborde ce sujet en détail.

Dépistage systématique des facteurs de risque et mise en place d'interventions

Le programme collectif de prévention du suicide prévoit le dépistage systématique des facteurs de risque par l'infirmière, et ce, dès l'arrivée du nouveau résident. Il s'agit alors de considérer les facteurs prédisposants et précipitants que peut présenter le résident, tout en accordant une attention spéciale à la présence éventuelle de facteurs de protection. En cas de détection de facteurs de risque, une évaluation exhaustive doit être faite. L'infirmière estime alors le degré de risque. Elle aborde directement le sujet du suicide avec le résident, pose des questions et planifie les interventions appropriées (voir le tableau 10-6) afin de mettre un terme à un projet suicidaire éventuel. Par la suite, un suivi permet de s'assurer que les interventions mises en place ont permis effectivement de diminuer le risque suicidaire.

Programme individuel de prévention auprès du résident à risque élevé de suicide

Avec le résident présentant un risque élevé de suicide, l'infirmière doit porter son attention et faire porter ses efforts sur six aspects, d'après la littérature scientifique (Beauchamp, Deslauriers et Constance, 1996 ; Fortinash et Holoday-Worret, 2003 ; Townsend, 2004) : l'intégrité physique, l'intégrité psychologique, l'intégrité sociale, l'alliance thérapeutique, la proactivité et l'interdisciplinarité.

Intégrité physique du résident

L'infirmière doit d'abord préserver l'intégrité physique, la vie du résident suicidaire en lui procurant un environnement sécuritaire. Pour cela, elle examine la chambre du résident et vérifie si l'environnement comporte des objets dangereux. De plus, elle assure une surveillance attentive du résident lui-même.

Selon l'évaluation du risque de passage à l'acte, une surveillance constante, toutes les quinze minutes ou toutes les heures peut être nécessaire. L'observation continue lors des soins d'hygiène, lors de l'utilisation de la toilette et lors des déplacements du résident peut également être prévue. Par ailleurs, la surveillance doit être accrue au moment des repas, des pauses et des changements de quarts de travail.

Tableau 10-6	Exemples d'interventions pour les principaux facteurs de risque du suicide
FACTEURS DE RISQUE	**EXEMPLES D'INTERVENTIONS**
Dépression, désespoir, faible estime de soi et haine de soi-même	• Psychothérapie (voir le chapitre 9) • Consultation d'un médecin
Démence	• Communication (voir le chapitre 31) • Approche prothétique élargie (voir le chapitre 37)
Abus de médicaments, d'alcool ou de drogues	• Revue de médicaments • Programme de sevrage
Problèmes de communication Isolement et réseau social pauvre	• Nouer des liens avec d'autres résidents • Programme d'intégration de la famille (voir le chapitre 33) • Musicothérapie (voir le chapitre 36) • Zoothérapie (voir le chapitre 35)
Attitudes religieuses et culturelles	• Favoriser les pratiques religieuses et culturelles (voir le chapitre 41)

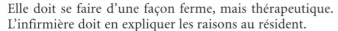

Elle doit se faire d'une façon ferme, mais thérapeutique. L'infirmière doit en expliquer les raisons au résident.

Dans certaines circonstances, on pourra juger nécessaire de faire une fouille, afin de vérifier que l'environnement ne comporte pas d'objets dangereux pour la sécurité du résident. Il faut alors agir de façon appropriée et respectueuse, en expliquant au résident la nécessité de le protéger. Il est important de lui dire où seront conservés les objets personnels qu'on lui enlève et de lui expliquer qu'on les lui rendra lorsque le risque suicidaire sera éliminé. À l'heure des repas, il faudra surveiller les ustensiles. De même, l'infirmière portera une attention spéciale à tous les objets que le résident pourrait vouloir garder avec lui, tels que des ciseaux, une lime à ongles, un lacet, une ceinture, une substance toxique et des allumettes. Il en va de même pour tous les objets de métal tels que les canettes de boisson. Concernant les lieux physiques, il faudrait remplacer les tringles rigides soutenant les rideaux de douche par des tringles de plastique flexibles, empêcher l'accès à tout cordon, fil électrique ou tuyau pouvant servir à une pendaison et porter une attention particulière aux salles de bain. Si l'environnement physique ne permet pas de prendre ces précautions, il faut que les soignants soient plus vigilants sur cet aspect.

Lorsque le résident est activement suicidaire, l'infirmière peut décider de le changer de chambre pour le rapprocher du poste des soins infirmiers. Le résident devra alors avoir une chambre dont la porte se déverrouille de l'extérieur ou ne se verrouille pas. Il est également préférable qu'il ne soit pas seul dans sa chambre.

De plus, l'infirmière peut conclure avec le résident suicidaire un pacte, verbal ou écrit, de non-suicide. Ce pacte doit concerner une certaine période et prévoir des stratégies que le résident utilisera en situation de crise. Plus spécifiquement, le résident s'engage, par exemple, à ne commettre aucun geste suicidaire dans les trois jours suivants et à aller chercher de l'aide auprès de l'infirmière si entre-temps des idées suicidaires importantes lui viennent à l'esprit. Ce type d'intervention est très sécurisant pour le résident, car l'infirmière elle-même en fait partie. Il faut préciser au résident que c'est une mesure temporaire liée au risque présent. Essentiellement, le pacte permet d'engager la communication et renforce la relation thérapeutique, ce qui favorise l'expression des sentiments par le résident. Il est évident qu'il ne constitue pas une garantie absolue. Malgré toutes les interventions mises en place, le résident qui a un projet très clair et précis pourra commettre son geste. Il faut donc se rappeler que l'infirmière est tenue de mettre en place tous les moyens de prévention possibles, mais ne peut garantir que le résident ne passera pas à l'acte.

Intégrité psychologique du résident

L'infirmière doit également préserver l'intégrité psychologique du résident, c'est-à-dire qu'elle doit aider le résident à exprimer ses sentiments et émotions. Le suicidaire est en effet une personne qui souffre et a souvent beaucoup d'émotions difficiles à exprimer. Il est profondément touché dans son estime de lui-même et peut ressentir beaucoup de culpabilité et de honte. S'il a fait une tentative qui a échoué, il peut vivre de la colère pour avoir été sauvé. Enfin, le suicidaire ressent souvent des sentiments d'impuissance et de désespoir. L'infirmière doit favoriser l'expression de tous ces sentiments, expliquer que ces sentiments font souffrir mais qu'ils sont normaux dans une telle situation. Cette intervention soulage la douleur psychologique, favorise le mieux-être et une image de soi positive. L'infirmière doit se souvenir que le résident suicidaire ne veut pas vraiment mourir : il veut passer à l'acte pour mettre un terme à sa souffrance.

Intégrité sociale du résident

L'infirmière doit également faire porter ses efforts sur l'intégrité sociale du résident. Pour cela, elle s'adresse aux proches ou aux personnes importantes pour le résident. Le mythe de l'irréversibilité du processus suicidaire n'est aucunement fondé. Selon Morissette (1994), 50 % des personnes suicidaires vivent une crise de six à huit semaines qui peut se résoudre sans rechute si elles reçoivent une aide adéquate. Cette crise peut même être l'occasion d'un apprentissage. C'est pourquoi il est essentiel que l'infirmière rassure le résident et ses proches afin d'empêcher la stigmatisation sociale, les préjugés et les blâmes associés à une tentative de suicide. Par ailleurs, l'isolement social étant un facteur de risque de grande importance, l'infirmière doit favoriser les activités visant l'apprentissage des relations sociales et des responsabilités. Par exemple, selon le contexte et la situation du résident, elle peut encourager la participation aux activités de loisirs de l'unité. Les proches ou personnes significatives doivent être informés du plan thérapeutique infirmier et jouer un rôle. Lors des visites, l'infirmière doit favoriser l'expression de leurs sentiments négatifs et positifs. Elle peut également les inviter à se joindre à un groupe de suivi à l'extérieur du CHSLD, dans un CLSC ou avec un organisme comme Suicide-Action.

Alliance thérapeutique

Il est important que l'infirmière établisse un lien de confiance qui dépasse la superficialité et procure le soutien dont le résident a besoin. L'alliance thérapeutique se fonde sur l'acceptation par l'infirmière du comportement du résident, l'établissement de limites et la participation du résident à la poursuite d'objectifs très précis. L'infirmière se doit de faire preuve d'attitudes d'écoute, d'authenticité, de spécificité et de neutralité, afin d'aider le résident à définir sa souffrance et à en examiner les sources. Elle pourra ainsi avoir de l'empathie, être capable de comprendre la situation et de l'exprimer au résident.

L'infirmière doit être consciente de son degré de confiance, de ses limites et de ses sentiments à l'égard du résident. La relation qu'elle établit vise essentiellement à répondre à des besoins personnels et constitue la pierre angulaire de toute thérapie relationnelle. Il est important de garder avec le résident à risque suicidaire le maximum de contacts, tant verbalement que par l'intermédiaire des soins. L'infirmière se gardera d'exprimer tout jugement, tant dans ses paroles que dans son attitude. Ainsi, elle ne demandera pas au résident «Pourquoi avez-vous fait cela?», mais plutôt «Que s'est-il passé récemment qui vous fasse souffrir au point de vouloir vous tuer?» Le lien de compréhension est essentiel, car il permet au résident d'exprimer librement ses préoccupations suicidaires, de consacrer son énergie à la recherche de solutions et de reprendre espoir dans la vie. L'alliance thérapeutique constitue ainsi sans nul doute la meilleure protection contre le suicide.

Proactivité dans les interventions

Dans le programme de prévention auprès du résident à risque élevé de suicide, l'infirmière doit faire preuve de proactivité, c'est-à-dire prévoir et mettre en place des interventions avant que la situation ne se détériore. Lors de la planification des interventions, la participation du résident suicidaire à son plan de traitement doit comprendre la reconnaissance et la description des facteurs précipitants, des actions particulières, le recours aux ressources appropriées et l'évaluation des conséquences des actions. Le résident suicidaire doit reprendre le contrôle de la situation. L'intervention de l'infirmière doit être constante, précise et conduire à des résultats positifs et concrets. Tout cela permet de limiter la confusion et l'indécision. L'infirmière doit miser sur les forces du résident, lui confier des tâches, si minimes soient-elles, pour soulager la tension et la colère et permettre la prise de décision. Par exemple, elle favorisera l'autonomie dans les soins d'hygiène et dans l'alimentation. Elle pourra demander au résident de participer à la rencontre interdisciplinaire le concernant. Elle pourra aussi simplement lui demander d'aller porter le journal à un autre résident, de distribuer le courrier dans l'unité ou encore de brosser le chien du service de zoothérapie. Si le résident ne peut sortir de l'unité, elle doit utiliser les activités de l'unité et faire venir sur place les personnes du service de psychologie ou d'ergothérapie.

Interdisciplinarité

L'intervention préventive auprès du résident présentant un risque suicidaire est complexe et requiert beaucoup d'investissement personnel de la part de l'infirmière. C'est pourquoi l'infirmière doit se tourner vers des ressources de soutien, de supervision et d'échange au sujet de son travail, afin d'éviter une insécurité inutile ou le sentiment d'être dépassée par la situation. L'équipe de soins doit être informée du potentiel suicidaire, du degré de surveillance requis et des interventions spécifiques prévues afin d'assurer la continuité des soins. Une concertation des différents professionnels de la santé de l'unité de soins est également nécessaire.

Conclusion

Dans le cadre de la prévention et de l'intervention auprès du résident suicidaire, l'infirmière joue un rôle de premier ordre. En effet, c'est elle qui, par sa présence, par son empathie, par son observation et par son écoute, reçoit souvent les premières confidences du résident suicidaire et est à même de déceler les indices d'un projet de passage à l'acte. C'est elle qui peut empêcher un geste irréversible qui bouleverserait la vie de plusieurs personnes. Grâce à ses connaissances de la problématique, des facteurs prédisposants et précipitants du suicide, elle peut évaluer de façon pertinente, à l'aide d'une grille, le risque suicidaire. Ensuite, elle élabore un plan de soins et d'interventions personnalisés visant le soulagement de la souffrance profonde qui pousse le résident à vouloir attenter à sa vie.

ÉTUDE DE CAS

Monsieur Jean-Louis Dupont, célibataire, est âgé de 72 ans. Il a travaillé comme enseignant pendant trente ans et s'est engagé dans diverses activités communautaires. Il a toujours été à l'aise financièrement. Après sa retraite, il y a quinze ans, il est allé vivre avec sa sœur, seul membre vivant de sa famille. Les deux ont eu une vie active et indépendante jusqu'à il y a deux ans. M. Dupont a alors eu un léger accident vasculaire cérébral. Depuis maintenant quatre mois, il est hospitalisé et a hâte de retourner à la maison. Il compte sur le soutien de sa sœur pour les soins à la maison. Cependant, à sa grande surprise, sa sœur lui annonce qu'elle ne sera pas en mesure de lui apporter tout le soutien que requiert son état. Elle lui demande d'aller vivre dans un CHSLD, où il recevra tous les soins nécessaires. Après de vigoureuses protestations, M. Dupont accepte de faire une période d'essai.

Trois mois après l'admission de M. Dupont en CHSLD, les infirmières remarquent que le résident manifeste beaucoup de colère, s'isole dans sa chambre, néglige de plus en plus son hygiène personnelle et se désintéresse de son alimentation. De plus, il communique de moins en moins. Comme son état ne s'améliore pas, les infirmières décident de transférer M. Dupont dans une chambre à trois lits. Celui-ci perçoit ce changement comme une perte d'indépendance, de contrôle, d'intimité et de liberté. Par la suite, il devient activement suicidaire. Ainsi, il se coupe volontairement les poignets avec des lames de rasoir et des couvercles de canettes. Il tient également des propos suicidaires: «Donnez-moi donc un fusil que j'en finisse» ou «Ouvrez donc la fenêtre que je me jette en bas» ou «Je ne suis plus bon à rien». L'infirmière décide donc de placer M. Dupont en observation constante, dans une chambre

>>>

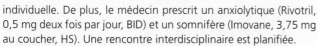

individuelle. De plus, le médecin prescrit un anxiolytique (Rivotril, 0,5 mg deux fois par jour, BID) et un somnifère (Imovane, 3,75 mg au coucher, HS). Une rencontre interdisciplinaire est planifiée.

Lors d'une réunion d'équipe, les infirmières discutent de la situation et de leur difficulté à faire s'exprimer M. Dupont sur ce qu'il vit. On prévoit deux rencontres par jour avec le résident, afin de mieux le comprendre et de l'aider. Au bout de quelques rencontres,

M. Dupont parle de son anxiété et de son désespoir. L'infirmière lui explique qu'elle comprend ses sentiments, qui sont normaux étant donné la situation difficile qu'il vit. À plusieurs reprises, elle évoque les succès de sa carrière d'enseignant et l'amélioration de sa condition physique. M. Dupont finit ainsi par aller mieux, par reprendre de sa vitalité. Son état de santé se stabilise. Il dit ne plus avoir d'idées suicidaires.

Questions

1 Nommez deux facteurs prédisposants du suicide qui ne sont pas illustrés dans la situation.

2 Suggérez deux questions que l'infirmière pourrait poser à M. Dupont pour évaluer son projet suicidaire.

3 Dans la situation décrite, M. Dupont présente-t-il un risque suicidaire ou une urgence suicidaire ? Justifiez votre réponse.

4 Concernant le principe d'intervention « préserver l'intégrité psychologique de la personne afin de soulager sa souffrance », indiquez trois interventions infirmières spécifiques évoquées dans la situation.

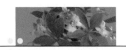

3 PROGRAMMES PRÉVENTIFS ET PROGRAMMES THÉRAPEUTIQUES

Dans cette troisième partie, nous avons regroupé les chapitres qui traitent de plusieurs des grands défis des soins infirmiers gériatriques, à savoir l'hydratation des résidents, leur alimentation, l'hygiène buccodentaire, l'élimination vésicale et intestinale, l'hygiène du sommeil, les chutes, la podologie, les plaies de pression, la douleur, la violence et la négligence ainsi que les contentions et les médicaments. Au fil des chapitres, nous mettons en évidence le rôle fondamental que joue l'infirmière pour assurer une évolution clinique stable de la santé et du bien-être des résidents. Tout en expliquant pourquoi le résident hébergé dans un CHSLD est si sensible à son environnement, nous examinons la façon dont l'infirmière peut agir pour réduire les risques qu'il connaisse des problèmes tels que la déshydratation, l'insomnie, etc.

Comme dans la deuxième partie, nous accordons dans les chapitres qui suivent une importance toute particulière à la capacité de l'infirmière à détecter les problèmes qui peuvent survenir, à les prévenir et à intervenir de manière autonome lorsqu'ils se produisent. Les programmes d'intervention que nous proposons visent un objectif capital : être réalistes et susceptibles d'être implantés dans les CHSLD.

11

L'HYDRATATION

par **Christine Danjou**

Plusieurs facteurs associés au vieillissement normal et à certaines pathologies prédisposent les aînés à la déshydratation. Or, un déséquilibre du bilan hydrique risque de causer de graves problèmes, car l'eau est un composant essentiel du corps humain. Outre qu'elle est présente dans tous les liquides corporels, l'eau intervient dans le transport et l'absorption des nutriments, ainsi que dans l'élimination des déchets.

On peut facilement prévenir la déshydratation chez l'aîné en s'assurant qu'il boit suffisamment. Bien qu'efficace et simple, ce geste élémentaire pose souvent problème dans les CHSLD, car les soignants ne connaissent généralement pas bien les besoins hydriques des aînés, ni les facteurs prédisposants et précipitants de la déshydratation. C'est pourquoi la formation des infirmières œuvrant en CHSLD devrait aussi insister sur les trois principales facettes de ce problème fréquent chez l'aîné : les besoins hydriques, les moyens diagnostiques et les programmes d'hydratation préventive.

NOTIONS PRÉALABLES SUR LA DÉSHYDRATATION

Définition

La déshydratation se définit comme « une perte d'eau » ou un bilan négatif de l'eau qui se solde par des sorties supérieures aux apports hydriques. Cette perte d'eau affecte les compartiments intracellulaires ou extracellulaires, ou les deux à la fois. De plus, la déshydratation peut être isotonique, hypertonique ou hypotonique. La *déshydratation isotonique* correspond à une perte égale d'eau et de sodium. Elle n'entraîne aucune modification de l'osmolalité sérique. Cette déshydratation est consécutive à des vomissements, à de la diarrhée ou à une diurèse osmotique causée notamment par le diabète (Mentes et Iowa-Veterans Affairs Research Consortium, 2000). La *déshydratation hypertonique* consiste en une diminution du volume hydrique corporel total due à une perte d'eau pathologique, à une diminution des apports hydriques ou à la combinaison de ces deux facteurs (Gross *et al.*, 1992). Il en résulte une hypernatrémie extracellulaire, c'est-à-dire une augmentation du taux de sodium dans le sang. Cette augmentation de la concentration de sodium dans le liquide extracellulaire attire l'eau à l'extérieur des cellules, ce qui provoque une déshydratation intracellulaire. Quant à la *déshydratation hypotonique*, elle correspond à une perte de sodium supérieure à la perte hydrique consécutive à l'utilisation de diurétiques, à des troubles rénaux ou à la diminution de la prise orale d'eau et de sel. La déshydratation qui en résulte est extracellulaire, car l'eau est attirée à l'intérieur des cellules.

Il existe trois méthodes pour calculer l'apport liquidien quotidien dont ont besoin les aînés. Selon la première méthode, un résident a besoin de 30 millilitres de liquide par kilogramme de poids corporel (Grant et DeHoog, 1991). Par exemple, un résident qui pèse 85 kg devrait boire l'équivalent de 2 550 mL par jour. La deuxième méthode se base sur les kilocalories (kcal) contenues dans les aliments absorbés. Selon cette méthode, le résident a besoin d'un apport liquidien de 1 mL/kcal (Food and Nutrition Board, 1989). Par exemple, le résident qui consomme 2 100 kcal doit boire 2 100 mL de liquide par jour. Enfin, la troisième méthode recommande un apport liquidien de 100 mL/kg pour les 10 premiers kilos de poids corporel, de 50 mL/kg pour les 10 kg suivants et de 15 mL pour chaque kilo additionnel (Skipper, 1993). Avec cette méthode, un résident pesant 85 kg devrait donc boire chaque jour l'équivalent de 2 475 mL.

Cette dernière méthode est la plus fiable pour estimer les apports liquidiens dont ont besoin les résidents des CHSLD, car elle tient compte des valeurs pondérales extrêmes, c'est-à-dire de l'obésité et de la maigreur.

Ampleur du problème

Les résidents des CHSLD consomment, en moyenne, entre 1 100 et 1 500 mL de liquide par jour, comparativement à une moyenne quotidienne de 2 100 mL pour les aînés qui vivent à la maison (Adams, 1988 ; Armstrong-Esther, Browne, Armstrong-Esther et Sander, 1996 ; Chidester et Spangler, 1997 ; de Castro, 1992 ; Kayser-Jones, Schell, Porter, Barbaccia et Shaw, 1999 ; O'Neil, Duggan et Davies, 1997). L'étude de Chidester et Spangler a établi qu'après trois jours d'observation la consommation quotidienne de liquide de 90 % des résidents des CHSLD était insuffisante. En effet, la consommation quotidienne moyenne n'était que de 1 632 mL de liquide, alors que le besoin moyen avait été évalué à 2 077 mL. Une autre étude effectuée auprès de résidents vivant en CHSLD (Holben, Hassell, Williams et Helle, 1999) a démontré qu'après trois jours d'observation 46 % des aînés présentaient des signes de déshydratation. Pire encore, Kayser-Jones *et al.* (1999) indiquent dans leur étude que 12,5 % des résidents n'avaient rien bu durant une période de 21 à 34 heures consécutives. La prévalence de la déshydratation en CHSLD est donc estimée à environ 34 % (Colling, Owen et McCreedy, 1994 ; Lavizzo-Mourey, Johnson et Stolley, 1988 ; Mentes, Culp, Maas et Rantz, 1999).

Conséquences

La déshydratation chez les résidents vivant en CHSLD a de graves conséquences, car elle entraîne plusieurs problèmes de santé, tels le delirium, les infections urinaires et pulmonaires, les troubles gastro-intestinaux, la constipation, les plaies de pression et les chutes (Kayser-Jones *et al.*, 1999 ; Kobriger, 1999 ; Mentes, Iowa-Veterans Affairs Research Consortium, 2000 ; Palevsky, Bhagrath et Greenberg, 1996 ; Robinson et Rosher, 2002 ; Sansevero, 1997 ; Warren *et al.*, 1994). De plus, la déshydratation augmente les risques d'hospitalisation récurrente (Gordon, An, Hayward et Williams, 1998) et de mortalité (Warren *et al.*, 1994 ; Wilson, 1998). Le taux de mortalité associé à la déshydratation est trois fois plus élevé que celui qui est associé à la fracture de la hanche (Warren *et al.*, 1994). Enfin, près de 50 % des aînés hospitalisés pour déshydratation décèdent dans l'année.

Facteurs prédisposants et facteurs précipitants

Facteurs prédisposants

De tous les facteurs prédisposants de la déshydratation, le vieillissement normal est le plus important. En effet, chez l'aîné, l'appareil rénal subit différentes modifications anatomiques et physiologiques qui sont responsables d'une diminution de la sécrétion urinaire.

Vieillissement normal

Le vieillissement normal s'accompagne de modifications histologiques et fonctionnelles des reins. Certaines de ces modifications prédisposent l'aîné à la déshydratation. La principale modification histologique est la diminution du volume des reins, qui subissent ainsi une perte pondérale. Après l'âge de 80 ans, le poids de chaque rein diminue de 10 à 43 % (Jassal et Oreopoulos, 2000). Cette perte pondérale touche surtout le cortex rénal, où se trouvent les glomérules et une partie des tubules rénaux. Par ailleurs, la circulation sanguine rénale diminue à mesure que l'individu vieillit. Cette diminution est de l'ordre de 10 % par décennie, à partir de la trentaine (Dharmarajan et Ugalino, 2003). Chez l'aîné de 80 ans, cette diminution atteint donc 50 %.

Outre qu'ils sont moins nombreux, les glomérules rénaux perdent une partie de leur efficacité fonctionnelle par suite d'une sclérose diffuse de leur paroi. La filtration glomérulaire s'en trouve ainsi réduite. Toutefois, cette diminution de la filtration glomérulaire n'entraîne pas d'augmentation de la concentration de la créatinine sérique, car la diminution de la masse musculaire inhérente au vieillissement conduit à une baisse de production de la créatinine sérique. Le taux de créatinine sérique demeure donc stable, car les deux changements s'équilibrent. Voilà pourquoi, chez l'aîné, la filtration glomérulaire ne doit pas se mesurer à l'aide du taux de créatinine sérique, mais plutôt à partir de la clairance de la créatinine (Dharmarajan et Ugalino, 2003).

Le vieillissement touche aussi les tubules rénaux. Leur nombre diminue et ceux qui restent raccourcissent. Ils sont donc moins fonctionnels. Leur fonctionnement est aussi altéré par l'apparition de petits diverticules dans leur partie distale, c'est-à-dire dans la région par laquelle ils communiquent avec le tubule collecteur. Ces modifications anatomiques entraînent une diminution de la réabsorption tubulaire qui est à l'origine d'un déséquilibre natrémique prédisposant à la déshydratation.

Le vieillissement normal entraîne une diminution de l'activité plasmatique de la rénine. Chez l'aîné, cette diminution est de l'ordre de 50 % par rapport à l'activité plasmatique de la rénine de l'adulte (Hazzard, Blass, Ettinger, Halter et Ouslander, 1999). Elle provient de la moindre efficacité avec laquelle l'appareil juxtaglomérulaire rénal transforme la rénine inactive en rénine active. Rappelons que la rénine transforme l'angiotensinogène (protéine d'origine hépatique) en angiotensine II active, dont le rôle est de stimuler la libération de l'aldostérone. Autrement dit, une diminution de la sécrétion de rénine entraîne indirectement une diminution de la libération d'aldostérone. L'aldostérone augmente principalement la réabsorption du sodium se trouvant dans la partie distale des tubules rénaux, mais aussi celle du sodium contenu dans la salive et le liquide gastrique (Timiras, 1997). Une diminution de la production d'aldostérone fait donc augmenter l'excrétion sodique. Comme l'eau tend à suivre le sodium, le résident se trouve exposé à la déshydratation cellulaire. Enfin, le vieillissement normal entraîne une augmentation de sécrétion de l'hormone natriurétique atriale, qui contribue à réduire la sécrétion de l'aldostérone en inhibant la sécrétion de la rénine et de l'angiotensine, ainsi que leur activité plasmatique. Le risque de déshydratation cellulaire augmente donc d'autant (Hazzard *et al.*, 1999).

Avec l'avancement en âge, le rein perd progressivement une partie de sa capacité de concentrer l'urine. Cela s'explique par le fait que la réponse tubulaire à l'égard de l'hormone antidiurétique n'est pas la même chez l'aîné et chez l'adulte. En effet, par rapport à l'adulte, l'aîné répond à une charge osmotique par une augmentation plus marquée des niveaux d'ADH, mais cette augmentation n'entraîne pas une rétention hydrique aussi grande que celle de l'adulte. Toujours selon Timiras (1997), les changements de la réponse tubulaire à l'ADH chez l'aîné s'expliqueraient par une diminution de la capacité osmotique et de la rétention hydrique des tubules rénaux. L'urine excrétée étant plus diluée, le résident se trouve plus exposé à la déshydratation.

La prédisposition de l'aîné à la déshydratation s'explique également par le fait que la sensation de soif s'émousse avec le vieillissement normal (Naitoh et Burrell, 1998 ; Phillips, Bretherton, Johnston et Gray, 1991). Cela serait dû à une diminution de la sensibilité osmotique et à la disparition d'un certain nombre d'osmorécepteurs (Naitoh et Burrell, 1998). Le résident légèrement déshydraté ne demandera donc pas à boire, malgré sa situation hydrique précaire.

Enfin, l'organisme de l'adulte d'âge moyen contient entre 55 et 60 % d'eau, et 40 % de cette eau se trouve dans les cellules musculaires. Or, les changements physiologiques de l'aîné entraînent une diminution de la masse musculaire au profit de la masse adipeuse. Cette perte musculaire s'accompagne d'une diminution de la quantité d'eau corporelle totale, car les cellules adipeuses ne contiennent pas beaucoup d'eau. Cette modification physiologique réduit ainsi à environ 45 à 50 % la proportion d'eau corporelle totale chez le résident âgé (Lavizzo-Mourey, 1987). Le maintien de l'équilibre hydrique devient alors une tâche plus difficile pour l'aîné, car il dispose de moins de réserves hydriques que l'adulte pour s'adapter aux facteurs endogènes.

Autres facteurs prédisposants

Maladies

Le diabète augmente le risque de déshydratation. Un diabète de longue date augmente les risques d'insuffisance rénale, à cause des atteintes vasculaires associées à cette pathologie. Le diabète insipide augmente également les risques de déshydratation par l'excrétion d'une urine trop diluée. La déshydratation résulte alors d'une sécrétion insuffisante d'ADH par l'hypothalamus ou, dans le cas du diabète insipide néphrogénique, de la résistance des tubules rénaux à l'action de cette hormone (Black et Matassarin-Jacob, 1993).

L'arthrite et les maladies musculosquelettiques diminuent la dextérité manuelle, ce qui rend la préhension difficile et contribue, indirectement, à la déshydratation. En effet, certains résidents éprouvent de la difficulté à tenir un verre ou une tasse, et ont donc du mal à boire ou ne sont pas portés à le faire aussi fréquemment qu'il le faudrait (Feinsod *et al.*, 2002 ; Sansevero, 1997). La dysphagie expose également l'aîné à la déshydratation, car il risque de s'étouffer en buvant. Il se privera donc de boire et aura à long terme, évidemment, un apport hydrique réduit (Kayser-Jones et Pengilly, 1999 ; Sansevero, 1997).

Les problèmes visuels prédisposent également l'aîné à la déshydratation (Holben *et al.*, 1999 ; Sansevero, 1997). Toutefois, l'association entre les deux problèmes se fait beaucoup moins lorsque les soignants anticipent et comblent les besoins hydriques des résidents (Hodgkinson, Evans et Wood, 2003).

D'autres problèmes de santé exposent les aînés à la déshydratation, en particulier les démences et les problèmes cognitifs, car ils les rendent incapables de s'hydrater sans aide. La dépression, l'hyperthermie, la diarrhée et les vomissements sont également à l'origine de la déshydratation.

Besoins de base

L'impossibilité de satisfaire ses besoins de base, dans ce cas, boire et manger, prédispose l'aîné à la déshydratation. L'apport hydrique provient non seulement des liquides ingérés, mais aussi de l'eau contenue dans les aliments et de celle qui est libérée au cours de leur transformation dans l'organisme en raison de l'oxydation métabolique. L'apport hydrique des aliments représente en moyenne 700 mL par jour, et l'oxydation de ces aliments procure environ 300 mL d'eau supplémentaire (Kneisl et Ames, 1986). Les aînés vivant en CHSLD risquent de ne pas s'alimenter suffisamment, soit parce qu'ils manquent d'appétit, soit parce que les soignants chargés de les aider à se nourrir manquent de temps. Or, les repas sont parfois pour l'aîné l'unique occasion de s'hydrater (Kayser-Jones *et al.*, 1999). Une alimentation insuffisante ainsi que le manque d'aide et de stimulation pendant les repas empêchent donc l'aîné de profiter de cette occasion de s'hydrater comme il le faudrait.

Facteurs précipitants

Plusieurs facteurs précipitants augmentent les risques de déshydratation chez le résident vivant en CHSLD, mais le principal problème vient des soignants qui ne connaissent pas bien les besoins hydriques et les manifestations cliniques de la déshydratation.

Mauvaise connaissance des besoins

Selon Armstrong-Esther *et al.* (1996), les infirmières reconnaissent que la déshydratation est un risque important chez l'aîné, mais elles ignorent quelle quantité d'eau doit boire un résident pour répondre à ses besoins. Toujours selon ces auteurs, trois infirmières sur quatre croient qu'il faut faire boire l'aîné seulement lorsqu'il le demande et qu'il est inutile d'instaurer un programme permanent d'hydratation. Aucune infirmière de cette étude n'a trouvé pertinent de faire un bilan des *ingesta* chez les aînés, notamment chez les aînés dépendants, confus ou incontinents.

Certaines infirmières estiment qu'il n'est pas nécessaire de faire un bilan hydrique quand il est impossible de mesurer les *excreta*. Il semble que les infirmières soient plus préoccupées par les *excreta* que par les *ingesta*. De plus, la plupart d'entre elles ne connaissent pas les manifestations cliniques de la déshydratation ou accordent trop d'importance à de mauvais indices, tels que la sensation de soif. D'après l'étude de Kayser-Jones *et al.* (1999), plusieurs facteurs cliniques, socioculturels et institutionnels pousseraient les aînés vivant en CHSLD à ne pas boire suffisamment. Une détection inadéquate de la dysphagie, les problèmes cognitifs et les problèmes fonctionnels sont les principaux facteurs cliniques décelés dans l'étude. Sur le plan socioculturel, les auteurs ont établi que le manque de soutien social, la langue parlée par le résident et l'indifférence des infirmières concernant les préférences hydriques des résidents contribuaient à augmenter le risque de déshydratation. Enfin, plusieurs facteurs institutionnels aggraveraient le risque de déshydratation, notamment le nombre insuffisant de soignants qualifiés ainsi que le manque de supervision de leur part. Des soins infirmiers inadéquats s'ajoutent donc aux facteurs prédisposants mentionnés plus haut et augmentent les risques de déshydratation de l'aîné vivant en CHSLD.

Autres facteurs précipitants

D'autres facteurs précipitants peuvent provoquer la déshydratation chez l'aîné. Plusieurs médicaments, comme les diurétiques, les médicaments pour les problèmes cardiaques, les laxatifs, les anti-inflammatoires non stéroïdiens, les benzodiazépines et les neuroleptiques, peuvent augmenter la déshydratation de l'aîné, soit par leur effet thérapeutique, soit par leurs effets secondaires. Paradoxalement, les aînés qui prennent plusieurs médicaments ont plus d'occasions de boire de l'eau et bénéficient d'une meilleure hydratation (Chidester et Spangler, 1997). Le recours à la contention physique accroît le risque de déshydratation, car l'aîné attaché ne peut boire seul et se trouve complètement dépendant des soignants pour satisfaire ses besoins hydriques. L'environnement physique contribue également à la déshydratation. En effet, un air ambiant trop chaud ou trop sec augmente les besoins hydriques de l'aîné (Lauque et Vellas, 2004). Enfin, l'absence de matériel adapté, tel que des verres munis d'une poignée ou de couleur vive, empêche l'aîné atteint de maladies musculosquelettiques ou visuelles de s'hydrater facilement.

Manifestations cliniques

Signes subjectifs

Contrairement à l'adulte, l'aîné ne réagit pas à la déshydratation par une plus forte sensation de soif. En effet, chez l'aîné, il n'y a pas d'association entre la soif et la sensation de sécheresse de la muqueuse buccale (Gross *et al.*, 1992). Chez lui, les signes subjectifs de la déshydratation sont donc très variés (Kleiner, 1995 ; Larson, 2003).

Le résident déshydraté peut se plaindre d'étourdissements, souvent dus à de l'hypotension orthostatique, ou de céphalées. Une sensation de lassitude ou de fatigue, une baisse d'appétit, une intolérance à la chaleur et des crampes musculaires sont d'autres manifestations habituelles de la déshydratation. Lorsque son état s'aggrave, l'aîné se plaint parfois de douleurs à la poitrine ou de douleurs abdominales (Larson, 2003). Il risque même de refuser de s'hydrater, car la sécheresse de la bouche ou la présence de lésions buccales peuvent rendre l'hydratation douloureuse.

Le résident peut également se plaindre de problèmes d'élimination, comme la constipation, parce que les selles sont trop sèches, ou encore présenter des douleurs mictionnelles ou de la dysurie, c'est-à-dire de la difficulté à uriner.

Les soignants doivent donc rester à l'affût de toute plainte exprimée par l'aîné et procéder à un examen physique complet lors de tout changement constaté.

Signes objectifs

Chez l'aîné, les principales manifestations physiques de la déshydratation s'observent dans la bouche (Gross *et al.*, 1992). L'infirmière peut donc procéder à un examen complet de la cavité buccale pour vérifier s'il y a déshydratation. Les signes les plus évidents sont l'épaississement de la langue, la présence de sillons longitudinaux sur la langue, l'absence de salive sur et sous la langue, ainsi que la présence de lésions sur les gencives ou les lèvres (Gross *et al.*, 1992). Cependant, il ne faut pas confondre la présence de sillons longitudinaux avec l'aspect en « carte routière » que prend parfois la langue chez les personnes atteintes d'une affection bénigne causée par la perte de papilles en petits amas (Sansevero, 1997).

Des changements au visage et au cou indiquent également une déshydratation. Les traits du visage deviennent plus tirés et les yeux paraissent cernés et creux (Feinsod *et al.*, 2002). L'aplatissement des veines du cou chez l'aîné allongé est aussi révélateur de déshydratation (Gross *et al.*, 1992), tout comme la diminution du turgor cutané. Le turgor cutané se définit comme la propension qu'a la peau de reprendre sa position normale après avoir été pincée entre le pouce et l'index (Dorrington, 1981). Le front et le sternum sont les endroits les plus indiqués pour effectuer ce test chez l'aîné, car la peau y est moins affectée par les modifications du tissu adipeux sous-cutané et par la perte d'élasticité résultant du vieillissement normal.

Il est également possible de reconnaître la déshydratation chez l'aîné en évaluant la force musculaire, car il existe une forte association entre la déshydratation et la faiblesse des muscles supérieurs et inférieurs. Il est à noter, cependant, que la faiblesse des muscles inférieurs résulte aussi à la fois du vieillissement et du manque d'activité physique (Gross *et al.*, 1992). De plus, il y a une étroite association entre la faiblesse des muscles supérieurs et la sévérité de la déshydratation (Gross *et al.*, 1992).

Le delirium est un autre signe de la déshydratation (voir le chapitre 7). En effet, l'hypovolémie entraîne un ralentissement de la circulation sanguine cérébrale et une diminution locale de l'apport de glucose, principale source d'énergie des neurones, ce qui explique en partie que la déshydratation entraîne une perturbation des fonctions cognitives (Kobriger, 1999 ; Reedy, 1988). Les troubles cognitifs et fonctionnels constituent l'un des premiers signes de déshydratation chez l'aîné. Les soignants disposent de plusieurs tests concernant la capacité cognitive et fonctionnelle qu'il est facile d'intégrer aux soins infirmiers de routine. Il est nécessaire de faire passer ces tests régulièrement, afin de bien observer l'évolution et les modifications soudaines des capacités de l'aîné (voir le chapitre 7).

Détection du problème

Paramètres cliniques

Différents paramètres cliniques révèlent la déshydratation de l'aîné. Parmi ceux-ci, une fréquence cardiaque atteignant plus de 100 battements par minute, une chute de la tension artérielle supérieure à 25 millimètres de mercure (mm Hg), par rapport aux valeurs habituelles, ainsi qu'une hypotension orthostatique (Feinsod *et al.*, 2002). La tension orthostatique se reconnaît aux manifestations suivantes : quand l'aîné passe de la position couchée à la station debout, la tension artérielle systolique diminue de 20 mm Hg, la tension artérielle diastolique baisse de 10 mm Hg et le pouls augmente de 20 pulsations par minute. L'hyperthermie est un autre signe de déshydratation (Gross *et al.*, 1992 ; Metheny, 2000).

Par ailleurs, chez l'aîné, la déshydratation se traduit également par une modification de la force des pouls pédieux et radial. Pour estimer la déshydratation, il est préférable de prendre le pouls pédieux plutôt que le pouls radial (Gross *et al.*, 1992). En cas de déshydratation, le pouls est faible, voire très faible, mais palpable, ou encore totalement absent. Toutefois, il arrive que l'absence complète du pouls pédieux soit due à un trouble vasculaire. Il faut alors procéder à un examen complet du membre.

Une diminution du remplissage veineux au niveau du pied est un autre signe clinique de déshydratation. Pour évaluer le remplissage veineux, il faut placer un doigt sur la partie distale d'une veine du dessus du pied puis placer un autre doigt sur la partie proximale de la même veine après qu'elle se fut vidée de son sang. Chez l'aîné correctement hydraté, la veine se remplit de sang dès qu'on relâche la pression. S'il y a déshydratation, la veine se remplit plus lentement. Un temps de remplissage de plus de trois secondes indique une déshydratation (Metheny, 1996).

Une perte pondérale involontaire et rapide est également un signe de déshydratation chez l'aîné (Gross *et al.*, 1992 ; Metheny, 2000). La perte rapide d'un kilogramme correspond à la perte d'un litre d'eau (Metheny, 2000). Pour faire un suivi pondéral efficace, il est important d'avoir une valeur pondérale de référence et de la mettre à jour régulièrement.

Examens de laboratoire

Plusieurs examens de laboratoire permettent de déterminer si un aîné est déshydraté. Les résultats des tests sanguins permettent de révéler une déshydratation établie, alors que les tests urinaires ont une valeur prédictible (Armstrong *et al.*, 1994 ; Metheny, 1996).

Examens sanguins

L'hypernatrémie sérique est l'un des premiers indices de la déshydratation hypertonique (Metheny, 2000). Elle résulte d'une perte excessive d'eau ou d'une diminution des apports hydriques (Metheny, 2000).

Le ratio sanguin de l'azote uréique et de la créatinine permet également de déterminer s'il y a déshydratation. Il est important de bien considérer le ratio, et non les valeurs distinctes de l'urée et de la créatinine. En cas de déshydratation, l'azotémie augmente, car le débit sanguin rénal diminue alors, ce qui a pour effet de ralentir l'excrétion de l'urée. Il ne faut pas oublier, cependant, que le taux uréique peut être modifié par l'insuffisance protéinique ou par l'inactivité physique, qui entraîne une fonte musculaire (Sansevero, 1997). La créatinine, quant à elle, reflète la fonction excrétrice rénale, et la déshydratation n'influe pas sur sa concentration sérique. C'est pourquoi il est plus pertinent de considérer le ratio des deux substances : l'augmentation de l'azotémie associée à la stabilité de la créatinine indique une déshydratation. Mais une augmentation parallèle des deux taux sériques révèle une affection ou une insuffisance rénale (Pagana et Pagana, 1991).

Enfin, la diminution du volume sanguin causée par la déshydratation entraîne une élévation de l'hématocrite, examen qui révèle l'augmentation du volume globulaire par suite d'une diminution du volume sanguin total.

Examens urinaires

Chez l'aîné, la déshydratation perturbe la diurèse et modifie certaines caractéristiques de l'urine. En premier lieu, la quantité d'urine excrétée diminue notablement. Un aîné qui excrète entre 800 et 1200 mL d'urine par jour présente des signes de déshydratation, tandis que celui qui excrète moins de 800 mL souffre d'une déshydratation établie (Mentes, 2001). L'urine excrétée est également plus foncée et peut même être brun verdâtre. La déshydratation entraîne également l'augmentation de la densité urinaire, car le rein retient le plus d'eau possible et excrète un soluté très concentré (Metheny, 2000). Cette excrétion d'urine concentrée se mesure par l'augmentation de l'osmolalité urinaire (Mentes, 2001).

L'impédance bioélectrique est une autre méthode non invasive permettant de mesurer la déshydratation. Il s'agit de déterminer la teneur en eau du corps en mesurant la résistance ou l'impédance des tissus en réponse à un léger courant électrique induit à travers des électrodes posées sur le corps. Cette méthode s'est avérée efficace chez l'aîné, mais elle est rarement disponible en CHSLD.

PROGRAMME D'INTERVENTION

Il existe plusieurs programmes d'hydratation visant à prévenir l'apparition de la déshydratation chez les résidents des CHSLD. Le programme de Robinson et Rosher (2002) est intéressant tant pour sa facilité de réalisation et son efficacité que pour les effets secondaires bénéfiques qu'il apporte à l'aîné.

Programme d'hydratation de Robinson et Rosher

L'objectif du programme d'hydratation de Robinson et Rosher (2002) est de faire boire aux aînés un volume de liquide supérieur au minimum requis, qui est de 1 500 mL par jour, et d'observer l'effet d'une hydratation adéquate sur la prévention des problèmes associés à la déshydratation. Ces problèmes sont le delirium, les infections urinaires et respiratoires, les chutes, les plaies de pression et la constipation. Ce programme s'appuie sur deux grands principes. Le premier est qu'il faut former des soignants compétents, c'est-à-dire capables de déterminer le volume liquidien à administrer afin d'assurer un soin de qualité et adapté aux besoins de l'aîné vivant en CHSLD (voir le tableau 11-1). Le second est qu'il faut rendre agréable et attrayante la distribution des breuvages afin d'encourager l'aîné à boire.

Les soignants ainsi formés seront en mesure d'assister les résidents qui ont besoin d'aide pour s'hydrater, en particulier ceux qui sont atteints de dysphagie, d'arthrite ou de démence. Ils pourront également inciter les résidents à boire plus.

Comme nous l'avons mentionné, le deuxième principe du programme est qu'il faut rendre l'hydratation attrayante. À cet effet, il faut envisager certains changements d'ordre matériel. Ainsi, pour inciter les résidents à boire et rendre

Tableau 11-1	Techniques d'hydratation adaptées aux besoins de l'aîné en CHSLD

En général
- Intégrer l'hydratation dans les soins de routine et dans le plan de soins.
- Offrir des liquides une fois par heure durant la journée et la soirée.
- Offrir un verre d'eau au lever.
- Augmenter la quantité de liquide lors de la prise de médicaments.
- Offrir des petits repas fréquents.
- S'assurer de toujours donner des liquides lors des repas.
- Durant la journée, offrir plus de liquide si l'aîné n'a pas bu pendant le repas.
- Placer une serviette colorée sur le plateau des résidents présentant un risque de déshydratation, afin d'attirer l'attention des soignants.
- Calculer les *ingesta* et les *excreta*.
- Sensibiliser les soignants et la famille au concept « une visite, un verre ».
- Prodiguer des soins bucco-dentaires fréquents.

Dysphagie
- Conserver l'apparence des aliments et des liquides. Éviter de mélanger les aliments et les liquides.
- Modifier les textures alimentaires et hydriques seulement si c'est nécessaire, mais pas systématiquement.
- Offrir des desserts gélifiés ou des poudings riches en eau ou en lait.
- Offrir des fruits et des légumes riches en eau.
- S'assurer que le résident est dans une position assise adéquate.
- Respecter le rythme du résident.

Arthrite
- Adapter la vaisselle et les ustensiles. Utiliser des verres et des pichets ni trop lourds ni trop gros ; utiliser des verres avec des poignées à texture antidérapante.
- Utiliser une paille.
- Ouvrir les contenants de lait ou de jus.
- Aider ou assister à la préparation des breuvages.

Démence
- Fournir des indices visuels ou verbaux sur la façon de manger et de boire.
- Offrir des aliments qui se mangent avec les doigts si l'utilisation d'ustensiles est difficile.
- Respecter le rythme du résident.
- Demander à la famille les préférences hydriques du résident, telles que le type de liquide, la texture et la température.

agréable le moment de la collation, on devrait remplacer le traditionnel chariot gris qui sert à distribuer les breuvages par un chariot décoré en fonction des fêtes et des événements importants. Dans la décoration, il faut favoriser le mauve et le jaune, car il s'agit des couleurs que les aînés perçoivent le plus facilement. Il faut également remplacer les verres habituels de styromousse blanc par de grands verres en plastique coloré et proposer aux résidents plusieurs sortes de breuvages chauds ou froids. Les breuvages chauds incluent le café et le thé décaféinés, le chocolat chaud et le cidre de pomme, tandis que les breuvages froids comprennent différentes sortes de jus de fruits, le lait et le lait frappé, la limonade, le thé glacé et les sodas sans caféine. Robinson et Rosher (2002) affirment que n'importe quelle demande doit être honorée. Les breuvages sont servis à l'aide de pichets colorés. Dans ce programme, il faut distribuer les breuvages le matin et l'après-midi.

L'instauration de ce programme a permis d'améliorer l'hydratation des résidents. Durant les cinq semaines qu'a duré l'expérimentation, l'incidence de la constipation et l'utilisation de laxatifs ont diminué, de même que le nombre de chutes. De plus, les coûts associés aux complications de la déshydratation ont diminué. Après l'arrêt du programme, la déshydratation a connu une nouvelle hausse, ce qui confirme l'importance d'adopter les principes de ce programme de prévention et de les appliquer continuellement.

Lors de l'expérimentation de leur programme d'hydratation, Robinson et Rosher ont utilisé l'analyse d'impédance bioélectrique pour déterminer le niveau de déshydratation des résidents. Même si cette technique n'est pas disponible en CHSLD, l'infirmière peut tout de même établir facilement le profil hydrique des résidents à l'aide de la troisième méthode proposée par Skipper (1993) pour établir les besoins hydriques et à partir de l'ingestion liquidienne quotidienne. L'infirmière travaillant en CHSLD doit donc porter une grande attention à l'analyse des bilans d'*ingesta* des résidents, afin de vérifier si les besoins hydriques sont satisfaits.

Le programme de Robinson et Rosher démontre qu'il est effectivement possible de prévenir l'apparition de la déshydratation et d'éviter ses effets néfastes, d'une part, en informant les soignants des besoins hydriques et des besoins d'aide des résidents des CHSLD, d'autre part, en rendant agréable le moment de la collation hydrique. Outre qu'il prévient la déshydratation chez le résident, ce programme a permis d'augmenter les périodes de stimulations sensorielles, cognitives et sociales. En effet, les résidents pouvaient choisir parmi plusieurs breuvages offrant des textures et des goûts différents. Ils pouvaient également choisir la couleur du verre dans lequel ils souhaitaient boire, ce qui leur offrait une stimulation sensorielle supplémentaire. Le moment de la collation hydrique devient ainsi un moment agréable au cours duquel les résidents atteints de démence légère ou sévère peuvent exprimer leur joie et leur plaisir à participer. De plus, ce moment permet aux résidents de socialiser, soit entre eux, soit avec les soignants et les bénévoles participant au programme.

Le programme de Robinson et Rosher n'est pas unique en son genre. Des programmes d'hydratation proposés en dehors des heures de repas se sont avérés efficaces pour prévenir l'apparition de la déshydratation chez les résidents des CHSLD. Le « Happy Hours » (Musson *et al.*, 1990) et le « Tea Time » (Mueller et Boisin, 1989) sont des programmes similaires qui préviennent la déshydratation et augmentent les périodes de socialisation.

Programme individuel

Les programmes collectifs préviennent la déshydratation et doivent être appliqués à tous les résidents des CHSLD, quelle que soit leur condition hydrique. Cependant, il est nécessaire d'envisager un programme d'intervention individuelle lorsqu'un résident particulier souffre de déshydratation.

La première étape d'un programme individuel de réhydratation consiste à évaluer les besoins hydriques du résident. La norme proposée par Skipper (1993) et évoquée plus haut est la plus appropriée au regard des besoins des résidents des CHSLD.

L'instauration d'un programme individuel de réhydratation doit tenir compte des particularités cliniques du résident. En fait, l'approche différera si le résident présente des problèmes cognitifs, des problèmes de dysphagie ou d'incapacités, ou souffre de certaines affections physiques. La réhydratation doit se faire plus prudemment chez le résident atteint d'insuffisance cardiaque, de cirrhose ou de syndrome néphrotique. Inversement, l'aîné atteint de bronchopneumopathie chronique obstructive nécessite une réhydratation plus intense (Sansevero, 1997).

Il est possible d'adapter la méthode d'administration des liquides à l'état de santé du résident. Chez un aîné capable de s'hydrater, il est facile de corriger une déshydratation légère qui n'est pas accompagnée de changements hémodynamiques. Il suffit de lui faire absorber chaque jour, par voie orale, 2 000 mL de liquide (Hoffman, 1991). Pour corriger une déshydratation légère, il suffit donc tout simplement d'offrir à boire au résident. Les aînés acceptent habituellement les breuvages qui leur sont proposés, même si le volume est élevé (Matteson et McConnell, 1988).

La réhydratation peut également se faire par perfusion sous-cutanée. Ce procédé, qui porte le nom d'hypodermoclyse, consiste à injecter lentement du liquide dans le tissu sous-cutané. Il s'agit habituellement d'une solution de NaCl 0,9 % ou d'une solution de dextrose 3,3 % dans du NaCl 0,3 %. La réhydratation se fait par la réabsorption du liquide qui passe dans la circulation sanguine sous l'effet de la diffusion et de la perfusion tissulaire. L'hypodermoclyse est une pratique ancienne (Gasford et Evans, 1949), mais son efficacité a été récemment démontrée en soins de longue durée (Arinzon, Feldman, Fidelman, Gepstein et Berner, 2004). Dans une étude réalisée auprès de 122 résidents dépendants vivant en CHSLD,

Arinzon *et al.* ont prouvé que l'hypodermoclyse avait permis de réduire nettement la déshydratation et d'améliorer la condition médicale générale, le statut cognitif ainsi que l'absorption orale de liquide. Ce procédé constitue une façon efficace de traiter la déshydratation chez l'aîné, tout en présentant moins d'effets secondaires que la perfusion intraveineuse (Berger, 1984; Dasgupta, Binns et Rochon, 2000; Slesac, Schnuerle, Kinzel et Jakob, 2003). De plus, il n'est pas nécessaire d'hospitaliser le résident (Arinzon *et al.*, 2004). L'hypodermoclyse n'est cependant pas recommandée lorsque la quantité de liquide à perfuser excède 1 500 mL par jour et lorsqu'il faut procéder rapidement à la réhydratation.

La déshydratation plus sévère, accompagnée de modifications hémodynamiques ou cognitives, demande un remplacement hydrique intraveineux. Il s'agit d'une urgence médicale qui nécessite une hospitalisation. On doit procéder à une réhydratation progressive, afin d'éviter le déplacement osmotique de l'eau au niveau des neurones et de prévenir l'œdème cérébral (Lippmann, 1995). C'est pourquoi il est recommandé de compenser la moitié du déficit hydrique corporel en vingt-quatre heures (Minaker, 1995). Une solution intraveineuse (IV) de NaCl 0,45 % est indiquée en cas de déshydratation hypernatrémique chez l'aîné présentant une fonction rénale normale. Il est préférable d'employer une solution IV de NaCl 0,9 % si l'aîné déshydraté ne présente pas de modification natrémique (Sansevero, 1997), et une solution IV de NaCl 0,25 % ou 0,5 % si la déshydratation est hyponatrémique (Lippmann, 1995).

L'efficacité de ces méthodes de réhydratation se traduit par la diminution des signes et symptômes chez le résident et par le retour à la normale des paramètres biologiques mesurés en laboratoire.

Conclusion

La déshydratation est une affection fréquente chez l'aîné vivant en CHSLD, et son apparition doit être prise très au sérieux. Plusieurs facteurs expliquent la prédisposition des aînés à la déshydratation, en particulier la diminution de la filtration glomérulaire, la diminution de la réabsorption tubulaire et de la capacité à concentrer l'urine, et l'altération du mécanisme de la soif. La modification de la répartition des tissus adipeux et musculaires reliée au vieillissement normal contribue également à la déshydratation. La déshydratation a de graves répercussions sur la santé de l'aîné et peut même être mortelle. Une anamnèse rigoureuse et un examen physique et cognitif complet permettent de détecter rapidement la déshydratation chez l'aîné. De plus, comme l'infirmière est en contact permanent avec les résidents, elle est la mieux placée pour détecter ce syndrome. Il est facile de prévenir la déshydratation par l'instauration d'un programme d'hydratation collectif simple intégré aux soins infirmiers de routine.

Il ne suffit pas à l'infirmière d'être bien placée pour prévenir la déshydratation chez les résidents des CHSLD. Elle doit, en plus, connaître les besoins hydriques des aînés et les facteurs associés à la déshydratation. L'infirmière doit prendre conscience que l'hydratation est importante et que même en soins de longue durée, il ne peut y avoir de soins infirmiers de qualité sans évaluation des *ingesta* et des *excreta* ni sans une bonne compréhension des examens de laboratoire. La formation que reçoit l'infirmière devrait donc lui permettre de reconnaître les signes et les symptômes de la déshydratation, de connaître les examens de laboratoire qui en permettent le diagnostic et d'appliquer les programmes de prévention adéquats.

ÉTUDE DE CAS

Madame Germain, âgée de 89 ans, est atteinte d'une démence de type Alzheimer. Depuis environ quatre mois, elle vit dans un CHSLD. Elle y a été admise après le décès de son conjoint. Auparavant, elle habitait avec son époux qui prenait soin d'elle. Mme Germain et son époux avaient l'habitude de prendre un verre de jus et un morceau de gâteau tous les jours, à la même heure, au restaurant de leur quartier. Mme Germain aimait beaucoup ce moment de la journée, car elle discutait avec le propriétaire et trouvait ce moment agréable.

Depuis son admission au CHSLD, Mme Germain est moins souriante; elle participe rarement aux activités de l'unité et présente plusieurs symptômes dépressifs. Elle s'alimente difficilement, parce que ses mains sont déformées par l'arthrite et que les ustensiles ne sont pas adaptés à son état.

Hier soir, Mme Germain est devenue agitée. Elle prétend avoir vu du feu dans la chambre voisine et avoir tenté de l'éteindre. Elle a alors fait une chute. Aujourd'hui, elle est léthargique et tient un

discours incohérent. Lors des soins d'hygiène, elle a de la difficulté à effectuer les gestes habituels, car elle se laisse distraire par son environnement. De plus, elle est somnolente par moments.

Il devient urgent de s'occuper de Mme Germain. Les soignants décident de discuter de son cas au cours de la réunion interdisciplinaire de l'après-midi. L'étude du dossier médical de la résidente révèle que, depuis trois jours, elle reçoit par erreur du Lasix 20 mg *per os*. De plus, les soignants confirment qu'elle ne boit plus l'après-midi depuis qu'elle s'est étouffée, en début de semaine, en avalant un peu d'eau. Une évaluation cognitive complète confirme le delirium, mais la cause initiale de ce delirium n'est pas encore déterminée. Un examen physique pratiqué sur Mme Germain révèle plusieurs signes de déshydratation. La muqueuse buccale est sèche et la langue est couverte de sillons longitudinaux. Le remplissage veineux est ralenti au niveau du pied et le pouls pédieux est faible. Mme Germain présente plusieurs modifications hémodynamiques, sa tension artérielle est légèrement plus basse que d'habitude

>>>

et son pouls est plus rapide. Des examens de laboratoire permettent de confirmer la déshydratation.

Mme Germain est donc hospitalisée, et une perfusion intraveineuse de NaCl 0,9 % est mise en place, avec un débit de 70 mL par heure. Le lendemain matin, une bénévole l'aide à s'alimenter et elle mange tout ce que contient son plateau. Dès l'après-midi, Mme Germain est souriante et bavarde avec intérêt avec sa petite-fille venue lui rendre visite. Quelques jours plus tard, elle retourne au CHSLD. Avec l'aide de sa petite-fille, les soignants instaurent un programme d'hydratation afin de prévenir une autre déshydratation.

Questions

1 Quels sont les principaux changements rénaux que cause le vieillissement normal ?

2 Quels sont les facteurs prédisposants de la déshydratation chez Mme Germain ?

3 Si Mme Germain pèse 44,5 kg, quelle quantité de liquide doit-elle boire en une journée, d'après la troisième méthode de mesure de Skipper ?

4 Quel est le premier symptôme qui a permis de diagnostiquer la déshydratation chez Mme Germain ?

12 L'ALIMENTATION

par **Guylaine Ferland**

L'état nutritionnel, qui résulte d'un équilibre entre les apports et les dépenses énergétiques et nutritionnels, joue un rôle déterminant dans la santé des aînés. Un état nutritionnel adéquat contribue au bon déroulement des fonctions physiologiques ainsi qu'à l'autonomie et à la qualité de vie de la personne. Inversement, un état nutritionnel déficient constitue un important facteur de morbidité et de mortalité. Dans les CHSLD, la dénutrition et la dysphagie représentent les principaux défis nutritionnels auxquels doivent faire face les infirmières.

NOTIONS PRÉALABLES SUR LA DÉNUTRITION ET LA DYSPHAGIE

Définition

La dénutrition se définit de façon générale comme un appauvrissement de l'état énergétique ou de l'état nutritionnel, ou les deux. Elle résulte soit d'apports alimentaires insuffisants pour couvrir les besoins, soit d'une augmentation des besoins en raison d'affections aiguës. Dans le premier cas, la dénutrition est qualifiée de dénutrition par insuffisance d'apports, dans le second, elle est dite hypermétabolique (Bruhat *et al.*, 2000; Thomas, 2002). Dans les CHSLD, la dénutrition protéino-énergétique est la plus fréquente, bien qu'elle s'accompagne occasionnellement de carences en vitamines et minéraux. Par ailleurs, la dysphagie se définit comme un trouble de la déglutition, laquelle représente l'ensemble des phénomènes assurant le transit normal des aliments solides ou des liquides de la bouche à l'estomac (Desjardins, Sanscartier, Gaudreault, Arguzzi et St-Denis, 2000).

Ampleur du problème

Tant en Amérique du Nord qu'en Europe, la dénutrition affecterait environ 45 % des résidents des CHSLD, mais certaines études rapportent des prévalences beaucoup plus élevées, de l'ordre de 85 % (Thomas, 2002). Au Canada, selon une étude ontarienne réalisée auprès de 166 hommes et de 34 femmes, dont l'âge moyen était de 78,5 ans et qui vivaient en CHSLD, la prévalence de la dénutrition pour l'ensemble des sujets était de 46 %. Chez ces personnes dénutries, 27,5 % étaient atteintes de dénutrition modérée et 18 % de dénutrition grave (Keller, 1993). De même, dans une étude québécoise réalisée auprès de 240 femmes et de 89 hommes provenant de 11 CHSLD de la région de l'Outaouais, 49 et 24 % des résidents présentaient des risques modérés et élevés de dénutrition, respectivement (Dessureault, Major et Pettigrew, 1999). Quant à la dysphagie, elle affecterait entre 30 et 60 % des aînés vivant en institution (Hudson, Daubert et Mills, 2000). Dans l'étude de Dessureault *et al.* (1999), 46 % des sujets signalaient qu'ils mastiquaient ou avalaient difficilement. En revanche, une étude réalisée auprès de 349 résidents vivant en CHSLD dans la région de Toronto a montré que 68 % d'entre eux se plaignaient de dysphagie (Steele, Greenwood, Ens, Robertson et Seidman-Carlson, 1997).

Conséquences

Les conséquences de la dénutrition sont multiples et affectent autant le résident que le réseau de la santé. Pour l'individu, la dénutrition accroît la fragilité de l'organisme et elle entraîne une augmentation de la prévalence de la morbidité et de la mortalité. Plus précisément, la dénutrition s'accompagne d'une diminution de la masse musculaire et de la force musculaire. À leur tour ces déficiences risquent d'entraîner de la fatigabilité, une réduction de la mobilité et une augmentation des risques de chutes et de fractures. La dénutrition diminue également les défenses immunitaires, ce qui rend les aînés dénutris plus vulnérables aux infections et aux plaies de pression, elle ralentit le processus de cicatrisation. De plus, la dénutrition accroît le risque de complications infectieuses et cliniques graves, notamment les septicémies, les pneumonies, les embolies pulmonaires, la détresse respiratoire et l'insuffisance rénale aiguë. Or, les patients dénutris accaparent une plus grande proportion des ressources de soins de santé, ce qui entraîne une augmentation des coûts de santé, comme le démontrent certaines études selon lesquelles il en coûte en moyenne deux fois plus pour soigner un patient atteint de dénutrition qu'un patient non dénutri (Morley et Silver, 1995; Ferland, 2002).

La dysphagie comporte également des conséquences importantes pour la santé du résident, dont un risque accru de dénutrition. Selon certains travaux, la dénutrition affecterait jusqu'à 50% des personnes dysphagiques. De plus, elle est associée à une plus grande morbidité, notamment à des risques accrus d'aspiration et de pneumonies, ainsi qu'à une mortalité plus élevée. Dans les cas extrêmes, la dysphagie peut entraîner l'asphyxie. Enfin, parce qu'elle est souvent une source d'anxiété au moment des repas, la dysphagie conduit parfois à un isolement social, le résident refusant de prendre ses repas en groupe, et à une détérioration générale de la qualité de vie (Hudson *et al.*, 2000).

Facteurs prédisposants et facteurs précipitants

Facteurs prédisposants

Vieillissement normal

La dénutrition et la dysphagie s'expliquent en partie par des changements physiologiques liés au vieillissement normal. Parmi les changements qui risquent le plus d'influer sur la dénutrition, il faut d'abord mentionner les changements sensoriels liés au goût et à l'odorat. En effet, le vieillissement s'accompagne d'une légère perte de la capacité de percevoir la saveur des aliments, surtout chez les fumeurs et les personnes qui prennent beaucoup de médicaments. Toutefois, la perte de l'odorat est encore plus fréquente puisque, selon certains travaux, elle affecterait jusqu'à 75% des personnes de plus de 80 ans. Or, ces pertes d'acuité tendent à réduire le plaisir de manger et l'intérêt du résident pour les repas.

Par ailleurs, la vidange gastrique ralentit avec l'âge. Il s'ensuit un sentiment de satiété précoce. Le résident arrête donc de manger prématurément. De même, des travaux réalisés au cours des vingt dernières années ont mis en évidence une altération de la sécrétion de différentes hormones qui participent à la régulation de l'appétit. Parmi celles-ci, mentionnons la cholecystokinine et la leptine, qui diminuent l'appétit, et dont les taux circulants augmentent avec l'âge, ainsi que la ghréline et la testostérone, deux hormones orexigènes (qui stimulent l'appétit), dont les concentrations diminuent au cours du vieillissement.

Maladies

Diverses maladies entraînent des incapacités fonctionnelles qui ont pour effet d'augmenter les besoins d'assistance du résident lors des repas, ce qui représente un important facteur de risque de dénutrition. Par exemple, les personnes souffrant d'apraxies et de tremblements associés à l'arthrite ou à la maladie de Parkinson ont beaucoup de difficulté à porter les aliments à la bouche. De même, la perte d'appétit, la dysphagie, les états pathologiques chroniques, les problèmes digestifs ou intestinaux et les troubles aigus augmentent le risque de dénutrition. Par exemple, les désordres inflammatoires, les problèmes infectieux ou les tumeurs augmentent les besoins métaboliques de l'organisme et contribuent à l'appauvrissement nutritionnel.

Une cavité buccale en mauvais état constitue un autre facteur de risque important de dénutrition. Une mauvaise denture ou des prothèses mal ajustées nuisent à la mastication et amènent parfois le résident à éviter de consommer des aliments durs tels que les crudités, les noix et la viande. Les difficultés masticatoires sont notamment associées à une plus grande prévalence de dénutrition protéino-énergétique.

La dépression, les atteintes cognitives et la démence constituent aussi d'importants facteurs de risque d'un appauvrissement nutritionnel. Selon certains travaux, la prévalence de dénutrition chez les personnes présentant des pertes cognitives varierait entre 30 et 50%, alors que la dépression a souvent été associée à l'inappétence et à la perte de poids involontaire.

Facteurs psychologiques

Des travaux récents indiquent que les émotions ressenties par le résident au moment du repas, telles que se sentir confiant, rassuré ou, au contraire, anxieux ou en colère, influent notablement sur la prise alimentaire (Paquet *et al.*, 2003). Il est donc important de favoriser un état de bien-être psychologique lors des repas afin de permettre au résident de se nourrir adéquatement.

Facteurs prédisposant à la dysphagie

Plusieurs facteurs prédisposent à la dysphagie, notamment les accidents vasculaires cérébraux et les maladies neurodégénératives, telles la maladie de Parkinson, la sclérose en plaques et la maladie d'Alzheimer. On estime qu'entre 30 et 45% des accidentés vasculaires cérébraux et près de 50% des résidents atteints de la maladie de Parkinson souffriraient de dysphagie. En outre, en raison de la faiblesse musculaire qu'elle engendre, la dénutrition protéino-énergétique constitue un autre important facteur de risque de la dysphagie (Desjardins *et al.*, 2000; Hudson *et al.*, 2000).

Facteurs précipitants

Soignants

En marge des facteurs prédisposants, des facteurs propres au contexte de vie du résident précipitent parfois l'installation de la dénutrition et accentuent les conséquences de la dysphagie. Parmi les plus connus, mentionnons le manque de vigilance des soignants à détecter les signes cliniques associés à ces conditions, une prise en charge inadéquate des résidents dénutris ou dysphagiques au moment des repas en raison du manque de personnel, ou encore de soignants insuffisamment qualifiés. Pour plusieurs auteurs, le manque d'assistance durant les repas représenterait un des principaux facteurs précipitants de l'appauvrissement nutritionnel en CHSLD. Par ailleurs, la qualité des repas offerts, notamment la capacité de couvrir les besoins nutritionnels particuliers des résidents, constitue un autre facteur précipitant important. Ainsi, des travaux ont démontré que les aînés souffrant de démence avaient davantage d'appétit le matin qu'à d'autres moments de la journée. Pourtant, dans la majorité des CHSLD, le petit déjeuner est le repas dont la densité nutritive est la plus faible (Young, Binns et Greenwood, 2001). De même, les aliments peu appétissants ou ne répondant pas aux goûts des résidents, tout comme les régimes thérapeutiques, souvent injustifiés ou inutilement restrictifs, risquent de précipiter la dénutrition. Enfin, l'attitude des soignants s'avère un élément déterminant. Un personnel compétent, chaleureux, qui répond de manière attentive et juste aux besoins de chacun contribue à faire du repas un moment privilégié de la journée du résident (Morley et Silver, 1995 ; Ferland, 2002).

Médicaments

Les médicaments que doivent prendre un grand nombre de résidents pour traiter différents états pathologiques accentuent le risque de dénutrition en raison de leurs nombreuses interactions avec les aliments. Il arrive en effet que les médicaments nuisent à l'état nutritionnel en réduisant l'absorption des éléments nutritifs, en modifiant leur métabolisme, ou encore en augmentant leur excrétion. De plus, certains médicaments diminuent l'appétit. Les uns exercent leurs effets en agissant directement sur le système nerveux, alors que d'autres interviennent sur le système nerveux périphérique, par exemple en modifiant la motilité gastrique. De manière générale, le nombre d'effets indésirables causés par les médicaments croît avec le nombre de médicaments consommés.

Environnement physique

Les conditions physiques et sociales dans lesquelles les résidents prennent leurs repas influent également sur la prise alimentaire durant les repas et sur l'évolution nutritionnelle. Une salle à manger bruyante, mal éclairée ou peu accueillante empêchera le résident de manger avec plaisir. Il en est de même pour les résidents qui se voient obligés de partager leur table avec des personnes agitées, ce qui risque de contribuer à la dénutrition. Plusieurs travaux ont d'ailleurs souligné les liens entre le fait de séjourner dans un environnement agréable et convivial et l'amélioration de la prise alimentaire chez les résidents en CHSLD.

Manifestations cliniques

Dénutrition

Il n'existe pas de marqueur universel de la dénutrition. Son dépistage repose donc sur un ensemble d'éléments de nature clinique, fonctionnelle, anthropométrique, biochimique et diététique. La maigreur, une silhouette émaciée, tout comme une fonte musculaire au niveau des membres, constituent des signes cliniques de dénutrition. De même, la pâleur, l'alopécie (chute des cheveux et des poils), les cheveux secs, les dermatites et les plaies font partie du tableau clinique associé à l'appauvrissement nutritionnel. Par ailleurs, la présence d'œdème au niveau des chevilles ou de la région présacrée peut révéler une carence protéique. Sur le plan fonctionnel, la dénutrition se traduit par de la faiblesse et une fatigabilité accrue (Kergoat, 1998).

Sur le plan anthropométrique, des pertes pondérales involontaires de 5 % en un mois, de 7,5 % en trois mois, ou de 10 % en six mois, constituent des signes cliniques révélateurs et traduisent un risque modéré de dénutrition. Des pertes supérieures aux valeurs mentionnées précédemment constituent des signes sérieux et indiquent un risque grave de dénutrition. Un faible indice de masse corporelle, ou IMC, représente également un signe clinique de dénutrition. L'IMC se calcule en divisant le poids du résident en kilogrammes par sa taille au carré, en mètres. Par exemple, une résidente qui mesure 1,60 m et pèse 48,7 kg a un IMC de 19.

Chez la personne âgée, l'IMC associé aux meilleurs états de santé et de longévité se situe entre 24 et 27, alors que le risque de mortalité augmente lorsque l'IMC est inférieur à 23,5 chez l'homme et à 22,0 chez la femme (Thomas, Ashmen, Morley, Evans et The Council for Nutritional Strategies in Long-Term Care, 2000). Par ailleurs, bien que les valeurs limites varient selon les auteurs, un IMC inférieur à 20, surtout s'il s'accompagne d'une perte de poids involontaire, représente un signe clinique de dénutrition. Outre l'insuffisance pondérale et la perte de poids, de faibles valeurs de circonférence brachiale et de pli cutané tricipital, qui reflètent respectivement l'état des masses musculaire et adipeuse, peuvent également révéler un état de dénutrition. Toutefois, ces mesures pouvant être très imprécises, il est souhaitable qu'elles soient effectuées par une diététiste ou par une infirmière formée à ces techniques.

La dénutrition se traduit également par des modifications biochimiques, notamment en ce qui concerne l'albumine, la transferrine, le décompte lymphocytaire, le cholestérol et l'hémoglobine (voir le tableau 12-1, p. 182). Précisons que ces valeurs limites ne sont pertinentes que dans le contexte d'un état d'hydratation normal (Ferland, 2002).

Dysphagie

La dysphagie, tout comme la dénutrition, présente diverses manifestations cliniques sur lesquelles l'infirmière peut s'appuyer pour détecter le problème. Une lenteur générale à s'alimenter, la stagnation du bol alimentaire dans la bouche, les écoulements de salive ou de nourriture à l'extérieur de la bouche, de même qu'une mastication ou une déglutition difficiles constituent les signes les plus évidents. De plus, la toux répétée, des raclements de gorge insistants ou encore des changements au niveau de la voix, notamment l'apparition d'une voix enrouée, sont caractéristiques de la dysphagie. Enfin, les infections respiratoires à répétition font partie du tableau clinique de la dysphagie et constituent un signal d'alarme important.

Si l'infirmière suspecte un cas de dysphagie, elle doit le signaler au médecin et aux membres de l'équipe interdisciplinaire. Dans certains cas plus complexes de dysphagie, il

Tableau 12-1	Indicateurs biochimiques de la dénutrition		
PARAMÈTRES	**RISQUE DE DÉNUTRITION**		
	LÉGER	**MODÉRÉ**	**SÉVÈRE**
Albumine	30 à 35 g/L	24 à 29 g/L	Moins de 24 g/L
Transferrine	1,5 à 2,0 g/L	1,0 à 1,4 g/L	Moins de 1,0 g/L
Décompte lymphocytaire	$1,2 \times 10^9$ à $1,8 \times 10^9$	$0,8 \times 10^9$ à $1,1 \times 10^9$	Moins de $0,8 \times 10^9$
Cholestérol	Moins de 4 mmol/L		
Hémoglobine	Moins de 120 g/L chez les femmes et de 140 g/L chez les hommes		

peut être nécessaire de demander au diététiste ou à l'orthophoniste d'effectuer un examen vidéofluoroscopique afin d'élucider la cause du problème (Desjardins *et al.*, 2000).

Détection du problème

Dénutrition

Contrairement aux milieux communautaires et hospitaliers, où de nombreux outils de dépistage du risque nutritionnel ont été mis au point et validés, il n'existe aucun instrument comparable pour les résidents vivant en CHSLD. Dans ces institutions, la détection des états de dénutrition ou de dysphagie repose généralement sur les manifestations cliniques que nous avons présentées à la section précédente. Au cours de l'année 2000, un conseil américain d'experts a publié un guide clinique visant à prévenir et à traiter la dénutrition en CHSLD. Ce guide souligne la pertinence de certaines manifestations cliniques prises en considération (Thomas *et al.*, 2000), en particulier une perte involontaire de poids de plus de 5 % en un mois ou de 10 % en six mois, un IMC inférieur ou égal à 21, ou encore une prise alimentaire inférieure à 75 % au cours des sept derniers jours, c'est-à-dire la consommation de moins de 75 % des aliments servis.

L'infirmière se servira donc de ces paramètres pour détecter une dénutrition. Ensuite, elle en recherchera les causes. En effet, les étiologies de la dénutrition étant multiples, il importe de bien répertorier les facteurs qui la sous-tendent avant d'entreprendre le programme d'alimentation. Sur le plan médical, la présence de désordres ou de maladies susceptibles de perturber les fonctions vitales ou l'apport alimentaire, ou encore d'augmenter le catabolisme, devrait alerter l'infirmière. Elle se doit d'être particulièrement vigilante à la présence de symptômes gastro-intestinaux, tels les nausées, les vomissements et les diarrhées. De même, la présence de fièvre, d'infections, de plaies de pression, de désordres inflammatoires ou d'états tumoraux sont des indices de besoins métaboliques accrus qui peuvent contribuer à

la dénutrition. Il est possible de détecter les états hypermétaboliques associés à l'inflammation par le dosage de la protéine *C* réactive, le seuil pathologique se situant au-dessus de 20 mg/L.

Par ailleurs, le relevé des *ingesta* permet de déterminer les cas de dénutrition par insuffisance d'apport alimentaire. À chaque repas, et ce pendant trois jours consécutifs, l'infirmière participe (avec les autres soignants) à une évaluation semi-quantitative des quantités d'aliments ingérés en portions d'assiette, à savoir rien du tout, le quart, la moitié, les 3/4 ou la totalité. Il revient ensuite à la diététiste de déterminer si la quantité de nourriture consommée par le résident permet ou non de couvrir ses besoins énergétiques et nutritionnels. Une perte d'appétit peut découler d'une dépression, de l'effet anorexigène de certains médicaments, de diètes thérapeutiques restrictives ou encore d'une détérioration de la santé buccale.

Par ailleurs, l'infirmière doit demander au résident s'il est satisfait de la nourriture qui lui est servie et si l'ambiance dans laquelle il prend ses repas lui convient. Enfin, la déshydratation risquant d'induire une perte de poids, l'infirmière doit vérifier l'état d'hydratation du résident (Lafleur et Kergoat, 2000). (Voir le chapitre 11.)

En outre, il importe de peser les personnes avec précision et dans des conditions comparables d'une fois à l'autre. Pour les résidents qui peuvent se tenir debout, il faut peser à 0,1 kg près à l'aide d'une balance préalablement calibrée. La mesure est prise le matin, chez le résident à jeun, et toujours habillé de la même façon d'une semaine à l'autre. Une attention particulière devrait être portée aux chaussures de même qu'à la présence d'œdème, deux facteurs susceptibles d'affecter gravement la mesure. Dans le cas des personnes présentant des problèmes de mobilité, il faut effectuer la pesée à l'aide de balances spécialisées, telles les balances à plate-forme, qui permettent d'accueillir les résidents en fauteuil roulant. Ici encore, il est nécessaire de prendre certaines précautions afin d'assurer la précision et la validité des mesures d'une fois à l'autre.

Tableau 12-2	Signes cliniques permettant de détecter la dénutrition et la dysphagie

Dénutrition
- Perte involontaire de poids
  - 5 % en 1 mois
  - 10 % en 6 mois
- IMC ≤ 21
- Prise alimentaire < 75 % au cours des 7 derniers jours

Dysphagie
- Lenteur à s'alimenter
- Stagnation du bol alimentaire dans la bouche
- Écoulements de salive ou de nourriture à l'extérieur de la bouche
- Mastication ou déglutition difficile ou douloureuse
- Toux répétée
- Raclements de gorge
- Voix enrouée
- Infections respiratoires à répétition

Dysphagie

Tout comme pour la dénutrition, les soignants œuvrant en CHSLD ne disposent pas d'instrument validé pour dépister la dysphagie. Toutefois, plusieurs instruments sont en en cours de validation. La détection de la dysphagie chez un résident s'effectuera donc par la recherche des manifestations cliniques décrites à la section précédente. Le tableau 12-2 présente un résumé des principaux signes cliniques de la dénutrition et de la dysphagie.

Enfin, si l'infirmière suspecte une dénutrition ou une dysphagie, elle doit en informer promptement le médecin, la diététiste, l'ergothérapeute et l'orthophoniste, afin de confirmer le diagnostic et d'élaborer un plan d'intervention interdisciplinaire. Cette approche interdisciplinaire est essentielle, car elle permet d'accélérer la transmission des informations nécessaires à l'évaluation de l'état de santé du résident, et ensuite d'intervenir rapidement et globalement.

PROGRAMME D'INTERVENTION

Le programme d'alimentation a pour but d'offrir un cadre permettant de maintenir ou d'améliorer la santé et l'autonomie nutritionnelle des résidents vivant en CHSLD. Pour atteindre cet objectif, il est nécessaire de mettre en œuvre des interventions collectives et individuelles. Les pages qui suivent décrivent en détail les objectifs, les principes d'intervention et les interventions de chacun de ces programmes.

Programme d'alimentation collectif

Objectifs

Voici les principaux objectifs du programme collectif: 1) réduire ou maintenir au minimum la prévalence de la dénutrition; 2) limiter les conséquences de la dysphagie; 3) contribuer à offrir des repas répondant aux particularités alimentaires et aux besoins nutritionnels des résidents, ainsi qu'à leurs goûts en matière d'aliments; 4) améliorer les repas en offrant un environnement agréable et susceptible de favoriser la plus grande autonomie du résident. Les objectifs du programme s'appuient sur les principes d'intervention présentés au tableau 12-3.

Interventions

Les interventions du programme collectif comprennent le dépistage, le soutien organisationnel et la formation continue.

Dépistage

En raison des contacts quotidiens qu'elle entretient avec le résident, l'infirmière joue un rôle privilégié dans le dépistage de la dénutrition et de la dysphagie, de même

que dans la prise en charge nutritionnelle de ces états. L'infirmière doit donc connaître la prévalence de ces problèmes en CHSLD, ainsi que les signes cliniques de la dénutrition et de la dysphagie (voir les sections traitant des manifestations et de la détection).

Puisque l'insuffisance pondérale et la perte de poids involontaire constituent des indicateurs importants de la dénutrition, le programme collectif doit comporter un suivi mensuel du poids. Ce programme doit fournir aux préposés les consignes techniques relatives à la pesée des résidents, ainsi que des formulaires de collecte de données à joindre au dossier du résident. De même, puisque l'insuffisance d'apports alimentaires constitue un des principaux facteurs de risque de la dénutrition, le programme collectif

Tableau 12-3	Principes soutenant le programme collectif

- Vérifier que les infirmières et l'ensemble des soignants sont sensibilisés aux principaux problèmes nutritionnels rencontrés en CHSLD et s'assurer qu'ils possèdent les compétences leur permettant de les détecter et de les prendre en charge adéquatement.
- Assurer un ratio soignants/résidents permettant d'offrir une assistance adéquate en matière de nutrition et d'alimentation.
- Instaurer un programme de suivi mensuel du poids.
- Instaurer un programme de suivi mensuel des apports alimentaires.
- Collaborer aux initiatives du service alimentaire afin de répondre aux situations particulières et aux besoins nutritionnels des résidents.

doit comporter un suivi mensuel des *ingesta*. Toutefois, une telle mesure n'a de valeur que si les apports des résidents sont évalués avec précision. Or, plusieurs travaux ont souligné le manque de précision des évaluations effectuées par les infirmières et les préposés, et ils indiquent que les *ingesta* sont généralement surévalués. Dans une étude, Simmons et Reuben (2000) ont établi que chez les résidents dont les apports étaient inférieurs à 75 %, les *ingesta* avaient été surestimés dans 22 à 53 % des cas. Les soignants n'ont donc pu repérer ces résidents à risque.

L'assistance durant les repas constitue un facteur déterminant de la prise alimentaire des résidents atteints d'incapacités de toutes sortes. Il incombe à l'infirmière de déterminer quels résidents doivent être aidés au moment des repas. Il a été démontré qu'il faut entre 30 et 60 minutes pour faire manger un résident présentant des incapacités physiques ou cognitives. Compte tenu de ces données, Harrington et ses collaborateurs (2000) ont proposé des ratios soignants/résidents :

- 1 préposé pour 2-3 résidents nécessitant une assistance complète
- 1 préposé pour 2-4 résidents nécessitant une assistance partielle

Les CHSLD doivent viser ces recommandations. L'infirmière peut contribuer à l'atteinte de cet objectif en évaluant adéquatement les besoins de tous les résidents. Une grille comme celle du tableau 12-4 permet à l'infirmière d'organiser sa démarche.

Compte tenu des résultats de cette évaluation, l'infirmière peut solliciter l'aide des proches du résident. Par ailleurs, l'infirmière qui veut aider efficacement un résident dépendant doit posséder des connaissances à jour et des habiletés spécialisées. Ainsi, elle sera en mesure d'enseigner aux soignants ou aux proches comment alimenter un résident qui présente des défis lors de l'acte alimentaire. L'infirmière devrait en outre savoir comment faire manger un résident atteint de dysphagie, ce qui comprend le positionnement optimal de ces résidents. Le programme individuel présente ces interventions.

Soutien organisationnel

Le programme collectif doit assurer un service alimentaire permettant de répondre aux multiples besoins nutritionnels et aux préférences alimentaires des résidents. En ce qui concerne les menus, les repas doivent répondre aux besoins énergétiques et nutritionnels des résidents, tout en

Tableau 12-4	Grille d'observation de l'activité alimentaire du CHSLD Cœur-du-Québec

ALIMENTATION

UNITÉ : _____   DATE : _____

CRITÈRES D'APPRÉCIATION :   • Combien de résidents sont regroupés durant les repas ?

　　　　　　　　Déjeuner _____　　　Dîner _____　　　Souper _____

　　　　　　　　• Moyenne du temps disponible pour chaque résident à l'activité repas : _____ minutes

POINTS FORTS

_____

_____

_____

_____

_____

_____

_____

POINTS À AMÉLIORER	ÉCHÉANCIER	SUIVI

Source : CSSS Drummond (CHSLD Cœur-du-Québec).

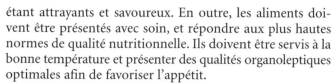

étant attrayants et savoureux. En outre, les aliments doivent être présentés avec soin, et répondre aux plus hautes normes de qualité nutritionnelle. Ils doivent être servis à la bonne température et présenter des qualités organoleptiques optimales afin de favoriser l'appétit.

Par ailleurs, le service alimentaire doit mettre à la disposition des résidents des aliments enrichis ou dont la saveur a été rehaussée, de même que des aliments et des liquides dont la texture et la consistance ont été modifiées afin de les rendre plus facilement comestibles. Les résidents souffrant de démence ayant davantage d'appétit au petit déjeuner qu'à d'autres moments de la journée (Young *et al.*, 2001), le service alimentaire doit être en mesure d'ajuster la densité nutritive des petits déjeuners destinés à ces personnes. Ces résidents devraient recevoir des aliments qui se consomment facilement avec les doigts, afin de favoriser le maintien de leur autonomie. Ainsi, les résidents devraient pouvoir choisir leurs menus et il faudrait que les collations soient toujours disponibles pour ceux qui doivent prendre du poids. Les résidents apprécient également les menus thématiques, selon les saisons ou les fêtes ethniques, ainsi que les pique-niques. Enfin, le service alimentaire devrait tenir compte de la participation des résidents dans la planification des menus.

De plus, le service alimentaire doit être suffisamment flexible pour permettre aux résidents d'avoir des collations entre les repas. Il doit également faire preuve d'une certaine souplesse quant à l'horaire des repas, lequel est trop souvent planifié pour accommoder le personnel plutôt que les résidents. Or, des études récentes ont clairement démontré les avantages de cette approche : les résidents qui prennent leurs repas selon des horaires flexibles mangent plus et se montrent plus satisfaits (Kayser-Jones et Schell, 1997).

Il faut aussi comprendre que, pour le résident en CHSLD dont la vie sociale est limitée, le repas constitue souvent un moment important de la journée. C'est pourquoi le repas doit s'effectuer dans un environnement agréable, convivial et chaleureux. Un soin particulier doit être apporté à la décoration de la salle à manger et la table doit être agrémentée de napperons, de couverts et de verres colorés et attrayants. L'ambiance doit être calme, et sans bruits inutiles, afin que les résidents présentant des incapacités intellectuelles ou motrices puissent se concentrer. En collaboration avec le service d'ergothérapie, le service alimentaire doit pouvoir offrir des assiettes, des verres et des ustensiles adaptés aux besoins des résidents. En somme, tout doit être mis en œuvre pour que le repas constitue un moment agréable et profitable (Jackson, 2003). Bien que l'essentiel du soutien organisationnel discuté ici soit du ressort du service alimentaire du CHSLD, l'infirmière devrait s'enquérir des besoins particuliers des résidents et voir à en informer le service alimentaire. L'infirmière défendra donc les intérêts des résidents concernant les aspects organisationnels du service alimentaire. Elle devrait par ailleurs, surtout si elle est infirmière-chef, porter une attention au ratio soignants/résidents afin de favoriser l'atteinte des normes que nous avons décrites à la section précédente (Harrington *et al.*, 2000).

Formation continue

Selon les indicateurs de la qualité de l'exercice infirmier en CHSLD établis par l'Ordre des infirmières et infirmiers du Québec (voir le chapitre 1), l'infirmière doit s'assurer de la coordination et de la continuité des soins. À cet effet, pour remplir pleinement son rôle de coordination à l'égard de ce programme collectif, l'infirmière doit être au courant des dernières connaissances à propos de l'alimentation des résidents. Dans le cas contraire, elle devrait pouvoir bénéficier du recyclage nécessaire pour parfaire ses compétences ou ses habiletés.

Ensuite, il sera possible de maintenir la compétence des soignants grâce au soutien de l'infirmière et à celui de la diététiste. Par ailleurs, afin de soutenir la compétence des soignants, il faudrait constituer un dossier résumant par écrit l'essentiel des connaissances et des habiletés attendues sur le sujet. Ce dossier devrait être mis à la disposition des soignants pour consultation. Les diététistes devraient également être sollicitées afin de participer à des sessions de formation interne sur la mesure adéquate des apports alimentaires.

Programme d'alimentation individuel

Objectifs

Comme le montre le tableau 12-5, les principaux objectifs du programme individuel sont de collaborer à la mise en œuvre d'une alimentation permettant de maintenir ou d'améliorer l'état nutritionnel et l'autonomie alimentaire des résidents, compte tenu de leurs problèmes et de leurs besoins particuliers.

Élimination des causes probables du problème

Chez le résident souffrant d'une dénutrition de type hypermétabolique, il est nécessaire de traiter aussi promptement que possible les conditions médicales sous-jacentes. Il faut également répertorier tous les facteurs de risque de dénutrition et de dysphagie afin qu'ils fassent l'objet de l'intervention. L'infirmière joue un rôle déterminant à cet

Tableau 12-5	Principes soutenant le programme individuel

- Déterminer les causes probables de la dénutrition ou de la dysphagie.
- Participer à la mise en œuvre du plan de traitement nutritionnel établi par l'équipe interdisciplinaire sous la responsabilité de la diététiste.
- Collaborer aux initiatives alimentaires permettant de répondre aux particularités et aux besoins nutritionnels des résidents ainsi qu'à leurs goûts.
- Mettre en place des initiatives permettant de favoriser l'autonomie alimentaire du résident.
- Offrir une assistance aux résidents qui en ont besoin.

égard. Ainsi, tout problème compromettant l'alimentation doit être détecté et contrôlé avant d'entreprendre la renutrition du résident. Par exemple, si l'infirmière constate que le résident n'apprécie pas ses compagnons de table, elle pourra lui proposer de changer de place, ou encore, si le résident paraît très anxieux, elle pourra instaurer les interventions susceptibles de réduire son degré d'anxiété. L'infirmière se doit de détecter les manifestations de déshydratation (chapitre 11), de dépression (chapitre 9), d'infections (chapitre 8) et de delirium (chapitre 7) afin de mettre en œuvre au plus tôt les interventions qui s'imposent.

Quand les problèmes détectés nécessitent l'intervention des membres de l'équipe interdisciplinaire, l'infirmière doit en solliciter promptement le soutien. En cas de troubles de la mastication, un professionnel en dentisterie doit vérifier l'ajustement des prothèses. La diététiste doit réévaluer, et si nécessaire interrompre, les régimes thérapeutiques et les diètes restrictives en raison de leurs effets anorexigènes. Si tel est le cas, il est nécessaire de consulter la diététiste afin d'élaborer un plan de traitement nutritionnel individualisé. Enfin, si un résident consomme des médicaments anorexigènes pour des raisons médicales, l'infirmière devrait examiner avec l'équipe interdisciplinaire la possibilité de recourir à une intervention non pharmacologique permettant d'éviter la prise de médicaments. L'équipe interdisciplinaire pourrait également envisager la possibilité d'utiliser un médicament de remplacement.

Satisfaction des besoins nutritionnels des résidents

Dénutrition

Règle générale, il faut encourager le patient dénutri à consommer chaque jour autant d'aliments qu'il le veut et à privilégier la consommation d'aliments à haute densité nutritive. À ce propos, la diététiste peut recommander un traitement comprenant certains aliments dont la teneur énergétique ou protéique a été enrichie ou lui suggérer de consommer plusieurs petits repas au cours de la journée plutôt que les trois repas habituels. Augmenter la fréquence des repas constitue une stratégie à favoriser pour les personnes ayant un faible appétit. Toutefois, les restrictions budgétaires auxquelles sont soumis les services alimentaires rendent difficile la mise en œuvre d'une telle initiative. De même, il est possible d'augmenter les apports journaliers en offrant des collations à haute valeur nutritive ou des suppléments alimentaires. Il faudra cependant les offrir au moins deux heures avant le prochain repas, afin de ne pas couper l'appétit et réduire la prise alimentaire au moment du repas. Enfin, malgré leur popularité, il faut éviter de remplacer les aliments par des suppléments vitaminiques, sauf s'il est impossible de combler les besoins physiologiques par l'alimentation, à cause d'un appétit insuffisant ou de toute autre raison. Dans ce cas, il est possible de recourir à un supplément de type multivitamines et minéraux pour combler les besoins du résident.

Dysphagie

Chez les résidents dysphagiques, il est nécessaire de modifier la texture des aliments et la consistance des liquides afin d'assurer une alimentation sécuritaire. Il incombe à la diététiste de faire les choix alimentaires qui conviennent, mais en tenant compte des observations que l'infirmière aura notées dans le dossier du résident. Règle générale, on réserve les textures les plus molles pour les étapes les plus avancées, et la diététiste doit évaluer le degré de dysphagie du résident avant de recommander le recours à des textures de plus en plus molles, et ce afin de maintenir une alimentation normale le plus longtemps possible. Par ailleurs, il faudrait offrir des aliments qui se consomment facilement ou avec les doigts aux résidents qui présentent des problèmes de dextérité ou qui souffrent de tremblements. Il serait également souhaitable de leur fournir des ustensiles adaptés à leur état. Il existe en effet toute une variété d'assiettes et d'ustensiles permettant à ces résidents de continuer à manger seuls. Il incombe généralement à l'ergothérapeute de choisir les couverts les plus appropriés. Le cas échéant, l'infirmière ne devrait donc pas hésiter à solliciter sa collaboration. Enfin, comme la perte de l'appétit accompagne souvent la dénutrition, il est nécessaire de tout mettre en œuvre pour offrir au résident des aliments appétissants et qui répondent à ses goûts.

Favoriser l'autonomie durant les repas

À l'heure des repas, les soignants devraient appliquer certaines consignes visant à favoriser l'alimentation autonome des résidents. Bien que, de manière générale, ces consignes s'adressent à tous les résidents, quel que soit leur état nutritionnel, certaines d'entre elles concernent davantage les résidents souffrant de dysphagie. Par exemple, en raison des efforts qu'ils ont à déployer au moment des repas, les résidents dysphagiques doivent éviter toute activité ou tout traitement susceptible de les fatiguer avant les repas. En revanche, tous les résidents reçoivent ou procèdent, lorsqu'ils sont autonomes, à des soins d'hygiène buccale avant les repas. En plus de stimuler le flot salivaire et de favoriser la mastication, l'hygiène buccale permet d'apprécier davantage la saveur des aliments et réduit les risques d'aspiration de bactéries pathogènes susceptibles d'entraîner des pneumonies d'aspiration. Par ailleurs, le soignant doit s'assurer que le résident commence son repas proprement vêtu et qu'il porte, si nécessaire, ses lunettes, ses prothèses dentaires et son appareil auditif, afin de rester en contact avec son environnement.

Parce que l'atmosphère de la salle à manger est généralement conviviale, il faut encourager les résidents non alités à venir y prendre leurs repas plutôt que de rester dans leurs chambres. La salle à manger doit être accueillante, bien éclairée, la température ambiante confortable et l'atmosphère sereine, afin de favoriser la concentration des résidents qui ont de la difficulté à manger. Les soignants présents à la salle à manger doivent être souriants et avenants, et inviter les résidents à s'asseoir à leur table. Il est préférable de regrouper les résidents agités à la même table afin d'éviter que leurs voisins soient dérangés.

Le soignant s'assure que le résident est assis confortablement. Le tronc et les cuisses doivent former un angle d'environ 90°, et les pieds reposer sur le sol ou sur un tabouret, également à angle droit. La tête doit être légèrement penchée vers l'avant, la mâchoire et le cou formant un angle de 45°. La question du positionnement est particulièrement importante chez les résidents atteints de dysphagie. C'est pourquoi l'infirmière devrait toujours vérifier le bon positionnement des résidents lors des repas et insister sur ce point avec les nouveaux soignants. Chez les résidents qu'il est plus difficile de positionner adéquatement en raison de la maladie de Parkinson ou des suites d'un accident vasculaire cérébral, l'infirmière devrait recourir aux conseils de l'ergothérapeute. Ce dernier pourra alors faire des suggestions qui faciliteront le positionnement du résident et qui lui permettront de s'alimenter sans risques. Le port du tablier ne devrait être imposé en aucun cas, mais les résidents qui souhaitent en porter un devrait pouvoir le faire.

Au début du repas, il faut retirer les assiettes et les contenants apportés sur les plateaux et les déposer sur un napperon, directement sur la table. Les soignants aident les résidents qui requièrent une aide légère en leur ouvrant les contenants difficiles à ouvrir, et rappellent aux résidents dysphagiques autonomes certaines consignes de sécurité, telles que bien mastiquer avant d'avaler, ou ne pas prendre de trop grosses bouchées.

De même, les résidents présentant des atteintes cognitives, mais encore autonomes, pourront se voir offrir leurs plats, un à la fois, afin de diminuer la confusion. Rappelons qu'un des objectifs du programme individuel est de maintenir l'autonomie des résidents. Il importe donc de bien évaluer leurs besoins à cet égard. Parce qu'ils manquent de temps ou pour être plus efficaces, il arrive que les soignants décident d'alimenter eux-mêmes les résidents plutôt que de les laisser manger à leur rythme, les privant de ce fait du privilège de l'autonomie. Les soignants devraient résister à cette tentation et permettre au résident d'être le plus actif possible, lui laissant tout le temps dont il a besoin pour se nourrir.

Par ailleurs, les résidents qui nécessitent de l'aide pour manger devraient être encouragés dans leurs efforts. En effet, de nombreux travaux ont démontré que des mesures aussi simples que le fait d'encourager verbalement un résident ou de lui toucher délicatement l'épaule ou l'avant-bras au moment du repas permettaient d'augmenter les apports quotidiens et d'améliorer l'autonomie alimentaire. Précisons que ces effets bénéfiques ont été observés aussi chez les résidents présentant des atteintes cognitives graves. Puisque ces initiatives requièrent peu d'investissement de la part des soignants et qu'elles n'ont pratiquement pas de conséquences financières pour l'institution, les soignants devraient être encouragés à les mettre en pratique (Van Ort et Phillips, 1995).

Par ailleurs, la question du respect du temps accordé à la durée du repas s'applique également aux résidents qu'il faut faire manger. À ce propos, Kayser-Jones et Schell (1997) précisent qu'il faut un minimum de 25 à 30 minutes pour alimenter les résidents dysphagiques, ceux qui présentent des atteintes cognitives ou qui sont en perte d'autonomie. Il arrive même que les résidents plus gravement atteints prennent au moins une heure pour manger. Les soignants qui font manger les résidents totalement dépendants doivent donc être pleinement conscients de leurs besoins et leurs conditions de travail doivent leur permettre de consacrer tout le temps nécessaire à cette activité.

La plupart du temps, les personnes qui doivent être alimentées présentent des atteintes cognitives graves. Pour aider ces résidents à manger, il est possible de les disposer autour d'une table semi-circulaire, tandis que le soignant s'assoit au centre. Cette façon de faire, qui permet d'alimenter trois à quatre personnes à la fois, est tout à fait acceptable dans la mesure où elle respecte certaines consignes. Tout d'abord, il faut placer le repas de chaque résident directement devant lui, les assiettes contenant la nourriture se situant à une distance permettant de porter les aliments à la bouche efficacement et aisément. En raison de l'effet positif de ces facteurs sur l'appétit, le résident devrait toujours pouvoir sentir et voir les aliments avant qu'on les lui fasse manger. Au moment de faire manger le résident, le préposé se place directement en face de lui afin que ce dernier n'ait pas à tourner la tête lorsque la nourriture est portée à sa bouche, et afin de ne pas nuire à sa déglutition. À cette étape, le soignant peut nommer l'aliment qu'il s'apprête à servir; il établit un contact visuel franc avec le résident en s'assurant de bien le regarder dans les yeux et formule des encouragements.

Le soignant doit adapter la grosseur des bouchées aux capacités du résident, une cuillère à thé comble étant généralement considérée comme optimale. La bouchée est ensuite portée à la bouche du résident de manière à favoriser une flexion du menton vers le bas. Dans le cas où le résident mange des aliments en purée, il faut à tout prix éviter de les mélanger, car cette pratique dégoûtante a pour conséquence de diminuer l'effet stimulant des aliments sur l'appétit et entraîne une réduction précoce des capacités gustatives. Enfin, les personnes chargées d'alimenter les résidents devraient éviter d'interrompre le repas pour une raison ou une autre. Par ailleurs, il faut proscrire tout usage de la seringue pour alimenter un résident, car cette pratique est non sécuritaire, en plus d'être dégradante pour le résident.

Après le repas, les soignants doivent s'assurer qu'il ne reste pas d'aliments dans la bouche des résidents, cette consigne s'appliquant tout particulièrement aux personnes dysphagiques et à celles présentant des incapacités cognitives. Quand ils quittent la salle à manger, les résidents doivent se trouver dans un état impeccable de propreté. L'hygiène buccale pourra se poursuivre à la chambre. Enfin, les soignants demandent aux personnes dysphagiques de rester assis pendant 30 à 60 minutes après le repas afin d'éviter les reflux et les aspirations gastriques.

En terminant, il importe de préciser que l'intervention nutritionnelle n'est utile que dans la mesure où elle fait l'objet d'un suivi. Dès lors que l'infirmière détecte une dénutrition ou une dysphagie, elle doit s'assurer que les recommandations formulées par les diététistes et les autres

Tableau 12-6	Programme « Alimentation et Collation » du CHSLD Cœur-du-Québec

CONSIGNES AUX SOIGNANTS (PRÉPOSÉS ET INFIRMIÈRES AUXILIAIRES)	RESPONSABILITÉ DE L'INFIRMIÈRE
A. Le regroupement à la salle à manger est favorisé dès l'admission et en cours d'hébergement. S'assurer que le résident installé au salon /salle à manger y est par choix, sinon pas plus de 15-20 minutes avant les repas.	1. Évaluer la condition du résident et relever les problèmes relevés. Référer aux professionnels concernés. Apporter les corrections qui s'imposent. S'assurer du suivi des recommandations. Noter au dossier. Élaborer un plan de soins et assurer la continuité interservices.
B. S'assurer du confort du résident lors de l'activité « repas ». • S'assurer que le résident porte ses prothèses dentaires, ses lunettes et ses prothèses auditives. • Installer convenablement le résident avant et après les repas. • Mettre et enlever le tablier, si nécessaire, peu de temps avant et après le repas. • S'assurer, dans un délai raisonnable, de la propreté du résident après les repas.	**L'infirmière s'assure (notamment) :** 2. Que le regroupement à la salle à manger est favorisé. 3. Que le confort du résident est assuré. 4. Que l'autonomie du résident est favorisée.
C. Promouvoir et maintenir l'autonomie du résident, par exemple : • Commencer l'alimentation (ne pas faire à la place de). S'assurer d'utiliser les adaptations.	5. Que le rythme est respecté.
D. Respecter les consignes liées à la dysphagie et à l'alimentation, par exemple bannir l'utilisation de la seringue, s'assurer que chaque résident reçoit le bon plateau et vérifier ce qu'il contient.	6. Du respect des consignes liées à la dysphagie et à l'alimentation. 7. De la satisfaction du résident à l'égard de son repas.
E. S'assurer que la température des aliments est acceptable.	8. D'une atmosphère et d'un environnement adéquats.
F. Respecter le rythme du résident, par exemple lui donner des petites bouchées quand on le fait manger.	9. De l'hydratation convenable du résident en tout temps.
G. S'assurer que l'environnement et le mobilier après les repas sont propres.	10. Du respect des choix exprimés par le résident.
H. Informer l'infirmière de toute problématique liée à l'alimentation (consistance, quantité, préférence).	11. Que la famille contribue à la prise des décisions relativement à l'alimentation de leur parent, s'il y a lieu.
I. S'assurer que l'atmosphère est calme et que le résident bénéficie d'une attention personnalisée.	12. Que la famille soit dirigée, si nécessaire, vers les professionnels en diététique.
J. S'asseoir auprès du résident et décrire au résident présentant des pertes cognitives ce qu'il mange tout au long du repas.	13. De favoriser la présence et la participation de la famille à l'activité « repas » et, s'il y a lieu, de faire l'enseignement requis.
K. Laisser le plateau jusqu'à la fin du repas.	
L. Ne pas ignorer le résident qui ne comprend pas ; aller chercher de l'aide auprès de l'infirmière pour améliorer la communication.	
M. S'assurer que, à la collation en après-midi et en soirée, le résident fait ses choix.	

Source : CSSS Drummond (CHSLD Cœur-du-Québec).

cliniciens participant au programme individuel sont instaurées et qu'elles font l'objet d'une application quotidienne. À ce propos, citons la direction du CHSLD du Cœur-du-Québec qui a élaboré un document fort pertinent illustrant les compétences attendues dans le domaine de l'alimentation. Ce document permet de souligner la contribution de l'infirmière au regard de celle des autres soignants du CHSLD (voir le tableau 12-6).

Enfin, le tableau 12-7 résume les interventions infirmières à mettre en œuvre avec les résidents souffrant de dysphagie.

Évaluation de l'intervention

Par ailleurs, la normalisation de l'état nutritionnel du résident doit reposer sur des objectifs raisonnables et accessibles, déterminés par l'équipe interdisciplinaire. Par exemple, pour un résident, l'objectif peut être une augmentation des *ingesta* au-delà des 85 % des aliments servis et un gain de poids de 2 kg. Dans tous les cas, et en raison de ses compétences et de sa présence continue auprès des résidents, l'infirmière est appelée à jouer un rôle déterminant dans ce processus d'évaluation.

Tableau 12-7	Particularités de l'alimentation d'un résident souffrant de dysphagie
MOMENTS	**INTERVENTIONS INFIRMIÈRES**
Avant	Soins bucco-dentaires, prothèses, état d'éveil
Pendant	Positionnement, grosseur des bouchées, mastication adéquate, consignes de déglutition, encouragements
Après	Absence d'aliments dans la bouche, maintien de la position assise pendant 30 à 60 minutes, hygiène buccale et corporelle

Conclusion

Les résidents vivant en CHSLD souffrent fréquemment de dénutrition et de dysphagie. Or, si ces problèmes nutritionnels ne sont pas dépistés et traités à temps, ils risquent d'avoir de graves conséquences pour l'état de santé du résident et d'importantes répercussions pour le système de santé. Malheureusement, on ne se préoccupe pas assez des problèmes nutritionnels qui touchent les aînés et les CHSLD n'ont pas encore instauré les mesures qui permettraient aux soignants et aux différents services de se pencher sur ces problèmes. Pour assumer pleinement son rôle professionnel vis-à-vis de l'état nutritionnel des résidents des CHSLD, l'infirmière doit fonder ses interventions sur de bonnes connaissances dans le domaine de la nutrition des aînés et des problèmes dont ils risquent de souffrir.

ÉTUDE DE CAS

Depuis trois mois, Mme Di Maria, 84 ans, réside dans le CHSLD dans lequel vous travaillez. Elle y a été admise après que la maison où elle habitait depuis 45 ans dans le quartier de la Petite Italie, à Montréal, a été vendue. Avant son admission, elle habitait dans son logement de manière autonome et prenait encore plaisir à préparer ses repas. De nature joviale, Mme Di Maria aimait la compagnie de sa voisine avec qui elle partageait un repas au moins une fois par semaine. À son arrivée au CHSLD, cette résidente pesait 52 kg, pour une taille de 1,61 m. Toutefois, lors de la pesée de la semaine dernière, elle ne pesait plus que 48 kg. Mme Di Maria souffre d'arthrite depuis de nombreuses années, mais sa condition est stabilisée. De plus, elle porte un appareil auditif, car elle est sourde de l'oreille gauche. Cependant, depuis un mois, elle se plaint de fatigue; elle se lève difficilement de son fauteuil et elle a failli chuter à deux reprises en se rendant aux toilettes.

Comme les autres résidents, Mme Di Maria se rend à la salle à manger pour prendre ses repas, mais sans grand plaisir. En effet, elle trouve la salle à manger bruyante, car la radio marche la plupart du temps et certaines équipes de préposés parlent fort. Bien que les aliments servis soient généralement excellents, elle s'ennuie des spécialités italiennes qu'elle avait l'habitude de se préparer. De plus, elle n'aime pas vraiment manger à 17 h, elle qui, en bonne Européenne, avait l'habitude de prendre son repas du soir vers 19 h. En outre, Mme Di Maria doit partager sa table avec un résident qui souffre de dysphagie et qui présente des écoulements le long de la bouche, ce qui lui inspire du dégoût. Au cours des dix derniers jours, Mme Di Maria n'a mangé que la moitié des aliments servis au souper, et que les deux tiers de ceux du dîner. Après avoir remarqué la situation, une infirmière demande à la diététiste d'évaluer l'état nutritionnel de Mme Di Maria. La diététiste confirme la présence d'une dénutrition. À la lumière de ce diagnostic, on a décidé d'établir un certain nombre de mesures destinées à permettre le rétablissement de l'état nutritionnel de Mme Di Maria.

Questions

1 Nommez au moins trois facteurs prédisposants associés au vieillissement normal pouvant contribuer à la dénutrition.

2 Quels sont les principaux facteurs précipitants qui ont pu contribuer à la dénutrition de cette résidente ?

3 Calculez l'IMC de Mme Di Maria en considérant son poids le plus récent.

4 À partir de quels signes cliniques l'infirmière a-t-elle pu suspecter une dénutrition ?

13

L'HYGIÈNE BUCCODENTAIRE

par **Christian Caron**

Les problèmes buccodentaires touchent un grand nombre de résidents des CHSLD. Plusieurs facteurs prédisposants et facilitants exposent les aînés à ces problèmes. En plus des caries dentaires, ils risquent de souffrir de gingivite, de parodontite, par suite de l'accumulation de plaque dentaire, ou encore d'ulcères causés par l'utilisation de prothèses mal ajustées. Les infections buccales et les cancers buccaux sont d'autres affections dont souffrent également les aînés.

Toutes ces affections ne sont pas sans répercussions sur la santé et la qualité de vie des résidents. Il est toutefois possible de prévenir ces problèmes, ou d'en réduire l'incidence et la gravité, en instaurant un programme d'intervention en soins buccodentaires. Les objectifs de ce programme sont de favoriser une bonne hygiène buccodentaire, de détecter systématiquement les problèmes et de les traiter rapidement. L'infirmière joue un rôle prépondérant puisqu'elle intervient dans l'élaboration et la mise en œuvre de ce programme et qu'elle coordonne les soins avec les professionnels spécialistes du domaine. Elle se doit donc de posséder de bonnes connaissances en hygiène buccodentaire.

NOTIONS PRÉALABLES SUR L'HYGIÈNE BUCCODENTAIRE

Définition

L'hygiène buccodentaire représente l'ensemble des processus et des gestes effectués à l'aide d'instruments et de produits, tels la brosse à dents, le dentifrice, le fil de soie dentaire et certaines substances chimiques, afin d'éliminer la plaque bactérienne et les débris alimentaires présents à la surface des prothèses, des dents et des tissus mous.

Ampleur du problème

L'édentation totale chez les aînés a longtemps été une pratique courante, mais qui semble avoir diminué dans la plupart des sociétés occidentales. Au début des années 1980, environ 72 % des aînés québécois n'avaient plus une seule dent, mais en 1995 ils n'étaient plus que 58 % (Brodeur, Benigeri, Naccache, Olivier et Payette, 1996 ; Brodeur *et al.*, 1995 ; Brodeur, Simard et Kandelman, 1982). Dans les CHLSD, le nombre de résidents totalement édentés régresse également, quoique le taux diminue moins rapidement qu'au sein de la population vivant à domicile. Par ailleurs, selon les études épidémiologiques, 31 % des aînés présentaient au moins trois caries dentaires

actives, et 22 % avaient au moins trois caries radiculaires* actives (Douglass *et al.*, 1993). Les études révèlent également que les résidents des CHSLD présentant des pertes d'autonomie cognitives et fonctionnelles ont trois fois plus de caries coronaires* et sept fois plus de caries radiculaires que les aînés exempts de ces problèmes et vivant à domicile (Jones, Lavallée, Alman, Sinclair et Garcia, 1993).

Les risques de carie sont donc plus élevés chez les résidents vivant en CHSLD. Qui plus est, ils courent plus de risques de souffrir des affections suivantes : gingivite, parodontite, ulcères traumatiques et cancer buccal.

Conséquences

Les problèmes buccodentaires communs ont de sérieuses répercussions sur le comportement et la qualité de vie des résidents, voire sur leur espérance de vie. Les problèmes

---

* **Radiculaire** : relatif à la racine de la dent.

Coronaire : relatif à la couronne de la dent.

buccodentaires les plus fréquents sont d'origine infectieuse et ils se soldent, pour la plupart, par la destruction des tissus infectés. Ainsi, quand la carie atteint la dentine*, c'est-à-dire la partie profonde de la dent, elle détruit les diverses parties de la dent. De plus, elle risque de causer de la douleur, en particulier lors de la consommation d'aliments et de breuvages froids ou riches en sucres transformés (Farge, 1998). En effet, sous l'action du froid et de ce type de sucres, les récepteurs situés dans la dentine produisent de la douleur de façon transitoire (Douglass et Douglass, 2003; Benslama, 2002).

Si elle n'est pas traitée, la carie risque d'atteindre le nerf de la dent, ce qui provoque un œdème et une douleur aiguë, la plupart du temps. Il s'ensuit une nécrose du tissu pulpaire, puis il se forme un abcès dentaire au niveau du maxillaire (Benslama, 2002). Si l'abcès continue de se développer, il peut causer un œdème de la lèvre, de la joue, de la gorge, entraînant même à l'occasion la fermeture de l'œil du côté de la mâchoire affectée, quand ce n'est pas l'obstruction des voies aériennes supérieures, un phénomène plus rare qui porte le nom d'angine de Ludwig (Douglass et Douglass, 2003).

La gingivite rend parfois les gencives sensibles et il arrive qu'elles saignent durant le brossage des dents. Si la gingivite est importante, le saignement peut survenir n'importe quand. La parodontite détruit l'appareil fixant la dent dans son alvéole, souvent sans symptômes apparents, c'est-à-dire sans manifestations de douleur ou sensibilité. Mal fixée, la dent se met à bouger dans son alvéole, et, si la parodontite s'aggrave, la dent finit par tomber (Preshaw, Seymour et Heasman, 2004).

Chez le résident vulnérable, il arrive que la douleur dentaire dépasse la capacité d'adaptation physiologique et provoque un état d'agitation et de confusion que l'on pourrait croire, à tort, d'origine neurologique (Amella, 2004). Il faut aussi noter que l'édentation complète ou partielle non remplacée, les dents cassées, les caries ou les taches dentaires à l'avant de la bouche, provoquent parfois un phénomène de retrait ou d'isolement du résident, par suite de l'aspect disgracieux de sa bouche et des difficultés de prononciation qu'entraînent ces problèmes. Il arrive même que ces conditions affectent négativement l'image de soi du résident (Matthias, Atchison, Lubben, De Jong et Schweitzer, 1995) et réduisent sa capacité de socialisation. Certains problèmes de socialisation avec d'autres résidents proviennent parfois des odeurs fétides qui se dégagent de la bouche d'un résident qui n'a pas une bonne hygiène buccodentaire et qui présente d'importantes quantités de tartre sur les dents (Yeung, 2002). Par ailleurs, le port de prothèses dentaires brisées ou mal ajustées risque de causer des lésions au niveau de la muqueuse buccale. À son tour, la douleur occasionnée par ces lésions peut empêcher le résident de manger certains aliments ou l'amener à moins manger (de Oliveira et Frigerio, 2004). Dans les cas les plus graves, une dénutrition peut survenir (Ritchie, 2002).

Plusieurs lésions buccales sont dangereuses, voire mortelles. En effet, les plaques blanches, rouges ou les ulcérations de la muqueuse présentent un taux relativement élevé de transformation maligne. Comme les cancers buccaux sont souvent détectés très tardivement, le taux de mortalité à cinq ans est généralement très élevé. Le diagnostic précoce et une intervention rapide diminuent la morbidité de ces cancers et améliorent le taux de survie des résidents (Pérusse, 2004).

Facteurs prédisposants et facteurs précipitants

Facteurs prédisposants

Vieillissement normal de la cavité buccale

La dent est le tissu le plus dur du corps humain, car une de ses parties contient plus de 96% de sels de calcium. Chaque dent est formée de deux parties principales: la couronne* et la racine*. Située hors de la gencive, la couronne est la partie visible de la dent. Elle est constituée d'une couche externe, ou émail, qui recouvre la dentine. Cette substance forme une couche médiane. Quant à la zone profonde, elle forme une cavité au volume restreint. la pulpe, qui renferme le nerf dentaire, ainsi que les vaisseaux sanguins. Avec le vieillissement, la structure et l'apparence des dents subissent diverses modifications. Les dents prennent une couleur plus foncée ou deviennent jaunâtres par suite de l'épaississement de la dentine. En effet, avec l'âge, celle-ci s'épaissit au détriment de la pulpe sous-jacente. La réduction de l'espace pulpaire entraîne une diminution de la vascularisation du tissu pulpaire. Ce tissu devient alors plus fibreux et plus vulnérable aux caries, aux infections et aux traumatismes.

Le vieillissement entraîne également des modifications de la gencive. Alors que le nombre de vaisseaux sanguins tend à augmenter, le débit sanguin semble décliner. De plus, le ligament parodontal semble contenir une moindre quantité de fibres de collagène. En revanche, l'os alvéolaire ne paraît pratiquement pas affecté par le vieillissement. Toutes ces transformations physiques, liées à un vieillissement normal des gencives et de l'appareil de soutien des dents, n'affectent ces tissus que de façon très marginale.

---

* **Dentine**: matière cristalline dure, formant l'essentiel de la masse interne de la dent, composée de plus de 70% de cristaux de calcium et de 20% de matière organique. La dentine est présente sous l'émail de la couronne et sous la mince couche de cément de la racine de la dent.

* **Couronne**: partie visible de la dent située en dehors de la gencive et recouverte de l'émail.

Racine: partie de la dent implantée dans l'os, constituée de dentine et de la pulpe, laquelle abrite le nerf dentaire. La racine est recouverte de cément.

La muqueuse buccale* recouvre les joues, le début du procès alvéolaire*, ainsi que le plancher de la bouche. Elle tapisse également les surfaces supérieure et inférieure de la langue, le palais mou, ainsi que la face interne des lèvres. Le vieillissement s'accompagne d'une diminution de l'épaisseur de la muqueuse buccale, mais ces modifications seraient très marginales et varieraient d'un site à un autre. Les différences observées entre les sujets jeunes et les aînés semblent résulter de l'influence de facteurs extrinsèques, tels la déficience nutritionnelle, le port de prothèses dentaires, le tabagisme, la consommation d'alcool et les modifications des concentrations hormonales qui surviennent avec l'âge.

La langue est surtout formée de tissu musculaire, lequel est recouvert d'une muqueuse spécialisée, qualifiée de sensorielle. Le nombre de papilles gustatives ne paraît pas diminuer avec le vieillissement. De plus, la diminution de la perception des saveurs qu'indiquent les études effectuées auprès des aînés proviendrait surtout de différents facteurs extrinsèques, tels que la xérostomie*, ou sécheresse de la bouche, la consistance et le type d'aliments consommés, les capacités cognitives et olfactives des sujets, et leur état général. Si le vieillissement entraîne une diminution de la perception des saveurs, celle-ci est faible et peu significative, et elle ne dépend pas de la structure de la muqueuse.

Les glandes salivaires produisent la salive, qui renferme des composants muqueux et séreux. Elle humecte la cavité buccale, contribue à protéger les dents contre la carie et facilite la déglutition. La salive est produite par deux grandes catégories de glandes salivaires : les glandes salivaires majeures, qui comprennent les parotides, les sous-maxillaires et les sous-mandibulaires, et les glandes salivaires mineures, présentes un peu partout dans la muqueuse buccale. La salive contient des protéines et des substances minérales, notamment du calcium et du potassium. Le vieillissement n'affecte pas la composition de la salive, ni la quantité produite. Les études indiquent cependant un accroissement de la prévalence de la xérostomie. Cette diminution de la quantité de salive semble plutôt dépendre de facteurs extrinsèques que du vieillissement lui-même. La médication anticholinergique, fréquente chez les résidents, et la déshydratation seraient les principaux facteurs en cause (Ten Cate, 1994).

Maladies

Les résidents qui souffrent de plusieurs maladies perdent fréquemment leur autonomie fonctionnelle, ce qui réduit leur capacité d'effectuer quotidiennement leurs soins d'hygiène buccodentaire. La perte d'autonomie d'origine physique, consécutive à un accident vasculaire cérébral par exemple, entraîne une diminution de la coordination motrice qui empêche le résident de synchroniser ses mouvements, de manipuler sa brosse à dents et d'effectuer adéquatement les soins d'hygiène buccodentaire. Quant à la perte d'autonomie cognitive, elle affecte les processus qui permettent à l'individu de se souvenir, de reconnaître la nécessité d'effectuer ses soins d'hygiène buccodentaire et d'y procéder. Il ne se rappelle pas à quel moment il doit effectuer ces soins, comment il doit y procéder, ou il oublie tout simplement qu'il doit les faire. En l'absence de toute supervision, le résident en perte d'autonomie fonctionnelle présente rapidement d'importantes accumulations de plaque dentaire. Or, cette plaque est le point de départ des caries, de l'inflammation du tissu de soutien de la dent et de sa destruction.

Chez plusieurs résidents, les pertes cognitives limitent les facultés de compréhension. Ils ne sont plus conscients de l'environnement dans lequel ils se trouvent. Il leur arrive même de résister aux soins d'hygiène buccodentaire. Ces résidents ferment la bouche obstinément, crient ou mordent, ce qui risque d'amener le soignant à renoncer à donner les soins buccodentaires. À ce sujet, le lecteur se reportera aux chapitres 1 et aux chapitres 24 à 30, qui traitent de la démence et des symptômes comportementaux et psychologiques associés à ces troubles neurologiques.

Facteurs nutritionnels

Le sucre est un facteur de risque bien connu lié aux problèmes buccodentaires, en particulier la carie. Après l'ingestion de sucre, certaines bactéries présentes dans la plaque dentaire secrètent de l'acide lactique. Or, cet acide cause la déminéralisation de la surface cristalline* de la dent. Il se forme une cavité inapparente, mais le processus cariogène progresse inéluctablement.

Facteurs psychologiques

L'état dépressif, fréquent chez les résidents vivant en CHSLD, diminue l'intérêt pour les soins d'hygiène buccodentaire. Il est d'ailleurs reconnu que les résidents souffrant de dépression ont tendance à négliger leur hygiène personnelle générale.

Facteurs précipitants

Soignants

Les soignants exercent une grande influence sur la santé buccodentaire des résidents. Or, les soins inadéquats risquent de favoriser la formation de la plaque dentaire et de tartre (voir la figure 13-1, p. 194), qui sont à l'origine d'odeurs buccales fétides. D'une façon plus générale, l'absence de plan d'intervention en soins buccodentaires ne favorise pas l'action concertée et structurée des soignants sans laquelle il ne peut y avoir de prévention efficace des affections buccodentaires en CHSLD.

Par ailleurs, il arrive que les soignants ne possèdent pas les connaissances suffisantes au sujet des manifestations

---

* **Muqueuse buccale** : tissu tapissant la cavité buccale formé d'un épithélium et de tissu conjonctif.

  Procès alvéolaire : région du maxillaire dans laquelle les racines des dents sont implantées.

  Xérostomie : sécheresse de la bouche consécutive à une diminution de la sécrétion salivaire ou à l'absence totale de sécrétion.

---

* **Cristalline** : se dit d'une structure inorganique composée de cristaux, essentiellement des cristaux de calcium, qui entrent dans la constitution des dents.

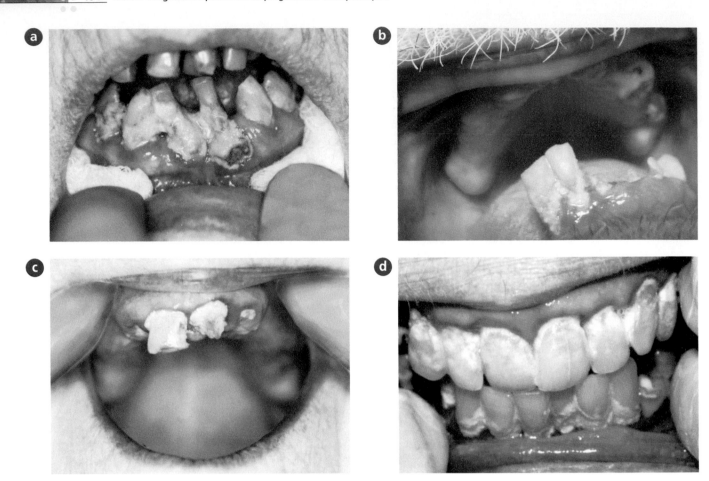

FIGURE 13-1 **Accumulation de tartre et de plaque dentaire**

a) Accumulation de tartre ; b), c) et d) Accumulation de plaque dentaire au collet des dents. À noter que le tartre a pris une coloration jaunâtre tirant sur le brun par suite de la calcification de la plaque dentaire.

cliniques et des traitements des affections buccodentaires pour prodiguer les soins buccodentaires adéquats. Or, ces connaissances de base sur la santé buccodentaire sont nécessaires, car elles permettent aux soignants de détecter certaines anomalies et de diriger rapidement le résident qui en a besoin vers un dentiste ou un médecin. De plus, la compréhension des pathologies buccodentaires par les équipes de soins augmente la motivation des soignants. Par conséquent, la qualité des interventions s'en trouve améliorée. Il se peut aussi que les soignants qui ne sont pas convaincus de l'importance de la santé buccodentaire, par manque de connaissances, donnent des soins d'hygiène buccodentaire inadéquats.

Il faut enfin reconnaître qu'un faible ratio soignant/résidents ne permettra pas d'offrir des soins d'hygiène buccodentaire aussi élaborés que lorsque ce ratio est plus important. Ce ratio pourra ainsi influencer l'état de santé buccodentaire.

Médicaments

L'utilisation des antibiotiques, de corticostéroïdes et les médications de type anticholinergique accroissent le risque de problèmes buccodentaires, tels que la xérostomie

et les infections fongiques des muqueuses (Locker, 1995 ; MacEntee, Hole et Stolar, 1997 ; Ghezzi et Ship, 2000 ; DeBiase et Austin, 2003 ; Niessen et Fedele, 2002 ; Vargas, Kramarow et Yellowitz, 2002).

Manifestations cliniques

La figure 13-2 montre des dents et des gencives normales, aux fins de comparaison avec les photos du tableau 13-1 (p. 197) illustrant des problèmes buccodentaires.

Les manifestations visibles de la carie dentaire traduisent le processus de déminéralisation des structures calcifiées de la dent. Lorsque la lésion évolue, la dissolution de la surface s'amplifie, entraînant une perte de substances minérales et la formation d'une cavité circonscrite à l'épaisseur de l'émail. La lésion se décolore et prend un aspect brunâtre. La carie est indolore tant qu'elle est limitée à l'émail. Puis, la carie s'agrandit ; elle se creuse et finit par atteindre la dentine sous-jacente. Ce tissu plus tendre est envahi en peu de temps, ce qui entraîne l'agrandissement de la carie. Celle-ci s'étend désormais à l'intérieur de la dent, au-delà des limites de la cavité percée dans l'émail (voir la figure 13-3). À ce stade, il est possible de percevoir une sensibilité au froid et au sucre

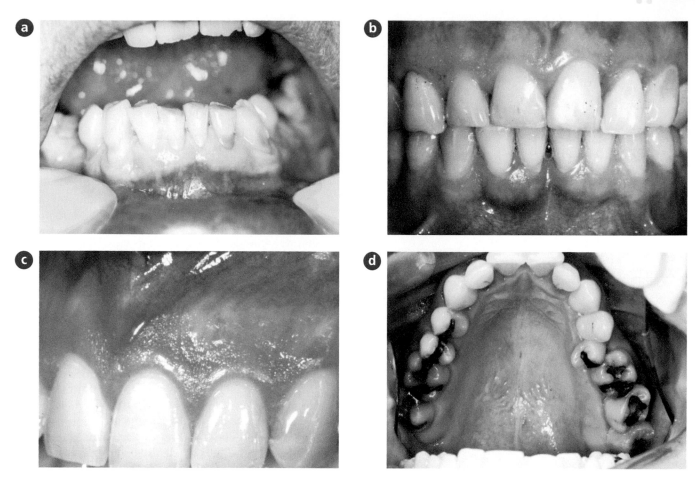

FIGURE 13-2 **Dents et gencives normales**

a), b) et c) Bouches normales. La normalité gingivale et dentaire se manifeste par l'absence d'œdème, de rougeur des gencives, et par l'absence de caries dentaires. d) Palais dur et mou d'apparence normale sans stomatite, ulcère ou signes d'infection.

(Farge, 1998). La carie se creuse encore et atteint la chambre pulpaire, qui renferme notamment le nerf dentaire. Celui-ci s'infecte, ce qui provoque de l'œdème et de la pression, ainsi que de la douleur et la nécrose de la pulpe. L'infection s'étend dans la partie radiculaire, c'est-à-dire jusqu'à l'extrémité de la racine de la dent, où elle provoque une lyse osseuse localisée. Quand elle atteint le tissu osseux, l'infection cause une violente réaction inflammatoire accompagnée d'enflure et de douleurs caractéristiques. Si la carie n'est pas traitée, il risque de se former une fistule* par laquelle le liquide purulent s'épanchera dans la cavité buccale, assurant temporairement le soulagement du résident (Benslama, 2002).

La carie radiculaire se traduit par une déminéralisation de la surface radiculaire. Dans ce type de carie, la matrice organique présente dans cette région de la dent se trouve exposée à l'action des bactéries cariogènes, contrairement à ce qui se produit dans le cas des caries qui affectent la couronne (voir la figure 13-3, p. 196). Habituellement, la gencive recouvre complètement la racine de la dent, ce qui empêche les bactéries cariogènes de parvenir jusqu'à cet endroit. Autrement dit, pour qu'une carie radiculaire puisse se former, il faut que la surface radiculaire soit exposée aux bactéries présentes dans la cavité buccale. Cela signifie également que la gencive qui recouvre la racine doit avoir régressé.

Lors de sa maturation, la carie provoque l'exposition de la matrice organique* de la dentine radiculaire. Cette matrice se dégrade progressivement, ce qui provoque la formation d'une cavité. L'infirmière observe alors un changement de couleur de la lésion, qui vire au brun noirâtre. Elle note également un ramollissement plus accentué de sa surface. Une des caractéristiques de la carie de racine est qu'elle s'étend en surface plutôt qu'en profondeur (Shay, 1997). Mais, tout comme la carie coronaire, elle finira par s'enfoncer dans la profondeur de la dent et atteindre la pulpe qu'elle infectera

---

* **Fistule** : passage ou communication qui se forme entre un abcès dentaire et la bouche (dans la plupart des cas) afin d'en assurer le drainage.

---

* **Matrice organique** : partie non cristalline de la dent, dont la structure est composée principalement de collagène. L'émail en contient des traces et la dentine de 20 à 30 %. Cette matrice organique est le constituant principal de la racine.

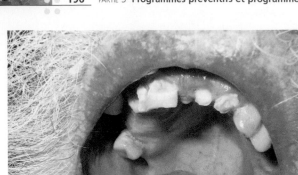

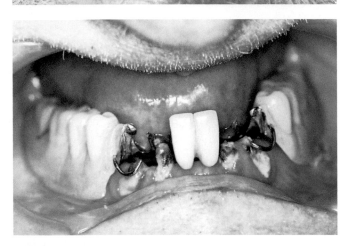

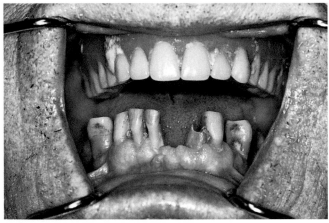

FIGURE 13-3 **Caries coronaires et radiculaires**
À noter la destruction du tissu dentaire et la cavité qui s'est formée dans la dent.

(voir la figure 13-3). La carie est alors marquée par les caractéristiques que nous venons de décrire pour la carie coronaire. Le tableau 13-1 présente les manifestations des autres problèmes buccodentaires susceptibles de survenir chez les résidents des CHSLD.

En résumé, les problèmes buccodentaires se manifestent fréquemment par un changement de coloration de la

muqueuse ou des dents, la douleur, la présence d'odeurs nauséabondes, de la mobilité dentaire et une mastication difficile. Ces symptômes justifient la consultation d'un dentiste.

Détection du problème

Dépistage

Plusieurs problèmes buccodentaires sont pratiquement asymptomatiques et le résident ne ressent généralement aucune manifestation. C'est pourquoi l'examen visuel de la cavité buccale constitue la seule façon de détecter facilement d'éventuels problèmes buccodentaires.

L'état de santé des résidents admis en CHSLD est généralement précaire. Au cours des formalités d'admission, l'équipe interdisciplinaire effectue un bilan général. Or, il serait souhaitable que ce bilan comprenne un bilan de santé buccodentaire effectué par un dentiste, comme cela se fait dans certains États américains.

Il est rare que le médecin et l'infirmière recherchent à titre préventif les anomalies des tissus dentaires et muqueux de la cavité buccale. Généralement, la détection n'est effectuée que si les lésions buccales sont suffisamment douloureuses pour que le résident se plaigne. Il serait cependant possible de procéder à une détection plus précoce des problèmes buccodentaires. Par exemple, une infirmière pourrait effectuer un dépistage lors de l'admission des nouveaux résidents, puis en faire un chaque mois. Sans remplacer l'examen buccodentaire du dentiste, le dépistage effectué par l'infirmière pourrait révéler la présence de symptômes buccaux traduisant manifestement la présence d'un problème. Après avoir été prévenu, le dentiste pourrait confirmer rapidement le diagnostic et entreprendre le traitement dans les plus brefs délais.

La détection précoce de lésions permet habituellement d'entreprendre des traitements moins agressants, plus simples, et que les résidents à l'état de santé précaire supporteront plus facilement. Ainsi, le dépistage des problèmes buccodentaires devrait faire partie de l'évaluation effectuée lors de l'admission des résidents en CHSLD et faire ensuite l'objet d'un suivi rigoureux de la part de l'infirmière.

L'examen visuel de la cavité buccale exige de connaître l'aspect des tissus buccodentaires sains. Ces connaissances devraient donc faire partie de la formation en sciences infirmières.

En plus de relever l'état de santé buccodentaire, l'infirmière devrait profiter de ce dépistage pour évaluer la capacité fonctionnelle du résident à effectuer ses soins d'hygiène buccodentaire.

Inspection buccodentaire par une infirmière, étape par étape

L'inspection réalisée par l'infirmière comprend la palpation de la langue ainsi qu'une vérification de la mobilité des dents.

Tableau 13-1	Problèmes buccodentaires
PROBLÈMES	**DÉFINITIONS**
Gingivite	La gingivite se caractérise par la rougeur et l'œdème de la partie de la gencive bordant le sillon alvéolo-dentaire. Elle peut être localisée ou généralisée. Les dents sont sensibles et saignent au brossage.
Parodontite	La parodontite présente parfois les mêmes signes cliniques que la gingivite, mais elle s'accompagne également de poches parodontales et d'une mobilité dentaire*. On la reconnaît à la régression de la gencive et à l'exposition de la racine des dents. Les dents déchaussées sont souvent branlantes. La parodontite ne cause que très peu de douleur, sauf s'il s'agit d'un abcès parodontal.
Traumatismes prothétiques	Les traumatismes prothétiques se présentent généralement sous forme d'ulcérations localisées sous la surface de la prothèse.
Ulcère buccal	L'ulcère buccal apparaît toujours sur la muqueuse qui tapisse la bouche. Il est caractérisé par une perte de tissu à la surface de la muqueuse, dont le pourtour présente parfois un liséré inflammatoire. L'ulcère peut être unique, comme dans le cas d'un traumatisme prothétique ou d'un cancer buccal, mais les ulcères peuvent être multiples, notamment s'ils sont d'origine infectieuse. La dimension d'un ulcère varie généralement de quelques millimètres à quelques centimètres.
Stomatite prothétique	La stomatite prothétique se manifeste cliniquement par une zone de rougeur au niveau de la gencive en contact avec le palais dur ou avec la crête édentée, délimitée par la surface de contact de la prothèse dentaire responsable de la stomatique. Cette pathologie est habituellement causée par une infection à champignons (*Candida albicans*).
Candidose buccale	La candidose buccale affecte la muqueuse buccale et prend généralement l'une des quatre formes suivantes :
	1) la forme pseudomembraneuse, caractérisée par des plaques blanches, molles, élevées, qui s'enlèvent par grattage ;
	2) la forme érythémateuse, marquée par une rougeur généralisée et une sensibilité de la surface affectée ;
	3) la forme hyperplasique, qui se présente sous forme de zones blanches qui tendent à confluer et qu'il est impossible d'enlever par grattage ;
	4) par des fissures, appelées chéilites angulaires, apparaissant aux commissures des lèvres. Sur la photo de gauche, la candidose affecte la langue ; sur celle de droite, elle affecte le palais.

* Mobilité dentaire : caractère des dents branlantes qui bougent dans leur alvéole.

>>>

PROBLÈMES	DÉFINITIONS
Cancers buccaux	Les cancers de la bouche se manifestent par une multitude de signes, parmi lesquels : une plaque blanche, kératinisée, non détachable au grattage, une plaque rouge, habituellement asymptomatique, des plaques rouges et blanches, une zone d'inflammation présentant la forme d'un ulcère plus ou moins profond.
	Plus de la moitié des lésions cancéreuses de la muqueuse buccale apparaissent sur la langue ; les autres sites de prédilection sont le plancher de la bouche, le palais mou, la gencive et la crête alvéolaire.

Cette inspection, qui nécessite quelques instruments, doit être effectuée de façon sécuritaire et en respectant les précautions universelles d'asepsie. L'infirmière doit donc se laver les mains, porter un masque et des gants jetables, ainsi qu'un sarrau ou un uniforme, avant d'entreprendre l'examen de la bouche du résident. Elle doit avoir sous la main un abaisse-langue jetable et une lampe frontale ou une lampe de poche. Le résident doit être installé confortablement dans une chaise gériatrique ou sur un lit.

L'inspection doit évaluer l'état des muqueuses, des gencives et des dents. Pour ce faire, l'infirmière doit commencer par enlever les prothèses dentaires du résident. L'inspection s'effectue selon une procédure standardisée applicable à tous les résidents de manière à réduire les risques d'erreurs et à ne pas oublier d'examiner certains sites anatomiques. L'infirmière procède toujours de droite à gauche, en vérifiant dans l'ordre l'état des structures anatomiques. Elle achève son inspection par la partie avant de la cavité buccale, par la langue et ses régions contiguës.

Après avoir demandé au résident d'ouvrir la bouche, l'infirmière étire les lèvres avec l'abaisse-langue. Elle procède de bas en haut et vérifie l'état de la gencive ou de la crête édentée inférieure et celui de la joue, puis elle passe à la gencive ou à la crête édentée supérieure. Elle évalue ensuite le palais dur et le palais mou, le voile du palais, l'oropharynx, ainsi que les muqueuses jugales*. Après avoir observé

_____
* **Jugal** : relatif à la joue.

l'intérieur des lèvres inférieure et supérieure, l'infirmière inspecte la surface de la langue. Elle demande ensuite au résident de relever le bout de sa langue et de l'appliquer sur le palais afin d'observer directement la face linguale inférieure. Elle demande aussi au résident de tirer la langue. Elle saisit la langue avec un carré de gaze. En tirant doucement la langue à droite puis à gauche, elle en examine soigneusement chaque côté, sur toute sa longueur. Elle relâche la langue pour rechercher la présence de caries importantes dans les dents et vérifie si les dents sont branlantes. En tout, l'inspection devrait durer une dizaine de minutes.

Le but du dépistage précoce des lésions ou des problèmes buccodentaires vise à faciliter les traitements et à réduire la morbidité associée à ces maladies. Aussi, au moindre doute quant à la présence d'une lésion tissulaire, l'infirmière devrait demander une consultation au dentiste afin qu'il établisse un diagnostic ou détermine l'absence de problème. L'inspection visuelle clinique effectuée par l'infirmière doit être précise et systématique. Ainsi, en considérant le but de cette inspection, elle se doit d'orienter vers un spécialiste tous les cas qu'elle juge suspects, même si les examens subséquents ne révèlent finalement rien d'anormal. En somme, le rôle de l'infirmière est d'assurer le dépistage précoce des lésions apparentes afin de les faire traiter sans délai par un dentiste ou par un spécialiste.

Le tableau 13-2 décrit l'aspect normal des structures buccodentaires.

PROGRAMME D'INTERVENTION

La bouche est un organe aux multiples fonctions et par lequel les aliments transitent et subissent différentes transformations mécaniques et chimiques. Plusieurs structures présentes dans la bouche sont fragiles et peuvent être l'objet d'infections, de diverses affections et de traumatismes. Le maintien de l'intégrité de ces structures nécessite des dépistages fréquents et exige une hygiène buccodentaire rigoureuse. Ces gestes, que les personnes pleinement autonomes peuvent juger anodins, deviennent une charge fastidieuse pour le résident fatigué ou malade. Après une perte significative d'autonomie, qui conduit souvent à l'hébergement en CHSLD, l'individu est généralement incapable d'effectuer sans aide ses soins d'hygiène buccodentaire quotidiens. Or, les CHSLD ne comptent généralement pas dans leur personnel habituel des personnes spécialisées dans le domaine dentaire. L'infirmière joue donc un rôle essentiel, celui d'une intervenante de première ligne dans le maintien de la bonne santé buccodentaire des résidents. Il lui incombe de dépister les problèmes buccodentaires, de superviser ou d'effectuer les soins quotidiens des résidents dépendants, et de faire le lien avec les dentistes ou les hygiénistes.

En résumé, un programme de soins infirmiers buccodentaires doit donc inclure ces trois composantes, à savoir le dépistage visuel, les soins d'hygiène buccodentaire et la consultation des services spécialisés.

Tableau 13-2	Aspect normal des structures buccodentaires

STRUCTURES	DESCRIPTION
Muqueuses buccales	Les muqueuses buccales sont rose foncé, régulières et lustrées, et souples. Elles recouvrent les joues, la base de la gencive, l'intérieur des lèvres, le palais mou, le voile du palais, la luette, la langue et le plancher de la bouche.
Structures sublinguales	Sous la langue, le soignant peut observer plusieurs structures proéminentes dont le frein lingual, qui fixe la langue au plancher de la bouche afin d'en limiter la mobilité, ainsi que l'orifice des glandes salivaires sublinguales situées de part et d'autre du frein. Certaines veines superficielles sont visibles sous la surface du plancher lingual, car, à cet endroit, la muqueuse linguale est particulièrement mince.
Joues	À l'intérieur de chaque joue, au niveau de la première molaire supérieure, se trouve l'orifice par lequel s'écoule la salive provenant des glandes parotides.
Gencive	La partie de la gencive en contact avec la dent est rose plus pâle ; elle est ferme et a l'apparence d'une pelure d'orange. Elle forme une bande de plusieurs millimètres autour des dents et recouvre la totalité des crêtes édentées et le palais dur.
Palais dur	La partie antérieure du palais dur comporte des rugosités palatines. Ces petites élévations et irrégularités mesurent moins d'un millimètre d'épaisseur et plusieurs millimètres de long. Toujours à l'avant du palais, situé juste derrière les deux incisives centrales ou à la partie la plus antérieure du sommet de la crête édentée, se trouve une élévation ronde, unique, de 2 à 3 millimètres de diamètre, appelée papille incisive d'où sort un paquet vasculo-nerveux*.
Dents	Les dents sont des structures dures, de couleur ivoire jaunâtre, dont la majeure partie est enfouie dans la gencive et la structure osseuse sous-jacente. Les dents normales sont de couleur uniforme, sans cavité à leur surface. Une coloration foncée peut indiquer la présence d'une carie dentaire ou d'une obturation*.

Objectifs

L'objectif fondamental d'un programme collectif d'hygiène buccodentaire est d'améliorer la santé buccodentaire des résidents de l'unité. Le programme collectif a aussi pour objectifs de contribuer à réduire le nombre de demandes de consultation liées aux troubles buccodentaires et le nombre de traitements, et enfin de favoriser la socialisation entre les résidents.

Dépistage visuel

L'inspection buccodentaire que doit réaliser l'infirmière a été décrite en détail dans la section traitant de la détection des problèmes. Il importe toutefois de rappeler ici que cette inspection devrait être réalisée durant les premières semaines de l'admission d'un résident au CHSLD et mensuellement par la suite. Les résultats doivent être consignés au dossier du résident. Évidemment, il faut envoyer chez le dentiste les résidents présentant des signes ou des symptômes de problèmes buccodentaires.

Soins d'hygiène buccodentaire

Sensibilisation des soignants

Bien que le brossage des dents et de la langue ne représente pas un grand défi clinique sur le plan technique, ces soins

ne sont pas toujours prodigués comme il se doit en raison, notamment, de l'attitude négative que manifestent les soignants. Pour cette raison, il incombe à l'infirmière de leur faire comprendre l'importance d'une bonne santé buccodentaire. Ainsi, tout enseignement concernant les soins d'hygiène buccodentaire devrait aborder cette question du lien entre la bonne santé buccodentaire et la qualité de vie des résidents.

Le sourire contribue à donner l'impression de bonne santé et de vivacité. Dans nos sociétés, les dents blanches, propres et éclatantes sont un synonyme de vie saine et procurent un bien-être psychologique élevé. Inversement, la perte des dents, les caries importantes et les dents cassées, en particulier celles de la région antérieure de la bouche, affectent l'apparence physique du résident et donnent l'impression de négligence et de malpropreté. Par ailleurs, l'absence complète de dents ou les prothèses mal ajustées que les résidents refusent d'utiliser provoquent l'affaissement des lèvres, l'apparition de rides, une élocution difficile. Toutes ces manifestations contribuent à augmenter l'impression de décrépitude.

Le manque d'hygiène buccale favorise la formation d'un film épais qui se transforme en plaque dentaire. Cette place recouvre peu à peu la surface entière de la dent, qui peut prendre une couleur brunâtre et se calcifier. En plus de réduire la mauvaise haleine, le nettoyage quotidien de la bouche procure au résident une agréable sensation de fraîcheur que l'on associe à l'image d'une bonne santé.

Lors de son hébergement en CHSLD, le résident est pris en charge par plusieurs soignants qui s'occupent de sa sécurité, de sa santé et de son bien-être. Ce résident traversera

---

* **Paquet vasculo-nerveux** : ensemble de vaisseaux et de nerfs cheminant côte à côte dans la pulpe dentaire.

Obturation : opération consistant à remplir une cavité carieuse à l'aide d'un alliage, d'un métal, d'un amalgame ou d'un ciment (plombage).

une période d'adaptation. Les activités de la vie quotidienne qu'il exécute encore de façon autonome et celles qu'il est devenu incapable d'accomplir font l'objet d'une évaluation afin d'établir lesquelles pourront être maintenues et celles qu'il faudra rétablir ou dont le personnel devra s'occuper. Les soins buccodentaires sont des soins intimes au même titre que les soins d'hygiène personnelle. Le soignant joue donc un rôle crucial quand vient le moment d'établir une routine efficace de soins buccodentaires.

Technique de soins

Brossage des dents

Le brossage des dents est l'intervention la plus efficace pour contrôler la plaque dentaire qui se forme sur toutes les dents. Sous l'action des soies de la brosse à dents, la plaque dentaire est désorganisée, puis éliminée mécaniquement. Toutefois, l'efficacité du brossage dépend de la capacité d'atteindre toutes les surfaces dentaires accessibles, ce qui demande à l'opérateur d'effectuer des mouvements de va-et-vient et de rotation, c'est-à-dire des mouvements qui exigent une bonne coordination et une dextérité manuelle assez importante.

Or, à cause de l'arthrite ou d'une démence, par exemple, les résidents vivant en CHSLD ont perdu une partie de leur dextérité. Qui plus est, la majorité des brosses à dents manuelles ont un manche très étroit, ce qui les rend difficiles à tenir dans la main. Cependant, il existe plusieurs accessoires bon marché qui permettent d'augmenter l'épaisseur du manche de la brosse et de la saisir plus facilement. D'autres dispositifs permettent d'attacher la brosse à dents à une poignée que le résident peut passer dans sa main ou fixer à son poignet. Par ailleurs, un brossage efficace des dents exige une série de mouvements complexes que cette population vulnérable a de la difficulté à effectuer. C'est pourquoi les résidents des CHSLD aux capacités manuelles réduites devraient plutôt utiliser des brosses à dents électriques. Les appareils, qui ont un manche de bonne dimension, libèrent les résidents de ces mouvements complexes qu'ils ont de la difficulté à accomplir. L'efficacité des brosses à dents électriques a été démontrée et, comme elles sont beaucoup moins coûteuses depuis quelques années, elles sont maintenant à la portée de toutes les bourses (Sicilia, Arregui, Gallego, Cabezas et Cuesta, 2002). Même chez les résidents qui ont besoin d'aide pour effectuer leurs soins buccodentaires, la brosse à dents électrique facilite le travail du soignant. Chez les résidents dépendants sur le plan fonctionnel et souffrant de déficits cognitifs, le temps de coopération est généralement assez court. Ils résistent donc souvent aux soins. Ainsi, pour le résident moins coopératif, le seul passage rectiligne de la brosse à dents électrique éliminera une bonne partie de la plaque dentaire. Il est recommandé de changer la brosse à dents manuelle ou la tête de la brosse électrique tous les trois à six mois, selon son degré d'usure.

Tous les soins d'hygiène buccodentaire devraient s'effectuer, dans la mesure du possible, à proximité d'un lavabo.

Sinon, il faut utiliser un haricot et un verre d'eau. Le récipient sert à cracher et le verre d'eau à rincer la tête de la brosse à dents. Avant de commencer les soins d'hygiène buccodentaire, le soignant doit s'assurer qu'il dispose à portée de main de tout ce dont il a besoin : une brosse à dents, de la pâte dentifrice, une bavette, une débarbouillette, un haricot, un verre d'eau, des gants jetables et un masque (voir la figure 13-4). Tout ce matériel devrait être déposé sur une table à roulettes propre que le soignant approche du résident. Pour accomplir ces soins de façon efficace et sécuritaire, le soignant devrait s'installer derrière le patient comme l'illustre la figure 13-5. Il devrait également porter des lunettes de sécurité.

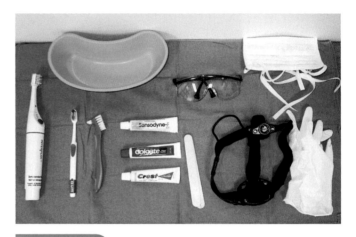

FIGURE 13-4 **Matériel et produits d'hygiène pour les soins buccodentaires**

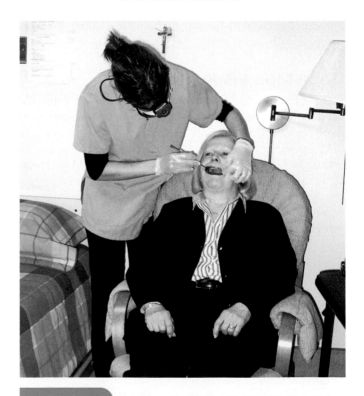

FIGURE 13-5 **Position de l'infirmière pour donner les soins d'hygiène buccodentaire**

Les résidents qui ont des dents naturelles ne devraient pas utiliser de « toothette », un dispositif constitué d'un cylindre de mousse monté sur un bâtonnet plastifié, en raison du risque de fracture et d'aspiration que comporte cet instrument. Cependant, ce dispositif a été utilisé avec succès lors de l'application de gluconate de chlorhexidine pour le nettoyage régulier des dents, voire pour améliorer la santé buccodentaire (Stiefel, Truelove, Chin, Zhu et Leroux, 1995). De préférence, le verre d'eau doit être large et peu profond, afin de diminuer les risques de renversement.

Pour aider à prévenir les caries, la pâte dentifrice devrait contenir du fluor. La quantité de dentifrice à déposer sur la brosse à dents ne devrait pas dépasser la grosseur d'un pois et elle devrait avoir pénétré dans les soies de la brosse. Chez les résidents âgés qui souffrent de troubles de la déglutition et qui ont de la difficulté à avaler et à cracher, il est préférable d'utiliser une toute petite quantité de dentifrice, car son effet moussant accroît les risques d'aspiration.

Pour être efficace, le brossage des dents doit être systématique. La brosse doit nettoyer toutes les surfaces dentaires accessibles. Pour ce faire, le soignant procède arcade par arcade, en commençant par le maxillaire supérieur. Après avoir demandé à la personne d'ouvrir la bouche, il place son index gauche juste à l'intérieur de la bouche, à la commissure labiale gauche. Ensuite, il étire la lèvre et, avec sa main dominante, il commence le brossage de la surface buccale des dents supérieures postérieures gauches. Puis il passe aux dents antérieures et aux dents postérieures droites. Le soignant termine en brossant la table occlusale, c'est-à-dire la tranche des dents. Il rince la brosse dans le verre d'eau puis recommence du côté gauche, sur la face linguale des dents, dans le même ordre. Le soignant demande au résident de se rincer la bouche et de cracher dans le haricot, puis il répète l'opération au niveau du maxillaire inférieur, ou mandibule*, toujours dans le même ordre. Pour terminer, le soignant effectue un brossage léger de la surface dorsale de la langue. Puis il nettoie le haricot, qui sera prêt pour une utilisation ultérieure, et il se lave les mains.

Résident édenté

Le résident totalement édenté doit bénéficier chaque jour d'un brossage léger de la langue et du palais. Tout comme les dents, les prothèses dentaires doivent être nettoyées quotidiennement (Shay, 2000). La première étape consiste à retirer les prothèses dentaires de la bouche du résident. Il faut procéder attentivement, car la prothèse est couverte de salive et d'un biofilm qui la rend très glissante. La prothèse pourrait glisser des mains et se briser en tombant sur le sol. Une fois qu'il a ôté la prothèse, le soignant la dépose sur une serviette propre déposée sur une surface plane. Il est conseillé de placer un coussinet, une serviette, une débarbouillette dans le fond du lavabo, ou encore d'y laisser de l'eau dans le fond, pour amortir la chute de la prothèse si elle

venait à tomber lors du nettoyage. Cette précaution évitera de briser l'acrylique, les crochets métalliques, ou encore de plier l'armature, ce qui compromettrait l'utilisation de la prothèse dentaire.

On ne doit nettoyer qu'une seule prothèse à la fois, avec une brosse à prothèses et de la pâte dentifrice. Il a été démontré que le brossage sans produit de nettoyage, comme le dentifrice, n'élimine pas aussi efficacement le biofilm responsable des infections des muqueuses (Barnabé, de Mendonca Neto, Pimenta, Pegoraro et Scolaro, 2004). Ces brosses spéciales sont plus efficaces que les brosses à dents, car elles ont une tête plus grosse et des soies plus rigides. Il faut enlever les prothèses dentaires pour la nuit et les mettre à tremper. Le trempage peut s'effectuer dans l'eau, avec une pastille effervescente ou non. Les bains effervescents peuvent éliminer certaines particules alimentaires, mais ils ne permettent pas de déloger le biofilm prothétique*. Par ailleurs, les contenants à prothèses risquent de devenir de véritables bouillons de culture bactérienne. Il faut donc les vider et les nettoyer quotidiennement. Certains bains effervescents contiennent des produits désinfectants permettant une utilisation continue pouvant aller jusqu'à sept jours. Cependant, ces produits ne permettent pas d'éliminer le biofilm prothétique.

Une fois par mois, on nettoie la partie en acrylique de la prothèse dentaire en contact avec la muqueuse buccale à l'aide d'une solution d'hypochlorite de sodium diluée (30 mL d'eau de Javel commerciale dans environ 1/4 de litre d'eau) (Barnabé *et al.*, 2004). La partie métallique des prothèses partielles ne doit pas être mise en contact avec cette solution oxydante, car elle risque de corroder et de noircir la surface de la prothèse (Keyf et Gungor, 2003). Il est possible d'immerger complètement les prothèses tout en acrylique durant 10 à 15 minutes. Le soignant devrait respecter la fréquence et la durée de trempage des prothèses dentaires, car la solution peut abîmer l'acrylique. Quant aux prothèses dentaires partielles munies d'une partie métallique, il est possible de les désinfecter en posant une gaze imbibée de solution sur la partie en acrylique. Il faut laisser agir le désinfectant pendant 10 à 15 minutes. De cette façon, le métal de la prothèse n'entre pas en contact avec la solution. Ensuite, il faut rincer la prothèse à grande eau pendant au moins deux minutes, afin d'éliminer les hypochlorites* résiduels. L'eau utilisée, tant pour le bain d'entreposage que pour le rinçage, ne devrait pas dépasser 50 °C. La chaleur risque aussi de déformer l'acrylique des prothèses, ce qui pourrait l'empêcher de s'adapter correctement aux gencives.

Lorsque la surface de la prothèse est entartrée, surtout au niveau de la région buccale postérieure supérieure, et au

---

* **Mandibule :** maxillaire inférieur (mâchoire).

---

* **Biofilm prothétique :** ensemble des microorganismes (bactéries, champignons et virus) qui se développent à la surface d'une prothèse.

Hypochlorites : groupes d'atomes chargés négativement ($HClO^-$), à pouvoir bactéricide, que l'on trouve dans l'eau de Javel. Ce produit est très corrosif.

niveau de la région linguale antérieure du bas, le soignant peut la faire tremper durant la nuit dans une solution contenant la moitié de vinaigre blanc 5 % (acide acétique) et la moitié d'eau (Shay, 2000). L'acidité du vinaigre n'affecte pas l'acrylique, mais elle dissout les constituants phosphocalciques* du tartre. Celui-ci ramollit et peut être éliminé le lendemain par un brossage vigoureux. Il faut ensuite rincer la prothèse à grande eau pendant au moins deux minutes. Le bain ultrasonique dans l'eau ou dans une autre solution antiseptique sans alcool est une autre façon de nettoyer les prothèses pleines de tartre. Quoique peu utilisé dans les milieux de soins de longue durée, ce procédé est efficace (Shay 2000).

Soie dentaire

La soie dentaire permet d'éliminer la plaque dentaire sur les surfaces dentaires interproximales, entre les dents, que la brosse ne peut atteindre. Entre les mains de résidents autonomes et motivés, la soie dentaire prévient très efficacement l'apparition des lésions carieuses sur les surfaces interdentaires. Cependant, chez un résident dépendant, incapable de coopérer et qui a perdu toute dextérité manuelle, il est peu réaliste d'envisager l'utilisation de la soie dentaire.

Rince-bouche

À ce jour, le seul moyen efficace pour désorganiser et enlever la plaque dentaire est de la déloger mécaniquement. D'après les résultats des études cliniques, peu de rince-bouche diminuent la gingivite. Par ailleurs, les plus efficaces ne sont obtenus que sur ordonnance. Les rince-bouche sur le marché n'ont pas la propriété d'éliminer seuls la plaque dentaire. Par ailleurs, plusieurs de ces rince-bouche contiennent de l'alcool, jusqu'à 18 %. Or, l'alcool assèche les muqueuses et risque d'intoxiquer les personnes qui utilisent ce type de produits. Dans certaines conditions, les rince-bouche permettent de masquer temporairement la mauvaise haleine. Toutefois, il est sûrement plus efficace de traiter la cause des mauvaises odeurs buccales. Les résidents aux prises avec une mauvaise haleine persistante devraient consulter un dentiste.

---

* **Phosphocalcique** : se dit d'une substance solide contenant du phosphate et du calcium.

Consultation

Lorsque l'infirmière note la présence de signes ou de symptômes indiquant un problème buccodentaire (voir le tableau 13-1), elle devrait en faire une description détaillée dans le dossier du résident et, le cas échéant, signaler que le résident se plaint de malaise ou de douleurs. De plus, elle doit indiquer les conséquences éventuelles du problème, comme l'agitation et le refus de s'alimenter.

Par la suite, elle contacte le dentiste pour lui faire part de ses observations, puis elle remplit un formulaire de consultation ou de demande de services professionnels. Le dentiste devra venir jusqu'au CHSLD afin d'évaluer le problème buccodentaire du résident. Il prend les moyens nécessaires pour diagnostiquer le problème signalé. Il procède à l'inspection visuelle; effectue une radiographie de la zone affectée, sur place ou après que le résident a été conduit à son cabinet. Il peut également effectuer une biopsie ou diriger le résident vers un spécialiste. Si le problème relève de ses compétences, il entreprend le traitement approprié, sinon, il fait appel au médecin. Il consigne par écrit son diagnostic, le résultat de son examen, le plan de traitement et toute autre information pertinente. Il indique également le traitement effectué sur la feuille de consultation. L'infirmière informera le médecin de la décision prise par le dentiste et du traitement qu'il a décidé d'effectuer.

Conclusion

La plaque dentaire est le facteur étiologique le plus important dans l'apparition de la plupart des affections buccodentaires. La détection rapide des lésions, des caries et des dents branlantes facilite le traitement de ces problèmes. L'infirmière qui possède de bonnes connaissances dans le domaine de l'hygiène buccodentaire peut jouer un rôle déterminant dans la détection des lésions et contribue à leur guérison. Pour protéger les résidents contre les caries et les maladies gingivales, les CHSLD doivent mettre sur pied des programmes collectifs d'intervention pour assurer des soins d'hygiène buccodentaire de qualité. Ce programme collectif doit se traduire en actions individuelles quotidiennes. Compte tenu du rôle que joue l'infirmière au regard de l'examen clinique, elle doit assumer pleinement ses responsabilités dans le domaine de la santé buccodentaire vis-à-vis des personnes en perte d'autonomie.

ÉTUDE DE CAS

Florence a 79 ans. Elle est d'origine polonaise et a une bonne corpulence. Elle a séjourné brièvement à l'unité de courte durée de l'hôpital, et elle vient d'être admise dans le CHSLD local, après avoir subi un accident vasculaire cérébral (AVC). À la suite de cet accident, elle a perdu de nombreuses capacités physiques et elle a besoin d'aide pour effectuer une bonne partie de ses activités de la vie quotidienne (AVQ). Depuis quelques jours, Florence semble avoir perdu son appétit et mange moins. Durant les repas, elle grimace et se touche fréquemment la mâchoire. Depuis son AVC, Florence a de la difficulté à s'exprimer. Il est donc difficile de savoir exactement ce qui provoque ce comportement. L'infirmière soupçonne un problème buccodentaire. D'après les résultats de son dernier examen dentaire, Florence avait encore dix dents avec de multiples obturations. De plus, elle porte une prothèse dentaire partielle à la mandibule et une prothèse dentaire complète au maxillaire supérieur.

Depuis son AVC, Florence est complètement dépendante pour ses soins d'hygiène buccodentaire quotidiens, car elle a perdu presque toute sa motricité fine. Après que le soignant a enlevé les prothèses dentaires et procédé aux soins d'hygiène buccodentaire de Florence, l'infirmière de soir arrive et tente d'éclaircir la situation. En procédant à l'examen visuel, elle observe une enflure et une rougeur à l'angle de la mandibule, au niveau des prémolaires inférieures gauches. Cette région enflée est rouge et chaude. En s'éclairant avec sa lampe de poche, elle observe la bouche de Florence. Elle constate que le collet de toutes les dents est recouvert d'une substance blanchâtre et adhérente. Du côté douloureux, la dernière prémolaire présente une cavité. Aucune dent ne semble branlante pour le moment, mais la gencive adjacente est enflée. Plus loin dans la bouche, sur la crête édentée inférieure, une ulcération à la base de la gencive semble s'être formée. Elle note également que le palais de Florence est très rouge et irrité.

Questions

1 Décrivez en détail le processus d'inspection visuelle auquel procède l'infirmière.

2 Décrivez ce que doit faire l'infirmière après avoir effectué l'inspection visuelle de la bouche de Florence.

3 Nommez les différents problèmes buccodentaires dont souffre Florence.

4 Quelle devrait être l'apparence normale des gencives de Florence ?

14

L'ÉLIMINATION VÉSICALE

par **Rose-Anne Buteau**

Un bon nombre d'aînés et de résidents vivant en CHSLD connaissent divers problèmes d'élimination vésicale tels que l'incontinence urinaire, le symptôme de la vessie irritable et la mauvaise vidange vésicale. Mais, contrairement aux croyances généralement admises, l'incontinence urinaire et les autres problèmes ne sont pas une fatalité, car il existe divers moyens d'y remédier.

C'est pourquoi il est important que les CHSLD mettent de l'avant des programmes d'intervention collectifs et individuels destinés à reconnaître les problèmes d'élimination urinaire des résidents qui en sont affectés, et qu'ils cherchent à remédier à ces problèmes au moyen de diverses approches. L'infirmière qui travaille en CHSLD joue un rôle déterminant, car elle intervient dans la mise en œuvre et la gestion de ces programmes. De plus, elle aide les soignants à surmonter les obstacles inhérents à la réorientation des attitudes et des soins centrés sur l'amélioration et le maintien de la continence.

NOTIONS PRÉALABLES SUR L'INCONTINENCE URINAIRE

Définition

Les problèmes d'élimination vésicale chez le résident sont l'incontinence urinaire, le symptôme de la vessie irritable et la mauvaise vidange vésicale (Sengler et Minaire, 1995). Toutefois, ce chapitre ne traitera que de l'incontinence urinaire, qui se définit comme une perte involontaire d'urine objectivement démontrable et constituant un problème social ou hygiénique. Cette perte d'urine se caractérise par une incapacité à se retenir ou à contrôler la miction dans un lieu inapproprié ou à un moment inadéquat (Agency for Health Care Policy and Research [AHCPR], 1996).

Ampleur du problème

Selon la Fondation d'aide aux personnes incontinentes (FAPI, 2001), 1,5 million de Canadiens, soit 7 % de la population, souffrent d'incontinence urinaire. Elle affecte 12 % des femmes et 2,5 % des hommes. Bien que l'incontinence urinaire puisse survenir à tout âge, la fréquence augmente avec l'âge. Un sondage canadien (Angus Reid, 1997) mentionne que l'incontinence affecte 2 % des personnes de moins de 35 ans, 12 % des personnes de 55 ans et plus, 16 % des personnes de 65 ans et plus, et 24 % des personnes de plus de 84 ans. Les taux de prévalence varient considérablement d'une étude à l'autre et il est difficile d'établir la prévalence avec précision. En effet, la plupart du temps, on ne diagnostique pas l'incontinence ou on omet de la déclarer. Par contre, selon les études effectuées auprès des aînés vivant à domicile, la prévalence de l'incontinence urinaire varie entre 10 et 35 %, alors que, dans les CHSLD, elle se situe entre 40 et 70 % (Ouslander et Schnelle,1995).

Conséquences

L'incontinence urinaire affecte toutes les dimensions de la vie des aînés. D'abord, sur le plan physique, l'incontinence urinaire altère l'intégrité de la peau et cause des infections urinaires. Elle est également une source indirecte de chutes et perturbe l'autonomie des résidents qui en souffrent (Herzog et Fultz, 1990; Purce Jox, 1992). Par ailleurs, elle affecte le sommeil et les déplacements, car le besoin d'uriner, qui ne peut être différé, s'accompagne souvent d'une sensation d'urgence et de crainte de perdre ses urines (Hunskaar et Vinsnes, 1991).

Sur le plan psychologique, les répercussions de l'incontinence urinaire comprennent l'embarras, l'anxiété, l'isolement, la perte de l'estime de soi et la dépression (Sengler et Minaire, 1995). Selon une étude canadienne réalisée par Klag (1998), 90 % des personnes incontinentes se disent affectées dans leur sentiment de bien-être, et 80 % éprouvent de la gêne et de la frustration. Cette gêne limite les sorties et les promenades, les loisirs, les interactions sociales entre amis ou avec la famille et les activités sexuelles (AHCPR, 1996). De plus, une étude du Victorian Order of Nurses of Canada (VON Canada, 1998) rapporte que plus de 50 % des résidents en CHSLD se disent modérément ou très contrariés par leur incontinence. Ils rapportent avoir peu ou pas de contrôle sur leur incontinence et mentionnent connaître bien peu de choses à propos de ce problème.

Facteurs prédisposants et facteurs précipitants

Facteurs prédisposants

Vieillissement normal

Le vieillissement normal entraîne un certain nombre de modifications physiologiques et psychologiques importantes qui perturbent le fonctionnement de l'appareil urinaire et la production de l'urine. Ainsi, le vieillissement s'accompagne d'une diminution de la capacité vésicale, d'une vidange partielle de la vessie, de contractions lors du remplissage vésical. On observe également un accroissement du volume d'urine résiduelle, une diminution de la capacité des reins à concentrer l'urine, une diminution de la pression de la fermeture urétrale, par suite de la perte de tonus des muscles périnéaux, ainsi qu'une diminution de la capacité de retarder la miction (Resnik, 1995, 1996; Ouslander, Johnson, Uman et Schnelle, 1993). Tous ces changements contribuent à accroître substantiellement la vulnérabilité du résident âgé à l'égard de l'incontinence urinaire. Toutefois, les changements normaux associés à l'âge ne causent pas l'incontinence urinaire.

Maladies

Plusieurs états pathologiques s'accompagnent d'incontinence urinaire par suite de leurs effets sur l'immobilité, la conduction de l'influx nerveux, l'inhibition ou la stimulation de la contraction vésicale, la pression de fermeture sphinctérienne et sur la dégradation de la condition physique. Parmi les états pathologiques, mentionnons l'arthrite, l'arthrose, l'ostéoporose, la maladie de Parkinson, le delirium, les accidents vasculaires cérébraux, les stades avancés des démences, l'insuffisance cardiaque, les bronchopneumopathies chroniques obstructives, le diabète et l'incontinence fécale (AHCPR, 1996). Chez l'homme, l'hypertrophie bénigne de la prostate favorise également l'incontinence urinaire.

Toutefois, certains facteurs de risque d'incontinence urinaire sont réversibles : l'élimination de la cause responsable de l'incontinence entraîne une amélioration des problèmes urinaires, voire la disparition de l'incontinence. C'est le cas des infections urinaires et vaginales, de la constipation, de l'affaiblissement des muscles pelviens consécutif à la grossesse, aux accouchements, aux épisiotomies ou à l'hystérectomie, de l'obésité morbide, et de la consommation inadéquate de liquides (U.S. Department of Health and Human Services, 1996).

Satisfaction des besoins de base

La consommation inadéquate de liquides, notamment ceux qui renferment de la caféine ou de l'alcool, est un facteur de risque connu de l'incontinence urinaire. Le manque d'exercice physique peut aussi favoriser l'apparition de l'incontinence. Enfin, le tabagisme prédispose également à l'incontinence urinaire en raison de son effet irritant sur le détrusor*, et qui entraîne la contraction de ce muscle lors de la phase de remplissage vésical (Pearson et Droessler, 1991).

Facteurs précipitants

Soignants

L'incontinence urinaire en CHSLD devient souvent chronique. Parmi les facteurs qui précipitent cet état, Mueller et Cain (2002) ont perçu différentes croyances chez le personnel soignant des CHSLD. La première est qu'il n'existe aucun moyen de traiter l'incontinence. Cette croyance est d'autant plus forte quand elle s'exprime vis-à-vis de résidents qui présentent des atteintes cognitives. Cette croyance explique aussi l'approche palliative des soins d'incontinence qui consiste à utiliser des culottes d'incontinence avant d'avoir évalué la nature et l'origine du problème ou vérifié s'il est possible d'atténuer le problème par d'autres moyens. Les soignants croient également que l'incontinence fait partie du vieillissement normal. Ils entretiennent également d'autres croyances, comme celles que des résidents présentant des diagnostics identiques ont les mêmes besoins d'élimination urinaire, donc que tous les résidents répondront de la même façon à une routine appliquée à l'ensemble du groupe. Ils pensent également que la prévention de l'incontinence urinaire demande une diminution de l'apport liquidien, ou encore qu'il est nécessaire d'utiliser des produits de protection pour l'incontinence urinaire avec tous les résidents. En effet, les soignants croient souvent que l'incontinence provient de l'incapacité des résidents de contrôler leurs muscles pelviens. Enfin, les soignants pensent aussi qu'il est plus long d'amener un résident à la toilette que de lui prodiguer des soins personnalisés d'élimination.

Ainsi, les attitudes envers l'incontinence, y compris la tare sociale qui lui est associée, le manque de sensibilisation du public, l'absence de connaissances et de compréhension du problème pour évaluer, intervenir et traiter l'incontinence efficacement, permettent de comprendre pourquoi le système de santé accorde si peu d'importance et de fonds à ce problème jugé secondaire (FAPI, 2001; VON Canada, 1998).

Or, le succès de tout programme d'intervention en CHSLD visant à améliorer ou à maintenir la continence repose sur l'engagement et la participation des soignants. Il est donc essentiel que leurs croyances reflètent l'état des connaissances actuelles dans le domaine. Malheureusement, la formation des infirmières sur le traitement et la prise en charge de l'incontinence est généralement incomplète (FAPI, 2001). De ce fait, les soins traditionnels sont axés vers une approche palliative de l'incontinence. Selon l'étude de Schnelle, Cruise, Rahman et Ouslander (1998), pour 84 %

---

* **Détrusor**: muscle de la vessie.

des résidents incontinents, les soins d'incontinence consistent à utiliser des serviettes et des culottes de protection pour l'incontinence. Cette forme de soins contribue à perpétuer la dépendance des résidents à l'égard des soins d'élimination, et favorise également la détérioration et la chronicisation du problème d'élimination urinaire, ainsi que la perte de contrôle du résident sur son incontinence. À long terme, ce traitement risque d'altérer l'autonomie fonctionnelle du résident. Par contre, dans leur étude, Funderburg et Bakas (2002) ont établi que les soignants comprenaient l'importance de promouvoir la continence et le désir pour les résidents de rester au sec.

Médicaments

Certains médicaments, notamment les diurétiques, sont des facteurs précipitants de l'incontinence urinaire. C'est également le cas des médicaments décongestionnants susceptibles d'entraîner de l'incontinence urinaire chez l'homme âgé, car ils favorisent le prostatisme (hypertrophie bénigne de la prostate) et risquent de provoquer une incontinence par débordement. En fait, tous les médicaments de la famille des adrénergiques ou sympathicomimétiques peuvent exercer cet effet. Enfin, chez la résidente ménopausée, le manque d'œstrogènes favorise également l'incontinence urinaire.

Manifestations cliniques

De façon générale, l'infirmière doit savoir reconnaître les signes indiquant un problème urinaire. Parmi ces signes, l'AHCPR (1996) mentionne :

- L'incapacité d'attendre dix minutes après avoir ressenti le besoin d'uriner.
- L'absence de sensation de plénitude de la vessie.
- L'incapacité de se rendre compte quand le jet d'urine débute.
- Une fréquence urinaire supérieure à huit fois par 24 heures.
- Une nycturie de plus d'une fois par nuit.
- Une fréquence d'élimination urinaire inférieure à cinq fois par jour.
- Une perte goutte à goutte.
- L'incapacité d'arrêter et de reprendre le jet d'urine lors de la miction.
- La sensation de brûlure lors de la miction.
- La perte involontaire d'urine plus d'une fois par mois.

Ces signes doivent alerter l'infirmière et l'amener à procéder à un examen plus approfondi de la situation, afin d'établir le type d'incontinence urinaire en cause et de déterminer le mode d'intervention approprié.

Il existe deux catégories d'incontinence urinaire, selon qu'elle est aiguë ou chronique. L'incontinence aiguë est soudaine, associée à un problème de santé, ou encore consécutive à une intervention chirurgicale ou à l'action de certains médicaments. Dans la plupart des cas, elle disparaît avec la résolution du problème primaire.

Quant à l'incontinence chronique, elle peut apparaître soudainement lors d'une maladie aiguë ou de manière insidieuse. Son étiologie est physiologique, par suite de l'atteinte de l'appareil vésico-sphinctérien, sauf pour l'incontinence fonctionnelle provoquée par des facteurs externes au système urinaire. L'incontinence urinaire chronique s'aggrave avec le temps et se présente habituellement sous quatre formes, dites d'urgence, de stress, de débordement et fonctionnelle. D'autres auteurs ajoutent à ces quatre types d'incontinence les formes qualifiées de mixte et de réflexe. Il faut savoir que, dans une population âgée, il est parfois difficile de distinguer les différentes catégories d'incontinence urinaire, car une même personne peut présenter plus d'une forme d'incontinence (Ouslander *et al.*, 1993). Il est toutefois essentiel d'établir un diagnostic infirmier qui précisera la forme de l'incontinence urinaire dont souffre le résident afin de déterminer le type approprié d'intervention et de planifier des soins de qualité.

L'incontinence de stress, aussi appelée incontinence d'effort, se définit comme une perte d'urine consécutive à un effort qui accroît la pression intra-abdominale, tel que tousser, rire ou éternuer (Registered Nurses' Association of Ontario [RNAO], 2002). La perte d'urine survient immédiatement, au moment de l'effort. Il peut s'agir de petites quantités d'urine, de l'ordre de quelques gouttes, ou de volumes plus importants, selon l'importance de l'incontinence. La perte d'urine se produit malgré l'absence de contraction du détrusor ou d'hyperextension* de la vessie. Les causes les plus fréquentes de l'incontinence d'effort sont la mobilité du col de la vessie lors de l'activité ou l'incapacité du sphincter vésical à maintenir la pression de fermeture. Le sphincter est incapable de se contracter suffisamment fort pour retenir l'urine dans la vessie au moment de la poussée abdominale. Les principales causes de ce type d'incontinence sont notamment les accouchements multiples, l'obésité, les exercices physiques avec impact au sol, ou les suites d'une prostatectomie (AHCPR, 1996).

L'incontinence d'urgence, également qualifiée d'incontinence par réduction du temps d'alerte, se définit comme la perte involontaire d'urine accompagnée d'un besoin urgent et pressant d'uriner (RNAO, 2002). Le résident ressent un besoin soudain et urgent d'uriner. Il urine en petites quantités, plus de huit fois par jour, et plus de deux fois par nuit. Le besoin d'uriner étant très pressant, le résident a peur de perdre ses urines s'il doit attendre. Souvent, la perte d'urine débute lors du déplacement vers les toilettes. Cette forme d'incontinence est également stimulée par divers signaux psychologiques, tels qu'entendre de l'eau couler, ou par la sensation d'avoir froid. L'incontinence d'urgence est associée à une contraction involontaire de la vessie, sans respect du processus normal de remplissage vésical, à l'instabilité du détrusor en réponse

---

* **Hyperextension** : étirement du muscle vésical au-delà de la capacité normale sans déclenchement du besoin d'uriner ou de la contraction du muscle vésical.

à une irritation ou à un résidu post-mictionnel* élevé (AHCPR, 1996). Cette forme d'incontinence accompagne souvent les multi-infarctus*, l'infection urinaire ou l'hypertrophie de la prostate.

L'incontinence mixte se définit comme une perte d'urine involontaire qui combine les symptômes de l'incontinence d'urgence et de l'incontinence d'effort. Par contre, l'un des symptômes est plus dérangeant ou manifeste (AHCPR, 1996). Le résident perd de l'urine lors d'activités quotidiennes ou quand il effectue des efforts, en plus de ressentir des envies urgentes d'aller à la toilette et d'uriner souvent et en petites quantités. Cette forme d'incontinence survient fréquemment chez les femmes âgées. L'identification du symptôme dominant s'avère utile pour établir le diagnostic et orienter le programme de soins individualisé.

L'incontinence urinaire de débordement ou par trop-plein représente une perte d'urine involontaire associée à de légères contractions de la vessie consécutives à son hyperextention (RNAO, 2002). Elle se manifeste par plusieurs symptômes, tels le goutte-à-goutte fréquent ou constant, des petites mictions, la sensation de vessie pleine après la miction et un jet d'urine qui commence difficilement ou qui s'arrête en cours de miction. L'incontinence urinaire de débordement résulte soit d'une réaction d'irritation du détrusor induite par une importante accumulation d'urine dans la vessie, soit d'une incapacité de la vessie à se contracter suffisamment pour se vider complètement. Ce type d'incontinence peut également être causé par un processus d'obstruction de l'écoulement de l'urine au niveau du col de la vessie ou du sphincter. Chez les hommes âgés, l'hypertrophie bénigne de la prostate en est la cause la plus fréquente. Par contre, chez les femmes, cette forme d'incontinence est plus rare, quoiqu'elle puisse être causée par un prolapsus utérin*, un rectocèle* ou un cystocèle*. Le problème survient aussi lors de neuropathies diabétiques, de la consommation de certains médicaments et d'atteintes de la moelle épinière (AHCPR, 1996).

Quant à l'incontinence fonctionnelle, elle se présente sous la forme de pertes d'urine associées à l'incapacité de se rendre aux toilettes en raison d'une atteinte cognitive, d'une atteinte de la motricité ou d'obstacles environnementaux (RNAO, 2002). La perte est donc provoquée par un facteur étranger au système urinaire. La cause se situe au niveau des pertes d'autonomie consécutives à un handicap physique ou à une atteinte cognitive, lesquelles

limitent la capacité de reconnaître le besoin d'uriner, de se déplacer vers les toilettes ou d'utiliser adéquatement les toilettes (AHCPR, 1996). L'incontinence fonctionnelle serait fréquente dans les CHSLD en raison d'un nombre insuffisant de soignants, de la prévalence élevée de démences et de la perte d'autonomie des résidents.

Détection du problème

L'évaluation des problèmes urinaires vise à confirmer et à déterminer la gravité de l'incontinence, le type d'incontinence, ainsi que les conditions et les facteurs associés à la perte urinaire. Il faut procéder à cette évaluation de l'incontinence à l'admission du résident, puis régulièrement durant le séjour au CHSLD et lorsque surviennent des changements dans l'état de santé du résident. Le tableau 14-1 résume le processus de détection de l'incontinence urinaire.

Évaluation cognitive et fonctionnelle

Le processus d'évaluation de l'élimination urinaire comprend une évaluation cognitive et fonctionnelle (voir le chapitre 2) dont les résultats serviront à définir les soins, la pertinence et à déterminer dans quelle mesure le résident est capable de participer à un programme individualisé d'amélioration ou de maintien de la continence (Mueller et Cain, 2002).

Histoire de santé

L'évaluation doit également comporter une analyse de l'histoire de santé du résident, spécialement sur les plans neurologique, urinaire et génital. Sur le plan neurologique, l'infirmière recherche les troubles de la conductivité de l'influx nerveux, tels un AVC ou la maladie de Parkinson. Sur le plan urinaire, l'infirmière évalue les atteintes du système urinaire telles que les néphropathies diabétiques, un cancer de la vessie, les infections urinaires, une pyélonéphrite ou des calculs rénaux. Sur le plan génital, l'infirmière s'informe notamment du nombre d'accouchements, demande si la résidente a subi une hystérectomie, ou encore si elle souffre d'une infection vaginale ou d'un cancer.

Par la suite, la collecte d'informations doit viser à établir les facteurs de risque, tels les habitudes d'élimination, le tabagisme, les atteintes affectant la mobilité, la consommation de liquides, comme le café ou les tisanes à la menthe, ou de certains médicaments reconnus pour favoriser l'incontinence urinaire.

Examen physique

L'évaluation s'achève par un examen physique qui permet de rechercher la présence d'œdème et les signes d'atteintes de la capacité motrice et de la dextérité. Cette évaluation comprend également un examen de la région génito-anale visant à détecter les affections cutanées, les prolapsus, et à déterminer la force musculaire du plancher pelvien. En outre, l'infirmière procède à l'évaluation du résidu post-mictionnel soit par cathétérisme, soit par ultrasons, et elle

---

* **Résidu post-mictionnel**: quantité d'urine restant dans la vessie après une miction. Cette mesure s'obtient soit à l'aide d'un cathétérisme vésical pratiqué immédiatement après la miction, soit par l'estimation du résidu à partir de trois mesures consécutives obtenues à l'aide d'un appareil à ultrasons.

Multi-infarctus: petits incidents vasculaires répétés.

Prolapsus utérin: chute ou abaissement de l'utérus par suite du relâchement de ses moyens de fixité.

Rectocèle: saillie du rectum dans le vagin, qui en repousse la paroi postérieure.

Cystocèle: saillie de la vessie dans le vagin.

Tableau 14-1	**Sommaire du processus d'évaluation de l'incontinence**			
ÉVALUATION	**OBJECTIFS**	**CONTENU**	**MOYENS**	**JUSTIFICATION**
Évaluation cognitive et fonctionnelle	Établir la capacité du résident.	• Mémoire, attention, orientation • Déplacement et marche	• Examen cognitif de type Folstein • Système de mesure de l'autonomie fonctionnelle (SMAF) (Voir le chapitre 2)	Certaines interventions visant à évaluer l'incontinence urinaire exigent que le résident soit capable de mémorisation et de déplacement. Il est donc important que l'infirmière connaisse les capacités du résident.
Histoire de santé	Déterminer les antécédents.	Antécédents neurologiques, chirurgicaux, urinaires, génitaux, etc.	• Analyse des épisodes antérieurs d'infection urinaire ou d'incontinence urinaire • Liste des diagnostics et des chirurgies	Permet de comprendre le processus d'apparition de l'incontinence, de déterminer la forme d'incontinence et d'estimer les résultats possibles d'une intervention individualisée.
Facteurs de risque	Reconnaître les facteurs de risque réversibles.	• Tabagisme • Surplus de poids • Habitudes de vie et d'hygiène • Hydratation: quantité, répartition quotidienne, liquides irritants et diurétiques, • Alimentation: aliments irritants • Élimination intestinale • Sédentarité • Médicaments (diurétiques)	• Résultats du questionnaire d'histoire de santé établi à l'admission • Bilan des liquides pour 24 heures • Liste de la médication actuelle	La correction des facteurs de risque réversibles permet d'améliorer la continence. De plus, la méthode est non invasive et elle est dépourvue d'effets secondaires.
Examen physique	Reconnaître les facteurs prédisposants.	• Vérifier la présence d'œdème au niveau des membres inférieurs • Examiner la région génito-anale pour rechercher les affections cutanées et les prolapsus, déterminer la force musculaire du plancher pelvien, ainsi que le degré de sécheresse de la muqueuse vaginale, observer la consistance, l'apparence et l'odeur des sécrétions vaginales • Évaluer le résidu post-mictionnel et faire un prélèvement urinaire	• Examen de la capacité motrice de l'articulation de la hanche • Examen des membres inférieurs • Examen de la région génito-anale • Toucher vaginal ou rectal (insérer un doigt et demander au résident de serrer les muscles comme pour empêcher un gaz de passer) • Cathétérisme vésical ou résidu post-mictionnel par ultrasons • Ponction veineuse si nécessaire (azote uréique, créatinine, glucose et calcium)	• Soumettre à une évaluation plus poussée les résidents ayant besoin d'une consultation en urologie ou en gynécologie pour une évaluation méthodique de l'incontinence. • Un résidu post-mictionnel de plus de 100 mL doit faire l'objet d'une investigation plus poussée, car il peut indiquer la présence d'un obstacle à l'écoulement de l'urine (tumeur, hypertrophie grave de la prostate) ou une hypotonie de la vessie. • Faire un toucher vaginal chez la femme et le toucher rectal chez l'homme afin d'estimer la force de contraction des muscles périnéaux. • Un test sanguin est recommandé lorsqu'on soupçonne un dysfonctionnement rénal ou la présence de polyurie en absence de médicaments diurétiques (FAPI, 2001).
Recherche des signes et symptômes de l'élimination vésicale	Établir les symptômes et déterminer la forme d'incontinence.	Estimer les signes de l'incontinence: • Fréquence • Volume • Moment • Nycturie • Dysurie • Faiblesse du jet d'urine • Urgence mictionnelle • Activité en cours lors des pertes • Intervalle mictionnel	Journal des urines durant 7 jours	Le journal permet d'établir les indicateurs de gravité et du type d'incontinence. En reprenant cette mesure et en la comparant avec l'évaluation de départ, il est possible d'établir le degré d'amélioration de la continence.

effectue un prélèvement urinaire afin d'éliminer une éventuelle infection. En cas d'atteinte de la fonction rénale ou de polyurie, il est nécessaire d'effectuer une analyse sanguine.

Après avoir procédé à cette évaluation initiale et instauré un traitement non invasif, l'infirmière devrait demander une évaluation plus poussée lorsque le résident ne répond pas au traitement (FAPI, 2001).

Recherche des signes et symptômes de l'élimination vésicale

Le journal des urines permet d'estimer les caractéristiques de l'incontinence urinaire (voir le tableau 14-2). Ce journal est l'un des outils les plus utilisés pour mesurer l'importance et la gravité des problèmes urinaires. Il permet d'établir le nombre quotidien d'épisodes d'incontinence, la fréquence des mictions diurnes et nocturnes, ainsi que l'intervalle mictionnel moyen. Il mesure la gravité de l'incontinence et établit un point de référence pour le traitement ou le suivi de l'évolution des symptômes urinaires. Selon l'étude de Locher, Goode, Roth, Worrell et Burgio (2001), le journal des urines établi sur une période de sept jours constitue une mesure fiable, stable et reproductible

de la fréquence de l'incontinence urinaire, quelle que soit la forme d'incontinence. Cet instrument s'avère être sensible, représentatif de la gravité de l'incontinence et demande peu d'instructions pour être utilisé (Wyman et Fant, 1990).

Le journal débute à partir de la première urine du matin. Au moment de chaque miction, l'infirmière note les informations suivantes : l'heure et le lieu de la miction ; s'il y a une perte d'urine, elle indique la quantité approximative d'urine perdue, la présence d'un symptôme d'urgence, ainsi que les circonstances de la perte urinaire. Pour les résidents qui ne peuvent demander d'aller aux toilettes ou dire qu'ils y sont allés, l'infirmière vérifie toutes les deux heures s'il y a eu incontinence ou si le résident éprouve le besoin d'uriner.

L'analyse du journal des urines permet de mesurer la fréquence diurne et nocturne des épisodes d'incontinence, d'établir l'existence d'une éventuelle pollakiurie, de calculer l'intervalle mictionnel moyen, de vérifier si le résident est capable de percevoir son besoin ou l'urgence d'uriner, et enfin d'estimer la capacité vésicale du résident. Le journal des urines aide le résident à prendre conscience de ses troubles mictionnels et constitue un moyen diagnostique et de surveillance de l'incontinence.

PROGRAMME D'INTERVENTION

Programme collectif

Le programme collectif de prévention de l'incontinence urinaire a pour objectifs l'instauration d'interventions destinées à préserver les capacités d'élimination vésicale et la détection rapide des facteurs de risque d'incontinence urinaire. Pour atteindre ces objectifs, il importe de modifier les croyances des soignants à propos de l'incontinence urinaire en améliorant leurs connaissances sur le sujet et en les encourageant à s'engager dans la voie de la prévention. Par ailleurs, les résidents qui modifient certaines de leurs habitudes de vie arrivent à prévenir l'apparition des symptômes d'incontinence. Dans ce sens, il est souhaitable de les inciter à boire moins de breuvages riches en caféine, à arrêter de fumer, à absorber suffisamment de liquides, à prévenir la constipation et à faire régulièrement de l'activité physique modérée (FAPI, 2001).

Le soignant doit aussi chercher à surmonter les difficultés auxquelles se heurte le résident dans les différentes phases de l'élimination et dans le maintien de la continence, que ce soit au moment de reconnaître son besoin d'uriner, de se diriger vers les toilettes, ou encore de manipuler correctement ses vêtements, c'est-à-dire les ouvrir, les remonter ou les abaisser rapidement et avec dextérité (AHCPR, 1996). Il est souhaitable que tous les résidents capables de sentir que leur vessie est pleine et capables de demander de l'aide ou de réagir lorsqu'ils sont invités à uriner soient incités à aller uriner par eux-mêmes ou avec une assistance partielle (FAPI, 2001).

Préservation des capacités d'élimination vésicale

Pour préserver les capacités d'élimination vésicale, il faut permettre aux résidents de s'orienter et de pouvoir se diriger facilement vers les toilettes. Il est même possible de créer des automatismes chez les résidents souffrant d'atteintes cognitives en leur faisant emprunter toujours le même chemin et en attirant leur attention sur les indices architecturaux qui les guident vers les toilettes. Le soignant se doit de bien évaluer le degré d'autonomie et de répondre aux besoins d'aide qu'éprouvent certains résidents dans leurs déplacements vers les toilettes en leur procurant les aides nécessaires, telles que des cannes, des déambulateurs et des fauteuils roulants adaptés. Il faut accompagner le résident qui a besoin d'aide et l'encourager à se rendre aux toilettes seul aussi longtemps qu'il en est capable (AHCPR, 1996).

La marche régulière est un exercice physique léger qui permet de maintenir les capacités fonctionnelles relatives à l'élimination urinaire. Elle contribue à maintenir la souplesse et l'amplitude de l'articulation de la hanche, ainsi que le tonus musculaire du plancher pelvien (Pearson et Droessler, 1991).

Une hydratation adéquate joue un rôle primordial dans le maintien de la capacité et de l'élasticité du muscle vésical. Elle contribue aussi à l'efficience des différentes phases du remplissage de la vessie, notamment la perception du besoin d'uriner. La vessie a besoin d'atteindre un volume

Tableau 14-2 Journal des urines

❶ HEURES	❷ NOTER LA QUANTITÉ D'URINE À LA TOILETTE	❸ CHANGEMENT DE VÊTEMENTS OU DE PROTECTION	❹ UN BESOIN SOUDAIN ET URGENT D'URINER		❺ UNE PETITE PERTE D'URINE	❻ UNE GROSSE PERTE D'URINE	❼ NOTER LES RAISONS DE CETTE PERTE D'URINE
			OUI	NON			
DURANT LA NUIT							

COMMENTAIRES :

minimum de 350 mL d'urine pour maintenir actif le signal d'avertissement du besoin d'uriner (Resnik, 1996; Dowd, 1994).

Détection de l'incontinence

Il importe que les soignants reconnaissent rapidement les signes de l'incontinence urinaire et qu'ils puissent en avertir l'infirmière sans délai. Les soignants doivent donc comprendre qu'il est important de consulter l'infirmière dans de telles situations. Il faut éviter que la culotte de protection constitue la première réponse thérapeutique aux signes de l'incontinence. Les soignants doivent être conscients qu'il est fondamental de procéder à l'évaluation en profondeur des causes de l'incontinence et de poursuivre les efforts afin de favoriser le maintien de la continence chez le résident.

Croyances des soignants

Dans chaque milieu de soins, l'infirmière doit prendre tous les moyens nécessaires pour expliquer aux soignants que l'incontinence urinaire n'est pas une fatalité inhérente au vieillissement normal et qu'il existe des interventions efficaces. Ils doivent aussi être conscients que le fait de négliger une incontinence urinaire risque d'avoir des effets à long terme, notamment sur les chutes, les plaies de pression et les infections urinaires. Il importe également d'expliquer les effets psychologiques de l'incontinence urinaire et de ne pas minimiser le problème en raison de l'âge des résidents.

Programme individuel

Il arrive bien souvent que l'instauration d'un programme collectif efficace ne suffise pas à prévenir l'apparition de l'incontinence urinaire chez les résidents. Dans ces circonstances, l'intervention se veut d'abord non invasive et se situe dans une perspective comportementale. Les soins offerts en CHSLD visent à prévenir les méfaits de l'incontinence, à améliorer la continence, à prévenir les fuites urinaires embarrassantes et à assurer le bien-être physique et psychologique des résidents.

L'intervention infirmière destinée à assister le résident incontinent comprend quatre composantes:

- Correction des facteurs de risque d'incontinence urinaire
- Soutien psychologique
- Rappel programmé et autres interventions
- Utilisation de produits de protection

Correction des facteurs de risque

Mobilité

Il importe premièrement de corriger l'incontinence fonctionnelle inhérente à une incapacité cognitive ou fonctionnelle du résident. Il est possible de choisir entre plusieurs solutions. Afin de faciliter l'accès aux toilettes et d'améliorer la continence, l'infirmière peut instaurer un simple pro-

gramme de marche et de maintien de la mobilité ou établir un horaire individualisé pour accompagner le résident aux toilettes (AHCPR, 1996).

Hydratation

Deuxièmement, il est possible de traiter l'incontinence avec succès en ajustant la consommation de liquides afin de répondre aux besoins individuels des résidents (Dowd, 1994). En effet, le maintien de la capacité et du fonctionnement normal de la vessie nécessite un apport liquidien adéquat. Il faut donc, avant d'entreprendre quelque intervention que ce soit, déterminer les besoins hydriques du résident (voir le chapitre 11). Dans la mise en œuvre d'un programme de soins individualisés destiné à corriger les facteurs de risque de l'incontinence, le contrôle de l'apport liquidien est déterminant. L'apport quotidien doit prévoir 6 à 10 verres de liquides par jour, soit environ 2 litres. Le résident doit être invité à boire régulièrement, et ce, tout au long de la journée. Une stratégie efficace pour augmenter l'apport quotidien consiste à établir un horaire visant à inciter les résidents à boire toutes les deux heures. Il faut toutefois diminuer l'hydratation après 18 h, mais sans l'arrêter.

En cas d'incontinence urinaire, les liquides à privilégier sont l'eau, le jus de pomme et le jus de raisin. Il faut éviter de proposer des liquides et des aliments qui stimulent la production d'urine, comme ceux qui contiennent de la caféine, du cacao et de l'alcool. Chez les résidents souffrant d'incontinence d'urgence, il faut réduire ou éliminer les liquides et les aliments irritants qui provoquent des contractions de la vessie. Il convient donc de ne pas offrir d'agrumes (en fruit ou en jus), de boissons à la menthe ou de tisanes à base de menthe, et de ne pas servir d'aliments très épicés, de produits contenant de la tomate (jus, saucc, soupe, etc.) ou de produits contenant des édulcorants artificiels.

Si la nycturie se produit plus de deux fois par nuit, il faut prévoir une restriction des liquides et, durant la journée, éliminer les breuvages contenant de la caféine. Il faut maintenir l'apport quotidien, mais en concentrant la majorité de la consommation de liquides avant le dîner. Chez les résidents qui font de l'œdème dans les membres inférieurs durant la journée, il est important d'élever les jambes dès la fin de l'après-midi et durant la soirée (O'Donnell, Beck et Walls, 1990). Cette intervention stimule la diurèse naturelle et limite le volume d'urine produit au cours de la nuit. De plus, chez les résidents qui reçoivent des diurétiques, il est possible de corriger la nycturie en modifiant l'heure d'administration du médicament.

Traitement des infections urinaires

Il faut aussi traiter les infections urinaires, y compris chez les résidents qui ne présentent pas de symptômes apparents. En effet, chez les résidents âgés, les infections urinaires sont souvent asymptomatiques ou ne se manifestent que par une augmentation de l'incontinence urinaire (voir le chapitre 8). Quelques stratégies complémentaires à la médication permettent de prévenir et de traiter efficacement les infections urinaires. Il est notamment conseillé de boire beaucoup de liquides. En effet, 50 % des infections urinaires guérissent d'elles-mêmes quand les personnes qui en sont atteintes boivent plus (Kaschak Newman, Wallace, Blackwood et Spencer, 1996). Par ailleurs, augmenter l'apport en vitamine C maintient l'urine acide et le jus de canneberges est reconnu pour diminuer l'adhérence des bactéries (McCormack et Latouf, 2002). Par contre, le jus de canneberge peut augmenter ou aggraver les symptômes de l'incontinence d'urgence et il est contre-indiqué chez les résidents soumis à un traitement anticoagulant (Palmer, 1994).

Soutien psychologique

Lorsqu'un résident est atteint d'incontinence urinaire, il est important d'en discuter avec lui afin de démystifier le problème, d'écouter ses craintes et de tenter de le convaincre qu'il est possible de contrôler la continence efficacement. Le résident a besoin d'être informé pour comprendre les changements normaux inhérents au vieillissement, pourquoi il risque de souffrir d'incontinence urinaire ou pourquoi il en est atteint. La compréhension par le résident du processus d'élimination et le renforcement par l'observation des résultats obtenus sont essentiels au maintien des efforts nécessaires à la recherche de l'autonomie. De plus, de nombreux résidents ont peur de perdre leurs urines alors qu'ils sont en compagnie d'autres personnes. Ils associent cette peur à une perte de contrôle de soi et à une perception négative du vieillissement. Il incombe donc à l'infirmière de créer un climat de confiance et de discuter avec le résident de la manière de procéder pour prévenir les fuites et les situations embarrassantes.

Rappel programmé

Le rappel programmé est une intervention comportementale utilisée pour diminuer les épisodes d'incontinence et augmenter le nombre de mictions aux toilettes. Ce programme a pour objectifs de réduire la fréquence des épisodes d'incontinence, d'amener le résident à prendre plus souvent l'initiative de demander de l'aide ou d'utiliser les toilettes, ainsi que de renforcer l'attention et la perception du besoin d'uriner.

Cette intervention est efficace auprès des personnes présentant des atteintes physiques, des déficits cognitifs ou qui ont de la difficulté à trouver comment satisfaire seules leur besoin d'uriner (RNAO, 2002). Selon l'AHCPR (1996) ce programme est efficace chez 65 % des résidents des CHSLD. En revanche, il est inefficace chez les résidents qui ignorent ou ne comprennent pas les invitations à se rendre à la toilette, qui urinent selon un intervalle de miction inférieur à deux heures, ou encore qui manifestent de l'opposition lorsqu'un soignant les accompagne aux toilettes.

Le rappel programmé s'adresse aux résidents souffrant d'incontinence de stress, d'urgence, mixte ou fonctionnelle, ainsi qu'aux résidents risquant de faire de l'incontinence par suite des atteintes cognitives ou physiques dont ils souffrent (Salsbury Lyons, 2000).

Préalables à l'application du rappel programmé

Les résidents qui répondront le mieux au rappel programmé doivent satisfaire aux trois critères suivants (Salsbury Lyons, 2000) :

a) Ils présentent moins de quatre épisodes d'incontinence en 12 heures.

b) Ils sont conscients de leur besoin d'uriner.

c) Ils utilisent encore les toilettes dans 50 % du temps.

Malgré tout, le meilleur moyen d'estimer la réponse au rappel programmé est d'observer le comportement du résident au cours d'un test portant sur trois jours. Pendant les deux premiers, on vérifie la réaction du résident et le résultat obtenu lorsqu'il est invité à se rendre aux toilettes toutes les deux heures. Au cours de la troisième journée, le test est effectué selon un horaire établi d'après des intervalles de trois heures entre les passages aux toilettes. Lorsque le rappel programmé débute, les soignants assument les trois fonctions présentées au tableau 14-3. En ce qui concerne la surveillance, il est bon de noter que l'horaire suggéré pour accompagner le résident toutes les deux heures aux toilettes est un horaire type. Par contre, si l'infirmière désire élaborer une démarche personnalisée, elle doit noter les moments auxquels le résident ressent le besoin d'uriner et où elle l'a accompagné aux toilettes. Le journal des urines est un outil tout indiqué pour déterminer à quel moment le résident a besoin d'uriner.

Tableau 14-3	Fonctions des soignants dans le rappel programmé
FONCTIONS	**DESCRIPTION**
Surveillance	Cette fonction consiste à demander au résident, à intervalle régulier, s'il a besoin de se rendre aux toilettes. Le soignant doit considérer la réponse du résident et observer si le résident présente ou non des comportements manifestant le besoin de se rendre aux toilettes, tels que l'agitation, l'isolement ou l'errance. Il faut accompagner aux toilettes le résident qui manifeste le besoin d'uriner lorsqu'il est approché. Le soignant intervient régulièrement en respectant un horaire individualisé pour le résident ou toutes les deux ou trois heures.
Stimulation	À chaque intervention planifiée dans la démarche de rappel programmé, le soignant invite verbalement le résident à se rendre aux toilettes. Il incite aussi verbalement le résident à maintenir son contrôle vésical entre les passages aux toilettes.
Renforcement	Le soignant offre un renforcement positif lorsque le résident est resté au sec ou lorsqu'il utilise les toilettes. Ce renforcement souligne le succès obtenu dans le maintien du contrôle vésical et sert d'ancrage psychologique.

La procédure du rappel programmé (AHCPR, 1996; RNAO, 2002; Salsbury Lyons, 2000) comprend quatre étapes que décrit le tableau 14-4.

Le rappel programmé débute dès le lever et se termine au coucher. En effet, la nuit, ce programme ne se révèle pas aussi concluant que le jour (Ouslander, Al-Samarraï et Schnelle, 2001). La nuit, il ne faut donc pas déterminer les soins d'élimination à dispenser en fonction d'un horaire établi, mais en se basant sur les préférences exprimées par le résident, sur sa capacité à utiliser les toilettes durant la nuit et sur l'observation de son sommeil.

Le respect rigoureux du programme personnalisé par les soignants constitue le principal obstacle à son efficacité. Il est important que ces derniers disposent d'un moyen de mesurer les résultats obtenus, en tenant le journal des urines par exemple, qui fournit aux soignants une rétroaction à propos de l'efficacité des soins offerts. Cette rétroaction les aide à conserver la motivation et l'intérêt à l'égard de ce programme. De plus, selon Lekan-Rutledge (2000), il est préférable de limiter à deux résidents par soignant la responsabilité de l'application du protocole afin de tenir compte de la charge de travail qu'exige le respect rigoureux du rappel programmé.

Autres interventions

Les résidents dont les habiletés cognitives et fonctionnelles sont mieux préservées peuvent bénéficier d'autres types d'interventions, en plus des traitements pharmacologiques ou chirurgicaux.

Entraînement vésical

Axé sur un changement des habitudes mictionnelles, l'entraînement vésical est un programme dont le succès atteindrait un taux de 70 % (Chevalier et Morin, 1994). L'entraînement vésical, associé aux exercices destinés à renforcer la musculature pelvienne, est recommandé pour corriger l'incontinence légère et modérée chez les résidents dont la condition physique et cognitive permet de participer assidûment au programme (Wallace, Roe, Williams et Palmer, 2004), notamment pour contrôler l'incontinence d'urgence et l'incontinence mixte (FAPI, 2001).

L'entraînement vésical s'étend sur une période de 6 à 12 semaines. Il a pour but d'habituer la vessie à retenir progressivement un plus grand volume d'urine et d'augmenter graduellement l'intervalle entre deux mictions. L'entraînement vésical débute par un enseignement destiné à informer le résident sur divers sujets concernant le programme: le fonctionnement normal de la vessie, l'élaboration d'un horaire d'élimination, la détermination d'un intervalle mictionnel fixe et rigoureux pour l'élimination et le recours à des méthodes de distraction et de relaxation permettant de retarder le besoin d'uriner. Ces informations doivent s'accompagner d'un moyen de surveillance et de renforcement positif. L'intervalle mictionnel recherché devrait se situer entre trois et quatre heures (tableau 14-5).

L'entraînement vésical débute par le respect rigoureux d'un intervalle pour se rendre aux toilettes. Si le résident

Tableau 14-4	Procédure du rappel programmé
ÉTAPES	**DESCRIPTION**
Stimulation	1. Approchez le résident à l'heure prévue. Saluez-le et présentez-vous. Attendez une minute afin de lui permettre de vous dire qu'il veut aller aux toilettes. Puis annoncez-lui votre intervention : «Bonjour M. Lemire, je suis Nathalie. Il est 10 heures et, comme convenu, je viens vous aider à aller aux toilettes. »
Conscientisation	2. Attirez son attention sur le besoin d'uriner : «M. Lemire, avez-vous besoin d'uriner? Sentez-vous une pression dans le bas de votre ventre ? »
Vérification, consentement et renforcement	3. Demandez-lui s'il est sec ou mouillé. Obtenez son accord avant de vérifier s'il est sec ou mouillé. Notez le résultat sur le journal des urines et mentionnez-le au résident afin de lui donner une rétroaction verbale. Encouragez le résident dans ses efforts en soulignant le succès obtenu s'il est sec. «M. Lemire, êtes-vous mouillé? Me permettez-vous de vérifier? M. Lemire, vous avez de bons résultats avec cette intervention. Vous êtes au sec. »

Accompagnement et conclusion	4. Qu'il soit sec ou mouillé, proposez au résident de se rendre aux toilettes.
	 a. S'il répond par l'affirmative :
	   i. Assistez-le ou accompagnez-le aux toilettes.
	   ii. Notez s'il y fait une miction ou pas.
	   iii. Offrez-lui un renforcement positif s'il urine dans les toilettes. Prenez quelques minutes pour demeurer avec lui après l'intervention.
	 b. S'il répond par la négative :
	   i. Répétez une à deux fois l'invitation à utiliser les toilettes avant de quitter les lieux.
	   ii. Informez-le que vous l'aiderez à nouveau dans deux heures. Avant de le quitter, invitez-le à rester au sec, à demander de l'aide ou à utiliser les toilettes s'il en ressent le besoin.
	   iii. Inscrivez le résultat dans le journal des urines.

arrive à respecter cet intervalle sans difficulté, sans symptômes d'urgence et sans épisodes d'incontinence durant une semaine, il est invité à allonger l'intervalle entre deux mictions de 15 à 30 minutes. Avec le temps, le résident arrive à espacer les mictions de trois à quatre heures. Encore une fois, le concours des soignants est essentiel à l'efficacité de cette intervention.

Exercices pelviens

Les exercices de renforcement de la musculature pelvienne sont particulièrement recommandés en cas d'incontinence urinaire d'effort ou pour aider les hommes qui souffrent d'incontinence après une prostatectomie (FAPI, 2001). En pratiquant de tels exercices, le tiers des personnes réussissent à contrôler complètement leur incontinence. Les autres améliorent leur continence (Chevalier et Morin, 1994). Cependant, selon Grosshans (1994), 30 % des personnes âgées qui pratiquent des exercices de la musculature pelvienne ne le font pas adéquatement.

Les exercices musculaires pelviens visent à renforcer la paroi musculaire qui supporte le système urinaire. Le programme doit s'étendre sur une période de 16 semaines avant que les premiers résultats ne soient apparents. Le résident doit commencer par apprendre à reconnaître ses muscles pelviens à renforcer et à les contracter efficacement.

Quand les muscles pelviens sont contractés efficacement, ils se contractent vers le haut et vers l'intérieur du corps. À ce moment, le résident sent que l'anus pousse vers l'intérieur et qu'il se contracte comme pour empêcher un gaz de passer. La contraction doit être modérée et l'infirmière doit s'assurer que les muscles abdominaux ne se contractent pas vers le bas, que la respiration se poursuit durant la contraction et que le résident ne contracte pas les muscles de l'intérieur des cuisses et du ventre. En faisant ces vérifications, l'infirmière s'assure que le résident contracte les muscles que l'on veut renforcer, c'est-à-dire ceux du plancher pelvien.

Chaque contraction doit durer au moins trois secondes, pour commencer. Ensuite, on augmente graduellement la durée de la contraction pour la maintenir pendant dix secondes. Après quoi, le résident relâche lentement le muscle contracté, puis il attend au moins dix secondes

avant de le contracter de nouveau. Il est recommandé de commencer le programme en faisant une série de 15 exercices deux à trois fois par jour.

Produits de protection

Il existe peu de documentation objective sur la question de l'utilisation des moyens de protection et des produits d'incontinence. Ces produits visent à prévenir les fuites, les odeurs, les lésions cutanées, et à assurer le confort des résidents. Un résident peut choisir entre différents produits, compte tenu de l'intensité de l'incontinence et des différentes activités qu'il réalise durant la journée. Il faut faire des essais durant quatre à cinq semaines avant de déterminer quels produits de protection conviennent le mieux. Par contre, il faut retenir que, en règle générale, l'utilisation de plus de cinq à six serviettes ou culottes d'incontinence par 24 heures indique que le degré de protection du produit est inadéquat. Il faut donc utiliser une protection avec un degré supérieur d'absorption. Il est à noter que l'utilisation concomitante de poudres ou de crèmes réduit l'efficacité des produits d'absorption.

Conclusion

Les soins d'élimination en CHSLD doivent répondre aux objectifs des programmes d'intervention relatifs à l'incontinence. Ils doivent également s'inspirer des lignes directrices qui guident les pratiques novatrices et probantes. Dans cette optique, les programmes de soins doivent modifier leur orientation, et passer de la gestion de l'incontinence aux interventions axées sur l'amélioration et le maintien de la continence. Cette réorientation des pratiques suppose que les interventions retenues favoriseront chez le résident le maintien des capacités et de l'autonomie maximale dans la satisfaction du besoin d'uriner. Le rappel programmé s'inscrit bien dans cette approche et prend une place déterminante dans les soins des résidents incontinents.

Toutefois, l'efficacité et l'application des programmes d'intervention de maintien de la continence dépendent de plusieurs obstacles qu'il reste à régler. Premièrement, les soignants considèrent que la mise en œuvre du rappel programmé demande beaucoup de temps (Funderburg et Bakas, 2002 ; Mueller et Cain, 2002). C'est pourquoi Lekan-Rutledge (2000) recommande d'appliquer ce programme exclusivement aux résidents susceptibles d'en tirer profit.

Afin de maintenir la fidélité envers les programmes d'intervention, les soignants doivent surmonter un deuxième obstacle, qui consiste à percevoir l'amélioration et les résultats attendus (Remsburg, Palmer, Langford et Mendelson, 1999). Il faut donc que l'implantation du rappel programmé soit accompagnée d'activités de formation, de la diffusion des objectifs poursuivis et, surtout, de l'établissement d'un système de mesure des résultats.

Tableau 14-5	Détermination de l'intervalle mictionnel pour débuter l'entraînement vésical	
SI LE JOURNAL DES URINES MONTRE UN INTERVALLE MICTIONNEL MOYEN DE…	**… PRESCRIRE UN INTERVALLE DE VIDANGE DE**
60 minutes et plus	60 minutes
25 à 30 minutes	30 minutes
Moins de 25 minutes	15 à 20 minutes

ÉTUDE DE CAS

Madame Lemire, âgée de 76 ans, veuve et sans enfants a été admise dans un CHSLD il y a trois semaines parce qu'elle souffrait de la maladie d'Alzheimer. Avant son admission, elle vivait dans un complexe domiciliaire pour personnes âgées autonomes. Selon l'infirmière de la résidence, depuis un peu plus d'un an, Mme Lemire s'est mise à perdre graduellement son autonomie. Au cours des derniers mois, il lui était arrivé de ne pas retrouver son appartement, ou d'oublier de se présenter à la salle à manger aux heures des repas. Elle portait les mêmes vêtements plusieurs jours d'affilée et dégageait une forte odeur d'urine. Elle se plaignait de douleurs et ne participait plus aux activités sociales de la résidence.

Au dossier de la résidente, l'infirmière note les informations suivantes : démence de type Alzheimer, de l'arthrite aux mains et aux pieds, et une arthrose importante de la colonne vertébrale avec deux fractures anciennes de vertèbres en 2002 et 2000. Elle prend du Dilaudid et du Tylénol pour soulager ses douleurs. Elle souffre aussi d'hypertension et d'angine, deux affections pour lesquelles elle prend une médication. Elle a fait des infections urinaires récidivantes, le dernier épisode remontant en septembre 2004. Cette infection avait été guérie par une antibiothérapie de 10 jours. Enfin, elle ne prend pas sa médication assidûment.

L'infirmière a réalisé une brève évaluation de l'élimination urinaire de la résidente. Elle a noté une diminution de l'hydratation, qui ne dépasse pas 1100 mL par jour, et que la résidente buvait des boissons à base de cola, du café et du jus de pommes. De plus, Mme Lemire est constipée. L'infirmière a vérifié l'autonomie fonctionnelle et a observé une mobilité réduite. La résidente a aussi des problèmes d'équilibre. Elle a de la difficulté à se relever des toilettes en prenant appui sur le lavabo et à se servir d'une canne pour marcher. Dans son évaluation portant sur les signes et les symptômes de l'incontinence urinaire, l'infirmière indique que Mme Lemire perd quelques gouttes d'urine quand elle tousse, se lève des toilettes ou change de position. Elle urine en moyenne 10 fois par jour et 3 fois la nuit. L'intervalle moyen entre les mictions est de 1 h 30 min, et la résidente éprouve quatre épisodes d'incontinence par jour, surtout en se rendant aux toilettes.

Mme Lemire se dit très malheureuse qu'on lui reproche d'être incontinente. Elle se plaint que les soignants tardent à répondre quand elle a besoin d'aller aux toilettes, alors elle ne demande plus d'aide.

Questions

1 De quelle forme d'incontinence Mme Lemire souffre-t-elle ?

2 Que doit comprendre le programme personnalisé pour réduire l'incontinence de Mme Lemire ?

3 Quelles interventions pourrait-on envisager pour diminuer la fréquence urinaire élevée (10 fois par jour et 3 fois la nuit) constatée chez Mme Lemire ?

4 Vous décidez de proposer à Mme Lemire l'entraînement vésical. Quel sera l'intervalle mictionnel choisi pour débuter l'entraînement ? Pourquoi ?

L'ÉLIMINATION INTESTINALE

par **Linda Thibeault**

Même s'ils ne sont pas uniquement causés par les changements physiologiques inhérents au vieillissement normal, les problèmes d'élimination intestinale affectent fréquemment les résidents des CHSLD. En effet, près de la moitié d'entre eux souffrent de constipation, problème à mettre en relation avec divers facteurs précipitants et favorisants qui nuisent à une élimination régulière.

Dans sa démarche visant à assurer le bien-être des résidents, l'infirmière doit évaluer soigneusement les facteurs qui favorisent la constipation. Après avoir établi le profil d'élimination du résident et décelé l'origine du problème, elle peut instaurer un programme de prévention dont les objectifs sont à la fois collectifs et individuels. Les objectifs collectifs concernent l'ensemble des résidents et portent sur l'amélioration de la santé et des facteurs environnementaux. Quant aux objectifs individuels, ils visent l'application de techniques qui favorisent l'élimination intestinale et réduisent le recours aux méthodes pharmacologiques. Les clés du succès de la démarche infirmière sont la continuité des soins, la cohérence et la constance.

NOTIONS PRÉALABLES SUR LA CONSTIPATION

Définition

La constipation se définit comme un retard de l'élimination intestinale ou une évacuation incomplète des matières fécales (Buttery, 1996 ; Faigel, 2002).

Ampleur du problème

Les études récentes indiquent que la constipation affecte entre 40 et 50 % des résidents des CHSLD (Annels et Koch, 2002a ; Hinrichs et Huseboe, 2001). Il s'agit donc d'un problème fréquent.

Conséquences

La constipation entraîne des malaises et une diminution de la qualité de la vie des résidents (Annels et Koch, 2002a ; Frank *et al.*, 2002). De plus, lorsque la constipation persiste, il risque de se former un fécalome par suite du ralentissement du transit intestinal des selles. Il s'ensuit une plus grande absorption d'eau par la muqueuse intestinale et un durcissement des selles. La prévalence des fécalomes serait de 30 % en CHSLD (Chassagne *et al.*, 2000). En présence d'un fécalome, il arrive que l'état clinique du résident se détériore gravement, car l'accumulation de matières fécales risque de conduire à l'obstruction ou à la perforation intestinale. Elle peut également entraîner un delirium, voire le décès (Richmond, 2003).

Facteurs prédisposants et facteurs précipitants

Facteurs prédisposants

Vieillissement normal

Buttery (1996) précise que le vieillissement seul n'est pas à l'origine de la constipation, bien qu'il en augmente le risque et accroisse la vulnérabilité à l'égard de ce problème. Les multiples changements physiologiques associés au vieillissement affectent l'élimination intestinale. D'abord, les cellules caliciformes de la muqueuse du côlon sécrètent moins de mucus, lequel facilite le passage des selles en lubrifiant la paroi intestinale. Le mucus protège également la muqueuse intestinale des acides et des gaz produits par les bactéries présentes en grand nombre dans le côlon. Par ailleurs, le passage des selles distend les parois du côlon. Cette distension entraîne généralement une réponse réflexe qui se traduit par des contractions de la paroi intestinale se présentant sous forme d'ondes lentes et puissantes. Avec le vieillissement, la réaction des parois à l'étirement diminue, ce qui nuit à la propulsion des selles vers la région distale du côlon. Le péristaltisme, les mouvements propulsifs et le tonus musculaire perdent de leur efficacité, et le transit intestinal s'en trouve ralenti. Comme elles séjournent plus longtemps dans le côlon, les selles perdent plus d'eau (Marieb, 1999). Par ailleurs, la diminution du tonus des muscles du périnée atténue la perception d'accumulation des selles (Marieb, 1999 ; Richmond, 2003). L'effet combiné de ces changements physiologiques fait en sorte que l'aîné, même en bonne santé, produit des selles moins abondantes et plus sèches, ce qui accroît son risque de souffrir de constipation (Buttery, 1996 ; Marieb, 1999).

Le vieillissement perturbe également le réflexe gastrocolique. Ce réflexe crée une onde péristaltique qui propulse les selles vers le rectum pour déclencher la défécation. Le réflexe gastrocolique survient principalement après les repas. Il provoque des ondes péristaltiques allant de l'estomac jusqu'au côlon et favorisant l'évacuation des selles. Il est à noter que ce réflexe est plus intense lorsque l'estomac est vide, d'où sa plus grande efficience le matin. Par ailleurs, le vieillissement s'accompagne d'une baisse du seuil de perception des stimuli, comme la pression intrarectale, qui commandent la défécation. Le réflexe gastrocolique est alors affecté tant par le ralentissement du péristaltisme que par la modification des perceptions sensorielles (Brûlé, Cloutier et Doyon, 2002 ; Buttery, 1996 ; Registered Nurses' Association of Ontario [RNAO], 2002).

Maladies

Plusieurs maladies risquent de perturber l'élimination intestinale. Des atteintes neurologiques, telles que les accidents vasculaires cérébraux ou la maladie de Parkinson, favorisent la constipation parce qu'elles altèrent les réflexes nerveux ou provoquent l'atonie intestinale. Il en est de même des problèmes ostéo-articulaires comme l'arthrite, car ils réduisent la mobilité des résidents qui en souffrent. Des douleurs articulaires ou des limitations fonctionnelles conduisent aussi le résident à retenir son envie d'éliminer par crainte d'avoir mal en se déplaçant (Buttery, 1996 ; Phillips, Polakoff, Maue et Mauch, 2001 ; Richmond, 2003). Une atteinte cognitive comme la maladie d'Alzheimer accroît le risque de constipation, car le résident perd de sa capacité à ressentir l'envie de déféquer. S'il ne sait plus comment répondre à un besoin ou s'il ne sait plus où se trouve la toilette, le résident risque de souffrir de constipation ou d'incontinence fécale (Buttery, 1996 ; Kenny et Skelly, 2002).

Satisfaction des besoins de base

Hydratation

Les selles contiennent jusqu'à 70 % d'eau. Il faut maintenir cette proportion d'eau afin de favoriser une consistance optimale des selles en vue de la défécation. En cas de faible apport liquidien, une grande partie de l'eau est absorbée par l'organisme. De ce fait, il ne reste pas assez d'eau dans le tube digestif pour amollir les selles et assurer l'élimination des déchets fécaux (Buttery, 1996 ; Sheehy et Hall, 1998).

Alimentation

Les fibres alimentaires sont essentielles à l'élimination des selles. Un apport insuffisant en fibres compromet l'efficacité du péristaltisme. Le transit intestinal ralentit, et le volume fécal insuffisant ne permet pas de stimuler adéquatement les mouvements péristaltiques (Sheehy et Hall, 1998).

Mobilité

La sédentarité est un autre facteur intervenant fréquemment dans la constipation. En effet, l'inactivité physique réduit considérablement le péristaltisme intestinal et favorise la constipation. La perte d'autonomie et la contention physique, qui vise à restreindre les mouvements du résident, sont des causes de l'inactivité physique (Kenny et Skelly, 2002 ; Richmond, 2003).

Causes psychologiques

La dépression est la cause psychologique la plus souvent associée à la constipation. Les résidents déprimés perdent généralement l'appétit. Or, une diminution de l'apport alimentaire réduit l'élimination intestinale (Buttery, 1996 ; Hinrichs et Huseboe, 2001).

Facteurs précipitants

Interventions des soignants auprès des résidents

Le respect du réflexe naturel d'élimination constitue le facteur déterminant d'une élimination régulière. Comme le réflexe gastrocolique se manifeste de 15 à 30 minutes après le repas (Hinrichs et Huseboe, 2001 ; RNAO, 2002), il est important que les soignants tiennent compte de ce délai, d'autant plus que bon nombre de résidents ont besoin d'aide pour se rendre aux toilettes. Si les soignants n'interviennent pas dans cette période, l'envie d'éliminer disparaît, le centre cortical est inhibé et le sphincter anal interne se contracte (Hinrichs et Huseboe, 2001). Les selles remontent alors dans le côlon sigmoïde, où elles séjournent plus longuement. Comme cette région du côlon continue d'absorber l'eau contenue dans les selles, celles-ci s'assèchent et sont de plus en plus difficiles à évacuer (Buttery, 1996 ; Folden, 2002 ; Richmond, 2003).

L'utilisation du bassin hygiénique peut aussi être à l'origine de la constipation. En effet, pour utiliser cette aide technique, la personne alitée doit allonger les jambes. Or, dans cette position, il est difficile de contracter efficacement les muscles abdominaux et donc d'évacuer les selles (Buttery, 1996 ; Sheehy et Hall, 1998).

Médication

La constipation est souvent causée par certains médicaments qui ont pour effet secondaire de perturber la motilité intestinale et les mouvements péristaltiques. Il faut surveiller tout particulièrement les médicaments de la classe des anticholinergiques et les médicaments qui affectent le système nerveux central, tels les neuroleptiques. De même, les produits contenant du fer et les opiacés sont bien connus pour causer la constipation. Enfin, il faut surveiller l'usage chronique de laxatifs, qui risquent de provoquer l'atonie et la dilatation du côlon, deux facteurs qui prédisposent à la constipation. Les soignants peuvent être tentés de recourir à des laxatifs de plus en plus puissants pour permettre la défécation, mais cet usage ne fait qu'aggraver le problème de constipation (Richmond, 2003 ; RNAO, 2002 ; Sheehy et Hall, 1998).

Environnement physique

L'accès limité aux toilettes ou à une chaise d'aisance augmente le risque de voir apparaître un problème de constipation (Kenny et Skelly, 2002).

Manifestations cliniques et évolution de la constipation

Constipation

La constipation se reconnaît à l'émission de selles petites et dures, souvent en forme de boules, et ce, moins de deux fois par semaine (Arcand et Hébert, 1997 ; Hinrichs et Huseboe, 2001). La constipation s'accompagne parfois de flatulences, de ballonnements, de distension abdominale, d'hémorroïdes et d'une sensation de pression anorectale causée par l'accumulation des selles et des gaz dans le rectum. Le résident fait régulièrement des efforts de défécation, mais sans résultat, et se plaint d'une sensation d'évacuation incomplète (Hinrichs et Huseboe, 2001 ; Richmond 2003). Il arrive aussi que le résident se plaigne de douleurs abdominales basses.

Fécalome

Si la constipation persiste, un fécalome risque de se former dans le côlon sigmoïde. Le fécalome se définit comme une complication de la constipation portée à un degré extrême. Il se manifeste par la formation d'un amas de selles dures qui bloque partiellement ou complètement l'émission des selles qui continuent de se former. Dans ces circonstances, le résident ne défèque plus, sinon de petites selles glaireuses produites sous l'influence de l'action liquéfiante des bactéries présentes dans le côlon. Il ne faut pas confondre ces selles liquides avec la diarrhée. Le résident se plaint parfois de nausées et de perte d'appétit par suite de la perturbation du transit intestinal. Dans certains cas, il peut même se mettre à vomir. Il arrive aussi que le fécalome comprime l'urètre et entraîne une rétention urinaire secondaire (Arcand et Hébert, 1997 ; Buttery, 1996 ; Salcido, 2000), laquelle se manifeste par un globe vésical qui se révèle à la palpation. Chez un résident fragile, le fécalome risque de causer des perturbations physiopathologiques graves pouvant conduire au delirium (Richmond, 2003 ; Salcido, 2000).

Manifestations secondaires

Certaines manifestations secondaires accompagnent parfois la constipation. C'est le cas notamment de l'insomnie, consécutive aux douleurs abdominales déclenchées par les multiples contractions intestinales incapables d'expulser le fécalome. Finalement, l'état clinique du résident peut se détériorer davantage, car l'accumulation de selles durcies risque d'entraîner une obstruction intestinale complète et un arrêt du péristaltisme (Arcand et Hébert, 1997 ; Brûlé, Cloutier et Doyon, 2002 ; Marieb, 1999).

Détection du problème

Profil d'élimination

La détection d'un problème de constipation s'effectue en établissant le profil d'élimination de chaque résident (Buttery, 1996 ; RNAO, 2002). Les feuilles de travail des soignants des CHSLD comportent généralement un espace permettant d'inscrire, quotidiennement et durant chaque quart de travail, des commentaires sur l'élimination intestinale. Les données recueillies pendant une semaine permettent d'évaluer le profil d'élimination du résident. Tout changement doit être comparé à ces données de base. La fréquence d'élimination normale varie d'une à trois défécations par jour à deux défécations par semaine (Arcand et Hébert, 1997 ; RNAO, 2002). Une fréquence qui ne se situe pas dans cette échelle de valeurs indique un problème de constipation.

En plus de la fréquence des défécations, l'infirmière doit noter le volume des selles. Habituellement, le volume d'une selle normale est de 200 mL à 500 mL (Buttery, 1996 ; RNAO, 2002). Par conséquent, une selle est qualifiée de petite si son volume est inférieur à 200 mL et de grande s'il dépasse 500 mL. Il faut également indiquer la consistance des selles. Une selle normale est molle. Une selle dure et sèche est le symptôme d'une constipation. Une selle liquide ou semi-liquide indique une diarrhée. De petites selles liquides, glaireuses et fréquentes peuvent signaler la présence d'un fécalome. Enfin, il faut évaluer l'apparence des selles. Une selle normale est généralement brunâtre. La présence de méléna, c'est-à-dire d'une selle noirâtre, goudronneuse et nauséabonde, peut traduire des saignements intestinaux, voire une tumeur cancéreuse du tube digestif. Cependant, les comprimés de fer et les sels de bismuth, tels que le Pepto-bismol, servant de pansements gastro-intestinaux, colorent également les selles en noir. Les odeurs fortes ou inhabituelles sont à noter, car elles peuvent indiquer la présence d'une infection intestinale (Arcand et Hébert, 1997 ; Buttery, 1996 ; Hinrichs et Huseboe, 2001).

Le résident peut se plaindre de ténesme, c'est-à-dire d'une sensation de malaise, de tension douloureuse et d'un besoin d'éliminer. Il peut aussi signaler qu'il a l'impression de ne pas pouvoir évacuer complètement (Brûlé, Cloutier et Doyon, 2002 ; Richmond, 2003 ; RNAO, 2002 ; Sheehy et Hall, 1998).

Examen physique

L'examen physique comprend quatre parties : l'inspection, l'auscultation, la percussion et la palpation. Il complète le profil d'élimination.

Inspection

Avant de procéder à l'inspection de l'abdomen, l'infirmière doit s'assurer que le résident est suffisamment détendu, car une tension musculaire risque de fausser l'examen. Par ailleurs, il faut tenir compte du fait que le vieillissement s'accompagne généralement de l'accumulation d'une plus grande masse adipeuse au niveau de l'abdomen. Quand

elle procède à l'inspection visuelle de l'abdomen d'un résident constipé, l'infirmière observe parfois une asymétrie abdominale. Cette asymétrie peut résulter d'une importante accumulation de selles durcies, des gaz ou d'un globe vésical (Brûlé, Cloutier et Doyon, 2002 ; Richmond, 2003).

Auscultation

Pour ausculter l'abdomen, l'infirmière se sert de son stéthoscope afin de déterminer la fréquence et la tonalité des bruits intestinaux. Elle ausculte les quatre quadrants abdominaux en procédant dans le sens des aiguilles d'une montre. Les bruits normaux sont ceux du passage de l'air ou de la progression des selles dans le côlon. Le nombre et la sonorité des bruits émis traduisent un éventuel problème intestinal. Habituellement, l'auscultation permet d'entendre de cinq à trente bruits intestinaux par minute. En amont d'une obstruction intestinale, les bruits intestinaux sont très intenses, métalliques, très sonores, et leur nombre dépasse trente par minute. Il arrive aussi que les diarrhées soient marquées par de nombreux bruits intestinaux. Brûlé, Cloutier et Doyon (2002) soulignent que le vieillissement s'accompagne parfois d'une diminution de la fréquence des bruits intestinaux. Une auscultation qui révèle moins de cinq bruits par minute indique notamment la présence de constipation ou une obstruction intestinale en préparation. De plus, une absence complète de bruits intestinaux pendant cinq minutes est anormale et révèle un arrêt de la motilité intestinale. Ce silence suggère une obstruction intestinale complète accompagnée d'un iléus intestinal, c'est-à-dire d'un arrêt des mouvements péristaltiques.

Percussion

La percussion permet à l'infirmière d'évaluer la densité du contenu abdominal. Il est préférable de commencer par l'examen des quadrants moins sensibles pour terminer par le quadrant où le résident ressent de la douleur. L'intestin étant normalement creux, la sonorité tympanique domine dans la zone abdominale. Les zones à sonorité mate correspondent aux zones plus denses, dans lesquelles se trouvent des organes, comme la rate. Toutefois, un son mat pourrait également indiquer la présence de selles (Brûlé, Cloutier et Doyon, 2002 ; Richmond, 2003).

Palpation

La palpation superficielle et la palpation profonde des quatre quadrants abdominaux permettent à l'infirmière de déceler la présence de masses et de déterminer les zones douloureuses. La constipation s'accompagne généralement d'un malaise abdominal. La douleur que révèle la palpation du quadrant inférieur gauche, où se situe le côlon sigmoïde, peut être associée à une constipation importante, car c'est surtout à cet endroit que se forment les fécalomes (Brûlé, Cloutier et Doyon, 2002).

Examen rectal

En plus de l'examen abdominal, l'infirmière peut effectuer un examen rectal. Cet examen permet de vérifier si le rectum est bombé, ce qui indique notamment la présence de selles, et de s'assurer de l'intégrité du réflexe anal provoqué par la stimulation tactile. De plus, le toucher rectal permet de révéler la présence de selles dans le rectum et d'en déterminer la consistance (Brûlé, Cloutier et Doyon, 2002 ; Faigel, 2002 ; Folden, 2002 ; RNAO, 2002).

Autres facteurs

Lorsque l'infirmière évalue la condition intestinale du résident, elle doit tenir compte du fait que la plupart des résidents sont sédentaires, prennent plusieurs médicaments et s'hydratent ou s'alimentent peu. Tous ces facteurs contribuent à ralentir le transit intestinal. Dans ces conditions, il n'est pas surprenant qu'un certain nombre de résidents n'aillent pas à la selle durant trois jours. Si ces personnes ne présentent aucun symptôme de constipation à l'examen clinique et ne se plaignent d'aucun malaise, l'infirmière peut reporter les interventions médicamenteuses qui s'imposeraient autrement. Elle effectue un suivi rigoureux de la condition intestinale jusqu'à ce que le résident défèque naturellement. Il est nécessaire de surveiller de près les résidents souffrant de problèmes cognitifs, car ils ne sont pas toujours capables d'exprimer clairement leur besoin d'éliminer.

Le tableau 15-1 reprend les éléments précédemment décrits. Il s'inspire d'un programme élaboré par Karam et Nies (1994).

PROGRAMME D'INTERVENTION

Approche des soignants

L'élimination intestinale exige des soins assidus et continus de la part de toute l'équipe soignante. Pour assurer cette continuité, il est nécessaire de procéder à une observation rigoureuse du résident, afin de bien connaître ses habitudes d'élimination. Il est à noter que plus de la moitié des résidents sont totalement incapables d'assumer leurs activités quotidiennes. Pour eux, l'élimination intestinale adéquate dépend donc entièrement de la qualité de leur prise en charge par l'infirmière et l'équipe de soignants (Phillips, Polakoff, Maue et Mauch, 2001).

Programme collectif : alimentation, milieu environnant et médication

Objectifs du programme

Les objectifs du programme collectif visent principalement à promouvoir une élimination intestinale optimale et une approche convenant à l'ensemble des résidents. Pour atteindre ces objectifs, les interventions visent d'abord une élimination intestinale adaptée à l'état du résident. Ces interventions doivent, d'une part, promouvoir la santé, notamment par l'hydratation, l'alimentation et la mobilité,

Tableau 15-1	Inventaire des éléments influant sur la constipation

Les éléments suivants permettent de faire un court relevé des constats faits pendant l'examen.

1. **Fréquence d'élimination**

(+2) ☐ Une selle par jour   (+1) ☐ Une selle tous les trois jours   (0) ☐ Moins d'une selle tous les trois jours

2. **Caractéristiques des selles**

a) Consistance : Dures ☐   Formées ☐   Molles ☐   Liquides ☐

b) Couleur :   Noires ☐   Brun foncé ☐   Brunes ☐   Brun pâle ☐   Autre : _____ ☐

c) Volume :   Petit (– de 200 mL) ☐   Moyen (200 à 500 mL) ☐   Grand (+ de 500 mL) ☐

d) Odeur :   Oui ☐   Non ☐   Si oui, décrivez : _____

3. **Types de laxatifs**

Jus ☐   Fibres ☐   Comprimés ☐   Lavement ☐   Suppositoire ☐

4. **Antécédents de constipation**

(–2) Jamais ☐   (0) Occasionnellement ☐   (+1) Constipation chronique ☐   (+2) Félacome ☐

5. **Antécédents d'utilisation de laxatifs**

(–2) Moins d'une fois par mois ☐   (0) Chaque mois ☐   (+1) Chaque semaine ☐   (+2) Chaque jour ☐
Décrivez : _____

6. **Nombre de jours sans élimination**

(–1) Moins de trois jours ☐   (+1) Plus de trois jours ☐   (+2) Plus de cinq jours ☐

7. **Le résident a-t-il subi une chirurgie abdominale ?**

(–1) Non ☐   (+1) Oui ☐

8. **Examen physique**

a) Inspection : (–1) Normale ☐   (+1) Asymétrie ☐   Décrivez : _____

b) Auscultation : (–1) Sons perceptibles ☐   (+1) Hyperactivité (plus de 30 bruits/min) ou hypo (moins de cinq bruits/min) ☐

c) Percussion/matité/fécalome : (–1) Non ☐   (+1) Oui ☐

d) Palpation masse : (–1) Non ☐   (+1) Oui ☐

9. **Apport liquidien et alimentaire**

a) Diète au cours des trois derniers jours :
  i   (+2) Liquide seulement ☐   ii   (0) Apport minimal de fibres (fruits, légumes) ☐
  iii   (–2) Diète riche en fibres (céréales à grains entiers, fruits) ☐

b) Apport liquidien (excluant café, thé) :
  i   (+2) Moins de 1 500 mL par jour ☐   ii   (0) Plus de 1 500 mL par jour ☐
  iii   (–2) Plus de 2 000 mL par jour ☐

c) Activité et repos :
  i   (+2) Passif ☐   ii   (+1) Marche moins de 15 mètres par jour ☐
  iii   (0) Marche plus de 15 mètres par jour ☐   iv   (–2) Ambulant ☐

10. **État psychologique**

a) Déprimé ?   (–1) Non ☐   (+1) Oui ☐

b) Atteint de démence ?   (–1) Non ☐   (+1) Oui ☐

11. **Médication**

Liste des médicaments : si prend plus de deux médicaments (+2)
Liste des médicaments laxatifs pris au cours des derniers jours : _____
_____
_____

Total des points _____

Note : –18 à –6 = Programme de prévention léger   –5 à +7 = Programme de prévention modéré   +8 et plus = Traitement préventif intensif

Source : M. Hinrichs et J. Huseboe (2001). Management of constipation, research-based protocol. *Journal of Gerontological Nursing, 27* (2), 17-28. D'après Karam et Nies (1994).

d'autre part, tenir compte des éléments environnementaux influant sur l'élimination. De plus, faire le suivi des selles permet d'évaluer l'efficacité des interventions.

Principes d'intervention

Les interventions collectives comprennent cinq éléments : l'hydratation, l'alimentation, la mobilité, l'environnement et les facteurs humains, et le monitorage des selles.

Hydratation

Le chapitre 11 présente les grands principes d'une hydratation optimale pour les résidents, de même que les moyens à prendre pour augmenter l'apport hydrique de ces personnes.

Comme nous l'avons mentionné plus haut dans ce chapitre, une hydratation insuffisante provoque l'assèchement des matières fécales. Qui plus est, un apport liquidien suffisant est essentiel à l'action des fibres alimentaires, lesquelles doivent se gonfler d'eau pour exercer leurs effets bénéfiques sur l'élimination intestinale (Buttery, 1996 ; Merli et Graham, 2003). Un apport hydrique quotidien inférieur à 1 000 mL provoque un ralentissement du transit intestinal par suite de l'assèchement des selles (Buttery, 1996 ; Merli et Graham, 2003 ; RNAO, 2002).

Alimentation

Une alimentation riche en fibres est l'un des facteurs déterminants de la prévention de la constipation. Les fibres alimentaires sont composées de cellulose, glucide d'origine végétale qui résiste à la digestion. Outre qu'elles donnent de la texture aux aliments, les fibres absorbent l'eau durant le transit intestinal. Elles se gonflent, augmentent de volume et distendent la paroi intestinale, ce qui renforce l'intensité des contractions péristaltiques (Hinrichs et Huseboe, 2001 ; Merli et Graham, 2003). Pour un résident âgé, l'apport quotidien de fibres recommandé est de 18 à 30 g. Les céréales entières, les noix, les fruits, les légumes et les légumineuses sont des exemples d'aliments que les aînés devraient consommer régulièrement (Merli et Graham, 2003 ; Richmond, 2003).

Il est possible d'introduire dans l'alimentation certains laxatifs naturels préparés à partir de céréales ou de fruits, ce qui permet de réduire les laxatifs médicamenteux. Ainsi, les pruneaux, le jus de pruneaux et certains mélanges de fruits secs sont connus pour améliorer le transit intestinal. Il est toutefois préférable de les consommer de façon intermittente, en alternance avec d'autres aliments riches en fibres. Les fibres consommées en grandes quantités risquent d'entraîner des flatulences. Ces ballonnements résultent de la formation de gaz, à partir des résidus de fibres qui fermentent dans l'intestin sous l'action des bactéries. Il est donc recommandé d'introduire graduellement les fibres dans l'alimentation. L'infirmière devrait évaluer de près les réactions des résidents à l'introduction des fibres dans leur régime alimentaire (Merli et Graham, 2003 ; Richmond, 2003).

Les fibres alimentaires et les médicaments ne devraient pas être administrés en même temps. En effet, comme les fibres ont une capacité absorbante importante, elles pourraient absorber une partie des composés médicamenteux actifs et réduire ainsi l'assimilation de certains médicaments. C'est notamment le cas des comprimés de fer et de calcium (Arcand et Hébert, 1997).

Il importe également de tenir compte de l'état de santé du résident avant de lui donner des fibres alimentaires. La capacité d'absorption des fibres varie d'une personne à l'autre. Par exemple, donner des fibres exige d'augmenter l'apport hydrique, ce qui n'est pas toujours compatible avec l'état d'un résident atteint d'insuffisance rénale. Ainsi, la consommation de fibres se trouve limitée par certaines contre-indications médicales, telles qu'une maladie inflammatoire de l'intestin, une diverticulose ou une infection intestinale. Dans de telles circonstances, l'infirmière devrait discuter avec la nutritionniste et le médecin de la pertinence d'inclure des fibres dans le régime alimentaire (Arcand et Hébert, 1997 ; Hinrichs et Huseboe, 2001 ; Richmond, 2003 ; RNAO, 2002).

Par ailleurs, pour que l'élimination intestinale soit régulière et optimale, les résidents devraient prendre leurs repas à des heures régulières. Le petit déjeuner est un repas particulièrement important, car il constitue le déclencheur le plus efficace du réflexe gastrocolique. Enfin, une mastication adéquate influant aussi sur l'élimination fécale, il importe de vérifier les prothèses dentaires et l'hygiène buccale des résidents. Les informations relatives à la nutrition et à l'hygiène bucco-dentaire sont présentées aux chapitres 12 et 13 (Merli et Graham, 2003 ; Richmond, 2003 ; RNAO, 2002).

Mobilité

L'activité physique est le troisième élément primordial influant sur l'élimination intestinale. L'exercice est bénéfique pour le système digestif, car il favorise la motilité mécanique en renforçant la contraction des muscles intestinaux et en activant la circulation sanguine (Faigel, 2002 ; Kenny et Skelly, 2002 ; RNAO, 2002). Il est recommandé de marcher ou de faire de l'exercice durant 15 à 20 minutes, une ou deux fois par jour. Les résidents qui peuvent circuler devraient privilégier la marche. Quant aux résidents qui ont besoin d'aide pour se déplacer, ils devraient marcher, accompagnés par un soignant, sur une distance minimale de 15 mètres, deux fois par jour. Lorsque c'est possible, il est souhaitable d'instaurer un programme d'activité physique en groupe, car les activités de groupe non seulement favorisent l'élimination, mais également contribuent au bien-être psychologique des résidents (Folden, 2002 ; Hinrichs et Huseboe, 2001 ; RNAO, 2002). Le chapitre 2 décrit les exercices de marche.

Si le résident est alité, il est souhaitable de le faire bouger régulièrement, toutes les deux heures, et de le lever le plus souvent possible (Richmond, 2003). Il est parfois nécessaire de faire des exercices passifs des jambes et de l'abdomen. Les personnes alitées peuvent faire ces exercices avec l'aide des soignants, d'une physiothérapeute ou d'un membre de la famille. Si les capacités cognitives du résident lui permettent de collaborer, il est possible de lui montrer

Flexion du genou
Replier la jambe vers l'abdomen

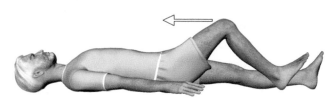

Bascule du bassin
Exécuter une rotation du bassin vers l'intérieur, de façon à ce que la courbe lombaire touche la surface sur laquelle on est allongé.

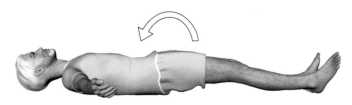

FIGURE 15-1   **Exercices favorisant la défécation**

différents exercices abdominaux et des mouvements des jambes, tels que la bascule du bassin et la flexion du genou (voir la figure 15-1). Une fois que le résident a appris ces exercices, il est capable de les faire lui-même (Buttery, 1996 ; RNAO, 2002).

Environnement et facteurs humains

L'environnement et plusieurs facteurs humains contribuent également à la régularité intestinale, laquelle est influencée par la stabilité des habitudes. Or, l'arrivée au CHSLD entraîne de profonds bouleversements des habitudes de vie. Ainsi, les heures des repas, les aliments et l'environnement physique sont totalement différents (Andrews *et al.*, 1996 ; Richmond, 2003). Afin d'atténuer les effets néfastes de l'arrivée en CHSLD sur l'élimination intestinale, il est recommandé de noter les habitudes de vie antérieures du résident concernant l'élimination, notamment les habitudes d'élimination, l'hydratation, l'alimentation, la mobilité et tous les autres facteurs susceptibles d'influer sur la constipation.

La présence de plusieurs résidents dans une même chambre entraîne parfois un stress d'adaptation, de l'anxiété, de la fatigue et un sentiment de gêne vis-à-vis de l'élimination. Afin de favoriser l'intimité, la dignité et le confort, il est recommandé de tirer les rideaux ou de s'assurer que la porte est adéquatement fermée. Il est aussi possible de neutraliser les odeurs avec des diffuseurs d'huiles parfumées ou par d'autres moyens (Andrews *et al.*, 1996 ; Buttery, 1996 ; Richmond, 2003).

Il est également important de réduire le nombre d'obstacles physiques pouvant empêcher le résident de circuler librement avec une aide technique. Ainsi, les paniers à linge et les tables de chevet devraient être retirés, car ces obstacles risquent d'amener le résident à résister à son réflexe gastrocolique par gêne ou par incapacité à demander de l'aide. Il faut favoriser l'accessibilité aux toilettes ou à la chaise d'aisance. Par ailleurs, les soignants devraient s'occuper rapidement des résidents qui veulent aller à la selle. L'intervention des soignants est particulièrement cruciale si le résident se déplace difficilement, s'il est soumis à une contention physique ou s'il souffre de démence (Buttery, 1996 ; Richmond, 2003).

Monitorage des selles

Il importe de déterminer les habitudes d'élimination d'un résident dès son admission dans l'unité, puis d'en reconnaître la spécificité en planifiant les interventions adaptées à son état. Le monitorage qualitatif et quantitatif de l'élimination intestinale est un processus continu qui dépasse le simple décompte des selles. Il faut en effet considérer les aspects qualitatifs se rapportant au confort du résident lors de l'élimination. S'il y a lieu, le soignant doit noter la couleur, la texture et l'odeur des selles (Hinrichs et Huseboe, 2001 ; Richmond, 2003).

Sur le plan quantitatif, il importe de souligner qu'après trois jours sans élimination, il y a un grand risque d'accumulation de matières fécales (Hinrichs et Huseboe, 2001 ; Merli et Graham, 2003). Toutefois, avant de porter un jugement clinique, il est préférable d'établir le profil d'élimination individuel et de s'intéresser aux signes et symptômes manifestés par le résident. Supposons, par exemple, qu'un résident n'ait pas éliminé depuis quatre jours, mais qu'il s'hydrate bien, s'alimente normalement et circule dans les couloirs de l'unité. S'il ne se plaint pas de malaises et si l'examen physique ne révèle rien d'anormal, il serait tout à fait approprié d'attendre avant d'utiliser un laxatif. Le suivi continu de l'état du résident permet aussi d'éviter que la constipation ne s'installe (Buttery, 1996 ; Richmond, 2003 ; Sheehy et Hall, 1998).

Programme individuel
Principes d'intervention

Cette section propose une série d'interventions individuelles parmi lesquelles l'infirmière pourra choisir celles qui lui permettront de résoudre un problème de constipation. Ces interventions reposent sur une approche compréhensive, stimulante, patiente et respectueuse de la dignité du résident. De plus, elles ont pour but d'établir des habitudes de vie favorisant l'élimination naturelle et visent également à diminuer les douleurs et les malaises reliés à la constipation. Les interventions portent sur l'alimentation, l'élimination programmée, le massage, la pression de l'abdomen, la stimulation sensorielle et cutanée et le recours aux médicaments. Elles visent à éliminer les risques d'aggravation d'un problème de constipation grâce à la gradation du niveau d'intervention (Arcand et Hébert, 1997 ; Merli et Graham, 2003). Avant de mettre en place ces différentes interventions individuelles, il est important

Tableau 15-2	Interventions infirmières individuelles : apport de fibres et compote laxative		
INTERVENTIONS	**ALIMENTATION : APPORT DE FIBRES** (Buttery, 1996 ; Hinrichs et Huseboe, 2001 ; Merli et Graham, 2003 ; RNAO, 2002)	**COMPOTE LAXATIVE Nº 1** (Hinrichs et Huseboe, 2001)	**COMPOTE LAXATIVE Nº 2** (Barbeau, Guimond et Mallet, 1991, Hinrichs et Huseboe, 2001)
Contexte d'utilisation	• Un apport de fibres est recommandé lorsque le résident ne répond pas de façon optimale aux interventions collectives. • Les résidents consommant peu de fibres alimentaires sont aussi visés par ces interventions. • Il est possible d'utiliser ces interventions en combinaison avec le jus de pruneaux et les liquides chauds. Ces breuvages peuvent stimuler le réflexe gastrocolique s'ils sont pris tôt le matin.		
Méthode	• Il est suggéré d'introduire le son de blé à raison de 5 mL par jour. • Par la suite, si cette dose est tolérée, on peut l'augmenter de 5 mL par jour sur une semaine. • La quantité maximale recommandée est de trois cuillères à table de son (45 mL) par jour. • Généralement, il faut ajouter des fibres à la ration jusqu'à ce que les selles aient la consistance désirée. • Si le résident mange déjà des céréales le matin, y ajouter le son. • Il est préférable de mélanger le son à du liquide, comme de l'eau ou du jus, pour en faciliter l'ingestion.	• Mélanger : – de 250 à 500 mL de céréales All-Bran ou de son de blé, – 250 mL de jus de pruneaux à 100 % – et de 250 à 500 mL de compote de pommes non sucrée. • Au début du régime, donner de 15 à 30 mL lors du déjeuner, deux fois par semaine. • Augmenter ensuite de 15 mL par jour durant une semaine, selon la tolérance. • La dose maximale recommandée est de 30 mL par jour.	• Mélanger : – 150 mL de raisins secs, – 150 mL de dattes, – 250 mL de pruneaux dénoyautés, – et 10 mL de jus de citron. • Mettre les fruits dans une casserole. • Couvrir d'un litre d'eau. • Cuire à feu doux pendant 20 minutes jusqu'à obtenir la consistance voulue. • Passer au mélangeur en ajoutant de l'eau, au besoin. • Ajouter du jus de citron. • Au début, donner cette compote au déjeuner, à raison de 15 à 30 mL, deux fois par semaine. Augmenter ensuite de 15 mL par semaine, selon la tolérance. • La dose maximale est de 30 à 60 mL par jour. • Noter que cette compote contient surtout des fruits secs. • Les résidents trouvent souvent que cette compote est plus sucrée. • Comme elle est broyée, cette compote peut être étendue sur les rôties servies au déjeuner.
Mode d'action	• Les fibres de son augmentent la motilité intestinale et le volume des selles.	• Les céréales All-Bran rendent le mélange facile à avaler. • Une portion de 30 mL fournit 2,2 g de fibres. • Cette compote se conserve une semaine au réfrigérateur. Mais, il est préférable de préparer de la compote fraîche deux fois par semaine.	• La préparation fournit 50 portions de compote de 22 g de fibres. • Cette compote se conserve une semaine au réfrigérateur.
Mises en garde	• Durant la première semaine, l'introduction des fibres cause parfois des malaises intestinaux. Les compotes laxatives et le son provoquent parfois de la diarrhée, des flatulences et une élimination irrégulière. • Il est recommandé de réduire l'apport de son ou de compote jusqu'à ce que les symptômes aient disparu, et d'augmenter graduellement. Une consommation régulière atténue les effets secondaires. • Les principales contre-indications de l'apport de fibres sont la restriction liquidienne reliée à l'insuffisance rénale et cardiaque, ainsi qu'aux maladies intestinales. • Il est contre-indiqué de faire consommer trop de fibres à une personne alitée qui boit moins de 1,5 L de liquide par jour (RNAO, 2002).		
Évaluation	• Selon la tolérance individuelle, cela peut prendre jusqu'à six semaines pour atteindre le résultat escompté (Buttery, 1996 ; Merli et Graham, 2003). • Ajouter des fibres jusqu'à ce que l'élimination soit optimale : élimination sans effort de selles formées et molles, ou jusqu'à ce que les selles aient la consistance désirée.		

de s'assurer que les interventions collectives décrites à la section précédente ont bien été mises en œuvre (Hinrichs et Huseboe, 2001 ; RNAO, 2002). Les tableaux 15-2, 15-3 et 15-4 (p. 226) décrivent les diverses approches suggérées et permettent de déterminer dans quel contexte les appliquer, quand les mettre en œuvre et lesquelles retenir en fonction de la situation. Ils expliquent comment utiliser la technique, quel est son mécanisme d'action et comment évaluer l'efficacité de l'intervention.

Il est nécessaire de revenir sur certains points concernant les différentes méthodes présentées. D'abord, dans le cas des méthodes alimentaires individuelles basées sur l'apport de son et les compotes laxatives, il est essentiel de procéder à un relevé pharmaceutique et médical, afin de s'assurer de l'absence de contre-indications pour les résidents concernés. En ce qui a trait à la défécation programmée, il est très important de noter soigneusement l'heure à laquelle le résident ressent l'envie de déféquer, lors de l'établissement du profil d'élimination naturelle. En effet, cette méthode

repose avant tout sur l'heure à laquelle le résident ressent le besoin de déféquer et doit être conduit à la toilette.

Il est conseillé de recourir au massage et à la pression de l'abdomen quand le résident commence à avoir de la difficulté à éliminer, ou à ressentir des ballonnements. Ces deux méthodes stimulent le péristaltisme. Toutefois, elles ne peuvent être utilisées qu'avec l'accord du résident et s'il n'y a pas de contre-indications médicales. Il est possible de combiner ces méthodes avec la défécation programmée ou la stimulation sensorielle et cutanée. La méthode faisant appel à la stimulation sensorielle et cutanée n'a pas de restrictions. Elle permet de lever les inhibitions conscientes et inconscientes par un déclenchement réflexe du centre nerveux sacré. Malgré toutes ces approches, il se peut que l'ajout d'un émollient des selles soit nécessaire. Il peut alors s'avérer nécessaire de recourir aux méthodes pharmacologiques. Ces méthodes doivent faire l'objet d'une évaluation avec le médecin et le pharmacien.

Tableau 15-3	Interventions infirmières individuelles : défécation programmée et massage abdominal	
INTERVENTIONS	**DÉFÉCATION PROGRAMMÉE** (Andrews *et al.,* 1996 ; Folden, 2002 ; RNAO, 2002)	**MASSAGE ABDOMINAL** (Lussier et St-Jacques, 1993 ; Preece, 2002)
Contexte d'utilisation	• Il est possible de combiner cette méthode avec les autres. • Il est conseillé d'utiliser cette méthode chez les résidents souffrant de constipation chronique, ayant subi un accident vasculaire cérébral ou atteints de démence.	• Le massage abdominal peut être combiné à la défécation programmée pour favoriser l'élimination intestinale. commence à avoir de la difficulté à éliminer ou quand il ressent des ballonnements. • Le résident doit accepter de se faire toucher l'abdomen.
Méthode	• À l'aide du profil d'élimination établi durant une semaine d'observation, déterminer l'heure de la défécation, la fréquence et l'aspect habituel des selles. • Noter également à quel moment le résident exprime le besoin d'aller à la selle. • Il faut dire au résident de ne pas se retenir, car cela fausserait l'établissement de son profil d'élimination naturelle. L'objectif est de déterminer quand il ressent le besoin d'éliminer. Par la suite, les soignants le conduiront à la toilette aux heures où la défécation est la plus probable. • Il faut évidemment répondre immédiatement au besoin d'éliminer ressenti. • Le résident qui comprend comment se servir de la cloche d'appel doit l'avoir à portée de la main afin de pouvoir signaler son besoin d'éliminer. • Si le résident est incapable de se servir de la cloche d'appel, l'infirmière doit établir un horaire d'élimination à partir du relevé d'élimination. Par exemple, si l'infirmière note après une semaine d'observation que le résident élimine tous les matins vers 7 h, elle devra conduire le résident à la toilette vers 6 h 45.	• Pour effectuer le massage, il est important de : 1. Procéder en douceur. 2. Bien réchauffer ses mains avant de commencer. 3. Utiliser une lotion à massage non parfumée pour rendre le massage plus confortable. 4. Faire le massage le matin de préférence, au lever, pour stimuler le réflexe gastrocolique. • Pour effectuer le massage, placer le résident dans une position de détente abdominale : 1. Coucher le résident sur le dos. 2. Placer les membres inférieurs en semi-flexion, un oreiller sous les genoux. 3. Soutenir la tête avec un oreiller. 4. Relever les bras sur la poitrine. • Masser l'abdomen au niveau des quatre quadrants, autour de l'ombilic, dans le sens des aiguilles d'une montre. Faire 10 rotations par séance. • Avec la paume de la main, presser doucement et fermement au niveau du flanc droit, en orientant les pressions transversalement, et redescendre le long du flanc gauche.

INTERVENTIONS	DÉFÉCATION PROGRAMMÉE	MASSAGE ABDOMINAL
	• L'infirmière accordera suffisamment de temps au résident pour éliminer, mais sans le laisser plus de 15 minutes à la toilette. • Il est préférable d'asseoir le résident le plus droit possible, les pieds bien appuyés sur une surface dure, ce qui augmente la force musculaire des abdominaux. • La position accroupie est aussi reconnue comme efficace pour permettre l'évacuation d'une selle, car elle augmente la pression exercée par les muscles abdominaux.	• Terminer en revenant vers la fosse iliaque droite, en passant au-dessus du pubis (ce mouvement ressemble à un cercle autour de l'abdomen). • Le résident peut faire ce massage lui-même, au lit ou lorsqu'il est assis sur la toilette. • Le massage est plus efficace s'il est exécuté au lit.
Mode d'action	• Cette approche comportementale vise à régulariser l'élimination des selles en respectant le processus de défécation naturelle du résident. • Chez plusieurs résidents, le moment le plus propice à l'élimination se situe souvent entre 20 et 40 minutes après le repas, surtout après le déjeuner, ou après un exercice physique. • Selon la RNAO (2002), les études ont démontré que la défécation programmée constituait une intervention efficace pour combattre la constipation.	• Cette approche favorise l'élimination intestinale en stimulant le péristaltisme.
Mises en garde	• Si un résident présente une faiblesse des membres inférieurs, il est recommandé d'installer un siège surélevé, afin d'effectuer le transfert de façon sécuritaire. • Rester assis sur la toilette exige du résident un certain tonus musculaire. • Si le résident n'évacue pas pendant deux jours et qu'il y a présence de selles dans le rectum, une stimulation anale peut provoquer le réflexe de vidange.	• Le massage abdominal est contre-indiqué en cas de problèmes intestinaux reconnus, d'obstruction, de masse à l'abdomen, de néoplasie abdominale ou d'infection abdominale. • Ne pas faire de massage chez les résidents souffrant d'une hernie, de douleur abdominale, d'incontinence urinaire par regorgement due à une résistance sphinctérienne ou de rétention urinaire, ou encore chez les résidents présentant un anévrisme ou un risque d'anévrisme.
Évaluation	• La défécation programmée est considérée comme efficace lorsque le résident évacue aux intervalles prévus par son profil d'élimination naturelle.	• Le massage est efficace s'il stimule le péristaltisme et permet l'élimination.

Tableau 15-4	**Interventions infirmières individuelles : pression abdominale, stimulation sensorielle et cutanée, médication**		
INTERVENTIONS	**PRESSION ABDOMINALE** (Buttery, 1996 ; Sakakibara et al., 2003)	**STIMULATION SENSORIELLE ET CUTANÉE** (Andrews et al., 1996 ; Buttery, 1996 ; Folden, 2002)	**MÉDICATION** (Arcand et Hébert, 1997 ; Buttery, 1996 ; Faigel, 2002 ; Folden, 2002 ; Plante, Soucy et Roy, 1997 ; Merli et Graham, 2003)
Contexte d'utilisation	• Cette méthode permet d'aider le résident qui ne réussit pas à vider complètement son rectum et la partie terminale du côlon en raison d'une faiblesse musculaire abdominale. • Cette méthode est à utiliser lorsque le résident commence à éprouver de la difficulté à éliminer ou qu'il ressent un certain ballonnement. • Cette méthode est également à utiliser auprès des résidents constipés et éprouvant de la dif-ficulté à évacuer complètement les selles à la fin de l'élimination.	• Cette méthode favorise l'élimina-tion en stimulant la vision, l'audition et l'olfaction. • Cette méthode doit être appliquée chez les résidents constipés et qui sont très affectés par la désorientation et les limites environnementales. • Les résidents atteints de démence constituent une clientèle privilégiée pour cette intervention.	• Quand les autres méthodes sont insuffisantes ou inefficaces, il faut recourir à la médication. • Chez le résident qui a utilisé longtemps des laxatifs, il est conseillé de recourir d'abord aux moyens préventifs, puis progressivement aux laxatifs. • Lorsque les laxatifs sont utilisés, il importe de continuer à appliquer les interventions non pharmacologiques.

>>>

INTERVENTIONS	PRESSION ABDOMINALE	STIMULATION SENSORIELLE ET CUTANÉE	MÉDICATION

Méthode	• Pour plus d'efficacité, asseoir le résident sur une chaise d'aisance ou sur une toilette.
	• S'assurer de n'effectuer la pression qu'à la fin de la vidange fécale.
	• Si possible, pousser sur le bas de l'abdomen, en dessous du nombril.
	• Exercer la pression en poussant doucement vers l'intérieur et vers le bas du ventre, en direction du pubis. Cette technique ressemble à celle de Crédé pour la vidange de la vessie.
	• Afin d'augmenter la pression, demander au résident de tousser et de se pencher un peu vers l'avant.
	• Le résident ne doit pas retenir son souffle au cours de la pression.
	• L'augmentation de la pression intra-abdominale forçant la respiration, ou manœuvre de Valsalva, risque de provoquer une bradycardie par réflexe vasovagal.
	• Se placer derrière la personne pour l'aider à faire la manœuvre, au besoin.
		• Amener le résident aux toilettes.
		• L'aider à s'asseoir sur la toilette.
		• Stimulation olfactive : râper du savon ou vaporiser un désodorisant dans la pièce.
		• Stimulation visuelle : montrer les toilettes et le lavabo.
		• Stimulation auditive : faire couler l'eau du robinet. Cette stimulation aide aussi à l'élimination vésicale.
		• Stimulation tactile : demander au résident de se masser les cuisses.
		• Stimulation cutanée directe : se réalise quand le résident prend appui sur ses fesses.
		• Stimulation cutanée anale : stimuler l'anus avec un doigt de gant lubrifié, afin de provoquer le relâchement du sphincter anal. La douceur des mouvements est essentielle pour favoriser la stimulation. Insérer doucement l'index dans le sphincter externe, jusqu'à l'ampoule rectale. Masser en exécutant des mouvements circulaires. Si le sphincter pousse vers l'extérieur, cesser la stimulation et attendre que le sphincter reprenne sa place.
		• La position accroupie facilite l'expulsion des selles, car elle augmente la pression des muscles abdominaux et la force des muscles pelviens.
		• Pour favoriser cette position, mettre un livre ou un marchepied sous les pieds du résident, afin de relever légèrement les jambes.
		• Le matin, installer les résidents alités sur le côté gauche, car cette position facilite le transit du côlon sigmoïde, où s'accumulent les selles.
			• Il faut d'abord relever dans le dossier les informations indiquant une prédisposition à la constipation.
			• En collaboration avec le médecin ou le pharmacien, commencer par évaluer les médicaments agissant sur le système intestinal. Ensuite, déterminer la pertinence de l'utilisation de ces médicaments après avoir examiné les solutions de rechange non pharmacologiques qui pourraient être efficaces dans le cas clinique du résident.
			• Les émollients servent à titre préventif. Ils sont utilisés chez environ 25 % des résidents.
			• Les auteurs recommandent l'utilisation des produits laxatifs sur une courte durée. En effet, une utilisation prolongée rend la fonction intestinale dépendante et cause des effets secondaires.
			• Il est préférable de mettre en place un protocole pharmaceutique, lorsque les approches préventives ne permettent pas de résoudre le problème de constipation ponctuel ou chronique.
			• Les protocoles pharmaceutiques comprennent souvent différentes étapes :
			  – Jours 1 et 2 : méthodes basées sur le programme collectif.
			  – Jour 3 : suppositoire de glycérine le matin.
			  – Jour 4 : suppositoire de Dulcolax ou lait de magnésie.
			  – Jour 5 : lait de magnésie.
			  – Jour 6 : si l'ampoule rectale est pleine, faire un lavement avec un produit comme Le Fleet huileux. Sinon, aviser le médecin.
			Il existe plusieurs variantes selon les institutions, les interventions. Par exemple, il est possible d'employer le Fleet au jour 5, à la place d'autres produits.

Mode d'action	• Cette méthode accroît la pression intra-abdominale à la fin de la défécation, ce qui favorise l'élimination des selles.	• Les stimulations cutanée et sensorielle sont étroitement reliées. Elles se combinent pour favoriser la levée des inhibitions conscientes et inconscientes, par un déclenchement réflexe du centre nerveux sacré.	• Les laxatifs agissent de multiples façons.
Mises en garde	• La pression abdominale est contre-indiquée en présence de problèmes intestinaux reconnus, tels qu'une obstruction intestinale, la présence d'une masse ou d'une néoplasie abdominale, ou une infection abdominale.	• S'assurer du confort du résident durant l'intervention. • Les hémorroïdes et autres problèmes affectant le sphincter peuvent constituer des contre-indications à la stimulation anale cutanée.	• Les émollients seront inefficaces en présence de constipation établie, surtout s'il y a déshydratation, immobilité ou faible apport de fibres alimentaires. • Certains médicaments utilisés pour traiter la constipation ont des effets néfastes s'ils sont employés continuellement

>>>

INTERVENTIONS	PRESSION ABDOMINALE	STIMULATION SENSORIELLE ET CUTANÉE	MÉDICATION
	• Ne pas faire la pression abdominale chez les résidents souffrant d'une hernie, de douleur abdominale, d'incontinence urinaire par regorgement due à une résistance sphinctérienne ou de rétention urinaire, ou chez les résidents présentant un anévrisme ou un risque d'anévrisme. • S'assurer que le résident applique la pression seulement à la fin de la vidange, afin de ne pas perturber l'équilibre entre la pression intra-abdominale et la contraction des sphincters. • Une mauvaise pression sur des sphincters contractés peut les rendre inefficaces en créant une dysynergie.		sur de longues périodes. C'est le cas notamment du séné ou Sénokot^{MD}, extrait d'une plante africaine contenant des sennosides qui, à la longue, irrite la paroi du côlon. • Certains laxatifs peuvent endommager le système nerveux entérique, créer de l'accoutumance et favoriser l'atonie et la dilatation du côlon, ce qui accroît la constipation. Parmi ces laxatifs, les plus courants sont le cascara, le séné et l'huile de ricin. Il faut donc utiliser les laxatifs avec prudence et sur une courte période.
Évaluation	• Le rectum est vidé à la fin de la défécation. • L'efficacité de la méthode peut se vérifier par un toucher rectal ou quand le résident déclare qu'il sent que son intestin s'est vidé.	• Déterminer la stratégie de stimulation la plus efficace. • Si, après 20 minutes, il n'y a pas d'élimination, répéter la tentative une seule fois dans la journée.	• L'évacuation des selles se fait de manière régulière et correspond à la fréquence naturelle d'élimination du résident.

Conclusion

L'élimination intestinale est une dimension capitale des soins infirmiers en CHSLD. L'infirmière doit faire un suivi rigoureux du profil d'élimination des résidents, car la constipation peut avoir d'importantes répercussions sur la santé et la qualité de vie. La constipation risque de causer des malaises, de la douleur, un delirium, voire une détérioration de l'état général.

Il importe donc d'évaluer soigneusement les facteurs qui prédisposent à la constipation ou qui peuvent la précipiter. Un monitorage serré des signes et symptômes de la constipation s'impose, afin de déceler rapidement tout problème d'élimination intestinale chez les résidents. Une prise en charge appropriée du profil d'élimination de chacun d'entre eux devrait réduire l'utilisation abusive des laxatifs pharmaceutiques. Dans ce sens, les méthodes collectives comme l'alimentation, l'hydratation et la mobilité demeurent les interventions prioritaires dans les soins infirmiers, pour combattre la constipation. Quant aux méthodes individuelles, elles ont pour but de répondre aux besoins spécifiques de chaque résident en matière d'élimination. Lorsque les soignants adoptent une méthode pour un résident, il est essentiel qu'ils fassent preuve de cohérence afin d'assurer le succès de l'intervention. Enfin, la continuité des soins et la persévérance constituent les clés du succès, pour une élimination intestinale adéquate. Cette démarche s'inscrit dans la perspective d'un recours moins fréquent aux méthodes pharmacologiques et d'une utilisation des techniques de soins infirmiers favorisant une élimination adaptée au besoin et à la physiologie de la personne âgée vivant en CHSLD.

ÉTUDE DE CAS

Madame Tremblay est hébergée dans un CHSLD depuis huit mois. Elle a été victime d'un accident vasculaire cérébral et présente une hémiplégie droite. Mme Tremblay manifeste des difficultés de communication en raison de sa dysarthrie et elle est d'humeur dépressive. Elle a aussi de la difficulté à avaler et s'étouffe fréquemment lorsqu'elle boit. Elle dit avoir peu d'appétit et a besoin d'aide pour marcher, mais est capable de circuler seule en fauteuil roulant. Elle a également besoin de l'aide d'un soignant pour ses soins d'hygiène et pour s'habiller.

Depuis son admission, les soignants ont constaté que Mme Tremblay présentait des douleurs abdominales et des ballonnements et qu'elle éliminait des selles dures tous les trois jours.

Questions

1 Quels sont les signes de constipation de Mme Tremblay ?

2 Quels sont les facteurs qui prédisposent Mme Tremblay à la constipation ?

3 Étant donné les facteurs de risque de constipation de Mme Tremblay, serait-il approprié de lui administrer un laxatif quotidiennement ?

4 Les méthodes de base sont cruciales dans la prise en charge de la constipation. Pourquoi faut-il tenir compte de l'hydratation avant d'augmenter l'apport en fibres ? Quelles seraient les conséquences de ne pas le faire ?

16 L'HYGIÈNE DU SOMMEIL

par **Nicole Ouellet**

Le sommeil des aînés est perturbé de plusieurs façons, et les résidents des CHSLD se plaignent souvent de mal dormir la nuit ou d'être fatigués durant la journée. Afin de favoriser le sommeil du résident, l'infirmière doit bien connaître la nature et les causes de l'insomnie. En plus de l'insomnie, qui est le principal trouble du sommeil abordé dans ce chapitre, nous traiterons de l'apnée du sommeil, parce qu'elle survient fréquemment chez les résidents et qu'elle peut être associée à de l'insomnie. Nous décrirons ensuite les manifestations cliniques de l'insomnie, les programmes d'hygiène du sommeil et les interventions que les infirmières doivent faire pour permettre aux résidents de bien dormir.

NOTIONS PRÉALABLES SUR LES TROUBLES DU SOMMEIL

Définition

Selon le *DSM-IV-TR* (American Psychiatric Association, 2003), l'insomnie ou l'insomnie primaire se définit comme une plainte associée à une difficulté d'endormissement ou de maintien du sommeil, ou à un sommeil non réparateur. Pour être qualifié d'insomnie, le trouble du sommeil doit persister depuis au moins un mois et doit altérer le fonctionnement social, professionnel ou autre. L'apnée du sommeil est un *trouble du sommeil lié à la respiration* (American Psychiatric Association, 2003) et se caractérise par des arrêts momentanés de la respiration durant le sommeil.

Ampleur du problème

Les études épidémiologiques récentes indiquent que le tiers environ de la population âgée souffre d'insomnie et qu'une proportion importante des aînés consomme des somnifères pour remédier à leur problème (Ohayon et Lader, 2002 ; Ohayon et Lemoine, 2002). Ces vastes études épidémiologiques ne font pas état de la situation dans les CHSLD, mais il est probable que le problème y soit beaucoup plus important. En effet, les résidents souffrent souvent de multiples problèmes de santé qui exacerbent l'insomnie. Les chercheurs qui se sont intéressés aux aînés rapportent que le sommeil des résidents des CHSLD est généralement fragmenté et perturbé (Ancoli-Israel, Klauber, Kripke, Parker et Cobarrubias, 1989 ; Clapin-French, 1986 ; Martin, Shochat et Ancoli-Israel, 2000). Les problèmes de sommeil, associés à de nombreux éveils nocturnes, à l'errance et à la désorientation, constitueraient même une cause importante d'hébergement en institution (Martin *et al.*, 2000).

Conséquences

Les perturbations du sommeil ne sont pas sans conséquence pour le bien-être des aînés, qu'ils résident en CHSLD ou ailleurs. La chronicité de l'insomnie est la conséquence la plus souvent décrite dans la documentation traitant de la question et dure en moyenne de deux à six ans (Chevalier *et al.*, 1999). Pour la moitié des insomniaques environ, les problèmes persistent plus de 10 ans (Janson, Lindberg, Gislason, Elmasry et Boman, 2001). Outre qu'elles subissent les effets nocturnes désagréables, les personnes souffrant d'insomnie ou d'autres troubles du sommeil voient leur qualité de vie perturbée et leurs activités quotidiennes désorganisées (Zammit, Weiner, Damato, Sillup et McMillan, 1999). Selon Leger *et al.* (2001), les mauvais dormeurs sont manifestement incommodés par le manque de sommeil et se plaignent de divers problèmes : fatigue physique et psychologique plus élevée durant la journée, somnolence diurne plus importante, difficultés d'attention et de mémoire plus marquées que chez les bons dormeurs. Les activités quotidiennes ainsi que les relations sociales et familiales sont également perturbées (Leger *et al.*, 2001). De plus, chez les personnes souffrant de déficits cognitifs, les perturbations du sommeil entraînent parfois des troubles du comportement, tels que l'errance ou l'agressivité, ou encore de la somnolence et une augmentation du nombre ou de la durée des siestes durant la journée.

problèmes de sommeil. De plus, elle doit noter durant la journée les périodes de sieste ou les périodes de somnolence. Afin de donner un portrait fidèle du problème de sommeil, la grille doit comporter les observations de plusieurs journées, idéalement d'une semaine. La figure 16-1 indique les éléments essentiels que doit contenir la grille d'observation des troubles du sommeil.

Lorsque les données colligées dans cette grille suggèrent un problème de sommeil, l'infirmière peut étoffer les

informations obtenues en utilisant l'index de sévérité de l'insomnie (Bastien *et al.*, 2001). Cet instrument valide, que présente la figure 16-2, s'avère particulièrement utile pour évaluer l'efficacité du traitement mis en œuvre pour tenter de soulager l'insomnie.

Lorsque le résident est capable de décrire son sommeil et que sa mémoire est intacte, la meilleure façon de faire est encore de lui demander de remplir un journal du sommeil durant toute une semaine. Comme le sommeil varie d'une

---

1. Heure du coucher   _____

2. Heure du lever   _____

3. Nombre d'heures de sommeil (temps écoulé entre l'endormissement et l'éveil matinal, moins les périodes d'éveil durant la nuit)

    _____

4. Nombre d'éveils nocturnes   _____

5. Nombre d'apnées du sommeil (par heure de sommeil)   _____

6. Présence de mouvements périodiques des membres   Oui ☐ Non ☐

7. Sieste durant la journée   _____ minutes

8. Nombre d'épisodes de somnolence durant la journée   _____

9. Indiquer ce qui pourrait occasionner l'insomnie:

    a) douleur

    b) anxiété

    c) problème respiratoire

    d) autre: _____

10. Autres manifestations observables: _____

FIGURE 16-1   **Grille d'observation des troubles du sommeil**

Index de sévérité de l'insomnie (clinicien)

Nom _____ Date _____ Clinicien _____

Encerclez le chiffre correspondant à chacune des questions.

1. S'il vous plaît, estimez la sévérité actuelle du problème de sommeil du résident tel que vous la percevez.

	Pas du tout	Un peu	Moyennement	Beaucoup	Extrêmement
a) Difficulté à s'endormir	0	1	2	3	4
b) Difficulté à rester endormi	0	1	2	3	4
c) Problème de réveil tôt le matin	0	1	2	3	4

2. Jusqu'à quel point jugez-vous la personne INSATISFAITE de son sommeil?

Satisfaite	Un peu insatisfaite	Insatisfaite	Assez insatisfaite	Très insatisfaite
0	1	2	3	4

3. Jusqu'à quel point trouvez-vous que les difficultés de sommeil de la personne PERTURBENT son fonctionnement quotidien (fatigue, capacité à fonctionner/routine quotidienne, concentration, humeur, etc.)?

Pas du tout	Un peu	Moyennement	Beaucoup	Extrêmement
0	1	2	3	4

4. Jusqu'à quel point considérez-vous que les difficultés de sommeil de la personne sont APPARENTES pour les autres (soignants et proches) en termes de détérioration de la qualité de sa vie?

Pas du tout	Un peu	Moyennement	Beaucoup	Extrêmement
0	1	2	3	4

5. Jusqu'à quel point le résident est-il INQUIET ou bouleversé à propos de ses difficultés de sommeil?

Pas du tout	Un peu	Moyennement	Beaucoup	Extrêmement
0	1	2	3	4

Légende: 8 à 14 = problème de sommeil léger, 15 à 21= insomnie, 22 et + = insomnie sévère

FIGURE 16-2   **Index de sévérité de l'insomnie**

Source: Adaptée de C.H. Bastien, A. Vallières et C.M. Morin (2001). Validation of the Insomnia Severity Index as an outcome measure for insomnia research. *Sleep Medicine*, 2 (4), 297-307.

JOUR 1

1. Heure du coucher _____

2. Heure du lever _____

3. Heure de l'éveil _____

4. Temps pour m'endormir _____ minutes

5. Nombre d'éveils pendant la nuit _____

6. Durée totale des éveils durant la nuit _____ minutes

7. Ai-je fait une sieste hier ?
   Oui ☐ Non ☐
   Durée : _____ minutes

8. Hier, ai-je pris quelque chose pour m'aider à dormir (médicaments ou autres) ?
   Oui ☐ Non ☐
   Nom : _____ Dose : _____

9. Qu'est-ce qui a pu nuire à mon sommeil ?
   a) douleur
   b) inquiétude, anxiété
   c) problème respiratoire
   d) autre : _____

10. Ce matin, je me sens :
    a) très reposé
    b) reposé
    c) fatigué
    d) très fatigué

11. De façon générale, mon sommeil de la nuit dernière a été :
    a) très satisfaisant
    b) satisfaisant
    c) peu satisfaisant
    d) pas du tout satisfaisant

FIGURE 16-3 **Journal du sommeil**

nuit à l'autre, le journal permet d'observer les variations nocturnes du sommeil ainsi que les problèmes persistants. La figure 16-3 donne un exemple de journal du sommeil qu'un résident pourrait remplir pour mieux décrire son sommeil et les problèmes qui s'y rattachent.

Il n'est pas toujours facile de déceler les problèmes de sommeil. La grille d'observation, l'index de sévérité de l'insomnie et le journal du sommeil sont des outils indispensables, mais, à eux seuls, ils ne permettent pas de reconnaître un trouble du sommeil. L'infirmière doit porter un jugement clinique à partir des données recueillies auprès du résident. À titre d'exemple, on peut déclarer qu'un résident

souffre d'insomnie s'il présente une latence d'endormissement supérieure à 30 minutes ou reste éveillé plus de 30 minutes la nuit, s'il dort moins de 6,5 heures par nuit et si la somnolence perturbe ses activités diurnes.

Dans le cas de l'apnée du sommeil, le résident doit présenter au moins cinq périodes d'apnées par heure de sommeil et souffrir de somnolence diurne pour être déclaré apnéique. Les personnes qui connaissent des problèmes de sommeil importants sont aux prises avec des difficultés de fonctionnement durant la journée. Ces difficultés se manifestent par de la somnolence, de la fatigue et un manque de concentration.

PROGRAMME D'INTERVENTION

Programme collectif

Objectifs du programme

Avant tout, les objectifs d'un programme d'hygiène du sommeil doivent viser l'amélioration des habitudes de vie et des comportements favorisant le sommeil. Ils doivent aussi promouvoir un environnement calme et exempt de stimuli susceptibles d'exacerber l'anxiété et de nuire au sommeil. De plus, les objectifs d'un programme d'hygiène du sommeil doivent viser à réduire la consommation de benzodiazépines par les résidents âgés, car ces médicaments nuisent au sommeil lorsqu'ils sont consommés sur de longues périodes.

Principes d'intervention

Avant toute intervention visant à promouvoir le sommeil chez les résidents âgés, il importe de considérer certains principes généraux. D'abord, il est essentiel de bien connaître

l'ampleur du problème. Pour ce faire, il faut évaluer le sommeil et l'éveil adéquatement, en utilisant soit la grille d'observation, soit l'index de sévérité de l'insomnie, soit le journal du sommeil. Il faut également bien connaître les facteurs généralement associés aux troubles du sommeil. Comme on l'a vu plus haut dans ce chapitre, ces facteurs relèvent soit de la personne, qui présente des facteurs prédisposants, soit de son environnement, qui comporte des facteurs précipitants. Dans bien des cas, il suffit de traiter la cause pour améliorer le sommeil. Il s'agit d'en discuter avec le médecin, qui prescrira un médicament si la cause de l'insomnie est médicale. Par exemple, si l'insomnie est causée par une douleur, le soulagement de cette douleur par un analgésique permettra probablement de résoudre le problème de sommeil. Finalement, l'intervention auprès de la personne souffrant d'un trouble du sommeil doit être adaptée à chaque individu, selon les caractéristiques du problème de sommeil qui se manifeste.

Interventions

Il est possible d'appliquer totalement ou partiellement le programme d'intervention suggéré dans ce chapitre. Tout dépend de la situation et des caractéristiques de la personne touchée par le problème de sommeil. Certaines interventions peuvent être relaxantes pour certains résidents et anxiogènes par d'autres. Il faut donc choisir l'intervention la plus appropriée, selon les goûts de la personne.

L'amélioration des habitudes de vie et des comportements favorisant le sommeil est à la fois simple et complexe. Bien manger, faire de l'activité physique, avoir des comportements compatibles avec le sommeil et pratiquer une activité de relaxation sont des moyens connus de tous pour bien dormir et rester en bonne santé. Pourtant, la plupart des individus semblent avoir de la difficulté à mettre en pratique ces habitudes de vie, car ils préfèrent recourir aux solutions rapides telles que les médicaments.

Saine alimentation

Bien manger constitue le premier élément d'un programme d'hygiène du sommeil. Pour les résidents qui ne dépensent pas beaucoup d'énergie, la variété des aliments et la modération constituent les deux éléments de base d'une saine alimentation (voir le chapitre 12). Il faut éviter de prendre des repas trop copieux le soir ou des collations trop généreuses, car ils risquent de nuire à la digestion et au sommeil. Il en est de même des aliments et des breuvages contenant des substances stimulantes, qui devraient être proscrits en soirée. Les plus connus sont les sucreries, le chocolat, l'alcool, le café, le thé, les boissons gazeuses et les boissons chocolatées. Il faut donc éviter ces aliments et ces boissons, ou en consommer le moins possible, afin de bénéficier d'un meilleur sommeil. Durant la soirée, les résidents qui ne souffrent pas de déshydratation devraient réduire leur consommation de liquide pour éviter d'avoir à se lever la nuit et ne pas boire de tisanes à pouvoir diurétique. Cependant, l'infirmière peut recommander aux résidents de boire un verre de lait chaud. En effet, le lait favorise le sommeil, car il contient du tryptophane, un acide aminé considéré comme un somnifère naturel.

Activité physique

L'activité physique permet à l'organisme de s'adapter au stress de la vie quotidienne et, par conséquent, de mieux dormir. Évidemment, l'activité physique doit être adaptée à la condition physique individuelle et pratiquée de façon progressive et sécuritaire. Faire de l'exercice pour un résident âgé ne signifie pas la même chose que pour une personne plus jeune. Tout exercice est valable s'il est pratiqué de façon sécuritaire. Il est souhaitable d'organiser des programmes collectifs pour les résidents âgés, afin d'instaurer des habitudes de vie saines et de favoriser leur sommeil. S'ils sont bien adaptés, les exercices peuvent être pratiqués par les résidents en perte d'autonomie et se déplaçant difficilement. Il ne faut pas oublier, toutefois, que l'exercice doit se pratiquer durant la journée pour favoriser le sommeil. En effet, les exercices intenses en soirée sont à éviter, car ils agissent comme un stimulant et nuisent alors au sommeil.

Modification des comportements

La modification ou l'adoption de certains comportements peuvent également s'avérer bénéfique pour le sommeil du résident âgé. Tout d'abord, il est important d'installer ou de respecter un certain rituel du coucher. Il est recommandé d'instaurer une routine qui favorise le coucher et le lever aux mêmes heures, car un horaire régulier respecte et favorise le rythme circadien. La pratique d'une activité relaxante avant le coucher peut également aider à préparer la période de sommeil. De plus, l'aménagement d'un environnement favorable au sommeil fait partie des critères essentiels pour bien dormir. Une chambre exempte de bruit, une température agréable pour la personne, un matelas et des draps confortables, une lumière tamisée contribuent à créer un environnement propice au sommeil.

Le contrôle par le stimulus vise aussi l'adoption de comportements qui favorisent le sommeil. Cette technique propose sept directives destinées à renforcer les comportements qui régularisent le cycle éveil-sommeil (Bootzin et Nicassio, 1978). Le contrôle par le stimulus peut aider le résident à s'endormir et à se réveiller moins souvent la nuit. Cette technique requiert une bonne motivation de la part du résident et un certain encouragement de la part de l'infirmière. Le tableau 16-1 présente les sept règles à suivre pour appliquer cette technique.

Outre qu'elle doit adopter des habitudes de vie et des comportements susceptibles d'améliorer le sommeil, une personne a tout avantage à pratiquer une activité de relaxation. Ouellet, Beaulieu et Banville (2000) suggèrent des méthodes de relaxation simples qu'il est possible d'utiliser avant le coucher pour se détendre, ou tout simplement durant la journée pour diminuer l'anxiété. Plusieurs méthodes et techniques de relaxation reconnues favorisent la détente du corps et de l'esprit. Certaines activités associées

Tableau 16-1	Le contrôle par le stimulus

1. La personne doit se coucher seulement lorsqu'elle se sent fatiguée et prête à dormir.

2. Une heure avant le coucher, elle doit cesser toute activité physiquement ou intellectuellement stimulante.

3. Le lit doit être utilisé seulement pour dormir et non pour lire, regarder la télévision, manger ou réfléchir à ses problèmes. L'activité sexuelle est la seule exception à cette règle.

4. Si la personne ne dort pas après 30 minutes, elle doit se lever et aller dans une autre pièce. Elle peut retourner dans sa chambre pour dormir seulement lorsqu'elle sent qu'elle a sommeil.

5. Si la personne ne s'endort toujours pas, elle doit répéter l'étape 4 aussi souvent que nécessaire.

6. Le réveil-matin doit toujours être réglé à la même heure, peu importe le nombre d'heures de sommeil de la nuit précédente. Cette étape contribue à régulariser le rythme circadien.

7. La personne insomniaque ne devrait pas faire de sieste durant la journée.

au rituel du coucher sont également relaxantes, même si ce ne sont pas des méthodes de relaxation proprement dites. Il est possible, par exemple, de prendre un bain d'eau tiède, de faire des exercices de respiration, d'écouter de la musique ou encore de boire un verre de lait chaud. Quelle que soit l'activité choisie, relaxer est un excellent antidote au stress, à la fatigue, à l'insomnie et à l'anxiété. La relaxation procure une sensation de calme et de bien-être. Durant l'activité de relaxation, le corps est immobile, les yeux sont fermés et les muscles décontractés. L'esprit se concentre sur la respiration, sur la musique ou encore sur certaines parties du corps. La relaxation a pour but de détendre le corps en profondeur. Tout comme dans le sommeil, le métabolisme corporel diminue, la respiration et les pulsations cardiaques ralentissent.

Certaines méthodes et techniques sont particulièrement faciles à appliquer, notamment le massage et la méditation. Le massage apporte une détente musculaire et un repos complet du corps. Il aide à diminuer le niveau d'anxiété et les tensions musculaires, et il favorise la circulation sanguine. La méditation est un exercice de l'esprit par lequel la personne apaise ses pensées et laisse le silence s'installer en elle. La pratique régulière de la méditation, tout comme celle de la prière, peut procurer une sensation de calme, de paix et de sérénité dans la vie quotidienne. Méditer est somme toute très simple : il suffit de se détendre et de tenter de faire le vide dans son esprit en se concentrant sur une image, sur sa respiration ou sur un mantra. L'activité de méditation se concentre sur ce qui se passe à l'instant présent. La méditation et la prière sont des activités simples qui peuvent se pratiquer plusieurs fois par jour.

Dans bien des cas, la personne qui veut améliorer la qualité de l'éveil et du sommeil doit cesser de prendre des somnifères. Cependant, le sevrage n'est pas une chose facile à faire, et doit être supervisé par un professionnel de la santé. Il doit être progressif afin de limiter les effets secondaires. Même dans de bonnes conditions, le sevrage peut entraîner temporairement certains symptômes, tels qu'une aggravation des problèmes de sommeil ou une augmentation du niveau d'anxiété. Dans un livre intitulé *Vaincre les ennemis du sommeil*, Morin (1997) propose un programme structuré pour l'arrêt des somnifères. Ce programme est relativement simple à exécuter, mais le sevrage doit être progressif pour qu'il n'y ait pas d'effets rebonds. La planification demeure un élément clé du succès. L'infirmière est toute désignée pour soutenir le résident qui veut cesser de consommer des somnifères, à condition qu'elle ait les connaissances et les outils nécessaires pour le faire. Si ce n'est pas le cas, elle devrait recommander à la personne de s'adresser à un médecin ou à un pharmacien expérimenté.

Enfin, McDowell, Mion, Lydon, et Inouye (1998) proposent une méthode simple pour résoudre les problèmes d'endormissement et favoriser l'usage rationnel des somnifères. Cette méthode se réalise en quatre étapes. La première étape consiste à masser le dos du résident qui n'arrive pas à s'endormir. Si le résident ne dort pas 15 minutes plus tard, l'infirmière lui donne un verre de lait chaud.

S'il est encore éveillé après 15 minutes, on lui fait écouter de la musique douce durant 15 minutes. Enfin, si toutes ces interventions n'ont pas permis au résident de s'endormir grâce à ces différents moyens, l'infirmière lui donne un somnifère. En appliquant ce protocole simple, les infirmières ont réussi à réduire la consommation de somnifères de 23 %.

Programme individuel

Objectifs d'intervention

Comme on l'a mentionné plus haut dans ce chapitre, les problèmes de sommeil sont très fréquents chez le résident atteint de déficits cognitifs. Au cours des stades avancés de la démence, les problèmes de sommeil s'exacerbent et se manifestent de plusieurs façons, mais surtout par des périodes de somnolence ou de sommeil durant la journée. Pour éviter que les résidents déments n'éprouvent de problèmes de rythme circadien, Richards *et al.* (2001) suggèrent un programme individuel d'activités. Ces activités ont pour but d'occuper le résident et de le stimuler afin d'éviter qu'il dorme durant la journée, et ainsi favoriser son sommeil la nuit. Ce programme a permis d'améliorer la durée et l'efficacité du sommeil nocturne et de réduire la durée des siestes chez des résidents d'un CHSLD.

Interventions

Les aînés se livrent à des activités verbales, visuelles, tactiles, physiques, gustatives ou encore olfactives qui leur permettent d'exprimer leurs sentiments et leurs pensées, d'exercer leur mémoire et de se remémorer des souvenirs. D'autres activités sont tout simplement de nature récréative ou éducative. Le choix des activités est important puisqu'il s'agit de stimuler le résident dément pour éviter la somnolence diurne. Afin de mettre en œuvre un programme d'activités adapté, il est essentiel d'évaluer minutieusement les goûts, les habitudes et les capacités du résident. Richards *et al.* (2001) suggèrent de bien évaluer les différentes capacités de l'aîné. L'évaluation doit donc porter sur le domaine cognitif (capacité d'attention), le domaine physique (capacité à se déplacer), la communication (capacité de tenir une conversation), les émotions (humour), les comportements présents et passés, les sens, les intérêts passés (travail, éducation, activités récréatives). L'évaluation doit concerner le résident lui-même et ses proches, ainsi que le personnel soignant. De plus, l'observation est un des facteurs essentiels de l'évaluation d'un résident dément puisque, la plupart du temps, celui-ci s'exprime difficilement. Richards et ses collègues (2001) suggèrent plusieurs activités visant à occuper les résidents déments souffrant de troubles du rythme circadien (voir le tableau 16-2, p. 238).

Enfin, ces auteurs mentionnent que le programme individualisé d'activités a d'autres effets bénéfiques. Outre qu'elles améliorent le sommeil, ces activités réduisent le stress du personnel et du résident âgé, et améliorent la qualité de vie en CHSLD.

Tableau 16-2	Exemples d'activités à prescrire

- Jouer à la balle.
- Jouer à des jeux, tels que le tic-tac-toe, les échecs, les dames.
- Groupes de discussion.
- Écouter de la musique.
- Bricoler.
- Plier du linge, tricoter, coudre.
- Participer à des groupes de réminiscence.
- Regarder des films.
- Peindre.
- Faire des casse-tête.
- Prendre des collations à des heures régulières.

Conclusion

L'insomnie demeure avant tout un problème subjectif, qui n'affecte pas toutes les personnes de la même manière. Les besoins concernant le sommeil diffèrent considérablement d'une personne à l'autre. Alors que certaines personnes ont besoin de neuf heures de sommeil, d'autres se sentent reposées après avoir dormi seulement cinq heures. La sensation d'avoir bien dormi est très personnelle et, pour être efficaces, les interventions doivent tenir compte des caractéristiques de la personne. En résumé, un bon programme d'hygiène du sommeil doit promouvoir chez tous les résidents de bonnes habitudes de vie : bien manger, faire de l'exercice et apprendre à se détendre. Pour le résident dément, un programme d'hygiène du sommeil doit tenir compte de ses capacités, favoriser son autonomie et lui proposer des activités stimulantes durant la journée.

ÉTUDE DE CAS

Madame Tremblay réside depuis peu au CHSLD, et elle consulte l'infirmière pour des problèmes d'insomnie. Elle a rempli un journal du sommeil pendant une semaine, dans lequel l'infirmière trouve les informations suivantes. Mme Tremblay se couche à 22 h tous les soirs ; elle se réveille à 6 h et se lève à 7 h. Il lui faut plus d'une heure pour s'endormir. De plus, elle se réveille fréquemment la nuit, durant une trentaine de minutes au total, et elle fait une sieste de 30 minutes tous les après-midi. Elle qualifie son sommeil de peu satisfaisant et se sent fatiguée durant la journée. Elle indique dans son journal que le bruit la dérange et qu'elle se sent très anxieuse lorsqu'elle se couche. L'infirmière lui pose quelques questions et constate que, depuis son arrivée au Centre, elle a modifié sa routine du coucher. Mme Tremblay se couche plus tôt et ne fait plus les mêmes activités avant de se mettre au lit. Elle confie à l'infirmière que depuis son admission, il y a deux mois, elle est très nerveuse et ne se sent pas chez elle et que, même si elle prend tous les soirs de l'Ativan 1 mg, elle n'arrive plus à dormir.

Questions

1 Quelles sont les causes possibles de l'insomnie de Mme Tremblay ?

2 Quelles sont les manifestations de l'insomnie de Mme Tremblay ?

3 Quels facteurs ont pu précipiter les problèmes d'insomnie de Mme Tremblay depuis son arrivée au CHSLD ?

4 Quelles sont les interventions à mettre en œuvre pour Mme Tremblay ?

CHAPITRE 17

LES CHUTES

par **Denis F. Gagnon**

Chez les aînés, les chutes constituent un problème préoccupant. Chaque année, plus du tiers d'entre eux font une chute qui occasionne des blessures. Dans bien des cas, ces blessures sont mineures, mais il arrive qu'elles soient graves. Les blessures graves sont d'ailleurs une cause appréciable de mortalité. Elles sont également à l'origine de séquelles importantes. En effet, bon nombre d'aînés qui font une chute grave ne récupèrent pas complètement de leurs blessures, souffrent de douleurs chroniques, d'une réduction de leurs capacités fonctionnelles et de leur mobilité, par crainte de chuter de nouveau.

Les chutes résultent souvent de la combinaison de multiples facteurs relatifs au résident et à son environnement. Il est toutefois possible de mettre en œuvre des programmes de prévention dans lesquels l'infirmière en CHSLD joue un rôle déterminant. En reconnaissant les résidents à risque et en agissant sur les différents facteurs prédisposants et précipitants, elle aide à diminuer l'incidence des chutes, elle contribue à réduire la souffrance, la perte d'autonomie et elle améliore la qualité de vie des résidents.

NOTIONS PRÉALABLES SUR LES CHUTES

Définition

Même s'il paraît simple au premier abord de définir la chute, il ne semble pas y avoir encore à ce jour de définition universellement reconnue et acceptée, et ce, en dépit des nombreuses études portant sur le sujet. Plusieurs études ne contiennent tout simplement pas de définition de la chute, alors que d'autres en donnent des définitions fort variables. Après avoir effectué une revue systématique des interventions destinées à prévenir les chutes, Gillespie *et al.* (2004) soulignent que les différentes définitions répertoriées s'articulent souvent autour de l'idée de tomber involontairement sur le sol. Pour Lauzon et Adam (1996), la chute traduit une défaillance des mécanismes physiologiques de la démarche et de l'équilibre sous l'effet de facteurs déstabilisants intrinsèques ou extrinsèques. Plus précisément, dans ce chapitre, nous définirons la chute comme un événement au cours duquel le corps du résident entre en contact accidentellement avec le sol, qu'il marche, qu'il se tienne debout ou qu'il soit immobile, ou encore à la suite d'une manœuvre de transfert réalisée seul ou avec une aide.

Ampleur du problème

Les chutes représentent l'incident le plus fréquemment déclaré en CHSLD (Takano Stone et Wyman, 1999).

Chaque année, environ la moitié des résidents des CHSLD font au moins une chute (Lauzon et Adam, 1996). De plus, les récidives demeurent un phénomène répandu dans les CHSLD, car la probabilité de chuter au cours de la prochaine année est de deux à trois fois supérieure chez le résident qui a fait une première chute (National Center for Injury Prevention and Control [NCIPC], 2003).

Conséquences

Les conséquences individuelles des chutes sont autant d'ordre physique que psychosocial. Les chutes provoquent généralement des lacérations, des ecchymoses, de la douleur, des hématomes et des fractures. Elles entraînent également une perte d'autonomie, affectent la qualité de vie du résident, quand elles ne causent pas son décès prématuré. Chez les 65 ans et plus, les chutes constituent la cause première de mort accidentelle et elles sont responsables de près de 95 % des cas de fractures de la hanche (NCIPC, 2003). Moins de 30 % des résidents qui se sont fracturé la hanche recouvrent leur degré préalable d'autonomie en ce qui a trait au déplacement. Bien que près de 50 % des chutes n'entraînent aucun traumatisme physique, près du tiers des résidents risquent de manifester un syndrome post-chute. Chez les résidents touchés par ce syndrome, l'anxiété associée à la peur de tomber de nouveau les pousse à limiter leurs déplacements. Or, à moyen terme, ces résidents perdent progressivement leurs capacités à se mouvoir, et connaissent le retrait social, la dépendance et la dévalorisation. Pour finir, bien malheureusement, ils courent un risque accru de chuter (Francœur, 2001 ; Takano Stone et Wyman, 1999).

Facteurs prédisposants et facteurs précipitants

Les prochains paragraphes traitent des facteurs de risque de chute. D'emblée, il importe de reconnaître que les antécédents de chutes constituent un facteur de risque important pour le résident. De surcroît, la probabilité qu'un résident fasse une chute tend également à augmenter en fonction du nombre de facteurs de risque qu'il présente. Ainsi, la prévalence des chutes est de 8 % chez le résident qui ne présente aucun facteur de risque, alors qu'elle atteint 78 % chez celui qui en affiche quatre et plus.

Facteurs prédisposants

D'une façon générale, les facteurs prédisposants seraient à l'origine de près de 60 % des chutes des résidents (New South Wales Health Department [NSWHD], 2001 ; Hill *et al.*, 2000 ; Société scientifique de médecine générale [SSMG], 2000 ; Takano Stone et Wyman, 1999).

Changements physiologiques

Selon certains auteurs, les changements physiologiques liés au vieillissement normal accroîtraient le risque de chute. Ces modifications touchent plus particulièrement la vision, la musculature, la démarche, la proprioception, l'équilibre et les réflexes (SSMG, 2000).

Détériorations de la vision

Les détériorations de la vision associées au vieillissement normal susceptibles de prédisposer aux chutes proviennent d'une baisse de l'acuité visuelle, d'une réduction de la capacité d'accommodation de l'œil aux contrastes de luminosité, d'un rétrécissement du champ visuel périphérique et d'une perte de sensibilité vis-à-vis de la discrimination des couleurs et de la profondeur de champ. Le résident aurait donc plus de difficultés à percevoir son environnement physique et à en repérer les obstacles ou les changements.

Diminution du nombre de fibres musculaires

Par ailleurs, la diminution du nombre de fibres musculaires inhérentes au vieillissement a pour effet de réduire la force et l'endurance nécessaires aux déplacements et aux transferts que doit faire le résident pour accomplir ses activités quotidiennes. Selon Marieb (1999), vers l'âge de 80 ans, la force musculaire aurait diminué d'environ 50 %.

Modification de la démarche

La démarche se modifie également à mesure que les personnes avancent en âge. Ces modifications se traduisent par un raccourcissement de l'amplitude des pas et par une réduction de la vitesse de la marche. De plus, la diminution de la hauteur des pas augmente la probabilité que le résident s'accroche le pied sur le sol ou sur certains objets. Par ailleurs, l'oscillation posturale tend à s'accroître, de même que le temps de double appui au cours du cycle de la marche.

Altération de la proprioception

La diminution de la sensibilité profonde au niveau des muscles, des tendons et des articulations compromet également les capacités proprioceptives. La proprioception joue un rôle important en regard de la perception du corps dans l'espace, car c'est par l'intermédiaire de cette fonction que le système nerveux reçoit des informations sur les postures et les mouvements du corps. La diminution de la sensibilité proprioceptive des membres inférieurs et la réduction de la sensibilité cutanée plantaire altèrent l'analyse des interfaces du résident avec le sol et les obstacles, d'où le risque accru de chutes, surtout si le résident se trouve dans l'obscurité ou s'il souffre d'une altération de la vision.

Vieillissement de l'appareil vestibulaire

Le vieillissement de l'appareil vestibulaire, dont les récepteurs sont situés dans le vestibule et dans les conduits semicirculaires de l'oreille interne, engendre parfois des troubles de l'équilibre statique et dynamique. Le vestibule a pour fonction de maintenir l'équilibre en l'absence de repères visuels. Avec le vieillissement normal, la sensibilité des récepteurs labyrinthiques s'émousse, ce qui entraîne une diminution de la capacité à percevoir la direction et la vitesse du mouvement (Mbourou Azizah, 2001 ; Collège national des enseignants de gériatrie, 2000).

En somme, le processus normal du vieillissement affecte les capacités de maintien postural par suite de l'altération de divers mécanismes interreliés associés aux fonctions sensorielle, proprioceptive, nerveuse et motrice. Le vieillissement s'accompagne en effet d'une diminution de la vitesse de perception et de la rapidité des réflexes, d'un allongement du temps de réaction, d'une moindre coordination musculaire et d'une réduction de la mobilité articulaire.

Il n'en reste pas moins que les études n'ont pu démontrer à ce jour que les différents changements induits par le vieillissement physiologique suffisaient à eux seuls à provoquer une chute, surtout si le résident parvient à compenser les risques de chute par ses propres mécanismes d'adaptation.

Affections aiguës ou chroniques

Les risques de chute sont associés à de nombreuses affections aiguës ou chroniques. Le tableau 17-1 énumère les affections le plus fréquemment mises en cause lors de chutes.

Parmi ces affections, l'hypotension orthostatique est un phénomène qui mérite d'être décrit en détail en raison de son impact clinique. Ce type d'hypotension survient après un changement postural, généralement par suite du passage de la position couchée à la position debout. Il est possible de détecter l'hypotension orthostatique en mesurant à plusieurs reprises la tension artérielle en position couchée

Tableau 17-1	Affections prédisposant aux chutes

AFFECTIONS		
Cardiovasculaires • Hypotension orthostatique • Infarctus • Insuffisance cardiaque • Insuffisance vertébrobasillaire • Troubles du rythme et de la conduction **Gastro-intestinales** • Diarrhée • Syncope postprandiale **Métaboliques** • Anémie • Déshydratation et dénutrition • Hyperthyroïdie ou hypothyroïdie • Hypoglycémie • Hypokaliémie, hypocalcémie, hypomagnésémie, hypophosphorémie, hyponatrémie **Musculosquelettiques** • Arthrite • Arthrose • Atrophie musculaire • Problème podiatrique	**Neurologiques** • Atteinte cérébelleuse • Hydrocéphalie à pression normale • Ischémie cérébrale transitoire et séquelles d'accident vasculaire cérébral • Lésion du SNC (tumeur, hématome sous-dural) • Maladie de Parkinson • Neuropathie périphérique • Spondylose cervicale/lombaire • Troubles épileptiques • Vertige positionnel bénin • Vestibulopathie **Ophtalmiques** • Cataractes • Dégénérescence maculaire • Glaucome **Psychiatriques** • Agitation psychomotrice • Delirium • Démence • Dépression	**Respiratoires** • Hypoxémie • Pneumonie **Urinaires** • Incontinence • Nycturie • Pollakiurie • Urgence mictionnelle **Autres** • Hyperthermie • Maladie infectieuse aiguë

et debout. Une baisse de pression systolique supérieure à 20 mm Hg entre les mesures prises en décubitus et debout confirme habituellement une hypotension orthostatique. Lorsqu'elle est symptomatique, cette forme d'hypotension s'accompagne d'étourdissements consécutifs à une diminution de la circulation sanguine cérébrale, et qui risquent de compromettre la stabilité posturale du résident et de le faire tomber.

Facteurs psychologiques

Les facteurs psychologiques qui affectent le jugement et la cognition accroissent également le risque de chute. Selon Martin-Hunyadi *et al.* (1999), il serait contre-indiqué d'interpeller une personne atteinte de démence pendant qu'elle marche. En effet, la tâche mentale d'écouter et de répondre risque d'interférer avec le processus de déambulation. Plusieurs études mentionnent que les chutes seraient plus fréquentes et plus graves chez les individus atteints de déficits cognitifs.

Facteurs précipitants

D'autres facteurs, généralement qualifiés d'extrinsèques dans la littérature, contribuent aussi au risque de chute. Ces facteurs précipitants relèvent de l'environnement humain, organisationnel et physique du résident en CHSLD.

Attitude des soignants

L'attitude fataliste qu'affichent parfois les soignants constitue un des premiers éléments à considérer dans la prévention des chutes en CHSLD. Toutefois, le soignant qui acquiert les connaissances appropriées et qui adopte les stratégies préventives adéquates comprend rapidement que les chutes ne sont pas inéluctables. Le manque de formation au sujet des principes de déplacement sécuritaire est un deuxième facteur susceptible d'entraîner une chute et des blessures, tant pour le résident que pour le soignant (Francœur, 2001). Malgré certaines tentatives, il n'a pas été possible d'associer l'occurrence des chutes en CHSLD au ratio résidents/soignants. D'ailleurs, les études sérieuses à ce sujet sont rares et elles n'ont pas réussi à établir un lien causal direct.

Effets secondaires des médicaments

De nombreuses études démontrent également que les effets secondaires liés à l'administration de certains médicaments sont parfois à l'origine des chutes. De plus, le risque de chute augmenterait avec le nombre de médicaments différents administrés. Les diurétiques, les hypotenseurs et les psychotropes sont les classes de médicaments le plus souvent associées au risque de chute. Étant donné que le risque de chuter semble plus élevé lors de l'instauration d'une nouvelle médication, l'infirmière se doit d'être

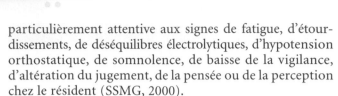

particulièrement attentive aux signes de fatigue, d'étourdissements, de déséquilibres électrolytiques, d'hypotension orthostatique, de somnolence, de baisse de la vigilance, d'altération du jugement, de la pensée ou de la perception chez le résident (SSMG, 2000).

Mesures de contention

Malgré les prétendues raisons de protection contre les blessures évoquées par les soignants lorsqu'ils recourent à des mesures de contention, y compris les ridelles de lit, les études sur la question démontrent que la contention physique ne réduit pas le risque de chute et qu'elle pourrait même augmenter la gravité des blessures occasionnées (Dunn, 2001; Savage et Matheis-Kraft, 2001; Hill *et al.*, 2000; Nouvel, Abric et Jacquot, 1999). Finalement, plusieurs facteurs liés à l'environnement physique du résident accroissent également le risque de chute.

Facteurs environnementaux

Les facteurs environnementaux mis en cause dans les CHSLD sont nombreux. Parmi les facteurs fréquemment incriminés, mentionnons les lits trop élevés ou trop bas, l'éclairage insuffisant, l'utilisation de carpettes autour du lit, et les freins des roulettes de lit qui n'ont pas été enclenchés. Les chaises ou les fauteuils trop hauts ou trop bas, sans appui-bras ou avec des appuis-bras trop courts, les toilettes inadaptées, les baignoires, les douches ou les planchers glissants sont aussi d'autres sources de chutes. Enfin, il faut mentionner les rampes et les barres d'appui absentes ou mal fixées, les souliers inadaptés et les aides techniques à la marche inappropriées, l'encombrement des lieux, de même qu'une température trop élevée (Dunn, 2001, NSWHD, 2001). Selon Takano Stone et Wyman (1999), les résidents qui ne sont pas encore familiarisés avec leur nouvel environnement courent plus de risques de chute, surtout durant les premières semaines après leur arrivée au CHSLD.

Manifestations cliniques

Les chutes résultent indéniablement d'une combinaison de facteurs liés à l'âge, de facteurs prédisposants ou de facteurs précipitants, et c'est pourquoi les chutes relèvent de causes variées. Toutefois, les spécialistes s'accordent pour reconnaître que les facteurs intrinsèques sont la principale source des chutes chez le résident à la santé précaire, alors que les facteurs extrinsèques jouent un rôle prépondérant chez les personnes mobiles et en meilleure santé.

Dans les CHSLD, c'est dans les chambres à coucher, les salles de bain et les toilettes, ainsi que dans les corridors que surviennent la plupart des chutes (NSWHD, 2001). Tous les résidents risquent de faire une chute, qu'ils soient ambulants ou non. Les chutes surviennent quand les résidents marchent, avec ou sans aide technique, ou quand ils se tiennent debout, mais elles se produisent également quand ils se couchent ou se lèvent de leur lit, quand ils s'assoient dans un fauteuil ou sur la toilette, ou qu'ils s'en relèvent. Des chutes risquent de survenir quand un résident tente de contourner les ridelles relevées de son lit ou de passer par dessus, mais il arrive également que des résidents chutent passivement, tout simplement en glissant de leur fauteuil, par exemple. Enfin, des chutes peuvent survenir au cours d'une manœuvre de transfert du résident alors qu'il est assisté d'un soignant.

Syndrome postchute

Outre les signes objectifs associés aux conséquences physiques de la chute et révélés à l'examen physique, les soignants doivent porter attention aux signes du syndrome postchute, dont la phase aiguë se manifeste par de l'anxiété, une perte d'initiative, le refus de se mouvoir et une tendance rétropulsive avec flexion des genoux lors du lever assisté du fauteuil. Le syndrome peut évoluer rapidement vers sa forme avancée, au cours de laquelle le résident présente une nette régression psychomotrice et exprime sa peur de tomber. La rétropulsion lors de la station debout se manifeste par l'appui du pied sur le talon et les orteils en griffe. De plus, la marche est précautionneuse, les pieds semblent «aimantés» au sol, tandis que les mains s'agrippent au mobilier ou au soignant. Il est important que les soignants interviennent rapidement et énergiquement afin de redonner confiance au résident, de le sécuriser, d'adapter son environnement et d'éliminer les facteurs responsables de la chute. En cas de persistance de ce syndrome postchute, le résident risque de connaître une baisse de son autonomie fonctionnelle, de voir sa condition physique se détériorer, au point de devenir grabataire ou de mourir (Université de Rennes 1, 2002).

Détection du problème

Les revues médicales décrivent plusieurs tests cliniques permettant de déterminer l'existence de facteurs de risque de chute chez le résident ou dans son environnement. Quoique plutôt performants, certains de ces tests n'évaluent qu'un seul facteur de risque, voire deux ou trois seulement. À titre d'exemples, l'échelle d'équilibre de Berg, le test de Tinetti, de même que le «Get up and Go-Test» de Mathias, Nayak et Isaacs évaluent l'équilibre ou la démarche. En raison de leur portée limitée, il n'est pas possible de dépister les chuteurs au moyen de ces seuls tests, compte tenu de l'étiologie multifactorielle des chutes, de l'hétérogénéité des caractéristiques des résidents et des milieux physiques, de même que de l'accroissement proportionnel du risque de tomber en fonction du nombre de facteurs que présente le résident (SSMG, 2000).

D'autres instruments de mesure permettent maintenant de prendre en compte simultanément plusieurs facteurs de risque reconnus. Le tableau 17-2 présente un instrument de dépistage de ce type (Gagnon, Roy et Tremblay, 1995). L'intérêt de cet instrument est d'établir un cadre de référence permettant de détecter les risques de chute et la probabilité qu'un résident ne vienne à tomber. L'infirmière, assistée d'un autre soignant qui connaît bien le résident, remplit le formulaire en suivant les consignes. Tout résident dont la cote est de 10 ou plus est considéré comme

Tableau 17-2 | **Instrument de dépistage des personnes à risque de chute**

INSTRUMENT DE DÉPISTAGE DES PERSONNES À RISQUE DE CHUTE

Nom de l'usager : _____ Unité : _____

Numéro de dossier : _____

Indiquer, pour chacun des éléments, le pointage qui s'y rapporte. Faire le total. Toute personne dont la cote est de 10 ou plus est considérée à risque de chute. Des interventions sont appliquées en fonction des risques relevés. (Se référer au *Répertoire des plans de soins selon le risque de chute*)

POINTS

ÂGE

1 _____ 80 ans ou plus

2 _____ 70 à 79 ans

ÉTAT MENTAL

0 _____ Orienté dans les trois sphères

2 _____ Confus en tout temps

4 _____ Confus de façon sporadique

TEMPS DE SÉJOUR À L'UNITÉ

0 _____ Réside à l'unité de vie actuelle depuis 4 jours ou plus

2 _____ Admis ou transféré à l'unité depuis 3 jours ou moins

ÉLIMINATION

0 _____ Continent et indépendant pour la satisfaction de ses besoins d'élimination

1 _____ Porteur d'un cathéter et/ou d'une stomie

3 _____ Requiert de l'assistance pour ses besoins d'élimination

5 _____ Incontinent et circule seul

ANTÉCÉDENTS DE CHUTES AU COURS DES 6 DERNIERS MOIS

0 _____ Aucun antécédent de chute durant les 6 derniers mois

2 _____ A chuté 1 ou 2 fois durant les 6 derniers mois

5 _____ A chuté 3 fois ou plus durant les 6 derniers mois

1 _____ **DÉFICIT VISUEL NON OU MAL COMPENSÉ**

3 _____ **CONFINÉ À UNE CHAISE**

(ceinturé au fauteuil ou exigeant une assistance dès qu'il se lève de la chaise)

2 _____ **HYPOTENSION ORTHOSTATIQUE**

(lors du passage de la position couchée à la position debout, chute de la tension artérielle systolique de 20 mm Hg ou plus)

Procédure de mesure de la tension artérielle*

• Faire coucher la personne 15 minutes, et prendre la lecture de la TA en position couchée. Ceci peut se faire le matin au lever ou après une sieste.

• Faire lever ensuite la personne en position debout et effectuer la lecture de la TA en position debout, une minute après qu'elle se soit levée.

* Arcand et Hébert, 1987, p. 309.

DÉMARCHE ET ÉQUILIBRE

Pour remplir cette section, évaluer le bénéficiaire alors que vous lui demandez de :

1. se tenir debout au même endroit les deux pieds collés ensemble durant 30 secondes **sans aucune aide** ;

2. marcher ensuite droit devant en ligne droite ;

3. traverser ensuite un encadrement de porte ;

4. continuer à marcher tout en effectuant un virage.

POINTER TOUS LES ÉLÉMENTS PERTINENTS :

1 _____ Incapable de maintenir ses pieds rapprochés en station debout sur place

1 _____ Perte d'équilibre en station debout sur place

1 _____ Problèmes d'équilibre durant la marche

1 _____ Ralentissement/diminution de la coordination musculaire durant l'exercice d'évaluation

1 _____ Démarche titubante, oscillante, ou qui « claque » (comme si on tapait sur le plancher)

1 _____ Lorsqu'il traverse un encadrement de porte, se tient ou change sa façon de marcher

1 _____ Se déplace soudainement, par saccades, ou est instable **lorsqu'il effectue un virage**

1 _____ Utilise des dispositifs d'assistance pour la marche (canne, marchette, chaise, etc.)

ALCOOL ET MÉDICAMENTS

☐ Alcool   ☐ Diurétiques

☐ Anesthésiques   ☐ Hypoglycémiants

☐ Antihistaminiques   ☐ Laxatifs/émollients

☐ Antihypertenseurs   ☐ Narcotiques

☐ Anticonvulsivants/   ☐ Psychotropes
    antiépileptiques   ☐ Sédatifs/hypnotiques

☐ Benzodiazépines   ☐ Autres (spécifier)

Parmi la liste des groupes de médicaments figurant ci-haut, combien le patient en prend-il ?

0 _____ Aucun médicament

1 _____ Un médicament

2 _____ Deux médicaments et plus

1 _____ Si le bénéficiaire a subi un changement dans sa médication et/ou un changement de posologie au cours des 5 derniers jours, ajouter un point.

TOTAL

☐ **Une cote de 10 ou plus indique un risque de chute.**

Évaluation faite par : _____

Date : _____

Sources : Traduit et adapté de E. Berryman, D. Gaskin, A. Jones, J. Macmullen et F. Tolley (1989). Point by point : predicting elder's falls? *Geriatric Nursing*, *10* (4), juillet-août, 199-201 ; D.F. Gagnon, G. Roy et G. Tremblay (1995). *Guide de prévention des chutes en CHSLD* (Instrument de dépistage des personnes à risque de chute), MSSS, 51.

à risque de faire une chute. Cet instrument présente toutefois des limites à l'égard de l'évaluation des résidents incapables d'adopter la position verticale ou de rester debout. Francœur (2001) présente à cet égard des instruments de mesure permettant d'évaluer le risque de chute du lit, de la position assise et lors des transferts. Ces instruments servent notamment à évaluer les résidents qui se déplacent en fauteuil roulant.

PROGRAMME D'INTERVENTION

Les CHSLD ont conçu de nombreux programmes destinés à prévenir les chutes des résidents. Ces programmes tentent de réduire l'incidence et les conséquences des chutes, tout en évitant de compromettre la mobilité et l'autonomie fonctionnelle des résidents. Comme les facteurs contributifs des chutes survenant en CHSLD varient d'un résident à l'autre, les processus d'élaboration, d'implantation et d'évaluation des stratégies d'interventions en sont d'autant plus complexes.

Buts du programme

Un programme de prévention des chutes doit être envisagé sous l'angle de la résolution de problèmes axée sur le résident et son entourage. Les buts d'un tel programme sont de reconnaître les résidents à risque de chute, d'instituer des mesures proactives pour réduire l'occurrence et la récurrence des chutes ou des blessures, et de promouvoir un environnement sécuritaire. Compte tenu de l'interaction et de la probable synergie s'exerçant entre les multiples facteurs de risque, il est nécessaire de mettre en œuvre des stratégies multiples d'interventions interdisciplinaires afin de prévenir les chutes des résidents, puisque, à ce jour, aucune intervention unique n'a démontré à elle seule une totale efficacité (Gillespie *et al.*, 2004 ; Tinetti, 2003 ; American Geriatrics Society, British Geriatrics Society, and American Academy of Orthopædic Surgeons Panel on Falls Prevention [AGS, BGS and AAOS Panel on Falls Prevention], 2001 ; NSWHD, 2001).

Instauration d'un programme de prévention des chutes

Le tableau 17-3 présente les grandes lignes d'un programme de prévention des chutes, inspiré de celui de Gagnon *et al.* (1995). Bien que l'implantation de l'ensemble des volets de ce programme optimise le potentiel de réduction des chutes, il est tout de même possible de prévenir les chutes en n'appliquant qu'un seul de ces volets, ou seulement quelques-uns.

Volet 1

Le premier volet du programme consiste à reconnaître les résidents à risque de chute et à planifier les interventions appropriées pour modifier ou réduire les facteurs de risque propres au résident. L'instrument préalablement présenté au tableau 17-2 est un exemple d'outil pouvant convenir à cet effet. Il s'agit de procéder à cette évaluation pour l'ensemble des résidents lors de leur admission, puis de la refaire tous les ans. Il est également nécessaire d'effectuer cette évaluation chaque fois que survient un changement de la condition de santé du résident susceptible de modifier l'un ou l'autre des facteurs de risque de chute révélé par l'instrument. Il existe d'autres instruments complémentaires, tels ceux de Francœur (2001), pour évaluer les résidents incapables de se mouvoir ou qui se déplacent en fauteuil roulant, tandis que d'autres encore peuvent servir à déterminer les risques de chute du lit ou lors des transferts. Il est nécessaire d'élaborer un plan de soins en fonction des risques de chute relevés pour chaque résident. Des plans de soins types, tels que ceux présentés par Gagnon *et al.* (1995) ou Francœur (2001), peuvent guider l'infirmière dans la planification des interventions les mieux adaptées au résident. Le tableau 17-4 en présente un exemple.

Volet 2

Le deuxième volet du programme porte sur les activités d'enseignement aux résidents. Bien qu'elle n'ait démontré qu'une efficacité mitigée à titre d'unique mesure préventive, Tinetti (2003) de même que Hill *et al.* (2000) n'en considèrent pas moins cette stratégie comme une composante importante d'un programme de prévention des chutes. Les résidents et leurs proches devraient être informés de

Tableau 17-3	Principaux éléments d'un programme pour prévenir les chutes
PROGRAMME COLLECTIF DE PRÉVENTION DES CHUTES	**PROGRAMME INDIVIDUALISÉ CONSÉCUTIF À LA CHUTE D'UN RÉSIDENT**
Volet 1 : Dépistage des résidents à risque de chute et planification des interventions préventives en fonction des facteurs de risque relevés Volet 2 : Enseignement aux résidents Volet 3 : Évaluation périodique et contrôle de la sécurité de l'environnement	Volet 4 : Analyse postchute et planification des interventions préventives en fonction des facteurs contributifs de chute relevés

Tableau 17-4	Plan de soins standard pour les personnes à risque de chute

PLAN DE SOINS STANDARD POUR LES PERSONNES À RISQUE DE CHUTE

DIAGNOSTIC INFIRMIER	OBJECTIF DE LA PERSONNE	INTERVENTIONS
Altération potentielle de la capacité de la personne de protéger son intégrité physique liée à une histoire de chutes antérieures. **HISTOIRE DE CHUTES ANTÉRIEURES :** La personne a été victime d'au moins une chute au cours des six derniers mois.	Appliquer des mesures de sécurité et de prévention appropriées à sa condition d'ici ____ jours.	• Faire l'étude des chutes antérieures de la personne afin : – de déterminer les moments, lieux et circonstances de survenue des chutes ; – de mesurer leurs conséquences ; – de rechercher les facteurs associés à la chute. • Établir en équipe et avec l'aide de la personne des lignes de conduite sécuritaire afin : – d'éliminer le ou les facteurs de risque de chute particuliers à la personne ; – d'éviter ou de minimiser les conséquences probables de chutes (dispositifs de protection). • Maintenir et améliorer l'autonomie fonctionnelle de la personne en maximisant sa participation à ses soins et en l'encourageant à prendre part activement à un programme d'exercices physiques afin d'améliorer sa forme physique, son agilité et ses réflexes. • Au besoin, consulter les professionnels de la réadaptation pour une évaluation de la force et de l'équilibre de la personne. • Référer au médecin pour déterminer et corriger les causes médicales possibles de chute, surtout dans le cas de chutes répétitives. • Si une chute survient malgré l'application des mesures décidées : – procéder à l'examen physique de la personne et lui prodiguer les soins immédiats requis ; – analyser rigoureusement les circonstances et causes de la chute à l'aide de l'*Instrument d'analyse d'une chute* ; – apporter les correctifs liés à un environnement inadéquat, s'il y a lieu ; – si la personne n'a pas de traumatismes physiques, la stimuler à regagner, le plus tôt possible, son degré d'autonomie antérieur dans ses déplacements. Durant les quinze jours qui suivent, surveiller la personne et l'aider à corriger toute modification de sa démarche consécutive à la chute (conséquence psychologique possible provoquée par la perte de confiance et pouvant conduire au repli sur soi).

Source : D.F. Gagnon, G. Roy et G. Tremblay (1995). *Guide de prévention des chutes en CHSLD* (Répertoire des plans de soins selon le risque de chute), MSSS, 72-73.

la nature multifactorielle des chutes, des facteurs de risque qui les concernent et des interventions permettant au résident d'adopter des comportements assurant des déplacements et des transferts sécuritaires. L'enseignement peut porter sur différents sujets tels que : les manières sécuritaires de s'asseoir, de se relever et de se déplacer, la reconnaissance des risques dans la chambre à coucher, les techniques pour se lever de son lit, entrer et sortir de la baignoire, la connaissance de sa médication et le maintien d'une bonne forme physique (Caron *et al.*, 1995). Il est possible de dispenser chaque capsule d'enseignement à un groupe de résidents d'une même unité à l'aide de grandes affiches qui demeurent sur place, bien en vue, durant deux semaines environ. À l'issue de l'enseignement

de chaque capsule, les soignants observent les résidents dont ils ont la responsabilité et font du renforcement pour s'assurer de l'application des consignes préventives suggérées. Cette stratégie comporte bien sûr des limites, particulièrement en présence de résidents présentant des déficits cognitifs altérant la communication et la mémoire.

Volet 3

Le troisième volet, qui traite de l'évaluation périodique et du contrôle de l'environnement, considère les risques de chute inhérents à l'environnement physique du résident. Afin d'assurer à l'ensemble des résidents un environnement physique aussi sécuritaire que possible, un soignant désigné

au sein de l'unité est chargé de faire la tournée mensuelle des lieux et de remplir le formulaire d'évaluation relatif à la sécurité de l'environnement présenté dans le tableau 17-5 (Gagnon *et al.*, 1995). Le soignant visite les chambres à coucher, les blocs sanitaires, les corridors, les salles de séjour, la salle à manger, les escaliers et les ascenseurs. Pour chacun de ces endroits, le soignant désigné prend en note l'état de l'éclairage, l'état du plancher, la sécurité des carpettes et des tapis, la sécurité du mobilier, la solidité des barres d'appui et des rampes de circulation. En regard de chacun des problèmes notés, des mesures correctrices sont envisagées et appliquées par l'équipe.

Tableau 17-5	Instrument d'évaluation de la sécurité de l'environnement

CHAMBRES À COUCHER			
SITUATION VISÉE	**PRÉSENCE DE PROBLÈMES**		
	Oui	**Non**	**Ne s'applique pas**
Éclairage			
• L'éclairage est fonctionnel (commutateurs et ampoules/fluorescents).	☐	☐	☐
• Les veilleuses sont fonctionnelles et libres d'obstruction par des objets.	☐	☐	☐
Planchers			
• Absence de surface mouillée sur le plancher.	☐	☐	☐
• Absence de surface glissante sur le plancher.	☐	☐	☐
• Absence de reflets sur le plancher.	☐	☐	☐
• Absence de déchirure, de bordure roulée ou de bris dans le revêtement du plancher.	☐	☐	☐
• Les tapis ou les carpettes sont solidement fixés au sol.	☐	☐	☐
• Absence d'objets qui traînent sur le sol (souliers, vêtements, literie, cordons électriques, etc.).	☐	☐	☐
Mobilier			
• Le mobilier et l'équipement sont disposés de façon sécuritaire pour les déplacements des personnes.	☐	☐	☐
• Les freins sont appliqués avec efficacité aux 4 roulettes de chaque lit.	☐	☐	☐
• Les manivelles de chacun des lits sont en retrait.	☐	☐	☐
• Chacun des lits est en position abaissée.	☐	☐	☐
• Les ridelles (côtés de lit) de chacun des lits sont solidement fixées et conservent leur position d'utilisation.	☐	☐	☐

Si des problèmes sont observés, en préciser la nature et l'endroit (numéro de la pièce, si pertinent), ainsi que l'équipement en cause :

_____

_____

_____

BLOCS SANITAIRES (SALLES DE BAIN ET TOILETTES)			
SITUATION VISÉE	**PRÉSENCE DE PROBLÈMES**		
	Oui	**Non**	**Ne s'applique pas**
Éclairage			
• L'éclairage est fonctionnel (commutateurs et ampoules/fluorescents).	☐	☐	☐
Planchers			
• Absence de surface mouillée sur le plancher.	☐	☐	☐
• Absence de reflets sur le plancher.	☐	☐	☐
• Les lieux sont exempts d'encombrement.	☐	☐	☐
• Utilisation de tapis antidérapants ou présence de bandes adhésives antidérapantes au fond des baignoires et des douches.	☐	☐	☐
• Utilisation de tapis antidérapants ou présence de bandes adhésives antidérapantes sur le plancher à la sortie des bains et des douches.	☐	☐	☐
Murs			
• Les barres d'appui sont solidement fixées au mur autour des bains.	☐	☐	☐
• Les barres d'appui sont solidement fixées au mur dans les douches.	☐	☐	☐
• Les barres d'appui sont solidement fixées au mur à proximité des toilettes.	☐	☐	☐

Si des problèmes sont observés, en préciser la nature et l'endroit (numéro de la pièce, si pertinent), ainsi que l'équipement en cause :

_____

_____

_____

>>>

SALLES DE SÉJOUR			
SITUATION VISÉE	**PRÉSENCE DE PROBLÈMES**		
	Oui	**Non**	**Ne s'applique pas**
Éclairage • L'éclairage est fonctionnel (commutateurs et ampoules/fluorescents).	☐	☐	☐
Planchers • Absence de surface mouillée sur le plancher. • Absence de surface glissante sur le plancher. • Absence de reflets sur le plancher. • Absence de déchirure, de bordure roulée ou de bris dans le revêtement du plancher. • Les tapis ou les carpettes sont solidement fixés au sol. • Absence d'objets qui traînent sur le sol.	☐ ☐ ☐ ☐ ☐ ☐	☐ ☐ ☐ ☐ ☐ ☐	☐ ☐ ☐ ☐ ☐ ☐
Mobilier • Le mobilier et l'équipement sont disposés de façon sécuritaire pour les déplacements des personnes. • Chacun des fauteuils ou chacune des chaises est solide et stable sur sa base. • Les appuis-bras de chacune des chaises et de chacun des fauteuils sont solides.	☐ ☐ ☐	☐ ☐ ☐	☐ ☐ ☐

Si des problèmes sont observés, en préciser la nature et l'endroit (numéro de la pièce, si pertinent), ainsi que l'équipement en cause :

_____
_____
_____
_____
_____
_____
_____
_____
_____

SALLE À MANGER			
SITUATION VISÉE	**PRÉSENCE DE PROBLÈMES**		
	Oui	**Non**	**Ne s'applique pas**
Éclairage • L'éclairage est fonctionnel (commutateurs et ampoules/fluorescents).	☐	☐	☐
Planchers • Absence de surface mouillée sur le plancher. • Absence de surface glissante sur le plancher. • Absence de reflets sur le plancher. • Absence de déchirure, de bordure roulée ou de bris dans le revêtement du plancher. • Les tapis ou les carpettes sont solidement fixés au sol. • Absence d'objets qui traînent sur le sol (serviettes de table, cordons électriques, etc.).	☐ ☐ ☐ ☐ ☐ ☐	☐ ☐ ☐ ☐ ☐ ☐	☐ ☐ ☐ ☐ ☐ ☐
Mobilier • Le mobilier et l'équipement sont disposés de façon sécuritaire pour les déplacements des personnes (tables, chaises, chariots, etc.). • Les pattes et les dossiers de chacune des chaises sont stables et solides. • Les tables sont stables et solides.	☐ ☐ ☐	☐ ☐ ☐	☐ ☐ ☐

Si des problèmes sont observés, en préciser la nature et l'endroit (numéro de la pièce, si pertinent), ainsi que l'équipement en cause :

_____
_____
_____
_____
_____
_____
_____
_____

>>>

CORRIDORS ET AUTRES VOIES DE CIRCULATION

SITUATION VISÉE	PRÉSENCE DE PROBLÈMES		
	Oui	Non	Ne s'applique pas
Éclairage			
• L'éclairage de jour/soir est fonctionnel (commutateurs et ampoules/fluorescents).	☐	☐	☐
• Les veilleuses sont fonctionnelles et libres d'obstruction par des objets.	☐	☐	☐
Planchers			
• Absence de surface mouillée sur le plancher.	☐	☐	☐
• Absence de surface glissante sur le plancher.	☐	☐	☐
• Absence de reflets sur le plancher.	☐	☐	☐
• Absence de déchirure, de bordure roulée ou de bris dans le revêtement du plancher et des seuils de portes.	☐	☐	☐
• Les tapis ou les carpettes sont solidement fixés au sol.	☐	☐	☐
• Les lieux de passage sont libres d'encombrement par de l'équipement ou du mobilier (tel que chariot, tabouret, cordon électrique, table roulante, etc.).	☐	☐	☐
Murs			
• Les rampes de circulation sont solidement fixées au mur.	☐	☐	☐

Si des problèmes sont observés, en préciser la nature et l'endroit (numéro de la pièce, si pertinent), ainsi que l'équipement en cause :

_____
_____
_____
_____
_____
_____
_____
_____

ESCALIERS

SITUATION VISÉE	PRÉSENCE DE PROBLÈMES		
	Oui	Non	Ne s'applique pas
Éclairage			
• L'éclairage est fonctionnel (commutateurs et ampoules/fluorescents).	☐	☐	☐
Planchers			
• Absence de reflets sur le plancher.	☐	☐	☐
• Les paliers sont exempts d'encombrement.	☐	☐	☐
• Absence de marches brisées (rebords de métal soulevés, tuiles soulevées ou manquantes, marches cassées, « terrazzo » endommagé, etc.).	☐	☐	☐
• Facilité de démarquer la marche de la contremarche.	☐	☐	☐
• Présence de bandes antidérapantes aux rebords de toutes les marches.	☐	☐	☐
• Les bandes antidérapantes sont en bon état.	☐	☐	☐
• Les tapis et les carpettes sont solidement fixés au sol.	☐	☐	☐
Rampes			
• Les rampes sont solidement fixées.	☐	☐	☐

Si des problèmes sont observés, en préciser la nature et l'endroit (numéro de la pièce, si pertinent), ainsi que l'équipement en cause :

_____
_____
_____
_____
_____
_____
_____

>>>

ASCENSEURS			
SITUATION VISÉE	**PRÉSENCE DE PROBLÈMES**		
	Oui	Non	Ne s'applique pas
Éclairage • L'éclairage est fonctionnel (commutateurs et ampoules/fluorescents).	☐	☐	☐
Planchers • Absence de surface mouillée sur le plancher. • Absence de surface glissante sur le plancher. • Absence de reflets sur le plancher. • Absence de déchirure, de bordure roulée ou de bris dans le revêtement du plancher et des seuils de portes. • Les tapis et les carpettes sont solidement fixés au sol. • Égalité du seuil de la cabine d'ascenseur avec le niveau du plancher lorsque la porte est ouverte.	☐ ☐ ☐ ☐ ☐ ☐	☐ ☐ ☐ ☐ ☐ ☐	☐ ☐ ☐ ☐ ☐ ☐
Murs • Présence de mains courantes dans la cabine d'ascenseur. • Les mains courantes sont solidement fixées. • Bouton de l'ascenseur accessible d'un fauteuil roulant.	☐ ☐ ☐	☐ ☐ ☐	☐ ☐ ☐
Portes • La force et le délai de fermeture de la porte permettent d'entrer dans l'ascenseur ou d'en sortir de façon sécuritaire.	☐	☐	☐

Si des problèmes sont observés, en préciser la nature et l'endroit (numéro de la pièce, si pertinent), ainsi que l'équipement en cause :

_____
_____
_____
_____
_____
_____

AUTRES LIEUX			
SITUATION VISÉE	**PRÉSENCE DE PROBLÈMES**		
	Oui	Non	Ne s'applique pas
Éclairage • L'éclairage est fonctionnel (commutateurs et ampoules/fluorescents).	☐	☐	☐
Planchers • Absence de surface mouillée sur le plancher. • Absence de surface glissante sur le plancher. • Absence de reflets sur le plancher. • Absence de déchirure, de bordure roulée ou de bris dans le revêtement du plancher et des seuils de portes. • Les tapis et les carpettes sont solidement fixés au sol. • Les lieux sont exempts d'encombrement. • Absence de menus objets qui traînent sur le sol (cordon électrique, équipement, etc.).	☐ ☐ ☐ ☐ ☐ ☐ ☐	☐ ☐ ☐ ☐ ☐ ☐ ☐	☐ ☐ ☐ ☐ ☐ ☐ ☐
Mobilier • Le mobilier et l'équipement sont disposés de façon sécuritaire en regard des déplacements des personnes.	☐	☐	☐

Si des problèmes sont observés, en préciser la nature et l'endroit (numéro de la pièce, si pertinent), ainsi que l'équipement en cause :

_____
_____
_____
_____
_____
_____
_____

>>>

	UNITÉ : _____
Rempli par : _____	Date de la tournée : _____ / _____ / _____

Mesures de correction envisagées par l'équipe	Date d'implantation

Source : D.F. Gagnon, G. Roy et G. Tremblay (1995). *Guide de prévention des chutes en CHSLD* (Instrument d'évaluation de la sécurité de l'environnement), MSSS, 97-105.

Volet 4

Dans une perspective nettement plus individuelle, le quatrième volet du programme porte sur les interventions à effectuer auprès du résident qui a fait une chute. En raison de la diversité des caractéristiques des résidents des CHSLD et des circonstances des chutes, une analyse individualisée des facteurs étiologiques s'impose. Il semble que l'analyse postchute et la mise en œuvre des mesures appropriées permettent effectivement de réduire la récurrence des chutes (AGS, BGS and AAOS Panel on Falls Prevention, 2001). L'objectif de ce quatrième volet est de procéder à l'analyse de la chute survenue pour en cerner les causes. Lorsqu'un résident tombe, l'infirmière remplit le formulaire d'analyse d'une chute, présenté au tableau 17-6 (Gagnon *et al.*, 1995). Dans la mesure où l'analyse a permis de déterminer les facteurs liés au résident ou à son environnement, les soignants élaborent ou révisent le plan de soins du résident et, s'il le faut, ils prennent les mesures nécessaires pour corriger les problèmes liés à l'environnement. La chute étant souvent le premier signe ou l'indication d'une condition aiguë ou chronique qui exige attention et soins, un travail interdisciplinaire s'impose vis-à-vis des facteurs étiologiques liés aux chutes, et qu'il serait possible de régler par un traitement approprié. Par exemple, une chute peut être consécutive à un infarctus du myocarde, à une pneumonie, à une déshydratation ou à un mauvais dosage d'un médicament hypotenseur.

À l'égard des résidents qui continuent de faire des chutes à répétition, malgré les mesures de prévention mises en œuvre, il faut envisager sérieusement de recourir à des moyens de protection, tels les protecteurs de hanche ou les surfaces de plancher absorbantes, afin de réduire les risques de blessures.

Conclusion

Les chutes chez les résidents en CHSLD relèvent de facteurs prédisposants et précipitants vis-à-vis desquels il est possible d'agir par l'entremise de stratégies d'interventions variées et interdisciplinaires. Il ne fait pas de doute que les futurs défis de prévention des chutes en CHSLD concerneront les mesures à adopter afin d'intervenir efficacement auprès des résidents atteints de déficits cognitifs et de comportements dysfonctionnels, car leur nombre ira en grandissant dans les CHSLD. À défaut de mesures efficaces permettant de prévenir les chutes, la recherche de moyens visant à en limiter les conséquences s'avère également une voie d'avenir pour sauvegarder l'autonomie des résidents et leur qualité de vie.

Tableau 17-6	Instrument d'analyse d'une chute

INSTRUMENT D'ANALYSE D'UNE CHUTE

INFORMATIONS SUR LA CHUTE	**IDENTIFICATION DE L'USAGER**
Endroit : _____	
Date : _____	
Heure : _____	

ÉLÉMENTS SPÉCIFIQUES EN RAPPORT AVEC L'USAGER

	Oui	Non
Il a omis de porter ses verres correcteurs (s'il y a lieu).	☐	☐
Il transportait quelque chose.	☐	☐
Il a pressenti qu'il allait chuter.	☐	☐
Juste après sa chute, il ignorait ce qui venait de se produire.	☐	☐
Il a perdu conscience :	☐	☐
Si oui, combien de temps est-il demeuré inconscient ?		
Sec _____ Min _____		
Il a fait des convulsions.	☐	☐
Il a perdu le contrôle de sa vessie ou de ses intestins.	☐	☐
Immédiatement après sa chute, il était incapable de se relever.	☐	☐
Il avait une blessure ou de la douleur à la suite de sa chute.	☐	☐
Il a de la difficulté à marcher et/ou utilise un appareil d'assistance à la marche.	☐	☐
Il y a eu un changement au cours des 5 derniers jours dans sa médication.	☐	☐
Il a habituellement un problème de mobilité.	☐	☐
Il a habituellement un problème de confusion/désorientation.	☐	☐
Il a fait une ou plusieurs chutes au cours des 6 derniers mois.	☐	☐
Il portait une contention.	☐	☐

Précédemment à la chute, l'usager a fait une (ou plusieurs) des choses suivantes :

	Oui	Non		Oui	Non
Trébuché ou glissé	☐	☐	Utilisé la toilette	☐	☐
Changé rapidement de position	☐	☐	Toussé ou éternué	☐	☐
Fait un virage soudain	☐	☐	Monté les escaliers	☐	☐
S'être levé du lit	☐	☐	Fourni un effort physique quelconque	☐	☐
Agitation psychomotrice	☐	☐	Comportement impulsif/agressif	☐	☐

Juste avant de chuter, l'usager a ressenti un (ou plusieurs) des symptômes suivants :

	Oui	Non
Somnolence	☐	☐
Problèmes visuels	☐	☐
Étourdissements (vague sensation de légèreté de la tête)	☐	☐
Faiblesse ou engourdissement d'un côté du corps	☐	☐
Vertiges (sensation de mouvement rotatif de l'environnement)	☐	☐
Trouble d'élocution (difficulté d'articulation/de prononciation)	☐	☐
Trouble d'évocation (difficulté à traduire ses idées en mots)	☐	☐
Signe avertisseur (prémonitoire : odeur, son, vision)	☐	☐
Difficulté à se tenir debout et à marcher	☐	☐
Faiblesse soudaine des deux jambes	☐	☐
Douleur à la poitrine	☐	☐
Souffle court (respiration superficielle)	☐	☐
Palpitations	☐	☐

>>>

EXAMEN DE L'USAGER

Signes vitaux :   Temp. _____   Resp. _____   Pouls régulier _____   TA couchée _____

                                                                  TA debout _____

                                                     Pouls irrégulier _____   TA bras gauche _____

                                                                        TA bras droit _____

Coloration des téguments : _____

ÉVALUATION DE L'ENVIRONNEMENT

	Oui	Non
L'éclairage était faible	☐	☐
La surface du plancher était dangereuse :		
– Parquet souillé	☐	☐
– Parquet glissant	☐	☐
– Reflets sur le plancher	☐	☐
– Irrégularité de la surface de marche	☐	☐
Des obstacles ont pu causer la chute	☐	☐
Équipement, mobilier défectueux	☐	☐
Rampes fixées non solidement	☐	☐
Chaussures inadéquates	☐	☐
L'environnement était non familier à l'usager (changement de chambre, d'unité, etc.)	☐	☐
Autre – préciser _____	☐	☐

BILAN DES FACTEURS LIÉS À LA CHUTE

	Oui	Non	
Admission/transfert récent	☐	☐	
Déficience cognitive	☐	☐	
Agitation psychomotrice	☐	☐	
Besoin impérieux d'uriner	☐	☐	
Incontinence urinaire	☐	☐	
Nycturie	☐	☐	
Déficience auditive	☐	☐	
Déficience visuelle	☐	☐	
Faiblesse	☐	☐	
Histoire de chutes antérieures	☐	☐	▶ Référence au *Répertoire des plans de soins selon le risque de chute*
Manifestations d'hypotension orthostatique	☐	☐	
Troubles d'équilibre	☐	☐	
Troubles de la démarche	☐	☐	
Troubles de mobilité	☐	☐	
Besoins d'adaptations non ou mal comblés	☐	☐	
Médication	☐	☐	
Témérité	☐	☐	
Troubles épileptiques	☐	☐	
Environnement	☐	☐	▶ Correction des facteurs

MESURES DE PRÉVENTION ET DE SUIVI RETENUES

_____

_____

_____

Rempli par : _____   Date : _____

Sources : Traduit et adapté de L.Z. Rubenstein et A.S. Robbins (1984). Falls in the elderly : A clinical perspective. *Geriatrics*, *39* (4), avril, 71 ; D.F. Gagnon, G. Roy et G. Tremblay (1995). *Guide de prévention des chutes en CHSLD* (Instrument d'analyse d'une chute), MSSS, 109-110.

ÉTUDE DE CAS

Il y a deux jours, une dame de 85 ans arrivant de son domicile a été admise sur pieds à votre unité. L'analyse de son dossier montre qu'elle souffre de dégénérescence maculaire, d'hypertension artérielle, d'insuffisance rénale et de dépression majeure. Le dossier indique également qu'un diagnostic récent de maladie d'Alzheimer vient d'être porté. Lors de l'admission, la fille de Madame signale à l'infirmière que sa mère est incontinente et qu'elle est tombée deux fois au cours des six derniers mois. L'infirmière remarque également que Madame présente une toux grasse. En plus d'un diurétique, Madame prend un antihypertenseur et deux médicaments psychotropes.

La nuit dernière, Madame s'est levée seule de son lit et elle est tombée, probablement en voulant se rendre dans la salle de bain.

En effet, l'équipe de nuit l'a trouvée par terre sur un plancher mouillé. Elle ne semblait pas blessée. Toutefois, en sortant de table après son déjeuner, tout en s'efforçant de répondre à la question que l'infirmière venait de lui poser, Madame n'a pas fait attention au quadripode que son voisin de table avait laissé à l'écart, et elle est tombée de nouveau. En plus de présenter une douleur à l'épaule gauche, Madame refuse maintenant l'activité d'hygiène et, lorsque l'infirmière tente de l'aider à se relever du fauteuil, elle semble vouloir se rasseoir, car elle garde les genoux pliés. Prenant en considération que Madame est tombée deux fois, un soignant suggère d'utiliser une ceinture abdominale afin de prévenir les blessures.

Questions

1 Selon l'instrument de dépistage des personnes à risque de chute, Madame présentait-elle des risques de chute dès son arrivée à l'unité?

2 Décrivez les interventions infirmières qu'il faudrait effectuer normalement à l'arrivée de Madame pour évaluer les risques de chute. À partir de cette évaluation et des informations disponibles, décrivez trois mesures préventives que l'infirmière aurait pu instaurer pour prévenir les chutes.

3 Madame est tombée deux fois quand elle était chez elle et deux fois depuis qu'elle est arrivée au CHSLD. Quelle est la probabilité qu'elle chute de nouveau au cours de la prochaine année?

4 Quelles conséquences semblent résulter des deux dernières chutes de Madame?

18

LES SOINS PODOLOGIQUES

par **Denise Pothier**

« Le pied assure la première libération de l'enfant et la dernière
liberté du vieillard. »

Jean-Paul Desbiens

*Les études menées auprès des personnes âgées indiquent que la majorité d'entre elles souffrent
de divers problèmes aux pieds. En plus d'être douloureux, ces problèmes sont à l'origine de
plusieurs complications, en particulier chez les personnes diabétiques. De plus, ils altèrent
souvent la qualité de vie des résidents en réduisant leur capacité ambulatoire.*

*Ce chapitre présente d'abord les caractéristiques du pied normal vieillissant, ainsi que les
problèmes aux pieds les plus fréquents chez les personnes âgées, tels l'onychomycose et les
syndromes du pied diabétique et du pied arthritique. Nous expliquerons ensuite comment
l'infirmière en CHSLD peut contribuer à prévenir les problèmes de pieds ou à en ralentir
l'évolution.*

*Les interventions des soignants consistent à appliquer les techniques de base du soin des
pieds et à mettre en œuvre les moyens permettant de détecter d'éventuels problèmes. Pour
ce faire, l'infirmière effectue régulièrement un bilan de santé du pied et instaure un plan
d'intervention individualisé qui lui permettra notamment de prévenir les complications
chez les résidents diabétiques. L'infirmière contribue également à la prévention des problèmes podologiques en collaborant à un programme collectif dont l'objectif est de créer les
conditions favorables à une bonne santé du pied.*

NOTIONS PRÉALABLES SUR LES PATHOLOGIES DU PIED

Définition

La podologie se définit comme l'étude du pied normal et
du pied pathologique. Au niveau du pied, le processus du
vieillissement normal entraîne de nombreuses modifications aux structures osseuses, articulaires, vasculaires et
cutanées.

L'onychomycose consiste en l'envahissement de l'appareil unguéal par des champignons parasites qui altèrent
progressivement la coloration, l'épaisseur et la forme de
l'ongle. C'est, de loin, la maladie unguéale la plus fréquente
chez les résidents. L'aspect clinique de l'onychomycose
varie selon son stade d'évolution. Dans sa forme avancée,
l'onychomycose peut causer des douleurs qui contraignent
le résident à porter des chaussures inappropriées, ce qui le
rend plus vulnérable aux chutes. Il arrive également que
cette mycose se complique d'une surinfection bactérienne
sous-unguéale ou péri-unguéale, responsable de graves

complications chez les résidents à risque, tels les diabétiques, les résidents souffrant d'insuffisance vasculaire
périphérique et les immunodéprimés.

Le syndrome du pied arthritique, aussi appelé *pied arthritique*, fait référence aux multiples déformations articulaires susceptibles d'affecter le pied chez les aînés souffrant
d'arthrite. Selon l'origine de l'arthropathie en cause, ces
déformations s'installent progressivement et sur une période assez longue. Des poussées inflammatoires plus ou
moins rapprochées laissent des séquelles permanentes sous
forme de déformations irréductibles et douloureuses. Les
douleurs articulaires s'accompagnent d'une diminution
progressive de l'amplitude des mouvements du pied, ce qui
limite la marche et engendre inévitablement une incapacité fonctionnelle.

On qualifie de syndrome du pied diabétique les différentes affections du pied qui apparaissent fréquemment

chez le résident souffrant d'un diabète de type 2. En effet, les désordres métaboliques liés à une hyperglycémie chronique affectent les systèmes nerveux périphérique, vasculaire et locomoteur. Le processus évolutif affectant le pied du diabétique entraîne notamment un retard dans la cicatrisation des plaies, ce qui augmente les risques d'infection, et la vulnérabilité à l'amputation.

Ampleur du problème

Les études portant sur la santé du pied des résidents en CHSLD sont peu nombreuses. Celles qui traitent de la question indiquent que le taux de problèmes de pieds observé chez les aînés est presque le double de celui de l'ensemble de la population (Munro et Steel, 1998).

Par ailleurs, des études réalisées en milieu hospitalier confirment le taux élevé des problèmes podologiques chez les aînés. Une étude au Royaume-Uni menée par Ebrahim, Sainsbury et Watson (1981) révèle que sur 100 patients âgés une seule personne ne présentait aucun problème aux pieds, et que seulement 11 d'entre eux réussissaient à se tailler seuls les ongles d'orteils. Selon cette même étude, 39 % des sujets présentaient des orteils en griffe, 29 % des *hallux valgus* avec oignons, et 38 % souffraient d'affections unguéales comme l'onychomycose.

Enfin, il est bien connu que les problèmes de pieds constituent une des cinq complications majeures du diabète (Helfand, 1993). Sachant que les complications aux pieds augmentent proportionnellement avec l'âge et la durée du diabète (Levin, O'neal et Bowker, 1993), il est permis de croire que ce problème touche un grand nombre de résidents en CHSLD.

Conséquences

Les affections communes du pied entraînent des répercussions sur les plans physique et psychologique. Sur le plan physique, les problèmes de pieds occasionnent de la douleur et affectent la mobilité. Les douleurs aux pieds constituent d'ailleurs la quatrième cause la plus fréquente de malaises chez les aînés (Chumbler et Robbins, 1994).

Par ailleurs, la perte de mobilité consécutive aux problèmes de pieds augmente les risques de chute (Tinetti, Speedchley et Ginter, 1988). Le résident affecté d'un problème podologique demandera plus d'aide pour ses déplacements ou lors des activités.

Sur le plan psychologique, la perte de mobilité engendrée par des problèmes aux pieds risque d'affecter la qualité de vie du résident, car il tend à s'isoler de son entourage et à réduire sa participation aux activités nécessitant des déplacements. Cette incapacité de demeurer actif en circulant entraîne un état de dépendance et de sous-stimulation sensorielle. L'estime de soi du résident s'effondre progressivement, et avec elle, sa dignité humaine.

Enfin, chez l'aîné diabétique, une banale lésion à un pied risque d'entraîner une ulcération et une infection susceptible de dégénérer en gangrène, qui pourrait conduire à l'amputation (Boyko et Lipsky, 1995). C'est pourquoi le maintien de l'intégrité de la peau constitue un soin essentiel chez cette clientèle.

Facteurs prédisposants et facteurs précipitants

Facteurs prédisposants

Vieillissement normal

Au cours du vieillissement, le pied subit de multiples changements qui contribuent à prédisposer l'aîné aux problèmes podologiques. Le vieillissement normal de la peau et les changements qui affectent la vascularisation périphérique sont les deux changements les plus fréquents qui affectent la santé du pied.

Le lecteur est invité à consulter le chapitre 19, qui présente le vieillissement de la peau, et le chapitre 5, qui décrit les changements vasculaires. Nous nous bornerons à rappeler ici que le vieillissement de la peau s'accompagne d'une diminution progressive de l'efficacité des barrières naturelles cutanées qui protègent l'épiderme et des mécanismes assurant l'hydratation superficielle et profonde de la peau. Avec la perte de l'élastine, la peau perd peu à peu sa tonicité et sa souplesse. Moins hydratée, la couche cornée superficielle devient sèche, ce qui rend la peau terne, rugueuse, sujette aux fissures, aux démangeaisons et aux lésions par grattage. Les microlésions ainsi produites constituent autant de portes d'entrée aux bactéries et aux champignons responsables d'infection ou de cellulite (Bryant et Beinlich, 1999).

Il est fréquent d'observer une atrophie du tissu souscutané au niveau du coussin adipeux plantaire vis-à-vis des têtes métatarsiennes et du talon. Quand il marche, l'aîné ressent fréquemment de la douleur dans ces régions du pied, où apparaît de l'hyperkératose* de protection. La qualité de l'innervation cutanée diminue également, ce qui affecte la fonction protectrice de la peau, car les terminaisons nerveuses sensorielles captent avec moins d'acuité les sensations tactiles, thermiques et douloureuses.

Par ailleurs, le vieillissement de la peau s'accompagne d'une réduction de la vascularisation dermique et d'une diminution du nombre de cellules immunologiques compétentes, ce qui augmente le risque d'infection.

Ongles

Le processus de sénescence normal favorise l'épaississement de la plaque unguéale* des ongles d'orteils. Par ailleurs, les ongles épais ont tendance à se détacher du lit unguéal. Il se forme alors un espace libre sous-unguéal, appelé onycholyse. L'accumulation de substances malpropres et de débris

---

* **Hyperkératose** : épaississement et durcissement plus ou moins sévères de la couche cornée de l'épiderme.

Plaque unguéale : partie visible de l'ongle. Synonyme de tablette unguéale, lame unguéale.

épithéliaux favorise l'invasion fongique secondaire. À l'instar de la peau, les ongles vieillissants affichent souvent des signes de déshydratation, qui se manifestent par une plaque unguéale dure et cassante, d'apparence terne et ridulée. La plupart du temps, les changements résultent de l'accumulation de microtraumatismes et de traumatismes que l'ongle a subi au cours de la vie.

Maladies

Plusieurs maladies affectent les pieds de l'aîné. Sur le plan articulaire, le vieillissement favorise l'arthrose primitive, qui se manifeste par une destruction des cartilages et de l'appareil capsulo-ligamentaire des articulations. L'arthrose touche spécialement les articulations qui soutiennent le poids du corps, comme les hanches et les genoux, ainsi que les articulations métatarso-phalangiennes proximales et distales (voir la figure 18-1). Les douleurs d'origine ostéo-articulaire entraînent souvent une limitation progressive des mouvements et une incapacité fonctionnelle chez l'aîné.

Avec l'âge, le système circulatoire subit également plusieurs modifications importantes. Les artères durcissent et il se forme des plaques athéromateuses dans la lumière de ces vaisseaux. Le rétrécissement du diamètre des vaisseaux entraîne une augmentation de la résistance périphérique. Les occlusions et les vasospasmes sont les principaux facteurs contribuant aux manifestations cliniques de l'insuffisance vasculaire périphérique. Au niveau des membres inférieurs, les manifestations les plus courantes de ces troubles circulatoires sont la claudication intermittente et les crampes. De plus, deux autres facteurs augmentent également la résistance vasculaire périphérique. Il s'agit de l'insuffisance veineuse, associée à des altérations des veines causées par le vieillissement, tels la perte d'élasticité et le mauvais fonctionnement des valvules des veines, ce qui favorise la stase veineuse.

L'insuffisance vasculaire périphérique fragilise les capillaires et elle cause souvent d'importantes douleurs. En plus d'augmenter la vulnérabilité de l'aîné à l'égard des lésions cutanées, l'insuffisance vasculaire retarde la cicatrisation des plaies, ce qui accroît les risques d'infection. Il n'est pas rare d'observer simultanément chez un même résident âgé une insuffisance vasculaire artérielle et veineuse.

Le tableau 18-1 présente un certain nombre de maladies chroniques reconnues pour prédisposer les aînés aux maux de pieds. Selon Evans (2002), les arthropathies de différents types et le diabète constituent les facteurs systémiques les plus fréquemment mis en cause.

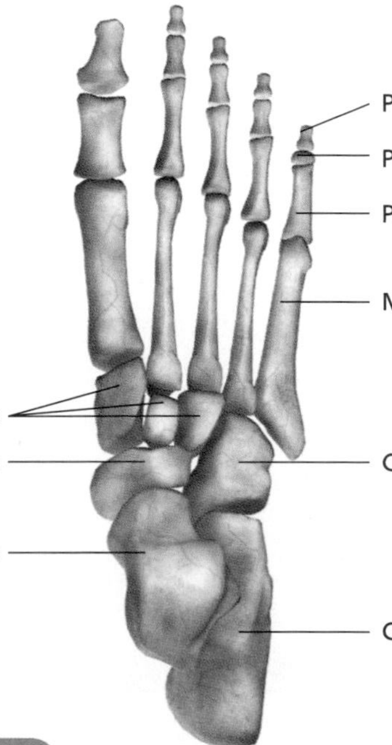

Tableau 18-1	**Maladies chroniques prédisposant aux problèmes de pieds chez l'aîné**

Arthropathies associées avec...
Le diabète
L'arthrose
L'arthrite rhumatoïde
La goutte

Problèmes vasculaires associés avec...
Le diabète
L'artériosclérose
L'insuffisance vasculaire périphérique
L'artérite
L'insuffisance veineuse chronique
La maladie coronarienne
La maladie de Raynaud
L'œdème persistant ou lymphœdème
L'AVC
Un problème de coagulation, y compris l'anticoagulothérapie
La maladie de Buerger

Neuropathies périphériques associées avec...
Le diabète
La malnutrition
L'abus d'alcool
La malabsorption
L'anémie pernicieuse
Le cancer
Les médicaments et les toxines
Les maladies héréditaires
La lèpre
La neurosyphilis
L'urémie
Les blessures, les traumatismes

Troubles divers associés avec...
La sclérose latérale amyotrophique
La maladie de Parkinson
Un problème de santé mentale, la démence, un problème d'apprentissage
Un problème thyroïdien
Une bronchopneumopathie chronique obstructive
L'obésité
Une maladie cutanée chronique, comme le psoriasis

Source : Adapté de G. Evans (2002). The aged foot. *Reviews in Clinical Gerontology, 12*, 175-180.

FIGURE 18-1 **Squelette du pied (vue supérieure)**

- Phalangette
- Phalangine
- Phalange
- Métatarse
- Cunéiformes
- Scaphoïde
- Cuboïde
- Astragale
- Calcanéum

Habitudes de vie

Le tabagisme favorise l'évolution des maladies vasculaires périphériques, ce qui accroît les risques d'affections du pied et les risques de complications chez le résident diabétique (Levin *et al.*, 1993).

Facteurs précipitants

Les programmes de formation initiale des différents intervenants en santé n'abordent que très superficiellement l'étude du pied normal et de ses affections. Les soignants n'ont pas accès aux instruments nécessaires pour dépister précocement les problèmes podologiques et prendre les mesures appropriées pour éviter les complications qui les accompagnent généralement. Compte tenu du peu d'informations dont ils disposent, les soignants taillent les ongles d'orteil sans technique standardisée, et avec des instruments souvent inappropriés. De plus, l'absence de méthodes strictes de désinfection et de stérilisation des instruments favorise les infections fongiques unguéales et leur propagation par contamination croisée (Ordre des infirmières et infirmiers du Québec [OIIQ], 2002).

Manifestations cliniques

Il faut rappeler que c'est en considérant l'incidence, les complications et les conséquences sur la qualité de vie des résidents que sont présentées dans ce chapitre les manifestations cliniques du syndrome du pied arthritique, de l'onychomycose et du syndrome du pied diabétique.

Syndrome du pied arthritique

Chez bon nombre d'aînés, le syndrome du pied arthritique évolue progressivement, sur une période assez longue (voir la figure 18-2). Selon l'origine de l'arthropathie en cause, les premières manifestations surviennent entre la trentaine et la cinquantaine.

Signes et symptômes du syndrome du pied arthritique

À l'examen, le pied arthritique se caractérise par de multiples déformations qui modifient la forme du pied, qui prend souvent un aspect triangulaire. Le lecteur trouvera dans Pothier (2002) une description détaillée des déformations de l'avant-pied observable sur le pied de l'arthritique, tels l'*hallux valgus*, les orteils en griffe et le *quintus varus*. Il arrive aussi que l'arrière-pied soit la cible d'une atteinte articulaire. Lors d'une poussée inflammatoire, les articulations touchées sont gonflées, la peau est localement chaude et hyperémiée*.

Les douleurs au déverrouillage le matin et après une immobilisation prolongée sont typiques. Les articulations touchées sont constamment douloureuses. Lorsque l'articulation métatarso-phalangienne du premier orteil est affectée, une douleur survient souvent durant la propulsion, lors de la flexion dorsale de l'orteil. Progressivement, la douleur finit par limiter l'amplitude des mouvements du pied. Les zones d'hyperfriction entre le pied et la chaussure se multiplient au niveau des articulations atteintes, et les douleurs inhérentes à la marche deviennent graduellement invalidantes.

Évolution anticipée du syndrome du pied arthritique

Avec le temps, l'aîné a de plus en plus de difficulté à se chausser, car les déformations deviennent progressivement irréductibles et plus douloureuses, ce qui multiplie les zones de conflit entre le pied et la chaussure. Comme la marche devient pénible, l'aîné réduit ses activités, ce qui engendre une incapacité fonctionnelle à plus ou moins brève échéance.

Onychomycose

L'onychomycose (voir la figure 18-3) est l'envahissement de l'appareil unguéal par des champignons. Selon Scherer,

---

* **Hyperémie** : accumulation de sang dans les vaisseaux cutanés par suite d'une inflammation ou d'une irritation locale.

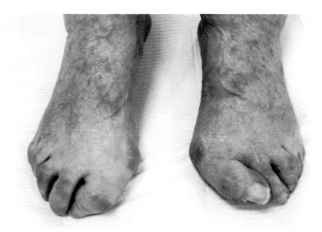

FIGURE 18-2 **Pieds arthritiques**
Hallux valgus bilatéral avec les 2ᵉ, 3ᵉ, 4ᵉ et 5ᵉ orteils des pieds droit et gauche en griffe.

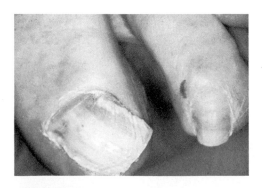

FIGURE 18-3 **Onychomycose du premier orteil avec atteinte matricielle**

McCreary et Hayes (2001), plus de 48 % de la population âgée de plus de 70 ans souffriraient de cette affection unguéale. Par ailleurs, le diabète serait un facteur prédisposant à ce type d'infection (Levin *et al.*, 1993). D'après Evans (2002) l'onychomycose est de loin la maladie des ongles la plus fréquente chez les résidents.

Signes et symptômes de l'onychomycose

La mycose unguéale n'affecte pas tous les ongles des orteils de la même façon et au même rythme. Comme l'infection ne progresse que sur des ongles dont la surface est altérée, les premières lésions apparaissent habituellement sur le premier et le cinquième orteil, ou encore sur les orteils en griffe, dont les ongles sont plus vulnérables aux traumatismes. Au début, l'onychomycose envahit généralement le bord distolatéral de l'ongle. Elle se manifeste par un changement de coloration de l'ongle, qui vire du jaune pâle au brun foncé. Graduellement, la tablette unguéale s'épaissit, devient friable et s'émiette facilement. Le lit unguéal se recouvre d'un matériel hyperkératosique mou et très malodorant lorsqu'il est enlevé. À mesure que l'infection progresse vers la matrice*, l'ongle change de couleur. Dans certains cas, l'ongle peut même se détacher de son lit, entraînant une onycholyse* partielle ou totale avec chute de l'ongle. L'aspect clinique de l'onychomycose varie selon le type de champignon en cause et selon sa voie de pénétration dans l'appareil unguéal. Lorsque les ongles atteints par l'infection sont très épais et déformés, les replis péri-unguéaux* s'enflamment facilement et la personne se plaint fréquemment de douleurs provoquées par la pression.

Évolution anticipée de l'onychomycose

Dans sa forme avancée, l'onychomycose peut devenir très douloureuse et empêcher le résident de se chausser correctement. La mycose unguéale peut entraîner une surinfection bactérienne sous-unguéale ou péri-unguéale. En l'absence de soins podologiques, les différentes formes cliniques de l'onychomycose peuvent évoluer vers l'onychodystrophie* totale, aussi appelée onychogryphose* lorsqu'elle affecte le premier orteil.

---

* **Matrice** : zone productrice de l'ongle.

Onycholyse : décollement de l'ongle du lit unguéal, qui progresse généralement de la zone distale de l'ongle vers la région proximale.

Replis péri-unguéaux : expansion de l'épiderme de la face dorsale de la dernière phalange prolongeant latéralement le repli sus-unguéal et recouvrant les rainures latérales, dans lesquels s'enchâsse la tablette unguéale.

Onychodystrophie : déformation sévère de l'ongle qui en affecte la consistance, l'épaisseur et la forme.

Onychogryphose : épaississement très marqué de la tablette unguéale, souvent associé à une hyperkératose sous-unguéale, dont l'évolution se fait progressivement vers l'incurvation de l'ongle qui rappelle une griffe grossière.

Syndrome du pied diabétique

Puisque le diabète est de plus en plus fréquent chez les aînés et que l'incidence des complications aux pieds augmente avec l'âge, (Manes *et al.*, 2002), il est important que les infirmières sachent reconnaître les signes et les symptômes évocateurs du pied diabétique (voir la figure 18-4).

Signes et symptômes du pied diabétique

La neuropathie périphérique s'exprime par de la paresthésie*, une perte de sensibilité à la protection, à la douleur et à la température. Des troubles trophiques* musculo-tendineux engendrent des déformations du pied et des orteils. Ces déformations modifient les points d'appui plantaire et entraînent l'apparition de zones d'hyperkératose de protection.

À un stade avancé, les réflexes au niveau rotulien et achilléen, ainsi que la sensibilité à la vibration, peuvent diminuer ou disparaître. La neuropathie autonome entraîne des perturbations sudorales qui favorisent la sécheresse cutanée, aussi appelée anhydrose chez le diabétique, ce qui accroît la vulnérabilité de la peau à l'égard de l'invasion bactérienne.

L'insuffisance artérielle au niveau des pieds risque de se manifester par des troubles trophiques de la peau. Par suite d'un apport insuffisant de nutriments, les poils disparaissent, les ongles deviennent épais et durs, la peau devient mince, brillante et froide. À mesure que l'insuffisance artérielle progresse, l'aîné se plaint de plus en plus souvent de douleurs au repos, surtout nocturnes, et d'une claudication intermittente*. Le délai du remplissage des capillaires et la rougeur en déclive* sont d'autres manifestations fréquemment observées.

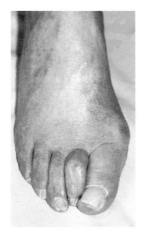

FIGURE 18-4 **Pied diabétique avec rougeur en déclive visible à l'avant-pied, et avec orteil en griffe du 2e orteil**

---

* **Paresthésie** : anomalie de la perception des sensations.

Trophique : se dit de la nutrition des tissus.

Claudication intermittente : claudication apparaissant après quelques minutes de marche causée par une circulation sanguine artérielle déficiente dans les membres inférieurs. Après avoir marché quelques instants, la personne ressent un engourdissement douloureux et de la raideur dans le membre qui la force à s'arrêter. Les symptômes disparaissent avec le repos.

Déclive : se dit lorsque le corps est en position debout ou assise, et quand le pied se trouve plus bas que le reste du corps.

Tableau 18-2	Bilan de santé du pied

Bilan de santé du pied

1. Histoire médicale

Maladies chroniques prédisposant aux problèmes de pieds _____

☐ Diabète   Type 1 ☐   Type 2 ☐   Ancienneté du diabète _____   Contrôle glycémique ☐ Adéquat   ☐ Inadéquat

☐ Chirurgie(s) / amputation(s) : _____

☐ Médication(s) : _____

☐ Allergie(s) connue(s) : _____   ☐ Tabagisme _____

Histoire clinique des douleurs : _____

Autre(s) information(s) : _____

2. Examen du pied Cochez la/les particularité(s) observée(s) et précisez la/les zone(s) atteinte(s) en utilisant, s'il y a lieu, le diagramme ci-dessous.

A. Morphologie
☐ Normale _____
☐ Orteil en griffe _____
☐ Chevauchement _____
☐ *Hallux valgus* (oignon) _____
☐ Autre(s)
_____

B. Condition articulaire
☐ Normale _____
☐ Douloureuse _____
☐ Limitée _____
☐ Ankylosée _____
☐ Arthrodèse _____
☐ Autre(s) _____

C. Condition vasculaire
☐ Normale _____
☐ Varices _____
☐ Œdème _____
☐ Pied froid _____
☐ Rougeur en déclive _____
☐ Autre(s) : _____

D. Condition unguéale _____
☐ Normale _____
☐ Aspect mycosé _____
☐ Dystrophique _____
☐ Onychogryphose _____
☐ Volute _____
☐ Ongle incarné _____
☐ Autre(s) _____

E. Condition cutanée _____
☐ Normale _____
☐ Xérose _____
☐ Hyperkératose _____
☐ Crevasse _____
☐ Macération _____
☐ Fissure _____
☐ Érythème _____

E. Suite
☐ Lésion _____
☐ Ulcère _____
☐ Autre(s) : _____

Droit   Gauche

3. Examen sensoriel du pied (test du filament) ☐ Présence de sensibilité protectrice   ☐ Absence de sensibilité protectrice

4. Évaluation des chaussures ☐ Adéquates   ☐ Inadéquates   Précisez : _____

5. Évaluation des orthèses/prothèse(s) ☐ Adéquates   ☐ Inadéquates   Précisez : _____

6. Catégorie de risque (encerclez le chiffre correspondant)   0   1   2   3

7. Plan d'intervention

☐ Soins d'hygiène et d'entretien   ☐ Soins spéciaux de la peau   ☐ Soins spéciaux des ongles   ☐ Enseignement
Précisez : _____

☐ **Demande de consultation**   ☐ Spécialiste en podologie   ☐ Spécialiste de la chaussure
                              ☐ Orthésiste   ☐ Spécialiste en traitement des plaies
☐ Autre(s) : _____

Date : _____   Signature de l'infirmière : _____   Fréquence du suivi : _____

La diminution de l'immunocompétence cellulaire conjuguée aux anomalies vasculaires périphériques augmente les risques d'infections polymicrobiennes et nécrosantes. Par ailleurs, la réduction du débit sanguin au foyer infectieux, consécutive à l'accroissement de la viscosité du sang et aux neuropathies, complique la détection de certains symptômes classiques liés à l'infection, comme la leucocytose, la douleur, la fièvre et les frissons.

Évolution anticipée du syndrome du pied diabétique

Lorsqu'une lésion cutanée survient sur un pied diabétique, il faut prendre garde à l'infection polymicrobienne et nécrosante, car elle aboutit souvent à l'amputation (Boyko *et al.*, 1995).

Détection des problèmes

Afin de détecter les problèmes de pieds et d'élaborer un plan d'intervention individualisé, il est très utile de procéder à l'examen clinique du pied. Cet examen devient de plus en plus facile à réaliser à mesure que l'infirmière acquiert de l'expérience clinique et approfondit sa connaissance de la question en faisant les lectures complémentaires appropriées. Le bilan de santé du pied et le guide d'utilisation présentés ci-après, adaptés d'écrits publiés par Pothier (1994, 2002), apporteront une aide précieuse à l'infirmière.

La démarche de la prise en charge des soins de pied débute par le bilan de santé du pied (voir le tableau 18-2).

Guide d'utilisation du bilan de santé du pied

Histoire médicale

Maladies chroniques prédisposant aux problèmes de pieds

La première étape consiste à rassembler toutes les informations susceptibles de concerner la santé des pieds et d'influer sur les soins à dispenser, puis à noter les maladies chroniques prédisposant aux problèmes de pieds énumérées au tableau 18-1. Il est également important de préciser de quel type de diabète souffre le résident, et depuis combien de temps il en souffre, ainsi que la qualité du contrôle glycémique. Les complications du pied diabétique surviennent plus fréquemment chez le résident qui souffre d'un diabète de type 2, diagnostiqué depuis plus de cinq ans et qui contrôle difficilement sa glycémie (Partanen *et al.*, 1995).

Chirurgies antérieures et amputations

Il est important de noter les chirurgies antérieures susceptibles d'affecter le déroulement du pied lors de la marche et de mentionner si le résident a déjà subi une amputation. Si tel est le cas, il faut indiquer le membre atteint, la date et l'endroit du membre où a été pratiquée l'amputation. En effet, plusieurs études ont rapporté qu'entre 30 et 50 % des amputés subissaient une deuxième amputation au membre controlatéral entre un an et trois ans après l'amputation initiale (Levin *et al.*, 1993).

Médication

L'histoire pharmacologique devrait notamment inventorier les médicaments antihypertenseurs, les antidiabétiques, la cortisone, les sédatifs, ainsi que les agents topiques, anti-infectieux et antiarthritiques. En effet, ces médicaments occasionnent parfois des effets secondaires au niveau des membres inférieurs, qui risquent d'altérer la qualité de la démarche (Helfand, 2003). Par exemple, les bêta-bloquants, comme l'acébutolol, l'aténolol, le métoprolol engendrent souvent des pieds froids. Les résidents qui prennent des antihypertenseurs antiangineux, tels que l'Adalat et le Norvasc, et des hypoglycémiants oraux, comme l'Actos et l'Avandia, présentent parfois de l'œdème périphérique au niveau des pieds (Pothier, 2002).

De plus, il est nécessaire de vérifier si l'aîné utilise des produits en vente libre pour le soin des pieds, y compris les agents kératolytiques.

Allergies

Il faut s'informer de la présence d'allergies connues ou de réactions allergènes antérieures, afin d'en tenir compte lors de l'élaboration du plan d'intervention. Par exemple, chez le résident prédisposé aux allergies, l'infirmière doit éviter d'utiliser des produits ou des accessoires pour le soin des pieds qui contiennent des substances reconnues pour leur potentiel allergène, tels la lanoline, la vitamine E, l'hexachlorophène, le formaldéhyde, le latex et le caoutchouc.

Tabagisme

Le tabagisme favorise l'insuffisance vasculaire périphérique, un facteur qui accroît notamment les risques de complications aux membres inférieurs chez le diabétique. Il faut donc noter si le résident fume ou non.

Histoire clinique des douleurs

Pour réaliser une histoire clinique complète de la douleur au pied, l'infirmière peut utiliser les questions présentées au tableau 18-3 (p. 262).

Il est recommandé d'utiliser un schéma anatomique afin d'indiquer les zones douloureuses et de procéder rapidement au repérage. La figure 18-5 (p. 262) fournit un exemple de ce schéma où apparaissent différents points de repère anatomiques pour la détermination des sites douloureux les plus touchés. Sur ce schéma, les orteils sont numérotés de 1 à 5; le n° 1 représente le gros orteil et le n° 5 le petit orteil.

Les termes ou les expressions utilisés par le résident pour décrire sa douleur et son degré d'incapacité fonctionnelle s'avèrent des indices importants pour établir le degré d'intensité de la douleur. Par exemple, une douleur sera qualifiée de sévère si le résident la décrit comme vive, aiguë, évoquant un coup de poignard ou un choc électrique, et qu'elle limite ses activités de la vie quotidienne. Par contre, si le résident éprouve une sensation de brûlure, de picotement, de lourdeur, la douleur sera qualifiée de modérée ou de légère, surtout si elle n'entraîne pas d'incapacité fonctionnelle. Le soignant devrait aussi s'informer du moment d'apparition de la douleur et déterminer quels

Tableau 18-3	Bilan descriptif des douleurs
INDICATEURS	**QUESTIONS**
Localiser les zones de douleur.	Où se situe la douleur ? La douleur est-elle située toujours au même endroit ? Les deux pieds sont-ils affectés ? La douleur se présente-t-elle de la même façon aux deux pieds ?
Décrire la douleur et rechercher les signes associés.	Comment décrivez-vous votre douleur ? Vive, aiguë, évoquant un coup de poignard ou un choc électrique, comme une sensation de brûlure, de picotement, de lourdeur ? Sur une échelle de 1 à 10, vous diriez que votre douleur se situe à… ? La démarche est-elle affectée ? Le résident a-t-il réduit sa participation aux activités habituelles ?
Déterminer depuis quand la douleur est présente.	Depuis quand ressentez-vous de la douleur ? La douleur est-elle intermittente ? Est-elle apparue graduellement ? Soudainement ? Durant la marche ? Est-elle continuelle ? Avez-vous déjà ressenti ce type de douleur ou de malaise ?
Déterminer ce qui provoque la douleur ou ce qui atténue cette douleur.	Certains mouvements augmentent-ils ou diminuent-ils la douleur ? Le chaud ou le froid affectent-ils votre sensation de douleur ? La douleur est-elle apparue à la suite d'un traumatisme ? En même temps qu'une maladie systémique ? À quel moment survient-elle ? Le matin ? Au repos ? Les malaises ou les douleurs sont-ils aggravés ou atténués par le port de certaines chaussures ? La marche ? Le repos ? L'usage d'un auxiliaire de marche ? La prise de médicaments ? L'usage de coussinets protecteurs, de semelles de confort ? Le port d'orthèses plantaires ?

sont les facteurs responsables de la condition et les moyens d'y remédier.

Lorsqu'un résident souffre de troubles cognitifs ou d'une altération du niveau de conscience qui l'empêchent de participer à l'examen, il faut tenter de déceler la présence de zones douloureuses en palpant toutes les surfaces du pied. Durant cet examen, le soignant reste attentif à toute réaction non verbale ou à tout mouvement de retrait susceptible d'indiquer la présence d'une douleur (voir le chapitre 20).

Autres informations

Il faut noter tous les facteurs susceptibles d'influer sur le déroulement normal du pied et la répartition harmonieuse des charges aux points d'appui plantaire. Par exemple, l'utilisation d'un auxiliaire de marche peut modifier les points d'appui plantaire. Une blessure à un pied se répercute souvent sur le pied sain, car le résident adopte une démarche de compensation qui exagère la contribution de l'autre

pied. Un alitement prolongé expose le résident à une ptose du pied* et à des ulcères de pression au talon. Enfin, les habitudes de sommeil du résident, l'usage de sédatifs, d'hypnotiques, de narcotiques et la perception qu'a le résident de sa condition peuvent également influer sur la qualité de la marche (Helfand, 2003).

Examen physique du pied

Le soignant doit connaître les caractéristiques du pied normal vieillissant s'il veut effectuer des observations judicieuses et pertinentes lors de l'examen physique du pied. Nous décrirons ci-dessous les différents aspects à évaluer, ainsi que les particularités les plus fréquemment observées chez l'aîné.

---

* **Ptose du pied** : chute du pied consécutive à une perte de tonus musculaire.

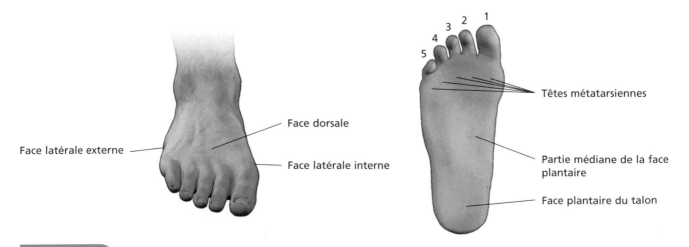

FIGURE 18-5 **Points de repère anatomiques pour la détermination des sites douloureux**

Morphologie

Le pied normal compte cinq orteils droits et parallèles l'un à l'autre. En position debout, la pulpe des orteils touche le sol et un espace libre sépare les orteils et les têtes métatarsiennes. L'apparence des orteils ainsi que leur longueur relative varient selon les individus (Lelièvre et Lelièvre, 1981). L'avant-pied est aligné avec le talon, qui est beaucoup plus étroit.

Avec l'âge, le relâchement ligamentaire et l'atrophie des muscles intrinsèques entraînent un affaissement des arches plantaires, ce qui contribue à rendre le pied plus long et plus large (Kelechi et Lukacs, 1994).

Condition articulaire

Les articulations du pied sont habituellement mobiles et ne présentent pas de déformation, de douleur ou de signes d'inflammation.

Le vieillissement normal entraîne une perte du jeu et de la souplesse articulaires. Ces changements exercent des effets plutôt mineurs sur la démarche des résidents. En revanche, diverses arthropathies altèrent la condition articulaire du pied de l'aîné. C'est le cas notamment de l'arthrose, de l'arthrite goutteuse et de l'arthrite rhumatoïde. Lors d'une poussée inflammatoire, les articulations affectées sont enflées et douloureuses. Selon le degré de gravité de l'atteinte articulaire, des déformations plus ou moins réductibles s'installent. Lorsqu'une arthrodèse a été effectuée pour corriger un orteil en griffe ou fixer une articulation douloureuse, l'articulation à la palpation est totalement fixe.

Condition vasculaire

À l'examen, la peau des membres inférieurs est normalement rosée, sans décoloration ni rougeurs excessives. Le temps de remplissage des capillaires est inférieur à trois secondes. La température des membres inférieurs est uniforme, et il n'y a pas de douleur au toucher. Les deux jambes sont de dimensions égales, tout comme les pieds. Les membres sont exempts d'œdème ou de gonflement. La fréquence, le rythme et l'amplitude des pouls tibial et pédieux devraient être identiques à droite et à gauche.

Le résident âgé présente fréquemment des manifestations cliniques de l'insuffisance vasculaire périphérique d'origine veineuse et artérielle. Les principaux problèmes associés à l'insuffisance veineuse au niveau des membres inférieurs sont les varices, les varicosités, l'œdème en fin de journée, ainsi que l'apparition de taches brunâtres causées par des dépôts d'hémosidérine* par suite d'une stase veineuse chronique. De son côté, l'insuffisance vasculaire d'origine artérielle est marquée par des ongles plus épais et par des poils plus rares ou absents. De plus, la peau est mince et luisante, et les pieds ont tendance à être froids. Lorsque l'insuffisance est importante, il est souvent possible d'observer une rougeur en déclive et le résident se plaint parfois de claudication intermittente et de douleur au repos. À l'auscultation, les pouls pédieux et tibial peuvent être faibles ou sont difficiles à percevoir.

Condition unguéale

Avec l'âge, la plaque unguéale change d'apparence. Alors qu'elle était convexe, lisse, transparente, souple et non friable, elle se met à épaissir et à durcir. Sa surface est plus terne et rugueuse, et elle comporte souvent des stries longitudinales. La plaque unguéale adhère moins bien au lit unguéal, qui demeure, quant à lui, bien coloré, ferme et sans taches. Comme la peau en général, la cuticule* tend à être plus sèche, et les replis cutanés périunguéaux de couleur uniforme sont moins souples et charnus.

L'onychomycose, très répandue chez l'aîné et les diabétiques, modifie la consistance, l'épaisseur, la couleur, la texture et la forme des ongles à des degrés variables. À un stade avancé, l'atteinte de la matrice unguéale est fréquente, ce qui entraîne souvent des déformations unguéales. De plus, les résidents âgés souffrent fréquemment d'onychogryphose, c'est-à-dire d'une déformation en griffe grossière de l'ongle du premier orteil (Evans, 2002).

Les ongles des premiers orteils sont souvent plus ou moins involutés*, rappelant selon la gravité de la déformation l'apparence d'une tuile de Provence ou d'une pince. Ce type d'ongle est d'ailleurs un facteur prédisposant à l'ongle incarné.

Condition cutanée

Normalement, la peau des pieds est douce, lisse et dépourvue de lésions. Sur la face dorsale du pied, la peau devient de plus en plus mince et transparente, ce qui rend le réseau veineux superficiel très apparent. À la palpation, le coussin adipeux vis-à-vis des têtes métatarsiennes et le talon est de plus en plus mince. La coloration et la température de la peau du pied sont uniformes et similaires à celles du reste du corps. Une odeur corporelle naturelle causée par l'enfermement du pied dans la chaussure est souvent perceptible.

L'aîné présente souvent des signes de sécheresse cutanée aux pieds. La peau paraît alors terne et rugueuse au toucher. Il est par ailleurs fréquent d'observer des fissures interdigitales* consécutives à une macération cutanée causée par un manque d'aération ou par un assèchement insuffisant après le bain.

---

* **Hémosidérine** : pigment ferrugineux insoluble contenant un sel ferrique. L'imprégnation des pigments ferrugineux dans les tissus cause des taches brunâtres observées fréquemment aux membres inférieurs chez l'individu souffrant d'insuffisance veineuse sévère.

* **Cuticule** : expansion de la couche cornée de l'extrémité distale du repli sus-unguéal. La cuticule adhère à l'ongle et sert à fermer l'espace existant entre cette dernière et le repli sus-unguéal.

Involuté : enroulé, roulé de dehors en dedans.

Interdigital : se dit de l'espace entre deux orteils.

Si le résident marche beaucoup, il est possible d'observer de l'hyperkératose de protection sur des zones d'hyperfriction et d'hyperpression (Pothier, 2002). Il arrive souvent que des zones d'hyperfriction et d'hyperpression entre le pied et la chaussure entraînent un érythème* plus ou moins intense et circonscrit, qui disparaît peu de temps après le retrait des chaussures. Si les rougeurs persistent, il faut en rechercher activement les causes. Chez le sujet âgé, les lésions ainsi que les ulcères d'origine veineuse ou artérielle sont plus courants, et leurs caractéristiques doivent être minutieusement notées.

Examen sensoriel du pied

À l'admission, tous les résidents doivent subir un examen neurologique, et ensuite au moins une fois par an chez l'aîné diabétique. Cet examen doit chercher à établir la présence de paresthésies, par un interrogatoire approprié, et à dépister une altération de la sensibilité à la protection à l'aide du monofilament de 10 g de Semmens-Weinstein. Ce test non invasif et fiable se fait rapidement selon une technique simple qui est décrite à la page 266 du présent chapitre.

Dans le cadre du dépistage précoce de la neuropathie périphérique, l'utilisation du diapason gradué pour évaluer la sensibilité profonde, le marteau à réflexes pour la recherche des réflexes ostéotendineux ont moins d'intérêt. Ces instruments devraient être réservés pour les formes particulières de neuropathies à prédominance motrice et hyperalgique (Got, 1999).

Évaluation de la chaussure

Pour le résident comme pour la population en général, la chaussure doit assurer la protection et le confort du pied, tout en favorisant un déroulement du pas en toute stabilité et sécurité.

La figure 18-6 représente les différentes parties de la chaussure. Afin d'établir si la chaussure est adéquate, le soignant devrait procéder à la vérification des points indiqués dans le tableau 18-4.

Évaluation de l'orthèse et de la prothèse

Le soignant doit s'assurer que l'orthèse plantaire* joue bien le rôle pour lequel elle a été conçue. La douleur s'estompe, l'hyperkératose disparaît, les troubles biomécaniques s'atténuent ou se stabilisent. Il faut vérifier si la chaussure est assez grande pour recevoir l'orthèse et rechercher les signes d'usure, ainsi que la présence de points de pression anor-

maux. Il faut également s'assurer que l'orthésiste effectue un suivi tous les deux ans, ou plus fréquemment si nécessaire. Chez le résident qui porte une prothèse, le soignant doit vérifier l'absence de points d'hyperfriction ou d'hyperpression susceptible de blesser la peau.

Plan d'intervention

Après avoir analysé les données recueillies lors du questionnaire et de l'examen clinique, l'infirmière est en mesure de fixer les objectifs de soins et établir le plan d'intervention.

Les soins d'hygiène et d'entretien incluent la taille des ongles normaux et les soins quotidiens destinés à maintenir l'intégrité de la peau. Lorsque l'infirmière détermine que la situation exige des soins spéciaux de la peau ou des ongles, c'est qu'il est nécessaire de recourir à l'expertise d'un spécialiste en podologie ou dans un domaine connexe. S'il faut dispenser de l'enseignement, l'infirmière doit préciser succinctement sur quoi il portera et s'il s'adressera au résident, aux proches ou aux autres membres de l'équipe soignante.

De même, lorsque les circonstances le rendent nécessaire, l'infirmière doit faire une demande de consultation à un ou plusieurs spécialistes du domaine en vue de répondre aux besoins spécifiques du résident.

L'infirmière doit s'assurer du suivi en s'informant des résultats des différentes consultations demandées et en appliquant, s'il y a lieu, les recommandations de ses collègues.

---

* **Érythème :** rougeur plus ou moins intense de la peau disparaissant par la pression.

* **Orthèse plantaire :** semelle prémoulée ou fabriquée sur mesure pour être insérée dans une chaussure dans le but d'améliorer le confort ou de corriger une fonction d'appui ou de propulsion du pied.

FIGURE 18-6 **Les principales parties d'une chaussure**

Tableau 18-4	Points de vérification pour établir si la chaussure est adéquate

- La chaussure respecte la taille et la forme du pied.

- La chaussure est adaptée au type d'activité pratiqué.

- L'empeigne n'est pas déformée, la doublure interne de la chaussure est intacte, sans rugosités ni saillies ou coutures.

- Le talon est assez large pour assurer la stabilité de la cheville, et la hauteur n'excède pas 4 cm afin d'empêcher le déplacement des points d'appui plantaire à l'avant-pied.

- La semelle est antidérapante, d'une épaisseur adéquate pour protéger la plante du pied des irrégularités du sol et amortir les chocs sur une surface dure, et suffisamment flexible pour permettre le déroulement complet du pied à la marche.

- L'usure normale de la semelle siège au talon en postéro-externe, et en avant sous la première tête métatarsienne.

- Les matériaux sont souples et non occlusifs afin de favoriser l'évacuation de la transpiration.

- Les attaches de la chaussure peuvent s'ajuster aux changements de volume des pieds consécutifs à l'œdème.

- La hauteur du collet de la chaussure n'entraîne pas de zones d'hyperfriction ou d'hyperpression sur la peau, même en présence d'œdème périmalléolaire.

- La chaussure est conçue pour s'enfiler et se retirer facilement.

PROGRAMME D'INTERVENTION

Programme de prévention

Pour optimiser les résultats d'un programme collectif destiné à prévenir les problèmes podologiques, les soignants doivent recourir à une approche concertée visant le maintien de l'autonomie du résident et son confort lors de ses déplacements. Pour fixer les objectifs de soins et établir un plan d'intervention qui tient compte des besoins spécifiques de chaque résident, il est utile de se servir d'un instrument de collecte de données comme celui présenté dans la section « Détection des problèmes ». Le bilan de santé effectué à l'admission du résident doit être révisé tous les six mois, et plus souvent si nécessaire, selon l'émergence de nouveaux facteurs susceptibles d'influer sur l'état de santé des pieds. Le tableau 18-5 (p. 266) présente les principaux objectifs que devrait viser un programme collectif de prévention en podologie en CHSLD, ainsi que les interventions préconisées.

Avec ce programme, l'infirmière est en mesure de créer les conditions favorables à une bonne santé du pied. De plus, elle doit faire un suivi attentif de la santé du pied du résident afin de pouvoir solliciter les services de spécialistes dans des délais raisonnables.

Programme de dépistage des résidents diabétiques à risque

Lorsque les pieds d'un résident sont exposés à de mauvais traitements, ils réagissent généralement par des ampoules, de l'hyperkératose, des ongles incarnés, des déformations d'orteils, qui entraînent des douleurs plus ou moins invalidantes. La plupart du temps, un changement de chaussures et des soins podologiques appropriés suffisent pour rétablir l'intégrité de la peau et des ongles et soulager les douleurs qui leur sont associées. Ce n'est toutefois pas le cas des pieds du résident diabétique, pour qui la moindre microlésion ou blessure peut aboutir à l'amputation, car ces lésions cicatrisent difficilement et s'infectent rapidement. Pour éviter les complications du pied chez le diabétique, il est donc primordial d'instaurer des programmes de dépistage des résidents à risque (Got, 1999). Ces résidents pourront alors bénéficier d'une prise en charge permettant d'appliquer les mesures appropriées pour prévenir les blessures aux pieds.

Tout comme pour le résident non diabétique, c'est à partir d'une évaluation clinique des pieds que le dépistage

Tableau 18-5	Principaux objectifs visés par un programme collectif de prévention en podologie et interventions préconisées

OBJECTIFS	INTERVENTIONS PRÉCONISÉES
Maintenir ou préserver l'intégrité de la peau des pieds.	• S'assurer que les pieds sont lavés quotidiennement et au besoin avec un produit sans rinçage. • Utiliser avec réserve le trempage des pieds, et ne jamais excéder dix minutes. • S'assurer que les espaces interdigitaux sont asséchés méticuleusement après le bain et qu'aucune crème ou lotion hydratante n'est appliquée à ces endroits. • S'assurer que le résident porte des chaussures appropriées à la taille et à la forme de ses pieds de façon à ce qu'il n'y ait pas de zone de conflit entre le pied et la chaussure. • S'assurer que les bas ou les chaussettes sont changés quotidiennement, et plus souvent si nécessaire. • Au besoin, retirer les semelles intérieures des chaussures en fin de journée pour éliminer complètement l'humidité résiduelle qui favorise le développement et la croissance des microorganismes responsables des mauvaises odeurs et des infections cutanées. Si nécessaire, nettoyer les semelles intérieures.
Maintenir ou préserver l'intégrité des ongles d'orteils.	• Tailler les ongles selon la forme du bout des phalangettes à une longueur qui protège le sillon antérieur et limer, si nécessaire, les angles vifs. • Nettoyer délicatement le dessous des ongles et éviter de décoller la plaque. • Maintenir les cuticules et les replis péri-unguéaux intacts, souples et bien hydratés, utiliser, au besoin, une crème hydratante. • Protéger les ongles des microtraumatismes, des coups et des blessures. • S'assurer que le résident porte des bas ou des chaussettes suffisamment larges à l'avant-pied pour ne pas comprimer les replis péri-unguéaux.
Favoriser le confort du résident lors de ses déplacements.	• Procéder à la vérification des chaussures de chaque résident pour s'assurer qu'elles possèdent les caractéristiques d'une chaussure adéquate énumérées au tableau 18-4.
Diminuer les risques de transmission des infections mycosiques.	• Faire appel au service d'une infirmière spécialisée en podologie pour effectuer la taille et l'entretien des ongles d'aspect mycosé, car leur épaisseur et leur forme peuvent nécessiter des instruments et des techniques spécifiques. • Utiliser des méthodes de soins reconnus qui respectent les principes de prévention des infections dans le domaine du soin des pieds (OIIQ, 2002).
Dépister et consulter.	• Lors du bilan initial ou d'un suivi, l'infirmière qui dénote une observation anormale au pied devrait faire appel aux services d'une infirmière formée en podologie, aviser le médecin ou un autre spécialiste dans un domaine connexe.

et la prise en charge du syndrome du pied diabétique devraient s'effectuer. Idéalement, cette évaluation devrait être effectuée à l'admission du résident. Les caractéristiques associées à un risque accru d'ulcères se confirment notamment par la présence d'une neuropathie, de déformations aux pieds, d'une artériopathie des membres inférieurs ou encore d'antécédents d'ulcère du pied (Boyko *et al.*, 1995). Pour déterminer le degré de risque du résident au regard des complications aux pieds, il est important de procéder au dépistage de la neuropathie à l'aide du monofilament de 10 g de Semmens-Weinstein. Pour réaliser ce test, l'infirmière a besoin d'un monofilament calibré de 5,07 (10 g) et d'un tampon d'alcool.

Après avoir expliqué la procédure au résident, l'infirmière lui demande de fermer les yeux et de répondre « oui » lorsqu'il sent le filament sur sa peau. Le filament doit être appliqué perpendiculairement à la surface de la peau (voir la figure 18-7), et il faut exercer une pression suffisante pour faire courber le filament (voir la figure 18-8). La procédure standard préconise une seconde pour approcher le filament du pied, une seconde pour maintenir le filament courbé sur la peau et une seconde pour retirer le filament de la peau. (Bryant et Beinlich, 1999).

Il est important d'appliquer le filament autour d'une ulcération et non sur le site lui-même, ou autour d'une hyperkératose ou encore d'une cicatrice. Enfin, il ne faut jamais glisser le filament sur la peau. Avant de ranger le monofilament, il est recommandé de le nettoyer avec un tampon d'alcool.

Pour effectuer un suivi efficace de l'évolution de la perte de sensibilité à la protection, l'infirmière devrait utiliser les sites d'évaluation que montre la figure 18-9.

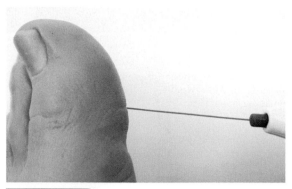

FIGURE 18-7 Filament tenu perpendiculaire à la peau

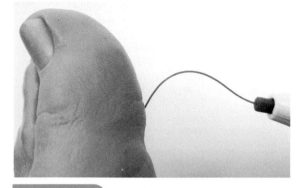

FIGURE 18-8 Filament courbé

L'infirmière indique dans les zones encerclées si la personne ne perçoit pas la pression exercée par l'extrémité du filament. L'absence de pression décelée dans une seule zone suffit pour affirmer qu'il y a perte de sensibilité à la protection (Bryant et Beinlich, 1999).

Pour établir le degré de risque du résident et la fréquence du suivi que nécessite sa condition, il est recommandé d'utiliser la classification du Comité international sur le pied diabétique présenté au tableau 18-6.

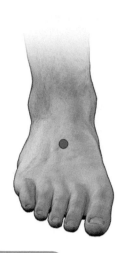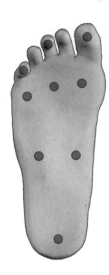

FIGURE 18-9 Sites d'évaluation pour le test du filament

Le tableau 18-7 (p. 268) décrit les principaux objectifs que devraient viser un programme individuel de prévention en podologie ainsi que les interventions infirmières préconisées, compte tenu de la catégorie de risque auquel appartient le résident.

Comme pour le résident non diabétique, l'infirmière doit s'assurer du suivi en s'informant des résultats des différentes consultations demandées et en appliquant, s'il y a lieu, les recommandations de ses collègues.

Conclusion

Les soins podologiques représentent une dimension essentielle du bien-être des résidents en CHSLD, car le maintien et le rétablissement de la capacité ambulatoire contribuent à la qualité de vie et assurent la liberté nécessaire à la préservation de la dignité humaine. Pour intégrer cette réalité

Tableau 18-6	Système de catégorisation des risques	
CATÉGORIE	**FACTEURS DE RISQUE**	**FRÉQUENCE DE L'ÉVALUATION**
0	Absence de neuropathie	Annuelle
1	Signe(s) de neuropathie(s)	Semestrielle (biannuelle)
2	Neuropathie(s), signe(s) d'insuffisance vasculaire périphérique ou déformations	Trimestrielle
3	Antécédent d'ulcère ou d'amputation	Mensuelle et au besoin

Tableau 18-7	Degré de risque du résident et interventions préconisées	
CATÉGORIE	**OBJECTIFS**	**INTERVENTIONS**
0	Maintenir l'intégrité de la peau et des ongles d'orteils. Prévenir l'apparition de la neuropathie périphérique.	• Les mêmes interventions que celles préconisées pour le résident non diabétique (tableau 18-5). • Intensifier le contrôle de la glycémie.
1	Prévenir les blessures aux pieds. Détecter précocement les lésions aux pieds.	• Inspecter quotidiennement l'intérieur des chaussures à la recherche de rugosités, de saillies et d'objets étrangers susceptibles de blesser les pieds. • Encourager le port de chaussettes dont le tissu contient des fibres douces, non reprisées et sans couture, sinon faire porter la couture à l'extérieur. • S'assurer que le résident porte des chaussures et des chaussettes en tout temps, car la marche pieds nus risque de provoquer des blessures. • Éviter l'application de chaud ou de froid sur les membres inférieurs. • Inspecter quotidiennement les pieds du résident pour rechercher la présence de lésions ou de rougeurs suspectes. • Examiner quotidiennement ses chaussettes pour rechercher la présence de trous ou de traces de sang. En cas de lésions mineures : • Rechercher activement la cause de la lésion afin de l'éliminer et d'éviter les récidives. • Nettoyer la lésion avec une solution physiologique et appliquer un antiseptique à base de gluconate de chlorhexidine, comme le Baxedin, le Stéristat ou l'Hibidil. • Faire un pansement protecteur non occlusif et surveiller pendant 24 à 48 heures les signes d'infection, comme un exsudat purulent, un œdème et une rougeur diffuse au pourtour de la lésion. • Si la rougeur et le drainage augmentent ou s'il se dégage une odeur nauséabonde, demander une consultation médicale dans les plus brefs délais.
2	Prévenir l'ulcère neuropathique. Contrôler les facteurs de risque vasculaire.	• Faire appel aux services d'une infirmière formée en podologie qui réduira régulièrement l'hyperkératose, tout en essayant d'éliminer et de contrôler les facteurs qui contribuent à son développement. • Demander une consultation médicale pour évaluer la pertinence de prescrire une chaussure orthopédique ou une orthèse plantaire. • Encourager l'arrêt du tabac et assurer la normalisation des paramètres lipidiques et ceux de la tension artérielle.
3	Éviter les récidives d'ulcère et d'amputation.	• Dépister et traiter précocement les ulcères. • En présence d'une plaie, faire appel à une infirmière formée en podologie et en traitement des plaies. Aviser le médecin.

au plan d'intervention, l'infirmière devrait évaluer régulièrement l'état de santé des pieds de chaque résident et déterminer s'il est nécessaire de faire appel aux soins d'un spécialiste dans un domaine connexe. Dans une même perspective, l'équipe soignante devrait avoir à sa disposition des procédures écrites sur les techniques de base quotidiennes concernant le soin des pieds. Ces procédures devraient indiquer comment procéder à la taille des ongles, au soin de la peau et à l'entretien des chaussures. Il serait également souhaitable que le dossier de chaque résident contienne une feuille sur les soins podologiques où l'on enregistrerait les notes évolutives et les consultations réalisées.

ÉTUDE DE CAS

Profil et histoire médicale

M. Alfred Grondin vient d'arriver dans votre unité de soins, au CHSLD, après avoir séjourné dans une unité de réadaptation fonctionnelle intensive où on l'a traité pour une fracture de la hanche droite. Jugé incapable de retourner chez lui où il vivait seul depuis le décès de sa femme il y a sept ans, il a été admis dans votre unité de soins où vous procédez à son examen clinique. En réalisant son bilan de santé des pieds, vous notez les informations suivantes :

M. Grondin est âgé de 79 ans et il souffre d'un diabète de type 2 depuis 12 ans. Depuis le décès de sa femme, il éprouve de la difficulté à maintenir sa glycémie, qui varie à jeun le plus souvent entre 9 mmol/L et 12 mmol/L. En janvier 2002, il a subi une angioplastie à la jambe gauche. Son dossier pharmacologique indique qu'il prend les médicaments suivants : Diabéta^{MD}, Monitan^{MD}, Cal D^{MD}, Lipid^{MD}, Senekot^{MD}, et Voltaren^{MD}. M. Grondin fume depuis l'âge de 12 ans. Il circule à l'aide d'une marchette.

Examen clinique

Les 2e et 3e orteils des pieds droit et gauche sont en griffe totale. M. Grondin ne ressent aucune douleur à la mobilisation des pieds dont les articulations accusent une légère perte de flexibilité, sauf pour les articulations des orteils en griffe qui sont irréductibles. La coloration de la peau des deux jambes est normale et la température uniforme. Les jambes et les pieds sont de mêmes dimensions, sans œdème, gonflement ou atrophie. Les pouls tibial et pédieux du pied gauche sont moins discernables, quoique d'une fréquence et d'un rythme comparables au pied droit, qui sont normaux. La peau des jambes est glabre, mince et lustrée. Les ongles sont durs et épais ; de plus, les 2e et 3e ongles des pieds gauche et droit sont d'aspect mycosé, avec atteinte matricielle. La peau des pieds est d'apparence terne et rugueuse avec des zones d'hyperkératose circonscrites et épaisses à la partie distale de la face plantaire des orteils en griffe.

L'évaluation avec le test du filament permet de constater l'absence de sensibilité à la protection. M. Grondin porte actuellement des pantoufles que sa belle-fille lui a tricotées pour son anniversaire. Il n'a jamais eu d'orthèses plantaires.

Questions

1 À partir de l'histoire médicale, déterminez les facteurs prédisposants aux problèmes de pieds chez M. Grondin.

2 À l'examen clinique, certains signes évoquent une insuffisance artérielle. Nommez-en au moins deux.

3 Quel est le degré de risque de M. Grondin relativement à des complications au niveau de ses pieds ? Encerclez la bonne réponse : 0 1 2 3.

4 Parmi les interventions suivantes, choisissez celles qui devraient être privilégiées pour prévenir les complications au niveau des pieds chez M. Grondin.

a) Réduire régulièrement l'hyperkératose, tout en essayant d'éliminer et de contrôler les facteurs qui contribuent à son développement.

b) Demander une consultation médicale pour évaluer la pertinence de prescrire une chaussure orthopédique et une thérapie orthésique.

c) Encourager l'arrêt du tabac, et assurer la normalisation des paramètres lipidiques et de la tension artérielle.

d) Voir à ce que M. Grondin porte des chaussures et des chaussettes en tout temps.

e) Toutes ces réponses.

19

LES PLAIES DE PRESSION

par **Diane St-Cyr**

Les plaies de pression affectent fréquemment les aînés alités ou contraints à l'immobilité. En plus de perturber les activités quotidiennes des résidents et de réduire leur autonomie fonctionnelle, ces plaies sont à l'origine de diverses complications qui accroissent la morbidité et la mortalité des aînés vivant en CHSLD.

Plusieurs facteurs, tels le vieillissement normal de la peau, certaines maladies ou la malnutrition, prédisposent les aînés aux plaies de pression. Par ailleurs, un certain nombre de facteurs facilitent la formation de ces plaies, en particulier une position inappropriée, qui induit des forces mécaniques de pression, de friction et de cisaillement.

Il est nécessaire d'instaurer dans tout CHSLD un programme d'intervention collectif afin de prévenir les plaies de pression et de traiter promptement les aînés qui en souffrent. Ce programme a pour objectif de dépister les personnes à risque afin de contrer l'apparition des plaies de pression grâce à diverses interventions préventives destinées à protéger l'intégrité de la peau. De plus, il est parfois nécessaire de mettre en œuvre un programme d'intervention individuel afin de surveiller étroitement l'évolution des plaies et d'adapter le plan de traitement aux besoins particuliers d'un résident.

NOTIONS PRÉALABLES SUR LES PLAIES DE PRESSION

Définition

Une plaie de pression est une lésion causée par une pression non soulagée qui endommage les tissus sous-jacents*. Les plaies de pression sont généralement situées sur les proéminences osseuses et elles sont décrites par stades pour classifier la profondeur des dommages tissulaires observés (Agency for Health Care Policy and Research [AHCPR], 1994).

Ampleur du problème

Il est difficile de déterminer avec exactitude la prévalence et l'incidence des plaies de pression, car les études publiées présentent des limites et des variables méthodologiques. Une étude canadienne (Foster, Frisch, Denis, Forler et Yago,

1992) portant sur huit institutions, dont deux CHSLD, a établi la prévalence globale à 25,7 % et à 30 % dans chacun des deux CHSLD. Une autre étude canadienne plus récente (Davis et Caseby, 2001), effectuée sur le même sujet dans deux CHSLD a déterminé que la prévalence était de 36,8 % et de 53,2 % respectivement dans ces deux établissements, et que l'incidence sur une année entière s'établissait à 11,7 % et à 11,6 %. Selon les auteurs, la grande disparité entre les taux de prévalence observés proviendrait du fait que les deux CHSLD étudiés hébergeaient des populations avec des facteurs de risques très différents.

Un article de Haneschlager (2000) indique que 11 % des résidents des CHSLD présentaient une plaie de pression au moment de leur admission, que 13 % en auraient une durant la première année de leur séjour, et que ce nombre atteindrait 22 % après deux ans de séjour dans un CHSLD.

Par ailleurs, certains sous-groupes de résidents présentent des risques plus élevés de souffrir de plaies de pression. Il importe donc de reconnaître ces personnes dès leur admission en CHSLD. Une étude de Versluysen (1986) a démontré que, chez les résidents admis pour une fracture du fémur, l'incidence des plaies de pression était de 66 %.

---

* **Tissus sous-jacents:** tissus situés sous les bords de la plaie qui ont été progressivement endommagés au cours du processus de mort cellulaire causé par l'hypoxie. Les tissus sous-jacents forment un espace au pourtour de la plaie, sous le niveau de la peau.

Conséquences

Chez un résident de CHSLD, une plaie de pression entraîne de lourdes conséquences sur les plans physique, psychologique et financier.

Sur le plan physique, la plaie risque de perturber les activités de la vie quotidienne et, par conséquent, de réduire l'autonomie fonctionnelle du résident. Par ailleurs, la colonisation des plaies de pression par des bactéries résistantes, et les infections qui en découlent, sont des complications responsables d'une augmentation de la morbidité chez les aînés. En effet, il est souvent nécessaire de les hospitaliser afin de leur donner des soins spécialisés, tels l'administration d'antibiotiques par voie intraveineuse, le débridement de la plaie, voire une chirurgie reconstructive.

Chez les personnes dont la plaie de pression vient à s'infecter, le taux d'ostéomyélite* est de 38 %. Par ailleurs, les résidents dont le système immunitaire est moins efficace présentent un risque accru de décéder d'une septicémie.

Sur le plan psychologique, la nécessité de rester couché plus longtemps pour favoriser la guérison de la plaie de pression, ou pour réduire la douleur associée à celle-ci, limite souvent les interactions sociales du résident, ce qui peut engendrer un état dépressif. Les proches en viennent à s'interroger sur la qualité des soins et se demandent si cette plaie finira par guérir.

Sur le plan financier, le remboursement des pansements spécialisés pour traiter les plaies de pression dépend du

---

* **Ostéomyélite** : infection de l'os.

type de CHSLD dans lequel est hébergé le résident. Or, les coûts liés aux pansements alourdissent les charges financières du résident ou de sa famille, surtout quand les sources de revenus sont limitées.

Facteurs prédisposants et facteurs précipitants

Facteurs prédisposants

Vieillissement normal

Les plaies de pression affectent la peau, qui est le plus grand organe du corps. Une bonne connaissance des modifications anatomiques et physiologiques des téguments associées au processus de vieillissement permet de comprendre ce qui prédispose les résidents âgés à avoir des plaies de pression et les raisons pour lesquelles elles cicatrisent plus lentement. Comme le montre la figure 19-1, la peau, est formée de trois couches de tissus : l'épiderme, le derme et l'hypoderme, appelé aussi tissu sous-cutané. La peau remplit plusieurs fonctions dans l'organisme, mais nous décrirons ici seulement les deux fonctions liées à la prévention des plaies de pression. Il s'agit de la protection à l'égard de l'environnement externe et la capacité de percevoir les sensations telles que la chaleur ou la pression.

Le vieillissement normal entraîne diverses modifications de la peau qui n'est plus en mesure d'assurer sa fonction protectrice aussi efficacement qu'auparavant. Le relâchement

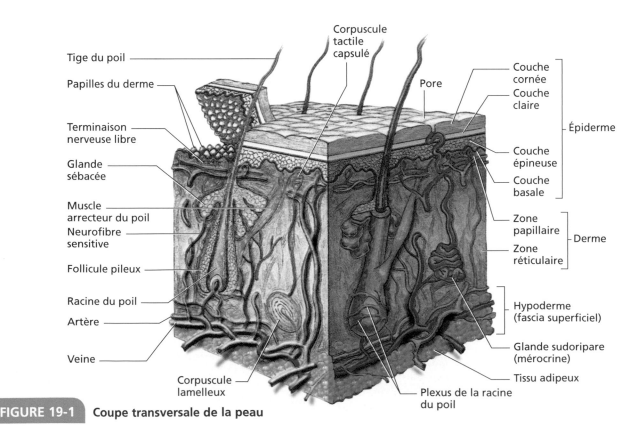

FIGURE 19-1 **Coupe transversale de la peau**

des cellules de la couche cornée* facilite la pénétration des substances toxiques et les pertes d'eau transépidermiques. Aussi, avec l'âge, la composition du sébum se modifie, par suite de changements de la proportion des acides gras et de l'eau, ce qui rend la peau plus sèche et vulnérable aux divers traumatismes et aux infections (Bryant et Rolstad, 2001). Le pH acide de la peau, qui varie de 4,0 à 6,0, conserve la flore normale et contribue à contrôler la prolifération des agents pathogènes.

Par ailleurs, la diminution du nombre de cellules qui participent aux réactions immunitaires et inflammatoires expose les aînés aux infections cutanées, aux réactions allergiques et aux cancers de la peau.

Chez le jeune adulte, l'épiderme se renouvelle environ tous les 21 jours. À compter de l'âge de 35 ans, cette régénération est deux fois plus lente, puisque ce processus prend alors 42 jours. Le vieillissement s'accompagne d'un aplatissement de la jonction ondulée, qui se trouve au niveau de l'union de l'épiderme et du derme. Cette zone anatomique contribue à maintenir solidement attachées les deux premières couches de tissus formant la peau. Les papilles du derme, qui se présentent sous forme de petites saillies coniques, perdent jusqu'à 50 % de leur surface initiale de contact (Baranoski et Ayello, 2004). La peau est donc moins résistante aux traumatismes de friction* et de cisaillement*. Par ailleurs, la peau perd progressivement de son élasticité et de sa résistance, car elle synthétise en moindres quantités les deux principales protéines qui entrent dans la composition du derme. Ces protéines sont le collagène, qui assure la résistance des tissus cutanés, et l'élastine responsable de la souplesse et de l'élasticité. Elles jouent un rôle prépondérant dans la résistance des téguments aux forces externes.

Le derme perd environ 20 % de son épaisseur. La vascularisation diminue nettement, et cette réduction du débit sanguin périphérique pourrait être associée à la diminution du nombre des follicules pileux, des glandes sébacées et sudoripares. La baisse de la vascularisation a aussi pour effet de diminuer la résistance de la peau à la pression et de ralentir la cicatrisation. La diminution de la vascularisation pourrait également contrecarrer l'absorption optimale des médicaments topiques.

Des chercheurs rapportent également que le vieillissement normal s'accompagne d'une diminution de la transmission des stimuli sensoriels. Les terminaisons nerveuses fonctionnent moins efficacement. Il s'ensuit que l'intensité des stimuli doit être plus grande avant que les nerfs sensitifs captent et transmettent les signaux qui indiqueront les malaises ou la douleur. Les résidents courent donc plus de risque de se brûler, ou de présenter une plaie de pression, par suite de l'élévation du seuil de la sensation protectrice. Les aînés ne peuvent donc réagir à temps et adéquatement pour éviter la lésion (Wysocki, 2000).

Le tissu sous-cutané est formé d'une couche adipeuse qui sert d'isolant, de réserve d'énergie et de coussinet de protection. Comme cette couche s'amincit également, les aînés maintiennent leur température corporelle plus difficilement. Ils sont plus frileux et le port de vêtements additionnels leur permet de trouver une source d'isolation extérieure.

En somme, la peau des aînés est vulnérable à la pression et aux traumatismes causés par différents agents mécaniques, chimiques et thermiques. C'est pourquoi ils ont de la difficulté à protéger leur peau et à en maintenir l'intégrité.

Maladies

Certaines maladies favorisent l'apparition de plaies de pression chez les résidents. C'est le cas des affections vasculaires, comme l'athérosclérose, connues pour favoriser l'apparition de plaies et pour ralentir le processus de cicatrisation. En temps normal, le tiers du volume sanguin circulant irrigue la peau, mais celle-ci en reçoit moins lorsque des maladies aiguës affectent les fonctions pulmonaires ou cardiaques et menacent le fonctionnement des organes vitaux. Il y a alors risque d'hypoxie tissulaire, ce qui favorise la formation des plaies de pression (Maklebust et Sieggreen, 2001).

Le diabète est une pathologie associée à des risques élevés de plaies de pression et d'infection, ainsi qu'à des difficultés de cicatrisation, car l'insuffisance artérielle et cardiaque qui accompagne cette pathologie entraîne une mauvaise perfusion des membres inférieurs. Par ailleurs, la neuropathie sensorielle rend insensible les pieds des résidents diabétiques en raison de la destruction des terminaisons nerveuses périphériques. C'est pourquoi ils souffrent fréquemment de plaies de pression aux talons. Enfin, chez les diabétiques, les leucocytes défendent moins efficacement l'organisme contre les bactéries pathogènes. Comme la réaction inflammatoire est moins intense, les risques d'infection augmentent. De plus, il y a diminution de la synthèse du collagène, une activité importante dans le processus de cicatrisation (Maklebust et Sieggreen, 2001).

Les maladies du système neurologique, telles la sclérose en plaques et la maladie de Parkinson, les accidents vasculaires cérébraux et les traumatismes de la moelle épinière entraînent une réduction plus ou moins importante de la mobilité et du degré général d'activité des résidents alités, ce qui augmente les risques associés à la pression continue qui s'exerce sur la peau.

L'incontinence, qu'elle soit urinaire, fécale ou mixte, est un autre facteur prédisposant important qui menace l'intégrité de la peau (Newman, Wallace et Wallace, 2001). Il importe d'établir l'origine de l'incontinence, car il est possible d'en traiter plusieurs causes. Le pH de la peau exposée

---

* **Couche cornée** : couche de peau composée de kératinocytes, morts et aplatis, qui forment la couche de l'épiderme la plus externe.

Friction : force mécanique qui s'exerce entre deux surfaces en mouvement et qui entraîne un amincissement de la peau ainsi qu'une diminution de la résistance aux traumatismes.

Cisaillement : distorsion des téguments résultant d'un déplacement des différentes couches de tissu de la peau dans des directions contraires. Les couches superficielle et profonde de la peau subissent une poussée parallèle et opposée lorsque l'épiderme reste accroché à la surface d'appui (matelas, fauteuil) et que les couches sous-jacentes glissent vers le bas. Les téguments subissent alors une distorsion qui endommage les vaisseaux sanguins.

à l'urine devient alcalin, un phénomène qui se trouve amplifié en cas d'incontinence mixte. En effet, en présence des bactéries présentes dans les selles, l'urée contenue dans l'urine se transforme en ammoniaque. La couche protectrice perd de son efficacité, ce qui rend la peau vulnérable aux agressions chimiques et mécaniques, tel le nettoyage avec le savon ou la friction durant les mouvements.

Satisfaction des besoins de base

La nutrition est un facteur déterminant pour la prévention et la guérison de tous les types de plaies. Or, les résidents âgés des CHSLD souffrent fréquemment de dénutrition et de déshydratation (voir les chapitres 11 et 12). Les chercheurs ont relevé plusieurs facteurs liés à la nutrition qui permettent de prédire le risque d'apparition de plaies de pression, notamment l'apport nutritionnel inadéquat, le besoin d'aide pour se nourrir, des problèmes de la cavité buccale et une perte de poids récente. La présence d'une plaie exige un apport de nutriments beaucoup plus élevé pour stabiliser et guérir une plaie de pression (Baranoski et Ayello, 2004). Certaines vitamines, notamment les vitamines A, B, C et E, ainsi que certains micronutriments, tels le fer, le zinc et le cuivre, interviennent également dans plusieurs processus moléculaires associés à la cicatrisation. L'eau est probablement le nutriment le plus important de tous, car il aide à accomplir plusieurs fonctions vitales de l'organisme (Maklebust et Sieggreen, 2001).

Tabagisme

Le tabagisme perturbe la perfusion et l'oxygénation des tissus, car la nicotine provoque la vasoconstriction des vaisseaux. De plus, le monoxyde de carbone contenu dans la fumée de la cigarette se combine à l'hémoglobine, ce qui réduit l'oxygène disponible. Ce phénomène accroît les risques de plaies de pression, car les tissus moins bien irrigués sont plus vulnérables à l'hypoxie.

Facteurs psychologiques

L'isolement social et la dépression entraînent parfois une diminution de l'appétit, ce qui augmente le risque de dénutrition, laquelle est reconnue pour accroître les risques de plaie de pression. Par ailleurs, il est nécessaire de tenir compte de plusieurs facteurs associés à l'environnement institutionnel des CHSLD connus pour influer sur la nutrition des résidents. C'est le cas de la température des aliments, de l'horaire des repas, des variations culturelles, de certains rites religieux, comme le jeûne.

Facteurs précipitants

Positions

En raison des positions qu'il adopte, le résident est exposé à des forces mécaniques de pression, de friction et de cisaillement, trois facteurs qui interviennent dans la formation des plaies de pression.

La pression externe exercée sur la peau est, bien entendu, la cause première des plaies de pression. La pression normale dans les capillaires artériels est de 32 millimètres de mercure (mm Hg) et celle des capillaires veineux est de 12 mm Hg. Il y aura une réduction ou une absence du flot sanguin dans une région donnée si la pression externe dépasse ces valeurs qui permettent aux vaisseaux sanguins de rester ouverts et d'assurer la perfusion des tissus. L'intensité de la pression exercée sur la peau varie selon les différents sites anatomiques et selon les positions dans lesquelles se trouve placé le résident, telles que le décubitus dorsal, latéral et la position assise. Par exemple, la pression enregistrée en décubitus dorsal varie entre 10 et 100 mm Hg. En position assise, la pression exercée sur les ischions peut atteindre 300 mm Hg.

La durée pendant laquelle la pression est exercée constitue un autre facteur déterminant de l'effet nocif qu'elle produit, car elle est associée à l'ischémie des tissus. En fait, il existe une relation inversement proportionnelle entre l'intensité de la pression et la durée du maintien d'une position donnée. Une faible pression exercée sur une longue période de temps risque d'être tout aussi dommageable, et entraîner la mort tissulaire, qu'une forte pression appliquée sur une courte période de temps. Le ratio temps/pression doit donc guider la planification de l'horaire des positions des résidents.

La combinaison de la friction et du cisaillement, deux autres forces mécaniques imposées à la peau, augmente le risque de formation des plaies de pression. En effet, la combinaison de ces forces diminue considérablement la pression qu'il faudrait appliquer sur la peau pour entraîner la formation d'une plaie. Les forces de friction et de cisaillement causent des lésions au niveau de la jonction de l'épiderme et du derme, c'est-à-dire au niveau des structures d'ancrage (Arnolds, 2003). Il s'ensuit une altération des tissus superficiels, ce qui les prédispose à l'hypoxie, à l'ischémie, voire à la nécrose. Dans une étude effectuée sur des porcelets, Davis *et al.* (1974) ont calculé qu'il fallait exercer une pression de 290 mm Hg pour causer une ulcération, alors qu'il suffisait seulement d'une pression de 45 mm Hg lorsque la région avait été soumise préalablement à un traumatisme de friction.

Quant au cisaillement, il entraîne l'étirement et le déchirement des petits vaisseaux sanguins, ce qui provoque notamment des microhémorragies, une réduction du débit sanguin local et de l'ischémie des tissus profonds. Les plaies créées sous l'action de forces mécaniques multiples présentent des bords irréguliers, alors que celles qui résultent uniquement de l'action de la pression ont une forme régulière, identique à la proéminence osseuse.

Soignants

La pénurie de personnel soignant dans le système de santé est un autre facteur qui contribue au développement des plaies de pression. Occupée à soigner un plus grand nombre de résidents souffrant souvent de problèmes de santé complexes, l'infirmière doit partager son attention entre chacun. De ce fait, elle a plus de difficulté à dépister et à gérer tous les facteurs de risque se rapportant aux résidents, et elle ne

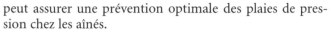

peut assurer une prévention optimale des plaies de pression chez les aînés.

De plus, les recherches ont démontré que, en l'absence d'une évaluation systématique du risque, les professionnels tendaient à intervenir seulement quand le risque atteignait le niveau le plus élevé (Ayello et Braden, 2002). Aussi, lorsque des institutions ont adopté une échelle d'évaluation du risque, et combiné cet instrument de mesure avec des interventions préventives, l'incidence des plaies de pression a diminué de 60 %. Un organisme américain qui a pour mission d'évaluer les centres de soins prolongés, les « Centers for Medicare and Medical Services », a constaté que, dans 19 % des institutions visitées, les programmes de soins de la peau étaient inadéquats, car ils ne comportaient pas d'évaluation des risques de plaies de pression, ni de planification des soins et de suivi du plan établi.

Médicaments

De par leurs effets secondaires, certains médicaments réduisent la résistance des tissus et modifient le processus de cicatrisation des plaies. Par exemple, la cortisone et d'autres médicaments immunodépresseurs inhibent la réaction inflammatoire, la reproduction cellulaire et l'épithélisation (Maklebust et Sieggreen, 2001). Quant aux diurétiques, ils favorisent la déshydratation, ce qui nuit considérablement à tous les mécanismes cellulaires qui aident à prévenir ou à guérir les plaies. Mentionnons enfin les sédatifs qui altèrent le degré de conscience, la mobilité et la capacité de ressentir et d'exprimer le besoin d'être changé de position (Robinson *et al.*, 2003).

Les contentions physiques peuvent favoriser également l'apparition très rapide des plaies de pression, c'est-à-dire en moins de 24 heures. Les résidents soumis à la contention physique exigent une surveillance constante des points de pression afin de détecter toute rougeur susceptible d'évoluer rapidement vers une plaie grave et de mettre en œuvre immédiatement les interventions qui s'imposent.

Matériel

L'utilisation de matériel inapproprié aux résidents des CHSLD (matelas, coussins, fauteuils, etc.) peut accroître le risque de plaies de pression. Lorsque le matériel n'est pas sélectionné pour réduire les forces mécaniques exercées sur les saillies osseuses, les soignants doivent se montrer très vigilants afin de minimiser les traumatismes en réduisant la pression, la friction et le cisaillement au degré des points d'appui.

Manifestations cliniques

Les manifestations cliniques des plaies de pression varient selon leur stade d'évolution. Ces plaies ont été classées par stades (National Pressure Ulcer Advisory Panel [NPUAP], 1989), afin de déterminer systématiquement le degré d'atteinte tissulaire de la plaie et d'aider les équipes soignantes à établir clairement l'état clinique du résident

(voir le tableau 19-1, p. 276). Il faut rappeler qu'il est inopportun d'employer les stades dans un ordre inversé pour indiquer l'évolution de la plaie vers la guérison (NPUAP, 1995). Le stade n'est pas un signe clinique de guérison, il permet seulement d'évaluer la gravité de l'ulcère.

Les sites les plus courants des plaies de pression chez l'adulte sont dans l'ordre : le sacrum (36 à 49 %), les talons (19 à 36 %), les ischions (6 à 16 %), les trochanters (6 à 16 %), les malléoles (7 à 8 %) et les coudes (5 à 9 %). Les autres sites représentent moins de 5 % (Pieper, 2000).

Détection du problème
Échelles d'évaluation du risque

Les infirmières des CHSLD peuvent détecter le risque de souffrir d'une plaie de pression et réduire l'incidence de ce problème au moyen d'une échelle validée scientifiquement. Toutes les échelles d'évaluation du risque sont des outils qui contribuent à structurer certaines étapes d'évaluation, mais le jugement clinique de l'infirmière demeure irremplaçable pour analyser toutes les données. Il existe plusieurs échelles d'évaluation, notamment celles de Norton, de Gosnell, de Braden, et de Knoll et Waterlow. L'AHCPR (1994) recommande l'emploi de l'échelle de Braden. Cette échelle est d'ailleurs la seule version qui ait été validée en français. Le tableau 19-2 (p. 277) présente cette échelle et décrit en détail les définitions opérationnelles de chaque facteur d'évaluation.

L'échelle de Braden évalue six paramètres. Les facteurs de risque analysés sont : la perception sensorielle, l'humidité, l'activité, la mobilité, la nutrition, ainsi que la friction et le cisaillement. Chaque paramètre comprend quatre degrés de gravité, sauf la friction et le cisaillement, qui n'en comportent que trois. Les résultats du pointage varient entre 6, qui représente la condition la plus défavorable, et 23, qui est le résultat optimal. Le résultat est donc inversement proportionnel au degré de risque. Autrement dit, le risque de développer une plaie de pression est d'autant plus élevé que le pointage est faible. Les auteurs ont établi quatre degrés de risque (Braden, 2001) selon le score obtenu. Ils se définissent comme suit :

Score de 15 à 18 : risque faible
Score de 13 ou 14 : risque modéré
Score de 10 à 12 : risque élevé
Score inférieur à 9 : risque très élevé

L'interprétation du résultat porte sur deux aspects. Premièrement, le résultat global et deuxièmement le résultat pour chaque paramètre. Le résultat global est essentiel, car il indique l'intensité des interventions préventives à mettre en œuvre. Toutefois, le résultat de chaque paramètre est encore plus important, car il permet aux soignants d'ajuster leurs interventions selon le profil de chaque résident à risque.

L'infirmière qui utilise cet instrument d'évaluation doit bien connaître la condition du résident. Elle peut recueillir les données en observant le résident durant l'exécution des soins, en consultant le dossier médical

Tableau 19-1	Classification par stades des plaies de pression	
STADES	**EXEMPLE**	**DESCRIPTION CLINIQUE**
1		La peau intacte présente une altération visible résultant de la pression exercée sur les tissus. Cette altération se manifeste par un ou plusieurs signes. Lorsque l'infirmière compare la région atteinte avec la zone adjacente ou le côté opposé du corps, elle note: • La température de la peau (chaleur ou froid) • La consistance des tissus (ferme ou œdémateuse) • La sensation (douleur ou prurit) L'ulcère a l'apparence d'une zone d'érythème* bien définie et qui persiste sous la pression du doigt chez les personnes de pigmentation claire. Chez les personnes de pigmentation foncée, l'ulcère peut prendre des teintes persistantes de rouge, bleu ou violacé. (NPUAP, 1998.)
2		Perte tissulaire partielle atteignant l'épiderme, le derme ou les deux. L'ulcère est superficiel et se présente sous forme d'une abrasion*, d'une phlyctène* ou d'un cratère superficiel.
3		Perte tissulaire totale qui endommage ou nécrose le tissu sous-cutané et qui peut atteindre le fascia* sans le pénétrer. L'ulcère a l'apparence d'un cratère profond, avec ou sans dommage des tissus sous-jacents.
4		Perte tissulaire totale avec une destruction importante de tissus, accompagnée de nécrose ou de dommages au muscle, à l'os ou aux structures profondes telles que les tendons et les capsules articulaires. Des sinus peuvent se former et les tissus sous-jacents peuvent être atteints.
X		L'ulcère de pression est recouvert d'une escarre* ou de tissus nécrotiques épais. Il est alors impossible de déterminer le stade de la plaie jusqu'à ce qu'elle soit débridée. (Barton et Parslow, 1996.)

Source (pour les stades 2, 3 et 4): Adapté de National Pressure Ulcer Advisory Panel (1989). Pressure ulcer prevalence, cost, and risk assessment: consensus development conference statement. *Decubitus, 2* (2), 24-28.

* **Érythème**: rougeur congestive de la peau plus ou moins intense disparaissant sous la pression du doigt.

Abrasion: atteinte des tissus superficiels causée par un traumatisme mécanique, généralement un frottement.

Phlyctène: lésion cutanée résultant d'une séparation de l'épiderme et du derme se présentant sous forme d'une bulle remplie de sérosités, appelée couramment ampoule.

Fascia: membrane de tissu conjonctif fibreux enveloppant ou séparant un ou des groupes de muscles et certains organes afin de les soutenir. Le terme aponévrose est synonyme de fascia.

Escarre: nécrose de la peau avec ulcération, d'origine ischémique, qui se manifeste par la présence de tissus durs et plus ou moins épais, noirs ou brunâtres.

Tableau 19-2	Échelle de Braden

PERCEPTION SENSORIELLE – Capacité de répondre d'une manière significative à l'inconfort causé par la pression

Complètement limitée :	Très limitée :	Légèrement limitée :	Aucune atteinte :
Absence de réaction (ne gémit pas, ne sursaute pas, n'a pas de réflexe de préhension) aux stimuli douloureux, due à une diminution du niveau de conscience ou à la sédation. OU A une capacité limitée de ressentir la douleur ou l'inconfort sur la majeure partie de son corps.	Répond seulement aux stimuli douloureux. Ne peut communiquer l'inconfort que par des gémissements ou de l'agitation. OU A une altération sensorielle qui limite la capacité de ressentir la douleur ou l'inconfort sur la moitié de son corps.	Répond aux ordres verbaux, mais ne peut pas toujours communiquer l'inconfort ou le besoin d'être tourné. OU A une certaine altération sensorielle qui limite sa capacité de ressentir la douleur ou l'inconfort dans un ou deux de ses membres.	Répond aux ordres verbaux. N'a aucun déficit sensoriel qui pourrait limiter sa capacité de ressentir ou d'exprimer la douleur ou l'inconfort.

HUMIDITÉ – Le degré d'humidité auquel la peau est exposée

Constamment humide :	Très humide :	Occasionnellement humide :	Rarement humide :
La peau est presque constamment humide à cause de la transpiration, de l'urine, etc. La moiteur est notée à chaque fois que la personne est changée de position.	La peau est souvent, mais pas toujours, humide. La literie doit être changée au moins une fois par quart de travail.	La peau est occasionnellement humide nécessitant un changement de literie additionnel environ une fois par jour.	La peau est habituellement sèche. La literie est changée aux intervalles habituels.

ACTIVITÉ – Le degré d'activité physique

Alité :	Confinement au fauteuil :	Marche à l'occasion :	Marche fréquemment :
Confinement au lit.	La capacité de marcher est très limitée ou inexistante. Ne peut supporter son propre poids et/ou a besoin d'aide pour s'asseoir au fauteuil ou au fauteuil roulant.	Marche occasionnellement pendant la journée, mais sur de très courtes distances, avec ou sans aide. Passe la plupart de chaque quart de travail au lit ou au fauteuil.	Marche hors de la chambre au moins deux fois par jour et dans la chambre au moins une fois toutes les deux heures en dehors des heures de sommeil.

MOBILITÉ – Capacité de changer et de contrôler la position de son corps

Complètement immobile :	Très limitée :	Légèrement limitée :	Non limitée :
Incapable de faire le moindre changement de position de son corps ou de ses membres sans assistance.	Fait occasionnellement de légers changements de position de son corps ou de ses membres, mais est incapable de faire des changements fréquents ou importants de façon indépendante.	Fait de fréquents mais légers changements de position de son corps ou de ses membres de façon indépendante.	Fait des changements de position importants et fréquents sans aide.

NUTRITION – Profil de l'alimentation habituelle

Très pauvre :	Probablement inadéquate :	Adéquate :	Excellente :
Ne mange jamais un repas complet. Mange rarement plus du tiers de tout aliment offert. Mange deux portions ou moins de protéines (viandes ou produits laitiers) par jour. Boit peu de liquides. Ne prend pas de supplément nutritionnel liquide. OU Ne prend rien par la bouche et/ou reçoit une diète liquide ou une perfusion intraveineuse pendant plus de 5 jours.	Mange rarement un repas complet et ne mange généralement que la moitié de tout aliment offert. L'apport de protéines comporte 3 portions de viandes ou de produits laitiers par jour. Prend occasionnellement un supplément nutritionnel. OU Reçoit une quantité insuffisante de liquide ou de gavage.	Mange plus de la moitié de la plupart des repas. Mange un total de 4 portions de protéines (viandes, produits laitiers) chaque jour. Peut refuser à l'occasion un repas, mais prend habituellement un supplément nutritionnel s'il est offert. OU Est alimenté par gavage ou par alimentation parentérale totale qui répond probablement à la plupart des besoins nutritionnels.	Mange presque entièrement chaque repas. Ne refuse jamais un repas. Mange habituellement un total de 4 portions ou plus de viandes et de produits laitiers. Mange occasionnellement entre les repas. Un supplément nutritionnel n'est pas nécessaire.

Friction et cisaillement

Problème :	Problème potentiel :	Aucun problème apparent :	
Le patient a besoin d'une aide modérée à maximale pour bouger. Il est impossible de le soulever complètement sans que sa peau frotte sur les draps. Il glisse fréquemment dans le lit ou au fauteuil, ce qui requiert d'être positionné fréquemment avec une aide maximale. La spasticité, les contractures ou l'agitation entraînent une friction presque constante.	Le patient bouge faiblement ou requiert une aide minimale. Pendant un changement de position, la peau frotte probablement jusqu'à un certain degré contre les draps, le fauteuil, les contentions ou autres appareils. Il maintient la plupart du temps une assez bonne position au fauteuil ou au lit mais glisse à l'occasion.	Le patient bouge de façon indépendante au lit ou au fauteuil et a suffisamment de force musculaire pour se soulever complètement pendant un changement de position. Il maintient en tout temps une bonne position dans le lit et au fauteuil.	

Source : B. Braden et N. Bergstrom, © 1988. Version française approuvée par les auteures. Traduction et validation : Diane St-Cyr et Nicole Denis, © 2004. [N.I. Bergstrom et B.J. Braden (1987). The Braden scale for predicting pressure sore risk. *Nursing Research*, 36 (41), 205-210.]

ou en posant des questions précises aux autres soignants. Il est important de lire attentivement tous les énoncés d'une même section, car la présence de chaque partie des énoncés peut changer le pointage attribué. La fréquence des évaluations doit être adaptée au type de population soignée. Nous discuterons de la question de fréquence recommandée dans la section suivante, qui traite du programme d'intervention. En plus de l'échelle de Braden, il faut procéder à un examen de la peau, en particulier au niveau des proéminences osseuses, afin de prévenir et de traiter promptement tout signe de plaie de pression.

PROGRAMME D'INTERVENTION

Programme collectif

Objectifs

L'implantation d'un programme collectif de prévention et de traitement des plaies de pression dans les CHSLD a pour objectif de :

1. Prodiguer des soins cutanés adaptés aux caractéristiques de la peau des résidents.
2. Dépister les résidents à risque.
3. Réduire l'incidence et la gravité des plaies de pression d'origine nosocomiale.

Rôle de l'infirmière

Avant de présenter le programme collectif de prévention des plaies de pression, il faut rappeler qu'il incombe à l'infirmière de s'occuper de la prévention et des soins liés aux plaies de pression. La façon dont elle s'acquittera de cette tâche constitue d'ailleurs un bon indicateur de la qualité de l'exercice infirmier en CHSLD. L'infirmière a donc la responsabilité de mettre en application le programme préventif décrit dans les pages qui suivent.

Soins cutanés

Le premier élément de tout programme préventif consiste à évaluer quotidiennement la peau des résidents. Il est aussi très important de consigner soigneusement les résultats de cette inspection visuelle afin de suivre l'évolution de l'intégrité des téguments. Le tableau 19-3 décrit et commente les recommandations établies par l'AHCPR à ce propos (Bergstrom, Allman, Carlson *et al.*, 1992).

Détermination du risque de plaie de pression

Une étude portant sur les résidents des CHSLD a démontré que 80 % des plaies de pression survenaient dans les

Tableau 19-3	Interventions visant la protection de l'intégrité de la peau
INTERVENTIONS	**JUSTIFICATIONS CLINIQUES**
La peau doit être nettoyée régulièrement et dès qu'elle est souillée.	Les souillures liées à l'incontinence prédisposent la peau des aînés aux irritations. L'hygiène régulière élimine le surplus de bactéries qui ne font pas partie de la flore cutanée normale.
Utiliser de l'eau tiède.	L'eau chaude risque d'assécher la peau.
Utiliser des agents nettoyants doux pour réduire la sécheresse de la peau.	Il est recommandé d'utiliser des produits à pH neutre pour nettoyer la peau, car ils répondent mieux aux caractéristiques de la peau des aînés. En cas d'incontinence répétée, le pH cutané est instable, ce qui accroît le risque d'infection fongique.
Traiter la peau sèche avec des lotions hydratantes.	Appliquer deux fois par jour, des lotions hydratantes dépourvues d'alcool et de lanoline. L'alcool assèche la peau et la lanoline est allergisante.
Réduire les forces de friction lors du bain.	La peau des aînés étant plus mince et fragile, il faut éviter de frotter la peau vigoureusement pour l'assécher. Il est préférable de la tapoter délicatement. Il faut surtout éviter de masser vigoureusement les proéminences osseuses, car cette pratique risque de traumatiser les tissus érythémateux ou qui ont souffert d'hypoxie cellulaire. Le massage vigoureux risque de faire éclater les capillaires qui se sont dilatés pour réoxygéner cette zone.
La fréquence des bains doit répondre aux besoins des résidents et à leurs préférences.	La fréquence des bains doit tenir compte de différents facteurs, tels l'âge, la texture de la peau et l'incontinence. Donner un bain complet quotidien à chaque résident relève plutôt de la tradition que de données probantes.

Source : Adapté de N. Bergstrom, R.M. Allman, C.E. Carlson *et al.* (1992). *Clinical Practice Guideline Number 3. Pressure Ulcers in Adults: Prediction and Prevention*. AHCPR Publication n° 92-0050. Rockville, MD : Agency for Health Care Policy and Research, Public Health Service, U.S. Department of Health and Human Services.

deux premières semaines suivant leur admission en CHSLD, et que 96% se produisaient dans les trois premières semaines (Bergstrom et Braden, 1992). Il est donc important d'évaluer les résidents le jour même de leur admission, toutes les semaines durant les quatre premières semaines, puis tous les mois ou tous les trois mois, selon le résident. Il est également nécessaire de réévaluer soigneusement le degré de risque lorsque survient une maladie aiguë ou un incident, telle une chute. En effet, ces situations cliniques modifient parfois de manière significative le statut fonctionnel de l'aîné et augmentent le risque qu'apparaisse une plaie de pression.

Interventions préventives

Nous avons établi un lien entre les interventions préventives présentées ci-dessous et les paramètres de l'échelle de Braden afin d'aider le personnel soignant à définir rapidement les interventions à effectuer compte tenu des risques déterminés par l'échelle. De plus, dans une perspective plus large, nous proposerons plusieurs mesures complémentaires destinées à couvrir les autres problèmes qui menacent l'intégrité de la peau des résidents.

Soulagement de la pression par un changement de position adéquat

Il importe de tourner et de changer de position toutes les deux heures les résidents incapables de le faire seuls. L'intervalle de deux heures se justifie par la tolérance des tissus à une pression exercée durant une période de deux heures, afin de ne pas comprimer trop longtemps les capillaires, ce qui causerait l'hypoxie et la mort des tissus. Il est également possible d'atténuer la pression sur les saillies osseuses en plaçant des oreillers ou des coussins pour éviter le contact direct entre deux proéminences osseuses. De plus, ces coussins facilitent l'alignement postural.

Horaire de positions

Pour optimiser la rotation des positions au cours d'une période de 24 heures, il est recommandé de recourir à un horaire de positions. Généralement, cet horaire se présente sous forme de tableau ou d'horloge. Ce type de présentation facilite aussi l'organisation du travail du personnel soignant, surtout quand les soignants doivent aider plusieurs résidents à changer de position. Le Dr Braden propose trois horaires de positions espacés de 30 minutes,

Tableau 19-4	**Horaires de positions**

Il est possible d'utiliser ces horaires de positions dans des unités de soins où un grand nombre de résidents présentent un risque élevé de souffrir de plaies de pression. Les résidents d'une équipe ou d'une unité peuvent être assignés à l'un de ces trois horaires de manière à les répartir également entre les trois rotations. Par exemple, s'il y a six aînés à risque, chacun des trois horaires s'appliquera à deux résidents. Il se peut que ces horaires soient modifiés quotidiennement, afin de tenir compte d'autres facteurs inhérents aux résidents.

POSITION	HORAIRE 1	HORAIRE 2	HORAIRE 3
1. Décubitus dorsal (déjeuner et soins d'hygiène)	07:00 - 09:00	07:30 - 09:30	08:00 - 10:00
2. Côté droit	09:00 - 11:00	09:30 - 11:30	10:00 - 12:00
3. Décubitus dorsal (dîner)	11:00 - 13:00	11:30 - 13:30	12:00 - 14:00
4. Côté droit	13:00 - 15:00	13:30 - 15:30	14:00 - 16:00
5. Côté gauche	15:00 - 17:00	15:30 - 17:30	16:00 - 18:00
6. Décubitus dorsal (souper)	17:00 - 19:00	17:30 - 19:30	18:00 - 20:00
7. Côté gauche	19:00 - 21:00	19:30 - 21:30	20:00 - 22:00
8. Côté droit	21:00 - 23:00	21:30 - 23:30	22:00 - 00:00
9. Côté gauche	23:00 - 01:00	23:30 - 01:30	00:00 - 02:00
10. Décubitus dorsal	01:00 - 03:00	01:30 - 03:30	02:00 - 04:00
11. Côté droit	03:00 - 05:00	03:30 - 05:30	04:00 - 06:00
12. Côté gauche	05:00 - 07:00	05:30 - 07:30	06:00 - 08:00

Source: B.J. Braden (2001). Risk assessment in pressure ulcer prevention. Dans D.L. Krasner, G.T. Rodeheaver et R.G. Sibbald (dir.), *Chronic Wound Care: A Clinical Source Book for Healthcare* Professionals, 3e éd. (p. 641-651), Wayne, PA: HMP Communications.

afin de laisser suffisamment de temps au personnel chargé d'effectuer les changements de position (Braden, 2001). Présenté dans le tableau 19-4, cet horaire permet également d'indiquer au personnel soignant les besoins individuels d'un résident, compte tenu de son degré de risque ou de la présence d'une plaie de pression sur un point d'appui particulier.

Position ventrale

Après avoir évalué l'état de santé global, il est possible d'installer en position ventrale les aînés qui le tolèrent (voir la figure 19-2). Cette position supplémentaire permet de soulager la pression qui comprime la région coccygienne et les talons, les deux sites les plus fréquents de plaies. De plus, la position ventrale contribue à prévenir les contractures de flexion au niveau des hanches (Braden, 2001). Il faut alors utiliser des coussins, notamment sous l'abdomen, pour placer le résident correctement.

Position latérale

Lors du repos en décubitus latéral, il importe de ne pas placer le résident directement sur le trochanter. Il faut donner un angle de 30° par rapport au matelas, afin de réduire l'intensité de pression appliqué directement sur la tête fémorale. Avec l'inclinaison de 30°, le tissu adipeux et les muscles fessiers assurent une meilleure répartition de la pression, car la surface d'appui est plus grande (voir la figure 19-3).

Position assise

Lorsque les résidents ont de la difficulté à rester assis dans une position stable, il est important de choisir un siège muni d'un haut dossier et d'accoudoirs afin de favoriser un meilleur alignement corporel. Il faut éviter de soulever les jambes sur un tabouret lorsque le dossier du fauteuil est fixe, car cela augmente considérablement la pression exercée sur les ischions et sur les talons. Par contre, on peut

le faire si le dossier du fauteuil est inclinable, car alors la pression sur les points d'appui est distribuée adéquatement (voir la figure 19-4a). Il importe aussi que les pieds soient bien appuyés au sol pour éviter le glissement, ce qui entraînerait du cisaillement (voir la figure 19-4b).

Il est impératif de changer toutes les heures la position des aînés incapables de se soulever à l'aide de leur seule force musculaire lorsqu'ils sont assis ou de ceux qui sont confinés dans un fauteuil roulant. Cette intervention vise à rétablir au moins partiellement le flot sanguin au niveau des ischions. En effet, ces structures osseuses constituent des points de pression vulnérables, puisque le gradient de pression varie entre 300 et 500 mm Hg. Les fauteuils basculants offrent différentes positions, ce qui permet aux soignants d'appliquer cette mesure préventive très importante.

Protection des talons

Le soulagement de la pression exercée sur les talons est un point très important, car il y a, à cet endroit, très peu de tissu musculaire et adipeux entre l'épiderme et le calcanéum (Collier, 2000). Des oreillers placés dans le sens de la longueur sous les jambes laissent les talons libres de toute pression. En même temps, les oreillers soutiennent les genoux, ce qui réduit le risque de contractures. Cette mesure est facile et peu coûteuse à appliquer. Cependant, lorsque les oreillers ne demeurent pas en place, il faut absolument utiliser des dispositifs, tels que des orthèses ou des bottes, qui sont conçus pour laisser flotter le talon librement et soulager la pression exercée sur ce point d'appui. Il est également possible d'utiliser des coussins d'eau afin de répartir la pression sur une plus grande surface, ce qui contribue à la réduire. Il est à noter qu'il est absolument contre-indiqué d'utiliser des sacs de solutés, des gants remplis d'eau ou des dispositifs en forme d'anneau, car ils concentrent la pression autour du talon et réduisent le flot sanguin au niveau de la proéminence osseuse.

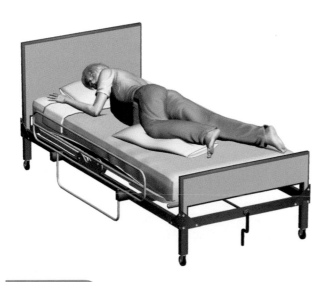

FIGURE 19-2 Décubitus ventral avec angle d'élévation de 30°

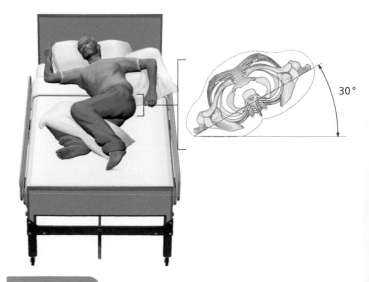

FIGURE 19-3 Décubitus latéral avec un angle de 30°

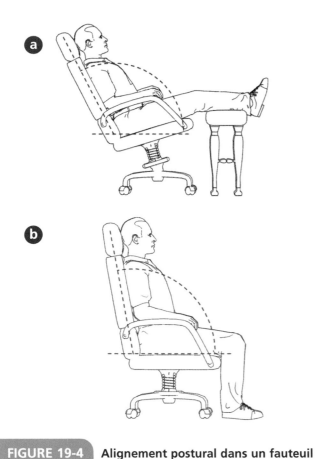

FIGURE 19-4 **Alignement postural dans un fauteuil pour réduire la pression**

a) Position inclinée b) Position droite

Utilisation de surfaces d'appui spécialisées

L'utilisation de surfaces d'appui spécialisées est un élément important d'un programme d'intervention visant à contrer l'apparition de plaies de pression chez les résidents des CHSLD. Ces produits sont conçus pour maximiser le contact et la redistribution de la pression sur une plus grande surface d'appui, ce qui diminue l'intensité de la pression externe sur les proéminences osseuses. Plusieurs types de matelas, de surmatelas et de coussins existent sur le marché. Ils sont composés de différents matériaux tels que la mousse, le gel et l'air, et peuvent être munis d'une pompe avec une alimentation électrique dans le cadre d'une thérapie dynamique (changement de la pression à l'aide de l'air pompé).

Les surfaces d'appui constituent des aides techniques précieuses, qui doivent être choisies en fonction des besoins spécifiques des résidents qui en ont besoin. Elles se subdivisent en deux grandes catégories: celles qui réduisent la pression et celles qui soulagent la pression. Les surfaces qui réduisent la pression diminuent son intensité, mais celle-ci demeure tout de même supérieure aux valeurs de pression dans les capillaires, ce qui peut causer l'occlusion des vaisseaux sanguins et engendrer une plaie de pression. Pour leur part, les surfaces qui soulagent la pression

réduisent constamment la pression externe exercée sur les surfaces cutanées à des valeurs inférieures à la pression de fermeture des capillaires, et ce, dans n'importe quelle position et sur la majorité des points d'appui. Les indications diffèrent pour ces deux types de surfaces d'appui. Les produits qui réduisent la pression sont indiqués pour les résidents qui présentent des risques d'avoir une plaie de pression ainsi que pour ceux qui peuvent être tournés et qui ont une plaie de pression sur une seule surface de repos. Quant aux surfaces qui soulagent la pression, elles sont recommandées pour les résidents qui risquent fortement d'avoir une plaie de pression et qui ne peuvent se mouvoir de façon indépendante, ainsi que pour ceux qui ont des plaies sur plus d'une surface de repos. Les matelas de mousse de moins de 10 cm ne sont que des accessoires de confort, qui ne peuvent pas être considérés comme des surfaces spécialisées adéquates.

Les coussins en mousse et d'au moins 10 cm d'épaisseur, ou les coussins de gel ou de cellules contenant de l'air, sont des aides indispensables, car ils réduisent la pression exercée sur les points d'appui. Bien que ces coussins s'avèrent très utiles, ils ne peuvent jamais remplacer les interventions qui soulagent complètement la pression.

Les ergothérapeutes connaissent bien les différents matériaux qui composent les matelas et les coussins, et ils sont un atout dans l'équipe soignante. En effet, ils ont les compétences requises pour vérifier si les fauteuils roulants sont ajustés adéquatement, en fonction des caractéristiques individuelles des aînés. Ils sont également en mesure de vérifier s'il est nécessaire de stabiliser la position des résidents assis dans ce type de fauteuil afin de réduire les forces mécaniques de pression, de friction et de cisaillement.

Contrôle de l'humidité de la peau

L'incontinence est un important facteur prédisposant aux plaies de pression. Il est indispensable d'en rechercher la source afin de s'assurer qu'une cause physiologique, telle qu'une infection urinaire ou un fécalome, n'est pas à l'origine du problème. Différentes mesures incitatives destinées à réduire les épisodes d'incontinence, comme amener aux toilettes les résidents, ou encore leur offrir l'urinal ou le bassin de lit toutes les deux heures, permettent de diminuer considérablement le degré d'humidité auquel la peau se trouve exposée. Par ailleurs, il est recommandé d'employer un savon doux, ou mieux encore, un nettoyeur de peau à pH équilibré, pour débarrasser la peau des souillures le plus rapidement possible.

Les culottes d'incontinence conçues pour transférer rapidement l'humidité de la surface aux couches de tissus absorbants situées dans l'épaisseur de la culotte sont plus efficaces que les dispositifs réutilisables. En effet, ces culottes d'incontinence gardent la peau relativement sèche au toucher. L'utilisation de serviettes et de champs imperméables jetables à l'intérieur des culottes d'incontinence est à proscrire, car ils maintiennent l'humidité au niveau de la peau.

Toutefois, l'utilisation de culottes d'incontinence risque de modifier le pH de la peau (Arnolds, 2003). C'est pourquoi, chez certains résidents confinés au lit, il est préférable d'utiliser une alèse absorbante, mais il faudra la changer le plus rapidement possible dès qu'elle est souillée. Pour protéger l'épiderme de la macération et de l'action des substances irritantes, il est recommandé d'utiliser un produit hydrofuge. Les préparations reconnues se divisent en quatre sous-groupes, selon qu'elles contiennent de l'oxyde de zinc, du silicone, de la vaseline, ou qu'elles sont formées de films de polymères liquides. Il est nécessaire de s'assurer qu'il est possible d'utiliser ces produits en même temps que la culotte d'incontinence, si l'on a recours à cette dernière. Au moment de choisir des produits de protection cutanée, il importe également de considérer la facilité avec laquelle il est possible de nettoyer la peau et de l'inspecter lors de l'examen clinique.

Pour les résidents souffrant d'une incontinence fécale liquide, incontrôlable et presque continue, il existe des dispositifs pour drainer les selles liquides dans un système fermé. Ces options innovatrices sont à envisager (Arnolds, 2003). Il est à noter qu'il ne s'agit pas du traditionnel tube rectal, qui risque d'endommager la muqueuse rectale, voire de la perforer. L'un de ces nouveaux dispositifs, le Zassi Bowel Management System^{MD}, se compose d'un tube muni d'un ballonnet qui peut demeurer en place jusqu'à 29 jours. Il permet le monitorage des *excreta*, le prélèvement d'échantillons de selles sans contact direct, ainsi que l'instillation et la rétention de solutions d'irrigation ou de médicaments.

Activité et mobilité

Dans les CHSLD, encourager les résidents à conserver ou à améliorer leur degré de mobilité est un défi quotidien. Un programme de mobilisation des membres inférieurs et supérieurs peut faire l'objet d'une activité stimulante. Cette activité contribuera à maintenir la mobilité et le tonus des membres en vue d'effectuer régulièrement des transferts de points d'appui. Pour préserver l'intégrité cutanée, les résidents qui en sont capables devraient faire des soulèvements du tronc (pompes ou « push-up »), toutes les 15 minutes, afin de soulever leur siège en se servant de leurs membres supérieurs. Quant aux résidents incapables de faire cet exercice, le personnel soignant devrait les faire participer à des mouvements du tronc en leur demandant de se balancer d'un côté à l'autre ou de l'avant vers l'arrière. Il faut, bien sûr, évaluer préalablement la force et la stabilité corporelle, ainsi que le risque de chute. Plusieurs résidents sont souvent capables de faire un exercice simple, par exemple croiser et décroiser les jambes à quelques reprises toutes les 15 minutes. Il faut cependant leur expliquer que le but de l'exercice n'est pas d'encourager la position croisée des membres inférieurs, car elle risque de nuire à la circulation sanguine dans les membres inférieurs si elle est maintenue pour une période prolongée, mais bien de varier et de soulager partiellement les points d'appui.

La gestion de la douleur associée à la présence d'une plaie ou à une autre condition clinique qui est cause de malaise est un aspect à évaluer pour favoriser le maintien du degré d'activité ou de mobilité. En effet, un résident souffrant adoptera une position antalgique et résistera aux changements de position réguliers, ce qui risque d'aggraver ou de précipiter l'apparition de nouvelles plaies de pression (voir le chapitre 20).

Nutrition

L'état nutritionnel des résidents est un facteur important dans la prévention et la guérison des plaies de pression. Il est recommandé d'évaluer systématiquement l'état nutritionnel du résident dès son admission en CHSLD. Il existe plusieurs indicateurs très révélateurs de la santé nutritionnelle, tels l'indice de la masse corporelle, la concentration d'albumine sérique et le décompte des lymphocytes sériques (van Rijswijk et Braden, 1999). Dans la littérature médicale, les chercheurs ne s'entendent pas sur la pertinence d'administrer systématiquement aux aînés des suppléments de vitamines A et C, et de zinc afin de prévenir ou de guérir les plaies de pression. Il est toutefois possible d'y recourir en cas de besoin (Braden, 2001). Le chapitre 12 du présent ouvrage présente un programme nutritionnel visant à assurer un apport alimentaire adéquat aux résidents des CHSLD.

Chez les aînés, une hydratation insuffisante, associée à la perte de la sensation de la soif, est un facteur que le personnel soignant devrait considérer attentivement. Lors de chaque changement de position ou de chaque intervention, le personnel devrait offrir au résident de boire un peu de liquide. Il est à noter que le chapitre 11 décrit un programme d'hydratation qui répond aux besoins des résidents des CHSLD.

Réduction des forces de friction et de cisaillement

La combinaison de plusieurs forces mécaniques agresse la peau des aînés, qui devient très vulnérable aux lésions. L'élévation de la tête de lit à un angle maximal de 30° est une mesure qui réduit considérablement les forces de cisaillement causées par la gravité. En effet, le cisaillement augmente proportionnellement avec l'élévation de la tête de lit. Il est important de rappeler que l'angle d'élévation doit considérer tous les aspects cliniques individuels des résidents. Par exemple, l'alimentation entérale exige de placer le résident à un angle de 45° pour réduire les risques d'aspiration pulmonaire.

Maintenir la peau bien hydratée contribue à diminuer les forces de tension durant les mobilisations. Par ailleurs, l'utilisation d'alèses pour changer les résidents de position réduit au minimum la friction de la peau contre les draps. Il est important de bien soulever les talons durant ces interventions sans quoi cette région à risque frottera sur les draps. Il peut être approprié d'employer des protecteurs pour les talons et les coudes. Ces dispositifs composés de mousse ou d'autres matériaux réduisent la friction de la peau sur les surfaces d'appui durant les changements de position ou lors de mouvements spontanés ou spastiques. Mais il est erroné de croire qu'ils réduisent la pression (Braden, 2001). Ils peuvent même constituer une source directe de pression sur la face antérieure du pied. En effet, si la talonnière glisse, la sangle d'attache cause localement une pression sur la peau. Les bas ou les chaussettes contribuent

également à réduire le frottement de la peau sur les draps, mais ils ne doivent pas gêner la circulation. Il en est de même des pansements, tels les pellicules transparentes ou les hydrocolloïdes minces, qui constituent des options de rechange intéressantes à ces dispositifs. Quel que soit le dispositif retenu pour atténuer la friction, il importe toujours de considérer la nécessité de pouvoir observer la peau régulièrement.

Lorsque le résident est en mesure de bouger dans son lit, un trapèze peut s'avérer utile pour réduire la friction et le cisaillement. Toutefois, la plupart des aînés sont incapables d'utiliser ce genre d'appareil en raison d'un manque de force musculaire dans les membres supérieurs ou parce qu'ils souffrent d'autres problèmes articulaires aux épaules ou aux coudes.

En somme, le programme collectif préventif permet d'adapter les soins aux besoins des résidents des CHSLD pour que leur peau reste en bonne condition. Des instruments d'évaluation comme l'échelle de Braden permettent de dépister précocement les résidents qui risquent de présenter des plaies de pression. Cette échelle permet de cibler les facteurs à corriger afin de prévenir l'apparition ou la détérioration des plaies de pression. Le programme offre des interventions pratiques, basées sur des données probantes pour guider l'élaboration d'un plan de soins infirmiers qui tient compte des besoins de chaque résident.

Programme individuel

Même s'il est efficace, un programme collectif de prévention ne peut empêcher que des plaies de pression apparaissent chez certains résidents. La démarche de l'infirmière doit alors se faire curative. La prochaine section décrit succinctement les principes que devrait instaurer l'infirmière pour assurer une guérison rapide de la plaie.

Objectifs

Le programme personnalisé d'un résident souffrant d'une plaie de pression a pour objectif de:

1. Déterminer les interventions appropriées pour compenser les risques individuels relevés et instaurer un plan de traitement dès le bris de l'intégrité cutanée.
2. Favoriser une guérison optimale de toute plaie de pression afin de réduire la morbidité et la mortalité associées à ce problème.
3. Établir avec le résident et ses proches les objectifs globaux poursuivis par les soignants.

Il revient aux résidents, aux proches et à l'équipe interdisciplinaire de fixer les objectifs du plan d'intervention individuel, tels la guérison de la plaie, la décision de recourir à l'alimentation entérale ou autres objectifs pertinents pour les besoins individuels déterminés. Il est important que ces objectifs soient réalistes. Normalement, la guérison est l'objectif visé, mais dans d'autres cas, compte tenu de l'état de santé global du résident, il est peut-être plus approprié de se donner pour objectif d'empêcher l'aggravation de la

plaie ou de prévenir les complications. L'évaluation globale de l'état du résident permettra de déterminer le traitement à instaurer. Il revient à l'infirmière d'appliquer le traitement prescrit par le médecin ou par l'infirmière spécialisée en soins de plaies.

Pour atteindre ces objectifs, l'infirmière doit favoriser le soutien de toute l'équipe soignante et de la famille en plus de mettre en place les soins appropriés. Le plan de traitement infirmier est basé sur les résultats individuels des paramètres fournis par l'échelle de Braden. Par ailleurs, le monitorage de la plaie est crucial, car il permet d'observer la réponse du résident au plan d'intervention thérapeutique.

Collaboration de l'équipe et des proches

Il est impossible de guérir une plaie de pression, ou d'en prévenir les récidives, sans la collaboration des soignants et des proches. Cette action concertée donne aussi aux résidents, à leurs proches et au personnel soignant un sentiment de contrôle sur le déroulement des événements. Il faut également établir les attentes et les responsabilités de chaque membre de l'équipe soignante, en débutant par le résident et ses proches. Par exemple, il est important de recommander aux proches de visiter plus fréquemment le résident afin d'éviter l'isolement que risque d'entraîner une plaie de pression.

Contrôle des facteurs prédisposants et des facteurs précipitants

Les maladies concomitantes connues pour prédisposer aux plaies de pression doivent faire l'objet d'une évaluation approfondie. Cette appréciation permettra d'atténuer l'effet que ces maladies peuvent exercer sur le résident à risque ou sur la cicatrisation d'une plaie existante. Par exemple, chez un résident diabétique, il est primordial d'assurer un contrôle optimal de la glycémie.

Monitorage continu de la plaie

Lorsqu'un résident présente une plaie de pression, l'équipe soignante suivra l'évolution de la plaie en se basant sur l'évaluation initiale détaillée, puis sur les évaluations faites à intervalles réguliers. Elle pourra ainsi suivre les progrès de la guérison, constater la stagnation ou la détérioration de la plaie, ou encore détecter rapidement d'éventuelles complications. L'utilisation d'une fiche d'enregistrement systématique d'évaluation de la plaie permet à tous les membres de l'équipe de consigner des observations similaires et de travailler à partir des mêmes paramètres. De cette façon, il est facile de savoir au premier coup d'œil si le plan de traitement est efficace, et s'il est nécessaire de le modifier. La condition clinique du résident, la gravité de la plaie et le rythme de la cicatrisation dictent la fréquence des évaluations.

L'évaluation de la plaie doit indiquer le site de la plaie et ses dimensions (longueur, largeur et profondeur), la présence de sinus ou de tissus sous-jacents, ainsi que le stade de la lésion. Il faut également noter les différents types de tissus

Tableau 19-5	Paramètres d'évaluation d'une plaie de pression
PARAMÈTRE	**DESCRIPTION**
Localisation	Site de la plaie
Durée d'évolution de la plaie	• Admis avec la plaie • Apparition de la plaie durant le séjour • Inscrire la date d'apparition de la plaie (si elle est connue)
Dimensions (en cm)	• Longueur : axe le plus long • Largeur : axe perpendiculaire à celui de la longueur • Profondeur : endroit le plus profond de la plaie
Sinus et espace sous-jacent (en cm)	Préciser la direction et la profondeur des zones atteintes sur un cadran, 12 h correspondant à la tête du résident.
Stade	Stade 1 Stade 2 Stade 3 Stade 4 Stade X
Types de tissus	• Indiquer le pourcentage que représente chaque type de tissus : – Tissus nécrotiques : escarre, fibrine – Tissu de granulation – Tissu épithélial • Structures profondes : tendons, os, etc.
Peau environnante	• Macération : coloration blanchâtre de la peau qui indique qu'elle est restée longtemps exposée à l'humidité. • Irritation : présence de zones d'inflammation causées par le contact avec des produits allergènes, avec l'exsudat de la plaie ou encore avec de l'urine ou des selles. • Érythème : rougeur causée par la vasodilatation.
Exsudat	• Type : – Sanguin – Sérosanguin – Séreux – Séropurulent – Purulent • Quantité : – Léger – Modéré – Abondant • Odeur
Douleur associée	Décrire et évaluer l'intensité de la douleur à l'aide d'une échelle.

présents dans le lit de la plaie, tels les tissus nécrotiques, les tissus de granulation et le tissu épithélial (voir le tableau 19-5), ainsi que leurs pourcentages respectifs. Par exemple, l'évaluation pourrait mentionner «cette plaie contient 30 % de tissu de granulation et 70 % de tissu nécrotique». Il faut également rechercher la présence d'érythème, d'induration et de douleurs sur les bords de la plaie, ainsi que sur la peau environnante. S'il y a un exsudat au niveau de la plaie, il est nécessaire d'en préciser la nature et l'abondance. Habituellement, une plaie de pression montre des signes de cicatrisation dans les deux à quatre semaines suivant son apparition. Le plan de traitement infirmier doit alors être réévalué soigneusement.

En bref, il faut retenir que les soins apportés localement à une plaie de pression, c'est-à-dire le pansement, ne sera d'aucune efficacité si les soins infirmiers et le traitement médical n'évaluent pas et ne contrôlent pas les facteurs qui ont entraîné la formation de la plaie.

Conclusion

Les plaies de pression menacent les résidents des CHSLD en perte de mobilité et d'autonomie. Il est nécessaire de déterminer les facteurs prédisposants et les facteurs précipitants dès l'admission au CHSLD à l'aide d'un outil d'évaluation du risque de plaies de pression. Cet instrument doit avoir fait l'objet d'une validation. Il faut mettre en œuvre immédiatement les interventions préventives pour corriger les facteurs de risque décelés. L'approche interdisciplinaire constitue le meilleur atout pour gérer de manière optimale les plaies de pression chez les aînés, afin de réduire l'incidence, la morbidité, la mortalité et les complications associées à ce problème (Dolynchuk *et al.*, 2000). L'infirmière reste au centre de la coordination du plan thérapeutique infirmier en présence d'une plaie. Il est important de fixer des objectifs réalistes avec le résident et ses proches, et de tenir compte de la condition générale de ce dernier. Les coûts associés au traitement des plaies de pression en CHSLD sont beaucoup plus élevés que ceux inhérents à l'implantation d'un programme de prévention efficace.

ÉTUDE DE CAS

Depuis tout juste deux semaines, une femme de 79 ans, veuve depuis trois mois, a été transférée au CHSLD après une longue hospitalisation consécutive à une fracture de la hanche. Malgré les efforts de réadaptation, le degré fonctionnel de cette femme n'a pas atteint les objectifs qui auraient permis de la réintégrer dans son milieu de vie. Avant de se fracturer la hanche, cette femme souffrait d'une démence légère, mais les événements précipitants ont aggravé les manifestations cliniques de ce syndrome. Elle est également diabétique depuis 15 ans, en plus de faire de l'hypertension et de l'insuffisance cardiaque. Depuis son hospitalisation, elle est incontinente (incontinence urinaire et fécale), et elle porte une culotte d'incontinence qui est changée toutes les deux heures. Quand elle a été transférée au CHSLD, elle présentait une plaie de pression de stade 2 au niveau du talon droit. Cette plaie n'évolue pas vers la guérison.

La résidente mange peu et refuse de prendre ses repas à la salle à manger avec les autres personnes. Elle s'isole dans sa chambre la majeure partie de la journée. Elle requiert l'aide du personnel pour se lever de son fauteuil et marche sur de très courtes distances avec une marchette. Ses deux enfants la visitent rarement, car ils habitent à l'extérieur de la ville.

Questions

1 Quels facteurs prédisposants ont favorisé le développement d'une plaie de pression chez cette résidente ?

2 Lorsque le risque de plaie de pression est établi à l'aide de l'échelle de Braden, comment doit-on interpréter le résultat global comparativement aux résultats obtenus pour les différents paramètres de cet instrument d'évaluation dans le plan d'intervention ?

3 Nommez des interventions qui permettraient de prévenir le développement de plaies de pression additionnelles et de favoriser la guérison de la plaie déjà traitée.

4 Pensez-vous que cette résidente court des risques plus élevés d'infection de sa plaie ?

20

LA DOULEUR

par **Michèle Aubin**, **René Verreault**,
Maryse Savoie et **Solange Proulx**

« L'absence de parole n'est jamais défaut de signifiance, le
silence est toujours l'expression d'un dit. »

M. Ruzniewski

*La douleur est une sensation physique pénible et une expérience désagréable auxquelles
aucun être humain n'échappe tout au long de sa vie. En raison de facteurs prédisposants et
précipitants propres à cette clientèle et à son milieu de vie, bon nombre de résidents des
CHSLD sont aux prises avec des douleurs qui compromettent leur bien-être et leur qualité
de vie.*

*Pour soulager efficacement la douleur, l'infirmière doit d'abord en comprendre le méca-
nisme et en connaître les signes afin de pouvoir la détecter, en particulier chez les personnes
atteintes de déficits cognitifs. Elle doit également savoir utiliser les instruments permettant
de mesurer l'intensité de la douleur et d'en vérifier l'évolution. Dans une perspective multidisciplinaire, l'infirmière peut alors traiter et contrôler efficacement la douleur par des
moyens pharmacologiques et des traitements complémentaires correspondant aux états de
santé particuliers des aînés.*

NOTIONS PRÉALABLES SUR LA DOULEUR

Définition

Pour les êtres humains de tous âges, la douleur consiste en
« une expérience sensorielle et émotionnelle désagréable en
réponse à une atteinte tissulaire réelle ou potentielle ou
décrite comme relevant de telles lésions » (Association internationale de l'étude de la douleur, 1979). Une douleur
aiguë constitue habituellement le symptôme d'une anomalie transitoire. Si elle déclenche l'inquiétude, elle joue
aussi un rôle de protection, et les traitements appropriés la
font disparaître. Lorsqu'elle persiste au-delà de trois mois,
cette douleur est dite chronique (Acute Pain Management
Guideline Panel [APMGP], 1993). La pathologie initiale
subsiste toujours et résiste aux traitements habituels. Une
douleur persistante constitue un syndrome qui commande
un traitement global. L'Association américaine de gériatrie
préfère parler de « douleur persistante », car cette expression évoque moins les images négatives de chronicité associées aux stéréotypes liés aux problèmes psychiatriques,
aux traitements inutiles, à l'accoutumance à la médication
et à la simulation des patients (American Geriatrics Society
[AGS] Panel on Persistant Pain in Older Persons, 2002).

Les douleurs sont souvent classées selon les mécanismes
physiopathologiques qui les provoquent. Les douleurs sont

donc nociceptives, viscérales, neuropathiques et mixtes. Les
douleurs nociceptives* somatiques affectent la peau, les
muscles, les tendons et les ligaments, comme cela se produit
dans le cas de l'arthrite et des myalgies. Les douleurs viscérales* affectent les organes internes, tels que les intestins,
le foie, les reins, les poumons et le cœur. Elles accompagnent les pancréatites, les ischémies myocardiques et les
tumeurs. Dans le cas des douleurs nociceptives somatiques et des douleurs viscérales, l'intégrité du système
neurologique de transmission n'est pas affectée, ce qui
explique pourquoi les traitements antalgiques traditionnels

---

* **Douleurs nociceptives** : douleurs consécutives à des lésions des tissus périphériques provoquant un excès d'influx douloureux dans le
système nerveux. Elles correspondent aux douleurs habituelles des
brûlures, des traumatismes, des suites d'une opération et d'un grand
nombre de maladies. Elles se présentent sous forme de douleurs
aiguës ou chroniques.

Douleurs viscérales : douleurs qui ne sont pas toujours liées à une
blessure. Elles sont mal localisées, vagues, diffuses, avec des intrica-
tions complexes entre le système sensitif et le système autonome.
Ce sont des douleurs associées aux infections abdominales, aux
tumeurs, aux ischémies myocardiques, aux pancréatites, etc.

sont efficaces. Quant aux douleurs neuropathiques*, elles découlent d'une atteinte du système nerveux central. Elles sont en effet consécutives à des lésions du cerveau ou de la moelle épinière, ou encore du système nerveux périphérique dont les nerfs font partie. Les neuropathies diabétiques, les douleurs fantômes et les névralgies postherpétiques en sont des exemples. À l'inverse des douleurs nociceptives, dans ce cas-ci, les traitements pharmacologiques fonctionnent moins bien. Enfin, les douleurs mixtes, fréquentes chez les aînés, se présentent sans lésion apparente, en dépit d'un bilan de santé approfondi. Le tableau 20-1 regroupe les divers types de douleurs et précise leurs caractéristiques.

Ampleur du problème

Selon plusieurs études, bon nombre de résidents des CHSLD souffrent de douleurs chroniques. La prévalence estimée varie de 49 à 83 %, selon l'outil de mesure utilisé et le type de population examinée (Fox, Raina et Jadad; 1999; Desbiens et Wu, 2000; Stein, 2001). De plus, le tiers des résidents aux prises avec une douleur persistante en souffrent continuellement et plus de la moitié en sont accablés chaque jour (Ferrell, Ferrell et Osterweil, 1990). Les douleurs de nature musculosquelettique et articulaire ainsi que les douleurs neuropathiques sont celles qui affectent le plus souvent la clientèle des CHSLD (Horgas et Tsai, 1998; Fox *et al.*, 1999; Chodosh *et al.*, 2004). Si elle ne

menace pas directement la vie des résidents, la douleur persistante s'attaque directement à leur qualité de vie déjà amoindrie (Beauchamp, 2004).

Conséquences

La douleur non soulagée affecte les résidents de bien des façons. Chez certains résidents, la douleur vient s'ajouter aux pathologies coutumières, perturbe les fonctions physiques à divers degrés et détériore la qualité de vie. La douleur peut aussi mener à une incapacité physique et, chez les résidents souffrant déjà d'une telle incapacité, elle complique ou ralentit parfois le processus de réhabilitation (Yonan et Wegener, 2003). Les analgésiques utilisés pour soulager la douleur risquent aussi de déclencher certains effets indésirables chez une clientèle qui compose déjà avec une polypharmacie qu'impose l'état de santé lié à leur âge. Par ailleurs, plus la douleur persiste, plus la qualité de vie des résidents s'en trouve affectée, plus les contacts sociaux s'amenuisent et plus le coût pour les traitements et les services de santé risque d'augmenter.

Les conséquences les plus connues de la douleur non soulagée sont la dépression, l'isolement, les troubles du sommeil, la détérioration de la mobilité et la diminution de la participation aux activités (Ferrell *et al.*, 1990; Herr et Mobily, 1991; Ferrell, Ferrell et Rivera, 1995; Cowan, Fitzpatrick, Roberts, While et Baldwin, 2003). Il arrive également que la douleur aggrave certains syndromes gériatriques tels que les chutes, la dénutrition, les problèmes de démarche, et réduit les effets des traitements de réhabilitation (Ferrell *et al.*, 1995; Cowan *et al.*, 2003). La douleur non traitée entraîne une détérioration de l'appétit, ainsi que le déclin de la mobilité et de l'activité. Elle risque également d'aggraver divers problèmes, tels que les traumatismes et les chutes, les plaies de pression, l'atrophie musculaire et les défauts de posture (Cowan *et al.*, 2003). Non soulagée, la douleur augmente les risques de déficit

---

* **Douleurs neuropathiques**: douleurs consécutives à des lésions du système nerveux, soit au niveau périphérique (section d'un nerf, zona, neuropathie diabétique), soit au niveau central (traumatisme médullaire, infarctus cérébral). Ces douleurs peuvent se manifester en l'absence de tout stimulus ou en réaction à un stimulus normalement non douloureux ou peu douloureux, mais dont la perception est exacerbée.

Tableau 20-1	**Les types de douleurs et leurs caractéristiques**		
AIGUËS		**CHRONIQUES**	
Douleurs brèves. Décroissent et disparaissent avec les traitements. Exemples: infarctus du myocarde, colique néphrétique.		Persistent plus de trois mois. Peuvent être soulagées mais résistent aux traitements. Exemples: rhumatisme, arthrite, maux de dos.	
NOCICEPTIVES	**NEUROPATHIQUES**	**MIXTES**	**PSYCHOGÈNES**
Somatiques Exemples: blessures des tissus mous, suites de chirurgies. *Viscérales* Exemple: pancréatite Conséquences de lésions des tissus périphériques. Douleurs les plus fréquentes.	Conséquences de lésions du système nerveux central. Exemple: douleur consécutive à un traumatisme médullaire ou à un AVC. Conséquences de lésions du système nerveux périphérique. Exemple: zona, douleur fantôme, neuropathie diabétique.	Douleurs associant à la fois l'excès de nociception et une composante neuropathique. Exemple: douleur dans un contexte cancéreux.	Douleurs sans lésion apparente. L'intervention de phénomènes psychiques accentue la sensation douloureuse.

cognitif, surtout de déficit de la mémoire et de l'attention. En outre, la douleur persistante sévère affecte la capacité d'accomplir certaines tâches complexes. Enfin, la douleur entraîne aussi des perturbations de l'humeur (Scudds et Robertson, 2000 ; Davis et Srivastava, 2003).

À ce tableau plutôt sombre s'ajoutent les effets secondaires associés à la prise d'analgésiques. Par exemple, les opioïdes, les corticoïdes, les antidépresseurs tricycliques perturbent généralement l'état normal, tandis que les anti-inflammatoires non stéroïdiens entravent les fonctions digestive, rénale et cardiaque. Comparativement à une clientèle plus jeune, les résidents âgés peuvent présenter des manifestations inhabituelles quand ils consomment certains médicaments. Ces manifestations prennent notamment la forme de déficits cognitifs, de pertes de contrôle vésical ou intestinal ou d'anorexie (Davis et Srivastava, 2003). Si la douleur persistante n'est pas soulagée, c'est finalement toute la qualité de vie des résidents des CHSLD qui est compromise (Ferrell *et al.*, 1990).

Facteurs prédisposants et facteurs précipitants

Facteurs prédisposants

Vieillissement et douleur

Les recherches portant sur les changements de la perception de la douleur avec l'âge et sur la déclaration de la douleur chez les aînés ne font pas l'unanimité. Certaines conclusions relatives à l'expression d'une augmentation du seuil de la douleur liée au vieillissement en même temps qu'une diminution de sa tolérance font davantage consensus (Bachino, Snow, Kunik, Cody et Wrister, 2001). Dans une importante revue faisant partie de la documentation traitant de la question, Gibson et Farrell (2004) soulignent que l'élévation du seuil de perception de la douleur, associée aux changements structuraux et fonctionnels du système nerveux central, peut entraîner un risque de blessure plus élevé chez le résident. Par ailleurs, les auteurs précisent que les résultats des études menées sur les seuils de douleur des populations vieillissantes varient en raison d'une série de facteurs qu'il n'a pas été possible de caractériser adéquatement. Il peut s'agir, par exemple, de la cause de la douleur, de sa durée, de son intensité ou de sa localisation, voire de l'instrument utilisé pour la mesurer.

À cela s'ajoute une diminution de l'efficacité analgésique des mécanismes naturels, ce qui explique l'hyperalgésie post-traumatique et la difficulté des résidents à supporter la douleur occasionnée par diverses blessures et pathologies. Les études suggèrent que le système endogène de régulation de la douleur perd de son efficacité au cours du vieillissement et que la capacité de résister à la douleur diminue avec l'âge (Edwards et Fillingim, 2001).

Cependant, dans certaines conditions pathologiques causant des douleurs viscérales, comme dans l'infarctus du myocarde, le pneumothorax ou l'ulcère peptique, le déclenchement du système d'alerte qu'est la douleur n'est pas aussi rapide que chez les personnes plus jeunes. La détérioration de la fonction des fibres A-Delta, l'altération du métabolisme de la sérotonine, notamment, expliquent cette diminution de perception de la douleur viscérale (Moore et Clinch, 2004).

Des recherches indiquent que les personnes atteintes de démence ne semblent pas présenter de modifications des seuils de la douleur et qu'il y a chez elles une nette augmentation de la tolérance à la douleur (Bachino *et al.*, 2001). Par contre, selon d'autres études, la démence n'affecte pas le système sensoriel comme tel, mais plutôt les systèmes de douleur affectif et cognitif-évaluatif. Autrement dit, les personnes souffrant de démence semblent éprouver les mêmes sensations nociceptives que les non démentes, mais elles sont incapables d'interpréter ces sensations comme douloureuses (Bachino *et al.*, 2001).

La capacité d'adaptation à la douleur persistante et sévère chez les aînés est plus difficile à atteindre. Dans le processus normal du vieillissement, la densité des fibres myélinisées et non myélinisées du système nerveux central diminue de 50 %. Les pertes axonales par involution, c'est-à-dire par régression physiologique, la diminution importante du nombre de certains neurotransmetteurs et de la vitesse de conduction, ainsi que la réduction du nombre de liens synaptiques représentent autant de phénomènes liés à la portion sensorielle de la douleur (Beauchamp, 2004).

Maladies

Il semble que la charge pathologique, c'est-à-dire les maladies, demeure un facteur prépondérant de la présence de douleur chez les résidents des CHSLD (Charrette et Ferrell, 2004). Ceux-ci souffrent de multiples problèmes, comme en témoignent les chiffres suivants : 78,6 % souffrent d'arthrite, 84,8 % de problèmes cardiovasculaires et 64,6 % de troubles génito-urinaires (Cohen-Mansfield, 2004). Selon l'Institut national du cancer du Canada (2004), 75 % des nouveaux cas de cancer et 82 % des décès liés à cette maladie surviennent chez des hommes âgés de 60 ans et plus. Par ailleurs, les statistiques révèlent que 63 % des nouveaux cas de cancer diagnostiqués et 78 % des décès associés aux cancers surviennent chez les femmes du même groupe d'âge. Si l'ostéoporose menace à tout âge, elle affecte davantage les personnes qui ont dépassé la cinquantaine. Les données canadiennes indiquent que dans le groupe des 50 ans et plus, une femme sur quatre et un homme sur huit souffrent d'ostéoporose (Société de l'ostéoporose du Canada, 2003).

L'évaluation et la gestion de la douleur chez les résidents se heurtent à des limites considérables, en raison de la nature subjective de la douleur et de différents facteurs qui empêchent d'en établir les niveaux d'intensité de manière cohérente. Les déficits cognitifs ne sont pas les seuls facteurs qui entravent l'expression de la douleur (Horgas et Tsai, 1998). Il importe également de prendre en considération d'autres pathologies qui compliquent l'évaluation de la douleur. C'est le cas de certains troubles sensoriels, tels que la presbyacousie et la cécité, des troubles moteurs, tels que la dysarthrie et l'aphasie, et des troubles thymiques (Horgas et Tsai, 1998 ; Gloth, Scheve, Stober, Chow et Prosser, 2001).

Satisfaction des besoins de base

Diverses affections, telles les affections rhumatismales, digestives et cancéreuses et les douleurs qu'elles entraînent, perturbent le sommeil des résidents. De plus, l'insuffisance cardiaque ou respiratoire entraîne parfois des dyspnées nocturnes. À l'inverse, la douleur peut devenir la source d'insomnies, de troubles de la mobilité ou de l'alimentation.

Le manque d'activité physique est un facteur de risque de la douleur. En effet, l'immobilité entraîne son lot de complications, dont les escarres, les thromboses veineuses, la constipation et l'encombrement respiratoire (Agence nationale d'accréditation et d'évaluation en santé [ANAES], 2002). Ces complications peuvent être à l'origine de malaises et de douleurs.

Facteurs psychologiques

Les composantes émotionnelle et psychologique s'ajoutent à la dimension sensorielle de la douleur. La douleur chronique envahit l'univers affectif de l'individu (Besson, 1992). Le contexte social, la culture, les croyances religieuses, le sens donné aux expériences douloureuses antérieures influent à des degrés divers sur la capacité de s'adapter à une douleur persistante et de témoigner des épisodes douloureux (Beauchamp, 2004 ; Closs, Barr, Briggs, Cash et Seers, 2004).

Plusieurs motifs amènent certains résidents à taire leur douleur. Les croyances erronées entretiennent l'idée qu'il est impossible de traiter la douleur persistante et qu'il n'est pas nécessaire de le faire en l'absence d'une pathologie définie ou de la perte d'une fonction (Gloth, 2004a). La peur entrave aussi l'expression de la douleur lorsque les résidents s'inquiètent de se voir qualifiés de « mauvais patients » ou lorsque l'épisode douloureux est associé à la progression de la maladie (Horgas, 2003) ou à la perspective de subir des tests ou des examens supplémentaires (Charette et Ferrell, 2004). Enfin, les résidents craignent les effets secondaires ou l'accoutumance liés aux opioïdes (Gloth, 2004a). Il est faux de croire qu'il est normal d'avoir mal en vieillissant. Il s'agit d'un mythe entretenu autant par les résidents eux-mêmes que par les soignants qui s'en occupent (Beauchamp, 2004 ; Gloth, 2004a).

Facteurs précipitants

Approche des soignants

Les auteurs reconnaissent que les soignants ne sont pas assez attentifs à la douleur persistante dans les CHSLD et qu'ils ne la traitent pas suffisamment (Marzinski, 1991 ; Sengstaken et King, 1993). Il faut aussi ajouter que, parmi toutes les publications annuelles portant sur la douleur, moins de 1% des articles traitent de la douleur chez les aînés (Ferrell, 1995). De plus, les essais cliniques portant sur l'efficacité des interventions pharmacologiques excluent presque toujours ce groupe d'âge (Ferrell, 1995 ; Rochon, Fortin, Dear, Minaker et Chalmers, 1993).

Si plusieurs résidents ont de la difficulté à dire qu'ils souffrent de douleurs persistantes, les outils traditionnels d'évaluation ne réussissent pas non plus à identifier et à mesurer ces douleurs correctement (Ferrell *et al.*, 1995). La douleur reste sous-évaluée et sous-traitée chez les résidents présentant des troubles cognitifs, faute d'instruments appropriés (Sengstaken et King, 1993 ; Feldt, Ryden et Miles 1998 ; Horgas et Tsai, 1998 ; Cook, Niven et Downs, 1999 ; Weiner, Peterson et Keefe, 1999 ; Kunz, 2002). Par ailleurs, Sengstaken et King (1993) observent que, pour des conditions médicales identiques, les soignants décèlent moins souvent la douleur chez les résidents incapables de communiquer que chez les résidents dont les fonctions cognitives sont intactes. De plus, les études signalant que les résidents des CHSLD se plaignent de douleurs indiquent également que les soignants sont toujours portés à en sous-estimer l'intensité (Cowan *et al.*, 2003 ; Cohen-Mansfield, 2004). Il découle de ces observations que les soignants ne sont pas suffisamment attentifs au problème de la douleur pour être en mesure de la détecter et de la soulager.

Plusieurs facteurs expliqueraient la difficulté qu'éprouvent les soignants à évaluer la douleur. Comme le rapporte Gloth (2004a), les soignants n'auraient pas la formation adéquate pour décoder les signes de la douleur et ne disposeraient pas des outils appropriés pour évaluer la douleur. Ils posséderaient des connaissances erronées sur les effets secondaires des opioïdes et sur les questions de la tolérance et de l'accoutumance à ces produits. Les études mettent également en cause le manque de temps des soignants pour donner la priorité à la détection et au traitement de la douleur. De plus, ces études mettent en cause l'interprétation erronée du sommeil dû à une médication, ainsi que la réticence du personnel à faire appel à des consultants (Gloth, 2004a).

Le fait de ne pas prendre en charge la douleur a des conséquences d'abord sur la qualité de vie des résidents, qui se trouvent exposés notamment aux risques de complications de décubitus et à la perte d'autonomie. Les proches du résident ressentent parfois du découragement, de l'épuisement, de l'isolement, quand ce n'est pas un sentiment de rejet ou de surprotection. Pour les soignants, l'incapacité de prendre en charge la douleur entraîne un sentiment d'impuissance, de culpabilité et engendre de l'épuisement professionnel. Dans les cas de douleurs extrêmes, les résidents peuvent en arriver à demander l'euthanasie (ANAES, 2000).

Plusieurs obstacles systémiques s'ajoutent à ces facteurs précipitants de types individuel et professionnel. Il faut aussi signaler le haut taux de roulement du personnel dans les CHSLD, qui ne facilite guère les contacts privilégiés et continus avec les résidents, et le fait que le nouveau personnel est souvent peu familiarisé avec les techniques d'évaluation de la douleur et de son traitement. De plus, la responsabilisation individuelle des soignants est insuffisante et le fonctionnement des équipes de travail n'incite pas à une gestion adéquate de la douleur chez les résidents. Enfin, le manque de leadership et de soutien administratif, ainsi qu'un accès insuffisant aux ressources et à la formation des soignants constituent d'autres contraintes importantes (Gloth, 2004a).

Réponse pharmacologique

Les modifications physiologiques liées au vieillissement influent sur la cinétique des médicaments (voir le chapitre 23). Ces changements normaux exigent que l'approche thérapeutique de la douleur repose sur un juste équilibre entre le soulagement de la douleur et le contrôle des effets secondaires des médicaments. Par exemple, la diminution de la motilité digestive limite l'utilisation de l'aspirine, l'augmentation du tissu adipeux au détriment de la masse maigre entraîne l'accumulation des médicaments lipophiles et la prolongation de leurs effets. Des complications respiratoires et neuropsychiques, la constipation et la rétention urinaire surviennent parfois après l'administration d'opioïdes. Quant aux antidépresseurs et aux antiépileptiques, ils augmentent les risques de syndrome confusionnel, de sédation, d'hypotension et de rétention urinaire (ANAES, 2000; Davis et Srivastava, 2003).

Contention

La contention physique ou l'installation inappropriée du résident dans un fauteuil gériatrique peuvent occasionner de la douleur. De même, une immobilisation involontaire prolongée risque d'amener le résident à tenter de se déplacer, ce qui l'expose aux chutes et aux blessures.

Manifestations cliniques

Les personnes souffrant de déficits cognitifs expriment la douleur de multiples façons, notamment par des réponses non verbales et par divers comportements:

- Expressions du visage (mimiques), balancement, repli sur soi (Weiner *et al.*, 1999; Feldt, 2000; Abbey *et al.*, 2004);
- Vocalisations prenant la forme de gémissements, de cris et de grognements (Kovach, Weissman, Griffie, Matson et Muchka, 1999; Feldt, 2000; Abbey *et al.*, 2004).
- Modification des comportements habituels se manifestant notamment par de la confusion ou par le refus de s'alimenter (Kovach *et al.*, 1999; Feldt, 2000; Abbey *et al.*, 2004).

Les résidents qui souffrent de douleurs aiguës présentent souvent certaines modifications physiologiques ou physiques. Les signes à surveiller sont la fièvre, la tension artérielle, la transpiration, la pâleur et la rougeur, de même que les blessures et les contractures, qui informent également de la présence d'une douleur (Abbey *et al.*, 2004). Les recherches ont montré que les résidents atteints de déficits cognitifs expriment moins leur douleur que ceux qui en sont exempts (Fisher *et al.*, 2002). Elles soulignent également l'importance d'observer minutieusement et régulièrement les personnes atteintes de déficits cognitifs.

Selon Mrozek et Werner (2001), les infirmières qui travaillent auprès de résidents confus, présentant des déficits cognitifs ou incapables de communiquer adéquatement se basent sur plusieurs signes pour reconnaître la douleur. Elles observent les perturbations de l'humeur, du sommeil et des mouvements, de même que les modifications des expressions faciales et les gémissements. À ces indicateurs

de la douleur s'ajoutent les cris, les crispations, la claudication, le refus de bouger et la diminution de la participation aux activités (Cohen-Mansfield et Creedon, 2002). Les infirmières doivent cependant faire la distinction entre les manifestations de la douleur et celles de la fatigue, de la faim et du besoin d'attention. C'est en connaissant bien les résidents dont ils s'occupent ainsi que leurs habitudes que les soignants peuvent détecter adéquatement la présence d'épisodes douloureux.

Les indicateurs les plus importants de la douleur sont surtout de nature physique et se manifestent par des comportements vocaux et physiques répétitifs et par certains comportements inhabituels (Cohen-Mansfield et Creedon, 2002). Le tableau 20-2 résume les différentes manifestations de la douleur observées chez les résidents.

Tableau 20-2	Manifestations possibles de la douleur
CATÉGORIES	**EXEMPLES**
Signes physiologiques	• Augmentation de la tension artérielle, du rythme cardiaque, de la fréquence respiratoire • Dilatation pupillaire • Hypersudation
Faciès	• Grimaces • Crispations du visage • Faciès rougeâtre ou pâle • Pincement des lèvres • Froncement des sourcils
Comportements verbaux	• Cris ou gémissements inhabituels, permanents, à la mobilisation, après la mobilisation • Difficultés d'élocution • Diminution du timbre de la voix, hausse du ton • Mutisme ou langage incompréhensible • Demandes répétées • Bavardage incessant
Comportements non verbaux	• Agitation ou immobilité • Pleurs, larmes • Frottement du site douloureux • Changement de position au toucher • Mouvements de protection des régions douloureuses • Mouvements de résistance
Paramètres cliniques	• Perturbations du sommeil • Troubles de l'appétit • Fatigue • Constipation • Nausée et vomissements • Transpiration • Ralentissement psychomoteur

Détection du problème

Il est impossible de soulager la douleur tant qu'elle n'est pas détectée et évaluée correctement. Même si la douleur est par nature subjective (la douleur est ce que le résident dit qu'elle est), il faut arriver à la localiser et à en déterminer l'intensité au moyen d'instruments adaptés aux situations particulières des résidents (Société française d'étude de la douleur [SOFRED], 1997). Les soignants disposent de plusieurs instruments pour la détection de la douleur chez les résidents capables de communiquer et aptes à en évaluer eux-mêmes l'intensité de la douleur. Il existe d'autres instruments pour mesurer la douleur chez les personnes privées de ces capacités.

Chez les personnes en possession de leurs facultés cognitives

L'Échelle visuelle analogique, ou ÉVA, est un instrument couramment utilisé pour évaluer la douleur ou la façon dont elle est soulagée chez un résident en possession de ses facultés cognitives. Cet instrument se présente sous la forme d'une réglette de 10 cm (100 mm) de longueur, à double face, que l'on place horizontalement ou verticalement sur une feuille de papier. Le soignant présente une face de la réglette au résident, puis il lui demande de déplacer un curseur et de

1 **Face du patient :**

L'extrémité gauche indique « pas de douleur ». Elle est reliée par une bande bleue à l'extrémité droite, qui indique « douleur maximale imaginable ». L'infirmière demande au patient de déplacer le curseur de la gauche vers la droite sur la bande bleue, selon sa perception de l'intensité de sa douleur.

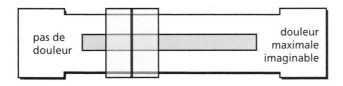

2 **Face de mesure :**

L'infirmière retourne ensuite la réglette, dont l'autre face est graduée de 0 à 10, de la droite vers la gauche. Elle peut alors lire le score indiqué par le trait rouge du curseur à l'endroit où l'a placé le résident. Elle effectue l'évaluation périodiquement afin d'informer le médecin de l'efficacité du traitement antalgique ou de l'adapter selon le protocole thérapeutique.

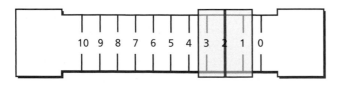

FIGURE 20-1 **Échelle visuelle analogique**

l'arrêter à l'endroit où il situe sa douleur, entre deux limites inférieure et supérieure, l'une marquant l'absence de douleur et l'autre la douleur maximale. L'autre face, graduée de 0 à 10, permet au professionnel de lire et d'inscrire le score dans le dossier. L'ÉVA est une échelle d'autoévaluation fort intéressante pour mesurer l'intensité de la douleur, en raison, notamment, de son échelle continue et de sa facilité d'utilisation (Stephenson et Herman, 2000 ; Wynne, Ling et Remsburg, 2000). La figure 20-1 présente l'ÉVA.

Chez les personnes incapables de communiquer

Les soignants détectent la douleur moins fréquemment chez les résidents incapables de communiquer, comparativement à ceux qui ont des fonctions cognitives intactes et des conditions médicales semblables. Il est donc nécessaire de procéder par observation (Sengstaken et King, 1993). La littérature décrit plusieurs instruments d'hétéroévaluation comportementale (Hurley *et al.*, 1992 ; Simons et Malabar, 1995 ; Morello et Alix, 1998).

Doloplus-2

Le plus connu des instruments d'hétéroévaluation comportementale est le Doloplus-2 (Wary, 1999), mis au point pour des patients atteints de troubles cognitifs sévères. Il se présente sous la forme d'une fiche d'observation et compte dix éléments répartis en trois sous-groupes pondérés selon la fréquence notée pour les cinq éléments somatiques, les deux éléments psychomoteurs et les trois éléments psychosociaux. Chaque élément est coté de 0 à 3, et le score global se situe entre 0 et 30. Un score supérieur ou égal à 5/30 indique une douleur clairement affirmée. Outre qu'elle permet d'observer les comportements, l'échelle permet d'évaluer les conséquences fonctionnelles de la douleur sur les soins quotidiens, la mobilité, l'alimentation, le sommeil et les activités sociales (Lussier, 2000). L'utilisation de l'échelle par les infirmières nécessite un apprentissage et une cotation, qui devraient se faire, idéalement, en équipe interdisciplinaire. Le site Internet www.doloplus.com présente l'historique de cet Instrument d'évaluation, la composition du collectif Doloplus, un lexique et des conseils d'utilisation. Malgré les mérites de l'instrument, l'infirmière doit être consciente que le Doloplus-2 n'est pas une panacée et qu'il présente des limites.

PACSLAC

Un autre instrument d'hétéroévaluation comportementale semble prometteur. Il s'agit du PACSLAC ou Pain Assessment Checklist for Seniors with Limited Ability to Communicate (Fuchs-Lacelle et Hadjistavropoulos, 2004). Il importe toutefois de noter que la mise au point de cet instrument est très récente et qu'il reste encore à franchir plusieurs étapes de validation afin de s'assurer de sa faisabilité et de son applicabilité en clinique. De plus, aucune norme n'a encore été établie pour cette échelle, pour la considération de la présence d'une douleur importante. Le PACSLAC explore les dimensions sensorielle, affective,

psychologique, cognitive et comportementale associées à la douleur. L'instrument a été élaboré spécialement dans un contexte de soins de longue durée, pour des résidents déments et incapables de parler. Initialement conçue en langue anglaise, cette échelle est constituée d'une liste de contrôle d'indicateurs de la douleur qui comporte 60 éléments à cocher. Ces éléments sont regroupés en quatre composantes distinctes. Il y en a 13 pour les expressions faciales et 20 pour les activités et mouvements corporels. Les 12 éléments suivants indiquent la personnalité, l'humeur et la sociabilité, et les 15 derniers complètent l'évaluation. L'échelle permet d'obtenir des scores pour chaque composante et un score global de douleur.

Le PACSLAC offre l'avantage d'une utilisation rapide puisqu'il ne demande pas plus de cinq minutes. En outre, l'utilisation répétée et systématique de l'instrument permet de déterminer les éléments les plus révélateurs de la situation particulière de chaque résident. En effectuant une évaluation personnalisée de la douleur, il devient aussi possible de reconnaître les épisodes d'exacerbation de la douleur persistante. D'après les résultats obtenus à l'issue de la validation préliminaire, le PACSLAC semble permettre de distinguer les situations de douleur, de détresse psychologique et de calme des résidents. Une version française

du PACSLAC est en cours d'élaboration. Les responsables du projet comptent réaliser une version équivalente à l'originale et en tester les qualités psychométriques. Le tableau 20-3 (p. 294) présente la grille en langue française utilisée actuellement pour la validation.

En somme, l'utilisation d'échelles de mesure doit s'accompagner d'une anamnèse approfondie et d'un examen physique. Un diagnostic raisonnablement précis renseigne sur l'origine et la localisation de la douleur et facilite sa prise en charge et son traitement. Il convient également d'évaluer les effets de la douleur sur les activités de la vie quotidienne et d'utiliser la capacité fonctionnelle pour mesurer le soulagement apporté aux résidents (Davis et Srivastava, 2003) (voir le chapitre 2). Il faut procéder à un examen de l'appareil ostéoarticulaire, du système neuro-musculaire et de la peau afin de déceler les pathologies articulaires, les atteintes neurologiques, les déficits moteurs ou les débuts d'escarres (AGS, 1998). Enfin, en plus d'un examen physique minutieux, il convient de faire une recherche des facteurs prédisposants qui affectent éventuellement le résident. Par exemple, plusieurs facteurs psychosociaux, tels que la dépression, l'insomnie et les conflits familiaux, contribuent à entretenir la douleur chez les résidents (Sengstaken et King, 1993).

PROGRAMME D'INTERVENTION

Programme collectif

Le dépistage et le soulagement de la douleur persistante chez les résidents des CHSLD supposent en premier lieu de comprendre que la douleur est multidimensionnelle et que ses manifestations sont à la fois sensorielles, affectives et émotionnelles, cognitives ou intellectuelles, et comportementales. La gestion de la douleur dans le seul contexte biophysique est vouée à l'échec puisqu'il est impossible de séparer les conséquences de l'expérience douloureuse de l'expérience sensorielle même de la douleur (ANAES, 2000). Il s'agit donc de s'occuper d'une personne qui a mal, et non de la douleur de cette personne, dans une perspective interdisciplinaire et faisant appel à des interventions pharmacologiques et non pharmacologiques. Le programme présenté ci-dessous met donc en évidence l'importance de l'interdisciplinarité dans le soulagement de la douleur. Il est bon de rappeler également que le soulagement et le contrôle de la douleur constituent un indicateur de la qualité de l'exercice infirmier dans les CHSLD (voir le chapitre 1). Ainsi, même en l'absence d'un programme structuré de soulagement de la douleur dans un CHSLD, l'infirmière a quand même la responsabilité de tout mettre en œuvre pour favoriser le soulagement et le contrôle de la douleur des résidents.

Dépistage

Plusieurs auteurs ont insisté sur l'importance de l'inter-disciplinarité, qui demeure essentielle dans l'évaluation,

le traitement et la réévaluation de la douleur (Desroches et Savoie, 2000-2001 ; Ferrell, 2003 ; Lordon, Cope et Fine, 2002 ; Weiner et Herr, 2002). La collaboration étroite des membres de l'équipe soignante nécessite cependant que tous sachent dépister la douleur au moyen d'instruments appropriés et adaptés à l'état des résidents. Certaines études insistent sur la nécessité de former les soignants afin qu'ils apprennent à utiliser les échelles d'évaluation de la douleur. Il faut également que les instruments soient d'emploi simple et rapide, sans quoi les soignants risquent de ne pas les utiliser, car leur travail quotidien est déjà très chargé (Mrozek et Werner, 2001 ; AGS Panel on Persistent Pain in Older Persons, 2002 ; Allcock, McGarry et Elkan, 2002 ; Epps, 2002 ; Cowan *et al.*, 2003 ; Frampton, 2003 ; Closs *et al.*, 2004 ; Gloth, 2004b). Quelles que soient les échelles employées, pour obtenir de bons résultats, les soignants doivent répéter les explications (Closs *et al.*, 2004) et poser leurs questions clairement et uniformément, par exemple : « Avez-vous de la douleur aujourd'hui ? Où avez-vous mal ? » Ils doivent aussi pouvoir repérer les réductions de mobilité occasionnées par la douleur. Ainsi, la personne qui affirme « Je ne peux pas me servir de mon bras » ne dit pas nécessairement qu'elle ressent une douleur dans le bras. De plus, les études ont démontré que dans le cas des résidents présentant de sévères déficits cognitifs, il était nécessaire de former les soignants pour qu'ils apprennent à reconnaître la douleur qui affecte cette clientèle avant d'être en mesure de la soulager.

Tableau 20-3	Grille d'évaluation de la douleur PACSLAC

EXPRESSIONS FACIALES	PRÉSENT (✓)
Grimace	
Regard triste	
Visage renfermé	
Regard menaçant	
Changements au niveau des yeux (ex. plissés, vides, brillants, augmentation du mouvement)	
Sourcils froncés	
Expression de douleur	
Visage sans expression	
Dents serrées	
Visage crispé	
Bouche ouverte	
Front plissé	
Nez froncé	

ACTIVITÉS ET MOUVEMENTS DU CORPS	PRÉSENT (✓)
Bouge sans arrêt	
Se recule	
Nerveux	
Hyperactif	
Marche sans arrêt	
Errance	
Tente de fuir	
Refuse de bouger	
Bouscule	
Diminution de l'activité	
Refuse la médication	
Bouge lentement	
Comportements impulsifs (ex. mouvements répétitifs)	
Non coopératif / résistance aux soins	
Protège le site de la douleur	
Touche ou soutient le site de la douleur	
Claudication	
Poings serrés	
Prend la position fœtale	
Raideur / rigidité	

COMPORTEMENT • PERSONNALITÉ • HUMEUR	PRÉSENT (✓)
Agression physique (ex. pousser les autres ou les objets, griffer, frapper les autres des mains ou des pieds)	
Agression verbale	
Refuse d'être touché	
Ne permet pas aux autres de s'approcher	
Fâché / mécontent	
Lance des objets	
Augmentation de la confusion	
Anxieux	
Bouleversé	
Agité	
Impatient / irritable	
Frustré	

AUTRES	PRÉSENT (✓)
Pâleur du visage	
Rougeurs au visage	
Yeux larmoyants	
Transpiration excessive	
Tremblements	
Peau froide et moite	
Changements au niveau du sommeil : Encerclez un ou l'autre des énoncés • Diminution du sommeil **ou** • Augmentation du sommeil *durant le jour*	
Changements au niveau de l'appétit : Encerclez un ou l'autre des énoncés • Diminution de l'appétit **ou** • Augmentation de l'appétit	
Cris / hurlements	
Appel à l'aide	
Pleurs	
Son spécifique ou vocalisation liés à la douleur (ex. aie, ouch)	
Gémit / se plaint	
Marmonne	
Grogne	

Source: Version française du PACSLAC, © Sylvie LeMay, Maryse Savoie, Thomas Hadjistavropoulos, Shannon Fuchs-Lacelle et Michèle Aubin. Pour obtenir la permission d'utiliser la version française, veuillez joindre Michèle Aubin (Michele.Aubin@mfa.ulaval.ca) ou Thomas Hadjistavropoulos (thomas.hadjistavropoulos@uregina.ca). Pour obtenir la permission d'utiliser la version anglaise du PACSLAC (© Shannon Fuchs-Lacelle et Thomas Hadjistavropoulos), veuillez joindre Thomas Hadjistavropoulos (thomas.hadjistavropoulos@uregina.ca).

La modification des traits du visage, de la posture générale, des mouvements corporels, la perturbation des activités de la vie quotidienne, telles que s'habiller ou se nourrir, l'apparition de comportements inhabituels constituent autant de signaux indiquant un épisode douloureux (Kovach, Griffie, Muchka, Noonan et Weissman, 2000 ; Cohen-Mansfield et Creedon, 2002 ; Villanueva, Smith, Erickson, Lee et Singer, 2003). Les soignants formés à l'utilisation de l'échelle PACSLAC pourraient noter tous ces signes révélateurs. En fait, la douleur devrait être considérée comme le cinquième signe vital à observer dans la surveillance de routine, au même titre que les quatre signes vitaux usuels (Charrette et Ferrell, 2004 ; Desroches et Savoie, 2000-2001). C'est pourquoi l'infirmière devrait remplir le PACSLAC quotidiennement. Bien que cette responsabilité clinique lui revienne, elle ne devrait pas le faire sans avoir sollicité au préalable la collaboration de l'ensemble des soignants.

Interventions préventives

Même si les diverses interventions thérapeutiques ne réussissent pas toujours à faire disparaître complètement une douleur persistante, il est tout de même possible d'intervenir afin de la prévenir ou de l'atténuer avant qu'elle ne s'aggrave.

Premièrement, il importe de traiter de manière optimale les problèmes de santé connus, car les résidents des CHSLD souffrent généralement de plusieurs pathologies (voir le chapitre 1). Par exemple, après un accident vasculaire cérébral, une surveillance régulière s'impose, d'abord pour maintenir les constantes physiologiques et les fonctions neurologiques. De plus, la mobilisation réduit les risques d'ankylose, d'ulcères de décubitus et d'embolies pulmonaires, tout comme le maintien d'une bonne fonction vésicale évite les infections des voies urinaires. En tout temps, le résident doit être installé dans une position adéquate, idéalement sans le recours aux mesures de contention.

Deuxièmement, il est nécessaire d'encourager tous les résidents à pratiquer des activités physiques (voir le chapitre 2), car la mobilisation, les changements de postures et les exercices appropriés les aident à conserver ce qui leur reste d'autonomie. En outre, les activités physiques effectuées en groupe permettent aux résidents lucides de se rencontrer et d'échanger. Les soignants peuvent aussi porter une attention particulière à la qualité de l'environnement afin que les résidents bénéficient d'un sommeil réparateur. Le calme, le silence, un éclairage approprié sont quelques facteurs qui favorisent un sommeil de qualité (voir les chapitres 16 et 26).

Troisièmement, d'autres facteurs contribuent à maintenir la santé mentale des résidents (voir les chapitres 9, 33, 37 et 40). Les activités récréatives, la musicothérapie et la zoothérapie sont quelques exemples d'animations susceptibles d'apporter aux résidents des moments de détente et de relaxation permettant d'atténuer ou d'estomper la douleur persistante. De plus, il est important de présenter et d'expliquer le plan de traitement au résident lui-même et à ses proches, car cela les aide à mieux comprendre l'origine de la douleur, à connaître les moyens les plus efficaces pour la contrôler et la soulager. Ainsi présenté, le plan de traitement assure la collaboration du résident et de ses proches.

Interventions pharmacologiques

Les interventions pharmacologiques doivent tenir compte de l'âge et de l'état de santé des résidents. Toute intervention pharmacologique entreprise auprès des résidents des CHSLD devrait suivre le principe selon lequel il faut « commencer avec une faible dose et augmenter la posologie graduellement » (Horgas, 2003). La prescription d'antalgiques s'appuie avec succès sur une analgésie progressive, selon les paliers de la douleur, comme le recommande l'Organisation mondiale de la santé (Davis et Srivastava, 2003). Au palier 1, qui correspond aux douleurs faibles et modérées, cotées de 1 à 4 sur 10 sur les échelles visuelles analogiques, il est recommandé de recourir aux analgésiques non opioïdes, tels l'acétaminophène, l'AAS et les anti-inflammatoires non stéroïdiens. Les douleurs du palier 2, modérées et intenses, seront soulagées par les agonistes morphiniques faibles comme la codéine et l'hydrocodone. Quant aux douleurs intenses et très intenses caractéristiques du palier 3, elles sont calmées par les agonistes morphiniques forts, tels que la morphine et l'hydromorphone, et les agonistes antagonistes. Le palier 3 comprend deux niveaux : le niveau « a », où les agonistes morphiniques forts sont administrés par voie orale, et le niveau « b », où ils le sont par voie parentérale. Pour Podichetty, Mazaned et Biscup (2003), la prescription d'opioïdes devrait tenir compte de cinq dimensions, appelées les cinq « A » : *Analgesia, Activities of daily living, Adverse effects, Aberrant behaviour* et *Affect. Analgesia* et *Activities of daily living* concernent le soulagement de la douleur, soit l'analgésie et la capacité de poursuivre les activités de la vie quotidienne. *Adverse effects* et *Aberrant behavior* rappellent la nécessité d'éviter au maximum les effets négatifs de la médication et le déclenchement de comportements anormaux. Enfin, *Affect* rappelle l'importance de surveiller l'expression de l'humeur, c'est-à-dire la réactivité ou l'insensibilité à l'égard des stimuli internes et externes.

Si les indications de l'Organisation mondiale de la santé (OMS, 1990) pour la prescription d'antalgiques constituent des repères fiables, la médication quotidienne doit être adaptée, cas par cas, aux besoins des résidents. Il est capital d'intervenir rapidement, avec un médicament approprié, car il est difficile de contrôler les douleurs sévères qui se sont installées. D'où la nécessité de détecter rapidement les douleurs persistantes et bien implantées, et de les traiter d'emblée à l'aide de fortes médications. De plus, si ces douleurs s'aggravent, l'analgésie doit être celle des opioïdes forts, combinée ou non avec d'autres médicaments (Ferrell, 2003).

Bachino *et al.* (2001) soulignent également que si la douleur n'est pas traitée régulièrement et si les doses d'analgésiques sont trop espacées, les récepteurs de la douleur du système nerveux répondent moins favorablement au traitement. Ces observations mettent donc clairement en évidence l'importance du rôle de l'infirmière chargée d'administrer la médication antalgique prescrite au résident.

Lorsqu'un résident reçoit un médicament, il est très important que l'infirmière procède au monitorage continu de la douleur durant les premières semaines. Cette évaluation soutenue permettra au médecin d'ajuster rapidement le traitement en cas de besoin. Si, de toute évidence, le traitement ne permet pas un soulagement complet de la douleur, il faudra prescrire d'autres médicaments.

Il est possible d'ajouter avec succès des médicaments dits adjuvants ou co-analgésiques aux antalgiques des divers paliers (Beauchamp, 2004 ; Ferrell, 2003). Par exemple, les antidépresseurs tricycliques, utilisés pour traiter les douleurs neuropathiques, ont démontré leur efficacité. Les antiépileptiques sont efficaces contre les douleurs de désafférentation, ou douleurs neurologiques périphériques. Les anxiolytiques traitent les effets indirects de la douleur, tandis que les corticoïdes permettent de contrôler les douleurs d'origine inflammatoire. Enfin, les antispasmodiques musculotropes agissent directement sur les muscles et les antispasmodiques anticholinergiques, sur le système nerveux.

Toute prescription et administration de médicaments exige la collaboration des membres de l'équipe soignante (Beauchamp, 2004). Celle-ci doit avoir une connaissance interdisciplinaire des effets positifs escomptés, des effets secondaires et des modalités de surveillance des médicaments choisis. Elle doit également maintenir et améliorer ces connaissances. Ce travail interdisciplinaire repose largement sur le travail de l'infirmière, qui a la responsabilité de se renseigner sur les effets des médicaments (voir le chapitre 23). Le tableau 20-4 résume les interventions pharmacologiques selon les paliers de la douleur.

Stratégies non pharmacologiques

Les stratégies non pharmacologiques ont souvent une action bénéfique et renforcent celle des médicaments. La physiothérapie, l'ergothérapie, la psychologie, la podologie apportent généralement soulagement et réconfort aux résidents (ANAES, 2000). La chaleur ou le froid, les massages, des exercices modérés et la stimulation électrique nerveuse transcutanée «TENS» constituent d'autres moyens pour réduire la douleur (Horgas, 2003). Bien qu'il y ait peu d'études qui démontrent l'efficacité des thérapies complémentaires, certaines stratégies non médicamenteuses ont contribué au soulagement de la douleur persistante des résidents. C'est pourquoi les infirmières peuvent se familiariser avec ces approches pour les ajouter aux pratiques habituelles de soins, et ainsi venir en aide aux résidents dont elles ont la charge. Par exemple, l'usage de l'acupuncture améliore la qualité du sommeil et réduit les maux de tête (Sok et Kim, 2004). Les infirmières formées à la technique du Reiki peuvent offrir une aide aux résidents souffrants en favorisant la circulation de l'énergie du corps et le rééquilibrage de l'énergie corporelle. Quelques études ont démontré les bénéfices de cette technique dans le soulagement de la douleur dans les maladies chroniques, car les échelles visuelles analogiques permettent de mettre en évidence la réduction de la douleur. Le Reiki réduit les douleurs de l'arthrite rhumatoïde, diminue l'anxiété et, de ce fait, augmente la sensation de bien-être (Whelan et Wishnia, 2003). Chez les personnes souffrant de la maladie d'Alzheimer, cette intervention permet de réduire l'agitation et l'errance, ce qui facilite l'administration des soins (Gallob, 2003). Le toucher thérapeutique favorise également la relaxation, diminue la douleur et améliore les capacités fonctionnelles des résidents en faisant appel

Tableau 20-4	Interventions pharmacologiques pour le soulagement de la douleur	
PALIERS DE LA DOULEUR	**MÉDICAMENTS ANTALGIQUES**	**MÉDICAMENTS ADJUVANTS**
Palier 1 Douleur faible et modérée	Analgésiques • Anti-inflammatoires non stéroïdiens pour réduire la douleur et améliorer les fonctions (Aspirine, Diclofenac, Ibuprofène) • Cyclo-oxygénases (Célécoxib et Rofécoxib) • Acétaminophène	• Antidépresseurs • Antiépileptiques • Antispasmodiques • Myorelaxants • Anxiolytiques • Corticostéroïdes • Antipsychotiques • Antihistaminiques
Palier 2 Douleur modérée et intense	Analgésiques non opioïdes et analgésiques opioïdes en combinaison • Oxycodone, Codéine, Tramadol	
Palier 3 Douleur intense et très intense ; douleur d'origine cancéreuse	Analgésiques non opioïdes et analgésiques opioïdes • Morphine • Péthidine • Codéine et Tilidine • Fentanyl et Buprenorphine • Hydromorphone	

Source : Adapté de l'Organisation mondiale de la santé (1990). *Traitement de la douleur cancéreuse et soins palliatifs*. Rapport d'un comité d'experts de l'OMS, figure 1, p. 9. Genève : OMS.

Tableau 20-5	Traitements non pharmacologiques de la douleur	
APPROCHE THÉRAPEUTIQUE	**INDICATIONS**	**RESPONSABILITÉ**
Neurostimulation transcutanée (TENS) Bloque le message douloureux vers la moelle épinière	Douleur aiguë Douleur persistante : musculosquelettique, inflammatoire et neuropathique	Physiothérapie
Acupuncture Active les endorphines et les monoamines	Douleurs musculosquelettiques, neurologiques et viscérales	Acupuncteur reconnu par un ordre professionnel
Traitement thermique a) Application superficielle de chaleur	Rigidité articulaire, douleurs musculaires et viscérales	Soins infirmiers Physiothérapie
b) Application profonde de chaleur avec les ultrasons	Contracture articulaire, bursite	Physiothérapie
c) Refroidissement	Bursite aiguë, épicondylite, chirurgie du genou	Physiothérapie Soins infirmiers
Massothérapie Manipulation et friction des tissus mous, muscles, tendons et ligaments	Douleurs aiguës et chroniques, particulièrement les lombalgies	Massothérapeute reconnu
Mobilisation, manipulation et exercices physiques	Douleurs musculosquelettiques	Physiothérapie Soins infirmiers Ergothérapie
Thérapie comportementale et cognitivo-comportementale Favorise le développement de mécanismes d'adaptation à la douleur	Douleur persistante	Psychologie Soins infirmiers

à la libre circulation de l'énergie corporelle (Newshan et Schuller-Civitella, 2003 ; Denison, 2004). Si les capacités cognitives des résidents sont intactes, les infirmières peuvent suggérer, en complément aux analgésiques usuels, des techniques comme la méditation, l'imagerie mentale, le biofeedback et la relaxation (Bonadonna, 2003 ; Lewandowski, 2004 ; Matteliano, 2003). Dans l'ensemble, ces thérapies complémentaires se fondent sur la globalité des individus et reposent sur le lien étroit entre le corps et l'esprit, les relations entre les états émotionnels, le stress, l'anxiété et la condition physique.

Enfin, tous les soins de confort tels que les soins d'hygiène, l'habillage, l'installation soigneuse, la mobilisation adaptée, le ton et le rythme de la voix des soignants, leur positionnement par rapport aux résidents et leur regard contribuent à soulager la douleur persistante. Le tableau 20-5 présente quelques traitements non pharmacologiques de la douleur. Certains sont d'ordre passif, alors que d'autres, tels les exercices physiques et les thérapies comportementales et cognitivo-comportementales, demandent la participation active du résident. L'évaluation et l'utilisation de ces traitements doivent se faire de façon concertée, dans un contexte interdisciplinaire.

Programme individuel

Lorsque les soignants suspectent la présence d'une douleur chez un résident, l'infirmière et l'équipe interdisciplinaire doivent entreprendre une démarche structurée visant à le soulager rapidement. Cette démarche comprend la détection de la douleur, la détermination des facteurs prédisposants et précipitants de la douleur, le recours à des interventions pharmacologiques et à des thérapies complémentaires ainsi que le monitorage continu de la douleur.

Détection de la douleur

La première démarche de l'infirmière consiste à se rendre au chevet du résident afin de vérifier s'il ressent de la douleur. Prenons le cas de M. Ricard, 82 ans, qui souffre d'ostéoarthrite. Il se déplace avec une marchette et il a besoin d'aide pour ses transferts. Le matin, il est particulièrement rigide et résiste lors des mobilisations. Il est également atteint d'une démence de type Alzheimer à un stade avancé. Il est incapable de communiquer ses besoins verbalement.

Il faut commencer par évaluer la présence de douleur chez ce résident. Pour ce faire, il est utile de recourir à une échelle de type Doloplus-2 ou PACSLAC basée sur l'observation des comportements. L'évaluation doit se dérouler sur plusieurs jours, au moins trois, afin de permettre de bien déterminer les manifestations de douleur et les facteurs qui en précipitent les manifestations.

Détermination des facteurs prédisposants et des facteurs précipitants de la douleur

L'infirmière tente de déterminer les facteurs prédisposants et précipitants susceptibles d'entraîner ou de favoriser

la présence de douleur chez le résident. Par la suite, ces facteurs deviendront la cible d'interventions pharmacologiques ou complémentaires. Par exemple, dans le cas de M. Ricard, le visage grimaçant et la résistance lors des mobilisations indiquent à l'infirmière la présence d'une douleur. La mobilisation consécutive à une longue immobilisation, par exemple au premier lever, le matin et lors du bain, est considérée comme un facteur précipitant. Quant au diagnostic d'ostéoarthrite posé pour ce résident, il constitue un facteur prédisposant.

Interventions pharmacologiques et solutions complémentaires

En collaboration avec le médecin et l'équipe interdisciplinaire, l'infirmière élabore un plan d'intervention afin de soulager la douleur du résident. Selon les caractéristiques de la douleur, le médecin détermine s'il doit prescrire un analgésique et l'infirmière établit les solutions complémentaires pertinentes auxquelles recourir dans le contexte clinique. Pour M. Ricard, la prescription et l'administration d'un analgésique une heure avant le lever permettra de réduire sa douleur et de faciliter le transfert depuis le lit. Un suivi en physiothérapie pourrait également s'avérer bénéfique, car un programme d'exercices réduirait l'effet de l'immobilisation sur ses articulations. Des aménagements physiques tels qu'un tapis antidérapant placé à côté du lit et une barre d'appui faciliteraient les transferts depuis le lit, tout en prévenant le risque de chute. L'infirmière pourrait également établir une routine du lever incluant la mobilisation progressive du résident et des étirements musculaires. Parmi les autres interventions de soins infirmiers à planifier, il y aurait lieu d'envisager de faire marcher régulièrement le résident dans les couloirs de l'unité de soins, et d'appliquer de la chaleur sur les articulations les plus douloureuses.

Il est bon de rappeler également qu'un plan de traitement individuel s'établit d'abord avec la coopération du résident et de ses proches, dans le respect de leurs croyances et de leurs valeurs. Une approche de collaboration tient compte du principe en vigueur dans les CHSLD selon lequel la qualité de vie et l'autonomie du résident priment sur son état physiologique. De plus, la coopération du résident et de ses proches assure une meilleure efficacité des interventions.

Il est nécessaire d'adapter les soins médicaux et infirmiers destinés au résident, qui reste le seul à pouvoir témoigner, verbalement ou autrement, de la douleur ou du malaise qu'il éprouve. L'apaisement de l'angoisse associée à toute douleur ne se réalise que par l'instauration d'une relation de confiance entre l'équipe soignante et le résident. De plus, cet apaisement renforce l'efficacité des antalgiques (ANAES, 2000).

Monitorage continu de la douleur

L'infirmière doit évaluer la douleur rigoureusement et noter ses observations quotidiennement. Le monitorage continu de la douleur permet surtout de vérifier l'efficacité du plan d'intervention. L'infirmière doit donc être attentive à surveiller l'apparition de manifestations de la douleur chez le résident souffrant. Le monitorage continu de la douleur exige également que l'infirmière s'assure de l'application rigoureuse du plan de traitement prescrit selon les recommandations de l'équipe interdisciplinaire. Une grille de traitement devrait d'ailleurs préciser les responsabilités de chacun vis-à-vis de l'évaluation de la douleur, de son traitement et du suivi à assurer (Bachino *et al.*, 2001). Ainsi, dans le cas de monsieur Ricard, il revient au personnel du quart de nuit d'administrer l'analgésique afin de faciliter le premier lever et le bain du résident dont s'occupera le personnel du quart de jour. Cet exemple souligne l'importance de la communication et de la collaboration entre les soignants des différents quarts de travail pour la continuité des soins. L'infirmière doit également surveiller les effets secondaires des médicaments et, si possible, en prévenir l'apparition. Afin de prévenir la constipation consécutive à l'administration de codéine, elle doit aussi s'assurer que le résident s'hydrate adéquatement et consomme des fibres alimentaires. Si ces mesures ne permettent pas de prévenir la constipation, il peut être nécessaire de recourir aux laxatifs.

Conclusion

La douleur persistante affecte les individus à tous égards, et les conséquences de la douleur non traitée sont multiples. Si le défi est de soulager la douleur, encore faut-il la reconnaître et offrir des traitements adaptés aux états de santé particuliers des résidents âgés. Une bonne gestion de la douleur persistante suppose au départ de pouvoir reconnaître les résidents qui en souffrent, qu'ils soient capables ou non d'exprimer leur douleur. Cette gestion dépasse aussi l'intervention pharmacologique ou l'administration de traitements, puisque la douleur est multidimensionnelle et affecte autant le corps que l'esprit. C'est justement ce lien que révèlent les thérapies complémentaires, car elles montrent bien que la douleur persistante n'est pas un événement isolé. Pour la soulager, il est nécessaire de résoudre des problèmes d'ordre affectif, émotif, familial ou social.

Le dépistage et le soulagement de la douleur exigent une approche interdisciplinaire. Le message des soignants doit être positif et réaliste. De plus, il doit faire clairement savoir au résident que l'aide est disponible, et ce, dès la première rencontre. Le message doit aussi souligner que, même avec une douleur persistante, le résident peut raisonnablement espérer le soulagement de sa douleur, ainsi que l'amélioration de sa capacité fonctionnelle et de sa qualité de vie (Weiner et Herr, 2002). L'amélioration peut se manifester dans les activités de la vie quotidienne, le sommeil, la socialisation, même si les manifestations douloureuses ne disparaissent pas totalement (Davis et Srivastava, 2003).

La gestion efficace de la douleur persistante dépend du savoir et de l'expertise des soignants (Allcock *et al.*, 2002). Parce qu'elles sont en première ligne, les infirmières entretiennent des contacts réguliers avec les résidents. Elles sont donc en mesure de déceler les premières manifestations d'un épisode douloureux. Si une bonne connaissance des résidents et de leurs comportements habituels facilite le dépistage des épisodes douloureux, il se peut que les infirmières qui ont des contacts occasionnels ou intermittents avec les résidents soient incapables de déceler la douleur (Allock *et al.*, 2002; Cohen-Mansfield et Creedon, 2002). Le recours systématique aux instruments d'évaluation compense le manque de continuité dans les soins occasionné par le roulement du personnel et permet une détection plus fidèle et uniforme. Compte tenu de la variabilité de la douleur au cours du temps, il est nécessaire d'effectuer cette évaluation régulièrement et en équipe interdisciplinaire, afin de vérifier le soulagement ou de déceler la détérioration de l'état de souffrance du résident ou d'éventuelles complications (ANAES, 2000; AGS, 2002). Il est nécessaire que l'infirmière réévalue le niveau de douleur chaque fois qu'un résident se plaint de douleurs, à la suite d'un contrôle, surtout après l'administration d'une nouvelle médication ou l'ajustement de la posologie. Dans le cas de l'utilisation d'une échelle numérique d'évaluation de la douleur, cette réévaluation doit être effectuée à intervalles réguliers. Il est également nécessaire de réexaminer régulièrement les traitements médicamenteux, car les résidents âgés sont plus exposés à l'iatrogénie* que les personnes plus jeunes (Beauchamp, 2004). L'utilisation d'un journal de la douleur permet également de noter les périodes douloureuses et les moments où la douleur s'atténue (Allcock *et al.*, 2002). Ce journal aide aussi l'infirmière à distinguer les comportements du résident qui témoignent de la douleur et facilite l'établissement d'un plan de traitement individualisé. Les membres de l'équipe interdisciplinaire doivent participer aux trois étapes de l'évaluation, du plan de traitement et de la réévaluation.

Les infirmières ne peuvent intervenir efficacement auprès des résidents des CHSLD si elles ne disposent pas des instruments appropriés pour mesurer la douleur et si elles n'ont pas reçu une formation adéquate. L'Association américaine de gériatrie insiste notamment sur la nécessité, pour tous les professionnels de la santé, de faire l'apprentissage de la gestion de la douleur. Cette association recommande justement que le programme d'études fournisse une formation et une expérience suffisantes dans la gestion de la douleur. Elle exprime également le souhait que le système de santé lui-même assure la formation continue de son personnel et que les entités d'accréditation considèrent que la gestion de la douleur constitue un critère d'évaluation de la qualité des soins et des services offerts aux résidents (AGS, 2002). Enfin, il faut favoriser les échanges entre les soignants de toutes les disciplines, offrir des conditions de travail adéquates et convaincre les administrateurs des CHSLD de la pertinence d'un programme de gestion de la douleur dans leur établissement.

---

* **Iatrogénie**: désigne l'ensemble des incidents et accidents consécutifs à la prise de médicaments ou à la réalisation d'un acte diagnostique ou thérapeutique, médical ou chirurgical. L'iatrogénie ne suppose pas nécessairement une faute médicale.

ÉTUDE DE CAS

Madame Dubé est âgée de 85 ans et elle souffre de douleurs consécutives à un zona. Son histoire médicale indique aussi qu'elle souffre d'une bronchopneumopathie chronique obstructive – BPOC – et d'une ostéoporose sévère. Elle décrit sa douleur comme une brûlure avec élancement tout autour du thorax, dont l'intensité varie de 5 à 8/10. L'ordonnance prescrit un comprimé d'Empracet 30 mg, toutes les quatre heures. Cette pilule ne soulage sa douleur que pendant une à deux heures, et Mme Dubé affirme que selon les soignants, elle ne peut pas prendre de médicaments plus puissants à cause de ses problèmes respiratoires.

Une semaine plus tard, le matin, l'infirmière trouve la résidente assise dans un fauteuil, près de son lit. Elle lui dit qu'elle est incapable de se coucher et de dormir depuis plusieurs jours et qu'elle est épuisée. Elle n'a rien mangé du déjeuner qui est sur la table, près d'elle. Lorsque l'infirmière lui demande pourquoi, elle répond qu'elle est trop souffrante pour boire ou manger. Elle est incapable d'utiliser l'échelle d'évaluation numérique de la douleur, et dit que ça ne donne rien. Elle refuse de bouger car elle a trop mal.

Questions

1 Déterminez le type de douleur dont souffre la résidente.

2 Quels sont les facteurs prédisposants de la douleur chez la résidente?

3 Quel type d'approche faudrait-il privilégier pour cette résidente?

4 Quelles interventions préventives faut-il établir pour cette résidente?

LA NÉGLIGENCE ET LA VIOLENCE ENVERS LES RÉSIDENTS

par **Lucie Tremblay**

La violence faite aux aînés est un problème social grave. Pourtant, il aura fallu attendre jusqu'en 1980 pour que la violence et la négligence envers les aînés deviennent un important sujet de préoccupation sociale. Malgré tout, la violence envers les aînés demeure un sujet tabou, un problème que plusieurs minimisent encore (Kosberg, 1988). La peur de s'ingérer dans les affaires de famille, la délicate gestion des problèmes inhérents aux mauvais traitements mis au jour et le peu de connaissances sur cette question expliquent notamment pourquoi la violence faite aux aînés est encore si souvent passée sous silence (Harris, 1988).

Bien que les CHSLD aient pour mission d'offrir un milieu de vie sain et sécuritaire, il n'en demeure pas moins que les résidents de ces institutions ne sont pas à l'abri des sévices. L'infirmière joue un rôle clé dans la lutte contre la négligence et la violence faites aux aînés, même s'il reste encore beaucoup à faire avant qu'elle ne puisse intervenir avec toute l'efficacité nécessaire pour enrayer ce grave problème.

NOTIONS PRÉALABLES SUR LA VIOLENCE

Définition

La violence et l'agression sont des mauvais traitements infligés aux résidents par des personnes qui sont en situation de confiance ou d'autorité, ou encore qui sont chargées de prendre soin d'eux (Santé Canada, 1999). La violence envers les résidents peut prendre cinq formes, dont la plus connue est sans aucun doute la violence physique, car elle est largement rendue publique. La violence financière et matérielle, la violence psychologique et verbale, et la violence sexuelle sont d'autres formes de sévices auxquels sont exposés les aînés. Dernière forme de violence, la négligence correspond au manque d'attention dans l'accomplissement d'une tâche ou au refus, intentionnel ou non, de satisfaire les besoins du résident. La violence peut être criminelle ou non, isolée, récurrente. Enfin, la violence peut être commise par une personne, un groupe ou un établissement (Sœurs de la charité chrétienne, 1995).

Ampleur du problème

Selon les experts, environ 10 % des gens âgés seraient victimes de sévices. On estime, par ailleurs, que la plupart des cas ne sont jamais dénoncés. Il est donc très difficile d'estimer correctement l'ampleur réelle du problème (Gray-Vickrey, 2000). Au Canada, en 1990, l'étude de Podniecks, Pillemer, Nicholson, Shillington et Frizell a révélé que 4 % des aînés subissaient des mauvais traitements (Santé Canada, 2000). La violence de nature financière est la forme de violence la plus répandue, avec 50 % des cas. Quant à la violence psychologique, elle représente près du tiers des situations de violence. Selon Statistique Canada, 42 % des agressions contre les aînés sont le fait de proches de la victime. Pour Harris (1988), la prévalence de la violence en CHSLD ne différerait guère de celle qu'on observe à domicile.

Selon le Réseau Internet Francophone Vieillir en Liberté (RIFVEL) (Université de Montréal, 2002), les mauvais traitements physiques et les sévices violents, tels que la séquestration, l'agression et le viol, sont plus rares. Ils représenteraient environ 1 % de toutes les sortes de violences (Sukosky, 1990). Toutefois, certains sondages, comme celui de l'Ordre des infirmières et infirmiers de l'Ontario (College of Nurses of Ontario, 1993), indiquent que 36 % des professionnels de la santé disent avoir été témoins de mauvais traitements physiques, et 81 %, de violences de nature psychologique. Ainsi, la situation en CHSLD pourrait être plus grave qu'à domicile.

Conséquences

Le résident victime de violence se trouve plongé dans un cercle vicieux de stigmatisation qu'il est difficile de briser. Honteux de la situation, il s'isole, se renferme sur lui-même, ce qui le rend encore plus vulnérable aux mauvais traitements. L'isolement accroît souvent son degré de dépendance et le risque de dépression. Plus précisément, la violence physique risque d'influer gravement sur l'intégrité physique du résident. En plus de l'humiliation subie, les blessures consécutives à l'agression entraînent souvent une détérioration de l'état de santé du résident. Il se peut même que le résident abusé, déprimé et en perte d'autonomie soit exposé à une mort précoce.

Facteurs prédisposants et facteurs précipitants

Facteurs prédisposants

Caractéristiques sociodémographiques

D'abord, la littérature scientifique montre que certains groupes présentant des caractéristiques sociodémographiques particulières sont plus sujets aux agressions que d'autres. À cet égard, les résidentes âgées de plus de 75 ans sont plus fréquemment victimes de sévices. Cette observation s'expliquerait par une plus grande vulnérabilité physique. Kosberg (1988) indique d'ailleurs qu'un résident court d'autant plus de risques d'être victime de violence qu'il est dépendant des soignants dans ses activités de la vie quotidienne. Par ailleurs, il est bien connu que les résidents incontinents sont plus dépendants des soignants et, par le fait même, courent plus de risques d'être victimes de violence.

Maladies

La maladie et le manque d'autonomie fonctionnelle sont des facteurs qui augmentent la vulnérabilité du résident. C'est pourquoi les résidents atteints de démence, de la maladie de Parkinson ou de troubles mentaux, ou qui sont lourdement handicapés sont beaucoup plus vulnérables aux actes de violence ou à la négligence (Harris, 1988). Par ailleurs, la manifestation de symptômes comportementaux et psychologiques de la démence, notamment l'agressivité, augmente les risques d'agression, car ces comportements sont stressants pour les soignants et peuvent les pousser à des gestes inappropriés.

Facteurs précipitants

Selon le RIFVEL, il existe trois grandes sources de sévices dans les CHSLD: 1) le personnel et l'administration, 2) l'environnement, 3) l'organisation des soins. Contrairement à d'autres auteurs (Santé Canada, 2001), le RIFVEL n'indique pas que les proches pourraient constituer une source de violence.

Soignants

Les facteurs liés aux soignants comprennent notamment les problèmes de communication particulièrement stressants quand il faut s'occuper de résidents présentant des difficultés de verbalisation. Les soignants ne prennent pas le temps, ou n'ont pas le temps, d'essayer de saisir ce que les résidents cherchent à dire. Il s'ensuit que les soignants ne reconnaissent pas certains besoins du résident, ce qui constitue une forme de négligence. Au Québec, depuis quelques années, le financement des CHSLD ne permet pas toujours de répondre à l'ensemble des besoins réels des résidents. La négligence par la non-satisfaction des besoins de base du résident est malheureusement un phénomène fréquent.

Toujours au sujet des soignants, certains chercheurs affirment que la personnalité de l'agresseur placé dans une situation stressante constitue souvent un facteur déclencheur de la violence. Selon Pillemer et Finkelhor (1989), les problèmes de personnalité du soignant sont plus souvent à l'origine des mauvais traitements, comparativement aux caractéristiques que présentent les victimes. Kosberg (1988) ajoute que l'abus d'alcool ou de drogues, le fait d'avoir été soi-même victime de violences, un tempérament austère et l'isolement seraient des facteurs fréquemment rencontrés chez les soignants responsables de mauvais traitements envers des résidents. De même, la difficulté d'accepter la responsabilité de prodiguer des soins, les relations tumultueuses avec un résident et la difficulté de composer avec le stress sont d'autres facteurs qui augmentent le risque de mauvais traitements.

Enfin, les soignants ayant une formation professionnelle limitée ont plus souvent des attitudes marquées par de l'âgisme. Ils connaissent mal le processus du vieillissement normal et ont des attentes irréalistes quant à leur travail, ce qui leur cause de la frustration. Ces facteurs peuvent aussi favoriser la négligence et la violence. Selon le RIFVEL, le portrait type de l'agresseur en CHSLD est un soignant qui possède une formation minimale, présente certains facteurs de risque (consommation abusive d'alcool, faible capacité à prendre en charge un résident dépendant) et, de plus, travaille en solitaire, avec peu de supervision. Par contre, n'importe quel soignant soumis à un stress persistant risque d'agresser un résident (Harris, 1988).

Services fournis aux résidents

Les services fournis aux résidents constituent parfois des facteurs favorisant les mauvais traitements. Selon le RIFVEL, par exemple, une nourriture insuffisante ou de mauvaise qualité est un premier facteur à prendre en considération. Le RIFVEL signale également plusieurs atteintes à la dignité, comme le fait, pour un soignant, de donner un bain à un résident du sexe opposé sans son consentement, l'absence de loisirs adaptés aux besoins des résidents, un nombre insuffisant de sorties et le manque de locaux pour recevoir des proches dans une certaine intimité. Ce dernier point permet de comprendre, du moins partiellement, pourquoi certains résidents reçoivent peu de visites de leurs proches. Or, le risque de violence est plus élevé chez un résident qui reçoit peu de visiteurs. Il est à noter, toutefois, que si les proches sont eux-mêmes violents, le résident court plus de risques d'être agressé. Finalement, même s'ils sont peu nombreux, certains soignants font preuve de mauvaise volonté et ne respectent pas rigoureusement les normes en vigueur dans les CHSLD, tel le vouvoiement (Murphy, 1994).

En définitive, les sévices liés à l'organisation des services et des soins relèvent de lacunes dans la continuité des services et dans la qualité des soins. Ils résultent également du manque d'accessibilité aux services et du mépris des droits des résidents. L'agression perpétrée par des soignants est en soi inexcusable, mais il faut reconnaître que les difficultés inhérentes aux soins à prodiguer en CHSLD résultent souvent des conditions de travail difficiles. Les soignants subissent en effet de nombreuses contraintes : les horaires sont serrés, les ressources financières manquent souvent, le personnel est parfois insuffisant et les locaux ne sont pas toujours adaptés. Voilà plusieurs sources de stress qui ne facilitent pas la tâche des soignants.

Quant à la négligence, elle doit être mise en perspective avec le fait que les soignants œuvrant dans les CHSLD sont chargés de fournir des soins aux résidents. Or, comme on l'a souligné précédemment, les budgets accordés aux CHSLD ne permettent pas toujours de couvrir l'ensemble des besoins de base des résidents. L'insuffisance des ressources finit par engendrer cette forme de violence qu'est la négligence. Ainsi, dans certains CHSLD, malgré toutes les règles en vigueur, les soins prodigués aux résidents ne respectent pas les valeurs et les normes établies.

Enfin, il faut se rappeler que les situations génératrices de violence n'entraînent pas automatiquement l'émergence de mauvais traitements (Murphy, 1994).

Manifestations cliniques

Outre qu'ils sont extrêmement variables, les signes et les symptômes de la violence sont parfois contradictoires. Ainsi, la présumée victime peut manifester un grand attachement envers son agresseur, parce qu'elle craint de subir des représailles si jamais elle décidait de le dénoncer. Il arrive également qu'un résident présente de nombreuses ecchymoses, mais ces marques superficielles peuvent être consécutives à des chutes, parce que les soignants respectent sa volonté d'autonomie et le laissent circuler sans restrictions. Certains proches ou des visiteurs pourraient conclure prématurément qu'il s'agit d'un cas d'agressions ou de négligence, mais il n'en est rien. De même, un résident en colère peut afficher des comportements de type agressif, mais se comporte ainsi parce qu'il a été agressé. Il arrive enfin qu'un résident en attaque un autre et que ce soit l'agresseur qui formule une plainte contre sa victime.

Quant à la négligence, il est rare qu'un résident atteint d'une démence se plaigne d'un manque de soins buccodentaires. Ainsi, la plainte ne pourra venir que d'un soignant ou des proches du résident. En d'autres mots, il arrive qu'un résident souffrant de négligence ne présente aucun signe clinique révélant qu'il subit des mauvais traitements. Bref, la négligence et la violence en CHSLD se manifestent de bien des façons.

Détection du problème

Puisque les manifestations de la violence envers les résidents ne sont vraiment pas spécifiques, la façon la plus efficace, pour l'infirmière, de détecter les problèmes de violence est de procéder à une analyse systématique. Comme le montre le tableau 21-1, une telle analyse comprend plusieurs éléments.

Analyse du dossier et entrevue

L'étude du dossier du résident permet de repérer certains événements qui se répètent au fil du temps. Il arrive qu'un résident victime de violence hésite à dénoncer une situation ou son agresseur, ce qui explique que plusieurs épisodes de violence ne soient pas signalés. Les gestes d'agression suivent souvent une progression typique, marquée d'abord par de l'intimidation, puis par des menaces, enfin par le passage aux actes violents proprement dits. En examinant le dossier, l'infirmière arrive à mettre au jour des incidents antérieurs et, éventuellement, à confirmer des soupçons.

Ensuite, l'infirmière réalise une entrevue avec le résident. Elle l'interroge afin de mieux cerner la situation. Elle essaie de percevoir le point de vue du résident. La qualité de la collecte des données dépend largement de l'habileté de l'infirmière à poser les questions. Dans un contexte d'agression, il est préférable de recourir à des questions ouvertes. Par exemple, l'infirmière demande au résident de lui expliquer comment on abuse de sa bonne volonté ou on le maltraite d'une manière ou d'une autre. Les questions doivent permettre au résident de se confier et de divulguer les mauvais traitements qu'il aurait pu subir (Santé Canada, 2001).

Tableau 21-1	**Analyse systématique pour la détection de la violence**
STRATÉGIES	**OBJECTIFS**
Revue de dossier	• Repérer des épisodes similaires ou une progression d'événements.
Entrevue	• Comprendre et connaître la situation du résident. • Déterminer les éléments à approfondir au moment de l'examen clinique.
Examen clinique	• Établir des liens entre les dires du résident et les signes et symptômes apparents. • Donner rapidement les soins appropriés.
Observation	• Reconnaître d'éventuels changements dans l'humeur, le comportement, le processus de la pensée et l'apparition tardive de symptômes suggérant des mauvais traitements.
Évaluation spécifique selon le type d'abus	• Mettre en évidence des symptômes susceptibles de révéler une agression. Par exemple : un examen des organes génitaux dans le cas d'une agression sexuelle.

Examen clinique

L'infirmière effectue aussi un examen clinique, qui comprend un examen cognitif (voir le chapitre 2). Il s'agit d'un examen exploratoire qui vise à vérifier les données recueillies lors de l'entrevue avec le résident et à confirmer la crédibilité des faits rapportés. De plus, l'analyse des relations qu'entretient le résident avec ses proches et les soignants aide à découvrir d'éventuels suspects.

Observation des relations du résident avec son entourage

L'observation est une stratégie capitale lorsqu'il s'agit de savoir si un résident est maltraité. Il est tout particulièrement important d'observer les relations que le résident entretient avec ses proches, avec les soignants et avec les autres résidents. Les relations qu'entretiennent le résident et les soignants peuvent aussi en dire très long sur l'état de la situation (Gray-Vickrey, 2000). L'infirmière doit se montrer particulièrement vigilante lorsqu'un soignant ou un proche réagit de façon exagérée à propos de certains indices observés durant l'examen physique du résident. Elle devrait aussi porter attention aux signes de nervosité que présentent les soignants ou les proches et observer si le soignant présente un comportement inhabituel. Elle devrait vérifier, par exemple, s'il bouge constamment, parle continuellement, cligne des yeux exagérément, ou encore s'il a le regard fuyant.

Évaluation en fonction du type d'agression soupçonné

Enfin, le type d'agression soupçonné influe sur l'évaluation que doit entreprendre l'infirmière. La démarche vise en effet à déterminer la nature de l'agression et à orienter en conséquence l'examen et les interventions. La violence de nature physique ou sexuelle exige de traiter les blessures immédiatement. Dans le cas d'une agression de nature sexuelle, il est important d'effectuer un examen des organes génitaux et de procéder à des prélèvements afin de confirmer ou d'infirmer les soupçons. Il faut entreprendre ces examens sans délai, car le temps est un facteur crucial dans ce genre de situation. Pour tous les types de violences mis en évidence, connaître la nature de l'agression permet de mieux délimiter l'intervention et d'éloigner l'agresseur potentiel du résident.

Négligence

L'infirmière qui suspecte un cas de négligence devrait rechercher des indices physiques et cliniques, ainsi que des signes indiquant un laisser-aller dans l'exécution de certains soins particuliers. Par exemple, sur le plan physique, l'infirmière pourrait considérer que la déshydratation, la malnutrition, la cachexie, la présence de plaies de pression ou une détérioration inexpliquée de l'état général du résident constituent des indices révélateurs. Elle peut également tenir compte de plusieurs signes cliniques, comme le fait que le résident ne porte pas son dentier, ses prothèses auditives ou ses lunettes, ou encore qu'il porte des vêtements souillés ou inadéquats pour la température ambiante.

Violence psychologique et verbale

L'infirmière qui est témoin de violence psychologique et verbale devrait évaluer attentivement l'état psychologique et mental du résident. Sur le plan psychologique, l'infirmière devrait rechercher divers signes révélateurs de ce type de violence, tels que la peur des inconnus, même dans un environnement familier, ou encore une grande nervosité en présence du soignant ou des membres de la famille. Il arrive aussi que le résident victime de violence psychologique manifeste un besoin marqué d'attirer l'attention et veuille exprimer un plus grand besoin de socialisation. À l'inverse, il peut se replier sur lui-même, présenter une faible estime de soi ou démontrer des signes de dépression. L'irritabilité, la colère et la paranoïa sont d'autres comportements qui se manifestent à l'occasion. La négligence et la violence psychologique et verbale s'accompagnent parfois de delirium. Toutefois, ces symptômes cognitifs surviennent dans bien d'autres situations qui n'ont rien à voir avec la violence. Il faut donc se montrer extrêmement prudent et évaluer rigoureusement la situation.

Violence de nature financière

La disparition inexpliquée des chèques de retraite du résident ou de certains de ses biens personnels est un indice susceptible de mettre l'infirmière sur la piste d'une violence de nature financière. L'infirmière peut également être témoin de pressions exercées sur le résident dans le but de lui faire endosser ses chèques, ou constater qu'une tierce personne les a encaissés. Certaines victimes d'une violence de nature financière ignorent tout de leur situation financière, alors que d'autres semblent préoccupés à l'extrême. Ces comportements contradictoires rendent les violences de nature financière difficiles à détecter. L'infirmière peut également suspecter un cas d'exploitation financière quand la personne qui détient un mandat ou une procuration n'acquitte pas les factures ou ne procure pas au résident les fournitures nécessaires, par exemple, des vêtements appropriés et en bon état, des produits de beauté ou des friandises.

Violence physique

L'infirmière qui suspecte un cas de violence physique doit procéder à un examen physique visuel rigoureux, de la tête aux pieds, et rechercher des traumatismes multiples ou inexpliqués. Les blessures multiples, à différentes phases de guérison, ainsi que les fractures sont des indices révélateurs. L'infirmière doit tout particulièrement tenir compte des signes qu'elle observe à la tête : lésions autour de la bouche et sur le visage, ecchymoses aux yeux, mèches de cheveux arrachées, hémorragies sous le cuir chevelu, etc. Par ailleurs, elle doit vérifier la présence d'ecchymoses dans la région dite du maillot de bain, en particulier les lésions dans la zone du périnée, les hématomes sur les cuisses, la présence de contusions qui rappellent les empreintes d'une main ou de doigts, ainsi que les meurtrissures à des endroits inexplicables. Les blessures au visage et sur le corps sont généralement inusitées et s'expliquent rarement par un accident.

Agression sexuelle

Les ecchymoses dans la zone et autour des organes génitaux et des seins sont des indices de violence sexuelle. Chez la femme, des saignements vaginaux ou des écoulements anormaux justifient un examen gynécologique. L'infirmière devrait également s'alarmer de brusques changements de comportements. Par exemple, le résident se met-il à résister au soignant qui l'aide à se dévêtir, réagit-il avec véhémence lors des soins d'hygiène, surtout quand le soignant s'approche de ses organes génitaux? Par ailleurs, l'apparition d'une infection transmissible sexuellement traduit parfois une agression sexuelle.

PROGRAMME D'INTERVENTION

La négligence et la violence en CHSLD sont au centre d'une interaction dynamique de facteurs sociaux, culturels, organisationnels, professionnels, personnels et familiaux (voir la figure 21-1, p. 306). Un programme d'intervention doit donc tenir compte de cette réalité multifactorielle (Kosberg, 1988).

Pour lutter efficacement contre ce fléau, l'infirmière doit tout d'abord bien savoir ce qu'est la violence envers les aînés et élaborer les stratégies de prévention appropriées. Elle doit également disposer de moyens de détection adéquats et d'un plan d'intervention rigoureux, afin d'agir rapidement et avec efficacité si elle découvre qu'un résident est maltraité.

Le programme de prévention des mauvais traitements envers les résidents des CHSLD présenté dans ce chapitre tient compte de ces considérations. Les interventions proposées ciblent l'ensemble des facteurs en cause dans la violence et la négligence, c'est-à-dire la culture et la société, les organisations professionnelles, la direction des CHSLD, les soignants, et spécialement les infirmières, ainsi que les résidents et leurs proches.

Programme collectif

Culture et société

La promotion des droits des personnes constitue l'élément clé de toute lutte contre la violence. La place qu'occupent les aînés et les résidents des CHSLD dans la société est loin d'être enviable, et les mythes et les préjugés dont ils sont l'objet constituent probablement des germes d'agression et de violence. Des chercheurs suggèrent que, pour lutter contre le problème des mauvais traitements infligés aux résidents, il faudrait commencer par entreprendre une campagne de sensibilisation d'envergure nationale visant à conscientiser l'ensemble de la population à l'égard des attitudes marquées par l'âgisme (Pillemer et Moore, 1989). Les messages de cette campagne devraient rappeler que les aînés sont des citoyens à part entière et qu'ils bénéficient eux aussi des privilèges de la *Charte des droits de la personne* et de la *Charte des droits et libertés*, au même titre que tous les autres citoyens. Par ailleurs, cette campagne devrait dénoncer toutes les formes de violences et faire connaître à la population, y compris aux aînés, les ressources sur lesquelles les victimes peuvent compter pour échapper à la violence. L'aîné serait alors perçu comme une personne responsable et capable de se prendre en main. En même temps, la publicité devrait transmettre une image positive de la personne vieillissante et souligner que les aînés ne doivent pas être l'objet de propos et de gestes désobligeants. Une société consciente des problèmes inhérents au vieillissement se comporterait probablement de façon plus respectueuse envers les aînés.

Organisations professionnelles

Dans son document intitulé *L'exercice infirmier en soins de longue durée: Au carrefour du milieu de vie et du milieu de soins*, l'Ordre des infirmières et infirmiers du Québec (OIIQ, 2000) a clairement rappelé que les soins infirmiers se doivent d'être empreints d'humanisme. Selon l'OIIQ, les soins infirmiers doivent contribuer au bien-être et à la qualité de vie de la personne hébergée et doivent faciliter l'adaptation à un nouvel état de santé. L'OIIQ poursuit en soulignant que l'environnement humain des CHSLD doit être sain et stimulant et que l'infirmière doit établir des relations étroites et continues avec les résidents afin de compenser les pertes vécues au fil des ans. Cette approche proactive réduit au minimum les risques de violence. Par ailleurs, le même document souligne que l'infirmière se doit de déclarer promptement toute violence faite aux résidents.

Direction des CHSLD

Les gestionnaires des CHSLD ont pour mission de transformer les CHSLD en un carrefour entre le milieu de soins et le milieu de vie. Ce concept est primordial, car s'il met trop l'accent sur la dimension des soins, le CHSLD prive les résidents des plaisirs de la vie, car ils se trouvent alors soumis à des règles strictes et vivent dans un environnement peu stimulant. D'un autre côté, s'il insiste uniquement sur le concept de milieu de vie, le CHSLD minimise l'importance des soins et risque de mettre en danger la santé et la sécurité des résidents. Il incombe donc aux CHSLD d'élaborer un énoncé de mission axé sur les besoins des résidents et de s'engager à offrir des soins et une vie de qualité. En n'appliquant qu'un seul de ces concepts, les CHSLD encourageraient la négligence.

Les CHSLD doivent aussi adopter un programme pour lutter contre les mauvais traitements et la violence, et établir une politique de tolérance zéro à l'égard de la violence faite à leurs résidents. Cette politique doit indiquer clairement qu'il ne sera toléré aucun geste de violence dans le CHSLD et que si une situation de violence venait à se produire, des sanctions seraient prises immédiatement. Le programme de prévention devrait comprendre une définition de la violence (voir les définitions proposées au début de ce chapitre), une campagne de sensibilisation visant l'ensemble des personnes travaillant dans le CHSLD, une procédure d'intervention visant à faire cesser immédiatement les mauvais traitements découverts et, finalement, un programme de formation.

En général, un programme de prévention de la violence dans les CHSLD s'amorce par une vaste campagne d'information à propos des différentes sortes d'agressions. Cette campagne devrait s'adresser à toutes les personnes travaillant dans un CHSLD et aux partenaires. Elle devrait insister tout particulièrement sur l'aspect fondamental du respect des droits et des besoins des résidents. La direction du CHSLD doit s'assurer que toutes les personnes qui interviennent auprès des résidents ont reçu une formation sur

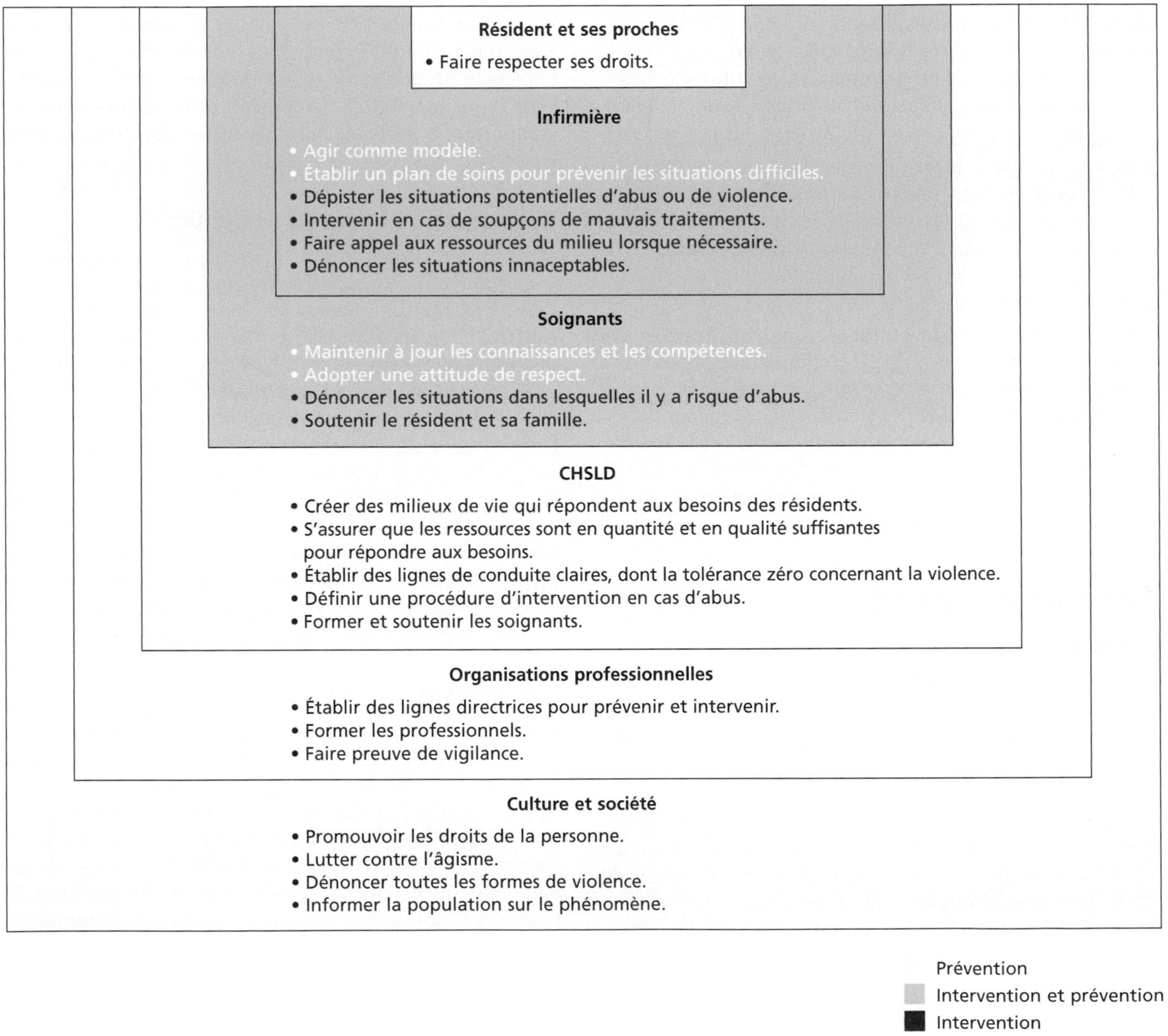

Résident et ses proches
- Faire respecter ses droits.

Infirmière
- Agir comme modèle.
- Établir un plan de soins pour prévenir les situations difficiles.
- Dépister les situations potentielles d'abus ou de violence.
- Intervenir en cas de soupçons de mauvais traitements.
- Faire appel aux ressources du milieu lorsque nécessaire.
- Dénoncer les situations innaceptables.

Soignants
- Maintenir à jour les connaissances et les compétences.
- Adopter une attitude de respect.
- Dénoncer les situations dans lesquelles il y a risque d'abus.
- Soutenir le résident et sa famille.

CHSLD
- Créer des milieux de vie qui répondent aux besoins des résidents.
- S'assurer que les ressources sont en quantité et en qualité suffisantes pour répondre aux besoins.
- Établir des lignes de conduite claires, dont la tolérance zéro concernant la violence.
- Définir une procédure d'intervention en cas d'abus.
- Former et soutenir les soignants.

Organisations professionnelles
- Établir des lignes directrices pour prévenir et intervenir.
- Former les professionnels.
- Faire preuve de vigilance.

Culture et société
- Promouvoir les droits de la personne.
- Lutter contre l'âgisme.
- Dénoncer toutes les formes de violence.
- Informer la population sur le phénomène.

Prévention
Intervention et prévention
Intervention

FIGURE 21-1 **Modèle systémique de la violence faite aux aînés**

Source : Adapté de Alberta Office for the Prevention of Family Violence (version révisée, 1992). *Breaking the Pattern : How Alberta Communities Can Help* (p. 6). Dans Santé Canada (2001), *Mauvais traitements et négligence à l'égard des personnes âgées : Sensibilisation et réaction de la collectivité*. Ottawa : gouvernement du Canada.

les droits des résidents. Chaque CHSLD pourrait élaborer un code de déontologie interne et en remettre un exemplaire à tous les nouveaux employés. En plus de ce code, l'administration devrait faire chaque année des campagnes de sensibilisation et mettre en place des programmes de formation continue sur la violence. Il faut aussi permettre aux soignants d'acquérir des compétences en matière d'approche non agressive, afin qu'ils puissent intervenir adéquatement en situation de crise (Santé Canada, 2000).

Enfin, les administrateurs des CHSLD doivent instaurer un système de soutien et d'accompagnement pour les soignants désirant dénoncer des mauvais traitements. Un tel système favorise la dénonciation de situations de violence et en permet une prise en charge rigoureuse. Un système de soutien comprend habituellement la possibilité de dénoncer un cas de violence en toute discrétion. L'infirmière qui écoute sans juger permet au dénonciateur d'exprimer et de partager ses sentiments. Cette écoute s'étale souvent sur plusieurs semaines.

Une politique claire quant à la dénonciation des cas de violence a aussi pour effet de rassurer le dénonciateur, car il comprend que le CHSLD prend la situation au sérieux et est au courant des étapes successives de sa démarche. Un document écrit, une brochure par exemple, renforce la qualité de l'information transmise au personnel, surtout lorsque surviennent des situations stressantes. Par ailleurs, les administrateurs devraient se faire plus présents, surtout en période de crise. Cette visibilité laisse entendre que le problème est pris au sérieux et que tous les échelons de l'organisation travaillent à prévenir la violence. Enfin, pour les soignants, la possibilité de recourir au programme d'aide aux employés constitue un autre soutien concret.

Soignants

Il est plus facile pour les soignants de dénoncer une situation de violence lorsque l'ensemble des membres de l'équipe de soins s'entendent sur une définition commune de toutes les formes de sévices. De même, comme nous l'avons mentionné plus haut, une politique institutionnelle claire sur le sujet aide les soignants à dénoncer les cas de violence (Sœurs de la charité chrétienne, 1995).

Selon Gold et Gwyther (1989), il est très important de réduire le stress subi par les soignants pour diminuer les cas de mauvais traitements. Il est essentiel d'assurer un financement adéquat des CHSLD, sans lequel il est impossible de répondre aux besoins des résidents et d'embaucher suffisamment de personnel qualifié. Il faut d'abord s'assurer que les soignants reçoivent la formation nécessaire pour qu'ils puissent travailler selon les règles de l'art. Il faut également examiner l'ensemble de la tâche qui leur est attribuée, afin de s'assurer qu'elle n'est pas écrasante. De plus, il est crucial d'aider les soignants à acquérir des habiletés de communication et de résolution de problèmes, pour qu'ils puissent résoudre les conflits avec rapidité et efficacité.

Au quotidien, la prévention des mauvais traitements débute par le respect que les soignants portent aux résidents. Les soignants qui souhaitent travailler en CHSLD doivent être imprégnés de la valeur du respect. Par exemple, si le résident refuse de donner son consentement et de se laisser soigner, il est préférable de ne pas le réprimander. Il vaut mieux battre en retraite pour le laisser seul, et revenir plus tard. De même, le soignant doit pouvoir se retirer s'il vient à manquer de patience. Afin d'éviter les escalades malheureuses, le soignant s'excusera auprès du résident qu'il a peut-être blessé involontairement par une parole choquante. Par ailleurs, il est souhaitable de discuter avec ses collègues des situations difficiles et de leur demander comment ils auraient réagi en pareille situation. Les soignants doivent reconnaître leur propre potentiel de violence et pouvoir décrocher lorsqu'ils se trouvent dans une situation qui risque de dégénérer. Les agresseurs potentiels doivent aller chercher un soutien moral, soit auprès des autres membres de l'équipe, soit auprès de leurs supérieurs. Ils peuvent également profiter des différents programmes d'aide offerts aux employés. Tous les soignants doivent savoir ce qui constitue de mauvais traitements et ce qu'il leur faut faire à ce sujet.

Infirmière

L'infirmière joue un rôle essentiel dans la prévention des mauvais traitements, car elle remplit le rôle d'une personne-ressource auprès de l'équipe de soins. Elle doit être proactive et soutenir le soignant qui vit une situation difficile avec un résident. Elle se doit également de discuter avec les soignants des résidents qui exigent des soins plus complexes. Par ailleurs, ses plans de soins doivent être clairs, afin d'éviter tout risque d'erreur ou d'ambiguïté dans les soins à prodiguer aux résidents.

L'infirmière se doit de bien connaître la politique et les procédures du CHSLD en matière de mauvais traitements. Si un résident subit des sévices, elle sera en mesure de jouer son rôle de leader au sein de l'équipe. Si le CHSLD n'a pas de politique à l'égard de la violence, l'infirmière peut s'appuyer sur la documentation officielle de l'OIIQ et sur la littérature traitant du sujet. L'absence de politique interne sur les mauvais traitements ne dégage en rien l'infirmière de sa responsabilité professionnelle. Elle se doit de dénoncer tout mauvais traitement dont elle pourrait avoir connaissance ou qu'elle pourrait suspecter.

Pour lutter contre la violence dans les CHSLD, l'infirmière doit repérer les résidents victimes d'agression. Pour Beaulieu et Tremblay (1995), cela signifie être à l'affût, voire rechercher des indices permettant de déceler les mauvais traitements. L'infirmière effectue cette tâche en même temps qu'elle procède à ses autres activités de soins. Lors de ses tournées, elle s'assure que le résident est propre, qu'il a satisfait ses besoins et que son environnement est sain et ne présente pas de risques pour sa santé. Quand elle donne les soins d'hygiène, l'infirmière recherche la présence d'éventuelles blessures. Lors de ses interventions auprès du résident, elle vérifie s'il n'a pas changé de comportement. Elle doit aussi écouter ce que le résident et ses proches viendraient à signaler.

Les infirmières doivent parfois se mobiliser afin de dénoncer les situations inacceptables dans lesquelles vivent certains résidents. Au Québec, les conseils des infirmiers et infirmières sont chargés d'évaluer la qualité des soins et doivent faire rapport au conseil d'administration. Il s'agit d'une voie à privilégier pour dénoncer les situations susceptibles d'engendrer des mauvais traitements.

Résidents

Les résidents qui vivent en CHSLD bénéficient de tous les privilèges de la *Charte des droits et libertés de la personne.* Par conséquent, les résidents doivent bénéficier de la présomption de compétence et ont le droit de prendre des décisions éclairées (Santé Canada, 2001). Par ailleurs, il est important d'encourager les résidents à participer au comité des résidents. Ce comité a pour mandat de renseigner les usagers sur leurs droits et leurs obligations, de promouvoir l'amélioration de la qualité des conditions de vie des usagers et d'évaluer leur degré de satisfaction à l'égard des services fournis par l'établissement. Le comité doit également défendre les droits et les intérêts collectifs des usagers. Il accompagne et assiste l'usager qui le demande dans toute démarche qu'il décide d'entreprendre, y compris lorsqu'il désire porter plainte.

De plus, l'infirmière devrait fournir aux nouveaux résidents et à leurs proches de la documentation sur les services locaux et provinciaux concernant la violence envers les aînés.

Principes d'intervention en cas de mauvais traitements

Cette section présente une démarche que l'infirmière pourra suivre si elle est témoin de mauvais traitements. Le programme d'intervention contre la violence repose essentiellement sur une procédure d'enquête complète destinée à intervenir dans chaque cas de mauvais traitements, qu'il soit appréhendé ou avéré. Cette procédure d'enquête comporte six étapes : la déclaration, le soutien, la collaboration, la documentation, la collecte des données et la consultation.

Déclaration

Selon Beaulieu et Tremblay (1995), la déclaration consiste à intervenir concrètement et à adopter des attitudes proactives afin de faire cesser les mauvais traitements. Très souvent, les excuses du soignant nuisent à cette déclaration, car il tente de dissimuler les faits. De son côté, le résident risque de compliquer cette étape, car il hésite parfois à dénoncer le comportement de l'agresseur par peur des représailles, ou encore parce qu'il est intimidé ou parce qu'il ignore ses droits. Il est important de vérifier si le résident agressé souhaite qu'il y ait une intervention ou non. Lorsque

le résident est en danger immédiat ou qu'il est inapte à prendre des décisions quant à sa protection, l'infirmière est tenue d'agir de façon discrétionnaire (Santé Canada, 2001).

En cas de mauvais traitements appréhendés, le soignant doit commencer par mettre la présumée victime à l'abri de l'agresseur. Il incombe à toute personne de dénoncer les actes de violence portés à sa connaissance. Cette divulgation s'avère pénible sur le moment. Certains soignants hésitent à dénoncer des sévices ou des cas de négligence, car ils ont peur des représailles éventuelles. Ils craignent également d'être exclus du groupe de collègues ou redoutent d'être appelés à témoigner contre un pair. Certains soignants ont peur que la situation ne se retourne contre eux ou craignent d'être dénoncés, par vengeance, pour des actes qu'ils n'ont pas commis. Néanmoins, passer sous silence un cas de violence ou de négligence risque d'être interprété comme un signe de complicité. Une politique claire à l'égard de la violence et une attitude explicite de la part de la direction des soins infirmiers contribuent à atténuer les craintes.

Soutien

L'infirmière doit apporter soutien et réconfort au résident qui aurait pu subir des sévices. Sa présence et son écoute rassurent le résident. Enfin, l'infirmière apaise son anxiété en lui expliquant comment les événements vont se dérouler.

Collaboration

La résolution des cas de mauvais traitements passe par un processus interdisciplinaire rigoureux et concerté. Au cours de cette démarche, les soignants analysent et documentent les cas de sévices et de négligence qu'ils suspectent. L'approche interdisciplinaire permet d'analyser le problème sous plusieurs angles. L'expérience de chacun contribuera à élaborer un plan d'intervention efficace.

Documentation et collecte des données

L'infirmière joue un rôle crucial dans l'enquête qui suit la déclaration d'un cas de mauvais traitements. Il est nécessaire d'inscrire au dossier la version des faits du résident, ainsi que toutes les autres versions. De plus, l'infirmière fait un croquis qui permet de situer les blessures ou prend des photos (Gray-Vickrey, 2000). Un rapport d'incident doit être dûment rempli.

Avec le soutien des intervenants appropriés, l'infirmière doit amorcer son enquête en faisant une collecte exhaustive des données. Il incombe d'abord à l'infirmière de procéder sans délai à l'examen physique de la victime (Santé Canada, 2000), de rechercher les signes de mauvais traitements et d'agression (Sœurs de la charité chrétienne, 1995). Cette première évaluation a pour objectif de considérer le geste lui-même. Que s'est-il passé ? Y a-t-il des raisons de soupçonner un cas de mauvais traitements ? Y a-t-il des preuves ? Y a-t-il des séquelles ? De plus, l'infirmière doit faire en sorte que le résident reçoive le soutien psychologique, infirmier et médical qu'exige son état, qu'il soit victime de négligence ou de sévices physiques.

Lorsque l'infirmière entreprend une enquête, elle doit choisir un local discret pour interroger les personnes concernées. Elle doit également rencontrer séparément l'agresseur présumé et le résident. La première rencontre doit se faire avec le résident lui-même. L'infirmière peut recenser les indices de sévices avec le résident en effectuant l'examen clinique. Elle doit aussi interroger l'agresseur présumé et lui demander sa version des faits, qu'elle confrontera ensuite à celle du plaignant.

L'infirmière peut s'attendre à ce que le résident abusé se comporte passivement et fasse preuve d'indécision. Il se peut que le résident ait une piètre estime de soi. Si le résident semble déstabilisé ou s'il éprouve de la difficulté à comprendre ce qui se passe, il faut commencer par le mettre en sécurité et aviser les autorités. Tout acte criminel, agression, vol, menace, fraude ou négligence criminelle, doit être déclaré immédiatement au service de police.

Consultation

S'il est reconnu que le résident est inapte, il a le droit d'être représenté par une autre personne afin que ses droits soient respectés. Le mandataire ou le curateur doit participer à l'enquête. Cette étape de consultation s'inscrit dans l'application de lois stipulant qu'il incombe aux professionnels de divulguer tout incident susceptible d'influer sur la santé des résidents. L'intervention de l'infirmière devrait viser à expliquer au résident ou à son mandataire tous les recours qu'il est possible d'entreprendre et devrait miser sur l'autonomie résiduelle du résident. Afin de mener à bien une enquête, l'infirmière devra établir un rapport de confiance, basé sur le respect du résident. Elle doit faire preuve de patience, car le processus risque d'être long et laborieux.

Au besoin, d'autres organismes peuvent contribuer à l'enquête en donnant des informations sur les ressources offertes par le milieu de la santé et par divers organismes non gouvernementaux. Voici une liste des ressources utiles :

- Le protecteur des usagers,
- La ligne Info-abus du CLSC René-Cassin,
- Le Centre québécois de consultation sur l'abus envers les aînés,
- Le Centre d'aide aux victimes d'actes criminels.

Vous trouverez les coordonnées de ces organismes sur le site Internet du RIFVEL (www.fep.umontreal.ca /violence/quebec/).

En cas de dénonciation de mauvais traitements par un tiers, l'intervention de l'infirmière se limite à exposer la philosophie du CHSLD à l'égard de la violence faite aux résidents. Chaque résident a le droit d'agir à sa guise. Par conséquent, il est libre de choisir de poursuivre les démarches et de divulguer l'information à qui il le souhaite. L'infirmière ne peut amorcer l'enquête qu'avec l'accord du résident. Par mesure de prudence, elle devrait d'ailleurs expliquer au résident que le CHSLD ne peut enquêter ou intervenir que s'il y consent. Il est important de préciser que le droit du résident d'agir à sa guise lui permet d'être informé des services et des interventions mis à sa disposition afin qu'il puisse prendre une décision éclairée. Le résident peut exiger que les informations le concernant demeurent confidentielles. Néanmoins, l'infirmière devra l'aviser que toute personne, qu'elle soit victime, proche, visiteur ou soignant, peut signaler un cas présumé d'abus aux autorités policières.

Conclusion

La violence envers les résidents des CHSLD est un phénomène complexe qui a de graves répercussions sur la vie et la qualité de vie des résidents. La violence faite aux résidents des CHSLD est une réalité. La situation exige l'instauration de programmes de prévention et d'intervention qui permettront de mieux détecter les mauvais traitements et de prendre en charge plus efficacement les résidents qui en sont victimes.

Les soignants doivent se souvenir qu'ils ne sont pas seuls et qu'ils peuvent compter sur le soutien de nombreux partenaires, notamment l'Ordre des infirmières et infirmiers du Québec. Les infirmières doivent assumer un leadership clinique afin de sensibiliser leurs collègues, les résidents et leurs proches à la réalité des mauvais traitements et de la négligence que subissent les aînés. Elles ont le devoir de contribuer à mettre au jour les sévices et à dénoncer les situations problématiques afin de protéger les aînés à qui elles prodiguent des soins.

ÉTUDE DE CAS

Une résidente de 92 ans vit dans un CHSLD depuis quelques mois. Elle présente une perte d'autonomie consécutive aux maladies qui l'affligent. Elle souffre de surdité, elle a besoin d'aide pour l'ensemble de ses activités quotidiennes et elle est incontinente. Elle souffre de troubles de l'équilibre et a fait de nombreuses chutes quand elle habitait dans sa maison. D'ailleurs, c'est ce problème de chutes qui a conduit à son admission au CHSLD. Quoiqu'elle présente des problèmes de mémoire à court terme, elle n'a pas été déclarée inapte. Lorsqu'elle habitait chez elle, elle avait peu de contacts sociaux, car son fils vivait aux États-Unis et sa fille, à Toronto. Ses enfants ne s'entendent pas et ne se voient pas. Le fils a une procuration pour s'occuper des biens de sa mère et il

>>>

deviendra mandataire le moment venu. Comme il est sans emploi depuis plusieurs années, il a choisi de conserver la maison familiale et de s'y établir, maintenant que sa mère réside au CHSLD.

Le fils est omniprésent au CHSLD, depuis que sa mère y a été admise. Il donne aux soignants de très nombreuses consignes qu'il n'est pas toujours facile de suivre et qui sont parfois totalement incohérentes. Par exemple, dans la même journée, il affirme souhaiter que sa mère vive sans souffrance, mais refuse en même temps que les soignants évaluent sa douleur et qu'elle reçoive des analgésiques. En revanche, dans la soirée, il réveille sa mère pour l'amener à l'urgence et demander une évaluation de la douleur. La résidente revient en pleine nuit avec un plan d'intervention identique à celui que le CHSLD a élaboré, mais le fils refuse toujours que ce plan soit appliqué. Ces comportements sont exaspérants pour l'infirmière, car ils sont illogiques, contradictoires. Lorsque l'équipe soignante met cet homme en face de ses contradictions, il devient furieux et menace de poursuivre en justice et de faire congédier tout le monde.

Jour après jour, il exprime des demandes extravagantes, dont certaines mettent en péril l'intégrité et la sécurité de sa mère. Par exemple, la résidente souffre maintenant de plaies de pression de stade 3, derrière les oreilles, car elle porte jour et nuit son appareil auditif, comme son fils l'exige. Elle présente également des déficiences nutritionnelles à cause des choix de menus qu'il lui a imposés. Les soignants se plient à ses exigences, tout en reconnaissant que ce n'est pas toujours dans l'intérêt de la résidente. Ils craignent les représailles du fils et n'ont pas le temps de négocier avec lui.

De son côté, la résidente affirme qu'elle est heureuse que son fils s'occupe d'elle. Elle exprime ses désirs et ses préférences directement aux soignants quand elle est seule avec eux, mais elle change d'avis sous l'influence de son fils. Par exemple, elle demande du poulet ou du bœuf, puis refuse de le manger sous les pressions de son fils, ce qui cause de la dénutrition.

Le fils prétend vouloir recourir à des mesures judiciaires afin de démontrer que sa mère et lui ont les mêmes attentes et que les soignants doivent se plier à ses directives, malgré les désirs qu'exprime la résidente en son absence. Pour ce faire, il a entrepris de lui faire signer toute une gamme de documents précisant ses directives pour toutes sortes de situations. Par exemple, il lui a fait signer des documents ordonnant aux soignants de lui laisser porter son appareil auditif la nuit, et d'autres papiers déclarant que le CHSLD sera tenu responsable de toute détérioration de son état de santé.

De plus, à différentes occasions, il s'arrange pour convaincre sa mère de besoins qu'il imagine pour elle. Après quelques heures de harcèlement, au bord de l'épuisement, la pauvre femme finit par consentir à signer la déclaration. Par exemple, il lui demande d'écrire qu'elle ne veut être touchée au visage pour aucune raison, et lui fait préciser toutes les situations où elle interdit aux soignants de lui toucher le visage : s'ils veulent la laver, la maquiller, la coiffer, lui brosser les dents, ou l'embrasser ou la cajoler. Il lui répète toutes ces consignes inlassablement, jusqu'à ce qu'elle finisse par accepter. En un mois, l'équipe soignante a reçu plus d'une centaine de déclarations de la sorte. Le fils se dit insatisfait des services du CHSLD et ne paie plus. Curieusement, il n'apporte plus à sa mère les vêtements qu'elle lui demande. La résidente a d'ailleurs fait plusieurs chutes parce qu'elle portait des chaussures qui ne lui convenaient pas.

Questions

1 Quels principes guident l'action de l'infirmière ?

2 Quels types de violences ce cas décrit-il ?

3 Quels sont les facteurs prédisposants de la victime ?

4 Quels sont les signes de violence financière ?

22

LA CONTENTION PHYSIQUE

par **Robin Gagnon** et **Odette Roy**

De plus en plus de soignants sont sensibilisés au fait que la contention physique constitue une mesure exceptionnelle, temporaire et de dernier recours. La réduction de l'utilisation de la contention physique représente toujours un défi réel pour les soignants qui travaillent en CHSLD. Étant donné que les infirmières jouent un rôle majeur dans les soins qu'il faut prodiguer aux résidents, il est essentiel qu'elles acquièrent des connaissances avancées sur les programmes d'intervention visant à réduire l'utilisation de la contention physique.

NOTIONS PRÉALABLES SUR LA CONTENTION PHYSIQUE

Définition

Le ministère de la Santé et des Services sociaux du Québec (2002) définit la contention physique comme une mesure de contrôle qui consiste à empêcher une personne de se déplacer ou à limiter sa liberté de mouvement en utilisant la force humaine ou un moyen mécanique, ou en la privant d'un moyen qu'elle utilise pour pallier un handicap. Les contentions physiques les plus communes sont les gilets, les ceintures, les tablettes des fauteuils roulants et gériatriques, et les ridelles de lit.

Ampleur du problème

Aux États-Unis, l'utilisation de la contention physique en milieux d'hébergement de longue durée a fait l'objet de plusieurs recherches au cours des deux dernières décennies. Gold (1996) a ainsi observé des taux de recours aux contentions variant entre 20 et 40 %. D'autre part, Evans et Strumpf (1989) ont souligné les effets bénéfiques de programmes de réduction de l'utilisation de la contention physique. Ces auteurs ont en effet noté que, après qu'eut été implanté un programme visant à réduire l'utilisation de la contention, la prévalence de ce phénomène est passée de 84 à 25 %. Malheureusement, au Québec, malgré l'instauration de politiques visant à réduire l'utilisation de la contention physique, peu d'études ont brossé un portrait de la situation. Quelques recherches canadiennes et québécoises ont néanmoins établi la prévalence de ce type de contention dans les CHSLD. Grâce à une enquête qu'ils ont menée dans 9 CHSLD et 26 centres d'accueil et d'hébergement, Roberge et Beauséjour (1988) ont observé des taux de prévalence respectifs de 88 % et de 31 %. Durand (1993), pour sa part, note que la prévalence de la contention physique s'établit à 33 % dans les 8 CHSLD où il a mené son étude.

Conséquences

Plusieurs raisons expliquent le recours à la contention, qu'il s'agisse d'empêcher les personnes de tomber ou de se blesser, de faciliter l'application d'un traitement ou d'inhiber un comportement dysfonctionnel. Cela dit, des recherches indiquent que le recours à la contention n'a aucun effet sur les chutes et que cette mesure augmente en réalité le risque de blessures, de lésions et de déclin fonctionnel, ces études ayant largement documenté les effets nuisibles (physiques, psychologiques, sociaux et familiaux) liés à la contention physique (Dunn, 2001; Mahoney, 1995).

Même si on l'utilise souvent en CHSLD pour prévenir les chutes, il s'avère donc que l'application de la contention physique est inefficace dans la plupart des cas et engendre chez le résident une perte d'autonomie physique, une baisse de l'estime de soi et l'apparition de signes de dépression. En effet, après avoir tenté sans relâche de se libérer de la contention, privé de sa liberté, le résident aura tendance à se sentir diminué, à se retirer en lui-même et à sombrer dans la dépression.

Brower (1991) indique d'autre part que le recours à la contention implique de nombreuses complications, telles qu'une rigidité musculaire, une perte d'amplitude des mouvements, une contracture des articulations, une déminéralisation osseuse, une réduction du métabolisme, une perte d'électrolyte, une diminution de la circulation sanguine, des plaies de pression, de la constipation, des fécalomes et de l'incontinence. Le chercheur note enfin qu'il y a une conséquence plus grave encore à la contention physique: la mort par strangulation. Le fait que le résident ne contrôle aucunement la contention qu'on lui impose peut donc favoriser l'apparition de comportements visant à lui permettre d'échapper à cette situation, et qui entraîneront des risques pour sa santé. Comme il existe des mesures de remplacement à la contention physique, ainsi que nous le verrons dans ce chapitre, insistons pour affirmer que la contention ne doit être utilisée que lorsque toutes les mesures de remplacement ont été épuisées et que la vie de la personne ou de son entourage est menacée.

Aux effets néfastes que nous venons de mentionner s'ajoutent ceux que vivent les proches des résidents qui se trouvent sous contention. Obligés de constater le désespoir de la personne qui leur est chère et tourmentés par des sentiments d'impuissance et de culpabilité, les proches en viendront à espacer leurs visites, cela pouvant même aller dans de rares cas à un abandon pur et simple. Concluons donc en soulignant qu'aucune étude n'a démontré jusqu'à présent que le recours à la contention physique protège davantage le résident.

Facteurs prédisposants et facteurs précipitants

Pour l'aîné et ses proches, l'hébergement en CHSLD constitue souvent une décision qu'il a fallu prendre à la suite de plusieurs tentatives de maintien dans le milieu de vie naturel. En effet, les aînés admis dans les CHSLD sont souvent très âgés et souffrent de plusieurs maladies chroniques qui altèrent directement leur capacité à accomplir de façon autonome l'ensemble de leurs activités de la vie quotidienne. Cela explique qu'une majorité de résidents requiert quelque deux heures et demie de soins ou plus par jour. C'est que l'état de santé de plusieurs se trouve principalement fragilisé par des maladies dégénératives cérébrales et des problèmes de mobilité. D'une part, les résidents atteints de démence sont souvent incapables de communiquer efficacement et manifestent leurs besoins en recourant souvent à une forme ou à une autre de comportements dysfonctionnels. D'autre part, le fait d'appliquer la contention à des résidents souffrant de problèmes de mobilité fait croître considérablement le risque qu'ils fassent une chute et se fracturent une hanche.

Or, les comportements dysfonctionnels tels que l'agitation, l'agressivité et l'errance, et les risques de chute apparaissent justement comme les principales raisons qu'évoquent les soignants pour justifier le recours à la contention. Kayser-Jones (1992) associe d'ailleurs étroitement ces raisons aux facteurs prédisposants et précipitants qu'elle présente dans son modèle explicatif du processus décisionnel menant à l'utilisation de la contention physique. Pour la chercheure, les facteurs prédisposants et précipitants désignent respectivement les caractéristiques personnelles du résident et les diverses caractéristiques environnementales qui influencent fortement la décision du soignant.

En matière de caractéristiques personnelles et donc de facteurs prédisposants, mentionnons entre autres l'âge avancé, c'est-à-dire le fait d'être âgé de plus de 75 ans, la réduction de l'autonomie et de la mobilité, l'altération de l'état cognitif et du jugement, les antécédents de chutes, la faiblesse musculaire, l'incontinence urinaire et la nycturie (Agence nationale d'accréditation et d'évaluation en santé, 2000).

Quant aux caractéristiques environnementales, et donc aux facteurs précipitants, qui influencent la décision de recourir ou non à la contention physique, Kayser-Jones (1992) mentionne l'aménagement physique du lieu d'hébergement, l'aspect psychosocial et culturel, les structures organisationnelles et l'ensemble des personnes qui se trouvent dans l'entourage du résident hébergé. Le modèle que propose cette auteure implique donc que l'utilisation de la contention physique en CHSLD résulte de l'interaction entre les caractéristiques personnelles du résident et celles de l'environnement dans lequel il vit (voir la figure 22-1).

Comme on peut le voir à la figure 22-1, le modèle imaginé par Kayser-Jones place d'une part le résident au centre du modèle, cela impliquant que l'ensemble de ses caractéristiques personnelles (facteurs prédisposants) se trouve également au centre. Comme on l'a dit, les caractéristiques qui entrent ici en ligne de compte peuvent être le niveau d'autonomie de la personne, le fait qu'elle soit continente ou non, le fait que sa vision ait baissé, le fait qu'elle éprouve des problèmes de mobilité, etc. Il est important de considérer ces caractéristiques individuelles avant de décider de recourir à la contention physique. En effet, un résident dont la démarche est caractérisée par une instabilité risquera plus que d'autres de se voir imposer une contention physique, car on conclura rapidement que le risque qu'il chute est élevé.

D'autre part, le modèle de Kayser-Jones encadre les facteurs prédisposants par les facteurs précipitants, c'est-à-dire par les caractéristiques environnementales dont les quatre composantes spécifiques sont les structures organisationnelles, l'aménagement physique, l'aspect psychosocial et culturel, et les personnes elles-mêmes. Ces composantes désignent, entre autres, les politiques du CHSLD et la formation continue dont bénéficient les soignants, la disposition du mobilier, la philosophie de soins, et les croyances et autres caractéristiques des équipes interdisciplinaires.

Les flèches qui relient toutes les composantes du modèle représentent les interactions qui peuvent se produire. Il résulte de ces interactions des comportements et des réactions du résident qui influencent directement la prise de décision des soignants concernant l'utilisation ou non de la contention.

En résumé, le modèle de Kayser-Jones démontre l'importance déterminante que joue l'environnement du résident dans la prise de décision des soignants. Il illustre également à quel point la réduction de l'utilisation de la contention physique est intimement liée à la mise en place de mesures visant à modifier les composantes environnementales, sans toutefois que cela exclue les interventions directes auprès du résident. D'ailleurs, le programme collectif d'intervention que nous présentons dans ce chapitre précise comment certaines interventions peuvent modifier les composantes environnementales, alors que le programme individuel d'intervention que nous préconisons par la suite accorde plus d'importance

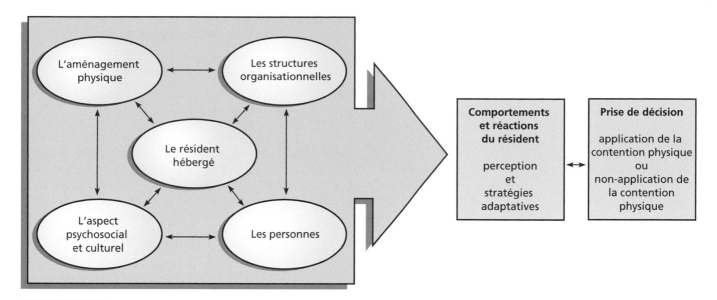

FIGURE 22-1 **Modèle conceptuel visant à expliquer le recours ou le non-recours à la contention physique**

Source : J. Kayser-Jones. (1992). Culture, environment, and restraints : a conceptual model for research and practice. *Journal of Gerontological Nursing, 18* (11), 13-20.

Traduit et adapté par Robin Gagnon et Odette Roy.

aux interventions qui touchent le résident et s'effectuent dans un environnement propice à la réduction de l'utilisation de la contention physique.

Manifestations cliniques

Au cours des dernières décennies, une certaine confusion règne chez les soignants et même dans la littérature scientifique sur ce que constitue en réalité une contention physique. À ce sujet, en CHSLD, on considère que les utilisations de gilets, de ceintures, de ceintures avec bretelles, d'attaches aux poignets et aux chevilles, des tablettes des fauteuils roulants et gériatriques, et de mitaines constituent des formes de contention physique. De plus, si les ridelles de lit qu'on a relevées pour empêcher le résident de sortir de son lit sont considérées comme une forme de contention physique, les demi-portes qu'on utilise parfois pour confiner le résident dans sa chambre constituent plutôt une forme d'isolement.

Détection du problème

Il est évident que relever la présence d'une contention physique chez un résident ne constitue pas un défi clinique. Toutefois, il peut s'avérer utile de vérifier dans quelle mesure on recourt à la contention dans une unité de soins, afin d'établir entre autres le taux de prévalence de la contention physique, le type de contention qu'on y utilise principalement, la durée moyenne de la contention et la fréquence d'utilisation. Il s'agira ainsi pour l'infirmière d'évaluer ces aspects une fois par mois, pour chaque résident, grâce à un outil de collecte des données comme celui qui se trouve au tableau 22-1 (p. 314). Ainsi, avec de telles statistiques, il sera possible de voir quels sont les effets d'un programme de réduction de la contention physique sur la prévalence de son utilisation et sur la façon dont on l'utilise. De plus, le fait de connaître le taux de prévalence de cette mesure permet à une unité de soins de se comparer sur ce plan à d'autres unités de soins dont la clientèle est similaire.

PROGRAMME D'INTERVENTION

Programme collectif visant la réduction de l'utilisation de la contention physique

Aux États-Unis, une loi promulguée en 1987, l'Omnibus Budget Reconciliation Act (Elon, 1995), est venue exercer une pression importante sur les CHSLD américains pour qu'ils réduisent l'utilisation de la contention physique. Les différentes conséquences qu'a entraînées cette loi ont éta-

bli les lignes directrices d'une politique nationale visant à réduire le recours à cette pratique. Au Québec, le gouvernement provincial a tâché d'encadrer cette pratique dans les différents établissements de santé au moyen de la Loi sur les services de santé et les services sociaux (LSSSS, 1998). Cette loi indique que le recours à la contention physique n'est rationnel que lorsque le résident présente des comportements à risque pour lui-même ou pour son entourage. De plus, elle indique très clairement que, pour que les soignants

Tableau 22-1	Outil de collecte de données relatif à l'utilisation des contentions physiques

Nom du résident:
Date d'observation: **Réévaluation prévue:**

TYPE DE CONTENTION	NOMBRE D'UTILISATION 00 h – 08 h	DURÉE D'UTILISATION 00 h – 08 h	NOMBRE D'UTILISATION 08 h – 16 h	DURÉE D'UTILISATION 08 h – 16 h	NOMBRE D'UTILISATION 16 h – 00 h	DURÉE D'UTILISATION 16 h – 00 h
1. Ceinture abdominale (type Ségufix, ceinture pelvienne ou autre)	1. 0 fois 2. 1 fois 3. 2 fois 4. 3 fois ou +	0. Aucune 1. Moins de 15 min. 2. Entre 16 et 119 min. 3. 2 heures et plus	1. 0 fois 2. 1 fois 3. 2 fois 4. 3 fois ou +	0. Aucune 1. Moins de 15 min. 2. Entre 16 et 119 min. 3. 2 heures et plus	1. 0 fois 2. 1 fois 3. 2 fois 4. 3 fois ou +	0. Aucune 1. Moins de 15 min. 2. Entre 16 et 119 min. 3. 2 heures et plus
2. Fauteuil avec tablette restrictive	1. 0 fois 2. 1 fois 3. 2 fois 4. 3 fois ou +	0. Aucune 1. Moins de 15 min. 2. Entre 16 et 119 min. 3. 2 heures et plus	1. 0 fois 2. 1 fois 3. 2 fois 4. 3 fois ou +	0. Aucune 1. Moins de 15 min. 2. Entre 16 et 119 min. 3. 2 heures et plus	1. 0 fois 2. 1 fois 3. 2 fois 4. 3 fois ou +	0. Aucune 1. Moins de 15 min. 2. Entre 16 et 119 min. 3. 2 heures et plus
3. Deux ridelles de lit (pleine longueur)	1. 0 fois 2. 1 fois 3. 2 fois 4. 3 fois ou +	0. Aucune 1. Moins de 15 min. 2. Entre 16 et 119 min. 3. 2 heures et plus	1. 0 fois 2. 1 fois 3. 2 fois 4. 3 fois ou +	0. Aucune 1. Moins de 15 min. 2. Entre 16 et 119 min. 3. 2 heures et plus	1. 0 fois 2. 1 fois 3. 2 fois 4. 3 fois ou +	0. Aucune 1. Moins de 15 min. 2. Entre 16 et 119 min. 3. 2 heures et plus
4. Quatre demi-ridelles de lit	1. 0 fois 2. 1 fois 3. 2 fois 4. 3 fois ou +	0. Aucune 1. Moins de 15 min. 2. Entre 16 et 119 min. 3. 2 heures et plus	1. 0 fois 2. 1 fois 3. 2 fois 4. 3 fois ou +	0. Aucune 1. Moins de 15 min. 2. Entre 16 et 119 min. 3. 2 heures et plus	1. 0 fois 2. 1 fois 3. 2 fois 4. 3 fois ou +	0. Aucune 1. Moins de 15 min. 2. Entre 16 et 119 min. 3. 2 heures et plus
5. Autre (spécifiez)	1. 0 fois 2. 1 fois 3. 2 fois 4. 3 fois ou +	0. Aucune 1. Moins de 15 min. 2. Entre 16 et 119 min. 3. 2 heures et plus	1. 0 fois 2. 1 fois 3. 2 fois 4. 3 fois ou +	0. Aucune 1. Moins de 15 min. 2. Entre 16 et 119 min. 3. 2 heures et plus	1. 0 fois 2. 1 fois 3. 2 fois 4. 3 fois ou +	0. Aucune 1. Moins de 15 min. 2. Entre 16 et 119 min. 3. 2 heures et plus

Source: P. Voyer (2004). *Projet de recherche: le delirium chez les aînés atteints de déficits cognitifs et hébergés dans les milieux de soins de longue durée.* Document de collecte des données, subvention du Fonds de la recherche en santé du Québec, Faculté des sciences infirmières, Université Laval.

puissent placer le résident sous contention, le résident ou son représentant doit auparavant donner son consentement.

Dans le même ordre d'idées, le ministère de la Santé et des Services sociaux (2002) s'est récemment doté de mécanismes visant à encadrer l'utilisation de la contention, puisqu'il oblige désormais les établissements à respecter des exigences de qualité en cette matière.

De son côté, l'Association des hôpitaux du Québec (AHQ) a publié un cadre de référence qui intègre les dimensions éthique, juridique et clinique relatives à l'utilisation de la contention et de l'isolement (AHQ, 2000 et 2004). Opposant la notion de bienfaisance à celles d'au-

tonomie et de liberté, la dimension éthique est la pierre angulaire de cette démarche. La dimension juridique de ce cadre de référence s'appuie sur les lois en vigueur (LSSSS et Code civil du Québec) qui font de la contention une mesure minimale et exceptionnelle ne se justifiant que pour empêcher une personne de s'infliger ou d'infliger à autrui des lésions. Quant à la dimension clinique, elle met en évidence l'importance qu'il y a à concevoir de nouvelles pratiques professionnelles pour faire face aux problèmes les plus courants que sont le danger de chutes, l'agitation, l'errance ou d'autres situations menant souvent trop rapidement à une application de la contention physique.

Au moment où un CHSLD s'engage dans une démarche visant à n'utiliser la contention physique qu'en dernier recours, de façon exceptionnelle et temporaire, il doit mettre en place un programme collectif favorisant ce changement de pratique. Un tel programme est largement justifié, comme l'ont montré Godkin et Onyskiw (1999), qui, grâce à une revue systématique de la littérature sur le sujet, ont établi un lien direct entre la décision de réduire l'utilisation de la contention et l'amélioration la qualité de vie des résidents. Un tel programme a pour but de prévenir l'utilisation abusive de la contention physique et, en l'absence de mesures de remplacement, de n'y recourir qu'exceptionnellement.

Objectifs du programme collectif de réduction de l'utilisation de la contention physique

Les objectifs spécifiques d'un programme collectif de réduction de l'utilisation de la contention physique doivent tenir compte des trois acteurs principaux liés à ce phénomène, soit l'établissement, le soignant et le résident et ses proches. En ce qui concerne l'établissement, les objectifs du programme collectif doivent clairement indiquer quelle est sa position concernant l'utilisation de la contention et en quoi il s'engage à fournir aux autres acteurs les moyens permettant d'atteindre les résultats souhaités. Les objectifs relatifs aux soignants doivent encourager ceux-ci à améliorer leurs connaissances des comportements dysfonctionnels, et leurs habiletés et attitudes pour mieux y faire face. D'autre part, toujours du point de vue des soignants, les objectifs doivent les encourager à recourir à des mesures de remplacement plutôt qu'à la contention physique. En ce qui a trait au résident et à ses proches, il s'agira de formuler un objectif qui encourage les acteurs à revisiter leurs croyances et à éliminer celles qui sont fausses, telle celle voulant que les mesures de contentions physiques soient efficaces dans toutes les situations cliniques.

Principes d'intervention

Comme le suggère le modèle de Kayser-Jones, les principes d'interventions liés à un programme collectif de gestion de la contention physique en CHSLD consistent essentiellement à amener l'ensemble des intervenants du milieu à agir sur les différentes composantes de l'environnement des résidents ou à les modifier dans le but d'éviter l'utilisation de la contention physique.

Interventions

Depuis le début des années 1990, plusieurs études cliniques ont clairement démontré l'utilité et l'efficacité de la mise en place d'un programme pour réduire l'utilisation de la contention physique en CHSLD (Bradley, Siddique et Dufton, 1995; Levine, Marchello et Totolos, 1995; Evans *et al.*, 1997). Il ressort de fait que l'efficacité d'un tel programme dépend en grande partie des interventions mises en place lors de son implantation dans le milieu de soins.

En nous inspirant des travaux de Kayser-Jones, nous avons tenté d'associer ces interventions aux composantes du modèle de la chercheure, soit les structures organisationnelles, l'aménagement physique, l'aspect psychosocial et culturel, et les autres personnes. Le tableau 22-2 (p. 316) résume les principales interventions qu'un programme collectif devrait opposer, à titre de mesures de remplacement, à la contention physique. Devant être mises de l'avant par les responsables de l'implantation du programme, ces stratégies d'intervention visent à réduire, voire éliminer, l'utilisation de la contention tout en assurant la sécurité du résident ou celle d'autrui.

Relativement aux interventions que présente le tableau 22-2, qui peuvent varier d'un milieu à l'autre, certains auteurs viennent confirmer ce que nous proposons ici. Ainsi, Mion et Mercurio (1992) en relèvent trois principales, soit: a) l'adoption d'une politique organisationnelle appuyant la nouvelle philosophie de soins axée sur le soin humain et la réduction de l'utilisation de la contention physique; b) la mise en place d'une approche interdisciplinaire reposant entre autres sur l'utilisation d'un programme individuel d'intervention; c) la formation des soignants, des médecins, des résidents et des proches. D'autres auteurs (Levine *et al.*, 1995; Strumpf, Evans, Wagner et Patterson, 1992) indiquent que les interventions qui suivent, et que nous avons mentionnées, sont également à considérer: d) le respect et la reconnaissance du travail accompli par les soignants; e) la disponibilité de ressources professionnelles à titre de consultants et de modèles de rôle; f) la stabilité du personnel d'encadrement et du personnel soignant; g) l'évaluation continue de l'utilisation des contentions physiques.

L'adoption d'une politique organisationnelle par les administrateurs et les gestionnaires vient indiquer clairement la position de l'établissement à l'égard de l'application de la contention physique. L'absence d'une telle politique constituera un obstacle majeur à la réduction de son utilisation, tandis que son adoption instaurera entre autres la confiance à tous les niveaux du CHSLD (AHQ, 1996; Blakeslee, Goldman, Papougenis et Torell, 1991). C'est qu'une politique de cette nature non seulement suscite un questionnement chez les soignants à l'égard de cette pratique, mais aussi les encourage à apporter les changements nécessaires pour en réduire l'utilisation. À ce sujet, Bradley *et al.* (1995) et Levine *et al.* (1995) ont constaté que, si l'implication des membres de la direction à l'égard du programme ne se limite pas à la conception d'une politique écrite, les bénéfices qu'on retirera de son application seront encore plus grands. Il s'avère aussi important que les gestionnaires informent les soignants des aspects légaux entourant l'usage de la contention physique. Par exemple, il importe de rappeler aux soignants que les poursuites judiciaires sont plutôt liées à l'usage de la contention qu'au fait de ne pas en faire usage.

La mise en place d'une approche interdisciplinaire qui met à contribution l'expertise et les compétences de plusieurs professionnels de la santé, et l'utilisation du programme individuel d'intervention constituent également

Tableau 22-2	Interventions ou mesures de remplacement d'un programme collectif de réduction de l'utilisation de la contention physique, d'après le modèle de Kayser-Jones (1992)	
COMPOSANTES ENVIRONNEMENTALES	**INTERVENTIONS / MESURES DE REMPLACEMENT**	**PRINCIPALES JUSTIFICATIONS**
Structures organisationnelles	• Adoption d'une politique de réduction de l'utilisation de la contention physique. • Obtention d'un engagement de la part des gestionnaires et des cliniciens.	• Statuer clairement la position et l'engagement du CHSLD à l'égard de la réduction de l'utilisation de la contention physique. • Établir la confiance à tous les niveaux de l'organisation.
	• Planification de la formation continue des médecins, des infirmières, des autres soignants, des résidents et des proches.	• Assurer la mise à niveau des connaissances, la correction des fausses croyances liées à l'efficacité de la contention physique. • Offrir aux résidents et à leurs proches plus de possibilités pour éviter le recours à la contention physique.
	• Mise en place de mécanismes de reconnaissance du travail des soignants.	• Encourager les soignants à s'engager dans la démarche et à la mener à terme, et créer un effet d'entraînement sur les autres équipes.
	• Évaluation continue du programme collectif. • Choix d'indicateurs de suivi.	• Constituer une source d'information pour la prise de décisions clinico-administratives et pour suivre l'évolution du changement. • Favoriser le développement et l'application des mesures de remplacement.
	• Planification des ressources humaines, matérielles et financières. • Développement d'outils cliniques. • Désignation d'un leader / responsable du dossier. • Adoption d'un plan de communication.	• Encourager les soignants à s'engager dans la démarche et à la mener à terme, et créer un effet d'entraînement sur les autres équipes.
Aménagement physique	• Acquisition de matériel et d'équipement comme des lits électriques, des demi-ridelles.	• Donner accès à un matériel et à de l'équipement sécuritaires et aidants.
	• Adaptation de l'environnement physique : éclairage suffisant, mains courantes dans les corridors, etc.	• Réduire les incapacités du résident et les dangers potentiels de l'environnement physique.
Aspect psychosocial et culturel	• Adoption d'une philosophie de soins et de services axée sur le soin humain. • Adoption d'un code d'éthique traduisant les valeurs du programme.	• Reconnaître le caractère unique du résident.
	• Adéquation entre les ressources professionnelles et non professionnelles.	• Faire se réaliser la corrélation positive qui existe entre le ratio de professionnels et de non-professionnels, et la réduction du taux d'utilisation de la contention.
	• Disponibilité de ressources professionnelles agissant comme consultants et modèles de rôle.	• Jumeler la formation à un service de consultation, ce qui favorise la réduction significative du taux de prévalence de la contention physique. • Soutenir les soignants dans les situations cliniques difficiles et complexes. • Maintenir une relation de confiance entre les équipes cliniques et de gestion.
	• Stabilité au sein des équipes cliniques et de gestion. • Développement d'approches spécifiques liées aux comportements dysfonctionnels et à la prévention des chutes.	• Favoriser la coordination du programme collectif. • Favoriser l'implantation et la consolidation du programme collectif. • Améliorer ou maintenir l'autonomie optimale du résident.

>>>

COMPOSANTES ENVIRONNEMENTALES	INTERVENTIONS / MESURES DE REMPLACEMENT	PRINCIPALES JUSTIFICATIONS
Personnes	• Valorisation de l'approche interdisciplinaire. • Tenue régulière de réunions d'équipe. • Utilisation d'un programme individuel d'intervention.	• Permettre l'évaluation globale du résident et de son environnement. • Favoriser l'émergence de mesures de remplacement. • Favoriser une meilleure continuité de soins.
	• Partenariat avec les proches. • Développement de mécanismes d'information avec les proches.	• Favoriser la communication et la collaboration entre les soignants, le résident et ses proches.

des éléments clés d'un programme de réduction de l'utilisation de la contention physique, comme l'ont noté de nombreux auteurs (AHQ, 1996; Bradley *et al.*, 1995; Brower, 1991; Cohen, Neufeld, Dunbar, Pflug et Breuer, 1996; Koroknay, 1993; Levine *et al.*, 1995; Mion et Mercurio, 1992). Tous s'entendent sur le fait que le travail interdisciplinaire est non seulement un gage de succès de la démarche de réduction de l'utilisation de la contention, mais aussi agit sur l'amélioration de la qualité de vie des résidents.

Évaluer globalement la situation du résident et tâcher de trouver des mesures de remplacement à la contention sont des gestes possibles si les membres de l'équipe interdisciplinaire, le résident et ses proches collaborent et peuvent communiquer au moyen de canaux efficaces. Par exemple, dans les situations cliniques où la contention est remise en question, l'opinion du préposé aux bénéficiaires, du résident et de ses proches joue un rôle clé dans le succès du retrait de la contention. C'est que ces personnes s'avèrent d'excellentes sources d'informations concernant les habitudes de vie, les préférences et les mécanismes d'adaptation du résident (Cohen *et al.*, 1996).

D'autre part, d'après l'étude de Cohen *et al.* (1996), les milieux qui réussissent le mieux à individualiser les soins et qui, par le fait même, réduisent au minimum l'usage de la contention physique sont ceux qui encouragent les soignants à adapter leur pratique aux besoins des résidents hébergés et non ceux qui laissent les soignants prodiguer des soins sans tenir compte des besoins des résidents.

La formation des soignants, des médecins, des résidents et des proches s'avère un autre élément clé pour que s'amorce dans une institution un changement de pratique relativement à l'utilisation de la contention physique (AHQ, 1996; Blakeslee *et al.*, 1991; Koroknay, 1993; Mion et Mercurio, 1992; Strumpf *et al.*, 1992). En effet, elle permet de corriger les fausses croyances que certaines personnes entretiennent au sujet de l'efficacité de la contention, d'en réduire l'utilisation et de mieux outiller les soignants en matière de mesures de remplacement (Strumpf *et al.*, 1992). De ce point de vue, il ne faut toutefois pas négliger les proches et les représentants puisqu'ils semblent éprouver de la difficulté à endosser l'idée d'une démarche de réduction de l'utilisation de la contention physique

auprès des résidents (Levine *et al.*, 1995). Il est donc essentiel que la documentation qu'on remet aux proches lors de l'admission d'un résident en CHSLD comprenne de l'information au sujet de la philosophie du milieu et de la politique de l'établissement concernant l'utilisation de la contention physique.

Le contenu et la durée d'un programme de formation doivent correspondre aux besoins des différents groupes visés par le programme de réduction de l'utilisation de la contention physique (AHQ, 1996; Blakeslee *et al.*, 1991; Collerette et Delisle, 1982). Parmi les aspects qu'on aborde généralement lors de cette formation, celui qui concerne les mesures de remplacement à la contention semble être prioritaire aux yeux des soignants. En effet, il est utopique de vouloir réduire la fréquence d'utilisation de la contention physique et de maintenir la sécurité des résidents, sans prévoir des mesures de remplacement (AHQ, 1996; Werner, Koroknay, Braun et Cohen-Mansfield, 1994). Quant à la durée précise du programme de formation, il est difficile d'en préciser une qui puisse convenir à tous. Toutefois, les résultats de certaines études indiquent qu'il existe une corrélation étroite entre la fréquence d'utilisation de la contention physique et la durée de la formation reçue. Étant donné que cette corrélation existe, Bradley *et al.* (1995) considèrent que, pour qu'un programme de formation pour les soignants soit raisonnablement complet, il faut compter un minimum de 10 heures d'enseignement.

Bien que la formation et le soutien des soignants constituent des aspects essentiels d'une démarche visant à réduire l'utilisation de la contention physique, Cohen *et al.* (1996) tout comme Strumpf *et al.* (1992) ajoutent que le respect et la reconnaissance du succès et du travail des soignants se révèlent tout aussi importants. Ainsi, le fait de rapporter les bonnes pratiques dans le journal interne de l'établissement ou de souligner les succès des équipes par la remise de prix représente de bons moyens de reconnaissance. Les auteurs ajoutent que la reconnaissance par les pairs et le personnel d'encadrement constitue une forme d'encouragement à poursuivre la démarche entreprise et crée en plus un effet d'entraînement sur les autres membres du personnel.

Dans la plupart des CHSLD, compte tenu de la rareté des ressources professionnelles et de la grande proportion de

soignants non professionnels ayant des connaissances plutôt limitées en matière de soins aux personnes âgées, Evans *et al.* (1997) ont remarqué que l'atteinte de résultats positifs liés à la réduction de l'utilisation de la contention physique était étroitement associée à l'augmentation de la proportion de professionnels par rapport à celle des non-professionnels. En effet, cette augmentation du nombre de professionnels permet d'assurer une meilleure coordination des programmes individuels d'intervention et de veiller à leur application par les ressources non professionnelles (préposés aux bénéficiaires, proches, etc.).

De plus, bien que la formation des soignants constitue un élément essentiel d'un programme de réduction de l'utilisation de la contention physique, certains auteurs ont démontré que les programmes ayant misé sur une formation jumelée à un service de consultation assumé par une infirmière clinicienne spécialisée ont mené à une réduction significative de l'utilisation de la contention (Evans *et al.*, 1997; Ejaz, Jones et Rose, 1994). Koroknay (1993) renforce cette idée en ajoutant que la présence d'une ressource professionnelle est essentielle, surtout lorsque les soignants ne se sentent pas encore totalement à l'aise avec l'idée de recourir moins souvent à la contention physique. En effet, sans l'intervention d'une telle ressource, toute nouvelle situation clinique problématique risque de mener au recours à la contention.

Compte tenu du fait que l'adoption d'une politique organisationnelle et le soutien des soignants par les gestionnaires représentent des composantes importantes d'un programme efficace de réduction de l'utilisation de la contention physique, la stabilité du personnel d'encadrement et du personnel soignant s'avère une condition essentielle du succès d'un tel programme. Strumpf *et al.* (1992) indiquent ainsi que, dans un contexte de changement de pratique, la stabilité permet non seulement de maintenir la relation de confiance qui s'établit entre les soignants et les gestionnaires, mais aussi d'assurer une coordination harmonieuse de la démarche.

Dans le cadre de la mise en application d'un programme collectif de réduction de l'utilisation de la contention physique, l'évaluation régulière de l'utilisation de la contention physique au moyen d'indicateurs constitue un autre type d'intervention essentielle. C'est que les taux de prévalence et d'incidence de l'utilisation de la contention physique sont de bonnes sources d'information pour mesurer l'efficacité d'un programme. La durée moyenne d'application de la contention est un autre indicateur significatif qu'il faut considérer. Il est aussi possible d'imaginer d'autres façons de mesurer le recours à la contention, par exemple en tenant des statistiques sur les types de contention utilisés et les motifs d'application. D'autre part, l'analyse de la note d'évolution du dossier du résident pourrait être une manière d'examiner le processus décisionnel lié à l'application, au maintien ou au retrait de la contention. Selon Karlsson, Bucht et Sandman (1998), les mécanismes de contrôle réguliers de l'utilisation de la contention établis par les dirigeants de CHSLD influencent directement la manière dont les soignants intègrent les connaissances relatives à l'utilisation de la contention. En effet, l'utilisation de ces mécanismes leur démontre toute l'importance et le sérieux qu'accordent les responsables du milieu à l'essor d'une meilleure pratique.

En fonction de ces diverses interventions, les responsables du programme collectif auront à leur disposition tous les outils nécessaires pour mener à bien un projet de réduction d'utilisation de la contention physique. Toutefois, les interventions qu'ils privilégieront devront tenir compte des différentes composantes de l'environnement du résident. En effet, Godkin et Onyskiw (1999) ont noté que les programmes collectifs les plus efficaces sont ceux qui misent sur le chevauchement de plusieurs stratégies, telles que l'engagement formel du CHSLD, la formation continue des soignants et l'utilisation d'un programme individuel d'intervention.

Programme individuel visant la réduction de l'utilisation de la contention physique

Le programme individuel présenté dans ce chapitre met davantage l'accent sur le processus de décision de l'infirmière en vue de réduire voire d'éliminer l'utilisation de la contention physique auprès des résidents, plutôt que de se limiter uniquement à une description d'interventions liées aux situations cliniques. Ce choix s'explique par la reconnaissance de l'unicité du résident, de la singularité et de la complexité des situations cliniques. En effet, en présence de deux résidents ayant des comportements dysfonctionnels similaires qui pourraient nécessiter l'application de la contention physique, l'infirmière ne décidera pas nécessairement d'utiliser les mêmes interventions.

D'ailleurs, au Québec, l'entrée en vigueur, en juin 2002, de la Loi modifiant le Code des professions et d'autres dispositions législatives dans le domaine de la santé a entraîné la reconnaissance des compétences de l'infirmière, du physiothérapeute, de l'ergothérapeute et du médecin en matière de décision de recourir ou non aux mesures de contention. Dans les faits, l'infirmière peut, sans avoir d'ordonnance médicale et sur la base de son jugement clinique, décider d'utiliser ou de retirer une forme de contention physique (Ordre des infirmières et infirmiers du Québec [OIIQ], 2003).

Le jugement clinique est un élément essentiel de cette prise de décision et implique la collecte de données, leur organisation, leur compréhension et une analyse menant à des conclusions. Afin de soutenir les infirmières dans cette activité réservée, un groupe d'experts de l'OIIQ a proposé que les infirmières suivent des étapes charnières qui balisent en quelque sorte leur processus de décision (Loi sur les infirmières et les infirmiers, 2002; Truchon, Gagnon, Ménard et Roy, 2003). Ces étapes tiennent compte des lignes directrices émises par des organismes reconnus (American Geriatrics Society, 2002; The Joanna Briggs Institute, 2002a et b) et s'inspirent des principes d'intervention qui soutiennent le processus de décision (MSSS, 2002; OIIQ, 2003).

Selon le premier de ces principes, il est clair que la contention doit être envisagée comme une mesure d'exception et de dernier recours. Il faut que les infirmières perçoivent la contention comme exceptionnelle, en ce sens que son application doit être minimale et temporaire, la durée d'application devant se réduire à de courtes périodes et la pertinence de celle-ci devant être réévaluée constamment.

Le deuxième principe devant guider les infirmières dans leur prise de décision concerne le fait qu'elles doivent avoir conscience de la nécessité d'une approche individualisée, chaque situation étant unique et exigeant une évaluation personnalisée. L'infirmière doit comprendre que les causes liées aux manifestations cliniques et aux comportements pouvant conduire à l'application de la contention physique peuvent être différentes d'un résident à l'autre. Conséquemment, si elle souhaite éviter la contention à un résident, l'infirmière devra recourir à des interventions personnalisées à la situation de celui-ci.

Dans tous les cas, il importe que l'infirmière implique le résident et ses proches dans le processus menant à la prise de décision, et dans la décision elle-même. Le troisième principe consiste donc à amener le résident et ses proches à accepter ou à refuser consciemment et en connaissance de cause l'application, la non-application ou le retrait de la contention.

Tableau 22-3	Processus de décision de l'infirmière en matière de contention physique
ÉTAPES CHARNIÈRES DU PROCESSUS DE DÉCISION	**QUESTIONS QUE DOIT SE POSER L'INFIRMIÈRE**
• Évaluation initiale et continue : – Manifestions cliniques et comportements du résident – Facteurs étiologiques potentiels : • physiques et physiologiques • psychosociaux et environnementaux • Jugement clinique : – État de santé du résident – Niveau de sévérité du problème du résident : risque pour soi ou pour autrui	• Quels sont les manifestations cliniques et les comportements que présente le résident ? • Que signifient ces comportements ? • Quels sont les facteurs en cause ? • Quelles en sont les conséquences ? • Quel est le degré de sévérité du problème : existe-t-il un risque pour le résident et pour les autres ?
• Choix des interventions infirmières : – Mesures de remplacement à la contention – Contention, en dernier recours • Analyse des avantages et des effets indésirables liés à chacune des interventions possibles	• Quelles sont les mesures qui peuvent éviter l'utilisation de la contention ? • Quels sont les motifs qui justifient la contention ? • En fonction de la situation et du risque que présente le résident pour lui-même et les autres, quels sont l'efficacité, les avantages et les inconvénients associés à chacune des interventions possibles ? • Qu'en pense le résident, sa famille ou son représentant ? • La situation conduit-elle à un dilemme ?
• Planification des soins : – Description de la problématique que présente le résident – Choix des interventions infirmières, notamment les mesures de remplacement visant à éviter la contention – Description des aspects de la situation qui peuvent motiver l'application de la contention – Choix du type de contention, de la grandeur et de l'endroit susceptible d'être utilisé – Précision d'une durée maximale d'application continue et d'une période de repos sans contention – Précision de la durée de validité de l'application de la contention physique – Précision des soins, des éléments à surveiller et de la fréquence des visites – Précision des interventions de soutien et d'accompagnement requis • Obtention du consentement libre et éclairé du résident ou de son représentant	• Est-ce que la problématique décrite dans la documentation des soins infirmiers correspond à l'évaluation continue de l'infirmière ? • Est-ce que toutes les mesures de remplacement à la contention ont été clairement indiquées dans la documentation ? • Le choix de la contention s'est-il fait en considérant le comportement à contraindre, le bien-être et la sécurité du résident ? • Les soins et la surveillance tiennent-ils compte des besoins physiques, psychologiques et relationnels du résident, et des lignes directrices de pratique ? • Le résident, ou son représentant, a-t-il reçu toute l'information pour être en mesure de procéder à un consentement libre et éclairé ? Le suivi est-il assuré ?
• Évaluation des interventions : – Mesures de remplacement – Contention physique • Établissement d'une documentation, notamment la note d'évolution de l'infirmière et le plan de soins et de traitements infirmiers	• Les mesures de remplacements sont-elles efficaces ? • La réévaluation de la pertinence de la contention a-t-elle été faite régulièrement, le suivi est-il assuré ? • La communication avec le médecin, les autres membres de l'équipe, professionnels et non professionnels, a-t-elle été assurée (consultation, réunion interdisciplinaire, etc.) ? • La documentation ou la tenue de dossier reflète-t-elle le processus de décision de l'infirmière ?

Finalement, le dernier principe dont doit tenir compte l'infirmière lorsqu'elle décide de recourir ou non à la contention concerne le travail d'équipe : l'infirmière doit souvent consulter ses collègues de travail pour prendre une décision éclairée. C'est que les situations cliniques de certains résidents revêtent un caractère complexe et requièrent une intervention interdisciplinaire.

Afin de respecter l'ensemble des principes dont il vient d'être question, l'infirmière doit suivre une démarche systématique et rigoureuse. Le tableau 22-3 (p. 319) présente cette démarche, que nous décrivons en détail dans les prochains paragraphes.

Étapes charnières du processus de décision de l'infirmière en matière d'utilisation de la contention physique

Évaluation initiale et continue de la situation

Dans toute situation non urgente, il faut éviter de recourir à la contention physique. Dans le pire des cas, on l'utilisera avec parcimonie et seulement après avoir procédé à une évaluation approfondie. Au cours de cette étape, l'infirmière doit évaluer l'état physique et mental du résident. Elle notera toutes les manifestations cliniques et comportements que présente le résident. Afin d'agir promptement, l'infirmière doit tâcher de déterminer quels facteurs étiologiques potentiels d'ordre physique, physiologique, psychosocial et environnemental peuvent expliquer ces comportements. Elle ne doit pas perdre de vue que les comportements qui peuvent conduire à une application des contentions sont ceux qu'il lui faut examiner et comprendre si elle souhaite trouver des mesures de remplacement à la contention. En effet, il pourra arriver qu'une douleur, une infection urinaire, les effets indésirables d'une médication ou de la déshydratation constituent les causes des comportements qui poussent le résident à chuter et à adopter des comportements d'agitation ou d'agressivité, motifs qui incitent les soignants à appliquer à leur tour une forme quelconque de contention. D'autre part, de tels comportements peuvent découler d'une admission récente en CHSLD ou de l'acclimatation à un nouvel environnement. En présence de telles situations, l'infirmière doit amorcer une démarche visant le soulagement de la douleur (voir le chapitre 20), la détection de l'infection (voir le chapitre 8), l'usage optimal du médicament (voir le chapitre 23), la réhydratation (voir le chapitre 11), c'est-à-dire qu'elle doit entreprendre de régler les causes qui mènent à des comportements d'agitation en vue d'éviter le recours à la contention.

L'évaluation de l'infirmière est d'autant plus essentielle et complexe qu'une forte proportion de résidents des CHSLD sont atteints de démence et, par conséquent, incapables d'exprimer leurs besoins autrement que par des comportements dysfonctionnels (voir le chapitre 24). Elle doit donc s'efforcer de décoder le message associé aux comportements que manifestent les résidents. Dans chaque situation clinique, l'infirmière doit se demander ce qui se passe, quelle est la signification des comportements du résident et quelles sont leurs conséquences. Le résident a-t-il faim, froid, peur ? Est-il fatigué ? Ainsi, dans les cas d'agitation, l'infirmière devra vérifier les signes vitaux, la glycémie capillaire, l'élimination urinaire et fécale, les derniers résultats de laboratoire, et devra déterminer si des événements récents ont pu provoquer l'agitation. L'analyse et l'interprétation des données qu'elle aura recueillies auprès du résident, de ses proches et du personnel soignant lui permettront d'une part de porter un jugement clinique sur l'état de santé du résident et d'autre part d'évaluer le niveau de sévérité du problème en termes de risques que court le résident ou qu'il fait courir à son entourage. Cela lui donnera ensuite la possibilité d'intervenir adéquatement, de faire les gestes nécessaires et de prendre de meilleures décisions. Par exemple, les comportements dysfonctionnels d'un résident qui vole des objets et qui les accumule dans sa chambre sont souvent désagréables pour les soignants. Bien que dérangeants, ces comportements ne sont pas dangereux et ne justifient pas l'usage de la contention. L'infirmière doit dans ces circonstances trouver les facteurs qui causent ces comportements. Le tableau 22-4 présente différents facteurs étiologiques à l'origine des comportements problématiques qui amènent fréquemment les soignants à recourir à la contention.

Choix des interventions infirmières

En fonction de son évaluation et pour chaque situation clinique, l'infirmière inventoriera des interventions infirmières, et les évaluera comme mesures de remplacement à la contention en tenant compte des résultats recherchés. Lors de cette étape, elle doit de nouveau se poser diverses questions, telles que celles-ci : quelles mesures peuvent éviter la contention au résident ? En fonction du risque que court le résident, quelle est l'efficacité de la contention ? Que pensent le résident, ses proches ou son représentant des interventions proposées ? Ainsi, pour un résident atteint de déficits cognitifs importants qui passe par le pied de son lit pour se rendre à la toilette, l'infirmière devra s'interroger sur les interventions qui permettront d'éviter l'utilisation de la contention. Recourir à une demi-ridelle, à un matelas disposé à même le plancher, à une alarme de positionnement, à une cloche d'appel ou à l'instauration d'un horaire mictionnel pourront constituer des mesures de remplacement pour ce résident. Pour cet exemple, l'évaluation qu'aura faite l'infirmière pourra lui faire opter pour la demi-ridelle et un horaire mictionnel, puisque ces solutions correspondent aux préférences du résident et de ses proches en plus de comporter des avantages concernant le maintien de son autonomie.

Le fait que l'infirmière se pose continuellement des questions lui permet de prendre de meilleures décisions et surtout d'éviter de recourir automatiquement à la contention. Notons que la recherche de mesures de remplacement à la contention n'exclut pas la consultation des autres

Tableau 22-4	Facteurs étiologiques à l'origine des comportements menant à l'utilisation de la contention physique
COMPORTEMENTS	**FACTEURS ÉTIOLOGIQUES POTENTIELS**
Agitation et agressivité (voir les chapitres 24 à 30)	Facteurs physiques et physiologiques: • delirium • dépression • démence • douleur • sensation de froid, de chaud, de soif, de faim • incontinence, constipation • rétention urinaire • fatigue • manque de sommeil Facteurs environnementaux: • excès de bruit • sous-stimulation ou surstimulation • hausse ou baisse de la température ambiante • manque de stabilité des équipes (trop grande rotation) • travail orienté sur la tâche et non centré sur le résident • formation inadéquate du personnel auxiliaire Facteurs psychosociaux: • envahissement de l'espace personnel du résident • perte de liberté de choix, perte de contrôle • sentiment de perte d'identité • sentiment d'insécurité lié à une admission récente, un transfert de chambre, du nouveau personnel soignant, une nouvelle routine
Chute(s) (voir le chapitre 17)	Facteurs de risque: • antécédent de chute • admission ou transfert récent • déficits perceptuels et cognitifs • témérité • agitation • contention • médication • hypotension orthostatique • problème de mobilité • troubles d'élimination • troubles visuels et auditifs • facteurs extrinsèques: chaussures, plancher luisant, éclairage, hauteur du lit, cloche d'appel, disposition du mobilier, encombrement du corridor, aide technique inadéquate
Résistance à un traitement	• Malaises physique et psychologique liés à la présence de dispositifs tels qu'une sonde urinaire, un masque à oxygène, une sonde nasogastrique, un cathéter intraveineux, etc. • Altération du statut mental

professionnels de l'équipe. Au contraire, l'infirmière doit favoriser la discussion en équipe dans le but d'offrir les meilleurs soins. Quoi qu'il en soit, dans certains cas, la contention physique se présentera comme une intervention justifiée, surtout si toute une panoplie de mesures de remplacement ont été mises à l'épreuve et se sont révélées inefficaces, et si le résident met sa vie ou celle des autres en danger.

En fonction des comportements qui conduisent le plus souvent à l'utilisation de la contention physique, le tableau 22-5 (p. 322) présente les chapitres traitant des diverses stratégies d'interventions pour mieux gérer ces comportements et qui peuvent constituer des mesures de remplacement à la contention physique.

Planification des soins

Le plan de soins et de traitements infirmiers est l'outil privilégié de l'infirmière pour la planification des interventions cliniques et pour assurer la continuité des soins. Les éléments essentiels du plan de soins et de traitements infirmiers doivent demeurer au dossier du résident, notamment la décision d'utiliser la contention physique et sa justification. Ainsi, en fonction de l'analyse de la problématique spécifique liée à un résident, l'infirmière consignera l'ensemble des interventions infirmières dans le plan de soins et de traitements infirmiers, notamment les mesures de remplacement qui permettent de gérer le comportement à risque et par le fait même d'éviter le recours à la contention physique.

Tableau 22-5	Stratégies d'interventions en fonction des comportements à risque
	RENVOIS AUX AUTRES CHAPITRES
Agitation	Chapitre 24 – La gestion des symptômes psychologiques et comportementaux de la démence Chapitre 25 – La résistance aux soins Chapitre 26 – La résistance aux soins d'hygiène Chapitre 27 – L'agitation verbale Chapitre 28 – L'agressivité Chapitre 30 – Le syndrome crépusculaire Chapitre 35 – Programme de zoothérapie Chapitre 36 – Programme de musicothérapie
Errance	Chapitre 29 – L'errance Chapitre 34 – Les loisirs Chapitre 32 – Programme de stimulation cognitive
Risque de chute	Chapitre 2 – Programme de marche Chapitre 17 – Programme pour contrer les chutes Chapitre 18 – Programme préventif de podologie
	EXEMPLES DE STRATÉGIES D'INTERVENTION
Agitation	• Satisfaire les besoins de base : faim, soif, hygiène, sommeil, mobilisation. • Soulager la douleur. • Faire diversion. • Canaliser l'énergie sur des activités répétitives et apaisantes. • Réduire l'utilisation de l'intercom. • Laisser le résident agir sur son environnement.
Errance	• Laisser le résident circuler, dans une aire d'errance. • Installer des bandes de velcro ou de tapis quadrillé devant la porte des autres résidents. • Demander à la famille d'apporter des objets familiers. • Utiliser un système antifugue. • Faire participer le résident à des activités de la vie quotidienne. • Occuper le résident avec des activités utiles.
Risque de chute	• Évaluer l'effet de la médication. • Orienter le résident dans son nouvel environnement. • Entraîner le résident à la marche, à des exercices d'équilibre. • Encourager le résident à se servir des aides techniques. • Faire porter au résident des lunettes et des appareils auditifs. • Mettre des protections coussinées aux hanches du résident.

Dans les cas, où la contention physique s'avère inévitable, le plan de soins et de traitements infirmiers doit préciser les conditions qui motivent son application, quel type de contention utiliser, la grandeur et l'endroit où elle peut être utilisée. De plus, il précisera quelle peut être la durée maximale d'application continue et quelle est celle de repos sans contention. Par les indications qu'elle insère dans le plan de soins et de traitements infirmiers, l'infirmière veillera également à ce que les soignants s'assurent que les résidents sous contention fassent de l'exercice physique, afin de réduire la fonte musculaire chez ceux-ci. On néglige souvent ce point, pourtant essentiel, dans la pratique. Le fait d'être sous contention réduit de façon importante la force musculaire, la flexibilité et l'équilibre des résidents, ce qui accroît ultimement le risque de chute. Ainsi, à moyen terme, ces effets délétères viennent justifier l'utilisation de la contention. Il s'ensuit un cercle vicieux. Le seul moyen de contrer cette spirale de détérioration consiste à retirer la contention ou à faire faire au résident sous contention de l'exercice physique deux à trois fois par jour.

L'infirmière doit également consigner dans le plan de soins et de traitements infirmiers des indications concernant les soins et les éléments de surveillance (fréquence des visites, par exemple), et les autres interventions de soutien et d'accompagnement requis. Enfin, elle doit toujours indiquer une date de réévaluation de la situation. Le tableau 22-6 précise quel type de soins et de surveillance il faut exercer auprès du résident sous contention.

Tout au long du processus qui vise à établir le plan de soins et de traitements infirmiers, il faudra veiller à informer le résident et ses proches de ce qu'il contiendra.

Tableau 22-6	Soins et surveillance du résident sous contention
INTERVENTIONS	**JUSTIFICATION**
Retirer la contention 5 minutes aux 2 à 4 heures.	• Évaluer l'intégrité de la peau au site d'application. • Favoriser la circulation sanguine aux points de pression.
Amener régulièrement le résident à la toilette.	• Favoriser la continence.
Faire marcher le résident.	• Maintenir l'intégrité musculaire. • Éviter le syndrome de fragilité.
Hydrater le résident.	• Éviter la déshydratation. • Assurer un apport liquidien minimal (1,5 à 2 litres par jour).
Assurer une surveillance minimale aux heures.	• Assurer la sécurité compte tenu de la vulnérabilité du résident et de la dangerosité de la contention.
Vérifier l'état de bien-être du résident.	• Éviter que le résident demeure immobile trop longtemps, car l'immobilité entraîne un état de malaise qui pourrait conduire à la manifestation d'agitation.
Maintenir une relation avec le résident.	• Satisfaire les besoins psychologiques du résident. • Éviter la sous-stimulation et l'isolement. • Diminuer le risque de delirium.
Réévaluer la pertinence de la contention.	• Respecter le caractère minimal et exceptionnel de l'application de la contention en termes de durée et de moyens.

L'infirmière devra tenir compte de leurs choix et de leurs préférences. Dans les situations où le plan de soins et de traitements infirmiers prévoit l'application de la contention, l'infirmière se doit d'obtenir le consentement libre et éclairé du résident, de ses proches ou d'un représentant avant de procéder à l'intervention.

Concluons en précisant que, lors de la planification des soins, l'infirmière doit orienter sa démarche en ayant toujours en tête des questions telles que celles-ci : les mesures de remplacements à la contention se trouvent-elles clairement indiquées dans le plan de soins et de traitements infirmiers ? Le choix de la contention tient-il compte du comportement à contraindre, et des notions de bien-être et de sécurité ? Les soins et la surveillance tiennent-ils compte des besoins physiques, psychologiques et relationnels du résident ?

Évaluation des interventions

L'évaluation des interventions constitue la dernière étape charnière du processus de décision de l'infirmière en matière d'application de la contention physique. Elle permet d'une part d'évaluer régulièrement l'efficacité des mesures de remplacement mises de l'avant et d'autre part, lors de l'application de la contention, de déterminer si on a appliqué rigoureusement les interventions consignées dans le plan de soins et de traitements infirmiers. L'évaluation permet aussi d'évaluer s'il est pertinent de continuer à recourir à la mesure de contention adoptée, et permet enfin de modifier le plan de soins et de traitements infirmiers s'il y a lieu.

Au cours de cette étape, l'infirmière doit se poser des questions telles que celles-ci : l'évaluation des mesures de remplacement ou de la pertinence de la contention a-t-elle été faite régulièrement ? Les membres de l'équipe de soins connaissent-ils bien le plan de soins et de traitements infirmiers ? La documentation qui figure dans le dossier du résident, notamment la note d'évolution de l'infirmière et le plan de soins et de traitements infirmiers, reflète-t-elle le processus de décision en matière de contention ? Les soins qu'on prodigue au résident sous contention et la surveillance qu'on effectue dans son cas sont-ils conformes aux standards reconnus ? Les informations relatives à ces deux aspects sont-elles consignées dans le dossier du résident ?

Établissement d'une documentation

Il est important de mentionner que la documentation doit refléter l'ensemble des étapes charnières du processus de décision de l'infirmière en matière de contention physique. Elle doit faire état des efforts qu'on a déployés pour éviter le recours à la contention et de ceux faits pour respecter les interventions liées aux soins et à la surveillance du résident sous contention.

Conclusion

Au cours des dernières années, la pratique entourant l'utilisation de la contention physique s'est profondément transformée. Longtemps associée à la protection des personnes hébergées contre les risques de chute et de blessure, la contention physique s'oppose en réalité à une valeur importante en matière de soins aux aînés, c'est-à-dire la préservation de l'autonomie fonctionnelle et du droit de choisir. Heureusement, les études ont mis en évidence les effets délétères de cette intervention et ont fait en sorte qu'elle devienne une mesure d'exception. En conséquence, les risques de préjudice pour le résident et son entourage (chute et agitation, par exemple) et ceux liés à l'usage de la contention elle-même constituent désormais des sujets de discussion lors des réunions d'équipes interdisciplinaires, et entre les soignants et le résident et ses proches (ou son représentant).

Bien que plusieurs soignants croient que l'utilisation de la contention réduise la lourdeur de leur tâche, ils omettent bien souvent de considérer le temps requis pour la surveillance et les soins à prodiguer à un résident sous contention. En tenant compte de ces deux aspects et de la perte d'autonomie accélérée des résidents sous contention, il convient de conclure que l'utilisation de la contention a pour effet, à court et à moyen terme, d'augmenter la lourdeur de cette tâche. Au surplus, la qualité de vie du résident se trouve compromise par l'usage de la contention physique.

Ainsi, un programme efficace de gestion de la contention physique en CHSLD passe principalement par un engagement des dirigeants et des intervenants à remettre constamment en question les pratiques entourant l'utilisation d'une telle mesure. L'infirmière doit évidemment assumer un rôle de leadership dans cette démarche.

Prendre la meilleure des décisions suppose qu'on privilégie un processus décisionnel où on tient compte à la fois des points de vue du résident, de ses proches, du personnel soignant, du médecin et de toutes les autres personnes susceptibles d'apporter un éclairage nouveau sur une situation particulière de soin. Une équipe interdisciplinaire joue à cet égard un rôle majeur, car elle peut évaluer une situation globalement et proposer des mesures de remplacement valables. En matière de contention, il faut accorder la priorité à la mesure la moins contraignante. Chez les aînés, l'autonomie faisant office de valeur fondamentale, elle devient synonyme de dignité.

ÉTUDE DE CAS

Âgée de 86 ans, Mme Tremblay a été admise en CHSLD il y a une semaine. Elle est atteinte de la maladie d'Alzheimer, et souffre de diabète, de bronchopneumopathie chronique obstructive (BPCO), d'insuffisance cardiaque et d'un glaucome qui l'a laissée à moitié aveugle. Elle a besoin d'aide pour ses activités de la vie quotidienne, et sa mémoire est grandement altérée. Elle se déplace péniblement avec un déambulateur, et son équilibre est précaire. Depuis son admission, Mme Tremblay erre dans l'unité. Elle ne retrouve pas sa chambre et entre dans celle des autres résidents. Ces intrusions fortuites dans leur espace personnel dérangent plusieurs d'entre eux, qui craignent Mme Tremblay. Il lui arrive en effet de tenir des propos désobligeants à l'endroit des autres résidents.

L'infirmière soignante a observé en soirée que les comportements d'agitation de Mme Tremblay sont plus marqués à ce moment de la journée. Elle désire s'en aller chez elle, pleure et insiste pour qu'on lui appelle un taxi. Le personnel soignant craint une fugue et ne sait plus comment intervenir auprès de la résidente. Ce matin, elle a chuté en se rendant à la toilette. Un préposé aux bénéficiaires l'a retrouvée sur le plancher. Heureusement, sa chute ne semble pas avoir eu de conséquence physique apparente. Pour prévenir d'autres chutes et assurer la sécurité de Mme Tremblay, le préposé aux bénéficiaires décide de l'asseoir dans un fauteuil gériatrique qui la contraint à l'aide d'une tablette.

L'infirmière auxiliaire de l'unité de soins informe l'infirmière soignante de la situation de Mme Tremblay. L'infirmière soignante se dit préoccupée par la situation et ajoute qu'il faut revoir le plan de soins et de traitements infirmiers actuel de Mme Tremblay et tenir compte de ses comportements à risque. L'infirmière lui confirme qu'elle passerait voir la résidente au cours de la prochaine heure.

Questions

1 Quelle principale croyance circule généralement quant à l'efficacité de la contention physique en ce qui a trait au risque de chute? Précisez comment le fait d'ébranler cette croyance agit directement sur le changement de pratique.

2 Dans cette étude de cas, quels comportements à risque prédisposent la résidente à une application de la contention physique?

3 Déterminez si la chaise gériatrique avec tablette est une forme de contention physique et si le préposé aux bénéficiaires peut décider seul d'y recourir.

4 Si l'infirmière soignante, après évaluation, décidait qu'il est pertinent de recourir à la contention physique à des moments et dans des conditions précises, quels soins et quelle forme de surveillance faudrait-il normalement consigner dans le plan de soins et de traitements infirmiers de manière à assurer la sécurité de la résidente et une continuité des soins?

23

L'USAGE OPTIMAL DES MÉDICAMENTS DANS LES CHSLD

par **Philippe Voyer** et **Pamphile-Gervais Nkogho Mengue**

L'administration de médicaments est une tâche que l'infirmière effectue quotidiennement dans sa pratique en CHSLD. Elle requiert de l'infirmière des connaissances et des compétences de pointe et un bon jugement clinique, qui contribueront à optimiser la pharmacothérapie chez les résidents. Ce chapitre vise à fournir à l'infirmière le savoir nécessaire pour favoriser un usage optimal des médicaments auprès des résidents des CHSLD.

NOTIONS PRÉALABLES SUR L'USAGE OPTIMAL DES MÉDICAMENTS DANS LES CHSLD

Définitions

Médicament

Un médicament est une substance qui possède des propriétés préventives, curatives ou palliatives relativement aux maladies, ainsi que tout produit pouvant être administré au résident dans le but d'établir un diagnostic médical.

Usage optimal de médicaments

Pour que les résidents puissent bénéficier des avantages potentiels de la pharmacothérapie qui leur est offerte, il est essentiel que les médicaments soient utilisés de façon optimale. Le concept de l'usage optimal des médicaments désigne un usage qui en maximise les bienfaits et en minimise les risques pour la santé, en tenant compte des diverses interventions possibles, des coûts et des ressources disponibles, des valeurs des patients et des valeurs sociales (Conseil du médicament, 2005).

Ampleur du phénomène

Pour estimer l'ampleur de l'usage des médicaments en CHSLD, les chercheurs ont habituellement recours à deux types de mesure de fréquence, soit la prévalence et l'incidence. La prévalence considère tous les médicaments, anciens et nouveaux, que reçoivent les résidents au cours d'une période donnée. À l'inverse, l'incidence ne considère que les nouveaux médicaments utilisés chez les résidents au cours d'une période de temps précise. La prévalence et l'incidence estimées dépendent de la définition du médicament, des milieux à l'étude et de la méthodologie utilisée (Loney, Chambers, Bennett, Roberts et Stratford, 1998).

Prévalence

Environ 95 % des résidents des CHSLD consomment des médicaments (Pepper, 1999 ; Rancourt *et al.*, 2004). Ils reçoivent jusqu'à quatre fois plus de prescriptions de médicaments que leurs homologues vivant à domicile (Walley et Scott, 1995). Un résident typique de CHSLD reçoit en moyenne sept classes de médicaments différents par jour (Avorn et Gurwitz, 1995 ; Beers *et al.*, 1992 ; Bernabei *et al.*, 1999 ; Chutka, Takahashi et Hoel, 2004 ; Ouslander, Osterweil et Morley, 1997) et dispose de 2,4 à 2,7 médicaments « PRN » (*pro re nata*), c'est-à-dire un médicament administré au besoin (Blinch *et al.*, 2005 ; Stokes, Purdie et Roberts, 2004). Les analgésiques, les laxatifs et les psychotropes sont les médicaments PRN les plus fréquemment utilisés en CHSLD (Stokes *et al.*, 2004). Si l'on ne tient pas compte du type d'utilisation (PRN ou régulière), on constate que plus du tiers des médicaments consommés par les résidents sont des psychotropes (Furniss, Craig et Burns, 1998 ; Harrington, Tompkins, Curtis et Grant, 1992 ; Williams, Nichol, Yoon, McCombs et Margolies, 1999). Au Québec, plus des deux tiers des résidents (66,9 % ; $n = 8183$) en consommeraient (Gobert et D'hoore, 2005).

Incidence

L'incidence est plus difficile à estimer que la prévalence. De ce fait, il en est moins question dans les études pharmaco-épidémiologiques réalisées en CHSLD. Néanmoins, dans une étude menée auprès de 262 nouveaux résidents, Wancata, Benda, Meise et Müller (1997) ont observé que 72,1 % d'entre eux avaient reçu au moins une prescription de médicaments au cours de leurs deux premières semaines d'hébergement en CHSLD. On peut ainsi en conclure que l'admission en CHSLD constitue souvent un moment où le régime médicamenteux des résidents est modifié.

Conséquences

L'usage optimal des médicaments comporte des bénéfices importants pour la santé et la qualité de vie des résidents. Les médicaments permettent à la fois de maîtriser les symptômes des maladies et de contrôler l'évolution de celles-ci ; ils ont donc un effet thérapeutique. Cependant, la pharmacothérapie peut s'accompagner d'événements iatrogènes médicamenteux non bénéfiques pour les résidents. Ces événements se traduisent par des effets médicamenteux indésirables.

Effets thérapeutiques

Il existe trois principaux effets thérapeutiques des médicaments : l'effet préventif, l'effet curatif et l'effet palliatif.

Effet préventif

L'effet d'un médicament est préventif lorsque sa consommation empêche l'apparition d'une maladie ou de ses conséquences. Par exemple, l'utilisation de l'aspirine permet de prévenir la fréquence des accidents vasculaires cérébraux primaires et secondaires (Pongracz et Kaposzta, 2005). La vaccination est un autre exemple de l'usage préventif d'une substance médicamenteuse (Nichol, Wuorenma et von Sternberg, 1998).

Effet curatif

L'effet d'un médicament est curatif lorsque son administration permet de guérir le résident de sa maladie. C'est le cas d'une utilisation appropriée d'antibiotiques chez un résident atteint d'une infection bactérienne. À titre d'exemple, Veyssier et ses collaborateurs (2001) ont noté que 94,3 % des résidents atteints d'un épisode de pneumonie bactérienne ont été guéris grâce à un traitement antibiotique approprié.

Effet palliatif

L'effet d'un médicament est palliatif lorsque son administration empêche les symptômes d'une maladie de se manifester ou en atténue la gravité chez le résident, sans pour autant avoir un effet sur la maladie elle-même. Lorsqu'elle est efficace, l'utilisation des antipsychotiques (aussi appelés neuroleptiques) pour contrer l'apparition des symptômes comportementaux et psychologiques de la démence illustre bien l'effet palliatif d'un traitement médicamenteux. Le contrôle de la douleur chez un résident atteint d'une affection chronique telle que l'arthrite constitue un autre exemple d'effet palliatif.

Effets indésirables

Un effet indésirable est une réponse nocive et non recherchée faisant suite à l'administration d'un médicament à dose recommandée, dans un but prophylactique, diagnostique ou thérapeutique (Organisation mondiale de la santé, 1966). Les effets indésirables des médicaments prennent plusieurs formes (delirium, chute, dépression, hypotension orthostatique, etc.) et sont associés à différents concepts propres aux médicaments (Lehne, 2001) (voir le tableau 23-1). Ainsi, un effet indésirable peut être causé par l'effet secondaire d'un médicament ou par sa toxicité, ou encore être lié à une réaction allergique. Comme nous le verrons dans la section sur les facteurs prédisposants et précipitants, les effets indésirables ont de multiples étiologies.

Il est possible de classer les effets indésirables médicamenteux en deux groupes, selon leur prévisibilité. Certains effets indésirables sont attendus ou prévisibles, alors que d'autres ne le sont pas.

Effets indésirables attendus

Les effets indésirables attendus ou réactions de type A accompagnent l'effet thérapeutique du médicament. Ils résultent de l'effet pharmacodynamique du médicament, qu'il faut dissocier de l'effet thérapeutique recherché. La gravité de ces effets indésirables et leur fréquence d'apparition sont influencées par la dose du médicament et la sensibilité des récepteurs non ciblés (Grenier, 2003). Ce type d'effet indésirable est le plus fréquent (Gruchalla, 2003 ; Rawlins et Thompson, 1991).

Au cours d'une étude menée sur une période de neuf mois dans deux institutions de soins de longue durée ($n = 1229$), des chercheurs ont été en mesure de déceler 815 effets indésirables, ce qui équivaut à 9,8 événements indésirables par mois par 100 résidents (Gurwitz *et al.*, 2005). D'autres études (Gurwitz *et al.* 2000 ; Gurwitz *et al.*, 2005) ont démontré qu'entre 42 et 51 % des effets indésirables survenant chez les résidents auraient pu être prévenus.

Effets indésirables inattendus

Les effets indésirables inattendus ou réactions de type B sont des manifestations dont la survenue est *a priori* sans rapport avec les propriétés connues du médicament. Ces effets sont rares, indépendants de la dose ou de la durée du traitement, imprévisibles et, pour cette raison, souvent inévitables. Les réactions d'hypersensibilité (allergique) et les réactions idiosyncrasiques sont deux types d'effets indésirables inattendus.

La réaction d'hypersensibilité est une réponse immunologique qui peut survenir chez le résident à la suite de l'administration d'un médicament à dose thérapeutique pour lequel le résident aura été préalablement sensibilisé. Le choc anaphylactique qui se produit chez un résident traité à la pénicilline ou qui reçoit des immunoglobulines est un exemple de réaction d'hypersensibilité.

La réaction idiosyncrasique relève de la susceptibilité particulière du résident à l'égard d'un médicament. Le syndrome malin des antipsychotiques est un exemple de réaction idiosyncrasique. Il se manifeste chez 0,07 à 2,2 % des patients qui reçoivent un antipsychotique et engendre un taux de mortalité variant entre 10 et 30 % (Adnet, Lestavel et Krivosic-Horber, 2000 ; Chandran, Mikler et Keegan, 2003).

Tableau 23-1	Concepts de base liés aux réactions indésirables des médicaments
Dépendance physique	État du corps qui s'est adapté à une exposition prolongée à un médicament, de telle sorte qu'un syndrome de sevrage apparaît à la suite de l'arrêt de la consommation.
Effet carcinogène	Capacité de certains médicaments et agents chimiques à causer le cancer.
Effet idiosyncrasique	Réponse médicamenteuse peu commune résultant d'une prédisposition génétique de l'individu.
Effet secondaire	Effet survenant en plus de l'effet désiré à un dosage thérapeutique et qui est presque inévitable.
Effet tératogène	Capacité de certains médicaments et agents chimiques à causer des malformations chez le fœtus.
Interaction médicamenteuse	Phénomène qui survient lorsque deux ou plusieurs médicaments sont administrés simultanément ou successivement. L'action d'un médicament est modifiée par la présence du ou des autres médicaments.
Maladies iatrogéniques	Maladie ou symptômes induits par les effets des médicaments ou de différentes procédures médicales.
Réaction allergique	Réponse immunitaire survenant à la suite d'une première sensibilisation. L'intensité de la réaction dépend en grande partie du dosage.
Toxicité	Réaction indésirable causée par un dosage excessif.

Les signes de ce syndrome sont le développement d'une rigidité, l'apparition d'une forte fièvre, une altération du niveau de conscience, de la diaphorèse et une arythmie cardiaque.

Facteurs prédisposants et facteurs précipitants

Les risques d'effets indésirables des médicaments s'expliquent à la fois par des facteurs prédisposants et des facteurs précipitants. Le premier groupe de facteurs comprend toutes les caractéristiques du résident qui font augmenter sa vulnérabilité aux effets indésirables médicamenteux. Le deuxième groupe regroupe les facteurs liés aux soins que l'on prodigue au résident et qui peuvent engendrer chez celui-ci la survenue d'effets indésirables médicamenteux.

Facteurs prédisposants
Modifications pharmacocinétiques

Les modifications anatomiques et physiologiques associées au vieillissement normal ont un effet sur la pharmacocinétique, c'est-à-dire sur l'absorption, la distribution, le métabolisme et l'excrétion des médicaments (Timiras et Luxenberg, 2003). Ces modifications accroissent le risque que l'aîné ait des effets indésirables médicamenteux.

Absorption

L'absorption désigne le processus par lequel le médicament passe de son point d'administration vers le sang (French, 1996). Les principales voies d'administration des médicaments qu'utilisera l'infirmière en CHSLD sont la voie orale (*per os*), rectale, transcutanée et parentérale. Celle-ci comprend d'autre part les voies intramusculaire, intraveineuse et sous-cutanée.

Le vieillissement normal du système gastro-intestinal implique des modifications physiologiques susceptibles d'influencer l'absorption des médicaments administrés par voie orale (Timiras et Luxenberg, 2003). Ces modifications comprennent l'augmentation du pH gastrique, le ralentissement du temps de vidange gastrique, la diminution de la sécrétion d'enzymes digestives, la diminution de la circulation sanguine au niveau intestinal, la diminution de la surface intestinale et la baisse de la motilité propulsive intestinale (Armour et Cairns, 2002; Kane, Ouslander et Abrass, 2004; Lehne, 2001; Pepper, 1999). Il semblerait toutefois que ces modifications gastro-intestinales n'ont généralement pas de conséquences cliniquement significatives chez l'aîné en l'absence d'autres facteurs de risque tels que les maladies gastro-intestinales, la polymédication et les habitudes alimentaires (Cotter et Strumpf, 2002; Schwartz, 1999; Tumer, Scarpace et Lowenthal, 1992). Néanmoins, les modifications gastro-intestinales ralentiraient de manière générale la vitesse d'absorption des médicaments, ce qui augmente le temps nécessaire pour que les médicaments atteignent leurs concentrations thérapeutiques (Armour et Cairns, 2002; Pepper, 1999; Schwartz, 1999; Timiras et Luxenberg, 2003).

Bien qu'il y ait un nombre beaucoup moins important de recherches sur l'absorption des médicaments par voie rectale, il semble que la diminution de la circulation sanguine au niveau de l'ampoule rectale pourrait aussi ralentir la vitesse d'absorption des médicaments, mais que cela n'affecterait pas la quantité de médicaments absorbée.

En ce qui a trait à l'absorption des médicaments par les voies transcutanée (au moyen d'un timbre), intramusculaire et sous-cutanée, elle serait moins efficace en raison de la diminution de la circulation sanguine à la surface de la peau (Schwartz, 1999; Timiras et Luxenberg, 2003) et des changements morphologiques propres aux tissus sous-cutanés (Armour et Cairns, 2002; Timiras et Luxenberg, 2003). Cela dit, d'autres études sont nécessaires pour établir l'importance clinique de ces changements.

Distribution

La distribution désigne la répartition et le déplacement d'un médicament dans l'organisme (French, 1996; Pepper, 1999). Les quatre grands facteurs qui peuvent perturber la distribution d'un médicament dans l'organisme d'un aîné et qui sont associés au vieillissement normal sont l'augmentation du pourcentage d'adiposité, la baisse du pourcentage de masse maigre, la diminution de la quantité d'eau corporelle totale et la diminution de la concentration d'albumine sérique (Armour et Cairns, 2002; Kane *et al.*, 2004; Lehne, 2001; Timiras et Luxenberg, 2003).

Comparativement aux jeunes adultes, les aînés présentent une augmentation de 15 à 50 % de leur masse grasse (Armour et Cairns, 2002; Ferchichi et Antoine, 2004; Miller, 1999). Cette augmentation de l'adiposité influe sur la distribution du médicament liposoluble, accroît sa demi-vie d'élimination, favorise l'accumulation et donc le risque de toxicité (Timiras et Luxenberg, 2003). La demi-vie désigne le temps nécessaire pour que la concentration d'un médicament donné soit réduite de moitié dans l'organisme. Les médicaments touchés par l'augmentation de la masse grasse sont, entre autres, les benzodiazépines, les antipsychotiques et certains antidépresseurs.

Chez l'aîné, la masse musculaire diminue, tout comme le volume d'eau corporelle est réduit de l'ordre de 10 à 15 % (Armour et Cairns, 2002; Miller, 1999). Ces modifications font augmenter la concentration plasmatique des médicaments hydrosolubles et, par ricochet, le risque de surdosage. Les aminosides et la digoxine sont des exemples de médicaments hydrosolubles.

Les médicaments relativement insolubles dans l'eau sont transportés dans la circulation sanguine par liaison à des protéines plasmatiques, dont la plus importante est l'albumine. Or, le vieillissement entraînerait une baisse de la concentration de protéines dans le sang (Armour et Cairns, 2002; Miller, 1999). Il est à noter que les résultats des études effectuées sur le sujet divergent. Néanmoins, dans le contexte des résidents hébergés en CHSLD, il est à prévoir que plusieurs souffrent d'hypoalbuminémie (Al-Tureihi, Hassoun, Wolf-Klein et Isenberg, 2005). Il en résulte une diminution de la fixation des médicaments fortement liés à l'albumine. La fraction libre et active de ces médicaments augmente ainsi, ce qui a pour conséquence d'accroître leur risque de toxicité au pic sérique (Schwartz, 1999). Les médicaments touchés par ce changement sont, entre autres, le furosémide, la phénytoïne, la théophylline, la ranitidine, les anti-inflammatoires non stéroïdiens et la warfarine.

Métabolisme

Le métabolisme, ou biotransformation, se définit comme la modification de la structure d'un médicament par des enzymes (Kane *et al.*, 2004). La majorité des médicaments sont métabolisés dans le foie. La vitesse de métabolisme des médicaments se trouve réduite en raison des modifications morphologiques, physiologiques et biochimiques que provoque le vieillissement normal dans le foie.

Les modifications morphologiques désignent une diminution du volume et de la masse hépatique (Blazer, Steffens et Busse, 2004; Lehne, 2001; Schwartz, 1999; Timiras et Luxenberg, 2003). Elles entraînent une réduction du nombre d'hépatocytes fonctionnels et réduisent la capacité du foie à métaboliser les médicaments.

Les modifications physiologiques ont trait à une diminution du flux sanguin hépatique de l'ordre de 40 à 60 % (Armour et Cairns, 2002; Katzung, 2000; Miller, 1999). Cette diminution de la perfusion hépatique consécutive au vieillissement peut agir comme un facteur limitant le métabolisme des médicaments, qui subissent un effet de premier passage hépatique. Leur biodisponibilité augmente en conséquence. Leur concentration plasmatique et leur demi-vie s'accroissent, ce qui rend plus important le risque d'effets indésirables. Les classes de médicaments que ces changements touchent plus particulièrement sont les bêta-bloquants, les anti-inflammatoires non stéroïdiens, les anticonvulsivants et les analgésiques (Armour et Cairns, 2002).

Les modifications biochimiques désignent la diminution de certaines réactions métaboliques. Il est possible de classer celles-ci en réactions de phase I et en réactions de phase II. Les réactions de phase I se produisent à l'intérieur des microsomes hépatiques. Elles comprennent les oxydations, les réductions et les hydrolyses. Ces réactions biochimiques diminuent avec le vieillissement (Kane *et al.*, 2004; Pepper, 1999; Schwartz, 1999; Timiras et Luxenberg, 2003). Ces modifications perturbent le métabolisme de certaines classes de médicaments telles que les bêta-bloquants et certaines benzodiazépines, en augmentant leur biodisponibilité (Manciaux, 1993). À l'inverse, le vieillissement influencerait peu, voire pas du tout, les réactions de phase II, qui se caractérisent par la conjugaison du médicament à une autre molécule (Kane *et al.*, 2004; Pepper, 1999; Schwartz, 1999; Timiras et Luxenberg, 2003).

Élimination

L'élimination, ou excrétion, est cette étape de la pharmacocinétique au cours de laquelle les médicaments et leurs métabolites quittent l'organisme. Les voies d'élimination sont les urines, la bile, la transpiration, le lait maternel et l'air expiré. Les urines, et donc les reins, demeurent toutefois la principale voie d'élimination des médicaments quittant l'organisme.

Les facteurs qui expliquent le déclin des fonctions d'excrétion rénale des médicaments et de leurs métabolites tiennent essentiellement aux diminutions de la perfusion rénale, de la filtration rénale, de la sécrétion tubulaire, du nombre de néphrons et de la masse rénale (Armour et Cairns, 2002; Pepper, 1999; Schwartz, 1999; Timiras et Luxenberg, 2003). On estime que la filtration glomérulaire d'une personne de 70 ans chuterait de 30 %, et de 50 %

pour une personne de 90 ans (Cotter et Strumpf, 2002 ; Kane *et al.*, 2004).

La diminution de l'élimination rénale liée au vieillissement normal favorise une accumulation des médicaments dans l'organisme, ce qui se traduit par une augmentation de la demi-vie des médicaments et par la réduction de leur clairance plasmatique. La clairance plasmatique désigne un volume de plasma complètement épuré d'un médicament par unité de temps. Ce changement touche, entre autres, des médicaments tels que la digoxine, les aminosides, le lithium, la morphine et la plupart des inhibiteurs de l'enzyme de conversion. Il faut donc ajuster les doses de médicaments éliminés par voie rénale selon la fonction rénale du résident, afin de réduire le risque d'effets indésirables. Le tableau 23-2 résume les changements pharmacocinétiques liés au vieillissement normal.

Modifications pharmacodynamiques

La pharmacodynamie est l'étude des effets biochimiques et physiologiques des médicaments, et de leurs mécanismes d'action. Il existe moins de données dans la littérature sur la variation des paramètres pharmacodynamiques chez l'aîné.

Certains chercheurs ont toutefois émis des hypothèses pour expliquer les modifications pharmacodynamiques liées au vieillissement normal. Les plus vraisemblables avancent que le nombre et l'affinité des récepteurs chimiques diminuent avec l'âge (Lehne, 2001 ; Schwartz, 1999 ; Timiras et Luxenberg, 2003). Ces altérations pharmacodynamiques peuvent dans certains cas ne se traduire par aucune manifestation clinique, ou au contraire entraîner un effet indésirable ou une inefficacité thérapeutique (Armour et Cairns, 2002 ; Jolliet, 1995). Par exemple, la sensibilité du système nerveux central des aînés aux benzodiazépines, au

Tableau 23-2	Principales modifications liées à l'âge agissant sur la pharmacocinétique des médicaments
Absorption	**Orale** – La quantité de médicament absorbée ne change pas ; c'est la vitesse d'absorption qui est ralentie. Cela est causé par : • une diminution de la surface d'absorption ; • une réduction du nombre de cellules de la muqueuse gastro-intestinale ; • une diminution de la motilité gastro-intestinale ; • un ralentissement du temps de vidange gastrique ; • une diminution du débit sanguin intestinal ; • une réduction de l'irrigation splanchnique. **Rectale** – On constate un ralentissement de la vitesse d'absorption des médicaments causé par : • une diminution du débit sanguin. **Intramusculaire** – On constate une modification de l'absorption causée par : • une diminution du débit sanguin périphérique ; • une réduction de la masse musculaire ; • une modification de la morphologie des muscles. **Transdermique** – On constate une modification de l'absorption causée par : • une diminution du degré d'hydratation de la peau ; • une réduction de la quantité de lipides de surface ; • un décroissement du débit sanguin périphérique et de la microcirculation.
Distribution	Le déplacement des médicaments dans l'organisme est modifié en raison des changements suivants, qui augmentent le risque d'effets indésirables des médicaments : • une augmentation de la masse graisseuse ; • une diminution de la masse maigre et de la quantité d'eau dans le corps ; • une diminution de la concentration de l'albumine sérique.
Métabolisme	Le métabolisme hépatique des médicaments diminue avec l'âge. La demi-vie de certains médicaments peut donc être augmentée, prolongeant ainsi l'effet du médicament. Cela est causé par : • une diminution de la perfusion hépatique ; • une réduction de la masse hépatique ; • une diminution du métabolisme de premier passage ; • une réduction de l'activité des enzymes hépatiques.
Élimination	On constate un déclin des fonctions rénales avec l'âge. La diminution des fonctions rénales entraîne une accumulation des médicaments et augmente considérablement le risque d'apparition de réactions indésirables. Cela est causé par : • une réduction de la perfusion rénale ; • une diminution de la filtration glomérulaire ; • une réduction du nombre de néphrons ; • un déclin de la masse rénale.

métoclopramide, à l'hydroxyzine et aux opiacés est plus grande, ce qui contribue à faire croître le risque de delirium (Ferchichi et Antoine, 2004). Le tableau 23-3 présente les changements pharmacodynamiques les mieux connus chez les aînés.

Pour conclure, mentionnons que ces changements de la pharmacocinétique et de la pharmacodynamique des médicaments relativement au vieillissement normal expliquent, en partie, que les aînés courent un risque sept fois plus élevé de subir des effets indésirables des médicaments que les adultes d'âge moyen (Pepper, 1999).

Comorbidité

Certaines études ont associé la comorbidité au risque que les médicaments provoquent des effets indésirables. En général, les résidents des CHSLD sont atteints de plusieurs affections. Or, Grymonpre, Mitenko, Sitar, Aoki et Montgomery (1988) ont estimé que la présence de plus de quatre problèmes de santé doublait le risque d'effets indésirables des médicaments. Cette augmentation du risque s'expliquerait d'une part par l'importance de la polymédication consécutive à la polymorbidité et d'autre part par les répercussions de certaines pathologies, telles que l'insuffisance cardiaque ou l'insuffisance rénale par exemple, sur la pharmacocinétique et la pharmacodynamique des médicaments (Carbonin, Pahor, Bernabei et Sgadari, 1991; French, 1996; Gray, Sager, Lestico et Jalaluddin, 1998; Grymonpre *et al.*, 1988; Pepper, 1999).

Facteurs précipitants

Nombre de médicaments

Les résidents des CHSLD consomment plusieurs médicaments et classes de médicaments quotidiennement (Bernabei *et al.*, 1999; Gurwitz *et al.*, 2000; Gurwitz *et al.*, 2005). Or, de nombreuses études ont noté que le risque d'effets indésirables augmente chez les personnes qui consomment plusieurs médicaments (Bernabei *et al.*, 1999; Gurwitz *et al.*, 2000; Gurwitz *et al.*, 2005). Le risque d'effets indésirables passe de 6% chez un résident qui consomme deux médicaments à 50% chez celui qui en consomme cinq et à 100% chez celui qui en consomme huit ou plus (Pepper, 1999). Les interactions médicamenteuses expliqueraient dans une proportion de 15 à 20% ces effets indésirables (Doucet *et al.*, 1996; Manchon *et al.*, 1989). D'autre part, plus le nombre de médicaments consommés augmente, plus le risque que le résident consomme des médicaments inappropriés à sa condition s'accroît, ce qui fait également croître le risque d'effets indésirables (Rancourt *et al.*, 2004; Williams et Betley, 1995).

Classes de médicaments incriminés

Deux études (Gurwitz *et al.*, 2000; Gurwitz *et al.*, 2005) ont démontré que les classes de médicaments fréquemment associées aux effets indésirables survenant chez les résidents de CHSLD sont les antipsychotiques, les anticoagulants, les diurétiques, les opiacés, les antibiotiques, les antidépresseurs,

Tableau 23-3	**Exemples de modifications pharmacodynamiques liées à l'âge**
CLASSES DE MÉDICAMENTS	**CHANGEMENTS PHARMACODYNAMIQUES**
Agonistes et antagonistes β-adrénergiques	On constate une diminution de l'efficacité des récepteurs β-adrénergiques, ce qui réduit la réponse aux agents β-adrénergiques. Par exemple, les aînés répondent moins efficacement au bêta-bloquants et à certains broncho-dilatateurs.
Antipsychotiques	• Les aînés ont une moins bonne tolérance physiologique à ces médicaments, ce qui explique l'augmentation de la fréquence des symptômes extrapyramidaux, de l'hypotension orthostatique et des signes et symptômes anticholinergiques. • La diminution de la réserve de dopamine a aussi pour effet d'accroître les risques de développer des symptômes extrapyramidaux dont le parkinsonisme. De même, l'hypersensibilité des récepteurs dopaminergiques et anticholinergiques des aînés a pour résultat d'augmenter la fréquence et la précocité de la dyskinésie tardive lors de la consommation des antipsychotiques classiques.
Benzodiazépines	Les aînés ont une plus grande sensibilité aux effets de ces médicaments, particulièrement pour ce qui est de la sédation. Ainsi, le niveau de sédation est atteint à des concentrations plasmatiques inférieures. En bref, les aînés seraient plus sensibles aux agents dépresseurs ou activateurs du système nerveux central.
Hypotenseurs	En raison de la diminution de l'efficacité des barorécepteurs et du tonus veineux, les aînés qui consomment des hypotenseurs ont un risque accru d'étourdissements, de syncope et de chute.
Opiacés	En raison de la diminution de l'efficacité des chimiorécepteurs respiratoires (PO_2 et PCO_2), l'effet des opiacés sur la dépression respiratoire augmente.

les anticonvulsivants et les sédatifs hypnotiques. À eux seuls, les antipsychotiques causent 23 % des épisodes d'effets indésirables évitables (Gurwitz *et al.*, 2000). Au surplus, les antipsychotiques atypiques ne causent pas que des effets indésirables d'intensité moyenne : ils augmentent également les risques d'accidents vasculaires cérébraux et le risque de mortalité chez les aînés atteints de démence (Schneider, Dagerman et Insel, 2005). En effet, l'étude de Schneider et de ses collaborateurs suggère qu'un résident sur 100 traités par un antipsychotique atypique décédera (risperidone, olanzapine, quetiapine, etc.) au cours d'une période de 10 à 12 semaines. Certains considèrent qu'il faudrait également examiner de plus près les effets d'autres classes de médicaments, notamment les médicaments à visée cardiovasculaire, les analgésiques, les laxatifs et les autres psychotropes (Kane *et al.*, 2004 ; Pepper, 1999 ; Rancourt *et al.*, 2004).

Les professionnels de la santé et l'erreur médicamenteuse

Une erreur médicamenteuse se définit comme tout événement iatrogène médicamenteux évitable résultant d'un dysfonctionnement non intentionnel dans l'organisation de la prise en charge thérapeutique médicamenteuse (Lassetter et Warnick, 2003). Ce type d'erreur pourrait donc se produire lors de chacune des étapes que parcourt un médicament en CHSLD, c'est-à-dire lors de la prescription par le médecin, de la distribution par le pharmacien et de l'administration par l'infirmière.

Concernant la prescription, une étude québécoise réalisée auprès de 2 633 résidents (Rancourt *et al.*, 2004) a démontré que 54,7 % des résidents consommaient un médicament potentiellement inapproprié. Les raisons expliquant l'aspect potentiellement inapproprié de la médication tenaient à la présence d'interaction médicamenteuse (33,9 % des cas), à une durée de traitement inadéquate (23,6 % des cas), à un médicament non recommandé (14,7 % des cas) ou encore à un dosage inapproprié (9,6 % des cas). Les médicaments qui ont été le plus souvent étiquetés comme potentiellement inappropriés sont ceux qui agissent sur le système nerveux central (antipsychotique, benzodiazépine, etc.). Les erreurs concernant la distribution des médicaments par les pharmaciens seraient plus rares (Gurwitz *et al.*, 2000).

L'administration du médicament par l'infirmière est une étape cruciale puisque c'est au cours de celle-ci que se concrétisent les risques liés aux erreurs ayant pu se produire lors de la prescription et de la distribution du médicament (Larrabee et Brown, 2003). L'Ordre des infirmières et infirmiers du Québec (OIIQ, 2004) s'est penché sur les causes les plus fréquentes d'erreurs lors de l'administration de médicaments par le personnel soignant et a déterminé qu'elles étaient au nombre de cinq, soit : le manque de connaissances ou d'information sur le médicament ; l'omission d'obtenir des explications à propos d'ordonnances douteuses ; le non-respect des principes d'administration des médicaments ; le recours à des méthodes de

soins inappropriées, par exemple une mauvaise programmation des pompes ; l'inadéquation de la documentation, par exemple des informations erronées, omises ou imprécises (OIIQ, 2004). Selon une étude, les erreurs d'administration des médicaments ne seraient déclarées que dans seulement 5 % des cas (Larrabee et Brown, 2003). Les problèmes liés à l'administration des médicaments seraient donc sous-estimés.

À cet égard, une étude menée auprès de 983 infirmières indique que 54,4 % d'entre elles croient que les erreurs liées à l'administration de médicaments sont rarement déclarées (Mayo et Duncan, 2004). Ainsi, 68,3 % des infirmières que les chercheurs ont interrogées reconnaissent avoir commis entre deux à cinq erreurs d'administration de médicaments au cours de leur carrière. D'autre part, les auteurs de cette étude précisent qu'entre 10 et 18 % des accidents iatrogènes qui se produisent dans les hôpitaux sont liés aux erreurs d'administration de médicaments, et que 5 % de ces erreurs s'avéreraient fatales pour l'individu. De ce point de vue, les CHSLD constitueraient des milieux à risque en matière d'erreur d'administration de médicaments, car le nombre d'erreurs de ce genre augmente avec le nombre de médicaments donnés (Blinch *et al.*, 2005).

Le manque de surveillance de la pharmacothérapie serait l'une des plus importantes causes des problèmes médicamenteux (Gurwitz *et al.*, 2000 ; Gurwitz *et al.*, 2005). Parmi les effets indésirables survenant chez les résidents, 70 à 80 % seraient attribuables à une surveillance inadéquate du traitement. Par « surveillance inadéquate », on désigne, entre autres, la détection tardive des signes et symptômes d'une intoxication médicamenteuse. Il s'agirait, par exemple, d'une infirmière qui n'aurait pas noté l'apparition de nausées, de vomissements et d'une anorexie associés à une intoxication à la digoxine. En fait, plus de 70 % des effets indésirables causés par des médicaments se manifestent par des symptômes cliniquement décelables (Gurwitz *et al.*, 2005).

Enfin, il faut également tenir compte du ratio infirmière/résidents lorsqu'on se penche sur le risque que surviennent des effets indésirables, puisqu'il influe sur l'usage optimal des médicaments. Des études ont en effet démontré qu'un ratio infirmière/résidents approprié était associé à un usage optimal des médicaments psychotropes en CHSLD (Schmidt et Svarstad, 2002 ; Svarstad, Mount et Bigelow, 2001 ; Svarstad et Mount, 2001). Ainsi, l'usage des antipsychotiques s'est avéré moins adéquat dans les CHSLD où les infirmières devaient prendre soin de plusieurs résidents à la fois (Svarstad *et al.*, 2001). De même, certains chercheurs ont observé que les infirmières jouaient un rôle essentiel concernant l'usage optimal des médicaments PRN (Stokes *et al.*, 2004). Le manque de continuité dans les soins fait en sorte que l'infirmière connaît moins bien les résidents dont elle est responsable, ce qui influence sa capacité à donner des médicaments PRN au bon moment. Les résidents qui éprouvent de la difficulté à communiquer et à manger seuls sont ceux qui risquent le plus de ne pas recevoir leurs médicaments PRN de façon optimale (Stokes *et al.*, 2004). Notons pour conclure que la qualité de la communication entre l'infirmière et le médecin influence significativement la qualité de l'usage des psychotropes en CHSLD (Schmidt et Svarstad, 2002).

Manifestations cliniques

Les effets indésirables des médicaments peuvent prendre plusieurs formes. Le tableau 23-4 présente les signes que Gurwitz et ses collaborateurs (2005) ont le plus fréquemment observés.

Cela dit, les manifestations cliniques majeures associées aux effets indésirables des médicaments sont les chutes, la dépression, l'hypotension orthostatique, les symptômes anticholinergiques, les troubles cognitifs et les troubles du mouvement (Pepper, 1999).

Chutes

Les chutes représentent un problème important en CHSLD (Kron, Loy, Sturm, Nikolaus et Becker, 2003). Entre 20 et 40 % des chutes sont attribuables chez l'aîné aux effets indésirables médicamenteux (Pepper, 1999). Certains chercheurs ont noté qu'il existe une grande probabilité qu'elles surviennent dans les 28 jours qui suivent la prise d'une nouvelle médication (Neutel, Hirdes, Maxwell et Patten, 1996). Les médicaments qui risquent le plus de causer des chutes sont les benzodiazépines, les antipsychotiques, les hypnotiques, les diurétiques, les bêta-bloquants et les inhibiteurs sélectifs de la recapture de la sérotonine (Neutel, Hindes, Maxwell et Patten, 1996). Les mécanismes qui expliquent comment ces médicaments contribuent aux chutes sont l'hypotension orthostatique, la sédation ou l'activité anticholinergique.

Tableau 23-4	Manifestations les plus fréquentes des effets indésirables
CATÉGORIES	**EXEMPLES**
Neuropsychiatrique	Somnolence, hallucinations et delirium
Gastro-intestinale	Douleur abdominale, diarrhée, constipation, fécalome
Hématologique	Saignement
Rénale	Déséquilibre électrolytique, déshydratation, dysfonctionnement rénal
Métabolique	Hypoglycémie, problèmes relatifs à la glande thyroïde

Source : J.H. Gurwitz, T.S. Field, J. Judge, P.A. Rochon, L.R. Harrold, C. Cadoret, M. Lee, J. La Primo, J. Erramuspe-Mainard, M. De Florio, L. Gavendo, J. Auger et D.W. Bates (2005). The incidence of adverse drug events in two large academic long-term care facilities. *The American Journal of Medicine, 118* (3), 251-258.

Dépression

Certains médicaments peuvent causer directement la dépression, alors que d'autres ne font qu'induire une trop forte sédation, un ralentissement fonctionnel ou encore un affaiblissement général, des facteurs susceptibles de déclencher ou d'entretenir un état dépressif chez l'aîné (Cossette, 1996 ; Langlois-Meurinne, 1987 ; Pepper, 1999). Les médicaments souvent associés à la dépression chez l'aîné sont les hypotenseurs, les anti-inflammatoires, les analgésiques, les sédatifs et les hypnotiques (Cossette, 1996 ; Plante et Mallet, 1991). Il semble que les changements dans le fonctionnement des neurotransmetteurs centraux associés au vieillissement normal expliqueraient la prédisposition des aînés à la dépression induite par les médicaments (Pepper, 1999).

Hypotension orthostatique

L'hypotension orthostatique est un effet indésirable qui se produit fréquemment chez l'aîné lors de l'administration d'hypotenseurs, d'antidépresseurs tricycliques, d'antipsychotiques et d'antalgiques opiacés (Mets, 1995 ; Nielson, 1994). L'hypotension orthostatique résulte d'une conjonction de facteurs incluant une altération du fonctionnement des barorécepteurs causée par le vieillissement, une vasodilatation excessive ou une hypovolémie (Doucet *et al.*, 1999).

Symptômes anticholinergiques

Les symptômes anticholinergiques sont la rétention urinaire, les troubles de vision, la constipation, et la sécheresse de la bouche, des yeux et de la peau (Blazer *et al.*, 2004 ; Pepper, 1999). Certains y incluent également les troubles cognitifs (delirium, perte de mémoire), l'agitation, la tachycardie et les reflux gastro-œsophagiens (Brown, Markowitz, Moore et Parker, 1999 ; Pepper, 1999 ; Ouslander *et al.*, 1997 ; Richelson, 1999). Les antihistaminiques, les antipsychotiques, les antidépresseurs tricycliques, les antiarythmiques, les antispasmodiques et les antiparkinsoniens peuvent causer ce type d'effets indésirables.

Troubles cognitifs

Les troubles cognitifs représentent 27 % des effets indésirables qui se produisent chez les résidents (Gurwitz *et al.*, 2000). Les troubles de la mémoire, les hallucinations et le delirium constituent les principaux troubles cognitifs. Les troubles cognitifs se manifestent habituellement chez le résident qui prend des antiarythmiques, des anticholinergiques, des anticonvulsivants, des antiparkinsoniens, des benzodiazépines, des corticostéroïdes ou des diurétiques (Pepper, 1999). Ils seraient liés aux changements qui touchent la circulation sanguine dans le cerveau, à la diminution de l'efficacité de la barrière hémo-encéphalique et à l'augmentation de la sensibilité du système nerveux central aux effets des médicaments (Pepper, 1999). Le risque d'effets indésirables entraînant des troubles cognitifs serait plus élevé chez les résidents atteints d'une démence. D'ailleurs, il a été démontré que les antipsychotiques accélèrent le déclin cognitif de ces résidents (McShane *et al.*, 1997).

Troubles du mouvement

Les troubles du mouvement se présentent sous la forme de symptômes extrapyramidaux. Ils apparaissent surtout chez le résident qui prend des antipsychotiques classiques ou atypiques (Margolese, Chouinard, Kolivakis, Beauclair et Miller, 2005). Causés par le blocage des récepteurs D_2 (Lavoie, Grenier et Mallet, 2003), ils sont caractérisés par quatre groupes de symptômes, soit la dystonie, l'acathisie (synonyme de « acathésie » et de « akathisie »), le parkinsonisme et la dyskinésie tardive.

Dystonie

Plus rare chez l'aîné, la dystonie se produit à la suite de l'administration d'antipsychotiques (Caligiuri, Jeste et Lacro, 2000), habituellement dans les premiers jours ou les premières semaines du traitement (Lehne, 2001). Les signes cliniques de la dystonie comprennent les contractures et les spasmes musculaires soudains, involontaires et prolongés, qui peuvent influencer la posture. Les spasmes peuvent apparaître au niveau des bras, des jambes, du tronc, du cou et de la figure. Le résident atteint de dystonie peut présenter une ouverture de la bouche avec protrusion linguale, une contraction spasmodique des paupières, un plafonnement du regard, un torticolis, une hyperextension de la tête, des spasmes des muscles rotateurs des yeux et des troubles de la déglutition (Caligiuri *et al.*, 2000).

Acathisie

L'acathisie consiste en un besoin irrésistible de bouger (Pepper, 1999 ; Saltz, Woerner, Robinson et Kane, 2000). Il est facile de la confondre avec de l'agitation, ce qui peut entraîner une augmentation de la dose d'antipsychotique, alors qu'un sevrage serait plus indiqué (Saltz *et al.*, 2000). L'acathisie apparaît durant les premiers mois de traitement chez plus de 50 % des aînés qui reçoivent un antipsychotique classique (Saltz *et al.*, 2000).

Parkinsonisme

Le parkinsonisme se manifeste chez 40 % des aînés qui prennent des antipsychotiques classiques (Saltz *et al.*, 2000). Il se traduit principalement par des tremblements, de la rigidité, un faciès figé, un ralentissement moteur (bradykinésie) et des troubles d'équilibre semblables aux symptômes de la maladie de Parkinson.

Dyskinésie tardive

La dyskinésie tardive apparaît en général chez 15 à 53 % des aînés (Gruchalla, 2003 ; Lehne, 2001 ; Rawlins et Thompson, 1991 ; Woerner, Alvir, Saltz, Lieberman et Kane, 1998) qui ont été exposés de façon prolongée aux antipsychotiques classiques. Les aînés courent cinq à six fois plus de risques d'éprouver cet effet secondaire que les

adultes d'âge moyen. Il est à noter que les antipsychotiques atypiques peuvent aussi causer cet effet indésirable. La dyskinésie tardive se traduit par des mouvements involontaires, répétitifs et sans but. On la décrit habituellement selon deux modèles. D'une part, il y a le syndrome orofacial, qui se caractérise par des mâchonnements, des grimaces, un claquement de la langue et des lèvres. D'autre part, il y a le syndrome axial et périphérique, qui se caractérise par des mouvements anormaux des membres, un balancement du tronc, et la présence de dysphagie et de difficultés respiratoires (Miller, 1999).

Détection des effets médicamenteux indésirables

La détection des événements indésirables liés aux médicaments fait partie intégrante des bonnes pratiques cliniques associées à un usage optimal des médicaments en CHSLD. Il s'agit essentiellement de déceler les effets indésirables médicamenteux en vue de prendre sans délai les moyens nécessaires pour corriger la situation, en atténuer les conséquences ou remédier à celles-ci. L'infirmière dispose de deux moyens pour détecter les effets indésirables des médicaments : l'examen clinique et les échelles de mesure.

Examen clinique

La détection des effets indésirables constitue un défi clinique majeur. Les signes et symptômes des effets indésirables médicamenteux sont habituellement trompeurs chez l'aîné. Comme nous l'avons vu, ils peuvent se présenter sous forme de malaises, de chutes, de troubles de l'équilibre, d'une altération de l'état général, d'une perte d'appétit, de troubles cognitifs, d'une incontinence ou d'une aggravation des pertes d'autonomie.

Dans un tel contexte, il peut s'avérer ardu de différencier les conséquences des maladies sous-jacentes de la morbidité qu'induisent les effets indésirables des médicaments que consomme le résident (Kane *et al.*, 2004). En outre, le contexte de polypathologie peut amener l'infirmière à considérer de nouveaux signes et symptômes liés à un effet indésirable comme les manifestations d'une affection dont souffre le résident. Il est aussi possible qu'un nouvel état dépressif lié à la médication (tel un hypotenseur) coïncide avec le décès d'un proche du résident. Dans ce cas, il est quasiment impossible pour l'infirmière d'associer la médication à un tel état. Il est donc essentiel que l'infirmière développe le réflexe d'associer systématiquement l'apparition d'un nouveau symptôme ou d'une exacerbation d'un symptôme connu, tels la douleur ou des étourdissements, à la possibilité qu'un effet indésirable médicamenteux soit en cause.

Lorsqu'un résident présente un ou de nouveaux symptômes (une chute, par exemple) possiblement liés à la médication, l'infirmière réalisera un examen clinique. Lors de cet examen, l'infirmière doit établir l'histoire de santé du résident, ce qui comprend l'analyse des facteurs qui auraient pu provoquer l'apparition des nouveaux symptômes potentiellement liés à un effet indésirable. Dans le cas d'une chute, l'infirmière déterminera si un médicament que consomme le résident (par exemple, un hypotenseur ou une benzodiazépine) n'est pas connu pour accroître le risque de chute. Elle amorce de la sorte une évaluation de l'imputabilité possible des médicaments relativement aux manifestations que présente le résident.

L'imputabilité est l'analyse, au cas par cas, du lien de causalité entre la prise d'un médicament et la survenue d'un effet indésirable au cours d'un traitement médicamenteux (Bégaud, Evreux, Jouglard et Lagier, 1985 ; Dangoumau et Bégaud, 1982 ; Naranjo *et al.*, 1981). Cette analyse repose essentiellement sur l'évaluation d'arguments chronologiques qui confirment ou infirment le rôle du médicament relativement à l'apparition des signes et symptômes du résident. Cette évaluation peut être très complexe, car, dans certains cas, un nouveau médicament n'entraîne pas d'effets indésirables au cours des premiers mois du traitement, de tels effets pouvant plutôt apparaître après douze mois d'utilisation (Miller, 1999).

Après avoir amorcé ce processus d'évaluation, l'infirmière doit le poursuivre en collaboration avec le pharmacien ou le médecin. Les observations cliniques de l'infirmière et les notes évolutives qu'elle aura rigoureusement rédigées dans le dossier du résident sont au cœur du processus. Des notes évolutives de qualité facilitent grandement l'analyse de l'imputabilité du médicament dans la survenue des effets indésirables. L'infirmière doit donc colliger au dossier tous les nouveaux signes et symptômes que le résident manifeste. Au quotidien, ces signes et symptômes peuvent ne pas paraître significatifs. Toutefois, si le résident chute et que le pharmacien décide d'entamer une analyse d'imputabilité de la médication relativement à cet événement, il est possible que les notes de l'infirmière se présentent comme le seul outil fiable sur lequel le pharmacien puisse faire reposer son analyse. Par exemple, grâce à celles-ci, le pharmacien pourrait noter qu'on a ajusté le dosage d'un hypotenseur une semaine avant la chute. Il pourrait aussi remarquer que, dans les jours suivant cet ajustement, le résident présentait moins d'appétit lors des repas, qu'il collaborait moins lors des soins, qu'il refusait de participer à certaines activités récréatives et, enfin, qu'il était confus le matin de la journée où il a chuté. Avec des notes aussi détaillées, le pharmacien ou le médecin (le cas échéant) pourra avancer avec beaucoup d'assurance l'hypothèse que l'hypotenseur a contribué à la chute. La capacité de l'infirmière à effectuer un examen clinique et sa rigueur à consigner des notes évolutives au dossier constituent des moyens efficaces pour détecter les effets indésirables des médicaments.

L'infirmière doit aussi savoir reconnaître les moments où des effets indésirables médicamenteux risquent d'apparaître. Ainsi, lorsqu'on prescrit un nouveau médicament à un résident ou qu'on modifie la posologie de l'un de ses médicaments, l'infirmière devrait examiner avec attention le résident. Elle devrait s'informer sur le médicament en question, afin d'en connaître les effets indésirables les plus courants. Les psychotropes (tels les benzodiazépines, les antidépresseurs, les antipsychotiques, etc.) étant souvent la cause d'effets indésirables nuisibles (Kane *et al.*, 2004 ; Ouslander *et al.*, 1997 ; Timiras et Luxenberg, 2003), des chercheurs ont développé des échelles spécialement conçues pour ces médicaments. Au nombre de deux, elles peuvent soutenir l'infirmière dans sa démarche d'observation des effets indésirables liés à ces médicaments. Nous présenterons ces deux échelles dans les prochaines pages. Alors que l'une vise à détecter la dyskinésie tardive causée par les antipsychotiques, l'autre sert à déceler les effets indésirables des psychotropes en général.

Échelles cliniques

Comme nous l'avons dit, les échelles que nous présentons ici ont été développées pour détecter les effets indésirables associés à la prise des psychotropes (Chouinard, Ross-Chouinard, Annable et Jones, 1980). Ces échelles sont particulièrement prometteuses pour ce qui est de la détection et de la surveillance des effets indésirables médicamenteux en CHSLD. Nous examinons ainsi dans les pages qui suivent une version abrégée de l'échelle *Udvalg for Kliniske Undersogelser* (Lingjaerde, Ahlfors, Bech, Dencker et Elgen, 1987) et une version abrégée et adaptée de l'échelle *Extrapyramidal Symptom Rating Scale* (Chouinard *et al.*, 1980).

Échelle abrégée *Udvalg for Kliniske Undersogelser*

Le tableau 23-5 présente l'échelle abrégée *Udvalg for Kliniske Undersogelser* (UKU). Elle évalue la présence de symptômes psychiques, neurologiques, neurovégétatifs ou autres pouvant apparaître chez le résident à la suite d'une exposition aux psychotropes.

Administration

Pour utiliser adéquatement cette échelle, il faut avoir recours à trois moyens, soit l'observation, une entrevue avec le résident (lorsque cela est possible) et l'examen clinique. Selon la situation, il est possible de se servir de cette échelle de façon hebdomadaire ou mensuellement. Pour chaque signe, symptôme ou plainte, la cote d'intensité peut prendre l'une des valeurs suivantes : 0 = absence ou doute, 1 = léger, 2 = moyen et 3 = grave. Lorsqu'elle a rempli toutes les sections de l'échelle, l'infirmière détermine s'il est pertinent de pousser davantage l'investigation. Si le score du résident concerné est peu élevé, il est peu probable que le psychotrope ait entraîné des effets indésirables. À l'inverse, si le score est élevé, la probabilité que le psychotrope soit la cause d'un symptôme ou d'un signe particulier est grande. L'infirmière devrait ainsi adopter une démarche particulière en fonction du score qu'obtient le résident à l'échelle UKU et de son jugement clinique de la situation. Rappelons à cet égard que l'échelle UKU est un

Tableau 23-5	Version abrégée de l'échelle UKU pour médicaments psychotropes							

SYMPTÔMES	NON ÉVALUÉ	DEGRÉ AU COURS DES TROIS DERNIERS JOURS				SYMPTÔME PRÉSENT AVANT LE DÉBUT DU TRAITEMENT	
		0	1	2	3	OUI	NON
PSYCHIQUES							
1.1 Difficultés de concentration							
1.2 Asthénie, fatigue et fatigabilité accrue							
1.3 Somnolence, sédation							
1.4 Troubles de la mémoire							
1.5 Dépression							
1.6 Tension, agitation intérieure							
1.7-1.8 Durée du sommeil – augmentation ☐ – diminution ☐							
1.9 Augmentation de l'activité onirique (rêve)							
1.10 Indifférence émotionnelle							
NEUROLOGIQUES							
2.1 Dystonie							
2.2 Rigidité							
2.3 Hypokinésie / akinésie							
2.4 Hyperkinésie							
2.5 Tremblements							
2.6 Acathisie							
2.7 Convulsions							
2.8 Paresthésie							
NEUROVÉGÉTATIFS							
3.1 Troubles de l'accommodation							
3.2-3.3 Sialorrhée – hyper ☐ – hypo ☐							
3.4 Nausées, vomissements							
3.5-3.6 – Diarrhée ☐ – Constipation ☐							
3.7 Troubles de la miction							
3.8 Polyuries / polydipsie							
3.9 Vertiges orthostatiques							
3.10 Palpitations / tachycardie							
3.11 Augmentation de la sudation							

>>>

SYMPTÔMES	NON ÉVALUÉ	DEGRÉ AU COURS DES TROIS DERNIERS JOURS				SYMPTÔME PRÉSENT AVANT LE DÉBUT DU TRAITEMENT	
		0	1	2	3	OUI	NON
AUTRES EFFETS							
4.1 Éruptions cutanées							
4.2 Prurit							
4.3 Photosensibilité							
4.4 Augmentation de la pigmentation cutanée							
4.5-4.6 Poids – augmentation ☐ – diminution ☐							
4.7 Céphalées							
4.8 Dépendance physique							
4.9 Dépendance psychique							
SCORE TOTAL							

Démarche à suivre selon l'avis du médecin	Avis du médecin

0 Aucune action
1 Évaluation plus fréquente du résident, mais sans diminution de la posologie et/ou prescription occasionnelle d'un correcteur des effets indésirables, si nécessaire
2 Diminution de la posologie et/ou traitement continu des effets indésirables
3 Arrêt du produit ou emploi d'un autre traitement

Source : Adapté de O. Lingjaerde, U.G. Ahlfors, P. Bech, S.J. Dencker et K. Elgen (1987). The UKU side effect rating scale. A new comprehensive rating scale for psychotropic drugs and cross-sectional study of side-effects in neuroleptic-treated patients. *Acta Psychiatrica Scandinavica, 76* (suppl. 334), 1-100. Blackwell Publishing.

outil de soutien permettant d'examiner de façon détaillée les effets indésirables possibles d'un traitement aux psychotropes. Elle ne se substitue toutefois pas au jugement de l'infirmière. En cas de doute, l'infirmière se tournera vers le médecin et le pharmacien.

Échelle abrégée et adaptée d'évaluation des symptômes extrapyramidaux

Le tableau 23-6 présente l'échelle abrégée et adaptée d'évaluation des symptômes extrapyramidaux. Elle permet d'évaluer la présence ou l'absence des symptômes extrapyramidaux avant et pendant la thérapie médicamenteuse (notamment avec les antipsychotiques). Elle comporte deux parties, l'une subjective, et l'autre objective. La partie subjective mesure les symptômes parkinsoniens et dystoniques. L'infirmière la remplira en observant le résident et en lui posant des questions si cela est possible. La partie objective repose également sur l'observation du résident, et vise à détecter les symptômes parkinsoniens, de la dystonie et des mouvements dyskinétiques.

Administration

Pour les besoins des soins infirmiers en CHSLD, nous avons adapté l'attribution des points de l'échelle abrégée d'évaluation des symptômes extrapyramidaux, afin de faciliter l'administration de l'échelle. Néanmoins, nous encourageons l'infirmière clinicienne spécialisée en gériatrie du CHSLD à donner une courte formation aux autres infirmières, afin de s'assurer que chacune utilisera l'échelle correctement et de manière similaire. Ainsi, l'infirmière qui se sert de l'échelle doit déterminer si les signes ou les symptômes sont présents ou absents. Chaque élément coché équivaut à un point. D'autre part, l'infirmière doit déterminer si le symptôme en cause était présent avant le recours aux antipsychotiques. L'infirmière doit remplir cette échelle chaque semaine au cours du premier mois de traitement, et mensuellement par la suite. Plus le score qu'obtient le résident est élevé et plus les éléments cochés constituent de nouveaux symptômes, plus la probabilité que le résident souffre des effets indésirables est élevée.

Tableau 23-6	Version abrégée et adaptée de l'échelle d'évaluation des symptômes extrapyramidaux			
ÉVALUER LES SYMPTÔMES DU RÉSIDENT		**COCHER SI PRÉSENT**	**SYMPTÔME PRÉSENT AVANT LE DÉBUT DU TRAITEMENT**	
			OUI	**NON**
I. SYMPTÔMES PARKINSONIENS ET DYSTONIQUES : QUESTIONNAIRE				
1. Impression de ralentissement ou de faiblesse, difficulté à accomplir des tâches courantes				
2. Difficulté à marcher ou équilibre incertain				
3. Difficulté à avaler ou à parler				
4. Raideur, posture rigide				
5. Crampes ou douleurs aux membres, au dos ou au cou				
6. Incapacité à tenir en place, nervosité, besoin impérieux de bouger				
7. Tremblements				
8. Crises oculogyres (perturbation des mouvements des yeux) ou posture figée anormale				
9. Hypersalivation				
10. Mouvements involontaires anormaux (dyskinésie) des extrémités ou du tronc				
11. Mouvements involontaires anormaux (dyskinésie) de la langue, de la mâchoire, des lèvres ou du visage				
12. Étourdissements au passage à la station debout (surtout le matin)				
II. SYMPTÔMES PARKINSONIENS : EXAMEN				
1. Mouvements automatiques de l'expression (masque facial / problème d'élocution)				
2. Bradykinésie				
3. Rigidité				
– Bras droit				
– Bras gauche				
– Jambe droite				
– Jambe gauche				
4. Modification de la démarche et de la posture				
5. Tremblements				
– Bras droit				
– Bras gauche				
– Jambe droite				
– Jambe gauche				
– Tête				
– Menton				
– Langue				
6. Acathisie				
7. Sialorrhée				

>>>

ÉVALUER LES SYMPTÔMES DU RÉSIDENT	COCHER SI PRÉSENT	SYMPTÔME PRÉSENT AVANT LE DÉBUT DU TRAITEMENT	
		OUI	NON
III. DYSTONIE : EXAMEN			
1. Dystonie aiguë			
– Localisation			
2. Dystonie non aiguë			
– Localisation			
IV. MOUVEMENTS DYSKINÉTIQUES : EXAMEN			
1. Perturbation des mouvements de la langue (mouvements latéraux lents ou de torsion de la langue)			
2 Perturbation des mouvements de la mâchoire			
3. Perturbation des mouvements buccolabiaux			
4. Perturbation des mouvements du tronc			
5. Perturbation des mouvements des membres supérieurs			
6. Perturbation des mouvements des membres inférieurs			
7. Autres mouvements involontaires perturbés			
– Avaler			
– Froncer les sourcils			
– Cligner les yeux			
– Soupirer			
– Autre, spécifier _____			
Total			

Source : Adapté de G. Chouinard, A. Ross-Chouinard, L. Annable et B.D. Jones (1980). Extrapyramidal Symptom Rating Scale. *Canadian Journal of Neurological Science, 7*, 233.

PROGRAMME D'INTERVENTION

Programme collectif

Le programme collectif que nous présentons ici vise à optimiser l'usage des médicaments dans l'unité de soins. Bien que le concours de tous les professionnels de la santé soit fondamental pour qu'un usage optimal des médicaments soit possible, nous nous concentrons dans ce chapitre sur la contribution de l'infirmière dans le contexte des CHSLD. D'autre part, nous ne nous attardons pas aux règles de base de l'administration des médicaments. Nous examinons plutôt quelles sont les responsabilités professionnelles de l'infirmière à l'égard de l'usage optimal des médicaments chez les résidents. Par la suite, nous abordons les principaux aspects de l'usage optimal des médicaments en fonction du rôle de l'infirmière en CHSLD.

Responsabilités infirmières concernant les médicaments

L'infirmière a un rôle majeur à jouer concernant la consommation de médicaments des résidents dans les CHSLD. Puisque les résidents consomment de nombreux médicaments et que plusieurs en ressentent des effets indésirables, l'infirmière doit assumer pleinement ses responsabilités afin de contribuer à l'usage optimal des médicaments. En assumant ses responsabilités, l'infirmière rendra possible l'atteinte de l'objectif premier de la pharmacothérapie : *primum non nocer*, c'est-à-dire « d'abord, ne pas nuire ». Le tableau 23-7 résume les responsabilités de l'infirmière à l'égard de l'usage des médicaments (OIIQ, 2002).

Tableau 23-7	Responsabilités professionnelles de l'infirmière concernant l'usage des médicaments

L'infirmière :

- met à jour ses connaissances concernant les effets thérapeutiques et secondaires des médicaments ;
- respecte les cinq bons principes d'administration des médicaments (voir p. 345) ;
- tient compte des interactions médicamenteuses ;
- informe le médecin des changements survenus dans l'état de santé du résident qui peuvent justifier une modification du traitement pharmacologique ;
- renseigne le résident et/ou ses proches sur les médicaments ;
- évalue si le médicament que prend le résident a l'effet désiré ;
- surveille l'apparition des effets indésirables des médicaments ;
- favorise l'autoadministration des médicaments ;
- inscrit au dossier tous les renseignements relatifs à la consommation des médicaments du résident.

Source : Adapté de Ordre des infirmières et infirmiers du Québec (2002). *L'exercice infirmier en soins de longue durée : Au carrefour du milieu de soins et du milieu de vie*. Bibliothèque nationale du Québec : Ordre des infirmières et infirmiers du Québec.

Outre qu'elle doit assumer pleinement les responsabilités que présente le tableau 23-7, l'infirmière dispose d'un pouvoir d'influence significatif sur le médecin qui prescrit les médicaments (Ouslander *et al.*, 1997). Dans certains cas, le médecin prescrira un médicament en s'appuyant uniquement sur les observations de l'infirmière (Stokes *et al.*, 2004). L'infirmière doit ainsi être consciente de ce pouvoir d'influence. Qui plus est, elle doit réaliser que sa perception des médicaments influence ses attitudes et comportements, et joue sur le type d'influence qu'elle aura sur le médecin. Par exemple, une infirmière qui désapprouve l'usage de médicaments pourra porter la responsabilité d'une sous-utilisation de médicaments tels que les analgésiques, par exemple, et même faire en sorte qu'il y ait des délais dans le recours aux services médicaux. À l'inverse, une infirmière qui voit dans l'usage des médicaments une solution à tous les maux pourra exercer inutilement des pressions sur le médecin pour qu'il prescrive des médicaments (Hudson, 2003). Plus les connaissances de l'infirmière en pharmacologie sont importantes et à jour, plus elle aura une perception juste et équilibrée des bénéfices et des risques inhérents aux médicaments.

Usage optimal des médicaments en CHSLD et rôle de l'infirmière

Rappelons que l'usage optimal des médicaments désigne un usage qui en maximise les bienfaits et en minimise les risques pour la santé, et qui tient compte de diverses interventions possibles, des coûts et des ressources disponibles, des valeurs des patients et des valeurs sociales (Conseil du médicament, 2005). Dans les prochaines pages, nous examinons quelle devrait être la contribution de l'infirmière relativement aux principaux aspects de cette vision de l'usage des médicaments.

Les valeurs des résidents

Le respect des valeurs du résident s'effectue de plusieurs manières. Dans cette section, nous nous concentrons sur le fait qu'il faut tenir compte de la routine quotidienne du résident relativement à l'administration des médicaments et qu'il faut tâcher de mettre sur pied un programme d'autoadministration des médicaments.

Respect du résident

Afin de concilier le milieu de vie et le milieu de soins, il est souhaitable que l'administration des médicaments tienne compte des routines du résident. Pour y parvenir, il s'agit tout d'abord d'éviter, lorsque c'est possible, l'usage de médicaments qui nécessitent l'administration de plusieurs doses quotidiennes. Le médecin devrait prescrire des médicaments qui ont une longue durée d'action (Kane *et al.*, 2004). Lorsque les médicaments le permettent, c'est-à-dire lorsque les risques d'interactions médicamenteuses ne sont pas élevés, on devrait tâcher de regrouper les doses de médicaments qui ont été prescrites au résident afin qu'il puisse les prendre toutes au même moment. Par exemple, en concertation avec le médecin et le pharmacien, on repoussera la prise d'un médicament que le médecin a prescrit au souper pour l'ajouter au groupe de médicaments que le résident doit prendre avant de se coucher.

L'avantage d'un régime médicamenteux simplifié tient au fait que l'infirmière n'aura pas à interrompre les activités quotidiennes du résident pour lui administrer ses médicaments (Ouslander *et al.*, 1997). De plus, le fait de réduire le nombre de doses de médicaments à donner par jour à un résident qui résiste aux soins (voir le chapitre 25) réduit les chances que le résident refuse sa médication. Lorsqu'il est impossible de réduire le nombre de doses, le médecin devrait suggérer des heures d'administration flexibles (Ouslander *et al.*, 1997). L'infirmière aura ainsi la possibilité d'administrer les médicaments au moment opportun, l'objectif étant à cet égard d'administrer les médicaments comme si le résident se trouvait toujours à son domicile. De la sorte, s'il dort plus ou moins longtemps tel matin particulier, le résident recevra ses médicaments à son réveil et non à une heure prédéterminée. D'autre part, l'infirmière évitera par exemple de réveiller un résident pour lui administrer un médicament qui lui permet de dormir (Hudson, 2003) ! Le fait de recourir à des médicaments dont la durée d'action est longue et de regrouper la prise des doses de médicaments à un moment précis de la journée donnera à l'équipe de soins la possibilité d'administrer les médicaments comme si le résident se trouvait toujours chez lui.

Programme d'autoadministration des médicaments

Un programme d'autoadministration des médicaments vise à responsabiliser le résident à l'égard de sa prise de médicaments (Collingsworth, Gould et Wainwright, 1997). Ce type d'approche s'harmonise directement avec le concept de milieu de vie en CHSLD d'une part et avec la nouvelle politique du médicament d'autre part, laquelle encourage le respect des valeurs et des capacités des personnes.

L'infirmière devrait encourager les résidents qu'on a jugés aptes à le faire à s'autoadministrer leurs médicaments, car cette stratégie permettra aux résidents d'accroître leur autonomie et leur estime de soi, tout en leur permettant d'avoir une plus grande emprise sur leur vie (Cohen-Mansfield et Deutsch, 1996; Lowe, Raynor, Courtney, Purvis et Teale, 1995; Manias, Beanland, Riley et Baker, 2004; Miller, 2004a). D'ailleurs, plusieurs études ont démontré que les aînés préfèrent s'autoadministrer leurs médicaments plutôt que de les recevoir de l'infirmière (Jensen, 2003; Lowe *et al.*, 1995). D'autre part, ce genre de programme satisfait tout autant les infirmières (Barry, 1993; Collingsworth *et al.*, 1997; Jensen, 2003). En plus d'avoir pour conséquence ces effets psychologiques positifs, un programme d'autoadministration favorise une plus grande fidélité aux traitements, ce qui réduit d'autant les erreurs médicamenteuses (Collingsworth *et al.*, 1997; Jensen, 2003; Lowe *et al.*, 1995; Manias *et al.*, 2004; Pereles *et al.*, 1996; Raynor, Booth et Blenkinsopp, 1993), et permet aux aînés d'avoir une meilleure connaissance de leurs médicaments (Collingsworth *et al.*, 1997; Jensen, 2003; Manias *et al.*, 2004; Pereles *et al.*, 1996; Raynor *et al.*, 1993).

Il relève de la responsabilité de l'infirmière d'implanter un programme d'autoadministration des médicaments (Miller, 2004b). D'ailleurs, la relation entre un résident et l'infirmière constitue la principale cause de l'efficacité d'un programme d'autoadministration des médicaments (Collingsworth *et al.*, 1997). L'infirmière qui souhaite suggérer à un résident d'adopter un programme d'autoadministration des médicaments doit tenir compte d'un ensemble de facteurs (Armour et Cairns, 2002; Kane *et al.*, 2004; Miller, 1999; Raynor *et al.*, 1993), que présente le tableau 23-8. L'infirmière doit évaluer ces facteurs dans le cadre d'une entrevue avec le résident.

L'infirmière doit s'assurer que le résident dispose de la motivation suffisante pour assumer la responsabilité de sa prise de médicaments (Manias *et al.*, 2004) et qu'il fait preuve d'intérêt pour l'autoadministration de ses médicaments. L'infirmière doit également considérer l'attitude et les croyances du résident envers les médicaments. Un rési-

dent qui a par le passé refusé de suivre les indications médicales qu'on lui avait données ou qui désapprouve les médicaments ne sera probablement pas un bon candidat pour un programme d'autoadministration des médicaments. Au cours de l'entrevue qu'elle mènera avec le résident, l'infirmière abordera avec lui ses préoccupations à l'égard de son régime médicamenteux et du programme d'autoadministration des médicaments (Barry, 1993). Il est important que le résident ait confiance en son régime médicamenteux et qu'il possède une excellente compréhension des objectifs du programme. Enfin, l'infirmière doit s'assurer que le résident peut lire et écrire, deux habiletés de base à l'autoadministration des médicaments.

D'autre part, dans le cadre d'un examen clinique, l'infirmière doit vérifier que le résident dispose des capacités cognitives nécessaires pour s'engager dans un programme d'autoadministration des médicaments (Manias *et al.*, 2004). Selon une étude effectuée à cet égard, un résident qui obtient un score de 26 et plus au mini-examen de l'état mental (voir le chapitre 2) est en mesure de s'autoadministrer ses médicaments (Pereles *et al.*, 1996).

L'infirmière évaluera également la santé mentale du résident, notamment en tâchant de déterminer s'il y a chez celui-ci la présence de symptômes d'anxiété et de dépression. C'est qu'un résident qui se trouve en état de dépression n'aura probablement pas la motivation nécessaire pour s'autoadministrer ses médicaments ou, encore, pourrait présenter un risque suicidaire (Manias *et al.*, 2004).

Toujours dans le cadre de cet examen clinique, l'infirmière prendra soin d'évaluer les capacités visuelles du résident de même que ses capacités motrices. La raison en est d'une part que jusqu'à 60 % des aînés éprouvent de la difficulté à lire les étiquettes des contenants de médicaments (Armour et Cairns, 2002). D'autre part, le résident doit avoir la capacité motrice nécessaire pour manipuler les contenants de médicaments ou les piluliers (ou «dosettes») (voir la figure 23-1), ce qui s'avère parfois difficile pour une personne atteinte d'un problème tel que l'arthrite (Armour et Cairns, 2002). L'infirmière pourra déterminer facilement si le résident dispose de ces capacités en lui remettant un contenant de médicaments et en lui demandant de lire

Tableau 23-8	Facteurs permettant de déterminer si un résident est apte à s'autoadministrer ses médicaments
RÉSIDENT	**THÉRAPIE**

• Aptitudes personnelles
  – Motivation
  – Attitude et croyances envers les médicaments
  – Capacité de lecture
 	
• Examen clinique
  – Capacité cognitive, mémoire prospective et à court terme
  – Santé mentale
  – Capacité visuelle
  – Capacité motrice, dextérité fine
	• Connaissance de la médication
	  – Complexité du régime médicamenteux
	    - Nombre de médicaments
	    - Nombre de doses quotidiennes par médicament
	    - Voie d'administration des médicaments
	    - Types de médicaments

l'étiquette et de l'ouvrir. Elle fera de même avec un pilulier. Si le résident échoue à l'un ou à l'autre de ces tests, cela signifie qu'il faudra lui fournir des étiquettes où les caractères imprimés sont plus gros et des piluliers plus faciles à manipuler. Il existe à cet égard un pilulier grand format et des contenants avec alvéoles de plastique qui permettent aux résidents ayant des problèmes de dextérité fine de saisir plus facilement leurs médicaments.

Après avoir terminé son examen clinique, l'infirmière doit déterminer quelles sont les connaissances du résident à l'égard de son régime médicamenteux, car on a démontré que plus les connaissances du résident sont importantes, plus celui-ci sera fidèle à son traitement (Barry, 1993). Pour établir le niveau de connaissances du résident, l'infirmière n'a d'autre choix que de lui poser un ensemble de questions concernant les médicaments qu'il consomme. Le tableau 23-9 présente les aspects sur lesquels les questions de l'infirmière doivent porter.

Durant son évaluation, l'infirmière notera les aspects pour lesquels le résident présente des lacunes. Celles-ci ne signifient pas que le résident ne peut pas bénéficier d'un programme d'autoadministration des médicaments. Leur détection permet au contraire à l'infirmière de savoir quel contenu elle devra transmettre au résident avant qu'il n'amorce l'autoadministration de ses médicaments. De ce point de vue, l'approche de l'infirmière doit en être une de soutien et de partenariat.

D'autre part, concernant les médicaments que consomme le résident, l'infirmière doit s'assurer qu'il est possible de les garder à la température de la pièce, à la lumière, etc. La consultation de la documentation pharmacologique ou encore l'avis du pharmacien permettra à l'infirmière de déterminer cet aspect.

Dans la même veine, l'infirmière doit tenir compte de la voie d'administration des médicaments que consomme le résident pour établir si celui-ci peut bénéficier d'un programme d'autoadministration. Ainsi, certains résidents ne seront pas en mesure de se mettre des gouttes dans les yeux ou d'utiliser un aérosol doseur. Pour de tels résidents, l'infirmière favorisera l'adoption d'un programme d'auto-

administration hybride, selon lequel le résident s'auto-administre les médicaments oraux, mais se fait aider par le personnel soignant pour ce qui est des gouttes ophtalmiques. Il est important de faire preuve de flexibilité, et d'individualiser le programme. Mentionnons pour conclure que le jugement clinique de l'infirmière s'avère d'une grande importance en ce qui a trait au choix des résidents qui peuvent participer à un programme d'autoadministration des médicaments.

Amorce du programme d'autoadministration des médicaments

Tout comme il faut individualiser chaque programme d'autoadministration des médicaments, il faut l'appliquer de manière progressive (Lowe *et al.*, 1995 ; Pereles *et al.*, 1996). Par exemple, l'infirmière choisira avec le résident l'endroit où l'on rangera toujours les contenants à médicaments. Le résident pourra choisir de les ranger tous dans sa chambre, dans une boîte ou dans un tiroir fermant à clé (Manias *et al.*, 2004). Un autre résident pourra quant à lui préférer utiliser un pilulier que lui préparera chaque semaine l'infirmière et qu'elle laissera dans sa chambre. Notons toutefois que les médicaments PRN et les opiacés doivent demeurer en toutes circonstances au poste des infirmières.

Au sujet de l'application progressive d'un programme d'autoadministration des médicaments, des chercheurs en ont testé un qui s'est avéré efficace (Pereles *et al.*, 1996). Nous en présentons les étapes au tableau 23-10 (p. 342).

En appliquant progressivement un programme d'auto-administration, l'infirmière permettra au résident d'acquérir graduellement une plus grande confiance en lui. La première étape du processus que présente le tableau 23-10 vise essentiellement à accroître les connaissances du résident au sujet de ses médicaments. Avant de passer à la deuxième étape, le résident doit connaître tous les aspects de ses médicaments (voir le tableau 23-9). Notons que, selon les capacités du résident et la complexité de son régime médicamenteux, il sera possible d'adapter le programme d'autoadministration en conséquence. Par exemple, si un

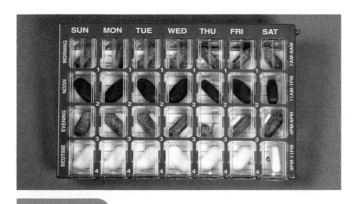

FIGURE 23-1 Pilulier

Tableau 23-9	Évaluation des connaissances du résident concernant son régime médicamenteux

Pour chacun des médicaments qu'il consomme, le résident connaît-il...
• le nom du médicament ?
• sa forme (couleur, capsule ou comprimé, etc.) ?
• la dose prescrite ?
• le moment d'administration ?
• la cible thérapeutique du médicament ?
• deux effets secondaires du médicament ?
• les particularités d'administration (par exemple : prendre 30 minutes avant le repas, couper le comprimé en deux, etc.) ?

Tableau 23-10	Étapes de l'application progressive d'un programme d'autoadministration des médicaments
ÉTAPES	**DESCRIPTION**
1	L'infirmière fournit au résident des renseignements sur ses médicaments et lui remet une fiche d'information sur ceux-ci (voir le tableau 23-11). Au terme de cette étape, le résident doit connaître tous les aspects relatifs à chacun de ses médicaments (voir le tableau 23-9).
2	Le résident doit aller voir l'infirmière pour obtenir ses médicaments selon la posologie prescrite. Si le résident n'oublie pas une seule fois de se présenter à l'infirmière pendant une journée ou une semaine selon le cas, il peut passer à l'étape 3.
3	L'infirmière remet au résident tous les médicaments qu'il doit prendre pour une durée de 24 heures. L'infirmière évalue par la suite si le résident a bien pris tous ses médicaments. L'infirmière réalise entre 3 et 7 essais de 24 heures, selon le cas. Lorsque le résident n'oublie pas une seule fois de prendre ses médicaments, il peut passer à l'étape 4.
4	L'infirmière remet au résident ses médicaments pour une durée variant entre 7 jours et 1 mois selon le cas. Un résident qui oublie de prendre ses médicaments doit reprendre le processus à l'étape 3.

résident consomme plus de 10 médicaments, on pourra laisser le résident s'autoadministrer 5 médicaments, l'infirmière ayant alors la charge de lui administrer les autres. Dans un tel cas, le résident n'aura donc qu'à retenir les informations relatives aux 5 médicaments qu'il s'autoadministre.

Dans le même ordre d'idées, il faut toujours remettre au résident une feuille sur laquelle figurent les informations concernant la posologie de chaque médicament (Armour et Cairns, 2002). Au moment où elle remet cette feuille au résident, l'infirmière lui transmettra de vive voix des indications sur la dose du médicament, la fréquence d'utilisation quotidienne, la cible thérapeutique, les effets secondaires et les interactions avec les aliments. Le tableau 23-11 présente une telle feuille, ou grille, que l'on devrait toujours remettre au résident (Raynor *et al.*, 1993). Idéalement, cette grille sera plastifiée ou recouverte d'une pellicule protectrice quelconque.

Lorsqu'elle transmet de vive voix au résident des informations sur ses médicaments, l'infirmière s'assurera qu'elle respecte les règles de base de l'éducation en matière de santé. Par exemple, elle choisira un moment propice à une telle séance d'enseignement, c'est-à-dire un moment où le résident est disposé à recevoir de telles informations, puisqu'il ne ressent pas de douleur, que son appareil auditif est bien ajusté, etc. Elle choisira également un environnement calme et aura préalablement vérifié qu'elle a suffisamment de temps pour procéder à la séance d'enseignement. L'infirmière doit éviter de transmettre les informations de façon précipitée et de le faire machinalement. Il est important qu'elle personnalise son approche.

D'autre part, l'infirmière adoptera des stratégies d'enseignement adapté aux aînés (Van Gerven, Paas, Van Merriënboer et Schmidt, 2000). Les séances d'enseignement devront être de courte durée, et il lui faudra avoir épuré le contenu afin de ne mettre en évidence que ce qui

Tableau 23-11	Grille de rappel du régime médicamenteux

INFORMATION CONCERNANT VOS MÉDICAMENTS

Nom : _____   Date : _____

MÉDICAMENTS	DÉJEUNER	DÎNER	SOUPER	COUCHER
Glucophage 500 mg	1 comp.	1 comp.	1 comp.	
Lipitor 10 mg				1 comp.
Aspirine 80 mg	1 comp.			
…				

◯ = Si le médicament est encerclé, le prendre 30 minutes avant le repas.

— = Si le médicament est souligné, le prendre 30 minutes après le repas.

est pertinent à l'autoadministration des médicaments. Elle devra aussi opter pour un rythme d'enseignement qui respecte le rythme d'apprentissage du résident et prévoira répéter plusieurs fois les informations afin de faciliter leur encodage dans la mémoire à long terme (Van Gerven *et al.*, 2000) (voir le chapitre 2). De plus, elle doit encourager le résident à poser des questions, et tâchera de favoriser chez celui-ci la création de liens entre ses connaissances et expériences antérieures et son usage actuel des médicaments. Enfin, l'infirmière doit soigneusement rédiger sur une feuille un aide-mémoire afin qu'il soit facilement accessible et lisible pour le résident.

Pour chacune des étapes subséquentes de l'application progressive du programme d'autoadministration des médicaments, l'infirmière établira la durée des périodes d'essai en fonction de la complexité du régime médicamenteux (en tenant compte, par exemple, du nombre de doses par jour), du degré de confiance du résident ou d'autres facteurs qu'elle juge importants.

Au cours de la deuxième étape de ce processus progressif, l'infirmière demandera au résident de se présenter au poste des infirmières à l'heure prévue selon son régime médicamenteux. Si un résident n'est pas allé chercher ses médicaments dans les 30 minutes suivant le moment prévu, l'infirmière doit aller les lui porter. L'infirmière ne devrait pas pénaliser le résident pour un tel oubli; il s'agira plutôt de reprendre l'ensemble ou une partie de la séance d'enseignement concernant le régime médicamenteux du résident.

Lorsque le résident cesse d'oublier ou n'oublie pas une seule fois au cours d'une période donnée de venir chercher ses médicaments au poste des infirmières, il peut passer à la troisième étape et ainsi de suite. En toute circonstance, les infirmières doivent faire preuve de flexibilité dans la façon dont elles collaborent avec le résident dans son cheminement vers l'autoadministration de ses médicaments.

Évaluation de l'adhésion aux traitements médicamenteux

Une erreur d'autoadministration des médicaments peut prendre différentes formes. Parmi les plus évidentes, mentionnons l'oubli d'une dose, une erreur dans le dosage et la prise du mauvais médicament. L'évaluation de l'adhésion au régime médicamenteux varie en fréquence et en intensité selon le résident, l'étape de l'application progressive de l'autoadministration où se trouve le résident, et le degré de fidélité au programme qu'il a démontré jusque-là.

Au cours des premières journées où le résident s'autoadministre ses médicaments, l'infirmière pourra inspecter les piluliers du résident pour chaque quart de travail, afin de s'assurer que le résident n'a oublié de prendre aucune dose. Au fur et à mesure que le résident acquerra de l'expérience en matière d'autoadministration, l'infirmière adaptera son évaluation à la situation. L'infirmière doit ici exercer son jugement clinique.

Les infirmières doivent toutefois maintenir une surveillance serrée de la consommation des médicaments des résidents, même pour ceux qui se révèlent très fidèles à leur régime médicamenteux. Cette surveillance pourra s'effectuer en fonction de trois formes d'évaluation, c'est-à-dire quotidiennement, hebdomadairement et mensuellement (Armour et Cairns, 2002 ; Kane *et al.*, 2004).

L'évaluation quotidienne vise seulement à vérifier si les résidents ont pris leurs médicaments. Pour procéder à cette évaluation, l'infirmière se rendra à la chambre du résident en soirée et lui demandera s'il a pris ses médicaments au cours de la journée. Si c'est le cas, elle cosignera avec le résident une fiche qu'on laisse pour ce faire dans la chambre du résident (Jensen, 2003).

L'évaluation hebdomadaire vise à effectuer le décompte des pilules qui se trouvent dans chacun des contenants à médicaments afin d'évaluer quantitativement si le nombre de pilules correspond à ce que précisent les directives médicales (Raynor *et al.*, 1993). Cette méthode simple permet de noter s'il y a eu une surutilisation ou une sous-utilisation de certains médicaments. Par exemple, si le résident doit prendre trois hypoglycémiants par jour tous les jours, le soignant devrait pouvoir observer que, de semaine en semaine, le contenant compte 21 pilules de moins.

L'évaluation mensuelle implique un entretien avec le résident au sujet de ses médicaments. L'infirmière y procédera afin de répondre aux questions du résident et de s'assurer de sa bonne compréhension de son régime médicamenteux (Kane *et al.*, 2004). Elle lui demandera également si l'horaire d'administration de ses médicaments lui convient et s'il éprouve, par exemple, plus de difficulté à se rappeler de prendre ses médicaments du dîner que ceux du souper. Si le résident indique qu'il prend souvent en retard ses médicaments du souper, l'infirmière tâchera de déterminer avec le pharmacien et le médecin s'il ne serait pas possible de modifier l'heure d'administration de ses médicaments.

Au cours de l'évaluation mensuelle, l'infirmière devrait porter une attention particulière à certains médicaments, reconnus pour engendrer des problèmes sur le plan de l'adhésion. En effet, les résidents oublient fréquemment de prendre les psychotropes, les antibiotiques, les hypotenseurs, les antiplaquettaires et les médicaments traitant les problèmes musculo-squelettiques et gastro-intestinaux (Armour et Cairns, 2002 ; Pereles *et al.*, 1996).

Il est important de mentionner que l'évaluation de l'adhésion au régime médicamenteux est formative, c'est-à-dire qu'elle vise à vérifier que le résident consomme ses médicaments tel que prescrit, mais également à trouver des moyens pour faciliter l'autoadministration des médicaments. L'infirmière doit avoir en tête qu'elle est la partenaire du résident dans le programme d'autoadministration. Ainsi, le fait que le résident ait oublié de prendre une dose d'un médicament ne constitue pas une raison suffisante pour le juger inapte à suivre un programme d'autoadministration et donc à y mettre fin. Mentionnons à cet égard que 25 à 40 % des aînés vivant à domicile commettent également des erreurs dans l'administration de leurs médicaments (Armour et Cairns, 2002). Parallèlement, des chercheurs ont établi qu'un individu qui respecte à 85 % son régime médicamenteux fait preuve d'une adhésion suffisante (Raynor *et al.*, 1993). Bref, un oubli est une erreur, mais n'est pas un drame ; il s'agit plutôt d'une occasion pour réévaluer comment mieux soutenir le résident sur le plan de l'autoadministration de ses médicaments.

Au-delà des évaluations quotidiennes, hebdomadaires et mensuelles, il est aussi important de réévaluer la capacité des résidents à continuer de s'administrer leurs médicaments au regard de l'évolution de maladies chroniques qui peuvent influer sur l'autonomie, telles que l'arthrite et le diabète (qui peut altérer la vision, notamment). Des changements dans l'état de santé du résident et encore des modifications de son régime médicamenteux constituent d'autre part des moments clés où un soutien de l'infirmière est primordial (Barry, 1993). Par exemple, un résident atteint d'une infection et dont l'état de santé se détériore pourrait cesser de s'autoadministrer ses médicaments pendant la durée de l'infection. De même, lorsqu'on prescrit au résident un nouveau médicament, il est souvent préférable que l'infirmière le lui administre au début, afin d'habituer le résident à l'intégrer au régime médicamenteux (Manias *et al.*, 2004).

Bien qu'il existe plusieurs autres méthodes pour vérifier l'adhésion au régime médicamenteux, il importe d'en trouver une qui puisse s'appliquer dans le CHSLD où l'infirmière travaille et qui convienne au résident. L'infirmière pourra aussi requérir la collaboration du pharmacien du CHSLD pour évaluer la fidélité du résident à son régime. En effet, certains CHSLD disposent de registres informatiques très détaillés concernant la médication, ce qui permet d'évaluer plus aisément la fidélité des résidents à leurs traitements (Armour et Caims, 2002).

Enfin, il faut que l'infirmière consigne au dossier, dans les notes évolutives, tous les faits importants relatifs au processus qu'elle a entrepris avec le résident, depuis l'évaluation initiale jusqu'aux évaluations mensuelles. Elle doit également noter quotidiennement dans le dossier du résident ou sur une fiche qu'elle laisse dans la chambre de celui-ci son évaluation quotidienne de l'autoadministration des médicaments.

Concluons en soulignant qu'un programme d'autoadministration des médicaments permet de respecter la dignité des résidents et est sécuritaire. Toutefois, au moment où un résident commence à s'autoadministrer ses médicaments, l'infirmière devra consacrer plus de temps aux activités cliniques entourant les médicaments, en raison des séances d'enseignement et de la supervision du résident (Collingsworth *et al.*, 1997). Quoi qu'il en soit, lorsque le résident atteindra un certain degré d'autonomie dans l'autoadministration de ces médicaments, le temps clinique qu'il faut lui consacrer diminuera, ce qui libérera l'infirmière et lui permettra de réaliser d'autres activités cliniques (Lowe *et al.*, 1995 ; Manias *et al.*, 2004). Malgré tout, même si le résident s'autoadministre ses médicaments, l'infirmière se doit de remplir ses autres fonctions, à commencer par la surveillance de la pharmacothérapie que nous décrivons plus loin.

Les solutions de remplacement aux médicaments

La définition de l'usage optimal des médicaments indique nettement qu'il faut considérer des solutions de remplacement aux traitements pharmacologiques lorsque cela est possible. Si une solution de remplacement efficace au médicament existe, il faut l'appliquer en premier lieu (Kane *et al.*, 2004). Si cette solution de remplacement ne donne pas les résultats escomptés, on pourra envisager le recours au médicament. Cette approche de l'usage des médicaments s'avère hautement appropriée dans le contexte des soins aux aînés en perte d'autonomie en CHSLD. En effet, étant donné que les résidents des CHSLD sont atteints de plusieurs problèmes de santé, qu'ils sont souvent en état de fragilité (voir le chapitre 1) et qu'ils consomment plusieurs médicaments, il est essentiel de toujours chercher une solution de remplacement aux médicaments. Un résident de CHSLD risque bien plus de subir les effets indésirables des médicaments qu'un jeune adulte en bonne santé qui ne consomme aucun médicament. À cet égard, Hudson (2003) mentionne que la meilleure solution thérapeutique est souvent d'éviter la médication dans une population fragilisée et atteinte d'une démence.

Pour illustrer cet aspect, considérons le cas d'un résident atteint de la maladie d'Alzheimer, qui présente des symptômes psychologiques et comportementaux de la démence. Pour un tel résident, le plan de traitement doit être personnalisé et suivre une démarche rigoureuse (voir le chapitre 24). Par la suite, il faudra appliquer diverses interventions non pharmacologiques (voir les chapitres 24 à 30) selon une procédure précise, avant de conclure que l'usage d'un psychotrope s'impose. Il est évident que, dans une telle démarche, il ne faut pas considérer le médicament comme la solution initiale au problème.

Il existe de fait une multitude d'exemples où le choix d'une solution de remplacement s'est avéré plus efficace que le recours à la pharmacothérapie. Par exemple, on a démontré qu'un programme d'hygiène du sommeil est l'intervention la plus efficace pour traiter les troubles du sommeil (Morin, Colecchi, Stone, Sood et Brink, 1999). Pour prévenir le delirium, recourir à un programme multi-interventions demeure l'intervention la plus efficace (Inouye *et al.*, 1999) (voir le chapitre 7). Enfin, l'exercice physique traite bien plus efficacement le diabète de type 2 que la médication (Laaksonen *et al.*, 2005). L'infirmière doit jouer un rôle de leader dans le recours aux interventions de remplacement. Notons d'ailleurs que nous avons tâché d'inclure dans tous les chapitres de ce livre des exemples d'interventions qui permettent d'éviter le recours aux médicaments.

Maximiser les bienfaits de la consommation de médicaments

Dans le cadre d'un programme visant l'usage optimal des médicaments, le recours aux interventions complémentaires peut maximiser l'efficacité des médicaments ; il s'agit même d'une composante importante d'un tel programme. Ainsi, pour chaque médicament que consomme le résident, l'infirmière déterminera quelles interventions complémentaires il serait possible d'appliquer afin d'accroître l'efficacité du régime médicamenteux. Par exemple, des interventions de l'infirmière et de l'équipe interdisciplinaire peuvent maximiser les effets du donopézil (voir le chapitre 2) sur la mémoire et les autres sphères cognitives d'un résident qui en consomme afin que s'améliore davantage sa fonction cognitive. Mentionnons entre autres une communication optimale (voir le chapitre 31), de la stimulation cognitive au quotidien (voir le chapitre 32) et la stimulation des capacités résiduelles (voir les chapitres 2 et 37). La conjugaison de ces interventions et du médicament crée une synergie qui permettra d'améliorer la fonction cognitive du résident. De fait, plusieurs études ont démontré qu'il est avantageux de recourir à des interventions complémentaires pour maximiser l'effet des médicaments. Diverses études rigoureuses ont illustré les avantages de ces interventions pour le traitement de l'incontinence urinaire (Ghoniem *et al.*, 2005) et du contrôle de la tension artérielle (Seals *et al.*, 2001 ; The Trials of Hypertension Prevention Collaborative Research Group, 1997).

Pour chaque médicament que consomme un résident, il est possible de trouver des interventions complémentaires. Le tableau 23-12 présente les chapitres où sont décrites plusieurs interventions complémentaires aux médicaments.

Tableau 23-12	Interventions complémentaires aux médicaments	
PROBLÈMES		**CHAPITRES**
La démence		2
La maladie de Parkinson		3
Les accidents vasculaires cérébraux		4
L'insuffisance cardiaque		5
Les bronchopneumopathies chroniques obstructives		6
Le delirium		7
Les infections		8
La dépression		9
L'élimination vésicale		14
L'élimination intestinale		15
Le sommeil		16
Les plaies de pression		19
La douleur		20
Les symptômes psychologiques et comportementaux de la démence		24 à 30

Il existe évidemment un nombre infini de situations sur lesquelles nous n'avons pu nous pencher dans cet ouvrage qui permettent d'illustrer l'effet synergique des interventions complémentaires et des médicaments. Il faut retenir de tout ceci que les médicaments ne sont pas une panacée et qu'ils ne peuvent pas tout faire seuls. Il est essentiel de toujours prodiguer tous les soins que requiert la condition du résident, sans égard à son régime médicamenteux.

Minimiser les risques de la consommation de médicaments

Afin de minimiser les risques associés à la consommation de médicaments, l'infirmière doit assumer pleinement ses fonctions ainsi que nous les avons décrites dans la première partie de la section portant sur les soins infirmiers (voir le tableau 23-7) et assurer une surveillance optimale de la pharmacothérapie.

Les responsabilités de l'infirmière dépassent largement la seule administration des médicaments à un résident. Évidemment, pour minimiser le risque d'erreur médicamenteuse, l'infirmière doit appliquer la règle de base des cinq bons principes d'administration de médicaments. Elle s'assure qu'elle donne la *bonne* dose du *bon* médicament au *bon* résident par la *bonne* voie d'administration et au *bon* moment. Dans le contexte des CHSLD, en raison du nombre élevé de résidents atteints d'une démence, l'infirmière ne doit pas seulement vérifier verbalement l'identité du résident ou se fier au nom qui figure à la tête du lit : elle doit également s'en assurer en examinant le bracelet du résident. En effet, il est possible que M. Vézina, atteint d'une démence et couché dans le lit de son voisin, M. Côté, réponde par l'affirmative à l'infirmière qui lui demande s'il est bien M. Côté. L'infirmière lui administrerait alors des médicaments par erreur. L'administration des médicaments implique de la sorte des défis propres au CHSLD. L'infirmière contribuera cependant de façon significative à l'usage optimal des médicaments en surveillant étroitement les traitements pharmacologiques des résidents. En plus d'être hautement importante pour l'atteinte d'un usage optimal des médicaments, cette tâche met en évidence le fait que l'infirmière a la capacité de surveiller l'état d'une personne fragile en raison de ses compétences légales à effectuer un examen clinique rigoureux.

Surveillance de la pharmacothérapie

La surveillance de la pharmacothérapie vise à évaluer, d'une part, si la médication est efficace et, d'autre part, si des effets indésirables apparaissent avec l'usage du médicament (Blazer *et al.*, 2004 ; Carpenito-Moyet, 2004 ; Hudson, 2003 ; Lehne, 2001 ; Miller, 2004a ; Ouslander *et al.*, 1997). L'infirmière doit donc déterminer l'ampleur de l'effet bénéfique du médicament, et la nature des effets indésirables et leur fréquence. Il lui faut effectuer cette surveillance autant pour les médicaments PRN que pour les médicaments à administration régulière.

Pour chacun des médicaments que consomme le résident, l'infirmière doit donc effectuer le suivi de deux paramètres.

Par exemple, si un résident consomme un antipsychotique, l'infirmière doit suivre l'évolution du ou des symptômes que vise la thérapie médicamenteuse, et doit s'assurer que le résident ne ressent pas d'effets indésirables, en l'occurrence l'acathisie, le parkinsonisme ou la dyskinésie tardive. Si l'antipsychotique a été prescrit pour un symptôme particulier tel que des hallucinations, il n'est pas nécessaire d'utiliser une échelle de mesure, comme un inventaire neuropsychiatrique (voir le chapitre 24). L'infirmière n'a qu'à effectuer le suivi des hallucinations. Au contraire, si on a prescrit l'antipsychotique au résident pour plusieurs symptômes tels que des idées délirantes, des hallucinations et d'autres symptômes, l'infirmière devra plutôt recourir à une échelle d'évaluation plus globale telle que l'inventaire neuropsychiatrique (Cummings, 1997) ou l'inventaire d'agitation de Cohen-Mansfield (Cohen-Mansfield, Marx et Rosenthal, 1989), présentés au chapitre 24, pour effectuer le suivi des symptômes.

En procédant de la sorte, l'infirmière pourra déterminer plus objectivement si l'antipsychotique est efficace, en observant ou non une diminution du ou des symptômes psychologiques et comportementaux de la démence que cible l'intervention médicamenteuse (Beczchlibnyk-Butler et Jeffries, 2002). Les experts suggèrent de se prononcer sur l'effet bénéfique de l'antipsychotique après environ 1 à 6 semaines de traitement, sauf en cas d'apparition prématurée d'un effet indésirable (Blazer *et al.*, 2004 ; Schneider *et al.*, 2005).

En plus de recourir à une échelle d'évaluation pour effectuer le suivi de la cible thérapeutique, l'infirmière procédera au suivi des réactions du résident en vue de déceler d'éventuels effets indésirables. Dans le cas de l'usage d'un antipsychotique, elle portera une attention spéciale aux symptômes extrapyramidaux tels que l'acathisie, le parkinsonisme et la dyskinésie tardive. Pour ce faire, elle aura recours à la version adaptée de l'échelle *Extrapyramidal Symptom Rating Scale*, que nous avons présentée au tableau 23-6 de ce chapitre.

La survenue d'effets indésirables médicamenteux chez l'aîné qui prend des antipsychotiques est inévitable. Le rôle de l'infirmière est à cet égard de pouvoir les détecter, les prévenir et, s'il y a lieu, les contrôler, et de communiquer les résultats de ses observations au médecin. Par exemple, si l'usage d'un antipsychotique a éliminé complètement les hallucinations, mais a fait apparaître un problème de constipation, il est beaucoup plus simple de corriger le problème de constipation que de trouver un nouveau traitement pour les hallucinations. L'infirmière n'aura en effet qu'à augmenter l'apport hydrique du résident (voir le chapitre 11) et qu'à appliquer un programme d'élimination optimale (voir le chapitre 15). La survenue d'un effet secondaire ne signifie donc pas automatiquement que le résident doit cesser de prendre le médicament en cause. Si l'effet indésirable a un effet limité sur le résident ou encore qu'il est possible de le contrecarrer facilement, on pourra continuer à administrer le médicament au résident. Il ne suffit alors que d'intervenir pour traiter l'effet indésirable.

Lorsqu'il s'agit de déterminer si les effets bénéfiques de la médication l'emportent sur les effets négatifs, l'infirmière doit faire équipe avec le médecin et le pharmacien. Cette évaluation se réalise habituellement dans le cadre d'une révision du profil médicamenteux, ce que nous examinerons plus loin dans la section « Programme individuel ». Ainsi, lorsque l'infirmière note que le résident ne répond pas positivement au médicament ou encore que des effets indésirables surviennent, elle doit en aviser le médecin. Elle doit aussi le faire même si elle n'est pas certaine que le médicament soit la cause directe, par exemple, d'une chute du résident, de ses étourdissements ou de sa diarrhée (Hudson, 2003).

En somme, la surveillance de la pharmacothérapie vise à constater l'efficacité du traitement et à déceler les effets indésirables que peut générer la prise des médicaments. En fonction du médicament en cause et du problème de santé visé, l'infirmière doit adapter son suivi à chaque situation clinique. Le tableau 23-13 présente, à titre d'exemple, les paramètres de surveillance classiques selon certains médicaments (Kane *et al.*, 2004). Rappelons que l'évaluation des capacités cognitives et de l'autonomie fonctionnelle est pertinente dans tous les contextes cliniques (voir les chapitres 1 et 2). Comme le montre le tableau 23-13, l'infirmière doit, pour tous les médicaments que consomme le résident, déterminer la cible thérapeutique et les effets indésirables potentiels. Elle sera alors en mesure d'effectuer un suivi rigoureux de la réponse du résident à son traitement pharmacologique.

Lors de la surveillance clinique, l'infirmière doit être très alerte et user de son jugement clinique. Il n'est pas toujours facile d'effectuer la surveillance clinique des effets indésirables lorsque ceux-ci sont mineurs ou encore lorsqu'ils peuvent être causés par autre chose que les médicaments. Il est parfois impossible d'établir un lien entre un médicament et la présence d'un symptôme. Toutefois, en prenant le soin d'écrire ce qu'elle observe dans les notes évolutives, l'infirmière fera ressortir une accumulation de signes (chute) et de symptômes (étourdissements, somnolence) qui mettront finalement en lumière le fait que le résident ressent les effets indésirables d'un médicament. En effet, si l'infirmière ne constate qu'aucune cause organique explique les signes et symptômes lors de son examen clinique et que le résident présente chaque semaine et de façon sporadique des manifestations d'effets indésirables (hypotension artérielle, chute, étourdissements, constipation, etc.), il est fort probable qu'un médicament cause ces symptômes.

D'autre part, étant donné que le ratio infirmière/résidents est souvent élevé en CHSLD, l'infirmière n'est pas toujours en mesure d'effectuer une surveillance optimale de la pharmacothérapie de chaque résident. Dans ces circonstances, l'infirmière ne devrait procéder à la surveillance de la pharmacothérapie que pour les résidents qui consomment le plus de médicaments et que pour ceux dont on a récemment modifié le régime médicamenteux. Pour les résidents dont l'état de santé est stable et dont le

Tableau 23-13	Paramètres de surveillance clinique selon le médicament	
MÉDICAMENTS	**EXEMPLES DE CIBLE THÉRAPEUTIQUE À ÉVALUER**	**EXEMPLES D'EFFETS INDÉSIRABLES À SURVEILLER**
Anticoagulants	• Examen physique de la peau • Retour capillaire	• Saignement • Nausée • Vomissement • Douleur épigastrique
Antidépresseurs	• Symptômes de dépression	• Somnolence • Chute • Hypotension • Effets anticholinergiques
Anti-inflammatoires non stéroïdiens	• Douleur • Examen clinique de l'appareil musculo-squelettique	• Malaise gastrique • Saignement
Antiparkinsoniens	• Processus mentaux • Capacités motrices Remplir l'échelle d'évaluation unifiée de la maladie de Parkinson présentée au chapitre 3.	• Hallucinations • Hypotension • Nausée • Rétention urinaire • Constipation

Antipsychotiques	• Symptômes psychologiques et comportementaux de la démence:
	  – Hallucinations
	  – Idées délirantes
	  – Agitation dangereuse pour le résident ou son entourage
		• Hypotension orthostatique
		• Somnolence
		• Signes extrapyramidaux:
		  – Acathisie
		  – Parkinsonisme
		  – Dyskinésie tardive
		• Delirium
		• Gain de poids

Benzodiazépines	• Sommeil • Anxiété	• Delirium • Équilibre et chute • Somnolence
Broncho-dilatateurs	• Examen clinique de l'appareil respiratoire • Saturométrie • Retour capillaire • Fréquence, amplitude et rythme respiratoires	• Douleur abdominale • Insomnie • Agitation • Céphalée • Diarrhée • Palpitations
Digoxine	• Examen clinique du cœur • Tension artérielle • Signes vitaux	• Perte de poids • Agitation • Faiblesse • Syncope
Diurétiques	• Examen clinique du cœur • Tension artérielle • Poids	• Déshydratation • Déséquilibre électrolytique (delirium) • Incontinence • Hypotension artérielle
Hypoglycémiants	• Glycémie • Appétit • Bilan de santé du diabétique • Santé des membres inférieurs (voir le chapitre 18)	• Hypoglycémie • Tremblements • Céphalée • Delirium • Diarrhée
Hypotenseurs	• Examen clinique du cœur • Tension artérielle	• Hypotension • Somnolence • Chute • Faiblesse • Delirium
Opiacés	• Douleur	• Constipation • Delirium

profil médicamenteux n'a pas été modifié, l'infirmière pourra demander à l'infirmière auxiliaire d'effectuer le suivi selon certains paramètres qu'elle aura préétablis.

Enfin, l'infirmière doit noter dans le dossier médical du résident toutes les informations pertinentes relatives à la médication qu'on lui administre. L'infirmière doit y inscrire l'heure d'administration de chacun des médicaments, y indiquer les raisons pour lesquelles un médicament n'a pas été administré, noter la réponse thérapeutique et les effets indésirables. Comme nous allons le voir, ces informations sont cruciales pour la réalisation d'une révision du profil pharmacologique.

Programme individuel

En matière d'usage optimal des médicaments, le programme individuel se rapporte aux objectifs et à la contribution de l'infirmière relativement à la réalisation d'une révision du profil pharmacologique d'un résident. La révision de ce profil pharmacologique est le fruit du travail concerté du médecin, du pharmacien et de l'infirmière (Ouslander *et al.*, 1997). Ce processus de révision vise à s'assurer que le résident fait un usage optimal des médicaments. Ainsi, le médecin, le pharmacien et l'infirmière doivent non seulement s'assurer que le résident consomme ses médicaments adéquatement, mais aussi vérifier que les objectifs suivants, plus globaux, sont atteints :

- Les valeurs du résident sont respectées.
- Il n'existe pas de solution de remplacement à la médication.
- On a eu recours à des interventions complémentaires pour maximiser les bienfaits de la médication.
- Les médicaments que consomme le résident n'engendrent pas d'effets indésirables.
- Il est justifié que le résident prenne tous les médicaments qu'il consomme.

Il faut considérer que la prise d'un médicament est injustifiée quand (Blazer *et al.*, 2004 ; Ouslander *et al.*, 1997) :

- La dose en est trop élevée.
- Le résident consomme deux médicaments qui font partie de la même classe.
- La durée du traitement pharmacologique du résident est trop longue.
- La surveillance clinique est inadéquate.
- On n'a pas déterminé quelle était la cible thérapeutique et on ne l'a pas évaluée, ou, encore, elle est inappropriée.
- Il y a évidence d'effets indésirables.

Comme on peut le noter, en raison de la complexité de la tâche et des multiples objectifs relatifs à l'exercice de la révision du profil pharmacologique, il est fondamental de réunir les expertises du médecin, du pharmacien et de l'infirmière pour réaliser cette révision (Hudson, 2003). D'autre part, il est indispensable que l'infirmière soit impliquée dans cette activité en raison de l'importance primordiale de la surveillance clinique (évaluation de la

cible thérapeutique, détection des effets indésirables) (Hudson, 2003). En effet, dans le cadre de cette révision, l'infirmière aura à présenter comment le résident réagit à sa médication sur le plan de l'efficacité et des effets indésirables.

De même, en raison de sa connaissance du résident, l'infirmière pourra fournir au médecin et au pharmacien des informations fort pertinentes qui pourraient influencer le type de médicaments qu'on lui prescrira ou encore le choix d'une voie d'administration. Par exemple, si l'infirmière indique que le résident présente de la dysphagie, ce qui influe sur sa capacité à avaler ses médicaments, ou que le résident refuse souvent sa médication en raison d'idées délirantes associées à sa démence, les trois professionnels pourront envisager la possibilité de prescrire un médicament sous forme liquide, de cacher la médication dans la nourriture ou, encore, de réduire le nombre de doses que doit prendre le résident par jour (Blinch *et al.*, 2005 ; Wright, 2002). Concernant les enjeux entourant la pertinence de cacher les médicaments dans la nourriture, on consultera le chapitre 25. D'autre part, rappelons qu'il ne faut jamais altérer une capsule ou un comprimé avant de l'administrer à un résident sans vérifier d'abord s'il est possible de le faire. Par exemple, on ne peut écraser les médicaments à libération prolongée, ceux qui ont un enrobage entérique, ceux qui irritent les muqueuses ou qui tachent les dents de façon irréversible. Il faut donc absolument vérifier auprès du pharmacien s'il est possible d'écraser un comprimé ou d'ouvrir une capsule avant de l'administrer au résident.

Pour les besoins de la révision du profil pharmaceutique, tous doivent être à jour concernant les connaissances pharmacologiques, qu'il s'agisse de l'infirmière, du médecin ou du pharmacien. En d'autres mots, pour déterminer si la cible thérapeutique d'un médicament est appropriée, ils doivent connaître quelles sont les indications thérapeutiques connues et prouvées de ce médicament. Il existe à cet égard des consensus établis par des experts pour faciliter ce travail. Par exemple, concernant les antipsychotiques, les critères d'OBRA (Ouslander *et al.*, 1997) sont très clairs (voir le tableau 23-14).

L'infirmière, le médecin et le pharmacien doivent également évaluer comment chaque médicament risque d'interagir avec d'autres médicaments, les aliments, les produits naturels, et les maladies dont est atteint le résident (Blinch *et al.*, 2005 ; Cotter et Strumpf, 2002 ; Kane *et al.*, 2004).

Les interactions médicamenteuses peuvent influer sur l'absorption, la distribution, le métabolisme ou l'élimination des médicaments. Il est possible que de telles interactions surviennent, par exemple, lorsqu'on prescrit au résident un nouveau médicament et que celui-ci a une plus grande affinité avec l'albumine qu'un autre médicament que le résident consomme déjà. Le nouveau médicament prendra toute la place auprès de la protéine (l'albumine), ce qui libérera l'ancien médicament dans le plasma, augmentant ainsi le risque d'intoxication. Il se peut également

Tableau 23-14	Cibles thérapeutiques inadéquates des antipsychotiques en CHSLD

- Errance
- Perte d'autonomie
- Agitation verbale ou motrice
- Problème de mémoire
- Anxiété
- Dépression
- Insomnie
- Comportements antisociaux
- Indifférence à l'environnement (apathie)
- Nervosité
- Manque de coopération (résistance aux soins)
- Symptômes comportementaux qui ne sont pas dangereux pour le résident ou l'entourage

Source : J.G. Ouslander, D. Osterweil et J. Morley (1997). *Medical Care in the Nursing Home*, 2e éd. New York : McGraw-Hill.

qu'un nouveau médicament compromette le métabolisme d'un autre médicament, réduisant ainsi ou accentuant l'effet de ce dernier.

Quant aux interactions entre les médicaments et les aliments, rappelons les effets du pamplemousse sur plusieurs médicaments (les bloquants des canaux calciques, les hypocholestérolémiants, les benzodiazépines, les antihistaminiques). Pour ce qui est des produits naturels, mentionnons, entre autres interactions, les suivantes :

- Le millepertuis diminue la concentration de la digoxine.
- La glucosamine et un hypoglycémiant entraînent un risque de diminution de la production d'insuline.
- Le ginkgo biloba et la warfarine (ou l'aspirine) augmentent le risque de saignement.
- L'ail et les hypoglycémiants influencent la glycémie.

L'infirmière, le médecin et le pharmacien doivent d'autre part tenir compte des problèmes de santé du résident lors de la révision pharmacologique. Par exemple, l'hypertension, le diabète de type 2 ou l'athérosclérose réduisent davantage la capacité des reins à éliminer les médicaments de l'organisme. Il faut donc réduire les doses de médicaments prescrites aux résidents qui sont atteints de tels problèmes (Schwartz, 1999).

La révision du profil pharmaceutique d'un résident doit être effectuée de manière périodique, environ une fois par mois (Ouslander *et al.*, 1997), mais on peut également y procéder lorsqu'un résident ressent des effets indésirables en raison de ses médicaments ou que sa condition clinique a changé. Dans les milieux de soins où les ressources humaines sont insuffisantes, l'infirmière, le médecin et le pharmacien pourront concentrer leurs efforts sur les résidents qui consomment le plus de médicaments (Williams et Betley, 1995) ou qui présentent une plus grande vulnérabilité étant donné leur état de santé.

Concernant l'apparition d'effets indésirables, l'infirmière devrait, en préparation à une rencontre de révision du profil pharmacologique d'un résident, évaluer l'autonomie fonctionnelle et les capacités cognitives de ce résident (voir le chapitre 2). En effet, la décision de modifier le régime médicamenteux d'un résident repose, entre autres, sur les conséquences fonctionnelles de l'effet indésirable du médicament, sur le médicament en cause et sur l'effet indésirable en question. En mesurant l'autonomie fonctionnelle et les capacités cognitives du résident, l'infirmière sera à même de déterminer, avec le médecin et le pharmacien, quelles sont les conséquences fonctionnelles de l'effet indésirable du médicament sur le résident. Cette variable influencera assurément la décision du médecin quant à la pertinence de modifier ou non le régime médicamenteux. En effet, le médecin doit mesurer les avantages et désavantages qu'il y a à modifier le régime médicamenteux du résident, et l'autonomie fonctionnelle est à cet égard une variable importante.

Le médecin tiendra aussi compte du médicament en cause. Par exemple, si le médicament qui cause le plus vraisemblablement l'effet indésirable est un hypotenseur ou un hypoglycémiant, le médecin n'agira pas de la même façon que si le médicament en cause avait été une benzodiazépine. Il est plus facile de retirer une benzodiazépine d'un régime médicamenteux qu'un hypoglycémiant.

L'effet indésirable en cause constitue une autre variable que le médecin considérera lors de la révision d'un profil pharmacologique. Si l'effet indésirable consiste en de la somnolence, il tentera probablement d'ajuster la dose du médicament. Au contraire, si l'effet indésirable est un delirium, ou de la diarrhée qui risque d'entraîner de la déshydratation, il pourra décider que le résident doit cesser complètement de prendre le médicament.

Il est possible d'amorcer le processus de révision du profil pharmacologique lorsque l'état de santé du résident change. Par exemple, lorsqu'un résident est atteint d'une maladie aiguë, il boit généralement moins, ce qui pourrait justifier une révision et le retrait temporaire d'un diurétique.

Lorsqu'elle se prépare à une réunion avec le médecin et le pharmacien en vue de la révision d'un profil pharmacologique, l'infirmière devrait se servir d'un tableau où elle consignera diverses informations cliniques qui amélioreront l'efficacité de la rencontre. Le tableau 23-15 (p. 350) présente une grille que pourrait utiliser l'infirmière. Il est à noter que la documentation de la cible thérapeutique et des effets indésirables est un aspect central de cette grille.

Bref, lors d'une révision de la médication, le rôle principal de l'infirmière est de fournir des informations valides et détaillées sur les réactions du résident à son régime médicamenteux. Cela implique que l'infirmière doit déterminer si le résident a la capacité de consommer des médicaments (absence ou présence de dysphagie, par exemple), si les cibles thérapeutiques de ses médicaments sont atteintes et si ceux-ci engendrent des effets indésirables.

Tableau 23-15 **Grille infirmière pour la révision du profil pharmaceutique**

MÉDICAMENTS	CIBLE THÉRAPEUTIQUE		EFFETS INDÉSIRABLES	PARTICULARITÉ DU RÉSIDENT	DURÉE DU TRAITEMENT	INTERVENTIONS COMPLÉMENTAIRES	RÉSULTATS DE LA RÉVISION
	Identification de la cible et méthode d'évaluation	Situation actuelle (fréquence et sévérité)	Méthode d'évaluation, description des signes et symptômes observés (fréquence et sévérité)	Est-ce facile de lui administrer le médicament (y a-t-il présence de dysphagie, d'agitation) ?		Quelles interventions a-t-on appliquées ?	Maintien de la prise du médicament, cessation de la prise du médicament ou modification

Conclusion

L'usage optimal des médicaments est un objectif de soins pour toutes les personnes sous traitement médicamenteux. Les changements qui touchent la pharmacocinétique et la pharmacodynamique des médicaments en raison du vieillissement normal rendent l'objectif d'un usage optimal des médicaments encore plus pertinent chez l'aîné. Or, pour les résidents en CHSLD, il faut ajouter à ces changements liés au vieillissement la présence d'autres phénomènes tels que la comorbidité, la consommation simultanée de plusieurs médicaments, la prescription inappropriée de

médicaments et les erreurs d'administration, qui, tous, donnent un aspect crucial à l'objectif d'un usage optimal des médicaments dans les milieux de soins de longue durée.

Dans ce chapitre, nous avons décrit comment l'infirmière peut rendre possible l'atteinte de cet objectif. L'infirmière qui implante un programme d'autoadministration des médicaments, qui effectue une surveillance étroite de la pharmacothérapie et qui participe à la révision du profil médicamenteux contribuera sans nul doute à l'atteinte de cet objectif, et ce, pour le plus grand bien-être des résidents des CHSLD.

ÉTUDE DE CAS

Lucie est infirmière au CHSLD Optimum. Elle prend soin de 12 résidents dans son unité. Ce matin, elle participe à la révision du profil pharmacologique de M. Cloutier avec le médecin et le pharmacien. M. Cloutier consomme un hypotenseur, un hypoglycémiant, un anticoagulant et un anti-inflammatoire non stéroïdien.

Comme elle croit que M. Cloutier pourrait bénéficier d'un programme d'autoadministration des médicaments, Lucie souhaite proposer la chose au médecin et au pharmacien. Elle a procédé à un mini-examen de l'état mental et a testé la vision du résident, et celui-ci semble, selon elle, apte à participer au programme.

Au cours de la rencontre, le médecin signale à l'infirmière et au pharmacien qu'il a visité M. Cloutier avant leur réunion, et qu'il a alors prescrit un hypnotique au résident, car celui-ci s'est plaint d'insomnies.

Questions

1 Lucie a procédé à un examen cognitif et, sur cette base, affirme que le résident est apte à participer à un programme d'autoadministration des médicaments. Quel est le score minimum que doit obtenir un résident au mini-examen de l'état mental pour participer à un tel programme ?

2 Lucie ne devrait-elle pas évaluer d'autres facteurs pour déterminer si le résident est apte à participer à un programme d'autoadministration ?

3 Le médecin a prescrit un hypnotique à M. Cloutier pour corriger son problème de sommeil. Afin de faciliter le suivi des effets indésirables, qu'est-ce que Lucie pourrait faire ?

4 Lucie a la responsabilité de M. Cloutier. Elle a effectué au cours des dernières semaines la surveillance de sa pharmacothérapie. Selon vous, quels sont les cibles thérapeutiques et les effets indésirables que surveille Lucie ?

4 SYMPTÔMES PSYCHOLOGIQUES ET COMPORTEMENTAUX DE LA DÉMENCE

Dans cette quatrième partie, nous nous penchons sur l'un des aspects qui préoccupe vraisemblablement le plus les infirmières pratiquant auprès des aînés atteints d'une démence, soit les symptômes psychologiques et comportementaux de la démence (SPCD), ou comportements d'agitation, dysfonctionnels ou perturbateurs. Comme le démontre la littérature scientifique sur le sujet, il est bien établi que les symptômes psychologiques (hallucinations, par exemple) et comportementaux (l'errance ou les comportements d'agressivité, entre autres) de la démence constituent une source de stress importante pour les soignants. Également, ces symptômes compromettent beaucoup la qualité de vie des résidents. Il est donc fondamental de consacrer une partie entière de ce livre à ce défi clinique.

Dans les chapitres qui suivent, nous examinons dans le détail l'évaluation clinique des SPCD et l'importance qu'il y a à adopter des approches non pharmacologiques pour les traiter ou en réduire la fréquence. Dans un premier temps, nous abordons de manière globale le rôle de l'infirmière dans la prise en charge des SPCD. Par la suite, nous traitons plus spécifiquement de certains SPCD tels que la résistance aux soins (notamment lors de l'habillement, de l'administration des médicaments et des soins d'hygiène), l'agitation verbale, les comportements d'agressivité, l'errance et le syndrome crépusculaire.

24

LA GESTION DES SYMPTÔMES PSYCHOLOGIQUES ET COMPORTEMENTAUX DE LA DÉMENCE

par **Monique Bourque** et **Philippe Voyer**

L'un est anxieux, l'autre est dépressif. L'un erre en marmonnant, l'autre fait des demandes répétitives. L'un se fâche presque tous les après-midi vers 15 h, l'autre a des gestes agressifs. Qu'ont en commun ces manifestations cliniques? Il s'agit de symptômes psychologiques et comportementaux de la démence, que l'on observe fréquemment chez les résidents atteints de déficits cognitifs.

Ces symptômes constituent un phénomène important dans les CHSLD: entre 50 et 85 % des résidents en présenteront sous une forme ou sous une autre. Or, comme nous le verrons dans ce chapitre et dans ceux qui suivent, les symptômes psychologiques et comportementaux de la démence ont des conséquences graves pour tous, résidents, soignants et proches.

Dans ce chapitre, qui se veut une introduction, nous présenterons de manière générale les symptômes psychologiques et comportementaux de la démence et les interventions grâce auxquelles on peut les gérer. Nous n'entrerons toutefois pas dans les détails, qu'on verra dans les chapitres qui suivent. Nous présenterons également quelques outils permettant d'évaluer la fréquence et la gravité des symptômes, de même que l'efficacité des interventions utilisées pour les gérer. Enfin, nous aborderons l'idée d'un programme collectif de prévention des symptômes psychologiques et comportementaux de la démence.

NOTIONS PRÉALABLES SUR LES SYMPTÔMES PSYCHOLOGIQUES ET COMPORTEMENTAUX DE LA DÉMENCE

Définition

Il existe plusieurs expressions pour désigner les comportements des résidents atteints d'une démence. Si certains auteurs les désignent comme des comportements dysfonctionnels (Lévesque, Roux et Lauzon, 1990), d'autres les voient comme des comportements d'agitation (Cohen-Mansfield et Billig, 1986), comme des comportements perturbateurs (Beck *et al.*, 1998), comme des troubles du comportement (Moniz-Cook *et al.*, 1998) ou, encore, comme des comportements excessifs (Landreville, Vézina et Gosselin, 2000). L'Association internationale de psychogériatrie suggère quant à elle l'emploi de l'expression « symptômes psychologiques et comportementaux de la démence » (International Psychogeriatric Association, 2003).

Les symptômes psychologiques de la démence incluent l'anxiété, la dépression, les idées délirantes, les hallucinations et les illusions. Les symptômes comportementaux de la démence comprennent quant à eux des comportements d'agitation verbale agressifs (blasphémer ou crier) et des comportements d'agitation verbale non agressifs (répéter les mêmes mots ou répéter constamment les mêmes demandes).

Il faut également inclure dans les symptômes comportementaux de la démence les comportements d'agitation physique agressifs (frapper, mordre ou lancer des objets) et non agressifs (errer, se déshabiller constamment ou accumuler des objets).

Bien qu'il existe diverses appellations pour désigner ce phénomène, plusieurs auteurs décrivent ces symptômes comme des comportements observables, potentiellement dangereux pour le résident ou les autres, occasionnant du stress, de la peur ou de la frustration pour le résident ou son entourage, et considérés comme socialement inacceptables (Beck *et al.*, 1998). Notons toutefois que Cohen-Mansfield et Billig (1986) définissent ces comportements comme des activités motrices, verbales ou vocales, qui, jugées inappropriées, ne peuvent s'expliquer directement par l'expression d'un besoin ou la confusion du résident. Bref, quelles que soient l'expression qu'ils retiennent et la définition qu'ils adoptent, la plupart des auteurs qui écrivent sur le sujet le font en ayant en tête un ensemble de symptômes étroitement liés à la démence. Pour eux, ces symptômes témoignent d'une problématique sous-jacente, constituent un mode d'expression, influencent le résident et son entourage, et ne peuvent être gérés uniquement par une approche pharmacologique (Hottin, Bourque et Bonin, 1997).

Ampleur du problème

La prévalence des symptômes psychologiques et comportementaux de la démence chez les résidents des CHSLD varie entre 50 et 85 % (Beck *et al.*, 1998). Selon une étude menée par Beck *et al.* (2002), la prévalence des symptômes comportementaux oscille en effet autour de 85 % chez les résidents des milieux de soins de longue durée. Cela dit, Wiener, Kiosses, Klimstra, Murphy et Alexopoulos (2001) indiquent que plus de la moitié des personnes atteintes de démence adopteront au cours de leur maladie des comportements d'errance, de résistance aux soins, ou encore présenteront des cris et des gestes agressifs. Enfin, plusieurs auteurs estiment que les symptômes psychologiques et comportementaux de la démence constituent l'un des problèmes les plus fréquents et importants en CHSLD (Bellelli *et al.*, 1998).

Conséquences

Les conséquences des symptômes psychologiques et comportementaux de la démence sont considérables puisqu'elles touchent à la fois le résident, ses proches, les autres résidents et les soignants. Ainsi, de nombreux auteurs précisent que le résident est grandement éprouvé par ses propres comportements ou ceux des autres résidents puisqu'il en subit rapidement les conséquences. D'autre part, selon Beck *et al.* (2002), les résidents de CHSLD sont quotidiennement ébranlés par les cris des résidents atteints de démence, par leur errance, par le fait que certains fouillent constamment les chambres des autres, par leurs menaces verbales et par leurs gestes agressifs. Par conséquent, ces comportements diminuent leur qualité de vie en raison du bruit qu'ils causent et de la perte d'intimité qu'ils entraînent, mais aussi en raison du fait que les résidents qui subissent ces comportements craignent de devenir semblables aux résidents atteints de démence ou d'être blessés par ceux-ci.

Plusieurs études ont démontré que, pour contrer les symptômes psychologiques et comportementaux de la démence, les soignants ont le plus souvent recours aux contentions physique ou chimique (Beck et Shue, 1994; Castle, Fogel et Mor, 1997; Cohen-Mansfield, Marx et Werner, 1993; de Santis, Engberg et Roger, 1997; Mattiasson et Andersson, 1995). Or, de telles interventions peuvent s'avérer néfastes pour le résident si elles sont mal utilisées, puisqu'elles peuvent lui faire perdre son autonomie, l'amener à chuter, lui causer des blessures, l'isoler, l'attrister, susciter chez lui de la colère et même provoquer, par surcroît, de l'agitation (Beck *et al.*, 2002; Hantikainen, 2001).

Parmi les conséquences qui touchent avant tout le résident, mentionnons également celles qui proviennent de son environnement. Il s'agit principalement des réactions de son entourage, qui pourront se traduire par un rejet, de l'abandon, de « l'étiquetage » ou un langage blessant.

Mais il y a aussi les réactions du résident lui-même, qui consisteront généralement en de la peur, de l'anxiété, de la frustration et en un risque de blessure. Notons que ces dernières conséquences résulteront souvent du fait que le résident, en raison de ses déficits cognitifs, interprète de façon erronée son environnement physique.

Les proches d'un résident seront également éprouvés par les symptômes psychologiques et comportementaux de la démence. Ils vivront des sentiments d'impuissance, de culpabilité, de honte ou encore d'anxiété, qui pourront les rendre méfiants à l'égard des soignants et même les pousser à leur faire constamment des demandes de toutes sortes. Leur incompréhension de la maladie dont souffre la personne qui leur est chère et des comportements associés à la démence explique généralement le fait que les proches assaillent les soignants de questions diverses. Enfin, soulignons que les proches qui ressentent de la honte parce que leur parent manifeste des symptômes psychologiques et comportementaux de la démence peuvent réagir en réduisant le nombre de visites à l'unité.

Selon Bonin et Bourque (1993), les symptômes psychologiques et comportementaux de la démence touchent aussi grandement les soignants. Le fait de soigner jour après jour ces résidents et de tenter, pour gérer ces symptômes, différentes interventions qui échouent pour la plupart occasionne chez les soignants un essoufflement qui se traduit par des sentiments d'impuissance, d'échec, de colère et de culpabilité. Ainsi, plusieurs études ont démontré que les soignants œuvrant auprès de résidents atteints de démence et présentant des symptômes psychologiques et comportementaux de la démence sont davantage stressés et fatigués, et souffrent plus que d'autres soignants d'épuisement professionnel (Allen-Burge, Stevens et Burgio, 1999; Beck *et al.*, 2002; Werner, Tabak, Alpert et Bergman, 2002). De plus, ces mêmes auteurs ont observé plus d'absentéisme et de roulement de personnel dans des unités de soins pour résidents atteints de démence, ce qui entraîne une augmentation des coûts de fonctionnement.

Facteurs prédisposants et facteurs précipitants

Dans cette section, nous nous intéresserons de près au cadre conceptuel que proposent Algase *et al.* (1996) en vue de recenser les facteurs prédisposants (ou contextuels) et précipitants (ou proximaux) pouvant jouer un rôle dans l'apparition des symptômes psychologiques et comportementaux de la démence. Nous présenterons donc ici les points saillants du modèle d'Algase *et al.* (1996), que résume la figure 24-1 et le tableau 24-1 (p. 360). Si nous avons opté pour ce modèle, c'est qu'il donne une vision d'ensemble cohérente des facteurs impliqués dans l'apparition des symptômes psychologiques et comportementaux de la démence.

Le modèle que proposent Algase et ses collaborateurs s'intitule *Need-driven dementia compromised behavior*, que nous désignerons simplement par « modèle d'Algase ». Ce

Facteurs contextuels
- Facteurs neurologiques
- Facteurs cognitifs
- État de santé du résident
- Facteurs démographiques et historiques

Facteurs proximaux
- Facteurs personnels
- Environnement physique
- Environnement social

Symptômes psychologiques et comportementaux de la démence
- Fréquence
- Durée

FIGURE 24-1 **Modèle d'Algase (adapté)**

Source: D.L. Algase, C. Beck, A. Kolanowski, A. Whall, S. Berent, K. Richards et E. Beattie (1996). Need-driven dementia-compromised behavior: an alternative view of disruptive behavior. *American Journal of Alzheimer's Disease, 11* (6), 10-19.

modèle repose sur l'idée qu'une combinaison de facteurs contextuels et proximaux cause les symptômes psychologiques et comportementaux de la démence. Comme nous allons le voir, les soignants ne peuvent exercer de contrôle sur les facteurs contextuels, qui ne sont pas modifiables. En revanche, il importe de connaître et de comprendre ces facteurs pour avoir une meilleure idée du profil du résident et ainsi être en mesure de prévenir l'apparition des symptômes psychologiques et comportementaux de la démence. Les facteurs proximaux, quant à eux, touchent à des aspects tels que la satisfaction des besoins de base, les environnements physiques et sociaux du CHSLD, sur lesquels les soignants disposent d'une certaine influence.

Facteurs contextuels

Comme le montre la figure 24-1, les facteurs contextuels se divisent en quatre types de facteurs, à savoir les facteurs neurologiques, les facteurs cognitifs, l'état de santé du résident et les facteurs démographiques et historiques. Voyons ce qu'il en est.

En matière de facteurs neurologiques, il importe de considérer les capacités motrices du résident, puisque, si elles se trouvent réduites, il n'aura plus la possibilité de satisfaire lui-même ses besoins de base. Ainsi, il est plus probable que des symptômes psychologiques et comportementaux de la démence apparaissent chez un résident atteint d'une démence vasculaire et d'une hémiplégie que chez un résident également atteint d'une démence vasculaire, mais ne souffrant d'aucune perte motrice. D'autre part, les soignants doivent accorder plus d'attention à un résident qui présente une incapacité physique en plus d'être atteint d'une démence, car ils doivent constamment s'assurer, par exemple, que la position dans laquelle il se trouve est confortable ou

qu'il n'est pas épuisé d'être au salon parce que cet environnement est trop bruyant. Le résident qui ne souffre d'aucune atteinte motrice changera par ses propres moyens de position ou quittera de lui-même une pièce trop bruyante. Cependant, chez le résident dont les capacités motrices sont réduites ou inexistantes, les symptômes psychologiques ou comportementaux de la démence pourront communiquer un état de malaise.

Par «facteurs cognitifs», il faut entendre les fonctions cognitives du résident. Pour prévenir ou du moins comprendre l'apparition des symptômes psychologiques et comportementaux de la démence, il faut ainsi tenir compte des déficits cognitifs spécifiques du résident. Par exemple, il est vraisemblable que de tels symptômes se manifestent davantage chez un résident dont les capacités langagières sont plus détériorées. Celui-ci éprouvera d'énormes difficultés à communiquer ses besoins physiques et psychosociaux, ce qui le rend susceptible de manifester des symptômes psychologiques et comportementaux de la démence. Dans le même ordre d'idées, il importe que les soignants sachent si un résident est atteint de déficits cognitifs relatifs au lobe frontal, compte tenu des effets de ces déficits sur le comportement (voir à ce sujet le chapitre 2).

En ce qui a trait à l'état de santé du résident, les démences constituent évidemment le plus important facteur prédisposant un résident à présenter des symptômes psychologiques et comportementaux de la démence. De fait, on observe plus fréquemment ces symptômes chez les résidents qui sont atteints d'une démence que chez les résidents qui ne souffrent pas de démence. Cela dit, bien que les démences jouent un rôle important dans l'apparition de ces symptômes, d'autres maladies favorisent également leur apparition. Par exemple, il est reconnu que la dépression est associée à de tels symptômes, provoquant notamment des comportements de type agressif chez les résidents.

Autrement dit, en matière de symptômes psychologiques et comportementaux de la démence, il est essentiel de tenir compte de tous les problèmes de santé du résident. Contrairement à plusieurs milieux de soins tels que la cardiologie, l'orthopédie ou la néphrologie, dont les clientèles sont relativement homogènes, les résidents de CHSLD souffrent d'une multitude de problèmes de santé. Cela rend nécessaire des soins infirmiers spécifiques et parfois complexes en vue de maintenir les résidents dans un état de bien-être satisfaisant. Par exemple, il faut contrôler de près la douleur que ressent un résident atteint d'arthrite rhumatoïde, sans toutefois négliger ses autres problèmes de santé. De même, il faut surveiller avec attention l'état d'une résidente souffrant d'insuffisance cardiaque afin d'éviter une surcharge liquidienne et une possible décompensation cardiaque et respiratoire (Neugroschi, 2002). Donc, dans un CHSLD comme dans toute autre institution de soins, il est essentiel de prodiguer au résident les soins que requiert chacun de ses problèmes de santé en vue de prévenir un état de malaise, qui prédispose à l'apparition des symptômes psychologiques et comportementaux de la démence.

Pour ce qui est du dernier aspect des facteurs contextuels, à savoir les facteurs démographiques et historiques, ils impliquent que les soignants tiennent compte des caractéristiques du résident, de sa personnalité et de son parcours de vie. Selon Beck *et al.* (1998), il existe une corrélation positive entre l'âge du résident et l'apparition des symptômes psychologiques et comportementaux de la démence. On observe ainsi plus fréquemment de l'agitation physique sans agressivité chez les «plus jeunes» résidents, tandis que, chez les résidents âgés, ayant davantage de problèmes de santé, on constate plus d'agitation verbale. Beck *et al.* (1998) rapportent également que les hommes auront plus tendance à adopter des comportements d'agressivité physique (ils pourront alors frapper les soignants ou leur donner des coups de poing) et d'agressivité verbale (ils se fâcheront ou insulteront le personnel). Pour leur part, les femmes auront plutôt tendance à présenter des comportements d'agitation verbale, c'est-à-dire des comportements bruyants. Elles peuvent toutefois manifester des comportements d'agressivité physique, mais ceux-ci seront généralement moins violents : elles tenteront de griffer ou de pincer les soignants.

Hall et Buckwalter (1987) mentionnent que certains comportements anxieux des résidents souffrant de démence résultent de leurs incapacités cognitives, exacerbées par le stress et par la difficulté qu'ils éprouvent à adopter des mécanismes en vue de s'adapter à ces situations de stress. L'absence de repères, d'habitudes de vie, d'objets familiers, de rituels ou de personnes significatives empêche les résidents de compenser leurs incapacités. Ils continuent à vivre, à interagir et à réagir, mais leurs comportements sont inappropriés. Il importe donc de mettre en place des repères familiers qui vont faciliter leur orientation, diminuer leur anxiété et, par conséquent, réduire le risque qu'ils présentent des symptômes psychologiques et comportementaux de la démence. Or, ces repères doivent tenir compte de l'historique du résident et de son parcours de vie.

Par exemple, Algase *et al.* (1996) ont examiné avec les soignants les parcours de vie de huit personnes présentant de l'errance. Ils ont ainsi pu constater des ressemblances entre leur façon d'errer et leurs activités passées. Bref, la biographie des résidents, leurs principaux traits de personnalité avant l'apparition de leur maladie, et l'emploi qui était le leur au cours de leur vie active sont des éléments importants que doivent connaître les soignants. Grâce à ces éléments biographiques, ils seront en mesure de trouver un sens aux comportements des résidents, puisque ces comportements sont souvent liés de près à certains événements ou gestes significatifs de la vie des résidents.

Facteurs proximaux

Les facteurs proximaux du modèle d'Algase comprennent les facteurs personnels et les environnements physique et social du résident. Pour ce qui est des facteurs personnels, la non-satisfaction des besoins de base apparaît clairement comme un facteur important qui contribue fréquemment à l'apparition des symptômes psychologiques et comportementaux

de la démence. Par «besoins de base», il faut entendre les besoins physiques tels que s'habiller, boire, manger, uriner, déféquer, être confortablement installé, dormir, se reposer et ne pas avoir à endurer la douleur. Cela dit, de plus en plus d'auteurs indiquent qu'il est nécessaire de veiller à ce que soient également satisfaits les besoins psychosociaux de base des résidents, qui sont souvent incapables de les exprimer verbalement. Beck *et al.* (2002) parlent en ce sens de besoins de communication, d'intimité, d'estime de soi, de protection, de sécurité, d'autonomie et d'identité personnelle.

Pour illustrer de quelle façon l'insatisfaction des besoins de base peut contribuer à l'apparition des symptômes psychologiques et comportementaux de la démence, nous nous attarderons à deux besoins qui, selon nous, sont souvent en cause dans les CHSLD, à savoir ne pas avoir à ressentir la douleur et dormir.

La douleur constitue dans les CHSLD un phénomène préoccupant dans la mesure où le nombre de résidents qui ressentent de la douleur est élevé et parce que le quart des résidents qui souffrent de douleurs diverses n'en sont pas soulagés (voir le chapitre 20). Or, la douleur est liée de près aux symptômes psychologiques et comportementaux de la démence, et ce, de trois façons. Premièrement, il pourra arriver que ces symptômes soient le signe que le résident tente de communiquer la douleur qu'il ressent aux soignants. À cet égard, il existe un exemple classique, qui tient en ce qu'un résident, qui ne présente pas ordinairement de tels symptômes, adopte soudainement des comportements d'agitation verbale, marmonnant ou criant pour indiquer que «quelque chose ne va pas». En raison de ses pertes cognitives, il n'est plus en mesure de dire précisément aux soignants qu'il a mal et où il a mal. Par conséquent, il manifestera différents comportements d'agitation verbale pour se plaindre. Deuxièmement, il est possible de constater que la douleur s'avère liée aux symptômes psychologiques et comportementaux de la démence lorsqu'un résident qui a pour habitude d'errer cesse spontanément ou graduellement de le faire et se retire dans sa chambre. Dans ces cas-là, les soignants pourront en conclure que ce résident ressent peut-être une douleur qui «freine» son errance. Troisièmement, la résistance aux soins consiste parfois en un symptôme comportemental de la démence causé par la douleur que ressent un résident. Parce qu'il souhaite demeurer immobile afin de ne pas éprouver de douleur, le résident réagira mal aux soins, particulièrement à ceux qui exigent une certaine mobilisation, par exemple se dévêtir. Il résistera alors aux soins et, si le soignant insiste, il pourra crier, essayer de le frapper, voire de le mordre.

Afin de prévenir l'apparition des symptômes psychologiques et comportementaux de la démence, les soignants devraient d'autre part accorder une importance particulière à la qualité du sommeil des résidents. Selon Gerdner et Buckwalter (1994), les troubles du sommeil et les symptômes psychologiques et comportementaux de la démence sont associés de façon circulaire. Ainsi, les résidents présentant de tels symptômes ont un sommeil plus fragmenté, ce qui a pour effet de raccourcir le temps où ils atteignent les stades 3 et 4 du sommeil profond, qui est réparateur. Or, ne pas atteindre ce sommeil profond a des conséquences significatives sur le bien-être physique et psychologique des résidents. On a ainsi démontré que cela entraîne chez la personne de l'irritabilité, de l'apathie, de la somnolence et accroît la sensibilité à la douleur. Par conséquent, l'irritabilité, l'apathie, la somnolence et la sensibilité à la douleur (en raison de la douleur elle-même, comme on l'a vu) contribuent à l'apparition des symptômes psychologiques et comportementaux de la démence (Hall et Buckwalter, 1987). En conclusion, on ne peut que recommander fortement que les soignants mettent en place des interventions non pharmacologiques en vue d'améliorer le sommeil des résidents souffrant d'insomnie (voir le chapitre 16 à ce sujet).

La plupart des soignants admettent que l'environnement physique joue un rôle dans l'apparition des symptômes psychologiques et comportementaux de la démence. De ce point de vue, le défi consiste à éviter la surstimulation comme la sous-stimulation, puisque tant l'une que l'autre contribuent à ce qu'apparaissent chez les résidents des symptômes psychologiques et comportementaux de la démence. Ainsi, l'ennui ou un besoin d'attention causera souvent des comportements d'agitation verbale chez les résidents. De même, le manque de points de repère, l'absence de circuit d'errance, le manque d'espaces intimes, l'absence d'objets familiers et l'inadaptation du matériel et des lieux physiques à la perte d'autonomie physique et cognitive des résidents peuvent conduire à l'apparition des symptômes psychologiques et comportementaux de la démence. À l'inverse, il faut éviter de surstimuler les résidents. On réduira donc les nombreux stimuli propres à l'environnement physique du CHSLD, car le bruit, l'intensité de la lumière ou l'encombrement des corridors par exemple favorisent considérablement la manifestation des symptômes psychologiques et comportementaux de la démence.

Plusieurs auteurs mentionnent qu'il est important de se préoccuper de l'environnement social, c'est-à-dire de la qualité et de la quantité des interactions sociales des résidents, d'examiner leurs effets lorsqu'elles sont inadéquates et de déterminer si les résidents sont sous-stimulés ou surstimulés. Des interactions sociales de qualité reposent sur l'attitude et les interventions des soignants, sur la stabilité du personnel et sa connaissance des résidents, et sur les relations interpersonnelles entre les résidents. La quantité des interactions sociales tient au nombre et à l'intensité des rapports sociaux. Soulignons que, habituellement, le fait de parler fort dans les corridors ou ailleurs dans l'unité de soins, le va-et-vient rapide des soignants, les changements de quart tumultueux, les cris des autres résidents et les altercations entre résidents constituent des sources de surstimulation pouvant engendrer l'apparition de plusieurs symptômes psychologiques et comportementaux de la démence.

D'autre part, il est admis que des éléments de l'environnement organisationnel du CHSLD peuvent avoir des effets non négligeables en matière de symptômes psycholo-giques et comportementaux de la démence. Par exemple, il résultera immanquablement de l'absence d'une philosophie de soins et du manque de formation des soignants, des lacunes dans l'approche et dans les interventions des soignants, ce qui accroît le risque que se manifestent chez les résidents les symptômes psychologiques et comportementaux de la démence. De même, des routines de soins inflexibles, prévues à des heures fixes et centrées sur les tâches à faire et non sur les besoins et habitudes de vie des résidents, favorisent l'apparition de tels symptômes. Cette inflexibilité de la routine des soins les rend impersonnels, ce qui peut engendrer des symptômes psychologiques et comportementaux de la démence, car le résident atteint d'une démence n'arrivera pas à comprendre la situation et à s'y adapter. Par conséquent, il interprétera souvent le moment où on lui prodigue des soins comme une invasion de son espace personnel ou encore comme une agression.

Voilà, en bref, en quoi consistent les facteurs contextuels et proximaux favorisant l'apparition des symptômes psychologiques et comportementaux de la démence, selon le modèle d'Algase (1996). Le tableau 24-1 (p. 360) en donne un aperçu et un résumé.

Manifestations cliniques

Les symptômes psychologiques et comportementaux de la démence sont fort nombreux et se manifestent de différentes façons (Cohen-Mansfield, Werner et Marx, 1992 ; Deslauriers, Landreville, Dicaire et Verrault, 2001). De plus, les facteurs associés aux symptômes psychologiques et comportementaux de la démence diffèrent selon le comportement (voir les chapitres 25 à 30). Il importe donc de nommer et d'identifier correctement le symptôme comportemental ou psychologique de la démence que manifeste un résident. À ce sujet, en s'inspirant des travaux de Cohen-Mansfield et Billig (1986), Beck *et al.* (1998) ont conçu un modèle qui classifie en 4 catégories 45 symptômes comportementaux de la démence (ou comportements perturbateurs). Le tableau 24-2 (p. 361) présente cette classification.

Soulignons que, chez les résidents qui présentent des symptômes psychologiques et comportementaux de la démence, il n'est pas rare qu'on observe une combinaison de plusieurs symptômes se manifestant de façon simultanée. D'autre part, les chercheurs et cliniciens ont observé que, suivant l'évolution de la démence, ces symptômes peuvent changer, augmenter en nombre ou même diminuer, voire s'atténuer dans certaines circonstances.

En ce qui concerne les symptômes psychologiques de la démence, la dépression (voir le chapitre 9), l'anxiété (voir le chapitre 6), les idées délirantes (voir le chapitre 30), les hallucinations (voir le chapitre 30) et les illusions en constituent les principales manifestations. Chez un résident atteint d'une démence, l'anxiété se manifestera par des signes classiques, c'est-à-dire par un état cognitivo-affectif diffus caractérisé par un affect négatif, par l'impression de n'avoir aucune emprise sur les événements et par une polarisation des ressources cognitives vers la perception d'un

Tableau 24-1	**Facteurs contextuels et proximaux impliqués dans l'apparition des symptômes psychologiques et comportementaux de la démence, selon le modèle d'Algase (1996)**	
FACTEURS CONTEXTUELS		**FACTEURS PROXIMAUX**
Facteurs neurologiques • Rôle d'une région spécifique • Déséquilibre des neurotransmetteurs • Détérioration du rythme circadien • Réduction des capacités motrices		**Facteurs personnels** • Insatisfaction des besoins physiques de base
Facteurs cognitifs • Attention • Mémoire • Habileté visuo-spatiale • Habileté du langage		**Environnement physique** • Intensité de la lumière • Niveau du bruit • Température
État de santé • Santé générale • Autonomie fonctionnelle • État affectif		**Environnement social** • Climat de l'unité • Stabilité du personnel • Mixité du personnel
Facteurs démographiques et historiques • Âge • Sexe • Scolarité • Occupation antérieure • Traits de personnalité avant maladie • Antécédents de stress psychosocial • Réaction au stress		

danger à venir. D'autre part, les soignants pourront conclure qu'un résident souffre d'anxiété s'ils observent, outre ce qui précède, des symptômes tels qu'une forte tendance à s'inquiéter, une intolérance à l'incertitude, de l'agitation psychomotrice, de l'épuisement, de la difficulté de concentration, de l'irritabilité, de la tension musculaire et une perturbation du sommeil. Enfin, le résident pourra aussi manifester son anxiété en répétant constamment les mêmes demandes, en errant ou en ayant des réactions catastrophiques. Rappelons que ces troubles anxieux résultent souvent de la perception erronée qu'un danger ou une menace est imminent.

Les illusions consistent en une interprétation erronée d'un stimulus de l'environnement, qu'il s'agisse d'une ombre, d'une patère ou d'un ourson en peluche. Le résident interprétera les phénomènes physiques ou les objets comme menaçants, ce qui causera chez lui de l'anxiété. Une échelle telle que celle de l'inventaire neuropsychiatrique (Cummings, 1997) que nous présentons plus loin permettra aux soignants de documenter ces symptômes.

Détection du problème

Pour détecter et comprendre les symptômes psychologiques et comportementaux de la démence, les soignants se doivent de procéder à une série d'interventions. Il s'agira d'abord d'établir la biographie du résident, d'effectuer ensuite des inventaires d'évaluation et, enfin, de remplir

une grille d'observation clinique. Établir la biographie du résident s'inscrit dans une démarche de prévention des symptômes psychologiques et comportementaux de la démence, puisque, par là, les soignants auront une meilleure idée des besoins du résident. Les inventaires d'évaluation servent à déterminer la fréquence et la sévérité de ces symptômes chez un résident. La grille d'observation clinique permet quant à elle de faire des liens entre différents éléments et de mieux comprendre les causes potentielles des symptômes psychologiques et comportementaux de la démence propres à un résident.

Biographie du résident

Établir la biographie du résident constitue la première des étapes à effectuer en vue de prévenir l'apparition des symptômes psychologiques et comportementaux de la démence (Voyer, 2005). L'infirmière devrait toujours demander aux proches de lui faire le récit de la vie d'un résident atteint d'une démence. Il s'agit de leur demander d'expliquer en quoi consistait le travail du résident, quels étaient ses passions, ses loisirs, ses habitudes de vie, quels ont été les faits marquants de sa vie et à quoi ressemblait son tempérament. En connaissant le profil du résident, l'infirmière pourra concevoir un plan de soins qui réponde effectivement aux besoins biologiques, psychologiques et sociologiques du résident, ce qui préviendra l'apparition de certains symptômes psychologiques et comportementaux de la

Tableau 24-2	Classification des symptômes comportementaux de la démence

Comportements d'agitation physique non agressifs

- Commettre des gestes indécents
- S'emparer des objets des autres
- Uriner ou déféquer de façon inappropriée
- Cogner des objets sans les briser
- S'habiller de façon incorrecte
- S'isoler
- Négliger son hygiène
- Manger la nourriture des autres
- Faire des gestes insultants mais pas obscènes
- Ne pas suivre les directives
- Mettre dans sa bouche des objets inappropriés

- Faire des avances sexuelles
- Cracher sa médication
- Adopter des comportements sexuels inappropriés
- Cracher sans atteindre les autres
- Faire les cent pas
- Égarer les objets
- Se déshabiller
- Refuser de boire ou de manger
- Lancer des objets ou des aliments
- Déambuler de façon inappropriée
- Avoir une activité motrice excessive

Comportements d'agitation physique agressifs

- Briser des objets
- Tordre des objets
- Pincer les soignants
- Griffer
- Donner des coups de coude
- Mordre
- Donner des coups de pied
- Frapper les autres résidents

- S'automutiler
- Cracher sur les soignants ou les résidents
- Bousculer les soignants ou les résidents
- Empoigner les soignants ou les résidents
- Voler les objets des autres résidents
- Posséder un objet pour blesser les soignants ou les résidents
- Utiliser un objet pour frapper les soignants ou les résidents

Comportements d'agitation verbale non agressifs

- Parler constamment
- Répéter des phrases ou des mots

- Émettre des sons répétitifs

Comportements d'agitation verbale agressifs

- Utiliser un langage indécent ou blasphémer
- Crier ou hurler
- Menacer de blesser les autres

- Menacer de s'automutiler
- Utiliser un langage hostile, accusateur envers les autres

Source : C.K. Beck, L. Frank, N.R. Chumbler, P. O'Sullivan, T.S. Vogelpohl, J. Rasin, R. Walls et B. Baldwin (1998). Correlates of disruptive behavior in severely cognitively impaired nursing home residents. *The Gerontologist, 38* (2), 189-198.

démence (voir les chapitres 37 et 32). Rappelons que l'insatisfaction des besoins des résidents se trouve souvent à l'origine de l'apparition de ces symptômes.

Inventaires d'évaluation

Les inventaires d'évaluation servent à déterminer la fréquence et la sévérité des symptômes psychologiques et comportementaux de la démence chez les résidents. Ils permettent également à l'infirmière d'évaluer l'efficacité des interventions pharmacologiques et non pharmacologiques visant à contrer ces mêmes symptômes. En vue de procéder à de telles évaluations, des outils comme l'inventaire d'agitation de Cohen-Mansfield et l'inventaire neuropsychiatrique de Cummings (1997) seront des plus utiles. L'inventaire d'agitation de Cohen-Mansfield recense les symptômes comportementaux de la démence, alors que l'inventaire neuropsychiatrique recense principalement les symptômes psychologiques de la démence.

La version française de l'inventaire d'agitation de Cohen-Mansfield a fait l'objet d'une étude de validité et de fidélité (Deslauriers *et al.*, 2001). On peut donc s'y fier. Le tableau 24-3 (p. 362) présente cet instrument de mesure, qui permet d'évaluer la fréquence de 29 comportements se produisant sur une période de deux semaines, selon une échelle en 7 points. Lorsqu'on attribue la cote 1 à un comportement, c'est que le résident ne l'a jamais manifesté, tandis que la cote 7 signifie qu'on a observé un comportement plusieurs fois par heure au cours des deux semaines d'observation.

L'inventaire neuropsychiatrique de Cummings (1997) mesure quant à lui la fréquence, la gravité et le retentissement des symptômes psychologiques de la démence. Il est à noter que, en CHSLD, il n'est pas toujours utile de procéder à la partie traitant du retentissement. L'infirmière reporte ensuite les résultats qu'elle a obtenus dans un tableau qui résume la situation et qui lui permet d'avoir une vue d'ensemble des symptômes problématiques du résident. On recommande à cet égard de multiplier le résultat de la fréquence des symptômes par celui de la sévérité afin de déterminer sur quel comportement il faudra intervenir en premier. Plus le résultat d'une telle multiplication est élevé, plus l'infirmière saura qu'elle doit intervenir en fonction du symptôme concerné. Soulignons que le résultat de

Tableau 24-3	Inventaire d'agitation de Cohen-Mansfield

Indiquez, pour chaque résident, la fréquence à laquelle s'est manifesté chacun des comportements suivants durant votre quart de travail au cours des deux dernières semaines. Encerclez le chiffre correspondant à la meilleure réponse en vous reportant aux définitions suivantes :

1 = Ce comportement ne s'est jamais manifesté.
2 = Ce comportement s'est manifesté moins d'une fois par semaine.
3 = Ce comportement s'est manifesté une ou deux fois par semaine.
4 = Ce comportement s'est manifesté plusieurs fois par semaine.
5 = Ce comportement s'est manifesté une ou deux fois par jour.
6 = Ce comportement s'est manifesté plusieurs fois par jour.
7 = Ce comportement s'est manifesté plusieurs fois par heure.

1. Fait les cent pas	1	2	3	4	5	6	7
2. S'habille ou se déshabille de façon inappropriée	1	2	3	4	5	6	7
3. Crache	1	2	3	4	5	6	7
4. Sacre, ou agresse verbalement	1	2	3	4	5	6	7
5. Demande constamment de l'attention	1	2	3	4	5	6	7
6. Répète les mêmes phrases ou questions	1	2	3	4	5	6	7
7. Frappe les autres	1	2	3	4	5	6	7
8. Donne des coups de pied	1	2	3	4	5	6	7
9. Empoigne les autres	1	2	3	4	5	6	7
10. Pousse les autres	1	2	3	4	5	6	7
11. Émet des bruits étranges	1	2	3	4	5	6	7
12. Crie	1	2	3	4	5	6	7
13. Égratigne	1	2	3	4	5	6	7
14. Essaie de se rendre ailleurs	1	2	3	4	5	6	7
15. Est généralement turbulent	1	2	3	4	5	6	7
16. Se plaint	1	2	3	4	5	6	7
17. Fait preuve de négativisme	1	2	3	4	5	6	7
18. Manipule des choses incorrectement	1	2	3	4	5	6	7
19. Cache des choses	1	2	3	4	5	6	7
20. Amasse des choses	1	2	3	4	5	6	7
21. Déchire ou arrache des choses	1	2	3	4	5	6	7
22. Fait preuve de maniérisme répétitif	1	2	3	4	5	6	7
23. Fait des avances sexuelles verbales	1	2	3	4	5	6	7
24. Fait des avances sexuelles physiques	1	2	3	4	5	6	7
25. Chute intentionnellement	1	2	3	4	5	6	7
26. Lance des choses	1	2	3	4	5	6	7
27. Mord	1	2	3	4	5	6	7
28. Mange des substances inappropriées	1	2	3	4	5	6	7
29. Se mutile	1	2	3	4	5	6	7
Total	☐	☐	☐	☐	☐	☐	☐

Grand total ☐

Source : S. Deslauriers, P. Landreville, L. Dicaire et R. Verreault (2001). Validité et fidélité de l'inventaire d'agitation de Cohen-Mansfield. *Canadian Journal of Aging / La revue canadienne du vieillissement, 20* (3), 384. © Canadian Association of Gerontology.

cette multiplication demeure subjectif. Ainsi, pour différentes raisons cliniques, l'infirmière pourrait décider d'intervenir en fonction d'un autre symptôme. Le tableau 24-4 présente un exemple d'inventaire neuropsychiatrique. Mentionnons que les questions relatives à la fréquence, à la gravité et au retentissement se répètent normalement pour chaque type de comportements, mais que nous les avons omises ici par souci d'économie.

Afin d'administrer efficacement ces deux inventaires, l'infirmière doit aviser tous les soignants d'accorder une attention particulière au résident faisant l'objet de l'évaluation. Après les deux semaines d'observation, les soignants de chaque quart de travail devraient remplir les deux inventaires afin que ceux-ci reflètent les fluctuations possibles des symptômes psychologiques et comportementaux de la démence durant 24 heures. Il importe de remplir ces inventaires en équipe pour assurer une meilleure validité des résultats. Pour chacun des inventaires, l'infirmière calculera un résultat total, qui indiquera l'importance des symptômes psychologiques et comportementaux de la démence pour

Tableau 24-4	**Exemple d'inventaire neuropsychiatrique de Cummings (1997)**

INVENTAIRE NEUROPSYCHIATRIQUE

A. Idées délirantes

Le résident croit-il des choses que vous savez n'être pas vraies? Par exemple, insiste-t-il sur le fait que des gens essaient de lui faire du mal ou de le voler? A-t-il dit que des membres de sa famille ne sont pas les personnes qu'ils prétendent être ou qu'ils ne sont pas chez eux dans sa maison? Ici, il ne s'agit pas de déterminer si l'attitude du résident est soupçonneuse, mais bien de savoir s'il est vraiment convaincu de la réalité de ces choses (de ses idées délirantes).

Non ☐   Oui ☐

Fréquence

À quelle fréquence se produit ce type de comportements (utilisez le comportement qui engendre le plus de problèmes).
Diriez-vous qu'ils se produisent:
1 ☐ Rarement: moins d'une fois par semaine
2 ☐ Quelquefois: environ une fois par semaine
3 ☐ Souvent: plusieurs fois par semaine, mais pas tous les jours
4 ☐ Très souvent: une fois ou plus par jour

Gravité

Quel est le degré de gravité de ces comportements? Par «gravité», il faut entendre ceci: à quel point ces comportements sont-ils perturbants ou invalidants pour le résident? Diriez-vous que leur degré de gravité est:
1 ☐ Léger: les idées délirantes sont présentes, mais elles semblent inoffensives et sont peu éprouvantes pour le patient.
2 ☐ Moyen: les idées délirantes sont éprouvantes et perturbantes pour le patient.
3 ☐ Important: les idées délirantes sont très perturbantes et représentent une source majeure de troubles du comportement.
    (L'utilisation de médicaments «au besoin ou PRN» indique que les idées délirantes ont un degré de gravité important.)

Retentissement

À quel point ce comportement est-il éprouvant sur le plan émotionnel pour les soignants, les proches et les autres résidents?
0 ☐ Pas éprouvant du tout   3 ☐ Moyennement éprouvant
1 ☐ Légèrement éprouvant   4 ☐ Plutôt éprouvant
2 ☐ Assez éprouvant   5 ☐ Très éprouvant

B. Hallucinations

Le résident a-t-il des hallucinations? Par exemple, a-t-il des visions ou entend-il des voix? Semble-t-il voir, entendre ou percevoir des choses qui n'existent pas? Ici, il ne s'agit pas de prendre en compte le simple fait de croire par erreur à certaines choses, par exemple affirmer que quelqu'un est encore en vie alors qu'il est décédé. Ici, il faut plutôt se demander si le résident voit ou entend vraiment des choses anormales.

Non ☐   Oui ☐

C. Agitation / agressivité

Y a-t-il des périodes pendant lesquelles le résident refuse de coopérer ou ne laisse pas les soignants l'aider? Est-il difficile de l'amener à faire ce qu'on lui demande?

Non ☐   Oui ☐

D. Dépression / dysphorie

Le résident semble-t-il triste ou déprimé? Dit-il qu'il se sent triste ou déprimé?

Non ☐   Oui ☐

E. Anxiété

Le résident est-il nerveux, inquiet ou effrayé sans raison apparente? Semble-t-il très tendu ou agité? A-t-il peur d'être séparé des soignants?

Non ☐   Oui ☐

F. Exaltation de l'humeur / euphorie

Le résident semble-t-il trop joyeux ou heureux sans aucune raison? Ici, il ne s'agit pas de la joie tout à fait normale que l'on éprouve lorsqu'on voit des amis, reçoit des cadeaux ou passe du temps en famille. Il s'agit plutôt de savoir si le résident présente une bonne humeur anormale et constante, ou s'il trouve drôle ce qui ne fait pas rire les autres.

Non ☐   Oui ☐

G. Apathie / indifférence

Le résident a-t-il perdu tout intérêt pour le monde qui l'entoure? A-t-il perdu l'envie de faire des choses ou manque-t-il de motivation pour entreprendre de nouvelles activités? Est-il devenu plus difficile d'engager une conversation avec lui ou de le faire participer aux tâches ménagères? Est-il apathique ou indifférent?

Non ☐   Oui ☐

>>>

H.	**Désinhibition**

Le résident semble-t-il agir de manière impulsive, sans réfléchir ? Dit-il ou fait-il des choses qui, en général, ne se font pas ou ne se disent pas en public ? Fait-il des choses qui sont embarrassantes pour vous ou pour les autres ?

Non ☐   Oui ☐

I.	**Irritabilité / instabilité de l'humeur**

Le résident est-il irritable, faut-il peu de choses pour le perturber ? Est-il d'humeur changeante ? Se montre-t-il anormalement impatient ? Ici, il ne s'agit pas de confondre la contrariété résultant de trous de mémoire ou de l'incapacité d'effectuer des tâches ordinaires pour le phénomène à observer. Il faut plutôt déterminer si le patient fait preuve d'une irritabilité et d'une impatience anormales ou a de brusques changements d'humeur qui ne lui ressemblent pas.

Non ☐   Oui ☐

J.	**Comportement moteur aberrant**

Le résident fait-il les cent pas, refait-il sans cesse les mêmes choses comme ouvrir les placards ou les tiroirs, tripoter les objets ou enrouler de la ficelle ou du fil ?

Non ☐   Oui ☐

K.	**Le sommeil**

Le résident a-t-il des problèmes de sommeil (ne pas prendre en compte le simple fait que le patient se lève une fois ou deux par nuit pour se rendre aux toilettes et se rendort ensuite immédiatement) ? Est-il debout la nuit ? Erre-t-il, s'habille-t-il la nuit ou dérange-t-il le sommeil des autres résidents ?

Non ☐   Oui ☐

L.	**Troubles de l'appétit et de l'alimentation**

Y a-t-il eu des modifications dans l'appétit du résident, dans son poids ou dans ses habitudes alimentaires (inscrire s.o. [sans objet] si le résident est incapable d'avoir un comportement alimentaire autonome et doit se faire nourrir) ? Y a-t-il eu des changements dans le type de nourriture qu'il préfère ?

Non ☐   Oui ☐

Résultats

Reportez les résultats de chaque élément dans ce tableau.

Éléments	s.o.	Absent	Fréquence	Gravité	F x G	Retentissement
Idées délirantes		0	1 2 3 4	1 2 3		1 2 3 4 5
Hallucinations		0	1 2 3 4	1 2 3		1 2 3 4 5
Agitations / agressivité		0	1 2 3 4	1 2 3		1 2 3 4 5
Dépression / dysphorie		0	1 2 3 4	1 2 3		1 2 3 4 5
Anxiété		0	1 2 3 4	1 2 3		1 2 3 4 5
Exaltation de l'humeur / euphorie		0	1 2 3 4	1 2 3		1 2 3 4 5
Apathie / indifférence		0	1 2 3 4	1 2 3		1 2 3 4 5
Désinhibition		0	1 2 3 4	1 2 3		1 2 3 4 5
Irritabilité / instabilité de l'humeur		0	1 2 3 4	1 2 3		1 2 3 4 5
Comportement moteur aberrant		0	1 2 3 4	1 2 3		1 2 3 4 5
Sommeil		0	1 2 3 4	1 2 3		1 2 3 4 5
Troubles de l'appétit et de l'alimentation		0	1 2 3 4	1 2 3		1 2 3 4 5

s.o. = question inadaptée (sans objet), F x G = Fréquence x Gravité

Sources : J.L. Cummings (1997). The neuropsychiatric inventory : assessing psychopathology in dementia patients. *Neurology*, *48* (suppl. 6), 510-516 ; J. Belmin (2003). *Gérontologie pour le praticien.* Paris : Masson.

chaque résident. Si, après une évaluation initiale de ces symptômes avec ces inventaires, l'équipe de soins décide d'appliquer une intervention, l'infirmière pourra déterminer si elle est efficace en procédant à une deuxième évaluation et en comparant les résultats préintervention et postintervention. L'évaluation postintervention devrait avoir lieu environ 6 semaines après l'implantation de l'intervention.

Grille d'observation clinique

Lorsqu'un symptôme de la démence met en danger la santé du résident ou de son entourage, il devient important d'intervenir afin de réduire les risques associés à ce comportement. Dans ces circonstances, il est primordial que l'infirmière évalue en profondeur le comportement du résident en vue de déterminer quelles hypothèses pourraient l'expliquer. À cet égard, l'infirmière et l'équipe soignante pourront faire reposer leur démarche sur une grille d'observation clinique, qui leur permettra mieux que tout autre outil de trouver les causes probables du comportement, les éléments qui le déclenchent, et les solutions possibles pour le contrer.

Selon Hottin *et al.* (1997), la première étape d'une telle démarche consiste à observer objectivement le comportement du résident, de façon à recueillir des informations concernant la nature du comportement, le moment de la journée où il se produit, sa fréquence, sa durée, l'environnement physique et humain et le contexte de soins dans lesquels il survient, et les éléments qui le déclenchent. Il s'agit ensuite de consigner ces données dans une grille d'observation clinique (voir le tableau 24-5 pour un exemple). En procédant de la sorte, les soignants pourront regrouper leurs observations, leur donnant la possibilité d'établir leur interprétation des comportements du résident sur des données communes et objectives.

D'autre part, pendant cette période d'observation, il va sans dire que les soignants doivent continuer à intervenir auprès du résident en vue de contrer le comportement problématique. Pour ce faire, ils peuvent même essayer de nouvelles interventions. Toutefois, comme la grille d'observation clinique prévoit des espaces pour noter les interventions réalisées et leurs résultats, les soignants doivent y inscrire toutes leurs actions et leur efficacité.

Selon Hottin *et al.* (1997), la période d'observation requise pour remplir une grille d'observation clinique dure en moyenne 48 à 72 heures et requiert le concours de tous les

Tableau 24-5	**Exemple d'un cas clinique décrit au moyen d'une grille d'observation clinique**

Raison d'utilisation : Le résident erre, fait des demandes répétitives, crie, parle fort, frappe les soignants.

Date d'admission : Mars 2005	**Médication :** Ativan 0,5 mg PRN, Risperdal 0,5 mg BID

Unité B

Principaux diagnostics médicaux : Maladie d'Alzheimer stade VI
Personnalité anxieuse +++
Douleur à la jambe gauche

DATE ET HEURE 2004-05-12	DESCRIPTION DU COMPORTEMENT	ÉLÉMENTS DÉCLENCHEURS, CONTEXTE DE SOINS ET ENVIRONNEMENT	INTERVENTIONS DU SOIGNANT	RÉSULTATS	INITIALES
7 h 30	• Errance +++ • Parle fort, se fâche contre les résidents qui se trouvent dans le corridor	• Beaucoup de résidents se trouvent dans le corridor • Bruit +++ • Manipulation des chariots	• L'approche avec le sourire • Lui demande de l'aider à préparer un chariot à linge	• Accepte de suivre le soignant jusqu'à la lingerie • Manipule des serviettes	MB
8 h 45	• Parle fort, se fâche • Tente de frapper le soignant à plusieurs reprises • Ne veut pas aller au bain	• Toujours fâché lorsqu'on l'amène au bain • Anxieux ++++ • N'aime pas se faire déshabiller	• Demande l'aide d'un autre soignant • Essaie de le raisonner	• Continue de frapper ++ • Se met à crier • Bain très difficile à donner	JG
10 h à 10 h 20	• Erre et fouille dans les chambres • Tient des propos incohérents ++ • Parle fort +++	• Semble vouloir quelque chose • S'ennuie peut-être	• L'amène dans sa chambre mais ne veut pas y demeurer	• Se fâche • Devient plus agité	LC

Source : M. Bourque (2005). *Grille d'observation clinique.* Sherbrooke : Institut universitaire de gériatrie de Sherbrooke (document interne) ; cité dans C. Bonin et M. Bourque (1993). Gérer les comportements perturbateurs en soins de longue durée. *Nursing Québec, 13* (2), 20-26.

soignants de jour, de soir et de nuit qui interviennent auprès du résident. Même si le comportement problématique survient principalement en soirée, les soignants des autres quarts de travail doivent remplir la grille d'observation clinique. Selon Hall et Buckwalter (1987), l'état d'un résident qui présente des symptômes psychologiques et comportementaux de la démence évolue sur un continuum de 24 heures. Par conséquent, il est nécessaire qu'une observation clinique se fasse en continu et que les interventions fassent continuellement l'objet d'ajustements au cours de la journée. D'autres auteurs préconisent une période d'observation plus longue, mais l'expérience clinique montre qu'il est souvent préférable de miser sur une courte période d'observation continue et intense plutôt que de prolonger les périodes d'observation, au risque de provoquer une surcharge de travail ou une démotivation des soignants (Hottin *et al.*, 1997).

Lorsque les soignants ont rempli la grille d'observation clinique, l'infirmière doit en faire l'interprétation en faisant ressortir les éléments importants et en établissant des liens entre eux. Par exemple, supposons que les observations inscrites dans une grille montrent que, chaque fois que le résident se trouve en situation de surcharge sensorielle ou fait face à une activité désagréable, il présente de l'agitation verbale avec agressivité. D'autre part, ces mêmes observations pourraient permettre à l'infirmière de conclure que, lorsque le soignant diminue les stimuli ou soustrait le

résident de la situation problématique, celui-ci se calme. En revanche, elle pourrait aussi constater grâce au contenu de la grille d'observation clinique que, si le soignant insiste pour que le résident termine ou accomplisse une tâche, l'agitation de celui-ci augmentera. Le tableau 24-6 présente les principales questions ou réflexions qui doivent guider l'infirmière lorsqu'elle analyse une grille d'observation clinique.

Enfin, la dernière étape d'une démarche d'observation des symptômes psychologiques et comportementaux de la démence consiste à transmettre le résultat de l'analyse de la grille d'observation clinique à toute l'équipe soignante, et ce, pour chaque quart de travail. Se déroulant généralement au cours d'une réunion formelle, cette étape est déterminante puisqu'elle permet aux soignants de mieux comprendre la dynamique des symptômes psychologiques et comportementaux de la démence d'un résident, d'échanger leurs perceptions et leurs trucs, et de s'interroger sur leur approche et leurs interventions (Slattery *et al.*, 1999). L'expérience clinique montre que ce type de réunion est essentiel à la compréhension de la situation et permet d'humaniser l'approche et les soins, car elle fait découvrir aux soignants le résident qui se trouve « derrière » les symptômes psychologiques et comportementaux de la démence. C'est également dans le cadre d'une telle réunion que l'on commence à concevoir le programme d'intervention, que l'on voudra personnalisé, applicable et concerté.

PROGRAMME D'INTERVENTION

Rappelons dans un premier temps que le présent chapitre chapeaute l'ensemble des chapitres qui suivent et qui aborderont de manière spécifique un ou des symptômes psychologiques et comportementaux de la démence. Comme on le verra, les chapitres 25 à 30 présentent des programmes individuels spécifiquement conçus pour un type de symptôme psychologique ou comportemental de la démence. Nous présentons donc ici un programme collectif d'intervention, qui restera pertinent dans tous les cas, en plus de ce qu'on apprendra grâce aux programmes d'intervention que présenteront lesdits chapitres.

Programme de prévention des symptômes psychologiques et comportementaux de la démence

Dans les CHSLD, considérant la prévalence élevée des résidents atteints de démence, il est essentiel de mettre en place un programme collectif de prévention des symptômes psychologiques et comportementaux de la démence. Un programme collectif vise d'une part à prévenir la manifestation de ces symptômes et d'autre part à les gérer efficacement lorsqu'ils se produisent. Afin d'atteindre ces objectifs, un

tel programme doit comporter trois volets, à savoir mieux faire connaître aux soignants la démence et ses symptômes, agir sur la perception qu'ils en ont et doter les soignants d'habiletés (ou affiner celles-ci) et d'outils pour qu'ils puissent mieux faire face aux résidents déments et présentant des symptômes psychologiques et comportementaux de la démence.

Améliorer les connaissances théoriques

Un programme de prévention des symptômes psychologiques et comportementaux de la démence doit d'abord viser à améliorer les connaissances des soignants sur les démences et les déficits cognitifs qui en résultent. Chaque démence a sa particularité, et il importe que l'infirmière connaisse les différentes caractéristiques des principales démences. À titre d'exemple, les résidents atteints de la démence à Corps de Lewy auront fréquemment des hallucinations visuelles, alors qu'elles sont très rares chez les résidents qui en sont aux premiers stades de la maladie d'Alzheimer (voir le chapitre 2). L'infirmière qui dispose des connaissances pour comprendre ces différences sera en mesure de les expliquer aux membres de son équipe et pourra concevoir des interventions cliniques plus pertinentes.

Tableau 24-6	Questions ou réflexions relatives à l'analyse d'une grille d'observation clinique	
CATÉGORIES	**QUESTIONS / RÉFLEXIONS**	**LOGIQUE / ANALYSE**
Nature du comportement	• Quels sont les comportements observés ? • Y a-t-il un profil de comportements ? • Est-ce une agitation verbale ou physique agressive ou non agressive ?	• Permet de déterminer un profil de comportement (de type agressif par exemple). • Permet de cerner les facteurs pouvant être associés à ce profil et d'empêcher le résident d'être exposé à ces facteurs.
Moment, durée et fréquence du comportement	• Quels sont les comportements les plus souvent observés ? • Quelles sont la fréquence et la durée des comportements ? • À quelle heure se produisent les comportements ? • Se produisent-ils toujours aux mêmes heures ?	• Permet à l'équipe de concentrer ses efforts sur les comportements les plus fréquents. • Permet de déterminer les moments les plus critiques et d'essayer de comprendre ce qui se produit à ces moments-là.
Éléments déclencheurs	• Quels sont les principaux éléments déclencheurs ? • Est-ce que les comportements sont liés à un besoin de base non satisfait, à une douleur, à un soin perçu comme agressant, à une habitude de vie non respectée, à une consigne trop exigeante, à une sous-stimulation ou surstimulation sensorielle ? • Quelle est mon attitude à l'égard du résident, mon approche lors des soins ? • Est-ce que j'ai pris le temps d'établir le contact avec le résident ? • Est-ce que j'ai respecté son intimité, son rythme ? • Est-ce que je me suis bien fait comprendre ?	• Permet de déterminer quels sont les éléments déclencheurs le plus souvent en cause et de cibler les interventions pouvant les corriger. • Permet d'établir des liens entre les éléments déclencheurs et les interventions qui ont connu du succès. • Permet de prendre conscience de l'importance de l'approche soutenant chaque geste ou intervention.
Contexte de soins	• Où se produisent les comportements ? • Durant quelle activité de soins se produisent-ils ? • S'agit-il toujours de la même activité ? • Que signifie cette activité de soins ? Est-elle en concordance avec les habitudes de vie du résident ?	• Permet de déterminer quelles activités de soins causent des difficultés au résident. • Permet d'établir des liens entre l'activité qui cause problème et le non-respect des habitudes de vie antérieures du résident.
Environnement physique et humain	• À quoi ressemble l'environnement physique lorsque se produisent les comportements ? • Y avait-il trop ou pas assez de stimuli avant qu'ils se produisent ? • Qui se trouvait alors auprès du résident ? • Était-ce un nouveau soignant qui ne connaissait pas les habitudes du résident ? Quelle était son attitude ?	• Permet de déterminer si l'environnement est adéquat, déficient, surstimulant ou sous-stimulant. • Permet d'évaluer la qualité et la quantité des interactions sociales qui peuvent entraîner une sous-stimulation ou une surstimulation. • Permet de s'interroger sur l'approche soutenant chaque intervention du soignant.
Interventions bénéfiques	• Quelles sont les interventions les plus bénéfiques et pourquoi le sont-elles ? • Est-ce qu'elles comblent un besoin de base non satisfait, diminuent la douleur que ressent le résident, réduisent la surcharge sensorielle, etc. ? • Est-ce qu'elles sont liées à une attitude ou à une approche appropriées ?	• Permet d'expliquer le résultat bénéfique des interventions par l'établissement de liens avec les éléments déclencheurs. • Permet de faire ressortir les attitudes et approches appropriées pour le résident et qui connaissent du succès. • Permet de déterminer quelles interventions vont constituer le programme de soins individuel.
Interventions non bénéfiques	• Quelles sont les interventions les moins bénéfiques et pourquoi le sont-elles ?	• Permet de déterminer avec les soignants quelles interventions il faut éviter d'appliquer. • Permet de prendre conscience des attitudes ou approches peu bénéfiques par l'établissement de liens avec les résultats obtenus. • Permet de déterminer quelles attitudes et approches il faut éviter d'adopter.

Dans le même ordre d'idées, un résident atteint d'un trouble important de la mémoire à court terme peut poser régulièrement une question telle que celle-ci : « À quelle heure vais-je manger ? » Ne pouvant mémoriser l'information, il répétera fréquemment la question, ce qui exaspère souvent les soignants. L'infirmière doit dans ces cas-là expliquer à l'équipe le lien entre cette demande répétitive et le trouble de mémoire à court terme. Elle peut aussi proposer une intervention qui vise à pallier le trouble de mémoire, à diminuer l'anxiété du résident ou une intervention de type contre-intuitive (voir plus loin).

Enfin, dans le cadre d'un programme de prévention des symptômes psychologiques et comportementaux de la démence, les infirmières devront voir à acquérir des connaissances sur les principales approches non pharmacologiques qu'on trouve dans la littérature et sur leur application clinique. Bien connaître ces approches sera d'un grand secours pour les soignants qui, trop souvent, ont pour réflexe de réclamer les contentions physique et chimique comme principale intervention.

Modifier les perceptions

Pour qu'un programme de prévention des symptômes psychologiques et comportementaux de la démence connaisse quelque succès, il importe d'amener les soignants à modifier leur perception de ces symptômes. À cet égard, recourir de nouveau au modèle conceptuel d'Algase (1996) pourra se révéler fort bénéfique. Comme nous l'avons vu précédemment, les symptômes psychologiques et comportementaux de la démence sont selon ce modèle l'expression d'un besoin que cherche à satisfaire le résident ayant des déficits cognitifs ou d'un but qu'il poursuit, et qu'il est l'un comme l'autre incapable de communiquer efficacement. Il appartient alors aux soignants de découvrir le sens des symptômes psychologiques et comportementaux de la démence du résident et de tenter des interventions pour vérifier leurs hypothèses. Rappelons que le fait de connaître les détails de vie du résident aide grandement les soignants à contextualiser une situation jugée problématique et, par conséquent, à mieux comprendre les comportements du résident.

D'autre part, un bon programme de prévention des symptômes psychologiques et comportementaux de la démence doit faire comprendre aux soignants que la gestion de ces symptômes est un travail essentiel qui permet de mieux intervenir auprès du résident. De ce point de vue, les groupes de soutien constituent un excellent moyen pour aider le personnel à soigner autrement les résidents qui manifestent quotidiennement des symptômes psychologiques et comportementaux de la démence. En se réunissant ainsi en groupe, les soignants peuvent faire part aux autres de leurs sentiments d'échec, de culpabilité, de découragement. De plus, ils pourront aborder avec un œil nouveau des situations problématiques grâce au soutien des autres soignants, trouver avec eux des moyens de se protéger, concevoir de nouvelles approches et se communiquer leurs trucs.

Doter les soignants des habiletés et outils nécessaires

Enfin, le dernier volet d'un programme efficace de prévention des symptômes psychologiques et comportementaux de la démence consiste à doter les soignants des habiletés et des outils nécessaires pour faire face aux symptômes psychologiques et comportementaux de la démence. À cet égard, il importe que l'infirmière et les soignants connaissent bien les résidents, leurs profils et les résidents à risque, et qu'ils disposent d'une base de connaissance élargie concernant les interventions permettant de faire face aux symptômes psychologiques et comportementaux de la démence et de les gérer.

Établir le profil du résident

Au cours des quatre semaines qui suivent l'admission d'un résident, il est recommandé de tracer son profil en matière de symptômes psychologiques et comportementaux de la démence. Comme nous l'avons vu, des outils tels l'inventaire d'agitation de Cohen-Mansfield et l'inventaire neuropsychiatrique de Cummings permettront d'atteindre cet objectif. La connaissance du profil de comportements d'un résident donnera à l'infirmière la possibilité de déterminer quels types de symptômes de la démence le résident pourra présenter. Le fait de déterminer de façon précoce les symptômes qui pourront se manifester chez un résident permet à l'infirmière de concevoir de façon proactive un programme d'interventions préventives. Par exemple, puisque le résident qui a des hallucinations risque de ressentir de l'anxiété et d'avoir des comportements d'agitation, l'infirmière pourra recourir à la thérapie de la validation ou de la diversion afin de réduire son degré d'anxiété. En plus, connaissant le profil du résident, elle éliminera d'emblée la possibilité qu'il soit atteint d'un delirium. Ainsi, grâce au profil de comportements du résident, l'infirmière prévoira des interventions pouvant prévenir leur manifestation ou les atténuer en situation de crise.

Repérer les résidents à risque

Comme le modèle d'Algase (1996) le suggère, plusieurs facteurs peuvent expliquer les symptômes psychologiques et comportementaux de la démence. Toutefois, il semble qu'il faille mettre en cause certains facteurs plus que d'autres. En effet, selon les articles et livres publiés sur le sujet, l'approche des soignants, l'ennui, la douleur, l'insomnie, la dépression et la contention physique constituent des facteurs de risque pouvant provoquer de façon marquée l'apparition des symptômes psychologiques et comportementaux de la démence. Il apparaît essentiel que l'infirmière détermine chez quels résidents ces facteurs peuvent engendrer des symptômes psychologiques et comportementaux de la démence, afin d'intervenir le plus rapidement possible au moyen de l'intervention la plus appropriée. Le tableau 24-7 résume ces facteurs de risque et indique grâce à quelles interventions les soignants pourront contrer les effets néfastes de ces facteurs (comme nous ne présenterons pas ici ces

Tableau 24-7	Facteurs de risque et interventions appropriées
FACTEURS DE RISQUE	**INTERVENTIONS**
Approche des soignants	(chapitre 31)
Ennui	(chapitres 33 à 37 et 40)
Douleur et malaise	(chapitres 11, 12, 20)
Insomnie	(chapitre 16)
Dépression	(chapitre 9)
Contention physique	(chapitre 22)

interventions, nous avons inclus dans le tableau 7 les chapitres où celles-ci se trouvent expliquées).

Gestion optimale d'un symptôme psychologique ou comportemental de la démence

Lorsqu'un symptôme psychologique ou comportemental de la démence se manifeste chez un résident, l'infirmière doit suivre une démarche rigoureuse pour ne pas recourir précipitamment aux contentions physique ou chimique (voir les chapitres 22 et 23). Rappelons que la contention physique ne se révèle que peu efficace en matière de réduction des symptômes psychologiques et comportementaux de la démence et que les neuroleptiques ne sont efficaces que chez 25 % des résidents (Lanctôt *et al.*, 1998 ; Lonergan, Luxemberg et Colford, 2003 ; Schneider, Pollock et Lyness, 1990 ; Voyer *et al.*, sous presse).

Ainsi, lorsqu'elle décide d'utiliser une intervention pour prévenir ou gérer les symptômes psychologiques et comportementaux de la démence, l'infirmière doit premièrement déterminer s'il est pertinent d'intervenir directement auprès du résident (Gibson, 1997 ; Philo, Richie et Kaas, 1996). Le recadrage du symptôme (voir aussi le chapitre 29) lui permettra à cet égard de déterminer s'il est justifié d'intervenir au moyen de la contention ou de revoir certaines pratiques de soins. Par exemple, si un résident manifeste toujours de l'agressivité lors du bain en cherchant à griffer le soignant, l'infirmière pourra essayer de procéder aux soins d'hygiène au moyen d'un lavage à la serviette au lit (voir le chapitre 26) avant de conclure qu'il faut lui administrer un psychotrope avant le bain. C'est qu'il s'avère généralement plus efficace de modifier une approche de soins que de tenter de changer la réaction du résident.

Deuxièmement, s'il n'est pas possible de recadrer, l'infirmière devra alors établir la fréquence du symptôme, soit avec l'inventaire d'agitation de Cohen-Mansfield, soit avec l'inventaire neuropsychiatrique de Cummings. En procédant de la sorte, l'infirmière pourra déterminer ultérieurement le niveau d'efficacité d'une intervention éventuelle.

Troisièmement, il est essentiel de procéder à une évaluation approfondie du ou des symptômes psychologiques et comportementaux de la démence qui se manifestent chez un résident. Cette évaluation, qui se veut interdisciplinaire, exige l'implication du médecin, de l'infirmière et des autres professionnels de l'équipe de soins. Elle doit tenir compte de l'ensemble des facteurs prédisposants et précipitants décrits précédemment grâce au modèle d'Algase (1996). Il est primordial de déterminer, au cours de cette évaluation, quelles causes sous-jacentes peuvent expliquer l'apparition ou l'aggravation des symptômes psychologiques et comportementaux de la démence chez le résident. Parmi les causes physiques possibles, notons qu'il y a entre autres la douleur, le delirium, les infections urinaires ou respiratoires, l'infarctus du myocarde et les problèmes d'élimination (Hottin *et al.*, 1997 ; Wiener *et al.*, 2001). Enfin, lors de cette évaluation, en collaboration avec le médecin et le pharmacien, l'infirmière doit procéder à la révision de la médication du résident (voir le chapitre 23). Il s'agit alors de déterminer s'il faut réajuster cette médication et d'examiner quels sont ses effets sur les symptômes psychologiques et comportementaux de la démence (Wiener *et al.*, 2001).

Toujours dans le cadre de cette évaluation, l'infirmière, en collaboration avec les autres soignants, déterminera quels problèmes peuvent être liés aux soins et à l'insatisfaction des besoins de base, tant physiques que psychosociaux. Elle évaluera également l'autonomie fonctionnelle et les fonctions cognitives du résident (voir les chapitres 2 et 32) afin d'établir quelles capacités le résident peut utiliser et quelles incapacités il faudra compenser. Parallèlement à l'évaluation interdisciplinaire, l'infirmière et son équipe de soins examineront en profondeur les symptômes psychologiques et comportementaux de la démence du résident au moyen de la grille d'observation clinique (voir le tableau 24-5).

Quatrièmement et dernièrement, l'infirmière devrait concevoir un programme d'intervention en s'appuyant sur les résultats de la grille d'observation clinique et de l'évaluation de l'équipe interdisciplinaire. Tous les soignants devraient appliquer ce programme pendant 4 à 6 semaines, jour et nuit et tous les jours de la semaine. Il est important que tous les soignants respectent le programme et l'appliquent, quitte à modifier au besoin certaines interventions pour qu'elles soient réalisables quotidiennement. Le fait que les soignants appliquent un programme et ne s'en écartent jamais est un aspect crucial de son efficacité.

Après 4 à 6 semaines d'intervention, l'infirmière devrait évaluer la fréquence des symptômes psychologiques et comportementaux de la démence à l'aide de l'inventaire approprié (voir les tableaux 24-3 et 24-4) afin d'établir le niveau d'efficacité du programme. Si les résultats ne sont pas positifs, il faudra alors réajuster les interventions non pharmacologiques et les appliquer de façon complémentaire à des interventions pharmacologiques. Enfin, 4 à 6 semaines après qu'aura commencé le traitement médicamenteux, l'infirmière devra de nouveau évaluer la fréquence des symptômes psychologiques et comportementaux de la démence afin de déterminer si le traitement est efficace. À ce point, si les résultats ne sont toujours pas satisfaisants, l'infirmière et l'équipe de soins devront recommencer la démarche en utilisant une grille d'observation clinique, et il faudra reconsidérer les modalités d'utilisation du médicament initialement prescrit ou cesser de l'utiliser.

Approches et interventions de base pour communiquer avec les résidents

Dans des articles sur le sujet, plusieurs auteurs ont présenté diverses interventions qui peuvent être bénéfiques pour les résidents de CHSLD. Toutefois, comme ces interventions ne sont pas toujours étayées par de nombreuses études scientifiques, il est parfois difficile d'indiquer dans quelles circonstances elles seront les plus utiles. Quoi qu'il en soit, il est évident que, si l'approche de base des soignants (voir le chapitre 31) n'est pas adéquate, aucune de ces interventions ne saurait être efficace, aussi complexe soit-elle et peu importe l'unanimité qu'elle remporte dans le milieu scientifique. Le tableau 24-8 présente les aspects essentiels d'une bonne approche.

Tableau 24-8	Interventions de communication de base

- Commencer la conversation en appelant la personne par son nom et en se présentant soi-même.

- Utiliser un ton de voix doux et rassurant.

- Établir le contact avec la personne par le regard, la voix ou le toucher.

- Accorder de l'attention au résident par le regard, le toucher, sa présence générale.

- Aborder la personne avec un visage souriant et détendu (interprétation positive).

- Utiliser des gestes et des mimiques et recourir à la démonstration pour se faire comprendre.

- Utiliser des phrases simples, courtes et concrètes.

- Parler lentement et prononcer les mots clairement.

- Poser une question à la fois, donner une consigne à la fois.

- Respecter le rythme de la personne (temps de réponse plus long).

- Éviter de hausser la voix si la personne ne répond pas.

- Accorder de l'importance à la communication non verbale.

- Se déplacer lentement, éviter les gestes brusques et spontanés.

- Éviter les demandes trop exigeantes (qui augmentent la frustration, l'anxiété).

- Renforcer les comportements positifs.

- Être conscient de ses propres émotions et réactions, et en tenir compte.

- Développer son sens de l'observation et décrire plutôt que de porter un jugement.

- Décoder les besoins de base qu'exprime le résident au moyen de ses comportements et de ses réactions.

Certaines approches ou stratégies que les soignants utilisent régulièrement s'avèrent particulièrement efficaces pour prévenir les symptômes psychologiques et comportementaux de la démence. Selon la situation, l'infirmière choisira l'approche ou la stratégie qui semble la plus appropriée afin que le résident retrouve un comportement calme et de bien-être. Le tableau 24-9 présente ces approches et stratégies.

Nous n'examinerons pas dans le détail la diversion, la réminiscence, l'orientation à la réalité et le toucher affectif puisqu'on pourra se reporter aux chapitres 9, 31 et 37 pour en savoir plus sur ces approches. Toutefois, nous nous attarderons ici au dosage des stimuli et à la thérapie de la validation.

Dosage des stimuli

Comme nous l'avons déjà signalé, la sous-stimulation que causent l'ennui et l'isolement peut contribuer à ce que se manifestent chez le résident les symptômes psychologiques et comportementaux de la démence. Il en va de même pour la surstimulation qu'entraînent de trop nombreux bruits, une lumière artificielle trop intense ou une température ambiante ne convenant pas au résident. Le programme d'intervention BACE (Balancing Arousal Controls Excesses) qu'ont conçu Kovach *et al.* (2004) se révèle à cet égard des plus pertinents, étant efficace et fort simple d'application. Il préconise les interventions suivantes: éviter qu'un résident atteint d'une démence soit soumis à une période de stimulation de plus de 90 minutes et éviter qu'il se retrouve en période de sous-stimulation pendant plus de 90 minutes. Ainsi, l'infirmière doit s'assurer que le résident qui est isolé dans sa chambre n'y reste pas plus de 90 minutes, après quoi elle doit lui permettre de bénéficier d'une période de stimulation sensorielle. À l'inverse, elle doit voir à ce que le résident qui participe à des activités de stimulation depuis 90 minutes soit amené dans un endroit où l'on trouve peu de stimuli. En appliquant ce principe, Kovach *et al.* (2004) ont réduit de façon significative l'agitation des résidents qui participaient à leur étude.

Validation des émotions

La validation des émotions est une approche thérapeutique qui vise à déterminer quelles émotions le résident ressent, à les reconnaître et à lui permettre de les exprimer (Buckwalter, Stolley et Farran, 1999). Il est approprié de recourir à cette approche pour les résidents qui se trouvent aux stades modérés et avancés de la démence, et qui, par exemple, ressentent de la tristesse en songeant que leur mère est morte ou de l'anxiété en croyant être en retard pour s'occuper de leurs enfants. Lorsqu'on opte pour la thérapie de la validation, il faut, dans ces circonstances, entrer « dans la réalité » du résident et l'encourager à exprimer ses préoccupations. Il est inutile de corriger le résident et de lui faire prendre conscience de ses déficits en lui disant: « Votre mère est décédée depuis 50 ans déjà, c'est pas du nouveau! Vous devriez pas pleurer comme ça! » Ce type de commentaire risque d'accroître son anxiété et par conséquent ses comportements d'agitation. L'infirmière

Tableau 24-9	Approches et stratégies permettant de prévenir l'apparition des symptômes psychologiques et comportementaux de la démence
APPROCHES / STRATÉGIES	**DÉFINITION**
Le dosage des stimuli	Stratégie qui consiste à offrir en alternance une période de stimuli familiers et significatifs, et une période sans stimuli, tout en tenant compte de l'ensemble des stimuli externes et internes, de façon à ce que le résident reste en contact avec son environnement sans toutefois entrer en surcharge sensorielle.
La diversion	Approche qui consiste à amener le résident qui a un problème important d'attention à « se changer les idées » en lui parlant des événements significatifs de son passé ou en lui proposant une activité significative et répétitive. On utilise habituellement la diversion pour chasser les idées persistantes et anxiogènes.
La validation des émotions	Approche visant à reconnaître et à valider les sentiments qu'exprime dans le temps et l'espace le résident atteint de démence, sentiments qui sont réels pour le résident, indépendamment de la réalité du soignant.
La réminiscence	Approche qui consiste à rappeler au résident des souvenirs positifs et significatifs afin qu'il reprenne contact avec lui-même, vive des moments agréables et augmente son estime de soi.
L'orientation à la réalité	Approche utilisée pour aider le résident désorienté à se situer dans le temps et l'espace, et par rapport aux personnes qui l'entourent, et ce, en lui fournissant l'information et en évitant de mettre en évidence ses déficits (voir le chapitre 32).
Le toucher affectif	Approche visant à communiquer par le toucher de l'affection, du réconfort et de la tendresse. Plus les déficits cognitifs du résident sont graves, plus le toucher affectif devient un outil important de communication.

qui valorise les principes de la validation des émotions devrait plutôt demander au résident de parler de sa mère afin de connaître les besoins du résident à ce sujet. Elle dira ainsi : « Vous aimiez beaucoup votre mère ? Qu'est-ce que vous appréciez le plus chez elle ? Parlez-moi de votre enfance avec elle… » Si le résident se met à sourire après une telle intervention, c'est qu'il se remémore des souvenirs agréables. Dans ce cas-là, l'infirmière pourra continuer à discuter avec lui sur le sujet. Si toutefois elle doit quitter le résident parce qu'elle doit aller effectuer une autre tâche, elle utilisera la technique de la diversion (voir le tableau 24-9 et le chapitre 29) pour changer de sujet.

Les soignants peuvent donc recourir à la validation des émotions lorsque le résident est triste, dépressif, isolé ou qu'il a des hallucinations ou des idées délirantes dont le sujet tient à des proches décédés. Cela dit, il est aussi possible de l'utiliser pour obtenir la collaboration d'un résident lorsqu'on lui prodigue des soins.

Supposons par exemple que Sylvie, infirmière, désire ausculter les poumons de Mᵐᵉ Tremblay, car celle-ci souffre d'inappétence, d'une légère fièvre, d'une perte d'autonomie et d'apathie. Sylvie désire vérifier si Mᵐᵉ Tremblay présente des signes de pneumonie. Lorsqu'elle approche Mᵐᵉ Tremblay et lui dit qu'elle est là pour écouter ses poumons, Mᵐᵉ Tremblay lui marmonne des noms d'individus et dit s'inquiéter du petit Daniel. Sylvie lui dit de ne pas s'en inquiéter et approche le stéthoscope du thorax de la résidente. Celle-ci agrippe alors la main de Sylvie et lui dit : « Non, non, non ! Le petit pleure, je l'entends, ç'a pas de bon sens, ç'a pas de bon sens… » Sylvie constate donc qu'elle ne pourra ausculter les poumons de Mᵐᵉ Tremblay

si elle n'apaise pas dans un premier temps l'inquiétude de la résidente.

Rangeant son stéthoscope dans sa poche, elle tâche donc d'établir un contact réel avec Mᵐᵉ Tremblay. Elle lui demande qui est Daniel, et Mᵐᵉ Tremblay lui répond qu'il s'agit du fils de son garçon Marc et qu'il se fait garder chez le voisin. Sylvie soupçonne que Mᵐᵉ Tremblay s'ennuie de son petit-fils, et elle pose l'hypothèse que, en encourageant Mᵐᵉ Tremblay à parler de son petit-fils, l'anxiété de la résidente pourrait diminuer, et ses hallucinations auditives disparaître. Elle demande donc à Mᵐᵉ Tremblay l'âge de Daniel, la couleur de ses yeux et de ses cheveux et ce qu'il préfère manger. Mᵐᵉ Tremblay répond avec intérêt aux différentes questions de Sylvie. La justesse des questions de Sylvie a fait basculer le discours de Mᵐᵉ Tremblay à l'égard de Daniel vers des souvenirs positifs, ce qui a apaisé les symptômes anxieux de la résidente.

Sylvie tente donc de nouveau de lui ausculter les poumons. Cette fois-ci, Mᵐᵉ Tremblay lui répond ceci : « Ah non ! Vous avez pas besoin de ça » et repousse de la main le stéthoscope, une fois de plus. Mᵐᵉ Tremblay lui indique alors qu'elle est déjà bien suivie par son médecin. Intriguée, Sylvie lui demande qui est son médecin, ce à quoi la résidente répond qu'il s'agit du Dʳ Dugas. Or, il n'y a pas de Dʳ Dugas dans le CHSLD où réside Mᵐᵉ Tremblay. Toutefois, Sylvie lui précise que, effectivement, le Dʳ Dugas est un excellent docteur, et qu'elle est convaincue que le Dʳ Dugas approuve l'idée qu'elle vérifie ses poumons. C'est uniquement après ce long préambule que Sylvie est finalement en mesure d'écouter les poumons de Mᵐᵉ Tremblay, qui collabore alors pleinement.

Interventions non pharmacologiques

En plus des diverses approches et stratégies de base en matière de communication avec les résidents, les soignants ont la possibilité de recourir à plusieurs interventions non pharmacologiques en vue de traiter les symptômes psychologiques et comportementaux de la démence. Le tableau 24-10 présente toutes ces interventions, et indique dans quels chapitres elles seront abordées de manière spécifique.

Comme l'indique le tableau 24-10, plusieurs chapitres traiteront spécifiquement de l'une ou l'autre de ces interventions. Nous n'aborderons donc ici que la thérapie contre-intuitive, le massage des mains, l'interaction simulée, l'activité physique et l'introduction d'un bruit ambiant.

Thérapie contre-intuitive

On utilise surtout la thérapie contre-intuitive (Duffy, 2002) lorsque le résident répète sans cesse les mêmes demandes. Reconnaissons d'emblée qu'il n'est pas évident de faire face à ce genre de situation et de la traiter avec succès. La thérapie contre-intuitive repose sur l'idée que la perte d'autonomie fonctionnelle, la démence et la perte de contrôle qui sont des phénomènes secondaires au placement expliquent les demandes répétées des résidents. Elle se fonde également sur le principe suivant : si le soignant contourne le problème ou ne s'en préoccupe pas, les demandes multiples, incessantes et répétitives du résident iront en augmentant au lieu de diminuer.

La thérapie contre-intuitive propose plutôt de tenir compte des demandes du résident afin d'amenuiser le sentiment d'anxiété qui est à l'origine des demandes multiples. Si le soignant opte pour cette intervention, il doit d'abord évaluer la fréquence des demandes répétées. Connaissant cette fréquence, si le résident a tendance à se rendre au poste des infirmières toutes les 10 minutes pour faire une demande par exemple, les soignants iront plutôt, toutes les 8 ou 9 minutes, demander au résident s'il a besoin de quelque chose. On l'aura compris, le but est ici de toujours devancer la demande d'aide. Dans le cadre de la thérapie contre-intuitive, les soignants veilleront aussi à saisir toutes les occasions qui se présentent pour donner de l'attention au résident en lui demandant s'il a besoin de quelque chose ou s'il se sent bien. Le fait que les soignants se rendent fréquemment à sa chambre aura pour effet de sécuriser le résident et de réduire son sentiment d'anxiété. Cela soutiendra de plus sa mémoire à court terme. Après quelques jours de ce régime, le résident remarquera l'attention dont il bénéficie, et le nombre de ses demandes devrait diminuer. Les soignants pourront alors étirer le temps entre leurs visites, le faisant passer graduellement de 10 à 15, puis à 20 et éventuellement à 30 minutes. En fin du compte, cette intervention rehausse la qualité de vie du résident, tout comme la qualité de vie au travail des soignants puisque les demandes du résident seront moins nombreuses et moins fréquentes.

Massage des mains

En plus de donner d'intéressants résultats, le massage des mains est une intervention non pharmacologique des plus simples à exécuter (Williams-Burgess, Ugarriza et Gabbai,

Tableau 24-10	Interventions non pharmacologiques permettant de traiter les symptômes psychologiques et comportementaux de la démence
INTERVENTIONS	**CHAPITRES**
La thérapie contre-intuitive	24
Le massage des mains	24
L'interaction simulée	24
L'activité physique	24
L'introduction d'un bruit ambiant	24
La stimulation des praxies	25
Le lavage à la serviette pour le résident résistant au bain	26
Le confort-stimulation-interaction	27
Le renforcement différencié d'autres comportements	28
La distraction-diversion	29
La modification de l'environnement pour errant	29
La thérapie occupationnelle	29, 30
La photothérapie	30
Le retrait d'une contention physique	22
La stimulation sensorielle	32, 37
La zoothérapie	35
La musicothérapie	36

1996). En effet, pour procéder à cette intervention, le soignant ou un proche n'a qu'à trouver un endroit calme et à y masser les mains du résident pendant quelque 5 minutes. Cette intervention a pour but d'établir un contact avec le résident atteint de déficits cognitifs, de communiquer avec lui et de lui transmettre de la tendresse et un sentiment de sécurité. En diminuant l'anxiété que ressent le résident, le massage des mains préviendrait les symptômes psychologiques et comportementaux de la démence.

Interaction simulée

L'interaction simulée consiste à amener le résident à regarder des vidéos et des enregistrements audio réalisés par ses proches. Comme l'ont noté de nombreux chercheurs, cette forme de thérapie contribue à réduire les comportements d'agitation verbale (voir le chapitre 27) et la fréquence de manifestation des symptômes psychologiques et comportementaux de la démence, notamment chez les résidents qui présentent ce type de comportements et qui se trouvent souvent seuls dans leur chambre (Brotons et Pickett-Cooper, 1996 ; Buckwalter *et al.*, 1999 ; Gardiner, Furois, Tansley et

Morgan, 2000; Williams-Burgess *et al.*, 1996). L'intervention tient d'ailleurs à peu de choses et est simple à mener, le soignant devant d'abord demander à la famille de se filmer ou de s'enregistrer. Le soignant veillera à leur indiquer qu'ils doivent parler un à un durant l'enregistrement et qu'ils doivent aborder des thèmes significatifs de la vie familiale, qu'il s'agisse du mariage de l'un d'eux, d'un voyage, d'une fête, de l'achat d'une maison, etc. Muni d'un tel vidéo ou d'une telle bande audio, le soignant pourra le faire jouer à des moments opportuns, c'est-à-dire aux périodes où on a noté que le résident présente des symptômes psychologiques et comportementaux de la démence.

Activité physique

La pratique d'exercices physiques constitue une autre intervention non pharmacologique grâce à laquelle il a été démontré qu'il est possible de réduire la prévalence des symptômes psychologiques et comportementaux de la démence en CHSLD (Beck, Modlin, Heithoff et Shue, 1992). Évidemment, il faut adapter les exercices physiques à la condition des résidents, et, de ce point de vue, les soignants devront consulter une physiothérapeute lorsqu'ils concevront un programme d'exercices. Notons que le programme d'exercices physiques de Kino-Québec (1996) (voir le chapitre 2), «Viactive», semble tout particulièrement adapté pour les résidents de CHSLD. Quoi qu'il en soit, plusieurs autres programmes d'intervention individuels ou collectifs pourront être mis en place dans les CHSLD, qu'on pense notamment aux marches extérieures au cours desquelles les résidents sont accompagnés par un soignant.

Introduction d'un bruit ambiant

Des chercheurs ont émis l'hypothèse que, en introduisant un bruit de fond dans une unité de soins, ils seraient en mesure de réduire la fréquence globale des symptômes psychologiques et comportementaux de la démence (Coltharp, Richie et Kass, 1996). Grâce à un tel bruit, les chercheurs souhaitaient constituer un milieu de vie où une sensation de calme régnerait. Pour ce faire, ils ont eu recours à un bruit ambiant (*white noise*), c'est-à-dire un bruit de basse tonalité, continu, dont le rythme est lent (Coltharp *et al.*, 1996). Souvent, on optera pour le bruit de la mer et des vagues qui viennent se briser sur la plage. On placera ensuite des haut-parleurs de telle façon que ce bruit ambiant se répande dans l'ensemble de l'unité de soins ou seulement dans des endroits stratégiques comme la salle commune ou la salle de bain. Plusieurs auteurs ont constaté que cette intervention donne de bons résultats en matière de réduction de la fréquence des symptômes psychologiques et comportementaux de la démence (Algase, 1999; Buckwalter *et al.*, 1999; Gardiner *et al.*, 2000). D'ailleurs, Burgio, Scilley, Hardin, Hsu et Yancey (1996) ont observé que le bruit ambiant réduisait de 23 % l'agitation verbale des résidents de CHSLD se trouvant au stade avancé d'une démence.

Conclusion

La gestion des symptômes psychologiques et comportementaux des résidents atteints de démence est certainement l'un des grands défis de l'infirmière œuvrant en CHSLD. À cet égard, le fait qu'elle connaisse dans le détail les principales formes de démence et qu'elle sache comment en gérer les symptômes permettra à l'infirmière de comprendre les agissements du résident, de recadrer la situation problématique et d'amener les soignants à adopter des interventions novatrices.

D'autre part, l'infirmière qui désire gérer efficacement les symptômes psychologiques et comportementaux de la démence devra utiliser les différents outils cliniques dont il a été question dans ce chapitre, tels le modèle d'Algase, la grille d'observation clinique, l'inventaire d'agitation de Cohen-Mansfield ou l'inventaire neuropsychiatrique de Cummings.

Enfin, peu importe les interventions qu'elle choisira pour gérer les symptômes psychologiques et comportementaux de la démence, l'infirmière devra accorder une importance capitale à la manière dont elle approche le résident. Il s'agit là d'un préalable à respecter lorsqu'on souhaite que l'intervention qu'on adopte soit bénéfique. Si l'on peut débattre sur le choix d'une intervention et sur le moment où l'appliquer, il n'y a en revanche aucun doute sur les principes qui devraient guider l'approche du soignant. Soulignons que, à cet égard, Phaneuf (1998) indique que cinq qualités devraient sous-tendre toute approche du soignant, à savoir la compétence, la compassion, la congruence entre le geste et la parole, la constance dans la façon de prodiguer les soins et une attitude instaurant un climat de douceur et de calme.

ÉTUDE DE CAS

Monsieur Dugas, âgé de 72 ans, est atteint de la maladie d'Alzheimer. Depuis le décès de son épouse, voilà trois ans, il a emménagé dans un petit appartement, à Montréal, pour se rapprocher de sa fille unique. Il a mené une carrière de notaire à Granby et, lors de sa retraite, il s'est beaucoup intéressé à la généalogie, ce qu'il a délaissé peu à peu, étant donné ses problèmes de mémoire. M. Dugas, a indiqué sa fille, a toujours été un homme autoritaire, prenant les décisions dans la maison. Il avait d'autre part plusieurs

habitudes de vie telles que faire de longues promenades, aller à la bibliothèque et dîner régulièrement au restaurant. Enfin, il rendait souvent visite à ses deux frères, qui demeurent à Sherbrooke.

Voilà deux mois, M. Dugas a été admis en CHSLD à la suite d'une perte d'autonomie importante qui l'empêche désormais de mener à terme les activités de la vie domestique et quotidienne. Dans les mois qui ont précédé son admission, il présentait des déficits cognitifs modérés accompagnés de symptômes psychologiques et comportementaux de la démence, qui le rendaient incapable de demeurer seul dans son logement. En effet, avant d'arriver au CHSLD, il sortait en hiver de chez lui sans vêtements adéquats et se mettait facilement en colère si une personne intervenait pour le ramener chez lui. Après l'avoir examiné, son médecin traitant en a conclu que la maladie d'Alzheimer avait progressé, et que M. Dugas avait désormais de sérieux problèmes d'orientation, de mémoire à court terme et de mémoire à long terme (mémoire épisodique), et des difficultés de compréhension et de raisonnement.

Depuis qu'il vit en CHSLD, M. Dugas erre de plus en plus l'après-midi et cherche continuellement à quitter l'unité de soins pour rentrer chez lui, à Granby. D'ailleurs, il a fugué à plusieurs reprises, et le personnel a toujours beaucoup de difficulté à le ramener. M. Dugas pique des colères énormes envers les soignants et les autres résidents, les accusant de vouloir le retenir de force dans une

prison. Ses comportements agressifs ont un effet d'entraînement sur les résidents qu'il provoque, qui deviennent agités à leur tour.

Au surplus, M. Dugas refuse de se déshabiller au coucher ou pour les soins d'hygiène. Il frappe alors les soignants et les insulte, et sa colère devient si grande qu'il demeure agité pendant plusieurs heures. En soirée, il ne veut absolument pas se coucher, et plus le personnel insiste, plus il erre de chambre en chambre, réveillant les autres résidents, car il parle continuellement. Enfin, il passe ses nuits à errer, n'arrive plus à dormir et à se reposer, ce qui inquiète grandement les soignants. Il reçoit déjà de 0,5 mg d'Haldol (halopéridol) par la bouche (per os), deux fois par jour (BID), sans grand succès. D'autre part, les soignants sont épuisés et en ont assez de se faire blesser. C'est pourquoi ils demandent à l'infirmière d'intervenir rapidement, sans quoi ils auront recours de plus en plus souvent à des contentions physiques pour immobiliser M. Dugas.

Questions

1 Par quelles principales étapes l'infirmière doit-elle passer pour gérer efficacement les symptômes psychologiques et comportementaux de la démence de M. Dugas ?

2 Selon le modèle d'Algase, quels sont les facteurs contextuels en cause pour M. Dugas ?

3 Selon le modèle d'Algase, quels sont les facteurs proximaux en cause pour M. Dugas ?

4 Quel est le type d'agitation de M. Dugas selon le modèle de Beck *et al.* (1998) ?

CHAPITRE 25

LA RÉSISTANCE AUX SOINS

par **Mariette Gauthier**

La résistance aux soins et les comportements qui y sont associés ne se manifestent pas chez tous les résidents de CHSLD. Pourtant, s'ils ne sont pas généralisés, ils sont loin d'être marginaux. Comme les comportements de résistance aux soins influent négativement sur le bien-être physique et psychologique des résidents, de même que sur le moral des soignants, il importe de consacrer un chapitre à cet aspect de la vie en CHSLD. Cela est d'autant plus important que les comportements de résistance découlent de maladies ou de problèmes de santé (facteurs physiques) qui affectent fréquemment les résidents des CHSLD. Pour faire face adéquatement à la résistance aux soins, l'infirmière devra d'abord savoir en reconnaître les manifestations. Il lui faudra ensuite utiliser des straté-gies d'intervention pour la contrer et fournir aux résidents les soins qu'ils requièrent.

NOTIONS PRÉALABLES SUR LA RÉSISTANCE AUX SOINS

Définition

On définit la résistance aux soins comme l'ensemble des comportements d'un résident qui interfèrent avec les soins qu'effectue un soignant (Potts, Richie et Kaas, 1996). Pour celui-ci, les comportements de résistance aux soins sont l'expression de la non-coopération du résident. Cette résis-tance ou cette opposition prend la forme de symptômes comportementaux de démence, qui sont dérangeants pour le soignant (Potts *et al.*, 1996).

Ce chapitre porte sur les comportements de résistance à l'habillement et à la prise de médicaments. Comme nous le verrons, sur le plan de l'habillement, les comportements de résistance du résident consistent en un refus de s'habiller ou en un désir de toujours porter les mêmes vêtements. En ce qui concerne la résistance à la prise de médicaments, le résident pourra refuser de les prendre, soit en les camou-flant, soit en les crachant, soit en indiquant verbalement qu'il refuse de les ingérer.

Ampleur du problème

Peu d'études traitent de la prévalence des comportements de résistance à l'habillement ou à la prise de médica-ments. Une étude rapporte toutefois qu'environ 15 % des résidents adoptent des comportements inappropriés, dont la résistance à l'habillement et à la prise de médicaments (Voyer *et al.*, sous presse). D'autre part, une infirmière œuvrant dans un CHSLD a indiqué que, des 199 demandes de consultations qu'elle a reçues entre 2002 et 2004,

12 demandes, soit 6,05 %, avaient pour motif un pro-blème de résistance à l'habillement ou à la prise de médi-caments. Quatre demandes concernaient l'habillement, et 8 demandes la prise de médicaments.

Conséquences

Les conséquences de la résistance aux soins touchent les rési-dents autant que les soignants. D'une part, s'il résiste à l'ha-billement, un résident pourra se faire reprocher sa conduite par les soignants. En effet, ceux-ci apprécient peu les rési-dents difficiles à soigner. À moyen terme, ils pourront ignorer, éviter, voire ostraciser un résident qui résiste cons-tamment à l'habillement. Il souffrira dès lors de négli-gence, et le fait qu'on omette de lui fournir des soins nuira à son confort, à son bien-être et à sa santé. Concrètement, les soignants pourront par exemple retarder le moment où ils viendront changer les vêtements souillés d'un résident connu pour sa résistance à l'habillement.

D'autre part, les états physique et mental du résident se ressentiront de la résistance à la prise de médicaments. Des études ont en effet démontré que, lorsque le résident refuse systématiquement sa médication, son état de santé peut se détériorer et requérir une hospitalisation (Conn, Taylor et Miller, 1994). Les interventions des soignants pour contrer la résistance à la prise de médicaments pourront quant à elles favoriser l'apparition de nouveaux problèmes. Ainsi, le résident pourra refuser de s'alimenter si l'on camoufle sa médication dans sa nourriture, en raison d'une altération du goût des aliments (Treloar, Beats et Philpot, 2000). Enfin, les résidents qui résistent à la prise de médicaments pourront se voir imposer la contention ou administrer une médication psychotrope (Potts *et al.*, 1996 ; Mahoney *et al.*, 1999).

Pour les soignants, les conséquences de la résistance aux soins sont diverses. Les comportements de résistance pourront dérouter le soignant ou, encore, l'amener à éprouver de la colère. Si les comportements perdurent, et que le soignant tente tout de même de prodiguer les soins, il pourra en résulter une escalade d'agitation. Éprouvé par la situation, le soignant pourra avoir le sentiment que le résident n'apprécie pas les soins qu'il lui donne, et en souffrir. Dans un autre ordre d'idées, en raison de l'agitation et des comportements de résistance du résident, il faudra au soignant plus de temps pour le soigner, ce qui contribuera à faire augmenter le degré de stress du soignant. Il en résulte que les institutions qui accueillent de tels résidents doivent fréquemment engager du personnel d'appoint, ce qui conduit à une augmentation des coûts (Mahoney *et al.*, 1999).

Facteurs prédisposants et facteurs précipitants

Résistance à l'habillement

Maladies

L'habillement est une composante importante de la vie des résidents, même de ceux atteints d'une démence ; il s'agit également d'un aspect important pour les proches des résidents (Briller, Profetti, Perez, Calkins et Marsden, 2001). Notons qu'il n'existe pas de lien entre les types de démences et les comportements de résistance à l'habillement (Sahadevan, Rockwood et Morris, 1999 ; Sifton, 2000). Néanmoins, des études ont démontré que les résidents qui en sont au stade 5 de l'échelle de Reisberg (voir le chapitre 2) résisteraient davantage à l'habillement (Gélinas et Auer, 1999 ; Reisberg *et al.*, 2002). Selon Reisberg *et al.* (2002), les résidents atteints d'une démence résisteront d'abord à l'habillage mais pas nécessairement au déshabillage. Les comportements de résistance au déshabillage n'arriveront que plus tard. Ces problèmes sont attribuables à des pertes cognitives et perceptuelles. Les atteintes cognitives rendant difficiles ou impossibles l'habillage et le déshabillage concernent la mémoire, l'attention et des fonctions exécutives telles que la planification, l'organisation, le jugement et la capacité à terminer les séquences d'une tâche.

L'apparition ou l'évolution de certaines maladies physiques engendre aussi des problèmes propres à l'habillement (Briller *et al.*, 2001). Parmi ces maladies, notons la maladie de Parkinson, l'arthrite et les séquelles que laisse un accident vasculaire cérébral (AVC). Ces maladies provoquent une baisse ou une perte de contrôle de la force musculaire, ce qui rend difficile l'accomplissement de certaines tâches liées à l'habillement. La maladie de Parkinson, par exemple, engendre une baisse de la force musculaire et une perte de flexibilité, et causera des tremblements. Ces changements rendront pénibles des gestes exigeant une certaine dextérité, tels que lacer des souliers.

L'habileté du résident à bien choisir ses vêtements, à les situer dans son armoire ou dans les tiroirs peut d'autre part se trouver réduite par des troubles de la vision (Briller *et al.*, 2001). De même, le résident pourra éprouver de la difficulté à enfiler ses vêtements correctement, s'il ne peut différencier l'endroit de l'envers ou le haut du bas.

La perte d'audition rend quant à elle la communication plus malaisée entre le soignant et le résident. Or, pendant une tâche comme l'habillement, la communication est un aspect crucial de la collaboration (Briller *et al.*, 2001). Aussi, le soignant qui aide un résident souffrant de perte auditive devrait s'assurer que celui-ci porte son appareil auditif. À défaut, il pourra demander au résident d'utiliser une aide auditive telle que l'amplificateur de son personnel (Caron, 2003). Grâce à cet appareil portatif, le soignant peut communiquer avec le résident au moyen d'un microphone boutonnière, qui transmet les sons captés à un casque d'écoute que porte le résident (Société canadienne de l'ouïe, 2004). De plus, dans ces circonstances, lorsqu'il s'adresse au résident, le soignant devra s'assurer qu'un contact visuel s'établit entre lui et le résident, afin de faciliter une bonne communication. Le soignant qui omet de prendre ces précautions risque de se heurter à une incompréhension puis à de la résistance.

Cependant, ces changements cognitifs, physiques et sensoriels n'expliquent pas à eux seuls la résistance des résidents à l'habillement, bien qu'ils les y prédisposent. Selon Potts *et al.* (1996), il est possible d'expliquer un tel comportement à l'aide du modèle de Lawton. D'après ce modèle, la capacité de comprendre et de traiter les stimuli et l'information présents dans l'environnement diminue en présence de troubles cognitifs. Conséquemment, le degré d'anxiété et de frustration risque d'augmenter chez le résident atteint d'une démence. En raison de la diminution de la capacité de comprendre et de traiter un stimulus, les facteurs environnementaux externes influencent considérablement le comportement d'une personne. Or, dans la pratique, beaucoup d'interventions ciblent les comportements de résistance, alors qu'elles devraient être dirigées vers les stimuli environnementaux. Comme on l'a dit, de telles interventions influencent négativement les réactions du résident, l'objectivité du soignant et par conséquent les soins donnés. Pour contrer ce problème, si un résident s'agite parce qu'il éprouve de la difficulté à boutonner sa chemise, il faudra orienter l'intervention sur les facteurs environnementaux nuisant à l'action, et non sur l'agitation. Par exemple, remplacer les boutons par des attaches velcro permettra au résident d'effectuer la tâche, et son agitation cessera.

Facteurs psychologiques

Dans plusieurs cultures, la manière de s'habiller influence l'image de soi et l'estime de soi, et le bien-être psychologique. Or, l'image de soi est une composante importante de la santé mentale d'une personne, ce qui explique que bien des gens consacrent un certain temps à choisir leurs vêtements afin se sentir bien « dans leur peau ». En conséquence, le résident pourra se sentir humilié si ses habitudes antérieures en matière d'habillement ne sont pas respectées.

Par exemple, un résident aimant porter une cravate pourra ne pas se reconnaître si les soignants refusent de l'aider à en porter une sous prétexte qu'il n'est plus en mesure de la nouer lui-même. Enfin, le fait d'avoir à se vêtir ou à se dévêtir devant un étranger peut intimider le résident et favoriser des comportements de résistance (Briller *et al.*, 2001).

Si son horaire de travail s'avère trop contraignant et trop chargé (ce qui est souvent le cas), le soignant pourra devoir prodiguer rapidement les soins à l'habillement. En cela, il pourra ne pas respecter le rythme que prendrait normalement le résident pour s'habiller. Celui-ci se sentira alors bousculé, ce qui pourra le conduire à résister aux soins. Cette résistance exaspérera le soignant, qui éprouvera vraisemblablement de la difficulté à promouvoir l'indépendance et l'autonomie du résident dont les comportements l'irritent. Cet enchaînement de comportements et de sentiments pourra avoir pour conséquence une diminution artificielle du niveau de capacité du résident, tout cela en raison d'une approche inadéquate car précipitée. Qui plus est, s'il a la conviction qu'un résident atteint de déficits cognitifs n'est pas en mesure de s'améliorer et d'apprendre, le soignant se substituera complètement au résident, ne le laissant jouer aucun rôle dans les gestes de l'habillement. À moyen terme, l'autonomie fonctionnelle du résident en sera diminuée, et sa condition requerra des soins toujours plus importants lors de l'habillement (Beck, Heacock, Mercer, Walton et Shook, 1991).

Notons qu'il faut considérer d'autres facteurs environnementaux pour expliquer les comportements de résistance à l'habillement. Par exemple, la probabilité que le résident adopte de tels comportements augmente lorsqu'il est surstimulé par les bruits environnants, tels ceux que produit une radio, ou qu'il se trouve dans un endroit exigu. À cet égard, en plus de déranger le résident, le bruit réduit sa capacité à se concentrer sur les tâches liées à l'habillement.

Résistance à la prise de médicaments

Les pertes cognitives liées à la démence favorisent la résistance à la prise de médicaments. Le résident atteint de déficits cognitifs n'est souvent plus en mesure de comprendre les bénéfices de la prise d'une médication, et ce, même si on le lui explique clairement et simplement (Sclar, 1991; Khosravi, 1999). En effet, si ses capacités de compréhension et de mémorisation se trouvent atteintes, la présence de symptômes paranoïdes ou dépressifs pourra altérer le jugement du résident, l'empêchant de prendre des décisions éclairées. Dès lors, il n'est plus en mesure de saisir les conséquences qu'il y a à accepter ou à refuser une médication. Cette situation cognitive le prédispose à refuser de prendre ses médicaments.

La présence de troubles physiques tels que la dysphagie peut également prédisposer un résident à des comportements de résistance à la prise d'un médicament. La dysphagie est un trouble de la déglutition dont peuvent souffrir les résidents atteints des maladies d'Alzheimer ou de Parkinson, ou ayant été victime d'un AVC. Le résident qui s'étouffe facilement lors de la déglutition pourra refuser de

prendre ses médicaments justement parce qu'il a peur de s'étouffer. Dans de tels cas, il faut maîtriser la dysphagie (voir le chapitre 12) si l'on souhaite réduire la fréquence des comportements de résistance à la prise de médicaments.

L'incidence de maladies chroniques tend à augmenter avec l'âge avancé d'une personne. Ainsi, afin que son état demeure stable, un résident pourra devoir se soumettre à un régime médicamenteux complexe, impliquant l'ingestion de médicaments plusieurs fois par jour. Un tel régime pourra l'exposer à des effets secondaires qui, eux-mêmes, le conduiront peut-être à adopter des comportements d'agitation et de résistance à la prise des médicaments (Sclar, 1991).

Le fait de connaître le résident aidera le soignant à mieux le comprendre (Mistretta et Kee, 1997), et pourra diminuer l'incidence de comportements de résistance à la prise de médicaments. En se donnant la peine de déterminer comment le résident perçoit la prise de ses médicaments, l'infirmière pourra mieux comprendre les croyances du résident et intervenir plus efficacement auprès de celui-ci. Parfois, les croyances du résident seront celles de ses proches. Quoi qu'il en soit, si un résident ou ses proches ont le sentiment que la médication nuit à sa santé, l'infirmière aura avantage à leur fournir des explications claires sur les bénéfices de cette médication, ce qui pourra briser la résistance.

Notez que les chapitres portant sur les symptômes psychologiques et comportementaux de la démence (voir les chapitres 24 et 28) présentent plusieurs facteurs précipitant les comportements de résistance aux soins.

Manifestations cliniques
Résistance à l'habillement

La résistance à l'habillement se manifeste principalement de deux façons : soit le résident refusera de s'habiller, soit il refusera de se déshabiller. Si le comportement est simple à observer, l'intervention qui en découle est beaucoup plus complexe. À cet égard, il est important de souligner que le sens de la résistance aux soins peut parfois être mal compris par le soignant. En effet, en résistant à un soin, le résident peut vouloir communiquer un besoin, une préoccupation ou une incompréhension. Par exemple, le résident qui enfile inutilement un chandail par-dessus un autre peut vouloir dire, inconsciemment, qu'il a froid.

D'autre part, le résident qui souhaite porter toujours le même vêtement peut ne pas se rappeler qu'il l'a porté la veille. Un autre résident, lui, pourra refuser de se déshabiller ou de s'habiller, car il confond le jour et la nuit. Peut-être portera-t-il des vêtements inappropriés ou mal agencés, car il ne distingue plus les couleurs soit en raison de troubles cognitifs, soit en raison de déficits sensoriels, soit en raison d'une combinaison de ces deux déficits (Briller *et al.*, 2001).

Enfin, le fait de ne pouvoir effectuer une tâche pourra irriter le résident et résulter en des comportements d'agitation (Beck et Heacock, 1988). Si le soignant gère mal ces comportements, il pourra en résulter une escalade, et une réaction catastrophique (Potts *et al.*, 1996).

Résistance à la prise de médicaments

La résistance à la prise de médicaments peut se manifester de diverses manières, mais on la reconnaît principalement lorsque le résident refuse d'avaler les médicaments qu'on lui donne. Le résident peut alors contester verbalement la nécessité de prendre ses médicaments, adopter une attitude de fuite ou se défendre physiquement (Gray et Clair, 2002). Le résident qui ne peut s'exprimer verbalement communiquera son refus à l'infirmière par des attitudes physiques de résistance, en serrant les dents par exemple. Il pourra aussi cacher le médicament dans l'une de ses poches et le jeter par la suite. De même, il pourra cracher le médicament, se détourner du soignant, le repousser ou, encore, le tirer vers soi. Enfin, il pourra agripper une personne ou un objet, crier, pleurer, voire frapper tout ce qui se trouve à sa portée.

Détection du problème

La détection de la résistance à l'habillement et à la prise de médicaments s'effectue essentiellement au moyen de la reconnaissance des comportements qu'elle engendre et que nous avons présentés dans les pages qui précèdent. Néanmoins, mentionnons que, pour l'habillement, mesurer l'autonomie fonctionnelle du résident pourra grandement faciliter la planification des interventions liées à ce type de résistance, comme nous le verrons. D'autre part, déterminer si un résident souffre de dysphagie et quelle est l'importance de cette affection est une étape importante du processus visant à fournir des soins adéquats à un résident qui résiste à la prise de médicaments. Nous n'aborderons toutefois pas cette question dans cette section, puisqu'on pourra se reporter à ce sujet au chapitre 2, qui traite spécifiquement de la dysphagie.

Évaluer l'autonomie fonctionnelle du résident

Bien que détecter la résistance à l'habillement ne présente pas de difficultés particulières, nous aimerions ici illustrer pourquoi il est important que le soignant connaisse le profil de l'autonomie fonctionnelle du résident pour intervenir lorsque se produit cette résistance. Pour évaluer les capacités fonctionnelles du résident sur le plan de l'habillement, le mieux est de l'observer directement lorsqu'il s'habille et se déshabille. Il importe ensuite de noter sur une feuille les capacités et les incapacités du résident. Dès lors, il sera possible d'afficher cette feuille à l'intérieur de l'armoire à linge du résident, afin que l'ensemble des soignants puisse la consulter. En déterminant quelle tâche ou quel aspect d'une tâche le résident éprouve de la difficulté à mener à bien, le soignant pourra concevoir des interventions qui permettront au résident d'effectuer cette tâche de façon autonome ou au moyen d'un soutien minimal (Briller *et al.*, 2001). Le tableau 25-1 présente les comportements associés aux différents degrés d'indépendance et de dépendance d'un résident en matière d'habillement.

Lors de cette évaluation, l'infirmière devra considérer tous les facteurs pouvant contribuer au maintien de l'autonomie du résident pour mieux déterminer les causes des comportements de résistance. C'est qu'il arrive parfois qu'on attribue trop rapidement les problèmes de résistance à l'habillement à l'atteinte des fonctions cognitives du résident, alors que d'autres raisons les expliquent. L'éclairage de la pièce du résident pourra être insuffisante, ou ses vêtements non appropriés, par exemple. En cas d'agitation systématique du résident lorsque le soignant est de sexe opposé, l'infirmière verra à ce que les soins soient prodigués par une personne du même sexe. Dans tous les cas, l'infirmière devra déterminer le type d'aide ou d'adaptation que requiert le résident afin que son autonomie soit la plus grande possible. Un indice verbal suffira souvent à aider le résident à s'habiller et à se déshabiller sans qu'il éprouve de difficulté particulière.

Lors de l'évaluation, le fait de porter attention aux facteurs environnementaux permettra d'éliminer les facteurs qui favorisent la résistance à l'habillement et qui ne sont pas liées aux déficits cognitifs. Ainsi, l'agencement de la garde-robe permettra au résident qui présente une baisse de la vision de prendre ses vêtements de manière autonome.

Au cours de l'évaluation, il faut également tenir compte des habitudes antérieures du résident en matière d'habil-

Tableau 25-1	**Degré de dépendance dans l'habillement**	
INDÉPENDANCE TOTALE	**INDÉPENDANCE PARTIELLE**	**DÉPENDANCE TOTALE**
• Peut choisir ses vêtements sans qu'on l'aide. • Peut s'habiller seul, et même mettre ses bas et ses souliers. • Peut effectuer des tâches nécessitant une dextérité fine, telles qu'attacher un bouton.	• A besoin d'aide pour choisir ses vêtements. • Peut s'habiller si on lui donne des consignes simples avec démonstration à l'appui. • Arrive parfois à effectuer des tâches nécessitant une dextérité fine, telles que fixer une attache velcro.	• Ne peut s'habiller seul.

Source : S.H. Briller, M.A. Profetti, K. Perez, M.P. Calkins et J.P. Marsden (2001). Maximising cognitive and functional abilities. Dans M.P. Calkins (dir.), *Creating Successful Dementia Care Settings* (p. 143-164). Baltimore : Health Professions.

lement, en vue de les respecter par la suite. Par exemple, certains résidents préféreront s'habiller en se levant parce qu'ils en avaient l'habitude, alors que d'autres aimeront mieux le faire après le déjeuner. Sur le plan des habitudes d'habillement, les proches s'avéreront une source précieuse

de renseignements lorsque le résident est atteint de troubles cognitifs. Par exemple, si un résident avait l'habitude de porter une casquette, le fait de respecter cette habitude pourra rehausser son image de soi, en lui rappelant de bons souvenirs (Briller *et al.*, 2001).

PROGRAMME D'INTERVENTION

Résistance à l'habillement

Le programme de soins lié à la résistance à l'habillement vise à maximiser les habiletés résiduelles du résident présentant une démence. Comme la perte des capacités langagières est fréquente chez ce type de résident, communiquer verbalement ne suffira plus pour établir la communication. Il faut alors recourir à la communication non verbale, en usant de moyens tels que le contact visuel, l'expression faciale, le ton de la voix, la posture et le toucher (Beck et Heacock, 1988). Toute intervention reposant sur la communication, on se reportera avec profit au chapitre 31, qui porte spécifiquement sur le sujet.

De même, d'autres chapitres fournissent des informations pertinentes quant à l'habillement et à la résistance aux soins, notamment le chapitre 24, qui traite de l'analyse des symptômes comportementaux de la démence, et le chapitre 37, qui aborde l'approche prothétique élargie. On s'y reportera au besoin. Rappelons que tout changement

subit de comportement peut résulter d'un problème de santé aigu, comme un delirium. Il ne faut jamais éliminer d'emblée la possibilité qu'un désordre métabolique ou une cause organique puisse expliquer un changement de comportement à première vue incompréhensible, tel que la résistance à l'habillement.

En plus de maximiser les habiletés résiduelles du résident, le programme de soins vise à obtenir la collaboration du résident lors de l'habillage, ce qui lui permettra de garder son indépendance, diminuera le risque d'agitation et lui garantira une meilleure qualité de vie (Mistretta et Kee, 1997). Comme on le verra, les interventions du programme de soins portent principalement sur les atteintes cognitives. Heacock, Beck, Souder et Mercer (1997) ont conçu à cet égard un programme de soins qui associe des interventions pertinentes aux divers types de problèmes cognitifs, comme le montre le tableau 25-2.

Tableau 25-2	Interventions préventives à l'égard de la résistance à l'habillement
ATTEINTES	**INTERVENTIONS**
Atteintes des fonctions langagières	• Poser des questions fermées et simples auxquelles le résident n'aura qu'à répondre « oui » ou « non ». • Amorcer la conversation. • Utiliser des consignes simples en les appuyant par des démonstrations. • Utiliser des pictogrammes pour indiquer le contenu des tiroirs et de l'armoire.
Atteintes des perceptions sensorielles	• Agencer le contenu de l'armoire dans un ordre logique. • Déposer les vêtements sur le lit, qui doit être fait.
Atteintes de l'image corporelle	• Respecter les habitudes antérieures du résident. • Donner de l'intimité au résident lors de l'habillage et du déshabillage. • S'informer auprès des proches pour connaître les habitudes et les goûts du résident. • Demander aux proches d'apporter un vêtement similaire à celui que le résident affectionne plus particulièrement.
Difficultés motrices	• Utiliser des vêtements adaptés ou faciles à enfiler. • Amorcer la tâche ou la terminer selon les difficultés qu'éprouve le résident. • Diviser la tâche en séquences afin de permettre au résident d'effectuer celles qu'il peut. • Présenter au résident un vêtement à la fois. • Interrompre les gestes de persévération.
Troubles du jugement et du raisonnement	• Aider le résident à choisir ses vêtements ou restreindre ses choix. • Choisir les vêtements pour le résident s'il ne peut le faire. • Diviser la tâche en séquences et présenter un vêtement à la fois. • Éviter d'utiliser des mots tels que « droite » et « gauche ». • Au lever, déposer les vêtements sur le lit (qui doit être fait), selon la séquence d'habillage. • Au coucher, déposer sur le lit les vêtements de nuit et ouvrir les draps.

Source : P.R. Heacock, C.M. Beck, E. Souder et S. Mercer (1997). Assessing dressing ability in dementia. *Geriatric Nursing, 18* (3), 107-111.

Atteintes des fonctions langagières

Un résident souffrant d'aphasie éprouvera de la difficulté à s'exprimer, et il arrivera que son discours devienne complètement incompréhensible (Khosravi, 1999). Lorsque le résident s'exprime difficilement, mais qu'il comprend toutefois les paroles qu'on lui adresse, le soignant devra tâcher de communiquer avec lui en employant des questions simples, auxquelles le résident pourra répondre par « oui » ou par « non » en pointant tel ou tel objet. Il amorcera par exemple la conversation en lui posant la question suivante : « Souhaitez-vous porter votre robe blanche aujourd'hui ? » Le fait que le soignant amorce la conversation donnera au résident le sentiment qu'on le comprend, ce qui l'incitera à s'exprimer.

Un résident souffrant d'anomie éprouvera de la difficulté à émettre un mot en particulier. Le fait d'utiliser des consignes simples (« il est temps de vous habiller », par exemple) appuyées par des démonstrations l'aidera à effectuer la tâche. En guidant ou en mimant le geste à accomplir (enfiler la manche d'un chandail, par exemple), le soignant amènera le résident à poursuivre l'action de lui-même.

Lorsque le résident éprouve de la difficulté à comprendre le langage verbal, mais qu'il arrive encore à lire et à comprendre ce qu'il lit, le fait de coucher par écrit le contenu des tiroirs et de l'armoire permettra au résident de trouver lui-même ses vêtements. S'il n'arrive plus à lire ou à comprendre ce qu'il lit, le soignant recourra à des photos ou à des pictogrammes (Briller *et al.*, 2001).

Atteintes des perceptions sensorielles

Un résident souffrant d'agnosie n'est plus en mesure de comprendre ce qu'il voit, entend et touche, même si les organes de ces sens sont intacts. En réalité, il n'arrive plus à interpréter les informations que lui transmettent ses sens en raison d'une atteinte cognitive. Le soignant devra donc déployer des stratégies compensatoires pour stimuler la faculté de compréhension, afin de réduire le plus possible la dépendance du résident.

Pour un résident atteint d'agnosie visuelle, le fait d'agencer le contenu de l'armoire à linge facilitera les soins liés à l'habillage. En effet, agencer les vêtements du résident de manière spécifique lui permettra de choisir n'importe quels vêtements, sans pour autant qu'il fasse d'erreur dans l'association des couleurs ou choisisse des vêtements ne convenant pas à la saison. Par exemple, le soignant pourra placer sur un même cintre un chandail et un pantalon allant ensemble, et retirera en été les vêtements d'hiver et vice-versa. D'autre part, pour le résident qui éprouve de la difficulté à différencier la figure et le fond, on recourra à un couvre-lit dont la couleur contraste avec celles des vêtements. Ainsi, lorsque le soignant placera des vêtements sur le lit (qui aura été préalablement fait), le résident sera en mesure de s'habiller de manière autonome (Briller *et al.*, 2001).

Atteintes de l'image corporelle

Afin de préserver l'image corporelle du résident, le soignant veillera à respecter les habitudes antérieures du résident en matière d'habillement. Il y parviendra en s'informant des goûts du résident auprès de celui-ci ou de ses proches. D'autre part, le soignant verra à protéger l'intimité du résident lors de l'habillage et du déshabillage.

Remplacer les vêtements souillés du résident par des vêtements propres alors que les premiers sont ses préférés perturbe souvent le résident. Cette délicate intervention s'avérera moins dérangeante pour le résident si le soignant a obtenu de ses proches un vêtement similaire à celui qu'il affectionne plus particulièrement. Pour procéder à l'échange de vêtements, il sera important de choisir une période où le résident est occupé, par exemple lorsqu'il dort la nuit.

Le fait de suivre une routine quotidienne et d'être toujours aidé par le même soignant (stabilité du personnel) facilitera l'habillage tout en sécurisant le résident. L'établissement d'une routine diminue les efforts d'adaptation du résident et rend possible la création de points de repère pour la mémoire procédurale (voir le chapitre 2).

Difficultés motrices

Un résident atteint d'apraxie ne comprendra plus le sens d'un geste, dans quel ordre il doit l'accomplir et la relation entre les composantes du geste. Il ne saura plus comment effectuer le geste. Or, les gestes que ne commande plus la volonté peuvent souvent l'être de façon automatique. Les stratégies d'interventions du soignant viseront donc à stimuler ces gestes afin que le résident puisse les effectuer de façon spontanée (Khosravi, 1999). En amorçant la séquence d'habillage, le soignant favorisera la continuité de l'action en stimulant les gestes automatiques du résident. Par exemple, le soignant pourra fournir une aide d'appoint au résident qui tente d'enfiler la manche de sa chemise, en initiant le geste. Il est alors possible que le résident termine cette tâche par lui-même.

Diviser la tâche d'habillage en séquences contribuera à ce que le résident puisse s'habiller de lui-même. À cet égard, le soignant ne lui présentera qu'un vêtement à la fois. Parfois, mimer le geste d'habillage ou en faire la démonstration aidera le résident à réussir l'action (Heacock *et al.*, 1997). En présence de persévération, le soignant verra à arrêter l'action persévérante en incitant le résident à porter son attention sur l'étape suivante de l'habillage.

Le fait d'utiliser des vêtements adaptés s'avérera aussi une stratégie efficace pour maintenir les capacités fonctionnelles du résident. Les vêtements disposant d'une bande élastique à la taille sont un exemple de vêtements adaptés facilitant la tâche d'habillement. En effet, ces vêtements évitent aux résidents de manipuler des boutons ou une fermeture éclair. On pourra également envisager de recourir aux souliers munis d'attaches velcro, si le résident ne peut plus nouer ses lacets.

Troubles du jugement et du raisonnement

Les interventions visant à aider un résident souffrant d'un trouble du jugement et du raisonnement auront pour objectif d'organiser et de structurer les gestes liés à l'habillement, afin que le résident puisse se vêtir de manière appropriée. Par ses interventions, le soignant compensera les pertes de mémoire du résident (Heacock *et al.*, 1997).

Le soignant devra diviser la tâche d'habillage en séquences et présentera au résident un vêtement à la fois, en raison de la difficulté cognitive qu'éprouve le résident à choisir ses vêtements et à maîtriser les étapes de l'habillement. Cela est d'autant plus important que le résident pourra aussi éprouver de la difficulté à différencier sa droite de sa gauche, et même à distinguer différentes parties de son corps (Heacock *et al.*, 1997). Afin de pallier ces déficits, le soignant guidera le résident en lui indiquant verbalement ce qu'il doit faire, en appuyant ces indications par des gestes précis. Par exemple, il lui dira : « enfilez la manche de votre chandail pour ce bras-ci », en lui désignant clairement de la main le bras en question. Il lui faudra veiller à utiliser des termes tels que « ce côté-ci, ce côté-là », en illustrant toujours par des gestes de quel côté il parle.

Le matin, au moment de l'habillage, le soignant devrait sortir les vêtements de l'armoire à linge et les déposer dans un ordre séquentiel sur le lit qu'il aura préalablement fait. Le fait de déposer les vêtements sur le lit rappellera au résident qu'il est temps de s'habiller. L'ordre séquentiel lui indiquera quel vêtement enfiler en premier. Le soir, au moment du déshabillage, le soignant sortira les vêtements de nuit et ouvrira les couvertures, afin de rappeler au résident qu'il est le temps de se coucher (Beck *et al.*, 1991 ; Heacock *et al.*, 1997). Si le résident n'arrive pas à collaborer aux soins d'habillage malgré les signes gestuels et verbaux qu'on lui donne, le soignant devra se substituer complètement à lui pour la tâche d'habillage (Heacock *et al.*, 1997).

Résistance à la prise de médicaments

L'infirmière a un rôle professionnel important concernant le suivi de la prise des médicaments. Elle doit observer et documenter leurs effets attendus, leurs effets secondaires et les interactions médicamenteuses possibles. Autrement dit, elle doit pouvoir juger de la pertinence qu'il y a à utiliser des médicaments (Berger et Mailloux-Poirier, 1993). En plus de ces fonctions, l'infirmière a la responsabilité de s'assurer que le résident prend ses médicaments comme on le lui a prescrit. Or, il arrivera fréquemment que le résident atteint d'une démence refuse sa médication. Dans ces circonstances, quelques stratégies aideront l'infirmière à administrer la médication sans provoquer d'anxiété et de résistance chez le résident. L'intervention infirmière se déroule en 4 étapes, comme le montre le tableau 25-3.

La première étape consiste à évaluer, à l'aide d'une grille de comportement, les circonstances dans lesquelles se manifeste la résistance à la prise des médicaments. À cet égard, on se reportera au chapitre 24, qui porte sur les symptômes comportementaux de la démence. Au cours de cette évaluation, il convient également de déterminer si des facteurs externes peuvent expliquer la résistance du résident (une approche inadéquate du soignant, par exemple) et d'éliminer ces facteurs, s'il s'en trouve. Notons d'ailleurs que l'approche de l'infirmière à l'égard du résident joue un rôle majeur dans l'administration d'un médicament (voir à ce sujet le chapitre 31).

Si le résident souffre de dysphagie, il sera indiqué de recourir à une orthophoniste et à une diététiste, car ces professionnelles détermineront comment administrer au mieux les médicaments en fonction de la dysphagie. Par exemple, elles pourront concevoir que le fait d'ajouter un épaississeur à un liquide permettra d'éviter que le résident ne s'étouffe en avalant sa médication. Soulignons que la pharmacienne joue également un rôle lorsqu'il s'agit de déterminer quelle

Tableau 25-3	Étapes de l'intervention infirmière à l'égard de la résistance à la prise de médicaments
PROCESSUS D'ÉVALUATION	**INTERVENTIONS INFIRMIÈRES**
Évaluer le comportement de résistance	• Remplir la grille d'évaluation d'un symptôme comportemental de la démence (voir le chapitre 24). • Éliminer les causes organiques sous-jacentes au comportement de résistance.
Déterminer l'utilité du médicament	• Analyser le dossier pharmacologique du résident en collaboration avec le pharmacien et le médecin. • Analyser les avantages et les désavantages de la prise du médicament pour le résident. • En cas d'inaptitude du résident, faire participer le mandataire à cette démarche.
Trouver des voies d'administration de rechange	• Déterminer laquelle de ces voies conviendra : médicament liquide, transdermique, à dissolution rapide, intramusculaire, intrarectal.
Administrer le médicament	• Toujours informer le résident qu'il prend un médicament. • S'assurer que le résident prend son médicament en présence de l'infirmière. • En cas d'échec, utiliser une voie d'administration de rechange. • Pour la prise d'un médicament essentiel, qu'on n'a pas réussi à administrer par les voies de rechange, camoufler le médicament dans une cuillère de nourriture, à la fin du repas.

stratégie conviendra le plus pour camoufler le goût d'un médicament (Doucet, 2002).

La deuxième étape de l'intervention infirmière en cas de résistance à la prise de médicaments consiste à évaluer s'il ne serait pas possible de réduire la quantité de médicaments que consomme le résident ou d'échelonner leur administration tout au long de la journée. En effet, il arrivera souvent que le résident refuse de prendre ses médicaments, car il doit en prendre trop en même temps. Ainsi, pour une résidente qui refuserait de prendre 8 médicaments le matin, le fait d'en échelonner l'administration au long de la journée pourrait favoriser sa collaboration.

De ce point de vue, il est essentiel de considérer l'opinion de la pharmacienne et du médecin lorsqu'il s'agit d'examiner différentes possibilités d'échelonnement de la prise des médicaments du résident. Ainsi, à la suite de cet examen interdisciplinaire, les intervenants pourront convenir de réduire le nombre de médicaments qu'un résident doit prendre chaque jour, de modifier le moment de la journée où un résident doit prendre tel ou tel médicament, ou encore de remplacer tel médicament par un autre que le résident pourra croquer.

La troisième étape de l'intervention infirmière consiste à déterminer s'il ne serait pas possible d'administrer par une autre voie le médicament que refuse de prendre le résident. En effet, si le résident ne peut avaler en entier le comprimé ou la capsule contenant son médicament, ou s'il refuse de les prendre, il faut trouver une formule qui lui permettra de prendre sa médication régulièrement et correctement (Khosravi, 1999). Pour faciliter la prise de la médication, il est essentiel d'utiliser la formule qui conviendra le mieux au résident. Heureusement, les médicaments se présentent souvent sous diverses formes, qu'il s'agisse de sirop, de dragées, de capsules, d'ampoule buvable ou injectable, de timbre transdermique, de pilules à dissolution rapide ou de suppositoires.

Notez que certains comprimés ne peuvent être écrasés, et que certaines capsules ne peuvent être ouvertes, car les médicaments qu'ils contiennent perdraient de leur efficacité. À cet égard, la pharmacienne saura déterminer mieux que quiconque si le comprimé d'un médicament peut être écrasé, ou sa capsule ouverte. Elle pourra également conseiller l'infirmière en matière de voie d'administration de rechange (Wright, 2002).

La quatrième étape de l'intervention infirmière consiste à concevoir des stratégies propres à faciliter la prise de médicaments chez le résident qui résiste à ce type de soins. L'infirmière s'assurera que le résident prend sa médication en demeurant auprès de lui. Afin de favoriser la collaboration du résident, l'infirmière lui expliquera simplement les raisons qui motivent la prise du ou des médicaments. En raison des troubles cognitifs du résident, l'infirmière pourra avoir à répéter ces explications chaque fois qu'elle administre la médication.

Advenant un échec des différentes approches, l'infirmière aura à décider si elle doit camoufler la médication dans la nourriture. Si elle ne peut obtenir le consentement du résident, elle devra déterminer la capacité du résident à prendre une décision éclairée. Si le résident a été déclaré inapte à prendre de telles décisions, il lui faudra consulter son mandataire. Dans tous les cas, l'infirmière devra clairement expliquer au résident ou à son représentant les avantages et les inconvénients de camoufler la médication dans la nourriture (Treloar *et al.*, 2000; voir aussi à ce sujet le chapitre 43). Quelles que soient ses atteintes cognitives, l'infirmière doit aviser le résident qu'elle lui camoufle sa médication dans sa nourriture, et que le goût des aliments s'en trouvera altéré.

L'infirmière pourra réduire les comprimés en poudre qu'elle mélangera à une cuillère de nourriture à la fin du repas. Administrer le médicament à ce moment permettra au résident de conserver son appétit. L'infirmière lui donnera ensuite un grand verre d'eau pour que le goût du médicament n'imprègne pas sa bouche et pour éviter que des traces du médicament y demeurent. Le fait de connaître le goût des médicaments (voir le tableau 25-4) permettra à l'infirmière de décider, avec l'aide du médecin et de la pharmacienne, dans quel type de nourriture le médicament sera le mieux camouflé (Doucet, 2002). En effet, il faut se demander s'il est véritablement adéquat de camoufler tous les types de médicament dans de la compote de pommes (Khosravi, 1999).

Stimulation sensorielle

L'aromathérapie s'avérera peut-être utile chez certains résidents au moment de la prise de médicaments. Les recherches de Burns, Byrne, Ballard et Holmes (2002) ont démontré que le fait d'utiliser des huiles essentielles en diffusion, de lavande notamment, calmait les résidents présentant des comportements d'agitation. En cela, il est possible que l'aromathérapie crée une ambiance propice à l'administration des médicaments, d'autant plus qu'elle aidera vraisemblablement à camoufler le goût de certains médicaments en raison de la prédominance de l'odorat sur le goût.

Conclusion

Les comportements de résistance à l'habillement et à la prise de médicaments constituent des défis pour les soignants désirant donner à un résident atteint d'une démence tous les soins qu'il requiert. Les stratégies d'intervention associées à la résistance à l'habillement visent à maintenir chez le résident un degré optimal d'autonomie fonctionnelle, tout en préservant son image corporelle, tant pour lui-même que pour ses proches. Les stratégies d'intervention liées à la prise de la médication visent quant à elles à donner au résident les traitements que nécessite le maintien ou l'amélioration de son état de santé physique et émotionnelle. Enfin, la démarche de soins repose sur l'évaluation des comportements de résistance, afin de planifier des interventions propres à faire face au problème. Rappelons, à l'égard de la prise de médicaments, qu'il est essentiel que l'infirmière discute avec le résident ou son mandataire des enjeux éthiques entourant le camouflage de la médication dans la nourriture.

Tableau 25-4	Le goût des médicaments	
MÉDICAMENT	**GOÛT**	**ÉVALUATION ET SOLUTION POUR L'ADMINISTRATION**
Agarol (huile minérale)	Légèrement sucré, goût de vanille, texture visqueuse	Goût acceptable
Almagel (hydroxyde de magnésium et d'aluminium)	Goût neutre, consistance très pâteuse	Goût acceptable
Alugel (hydroxyde d'aluminium)	Goût de menthe, plutôt fade	Goût acceptable
Apo-Amoxi (amoxilline)	Goût de bonbon aux bananes	Goût acceptable
Apo-Cloxi (cloxacilline)	Goût très amer et persistant, très désagréable	Goût très amer dans tous les aliments. Vérifier avec le médecin si un autre produit ou traitement peut être prescrit.
Atarax (hydroxyzine)	Goût sucré, puis légèrement amer plus ou moins persistant	Goût acceptable
Bentylol (dicyclomine)	Arrière-goût amer et persistant	Amer dans tous les aliments. Vérifier avec le médecin si un autre produit ou traitement peut être prescrit.
Bronchophan (dextrométhorphane)	Menthe poivrée, arrière-goût persistant	Goût acceptable
Calcium Rougier (calcium élémentaire)	Goût très acidulé	Goût acceptable
Cas-Mag (hydroxyde de magnésium + Cascara)	Goût de réglisse noire	Goût désagréable. Mélanger dans du jus de pêche épaissi. La compote de pommes et le jus de canneberge pourront aussi être utilisés. Vérifier avec le médecin si un autre produit ou traitement peut être prescrit.
Ceftin (céfuroxime axétil)	Sucré, arrière-goût très amer et persistant, texture granuleuse	Goût désagréable. Vérifier avec le médecin si un autre produit ou traitement peut être prescrit.
Citro-Mag (citrate de magnésium)	Goût de limonade très citronnée. Servir froid.	Goût acceptable
Dilantin (phénytoïne)	Goût d'orange, légèrement amer, qui laisse une sensation pâteuse dans la bouche.	Goût acceptable
Ditropan (oxybutyne)	Goût sucré et acide, arrière-goût amer, non persistant	Goût acceptable
Docusate (docusate sodique)	Arrière-goût très amer et persistant	Goût désagréable. Très amer quel que soit l'aliment utilisé. Vérifier avec le médecin si un autre produit ou traitement peut être prescrit.
Drisdol (ergocalciférol)	Goût imperceptible si dilué dans du lait, légèrement amer dans de l'eau	Goût acceptable
Élixir de théophylline (théophylline anhydre)	Goût de menthe poivrée avec arrière-goût persistant	Goût désagréable. Mélanger à de la compote de pommes avec de l'aspartame ou un autre édulcorant. Éviter d'utiliser le jus de canneberge ou de pêche.
Érythrocin (érythromycine)	Préparation granuleuse, d'abord sucrée, prenant ensuite un goût salé persistant.	Goût désagréable. Mélanger à de la compote de pommes, du jus de canneberge ou de pêche.
Ferodan (sulfate ferreux)	Goût de vitamines liquides ou de sucette glacée aromatisée à l'orange	Goût acceptable
Glucoheptonate de magnésium	Préparation sucrée aromatisée à l'orange	Goût acceptable
K-10 (chlorure de potassium)	Préparation très salée qu'il faut absolument diluer.	Goût désagréable. Vérifier avec le médecin si un autre produit ou traitement peut être prescrit.

MÉDICAMENT	GOÛT	ÉVALUATION ET SOLUTION POUR L'ADMINISTRATION
Lasix (furosémide)	Goût légèrement amer	Goût acceptable
Novo-Lexin (céphalexine)	Goût de gelée de framboise	Goût acceptable
Novo-Mucilax (psyllium)	Préparation granuleuse, goût neutre	Goût acceptable
Nozinan (méthotriméprazine)	Goût très sucré de caramel, devenant amer et très persistant. La préparation gèle la langue.	Goût désagréable. Si aucun autre produit ne peut être prescrit, mélanger avec de la compote de pommes et un édulcorant.
Pédiatrix (acétaménophène)	Préparation sucrée, légèrement amère, sans arrière-goût	Goût acceptable
Peglyte (polyéthhylène glycol)	Goût salé	Goût désagréable qu'il est possible d'améliorer en mélangeant le médicament à du jus de pomme. Éviter cependant le jus d'orange.
PMS-Diphenhydramine (diphenhydramine)	Goût d'alcool qui gèle la langue	Goût désagréable. Mélanger à de la compote de pommes ou à du jus de canneberge ou de pêche épaissi.
PMS-Haloperidol (halopéridol)	Goût métallique très persistant	Goût très désagréable quel que soit l'aliment utilisé. Vérifier avec le médecin si un autre produit ou traitement peut être prescrit.
PMS-Lactulose (lactulose)	Goût très sucré, sans arrière-goût	Goût acceptable. Peut être dilué.
PMS-Nystatin (nystatine)	Goût de bonbon, sans arrière-goût	Goût acceptable
PMS-Sodium Polystyrene (sulfonate de polystyrène)	Goût de menthe qui donne la sensation d'avoir du sable dans la bouche.	Goût acceptable
PMS-Valporic Acid (acide valproïque)	Goût de menthol	Goût acceptable
Questran (cholestyramine)	Goût légèrement fruité, qui donne la sensation d'avoir du sable dans la bouche.	Goût désagréable. Mélanger à de la compote de pommes ou à un jus de canneberge ou de pêche épaissi.
Risperdal (rispéridone)	Goût léger de chlore lorsque mélangé à de l'eau.	Goût acceptable. Doit absolument être mélangé à de l'eau.
Senokot (sennoside)	Goût de réglisse et de jus de pruneaux	Goût acceptable
Septra (triméthoprime-sulphaméthoxazole)	Préparation granuleuse, très sucrée, ayant un arrière-goût amer persistant.	Goût désagréable. Mélanger à de la compote de pommes. Éviter de mélanger avec du jus épaissi, car le goût amer sera perceptible.
Sulcrate (sulcralfate)	Préparation granuleuse légèrement sucrée, à saveur de caramel	Goût acceptable
Tegritol (carbamazépine)	Goût de sucette glacée aromatisée à l'orange	Goût acceptable
Zantac (ranitidine)	Goût amer persistant que le parfum de menthe ne masque pas.	Goût désagréable. Mélanger à de la compote de pommes avec de l'aspartame ou un autre édulcorant.

Source : G. Doucet, pharmacienne (2002). Le goût des médicaments écrasés ou liquides : un facteur souvent négligé. *Québec Pharmacie, 49* (2), 124-126.

ÉTUDE DE CAS

Madame Gauthier, âgée de 79 ans, est hébergée en CHSLD depuis huit mois en raison d'une perte d'autonomie secondaire à la maladie d'Alzheimer, dont elle est atteinte. Mme Gauthier se trouve au début du stade 6 de la maladie d'Alzheimer selon l'échelle de Reisberg. Elle ne souffre pas d'autres maladies. Elle se déplace de façon autonome, mais a besoin d'une aide partielle pour ses soins d'hygiène et d'habillement.

À son arrivée en CHSLD, Mme Gauthier prenait un comprimé par jour de chacun des médicaments suivants : de l'Aricept (10 mg) au souper, du calcium et de la vitamine D. Au cours de son deuxième mois de son arrivée au CHSLD, elle refuse de prendre cette médication. Elle a indiqué que la gorge lui brûle lorsqu'elle avale les comprimés et que, de toute façon, « prendre des pilules, c'est pas bon pour la santé ». L'infirmière a tenté de camoufler l'Aricept dans la soupe, mais Mme Gauthier a alors cessé de la manger. Graduellement, son autonomie s'est détériorée, et les soignants doivent désormais consacrer plus de temps à ses soins d'hygiène et d'habillement.

D'autre part, l'infirmière a noté une augmentation de l'agitation psychomotrice chez Mme Gauthier ainsi qu'une détérioration de son autonomie fonctionnelle. Elle constate également que Mme Gauthier souffre d'incontinence urinaire, principalement la nuit. Celui-ci refuse à cet égard de porter des culottes d'incontinence. Lors de son admission en CHSLD, Mme Gauthier avait un Folstein de 18/30, alors qu'il est maintenant de 15.

Questions

1 Quels facteurs peuvent prédisposer Mme Gauthier à refuser de prendre ses médicaments ?

2 Est-ce que la stratégie de l'infirmière (camoufler l'Aricept dans la soupe) est une intervention adéquate ?

3 Si l'infirmière arrive à la conclusion qu'elle doit camoufler l'antibiotique prescrit pour traiter l'infection urinaire, quelle démarche devra-t-elle suivre ?

4 Pourquoi l'infirmière doit-elle consulter les proches de Mme Gauthier avant de camoufler les médicaments de celle-ci dans sa nourriture ?

26

LA RÉSISTANCE
AUX SOINS D'HYGIÈNE

par **Lori Schindel Martin** et **Philippe Voyer**

Dans les CHSLD, les soins d'hygiène constituent un défi de taille pour les soignants (Rader, 1994; Skewes, 1997). D'autant plus que les programmes de formation des soignants se limitent généralement à l'enseignement des techniques de base en matière de soins d'hygiène. Le contenu de ces cours comprend très peu – sinon pas du tout – d'indications spécifiques sur la façon de donner des soins d'hygiène aux aînés atteints de démence. Cette situation est préoccupante et explique les comportements d'agitation de plusieurs résidents atteints de démence pendant qu'ils reçoivent ces soins (Hagen et Sayers, 1995; Kovach et Meyer-Arnold, 1997; Rossby, Beck et Heacock, 1992). D'ailleurs, les soins d'hygiène donnés aux résidents atteints de démence sont souvent une source d'insatisfaction et de stress pour les soignants (Algase et al., 1996; Beck, Baldwin, Modlin et Lewis, 1990; Everitt, Fields, Soumerai et Avorn, 1991; Gates, Fitzwater et Meyer, 1999; Potts, Richie et Kaas, 1996; Skewes, 1997).

Nous avons donc conçu ce chapitre pour aider l'infirmière à comprendre l'étiologie de la résistance aux soins d'hygiène et pour aider les soignants à acquérir de nouvelles habiletés leur permettant de mieux prodiguer des soins d'hygiène aux résidents atteints de démence. Il est à noter que ce chapitre ne traite pas des techniques de base des soins d'hygiène; il traite plutôt de la manière de donner des soins d'hygiène aux résidents atteints de démence qui résistent à ces soins.

NOTIONS PRÉALABLES SUR LA RÉSISTANCE AUX SOINS D'HYGIÈNE

Définition

La résistance aux soins d'hygiène chez les résidents atteints de démence doit être interprétée comme un moyen qu'utilisent ceux-ci pour faire connaître leurs sentiments et communiquer ainsi leur besoin de se protéger d'une activité perçue comme menaçante (Algase *et al.*, 1996; Cohen-Mansfield, 2000; Cohen-Mansfield et Taylor, 1998). La résistance aux soins d'hygiène chez les résidents atteints de démence est donc la manifestation du fait que les résidents tentent de reprendre le dessus dans une situation qu'ils jugent nocive. La résistance peut se produire lors des soins d'hygiène quotidiens et lors des soins d'hygiène hebdomadaires. Les soins d'hygiène quotidiens désignent les activités liées à la toilette quotidienne du résident, c'est-à-dire des soins d'hygiène souvent donnés près d'un lavabo. Les soins d'hygiène hebdomadaires désignent les soins donnés à l'aide d'un bain thérapeutique, où le résident se trouve immergé dans l'eau.

Ampleur du problème

Il est bien connu que les comportements agressifs dans les CHSLD surviennent généralement pendant les soins d'hygiène (Beck *et al.*, 1990; Hagen et Sayers, 1995; Dougherty et Long, 2003; Meddaugh, 1990; Rader, 1994; Wagnild et Manning, 1985). On constate en effet dans la littérature scientifique qu'entre 45 et 65 % des symptômes comportementaux de la démence se produisent pendant les prestations de soins personnels, c'est-à-dire lors des soins d'hygiène, du brossage des cheveux, des soins bucco-dentaires et de l'habillement (Hoeffer, Rader, McKenzie, Lavelle et Stewart, 1997; Hoeffer, Rader et Barrick, 2002; Namazi et Johnson, 1996; Ryden, 1988; Sloane et Barrick, 1998). Au cours de leurs recherches, Ryden, Bossenmaier et McLachlan (1991) ont même observé que 86 % des résidents atteints d'une démence adoptaient des comportements d'agitation lors des soins d'hygiène quotidiens.

Conséquences

La résistance aux soins d'hygiène est un phénomène mal compris par les soignants (Foltz-Gray, 1995). Par exemple, le fait de toucher le corps du résident pour le déplacer lors des soins d'hygiène hebdomadaires provoque souvent un réflexe de rigidité chez le résident, ce qui rend la tâche du soignant plus difficile (Dawson, Wells et Kline, 1993). Or, certains soignants perçoivent cette réaction du résident comme de la résistance active et volontaire, c'est-à-dire comme une tentative du résident de perturber l'activité ou de leur rendre la vie difficile.

Même si la résistance physique avec agressivité qui se produit durant les soins d'hygiène est épisodique et d'une durée limitée, et qu'elle cause rarement des blessures, elle engendre un stress important chez les soignants (Everitt *et al.*, 1991; Petrie, Lawson et Hollender, 1982). Il peut en résulter que certains soignants se mettent à craindre les résidents qui s'opposent énergiquement aux soins d'hygiène. Un manque de compréhension et de connaissances des causes de la résistance aux soins d'hygiène peut ainsi contribuer à ce que des résidents soient étiquetés comme « résident difficile », stigmatisés pour leur conduite ou encore isolés. Afin de calmer ces résidents « difficiles », les soignants auront souvent recours aux neuroleptiques ou aux benzodiazépines. Or, le recours à ces médicaments peut contribuer au déclin fonctionnel des résidents et donner l'impression que leur état est irrémédiable (Dawson *et al.*, 1993; Rader, Lavelle, Hoeffer et McKenzie, 1996; Kitwood, 1997).

Enfin, plus globalement, la résistance aux soins d'hygiène provoque le même genre de conséquences négatives auprès du résident, des proches et des soignants que tous les symptômes psychologiques et comportementaux de la démence (voir le chapitre 24). Dans le même ordre d'idées, notons que les facteurs prédisposants et précipitants liés aux symptômes psychologiques et comportementaux de la démence sont aussi associés à la résistance aux soins d'hygiène. Nous ne les présenterons donc pas dans la section qui suit, où nous nous attarderons plutôt aux facteurs associés de près à la résistance aux soins d'hygiène.

Facteurs prédisposants et facteurs précipitants

Facteurs prédisposants

Vieillissement et thermorégulation

Le vieillissement normal modifie la capacité de l'organisme à détecter les variations de température et à y réagir adéquatement, mais altère aussi sa capacité à produire de la chaleur, à la maintenir et à la diffuser dans le corps. Contrairement à un jeune adulte, pour qu'un aîné ressente qu'il y a eu changement de la température ambiante, il faut que l'écart de température en question soit important. L'aîné produit plus difficilement de la chaleur, et son métabolisme basal est ralenti. De plus, comme sa masse musculaire diminue avec le vieillissement, il dispose de moins de

muscles pour produire de la chaleur. C'est pourquoi, lorsque l'organisme d'un aîné constate une baisse de la température, il lui faut beaucoup plus de temps pour retrouver l'homéostasie. L'aîné requiert donc un délai plus long pour rétablir son équilibre thermique. Enfin, si la capacité de l'organisme d'un aîné à produire de la chaleur se trouve réduite, celle qu'il crée se conserve difficilement en raison de la perte de tissu adipeux de l'hypoderme (Voyer, 2002).

Il résulte de ces changements liés à la thermorégulation que le résident court un plus grand risque de malaise causé par des températures trop froides et ainsi d'hypothermie dans des situations précises, comme les soins d'hygiène (Smolander, 2002; Worfolk, 1997). Soulignons que, si le résident atteint de démence souffre en raison du froid pendant les soins d'hygiène, il est très probable que cela provoquera chez lui de l'irritabilité et favorisera le déclenchement d'un comportement de résistance (Worfolk, 1997). Conséquemment, lors des soins d'hygiène, les soignants devraient avoir pour objectif, entre autres, le maintien de la température ambiante à un niveau confortable et sécuritaire, puisque garder le résident au chaud pendant les soins d'hygiène peut avoir un effet positif sur sa réceptivité, son humeur et son comportement. D'autre part, garder au chaud un résident pendant les soins d'hygiène offre un second avantage dans la mesure où le fait de ressentir et de « vivre » la chaleur facilite le repos et le sommeil (Dorsey *et al.*, 1996; Liao, 2002).

Maladies

Les pertes cognitives jouent un rôle important dans le fait que les résidents résistent aux soins d'hygiène. Une mémoire à court terme compromise et la désorientation peuvent faire faussement croire au résident qu'il a déjà pris un bain (Barrick, Rader et Mitchell, 2002). Les résidents atteints de démence surestiment parfois leurs capacités fonctionnelles et pensent pouvoir accomplir seuls une activité comme les soins d'hygiène (Pieces Consultation Team, 2002). En conséquence, ils s'offenseront qu'on leur offre de l'aide. La démence a aussi pour effet d'altérer le degré de motivation de certains résidents, qui pour cette raison ne pourront entreprendre des activités de soins sans aide (Cotton, 1999; Pieces Consultation Team, 2002). Des résidents dans cette situation accepteront de participer aux soins d'hygiène, mais ne pourront, cependant, amorcer l'activité motrice nécessaire qu'avec des signaux verbaux ou visuels (voir le chapitre 32).

Également, on constate fréquemment une apraxie idéomotrice chez plusieurs résidents atteints de démence (Cotton, 1999; Pieces Consultation Team, 2002). Dans ce cas, les résidents sont incapables de planifier ou d'exécuter de façon séquentielle les étapes de toute activité motrice nécessaires à leur participation aux soins d'hygiène. Leurs tentatives pour aider le soignant seront donc insuffisantes et généralement piètrement exécutées. Par exemple, ils n'arriveront pas à se déshabiller, ils se reboutonneront alors qu'ils viennent tout juste de se déboutonner, ils remettront un pantalon qu'ils viennent tout juste d'enlever ou prendront une position ne permettant pas le lavage des organes génitaux. Dans plusieurs cas, les soignants présument faussement que le comportement des résidents est délibéré, que ceux-ci agissent de façon intentionnelle. Il est essentiel que les infirmières possèdent une solide compréhension de l'étiologie de ces comportements, qui résultent de dommages touchant certaines parties du cerveau, en raison du développement de la démence. Les renseignements sur ces altérations du cerveau doivent être transmis à tous les soignants, de façon à ce qu'ils comprennent ce qui explique les comportements de ces résidents et modifient leurs approches lors des soins, afin de compenser ces déficits (Dawson *et al.*, 1993).

Satisfaction des besoins de base

Le sommeil des résidents atteints de démence est très perturbé (Asplund, 1999; Northwood, 2002). L'insomnie engendrant de la fatigue, cela favorise l'irritabilité des résidents et leur incapacité à se concentrer sur les activités de soins. De plus, les résidents atteints d'une démence peuvent s'opposer aux soins d'hygiène parce qu'ils éprouvent divers malaises et donc des douleurs importantes (Volicer, Mahoney et Brown, 1998). Le mouvement du corps et le positionnement des membres lors des soins d'hygiène peuvent d'ailleurs provoquer de la douleur au point où les résidents s'opposeront parfois activement à la poursuite des soins.

Facteurs psychologiques

Le processus de démence ne modifie pas toujours la personnalité antérieure de la personne. Ainsi, les gens de nature pudique trouveront offensantes les suggestions des soignants visant à les amener à retirer leurs vêtements pour les soins d'hygiène, les considérant dans le pire des cas comme une agression ou, à tout le moins, comme une intrusion dans leur vie privée. Sur plusieurs plans, les résidents atteints d'une démence auront plus ou moins conscience que leur espace personnel est envahi et éprou-

veront le besoin de reprendre le dessus de la situation (Barrick, Rader et Mitchell, 2002; Dwyer, Sloane et Barrick, 1995; Kitwood, 1997).

L'absence de considération concernant les préférences et les habitudes des résidents apparaît aussi comme un facteur prédisposant à une réponse négative aux soins d'hygiène. Par exemple, le résident qui a l'habitude de n'effectuer ses soins d'hygiène qu'une fois par semaine considérera les soins d'hygiène quotidiens comme inutiles (Dwyer *et al.*, 1995). Il aura ainsi tendance à résister aux soignants qui se présentent à lui de façon répétitive pour effectuer des soins d'hygiène qu'il ne désire pas. Il faut aussi tenir compte de la culture du résident et, si cela est pertinent, de la préférence du résident concernant le sexe du soignant qui prodiguera les soins d'hygiène.

Facteurs précipitants

Approches et interventions des soignants

Durant les activités de soins d'hygiène, les comportements des soignants envers les résidents atteints de démence peuvent souvent déclencher les comportements d'agitation (Hoeffer *et al.*, 2002; Somboontanont *et al.*, 2004). Or, les soignants ne réalisent pas toujours pleinement que leurs propres comportements peuvent contribuer aux réactions négatives des résidents en matière de soins d'hygiène. Par exemple, l'étude d'observation qu'ont menée Wagnild et Manning (1985) a révélé que les soignants adoptent des comportements de communication qui ont potentiellement un effet négatif sur le bien-être des résidents, provoquant des réactions de catastrophe pendant les soins d'hygiène. Ainsi, les soignants déplacent le corps du résident brusquement ou ne l'avisent pas des sensations qu'il va ressentir. Le tableau 26-1 présente de tels comportements ou approches

Tableau 26-1	Facteurs précipitant la résistance: l'approche des soignants
PROBLÈMES	**EXPLICATION**
Approche trop rapide	Le soignant procède trop rapidement, sans préparer adéquatement le résident à ce qui va suivre.
Approche reposant sur une connaissance insuffisance des ressources du résident	Le soignant ne tient pas compte des capacités cognitives-fonctionnelles résiduelles du résident. Si le soignant ne tient pas compte des déficits cognitifs-fonctionnels du résident, il pourrait exiger de lui qu'il fasse des gestes qui dépassent ses limites, ce qui pourrait engendrer de la frustration et un sentiment d'échec chez le résident.
Approche reposant sur de l'équipement et une préparation inappropriés	Le soignant ne prévoit pas adéquatement les besoins en équipement ou la nécessité de la présence d'un autre soignant, se sert d'équipement inadéquat, comme un levier hydraulique de soulèvement, déclenchant par exemple une réaction de peur chez le résident.
Approche reposant sur une technique inappropriée	Le soignant choisit une technique de soins d'hygiène inappropriée, qui ne correspond pas au stade de déclin cognitif-fonctionnel du résident. Par exemple, il oblige un résident qui en est au stade 7C sur l'Échelle de détérioration globale (voir le chapitre 2) à prendre une douche, ce qui peut déclencher une réaction émotionnelle négative. À ce stade de démence, des techniques de soins comme la douche ou les soins d'hygiène en baignoire pourraient être remplacées par une technique plus douce, comme le lavage à la serviette.
Approche reposant sur l'utilisation de médicaments	Le soignant peut croire à tort que donner préalablement au résident un anxiolytique peut empêcher l'agitation lors des soins d'hygiène. Cependant, il est possible que la résistance aux soins d'hygiène soit due à une mauvaise gestion de la douleur du résident et que les activités de soins doivent être planifiées en fonction de l'administration d'analgésiques.

des soignants qui pourront déclencher une réponse émotionnelle ou physique négative lors des soins d'hygiène.

Le tableau 26-1 s'appuie sur les résultats d'une étude récente qui a examiné les interactions entre les résidents d'un CHSLD et les infirmières auxiliaires qui s'en occupaient, grâce à des enregistrements vidéo (Somboontanont *et al.*, 2004). Les auteurs de cette étude ont observé que, durant les cinq secondes précédant une réaction physique négative du résident lors des soins d'hygiène, le soignant avait eu un comportement inapproprié, comme une communication conflictuelle, une insensibilité envers les émotions du résident, une absence d'indications concernant les soins à venir, des paroles irrespectueuses ou un rythme de soins d'hygiène trop rapide. Cette étude révèle également que, chez les résidents atteints de démence, les comportements physiques défensifs se produisaient plus fréquemment si le soignant versait de l'eau sur le résident, s'il lui touchait les pieds, les aisselles ou les parties génitales sans avertissement verbal préalable. Enfin, selon cette étude, il se peut que les comportements défensifs surviennent lorsqu'il y a plusieurs soignants autour du lit (Somboonatanont *et al.*, 2004).

Caractéristiques de l'environnement physique

Les résidents atteints de démence sont très sensibles à l'environnement où on leur prodigue des soins (Dawson *et al.*, 1993). À cet égard, notons que l'environnement des soins d'hygiène ne constitue pas un cas d'exception; ces résidents sont sensibles à leur environnement dans toute situation. Conséquemment, les soignants devraient accorder une attention spéciale à tout ce qui compose l'ambiance dans laquelle les soins d'hygiène se déroulent, comme la température, le niveau de bruit, l'éclairage, les odeurs, l'ordre qui règne dans la pièce et son esthétique générale. Il s'agira donc pour les soignants d'essayer de rehausser l'esthétique des salles de soins d'hygiène afin de les rendre plus familières (en y installant des rideaux, des images rassurantes, une patère, des serviettes maison) ou semblables à celles d'un « spa » (en y installant de la céramique, en y maintenant une chaleur optimale, en y vaporisant des parfums apaisants, en tamisant la lumière, en ajoutant de la mousse dans l'eau du bain). À tout le moins, les soignants devraient faire installer des plafonniers chauffants dans les salles de bain, faire en sorte qu'on puisse y écouter de la musique, s'assurer que l'éclairage y est adéquat et vérifier que les résidents disposent de salles ou de cabines de soins d'hygiène individuelles; les soignants devraient également mettre à la disposition des résidents des serviettes de couleurs agréables qui leur rappellent leur maison, accrocher sur les murs de la salle de bain des illustrations murales décoratives ou des photos, y suspendre des plantes, y rendre disponibles des crochets pour les vêtements, et utiliser des serviettes chaudes venant du chauffe-serviettes.

Manifestations cliniques

Même si les résidents atteints de démence ont des troubles cognitifs majeurs, ils éprouvent des sentiments comme tous les humains (Kitwood, 1997). Puisque l'expérience des soins d'hygiène s'avère souvent effrayante et offensante pour ces résidents, il est essentiel que les soignants connaissent suffisamment chaque résident pour pouvoir reconnaître tous les indices et symptômes annonciateurs d'une réaction imminente de catastrophe aux soins d'hygiène.

La résistance aux soins d'hygiène, rappelons-le, est un moyen de communiquer pour les résidents. Cette façon de communiquer par la résistance se déroule généralement suivant la même séquence de gestes. Au début des soins d'hygiène, le résident cherche à diriger son comportement de résistance contre son environnement, la peur qu'il éprouve trouvant son expression dans le larmoiement, les lamentations, le serrement des mains et des poignets, dans le croisement des bras ou dans le fait de s'agripper aux vêtements. Le degré d'agitation pourra augmenter si le soignant persiste à donner les soins d'hygiène. Alors, le résident pourra diriger ses comportements vers le soignant, ce qui se traduira parfois par des tentatives « d'évasion » visant à se sauver du soignant pour éviter les soins d'hygiène, ou par des comportements non équivoques de résistance comme des jurons, des cris et des hurlements (Sloane et Barrick, 1998). L'objectif des comportements du résident est de faire comprendre qu'il n'apprécie pas l'activité de soins. Le soignant y réagira adéquatement en modifiant quelque peu le déroulement de l'activité de soins, par exemple en arrêtant momentanément de prodiguer les soins, en ajustant la température de l'eau, en couvrant la nudité du résident ou en ralentissant le rythme de déroulement des soins d'hygiène.

Il est impératif que les soignants reconnaissent les signes et les symptômes de résistance des résidents pour qu'ils puissent adapter le déroulement des soins en vue de prévenir toute détérioration comportementale. S'ils n'interprètent pas correctement le message que leur envoient les résidents et que, conséquemment, leur réponse est inadéquate, les soignants pourraient voir la réaction aux soins d'hygiène s'intensifier, pour comprendre des comportements verbaux et physiques d'autoprotection, le résident pouvant alors se mettre à proférer des menaces, à frapper, à pincer, à griffer, à mordre ou à donner des coups de pied (Bell et Troxel, 1994 ; Hoeffer *et al.*, 2002 ; Sloane et Barrick, 1998).

Détection du problème

L'infirmière doit réaliser de multiples évaluations pour apprécier tous les aspects liés aux soins d'hygiène des résidents atteints de démence. Ces évaluations doivent précéder l'élaboration d'un programme d'intervention individualisé. Pour relever les défis relatifs aux soins d'hygiène, l'infirmière doit non seulement procéder à une évaluation complète du résident, mais également soutenir individuellement les membres de l'équipe de soins pour que ceux-ci saisissent mieux les facteurs en cause dans la résistance des résidents aux soins d'hygiène.

La démarche à laquelle doit se livrer l'infirmière comprend l'évaluation des capacités cognitives-fonctionnelles (voir le tableau 26-2) du résident, l'établissement de l'historique des soins d'hygiène du résident (voir le tableau 26-3) et l'observation de l'activité de soins d'hygiène elle-même (voir le tableau 26-4). De plus, les soignants devront procéder à une autoévaluation de leurs pratiques lors des soins d'hygiène (voir le tableau 26-5) et de leurs valeurs et opinions sur les soins d'hygiène (voir le tableau 26-6).

Évaluation cognitive-fonctionnelle

Comme nous l'avons souligné dans ce chapitre, il faut avoir conscience des répercussions du processus de la démence sur le résident afin que les stratégies de soins que les soignants utilisent en sa présence correspondent à son stade cognitif-fonctionnel (Barrick, Rader et Mitchell, 2002). Tous les soignants doivent donc connaître l'état

du résident en ce qui concerne le langage, la mobilité, l'attention, la perception, la pensée, la désorientation et la mémoire (Barrick, Rader et Mitchell, 2002). L'utilisation d'un outil tel que l'Échelle de détérioration globale (ÉDG; Reisberg, 1988; voir le chapitre 2) peut aider l'équipe de soins à opter pour la procédure de soins d'hygiène la plus appropriée au niveau cognitif-fonctionnel du résident. Par exemple, dans le cas d'un résident atteint de démence avancée, qui se trouve au-delà du stade 7C de l'ÉDG, il pourrait s'avérer fort pertinent de ne lui prodiguer des soins d'hygiène qu'au lit, au moyen de la technique de lavage à la serviette, que nous décrivons plus loin dans ce chapitre. Le tableau 26-2 associe les approches de soins d'hygiène aux divers stades de la démence.

Tableau 26-2	Stades de l'Échelle de détérioration globale et stratégies de soins d'hygiène correspondantes	
STADES DE LA MALADIE	**DESCRIPTION DES CAPACITÉS COGNITIVES-FONCTIONNELLES DU RÉSIDENT**	**STRATÉGIES DE SOINS D'HYGIÈNE CORRESPONDANTES**
6A à 6E	• Le résident éprouve une incapacité progressive à faire les gestes mécaniques liés aux soins d'hygiène, comme régler la température de l'eau, entrer dans la baignoire et en sortir, se laver adéquatement et s'essuyer complètement. • Il peut d'autre part développer une peur des soins d'hygiène ou de la résistance à l'activité.	• Le soignant doit envisager de changer d'approche pour simplifier les soins d'hygiène. Par exemple, il fera prendre une douche au résident si celui-ci a de la difficulté à entrer dans la baignoire et à en sortir. • Dans tous les cas, le soignant devra être prêt à offrir son aide, à ralentir le rythme des soins d'hygiène, à donner clairement des indices visuels et verbaux rappelant au résident ce qu'on attend de lui, à le rassurer et à faire du renforcement positif.
7A à 7C	• Le résident connaît des difficultés graves de locomotion et de communication verbale. Il éprouve des problèmes relativement à la séquence en fonction de laquelle il doit accomplir ses actions motrices, ce qui exige des soignants de la sensibilité et de la créativité. Le résident n'est plus en mesure de participer de façon soutenue à ses soins personnels. Notons toutefois qu'il pourrait résister aux soins si les tentatives d'aide du soignant ne respectent pas ses capacités résiduelles.	• Le soignant doit modifier de façon marquée la façon dont il prodigue les soins d'hygiène. Il devra être ouvert et sensible à la possibilité qu'un résident puisse laver certaines parties de son corps lui-même. Soulignons que cette capacité à se laver soi-même variera beaucoup d'un résident à l'autre. • Le soignant devra envisager la possibilité de prodiguer les soins d'hygiène en asseyant le résident sur une chaise, devant le lavabo, au lieu de lui imposer une douche ou un bain en baignoire. • Faire preuve de souplesse s'impose lorsque les résidents se trouvent à ces stades de démence. • L'infirmière doit encourager et guider les soignants afin de les aider à déterminer quelle stratégie convient à tel résident en fonction du moment. Les soignants doivent d'autre part accepter le fait que la stratégie la plus appropriée à un moment ne convienne plus du tout à un autre moment, le lendemain ou la semaine suivante, par exemple.
7D à 7F	• Le résident a énormément régressé du point de vue cognitif-fonctionnel. Sur le plan développemental, le résident a une conscience momentanée du monde extérieur et pourrait trouver toutes les procédures de soins effrayantes et dérangeantes.	• Pour ces stades d'évolution de la maladie, les soignants devraient revoir en profondeur les procédures relatives aux soins d'hygiène. Ceux-ci devront ainsi être donnés au résident alors qu'il se trouve dans son lit. À ces stades d'évolution de la maladie, le résident est si vulnérable du point de vue cognitif-fonctionnel que le seul fait de soumettre son corps à la sensation d'un jet d'eau lui sera très probablement intolérable et incompréhensible. Dans de tels cas, il vaut mieux recourir à la technique du lavage à la serviette.

Source: Adapté de B. Reisberg (1986). Dementia: a systematic approach to identifying reversible causes. *Geriatrics, 41* (4), 30-46.

Il est essentiel que l'infirmière procède à une évaluation cognitive-fonctionnelle pour diriger, former et entraîner adéquatement les soignants de première ligne, qui prodigueront les soins d'hygiène aux résidents atteints de démence. L'infirmière doit aider les soignants à comprendre les raisons qui expliquent pourquoi il faut modifier la façon dont ils doivent prodiguer les soins d'hygiène en fonction des capacités cognitives et fonctionnelles du résident. Les soignants ne pourront modifier leurs stratégies de soins d'hygiène et faire preuve de souplesse quant aux stades ÉDG que nous venons de décrire que s'ils comprennent bien les aspects théoriques de la démarche et qu'ils sont soutenus par l'infirmière, les autres membres de l'équipe soignante et la direction du CHSLD.

Historique des soins d'hygiène

L'infirmière doit établir l'historique des pratiques et préférences de soins d'hygiène propres à un résident afin d'élaborer un programme d'intervention individualisé (Barrick, Rader et Mitchell, 2002 ; Dwyer *et al.*, 1995). Le tableau 26-3 présente un modèle d'historique de soins d'hygiène. La tâche de l'infirmière consiste d'abord, à l'aide d'un tel questionnaire, à mener une entrevue avec les proches du résident en vue d'obtenir des renseignements liés à l'hygiène personnelle du résident avant qu'il ne soit en CHSLD ; ces renseignements pourront concerner le genre de soins d'hygiène qui étaient ceux du résident dans le passé, la fréquence à laquelle s'effectuaient ces soins, la réaction typique du résident à ceux-ci et les stratégies que les proches considèrent utiles. L'infirmière doit s'assurer que tous les membres de l'équipe de soins connaissent ces renseignements et qu'ils en tiennent compte lorsqu'ils préparent le programme d'intervention.

Observations cliniques

Comme nous l'avons déjà mentionné, l'infirmière joue un rôle crucial de soutien à l'égard des soignants en matière de soins d'hygiène. À l'occasion, elle doit se libérer de ses

Tableau 26-3	Historique de soins d'hygiène

De façon à donner des soins personnels à _____, il est important de connaître son historique de soins d'hygiène. Avec ces renseignements, nous serons en mesure de préparer un programme de soins d'hygiène quotidiens et hebdomadaires correspondant, le plus possible, aux préférences et pratiques antérieures du résident.

Nom du résident : _____

Renseignements obtenus de : _____

1. Pour quelle(s) raison(s) prenait-il un bain ?
   (Cochez tout ce qui s'applique.)
   Contrôle de la douleur ☐
   Relaxation ☐
   Aide au sommeil ☐
   Hygiène personnelle ☐

2. À quel(s) moment(s) faisait-il ses soins d'hygiène ?
   (Cochez tout ce qui s'applique.)
   Tout juste avant le coucher ☐
   En matinée ☐
   Avant le souper ☐

3. Comment faisait-il ses soins d'hygiène ?
   (Cochez tout ce qui s'applique.)
   Baignoire ☐
   Douche ☐
   Lavage avec éponge ☐
   Lavage au lavabo ☐

4. À quelle fréquence faisait-il ses soins d'hygiène ?
   (Cochez tout ce qui s'applique.)
   Moins d'une fois par semaine ☐
   1 ou 2 fois par semaine ☐
   3 ou 4 fois par semaine ☐
   Quotidiennement ☐
   Plus que quotidiennement ☐

5. Aimait-il les soins d'hygiène ?
   Il les détestait ☐
   Il n'aimait pas particulièrement ☐
   Il aimait ☐
   Il aimait beaucoup ☐

6. Décrivez sa capacité à participer aux soins d'hygiène :
   Il n'a pas besoin d'aide ☐
   Il se lave et s'habille seul avec beaucoup d'indications ☐
   Il a besoin d'aide pour plus de la moitié de la tâche ☐
   Il est totalement dépendant ☐

7. Faites la liste de ses produits préférés (ex. savon, lotion, bain moussant) :
   _____
   _____

8. Faites la liste des suggestions utiles pour les soins d'hygiène et les soins personnels :
   _____
   _____

9. Dans quelle ambiance aimait-il effectuer ses soins d'hygiène ?
   _____
   _____

Source : Adapté de S. Dwyer, P. Sloane et A. Barrick (1995). *Solving Bathing Problems in Persons with Alzheimer's Disease and Related Dementias : A Training and Reference Manual for Caregivers.* Chapel Hill : University of North Carolina.

activités pour observer directement les soins d'hygiène que prodiguent les soignants, afin de noter les réactions émotionnelles et physiques du résident à l'aide d'une échelle d'évaluation appropriée (voir le chapitre 24) (Dwyer *et al.*, 1995). Dans ce cas-ci, l'examen clinique consiste à déterminer quelles modifications il faut apporter aux soins d'hygiène pour les adapter au déclin fonctionnel du résident et à ses capacités résiduelles.

Avec de telles observations, l'infirmière sera en mesure d'indiquer aux soignants à quel rythme ils doivent prodiguer les soins d'hygiène et quelle est la séquence appropriée de lavage des parties du corps. Enfin, l'infirmière pourra se servir de ces observations pour former les soignants à reproduire fidèlement ces ajustements lors des soins d'hygiène. Il est peu probable qu'une seule séance

d'observation donne suffisamment de renseignements pour établir un programme d'intervention efficace. Il pourrait s'avérer nécessaire pour l'infirmière d'observer à plusieurs reprises un résident durant les soins d'hygiène, de façon à concevoir un programme d'intervention en collaboration avec les soignants. Le tableau 26-4 présente une grille d'évaluation facilitant l'observation des soins d'hygiène et les réactions du résident à ceux-ci.

Autoévaluation de pratiques et d'attitudes

Il est essentiel que les soignants prennent conscience de ce que constitue l'activité des soins d'hygiène. Conséquemment, l'infirmière peut aider les soignants à évaluer leurs

---

Tableau 26-4 | **Grille d'observation des activités de soins d'hygiène**

Résident : _____   **Date de l'évaluation :** _____

Participants de l'équipe : _____

(Encerclez tout ce qui s'applique.)
Pratiques antérieures de soins d'hygiène respectées :
• Baignoire
• Douche
• Bain au lavabo
• Bain au lit
• Autre _____

Préférences antérieures de soins d'hygiène respectées :
• Produits spéciaux
  (faites-en la liste : _____)
• Moment spécifique du jour
  (spécifiez : _____)
• Température préférée de l'eau
  (chaude, tiède, fraîche : _____)
• Autre _____

Réaction du résident aux soins personnels :
• Aime l'expérience
• Fait preuve d'indifférence
• Manifeste des comportements défensifs
  (décrivez : _____)
• Autre _____

Problèmes ou déficits particuliers liés aux soins d'hygiène :
• Agnosie
• Douleur
• Apraxie
• Peur
• Troubles de la mémoire et anosognosie (méconnaissance de la perte d'une fonction antérieurement acquise)
• Besoin d'intimité
• Autre _____

Meilleur endroit pour les soins d'hygiène :
• Étendu dans un lit
• Assis
• Debout
• En mouvement
• Autre _____

Stratégies facilitant la diminution des comportements défensifs :
• Accueil en douceur
• Paroles douces et gentilles
• Conversation informelle
• Musique/chansons
• Intimité assurée
• Organes génitaux couverts
• Gestes de massage
• Serviettes chaudes
• Odeurs agréables
• Approche discontinue
• Approche d'équipe
• Lavage complet
• Lavage du corps par parties
• Autre _____

Type de soins d'hygiène recommandé :
• Douche
• Lavabo
• Baignoire
• Lavage à la main
• Lavage à la serviette
• Méthode discontinue
• Autre _____

Nombre recommandé de personnes requises pour donner les soins : _____

Autres recommandations particulières pour adapter les soins d'hygiène et autres stratégies de soins au besoin du résident :
_____
_____
_____
_____
_____

Infirmière : _____   **Signature :** _____   **Date :** _____

Source : Grille conçue par Lori Schindel Martin, inf., Ph.D., directrice du Ruth Sherman Centre for Research and Education, Shalom Village, Hamilton, Canada.

propres pratiques, en les invitant à se servir d'une liste de contrôle du soignant, comme celle que présente le tableau 26-5. La liste de contrôle des pratiques de soins d'hygiène (Wagnild et Manning, 1985) aidera les soignants à déterminer quelles pratiques de soins ils doivent examiner minutieusement avant, pendant et après les soins d'hygiène prodigués à un résident atteint de démence. D'autre part, une telle liste de contrôle peut aider les soignants à réfléchir sur leurs propres comportements lors des soins et à déterminer lesquels ils devraient modifier, le cas échéant. Par exemple, le fait de s'assurer que l'ambiance qui règne dans la salle de soins d'hygiène fait en sorte que le résident se sent respecté et que les stratégies de communication sont efficaces permettra de centrer l'approche de soins sur la personne, ce qui, appliqué à chaque résident, ne pourra que rehausser la qualité des soins d'hygiène.

Dans le même ordre d'idées, l'infirmière doit amener les soignants à prendre conscience de l'effet possible de leurs valeurs personnelles sur leur interprétation des problèmes liés aux soins d'hygiène. En se servant d'un modèle d'auto-analyse des valeurs comme celui que présente le tableau 26-6, les soignants seront en mesure de déterminer comment leurs opinions sur la propreté pourraient les conduire à choisir des approches irréalistes pour laver un résident qui s'oppose aux soins. Par exemple, supposons que certains soignants croient que l'immersion totale du corps dans l'eau ou la douche est la seule façon de laver adéquatement le corps d'un résident. Conséquemment, ils pourraient s'entêter à utiliser une telle approche traditionnelle pour laver les résidents, provoquant par là de graves réactions de catastrophe chez ceux-ci. Lorsque les soignants ont la possibilité de réfléchir sérieusement au fait que leurs

Tableau 26-5	**Liste de contrôle des pratiques de soins d'hygiène**

« A » – Accueil

- [ ] Je m'assure de capter l'attention du résident avant de commencer les soins.
- [ ] Je me sers toujours de phrases simples, courtes et précises.
- [ ] J'explique quels soins d'hygiène je prodigue en précisant au résident pourquoi je les prodigue.
- [ ] J'engage une conversation informelle avec le résident.
- [ ] Je vois les réactions émotionnelles du résident et le lui indique.
- [ ] Lorsque le résident me demande d'arrêter les soins, je le fais.
- [ ] J'utilise des stratégies novatrices pour établir un rapport interpersonnel.
- [ ] J'encourage le résident à participer en fonction de ses forces.
- [ ] J'utilise la persuasion positive plutôt que la force pour parachever les soins.

« R » – Attitude de respect

- [ ] Je m'assure que le résident et moi sommes seuls dans la salle de bain et que celle-ci est personnalisée.
- [ ] Je m'assure que la température ambiante convient au résident.
- [ ] Je m'assure qu'une odeur plaisante et agréable flotte dans la pièce.
- [ ] Je réunis tout l'équipement nécessaire avant de commencer les soins.
- [ ] Je me sers de musique pour détendre le résident.
- [ ] Je m'assure que l'éclairage est doux et non aveuglant.
- [ ] Je m'assure que le résident est allé aux toilettes avant les soins d'hygiène.
- [ ] Je m'assure que le résident est couvert d'une serviette ou d'un drap.
- [ ] J'utilise l'approche discontinue.

« T » – Tendresse

- [ ] J'utilise le nom du résident fréquemment.
- [ ] Je procède lentement et respectueusement.
- [ ] Je lave le résident par tapotements plutôt que par frottements.
- [ ] Je m'assure que le résident n'a pas froid.
- [ ] Je félicite et remercie le résident pour sa participation.
- [ ] J'annonce clairement à l'avance la fin des soins d'hygiène.

Choses que je fais bien : _____

Choses que je pourrais améliorer : _____

Source : G. Wagnild et R. Manning (1985). Convey respect during bathing procedures : patient well-being depends on it ! *Journal of Gerontological Nursing, 11,* 6-10.
Adaptation : Lori Schindel Martin, inf., Ph.D. et Debra Hewitt Colborne, inf., B.Sc., Ruth Sherman Centre for Research and Education, Shalom Village, Hamilton, Canada.

Tableau 26-6	Exercice d'autoanalyse des valeurs du soignant

L'ART DES SOINS D'HYGIÈNE DANS LE CADRE DE LA DÉMENCE :
APPROCHES PRATIQUES ET NOVATRICE, UNE AUTOANALYSE DES VALEURS

À côté de chacune des affirmations qui suivent, indiquez le chiffre qui correspond LE PLUS à votre opinion actuelle.

1	2	3	4	5
Je suis d'accord	Je suis plutôt d'accord	Je suis ambivalent	Je suis plutôt en désaccord	Je suis en désaccord

- Tout le monde devrait se laver tous les jours. _____
- Les soins d'hygiène peuvent être moins agréables en fonction de l'état d'avancement de la démence. _____
- Tout le monde a le droit d'être propre. _____
- Les soins d'hygiène peuvent augmenter l'état de relaxation et de bien-être du résident atteint de démence. _____
- La propreté améliore la santé et la qualité de vie. _____
- L'immersion totale est la meilleure façon de laver quelqu'un. _____
- Lors des soins d'hygiène, les comportements défensifs (agressivité) sont normaux chez les résidents atteints de démence. _____
- Si mes collègues remettent à plus tard les soins d'hygiène quotidiens lorsque le résident est agité, c'est qu'ils veulent simplement se débarrasser d'une tâche. _____
- Si le résident s'oppose aux soins, le mieux est de procéder aux soins rapidement. _____
- Lors des soins d'hygiène, il est important de laver tout le corps. _____
- Lorsqu'ils donnent les soins d'hygiène aux résidents atteints de démence, les soignants de mon unité font preuve de prévenance et d'ouverture d'esprit tout en utilisant une approche souple et adaptée. _____
- Les soignants de mon unité devraient changer leur approche en matière de soins d'hygiène prodigués aux résidents atteints de démence. _____

Source : Tableau conçu par Debra Hewitt Colborne, inf., B.Sc. et Lori Schindel Martin, inf., Ph.D., Ruth Sherman Centre for Research and Education, Shalom Village, Hamilton, Canada.

valeurs profondes peuvent les mener à adopter des approches qui rendront plus difficiles les séances de soins d'hygiène, il leur est plus facile de renoncer à ces approches au profit d'autres, plus novatrices et appropriées, comme le lavage par parties du corps au lavabo ou le lavage au lit à la serviette.

Après avoir procédé à toutes ces évaluations, l'infirmière en fera un résumé et analysera les données qu'elle a recueillies de façon à concevoir une approche adaptée au résident.

PROGRAMME D'INTERVENTION

Traditionnellement, ce qu'on a tenté pour faire face à la résistance aux soins d'hygiène impliquait surtout le recours à des mesures de contention physique ou chimique. Ces pratiques restrictives et mal avisées étaient en grande partie inutiles, et aggravaient souvent la situation (Rader *et al.*, 1996). Au cours des dernières années, des articles scientifiques, des chapitres de livre et des vidéos éducatifs se sont appliqués à décrire de nouvelles approches relativement aux soins d'hygiène (Barrick, Rader, Hoeffer et Sloane, 2002 ; Clark, Lipe et Bilbrey, 1998 ; Hoeffer *et al.*, 1997 ; Kilhgren *et al.*, 1993 ; Kitwood, 1997 ; Kovach et Meyer-Arnold, 1997 ; Mickus *et al.*, 2002 ; Ortigara, 2000 ; Rader et Barrick, 2000 ; Rader *et al.*, 1996 ; Schindel Martin, Morden et McDowell, 1999 ; Schindel Martin, Rozon, McDowell, Cetinski et Kemp,

2004 ; Sloane et Barrick, 1998 ; Sloane, Rader *et al.*, 1995 ; Wells, Dawson, Sidani, Craig et Pringle, 2000). Nous nous sommes inspirés de ces travaux pour rédiger le programme d'intervention qui suit.

Il importe que les soignants mettent en application des stratégies humaines reposant sur une solide connaissance des effets de la démence sur les aînés. Ces stratégies consistent en plusieurs aspects. Il faut d'abord prêter attention aux réactions émotionnelles du résident, mais aussi répondre à ses besoins, tenir compte de ses capacités résiduelles et s'y adapter. Ensuite, il faut approprier l'environnement physique aux besoins de la situation, faire preuve de souplesse et adapter les approches de soins au rythme du résident (Barrick, Rader et Medina, 2002 ; Dawson *et al.*, 1993).

Les soignants doivent d'autre part personnaliser toutes les stratégies d'intervention. Ainsi, le rôle de l'infirmière en matière de soins d'hygiène des résidents atteints de démence consiste à déterminer quel genre de soins d'hygiène sera le plus approprié au stade de la maladie du résident, à effectuer des recherches sur les meilleures pratiques à adopter, et à procéder à des démonstrations de ces approches afin de les faire connaître à l'ensemble du personnel soignant. À l'occasion et pour une courte période, il pourra s'avérer nécessaire que l'infirmière participe activement aux soins d'hygiène pour bien implanter une nouvelle approche. Souvent, même un programme d'intervention bien conçu a besoin d'ajustements ponctuels pour que le soignant puisse, dans le feu de l'action, résoudre une difficulté. Une infirmière experte doit donc s'impliquer dans le processus.

De plus, il faut bien comprendre que les approches en matière de soins d'hygiène des personnes atteintes de démence doivent intégrer toutes les connaissances formelles et informelles de l'ensemble des soignants de l'équipe. En effet, la planification des soins exige de l'infirmière qu'elle sollicite la contribution de tous les soignants (Higgs et Titchen, 2000). Après avoir effectué cette démarche, l'infirmière pourra suggérer l'utilisation de l'approche discontinue ou le lavage à la serviette.

Utilisation de l'approche discontinue

Comme nous l'avons indiqué précédemment, un résident atteint de démence peut facilement se sentir perturbé lorsque les exigences requises pour mener à bien une activité dépassent ses capacités d'exécution. C'est souvent le cas avec les soins d'hygiène, notamment si le résident atteint d'une démence éprouve des difficultés de mouvement et de coordination liées à l'apraxie idéomotrice. Il est alors essentiel de cesser momentanément de prodiguer les soins d'hygiène, de façon à adapter les soins aux signes et symptômes du résident (Barrick, Rader et Medina, 2002). L'approche discontinue consiste essentiellement en une façon d'agir suivant laquelle, lorsqu'il perçoit que le résident devient angoissé et nerveux pendant les soins d'hygiène, le soignant cesse momentanément de bouger, se met à parler doucement au résident pour le rassurer (tout en maintenant avec celui-ci un contact visuel) et poursuit ensuite l'activité après 30 ou 60 secondes de pause. Cette façon de procéder permet au résident de développer un sentiment de confiance et situe l'activité de soins dans un cadre respectueux. Cela permet aussi de ressaisir l'attention du résident pour poursuivre l'activité. En effet, si le résident manifeste de l'agitation, c'est généralement que son seuil critique d'attention a été dépassé. En d'autres mots, après 5 ou 10 minutes de soins d'hygiène, il s'avère nécessaire de représenter l'activité au résident pour qu'il puisse se concentrer de nouveau sur les soins et recourir à l'attention et à la motricité requises par l'activité.

Dans la phase d'implantation de cette approche, l'infirmière joue un rôle de mentor. Lorsqu'elle forme des soignants, elle doit se placer en retrait dans la salle de bain et coordonner les gestes liés aux soins d'hygiène, tout en surveillant la réaction du résident et en indiquant au soignant de cesser la prestation de soins au moment approprié, par exemple lorsqu'il devient anxieux. Lorsque le résident semble remis de ses émotions, l'infirmière indique au soignant de continuer les soins d'hygiène. En procédant de la sorte, elle pourra enseigner de façon constructive l'approche discontinue aux soignants.

Lorsqu'on prodigue les soins d'hygiène au moyen de cette approche, il est nécessaire de diviser la tâche en petites unités de prestation. Par exemple, le soignant divisera les soins d'hygiène en fonction des différentes parties du corps (figure, bras, torse, jambes, dos, siège, etc.). S'il faut interrompre fréquemment les soins d'hygiène, il est possible que l'eau de la baignoire refroidisse. Or, il n'est pas recommandé de faire couler de l'eau chaude dans la baignoire lorsque le résident s'y trouve. Le bruit de l'eau qui coule dans la baignoire pourra devenir source d'anxiété pour le résident atteint d'une démence. De même, si le soignant prodigue les soins d'hygiène au lit, l'eau qui se trouve dans un contenant peut aussi refroidir. De nouveau, il n'est pas plus recommandé de changer l'eau du contenant alors qu'on se trouve au milieu de l'activité de soins. De telles interruptions dans les soins peuvent nuire au déroulement harmonieux de l'activité. En conséquence, adopter une approche comme le lavage à la serviette permettra aux soignants de continuer à donner les soins d'hygiène selon les principes de l'approche discontinue, sans craindre un refroidissement progressif de l'eau. Notons toutefois que, si le résident apprécie, malgré les désagréments que nous avons mentionnés, les soins d'hygiène qu'on lui prodigue selon l'approche discontinue, l'infirmière pourra indiquer aux soignants qu'ils peuvent continuer à utiliser cette même approche. En effet, si le résident ne montre aucun signe de résistance aux soins, il est parfois préférable de s'en tenir au *statu quo*.

Lavage à la serviette

Lors d'un lavage à la serviette, on lave le résident atteint d'une démence au moyen de gestes de massage, en se servant de serviettes et de débarbouillettes imbibées d'eau chaude et d'un produit de lavage (Tena, Septa Soft, etc.) qui ne nécessite pas de rinçage (Rader et Barrick, 2000; Rader *et al.*, 1996; Schindel Martin *et al.*, 1999).

L'approche du lavage à la serviette peut constituer une solution de rechange au lavage en baignoire pour les résidents qui sont effrayés ou nerveux lorsqu'ils se trouvent immergés. Il s'agit également d'une solution de rechange acceptable pour les résidents qui réagissent négativement à la sensation de l'eau coulant sur leur peau lorsqu'ils sont dans la douche. Enfin, elle est une intervention indiquée pour les résidents qui présentent des comportements d'agressivité durant les soins d'hygiène.

Le lavage à la serviette d'un résident atteint de démence permet d'atteindre plusieurs objectifs de soins. Ainsi, cette approche rend possible :

- Une diminution de la fréquence des comportements de résistance aux soins d'hygiène.
- Une réduction du temps de contact physique grâce à l'utilisation d'un produit qui ne nécessite pas de rinçage, ce qui réduit également la durée des soins d'hygiène.
- Une réduction de la peur et des réactions négatives liées aux soins d'hygiène, car le résident n'est pas soumis au stimulus nocif de l'immersion en baignoire ou de l'eau coulant sur son corps dans la douche.
- Une réduction de la stimulation de réflexes neurologiques ou de la rigidité motrice (réactions fréquentes chez les résidents étant aux stades avancés de la démence), puisque le résident est enveloppé de serviettes chaudes qui favorisent la détente et la relaxation.
- Une diminution de la douleur que peut ressentir le résident, car celui-ci a moins besoin d'être mobilisé.
- Une diminution de l'hypothermie, car le résident est toujours bien couvert.

De préférence, on procède au lavage à la serviette alors que le résident se trouve couché dans son lit. Néanmoins, on peut aussi y procéder alors que le résident se trouve sur le bord du lit en position assise, sur une chaise ou debout. Bien qu'offrant de nombreux avantages, le lavage à la serviette ne sera vraiment efficace que si les soignants respectent les règles de communication que nous présentons aux chapitres 31 et 32, et les principes de prévention des symptômes psychologiques et comportementaux de la démence (voir le chapitre 24). Enfin, ils doivent aussi tenir compte de l'effet que peut avoir l'environnement sur les troubles du comportement (voir le chapitre 37).

Le tableau 26-7 (p. 398) décrit chacune des étapes du lavage à la serviette. Comme on le constate, la première étape consiste à réunir le matériel nécessaire. Afin de réduire le temps requis pour cette étape, mentionnons que certains CHSLD font préparer par les employés de la buanderie des sacs de plastique contenant les 3 serviettes et les 4 débarbouillettes requises pour cette intervention.

Au cours de la deuxième étape, il est conseillé de ne pas trop saturer d'eau les serviettes. Des serviettes trop mouillées dégoutteront dans le lit et risquent de nuire au bon déroulement de l'activité de soins. Il faut les imbiber d'eau uniformément, sans plus. À titre indicatif, mentionnons que, si en tentant d'essorer les serviettes en les tordant il ne s'en échappe que quelques gouttes, c'est qu'elles ont été correctement imbibées. Il se peut, d'autre part, qu'un nombre supérieur de serviettes et de débarbouillettes soient nécessaires pour les soins d'hygiène, tout dépendant de la surface corporelle du résident qu'il faut

laver, de la capacité d'absorption des serviettes et de la taille du résident. Les soignants devraient veiller à placer les serviettes imbibées d'eau chaude savonneuse dans un sac de plastique afin que celles-ci conservent leur chaleur. Bien que cela soit non essentiel, il est souhaitable de placer ce sac de plastique dans un sac permettant la conservation de la chaleur. À cet égard, il est possible d'employer des sacs dont le revêtement intérieur est en aluminium. On peut acheter de tels sacs dans les magasins fournissant du matériel aux restaurants. Ainsi, les sacs qu'utilisent les livreurs pour préserver la chaleur des aliments sont tout indiqués pour cet usage.

Au cours de la troisième l'étape, les soignants ne devraient mettre qu'une seule serviette à la fois sur une partie du corps du résident. De cette façon, les soins d'hygiène ne mènent pas à une surstimulation sensorielle. À cet égard, il ne faut pas hésiter à adapter la technique du lavage à la serviette en fonction des remarques du résident et de ses demandes ou besoins particuliers. Donc, les soignants pourront commencer par laver parfois les pieds, parfois le torse, même si le tableau 26-7 présente une procédure qui s'amorce par le lavage du visage. Notons d'ailleurs qu'il est fréquent que les résidents préfèrent que les soins d'hygiène débutent par les pieds. Dans tous les cas, lors de la troisième étape, les parties du corps qui sont couvertes d'une serviette imbibée doivent être massées doucement. Dès qu'il retire la serviette, le soignant devra recouvrir la partie du corps concernée au moyen de la couverture de flanelle. Le soignant pourra avoir préalablement mis celle-ci à chauffer soit dans un chauffe-serviettes, soit dans le séchoir à linge, et l'avoir placé ensuite dans un sac préservant la chaleur. Le soignant procédera comme nous venons de l'indiquer pour chacune des parties du corps du résident. Durant l'intervention, le soignant veillera à toujours parler doucement et avec respect au résident. Il doit lui expliquer ce qu'il est en train de faire et ce qu'il pourrait ressentir. Le soignant doit être sensible aux réactions du résident, afin de ralentir ou d'adapter son intervention. Dans certains cas, il pourra être préférable d'arrêter complètement le lavage à la serviette. Dans les situations difficiles, il est acceptable de ne laver que les parties du corps les plus souillées et ensuite de mettre immédiatement un terme à la procédure.

La distraction peut s'avérer une stratégie fort efficace auprès des résidents qui résistent aux soins d'hygiène. Le soignant pourra ainsi engager la conversation avec le résident concernant des thèmes qui passionnent celui-ci, qu'il s'agisse de son animal préféré, de musique, du travail qu'il a occupé au cours de sa vie active, etc. En présence d'un résident qui offre une grande résistance, le soignant pourra recourir à des stimulants tangibles, qui captent toute l'attention du résident, ou lui permettre d'agripper des objets autres que les bras du soignant. Parmi les stimulants qui captent toute l'attention des résidents, mentionnons les bonbons sucrés, les biscuits au chocolat, les suçons et les pastilles. Pour ce qui est des objets à agripper, il y a les débarbouillettes, les figurines, les éponges et les balles.

Tableau 26-7	Procédure pour le lavage à la serviette

Déterminer le meilleur moment pour effectuer les soins d'hygiène en tenant compte des préférences du résident. Créer la bonne ambiance, voir à l'éclairage, à la température de la pièce et à la musique. Se conditionner mentalement à procéder selon une approche en douceur, en parlant calmement, en utilisant un ton bas et en respectant le rythme du résident. Être prêt à faire une pause à tout moment, afin que le résident demeure maître de la situation. Se rappeler que les soins d'hygiène sont prodigués autant pour leurs effets relaxants que pour des questions de propreté.

Étape 1
Réunir le matériel.

- 1 couverture de flanelle
- 4 débarbouillettes
- 3 serviettes
- 1 contenant de plastique
- 1 bouteille de savon sans rinçage
- 1 sac de plastique
- 1 sac pour préserver la chaleur

Étape 2
Préparer le matériel.

1. Remplir d'eau chaude le contenant en plastique.
2. Rouler les serviettes et les mettre dans le sac de plastique avec les débarbouillettes.
3. Ajouter une capsule (ou 15 mL) du produit sans rinçage dans le contenant de plastique, verser de l'eau sur les serviettes et les débarbouillettes se trouvant dans le sac de plastique. Il est suggéré de verser directement de l'eau sur chacune des serviettes et débarbouillettes.
4. S'assurer que les serviettes sont imbibées d'eau. Il est recommandé de pétrir les serviettes pour qu'elles soient uniformément imbibées. Il pourrait s'avérer nécessaire de refaire cette étape en se servant de nouveau du contenant de plastique.
5. Insérer le sac de plastique dans un sac pouvant retenir la chaleur.

Étape 3
Laver le corps du résident une partie à la fois, en surveillant ses réactions émotionnelles.

1. Dénuder le résident (à l'exception de la culotte d'incontinence).
2. Mettre la couverture de flanelle sur tout le corps.
3. Avec la première débarbouillette, laver le visage (se débarrasser ensuite de celle-ci). Il sera possible de demander à certains résidents de se laver eux-mêmes le visage.
4. Ensuite, se diriger vers les pieds du résident et ramener la couverture de flanelle couvrant les jambes jusqu'à la culotte d'incontinence. Les pieds et les jambes du résident sont alors découverts.

5. Avec la première serviette (chaude et imbibée de savon sans rinçage), recouvrir le dessus des pieds et les deux jambes.
6. Masser doucement les orteils, les pieds et les jambes en utilisant la pulpe des doigts. Plier les genoux pour avoir accès à l'arrière des jambes.
7. Prendre la deuxième débarbouillette et laver les pieds en entier (se débarrasser ensuite de celle-ci).
8. Enlever la serviette chaude recouvrant les pieds et les jambes, et recouvrir ces membres avec la couverture de flanelle.
9. Se mettre au niveau du torse et des bras du résident, et les couvrir à l'aide de la deuxième serviette. Les laver en procédant par massage. Le résident devrait rester au chaud et être couvert pendant tout le processus. S'il n'est pas possible d'obtenir une serviette assez grande pour couvrir le torse et les bras du résident, il faudra alors prévoir ajouter une serviette. Lorsque le massage doux est terminé, recouvrir le résident avec la couverture de flanelle.
10. Par la suite, en passant les bras sous la couverture de flanelle, enlever la culotte d'incontinence du résident, prendre la troisième débarbouillette et laver les parties génitales (se débarrasser ensuite de celle-ci).
11. Une fois la partie antérieure du corps lavée, tourner le résident sur le côté, mettre la dernière serviette sur son dos et laver en effectuant des mouvements de massage.
12. Enfin, utiliser la dernière débarbouillette pour le lavage du siège. Mettre une culotte d'incontinence propre. Repositionner le résident sur le dos, dans une position confortable.

Étape 4
Garder le corps du résident couvert afin de le garder confortablement au chaud. Après avoir pris une pause, vous pourrez l'habiller.

Sources: Adapté de J. Rader, M. Lavelle, B. Hoeffer et D. McKenzie (1996). Maintaining cleanliness: an individualized approach. *Journal of Gerontological Nursing*, *22*, 32-38; P. Sloane, J. Rader, A. Barrick, B. Hoeffer, S. Dwyer, D. McKenzie, M. Lavelle, K. Buckwalter, L. Arrington et T. Pruitt (1995). Bathing persons with dementia. *Gerontologist*, *35*, 672-678; P. Sloane, A. Barrick et V. Horn (1995). *Solving Bathing Problems in Persons with Alzheimer's Disease and Related Dementias*. Distribué par Terra Nova Films.

Lorsque le lavage à la serviette est terminé, le soignant pourra habiller immédiatement le résident, ou prendre une pause. Les soins d'hygiène sont généralement une source de fatigue pour les résidents. Il est donc souvent préférable de permettre au résident de se reposer avant de l'habiller.

Une étude expérimentale a évalué les soins d'hygiène à la serviette en tant que pratique, et les résultats démontrent largement l'efficacité de cette méthode (Sloane *et al.*, 2004). Par comparaison avec les soins d'hygiène habituels, le lavage à la serviette a permis de réduire de 60 % les comportements d'agitation et d'agressivité, mais aussi de réduire la douleur que ressentent les résidents lors des soins d'hygiène. Qui plus est, le temps requis par le soignant pour prodiguer les soins d'hygiène à la serviette ne s'est pas avéré plus long que celui que requièrent des soins d'hygiène standard. Enfin, les soins d'hygiène à la serviette se sont révélés aussi efficaces que les soins d'hygiène standard pour prévenir la prolifération bactérienne et maintenir la peau des résidents intacte, sans rougeur.

Lavage des cheveux

Pour les résidents qui tolèrent difficilement le lavage des cheveux, il faudra mieux ne pas procéder à cette intervention immédiatement après avoir prodigué les soins d'hygiène et la remettre à plus tard. Lorsque le lavage des cheveux est effectué en même temps que les soins d'hygiène chez un résident résistant, il entraîne une surstimulation de celui-ci, ce qui a pour effet de nuire aux deux activités.

D'autre part, les cheveux des résidents ne devraient être lavés que lorsque leur apparence le rend nécessaire. C'est que, en raison des changements normaux liés au vieillissement des glandes sébacées, les cheveux des aînés deviennent graisseux moins rapidement, réduisant ainsi la fréquence des soins liés à cet aspect.

Pour le résident qui résiste aux soins d'hygiène, il vaudra mieux laver les cheveux l'après-midi ou le soir, lorsqu'il est habillé et assis confortablement dans une chaise. Notons qu'il n'est pas essentiel pour mener à bien ces soins de diriger un jet d'eau directement sur les cheveux du résident. Pour le résident qui résiste spécifiquement au lavage des cheveux, le soignant devra les laver à l'aide de débarbouillettes. Pour ce faire, il placera une serviette sur les épaules du résident et utilisera deux débarbouillettes. Il s'agira d'imbiber une débarbouillette d'eau chaude et de shampoing ne nécessitant pas de rinçage. Après l'avoir déposée sur la tête du résident, le soignant lui massera les cheveux et le cuir chevelu. Par la suite, il asséchera les cheveux avec la deuxième débarbouillette. Grâce à ce procédé, il est possible de rendre propres les cheveux du résident, et celui-ci devrait présenter beaucoup moins de comportements de résistance (Sloane, Barrick *et al.*, 1995).

Enfin, soulignons que, tout comme pour le lavage des cheveux, la coupe des ongles ne devrait pas se faire pendant les soins d'hygiène, pour les raisons que nous avons déjà évoquées. Au sujet des soins à apporter aux pieds, on se reportera au chapitre 18.

Conclusion

Les résidents atteints d'une démence qui résistent aux soins d'hygiène le font en vue de garder la maîtrise du processus, qu'ils trouvent effrayant et désagréable. Il est essentiel que l'infirmière détermine quels besoins donnent naissance aux comportements de résistance. Une fois le résident admis en CHSLD, l'infirmière devrait tenir compte de ses préférences. De plus, elle devrait former les soignants afin qu'ils puissent répondre efficacement à ses besoins.

Les gestionnaires des CHSLD devraient aussi encourager les infirmières et les soignants à personnaliser les soins d'hygiène, et à faire preuve de souplesse concernant l'horaire des bains. De plus, ils devraient s'assurer que l'environnement des soins d'hygiène contribue à ce que cette activité soit agréable, par exemple grâce à un éclairage tamisé, à la possibilité d'écoute d'une musique relaxante, à l'utilisation de multiples linges colorés et à une modification des caractéristiques physiques de la pièce où se déroulent les soins.

À l'instar des gestionnaires du CHSLD, les infirmières qui se trouvent en position d'autorité doivent aider les soignants à répondre aux besoins du résident en faisant preuve de souplesse, notamment par l'adoption de stratégies appropriées en matière de soins d'hygiène. Ainsi, l'infirmière permettra aux soignants de remettre à plus tard les soins d'hygiène lorsqu'un résident est agité. Également, il est inutile que l'équipe de soins s'entête à donner des soins d'hygiène lorsqu'ils ne sont pas nécessaires. Enfin, l'infirmière doit guider les soignants de façon à ce qu'ils sentent qu'ils font partie de l'équipe et participent au processus clinique décisionnel. Dans certains cas, il peut s'avérer nécessaire que l'infirmière participe occasionnellement aux soins d'hygiène des résidents afin de susciter un esprit de cohésion dans l'équipe, particulièrement lorsque la réaction physique agressive d'un résident déstabilise les soignants.

ÉTUDE DE CAS

Âgé de 66 ans, M. Tremblay est atteint d'une démence de type Alzheimer. Il est marié à Hélène Rivard depuis 40 ans. Contremaître retraité, il supervisait les travailleurs d'une usine locale de peinture. Il a vécu dans la même maison, dans une petite municipalité, avec Hélène, pendant environ 30 ans.

Il y a trois ans, Hélène a remarqué qu'il se conduisait en ermite. Il négligeait grandement son apparence, avait souvent l'air débraillé en public. De plus, il perdait du poids parce qu'il oubliait de manger, à moins que sa femme ne soit là pour lui préparer ses repas et insister pour qu'il mange.

Récemment, il a été admis dans un CHSLD en raison de la recommandation du service de santé local, parce qu'Hélène était incapable de faire face au fardeau que constituaient la surveillance de ses comportements et les soins qu'il requiert. Hélène, âgée de 62 ans, dispose d'un mandat pour administrer les avoirs et les soins de M. Tremblay.

Il accepte très difficilement, voire pas du tout, que les soignants l'aident pour ses soins d'hygiène. M. Tremblay a obtenu 14 au mini-examen de l'état mental de Folstein. Les évaluations cliniques établissent que M. Tremblay se trouve au stade 6B de l'Échelle de détérioration globale de Reisberg. Il est continent, mais éprouve de la difficulté à effectuer lui-même ses soins d'hygiène, à choisir ses vêtements et à s'habiller de façon adéquate.

Questions

1 Vous voyez M. Tremblay le lendemain matin de son admission, et vous constatez qu'il refuse de prendre une douche. Il vous dit ceci :
« Hélène vient me chercher bientôt, je n'ai donc pas besoin de me laver ou de me changer. » Il ajoute sur un ton ferme : « Je n'ai pas besoin de vous. » Insistez-vous auprès de M. Tremblay pour qu'il prenne une douche ? Pourquoi ? Si vous n'insistez pas, expliquez également pourquoi.

2 Mme Rivard, son épouse, vient visiter son mari deux jours après son admission et se dit inquiète du fait que celui-ci n'a pas encore pris un bain ou changé de vêtements. Que lui répondez-vous ?

3 Le troisième jour de son admission, M. Tremblay vous confie qu'il n'est pas comme tous les autres résidents du CHSLD et qu'il n'a pas besoin de cette « baignoire spéciale », désignant par là la baignoire utilisée pour les résidents du CHSLD. Il vous indique qu'il préférerait utiliser la douche de sa maison. Que faites-vous de cette requête ?

4 En quoi consiste le rôle de l'infirmière lorsqu'un résident résiste de façon persistante aux soins d'hygiène ?

27

L'AGITATION VERBALE

par **Philippe Landreville**

Comme on l'a vu dans le chapitre 25, il arrive que les résidents de CHSLD adoptent des comportements jugés inappropriés tels que la résistance aux soins en raison, entre autres, des atteintes cognitives dont ils souffrent ou de leur incapacité à indiquer leur détresse ou leurs besoins. L'agitation verbale se classe dans cette catégorie de comportements.

Tout comme pour les comportements de résistance aux soins, la prévalence de l'agitation verbale en CHSLD oscille autour de 10 %, bien que les avis, et surtout les résultats de recherche, varient beaucoup à ce sujet. Quoi qu'il en soit, même marginal, ce phénomène est extrêmement dérangeant à la fois pour les résidents, pour les soignants, pour les proches et pour les visiteurs.

Voilà pourquoi les soignants doivent savoir reconnaître les comportements d'agitation verbale, développer une certaine tolérance à leur égard et être en mesure d'y faire face par des interventions appropriées. Comme nous le verrons, ces interventions peuvent les aider à réduire la fréquence et l'intensité de ces comportements, tout en procurant des soins adéquats aux résidents agités et en satisfaisant leurs besoins.

NOTIONS PRÉALABLES SUR L'AGITATION VERBALE

Définition

Dans un CHSLD, il arrive souvent qu'un résident crie de sa chambre sans raison apparente. On y observe aussi que de nombreux résidents répètent inutilement des questions et tiennent un discours incohérent. Pour désigner ces manifestations verbales ou vocales répétitives, dérangeantes ou inappropriées, certains ont proposé l'expression *agitation verbale* (Cohen-Mansfield et Werner, 1994), que nous retenons également dans ce manuel. Outre des questions répétées et un discours incohérent, l'agitation verbale inclut les injures, le langage agressif, les plaintes répétées, les gémissements et les propos adressés à une personne imaginaire. L'agitation verbale s'apparente aux *expressions vocales dérangeantes*, à savoir des manifestations verbales excessivement fortes ou répétitives qui prennent la forme de mots uniques ou de phrases, de sons, de cris, de gémissements et de requêtes constantes d'attention (Sloane *et al.*, 1997).

Ampleur du problème

Zimmer, Watson et Treat (1984) ont dirigé une des premières études à grande échelle sur la prévalence de troubles du comportement en CHSLD. Ils ont ainsi observé que 12,6 % des résidents de 42 CHSLD présentaient des comportements verbaux perturbateurs au moins une fois par semaine. L'étude de Jackson *et al.* (1989) rapportait quant à elle un taux similaire (10 %) de résidents considérés comme bruyants au cours d'une période de deux semaines. Enfin, Friedman, Gryfe, Tal et Freedman (1992) ont noté que 11 % des résidents d'un hôpital de soins prolongés pour personnes âgées étaient bruyants.

Cela dit, d'autres chercheurs ont rapporté des taux beaucoup plus élevés d'agitation verbale. Ray, Taylor, Lichtenstein et Meador (1992) ont recensé les comportements de résidents de 6 CHSLD, lesquels, pour être comptabilisés, devaient se manifester au moins une fois au cours des 3 jours précédant la collecte des données. Voici ce qu'ils ont observé: entre 50 et 57 % des résidents marmonnaient ou se parlaient à eux-mêmes; 42 à 49 % tenaient un discours insensé; 26 à 38 % se disputaient ou proféraient des menaces ou des jurons; 24 à 38 % se plaignaient ou se lamentaient; 33 à 35 % criaient, hurlaient ou gémissaient fortement; 21 à 30 % demandaient de l'attention ou de l'aide. Patel et Hope (1992) ont pour leur part rapporté que 46 % des personnes de leur échantillon criaient ou hurlaient, 34,5 % étaient exigeantes ou contestaient, et 21,2 % juraient ou utilisaient un langage déplacé.

Dans sa synthèse de la littérature, Lai (1999) a conclu que la prévalence de l'agitation verbale en CHSLD varie entre 11 et 36 %. Des différences quant à la population étudiée, à la mesure de l'agitation verbale et à la période couverte par cette mesure peuvent expliquer les disparités entre les résultats auxquels parviennent ces différentes recherches. Notons que les chercheurs utilisent rarement des critères de sévérité, tels qu'une fréquence élevée, pour établir la prévalence des troubles du comportement. Or, toutes les manifestations d'agitation verbale n'ont pas le même poids. Par exemple, le patient qui crie plusieurs fois par jour est plus dérangeant que celui qui le fait occasionnellement, et son comportement est plus susceptible de faire l'objet d'une attention particulière. Il est donc utile de connaître l'importance réelle des comportements suffisamment dérangeants pour nécessiter un traitement. Les résultats de l'étude de Cariaga, Burgio, Flynn et Martin (1991) sont particulièrement utiles à cet égard. Ces chercheurs ont ainsi trouvé que 11 % des résidents de leur échantillon présentaient de l'agitation verbale qu'il fallait considérer pour établir leur programme de soins.

Conséquences

Les comportements d'agitation verbale impliquent des conséquences à la fois pour les proches du résident, pour les soignants et pour le résident lui-même. Ainsi, le fait que des résidents manifestent de l'agitation verbale rend difficile leur prise en charge par le CHSLD et son personnel, et contribue au fardeau que peuvent ressentir les soignants. D'autre part, les exigences répétées inutilement et les plaintes des résidents comptent parmi les problèmes les plus dérangeants pour les proches. Or, bien que la prise en charge incombe au personnel soignant du CHSLD après le placement, le résident peut continuer à adresser ses exigences ou à se plaindre à ses proches en leur téléphonant ou lorsqu'ils viennent le visiter.

Pour les soignants, les comportements d'agitation verbale sont lourds à supporter, notamment lorsqu'ils consistent en de l'agressivité verbale, que les soignants classent parmi les troubles du comportement les plus difficiles à endurer. En effet, les infirmières rangent les cris et les hurlements des résidents dans la catégorie des comportements les plus difficilement tolérables. Le fait que le résident parle fort et utilise un langage déplacé peut d'ailleurs engendrer un sentiment de détresse chez le soignant.

Sloane *et al.* (1997) ont souligné que l'agitation verbale est particulièrement problématique en CHSLD, où un seul résident manifestant ce type de comportement de façon persistante peut déranger l'ensemble des soignants, des visiteurs et des autres résidents. Selon ces auteurs, l'agitation verbale peut avoir des conséquences significatives sur la vie du résident qui présente ce type de comportement. Par exemple, ses proches pourront le visiter moins souvent. Sur le plan de la dynamique même du CHSLD, l'agitation verbale d'un résident pourra se propager comme par contagion aux autres résidents de son unité de soins, qui deviendront eux-mêmes agités. Enfin, la qualité des soins que tous sont en droit d'attendre peut être compromise.

On a de fait noté que les soignants seront moins attentifs aux besoins d'un résident qui présente de l'agitation verbale. L'étude de Hallberg, Norberg et Eriksson (1990a) a montré que les résidents manifestant de l'agitation verbale ne recevaient pas plus de soins que les résidents du groupe témoin, même si les premiers étaient moins autonomes.

Dans le même ordre d'idées, le soignant excédé par les comportements d'un résident pourra demander qu'on lui donne la charge d'autres résidents. Il pourra aussi recommander qu'un tel résident soit plutôt pris en charge par une unité où l'encadrement sera plus restrictif. Enfin, il pourra préconiser que ce résident reçoive davantage de traitements invasifs et contraignants. D'ailleurs, une étude a récemment révélé que près de 3 résidents sur 4 traités pour des comportements d'agitation verbale consomment des médicaments antipsychotiques, taux qui se situe par comparaison à 4 % dans le groupe témoin (Draper *et al.*, 2000).

Certaines formes d'agitation verbale, telles que l'émission de bruits et les cris, sont associées à l'abus des personnes atteintes de démence par leurs soignants familiaux. Bien qu'on ait observé cette situation chez des personnes vivant dans leur communauté, il n'est pas exclu qu'elle s'applique également aux résidents d'un CHSLD.

Facteurs prédisposants et facteurs précipitants

Facteurs prédisposants

On a observé que les résidents qui souffrent d'une atteinte cognitive grave ont davantage tendance à adopter des comportements d'agitation verbale (Cariaga *et al.*, 1991). Matteau, Landreville, Laplante et Laplante (2003) ont noté qu'il existe un lien positif entre les problèmes de langage et l'agitation verbale chez les personnes atteintes de démence et vivant en CHSLD. Cependant, une autre étude a montré que, si certaines formes d'agitation verbale, telles que les cris, sont associées à une détérioration des fonctions cognitives, d'autres, telles que les plaintes, ne le sont pas (Cohen-Mansfield, Marx et Rosenthal, 1990). Pour que certains types d'agitation verbale se produisent, il semble que les habiletés langagières doivent demeurer intactes. Il se peut donc que le lien entre la détérioration des fonctions cognitives et les comportements d'agitation verbale soit moins direct que pour d'autres formes d'agitation.

D'autres études ont démontré que la perte d'autonomie et la douleur, tout comme les problèmes de sommeil et la dépression, prédisposent le résident à l'agitation verbale (Cariaga *et al.*, 1991 ; Cohen-Mansfield, Werner et Marx, 1990). Pour certains, les comportements d'agitation verbale sont d'ailleurs des indicateurs de malaise et de souffrance.

Hallberg, Norberg et Eriksson (1990b) en sont d'autre part arrivés à la conclusion qu'il existe un lien entre l'agitation verbale et la santé mentale. Ayant comparé à un groupe témoin un groupe de résidents présentant de l'agitation verbale, ces chercheurs ont démontré que les résidents de ce dernier groupe souffraient davantage, entre autres, de délires et d'hallucinations. Il semblerait ainsi que l'agitation verbale soit, dans certains cas, une conséquence de symptômes psychotiques.

Sur le plan des facteurs psychologiques, Holst, Hallberg et Gustafson (1997) ont montré que la personnalité que les résidents avaient avant de souffrir de leur démence différencie les personnes présentant de l'agitation verbale de celles qui n'en présentent pas. Ayant établi rétrospectivement la personnalité des sujets de leur échantillon en interrogeant leurs proches, ces chercheurs ont rapporté que les personnes présentant de l'agitation verbale étaient plus introverties et plus inflexibles, et contrôlaient davantage leurs émotions.

Enfin, notons que les comportements d'agitation verbale sont plus fréquents chez les femmes (Jackson *et al.*, 1989).

Facteurs précipitants

Différents groupes de chercheurs ont tâché de noter dans quels contextes physiques et sociaux l'agitation verbale se produit, puisque certains de ces contextes semblent précipiter ce type de comportements.

Burgio *et al.* (1994) ont observé à différentes périodes de la journée 11 résidents présentant de l'agitation verbale, ce qui les a amenés à suivre ces résidents pendant 12 heures au total. Ils consignaient non seulement les comportements d'agitation verbale, mais aussi les diverses caractéristiques de l'environnement au moment où se produisaient les comportements. Ils ont ainsi noté si d'autres personnes se trouvaient dans la pièce avec les résidents, leurs activités, l'heure du jour et bien d'autres données significatives. Cette façon de procéder leur a permis de constater que la fréquence des comportements d'agitation verbale augmente au cours de la journée. De plus, les auteurs de la recherche en sont venus à la conclusion que les comportements d'agitation verbale durent moins longtemps lorsqu'une autre personne se trouve avec le résident, notamment chez le coiffeur.

Dans la même perspective, Aubert *et al.* (2001) ont observé 15 résidents à différents moments de la journée. Leurs résultats montrent également que la fréquence des comportements d'agitation verbale augmente progressivement au cours de la journée. De plus, les chercheurs de cette étude ont noté que ces comportements se produisaient le plus souvent lorsque les résidents se trouvent dans leur chambre, ne sont pas engagés dans une activité, sont seuls et sous contention. La progression de la journée, le manque de stimulation et l'isolement social apparaissent donc comme des facteurs contextuels qui précipitent potentiellement et de façon importante les comportements d'agitation verbale.

Concernant l'isolement, on peut dès lors se demander si l'interaction des soignants avec le résident est associée à une diminution des comportements d'agitation verbale. Certains travaux montrent que, même si les comportements d'agitation verbale de certains résidents diminuent quelque

peu après que les soignants les ont touchés et leur ont parlé, un nombre plus important de résidents réagissent à ces mêmes interactions en manifestant *plus* d'agitation. À cet égard, les soignants font augmenter l'agitation verbale du résident lorsqu'ils lui prodiguent des soins et qu'ils l'incitent verbalement à y participer. Toutefois, en lui adressant des commentaires positifs durant la même activité, ils réduisent ces mêmes comportements. Il semble donc que la répercussion des interventions des soignants sur l'agitation verbale du résident varie selon la réaction individuelle des résidents à cette interaction et selon la forme que prend cette interaction.

Manifestations cliniques

La quantité de comportements verbaux et vocaux que l'on associe à de l'agitation verbale est assez importante. D'autre part, il n'existe pas de consensus permettant d'affirmer que tel comportement constitue de l'agitation verbale et que tel autre, similaire, n'en est pas. Par exemple, la grille d'observation de l'étude de Burgio, Scilley, Hardin, Hsu et Yancey (1996) incluait 9 comportements d'agitation verbale, à savoir crier, sacrer, se plaindre, faire preuve de négativisme, gémir, tenir un discours paranoïaque, répéter des mots ou des phrases, chanter en dehors d'une activité structurée et se parler à soi-même. Cette liste de comportements ressemble à celle qu'ont utilisée Matteau *et al.* (2003), mais sans complètement y correspondre. En effet, ces chercheurs considéraient plutôt les comportements suivants : sacrer, agresser verbalement un soignant, se plaindre, demander constamment de l'attention, faire preuve de négativisme, répéter des phrases ou des questions, crier, émettre des bruits étranges et faire des avances sexuelles.

Il peut être cliniquement utile de classer les comportements d'agitation verbale selon différents types. À cet égard, Cohen-Mansfield et Werner (1997a) ont conçu une typologie de l'agitation verbale s'appuyant sur quatre aspects, à savoir le type de comportements, le sens des comportements, leur distribution dans le temps et leur « qualité » dérangeante. Les comportements d'agitation verbale sont ainsi classés selon leur type, c'est-à-dire verbal ou non verbal. Le sens des comportements désigne dans cette typologie les raisons qui motivent ce comportement, ce qui inclut, par exemple, la recherche d'attention et l'autostimulation. La distribution des comportements dans le temps peut être constante, aléatoire ou sans patron apparent. Le tableau 27-1 (p. 404) résume la typologie conçue par Cohen-Mansfield et Werner.

Évaluation de l'agitation verbale

En ce qui concerne l'évaluation d'un symptôme comportemental de la démence, on se reportera au chapitre 24, qui formule des recommandations générales à cet égard. Après avoir procédé à l'évaluation du symptôme comportemental de la démence, l'infirmière pourra se livrer à l'évaluation de l'agitation verbale comme telle en vue de concevoir

Tableau 27-1	Typologie de l'agitation verbale
ASPECTS	**EXEMPLES**
Type	Verbal (crier) ou non verbal (gémir)
Sens	Plaintes, malaise, autostimulation
Distribution	Constant, aléatoire, sans patron apparent
Qualité dérangeante	Pas du tout, un peu, moyennement

Source: J. Cohen-Mansfield et P. Werner (1997a). Typology of disruptive vocalizations in older persons suffering from dementia. *International Journal of Geriatric Psychiatry, 12*, 1079-1091.

un plan de soins propre au résident qui manifeste ce type de comportement.

L'évaluation de l'agitation verbale peut se faire selon deux méthodes, à savoir l'observation directe et l'interrogation d'un soignant. L'observation directe suppose que l'infirmière se trouve en présence du résident ou qu'elle dispose d'un enregistrement audio des comportements d'agitation verbale du résident. D'autre part, l'infirmière ou un observateur désigné peut répartir les périodes d'observation dans le temps et noter les comportements d'agitation verbale à l'aide d'une grille d'observation ou d'un logiciel spécialisé. Évidemment, il faudra avoir soigneusement défini au préalable les comportements relevant de l'agitation verbale, si l'on souhaite que l'observation soit fiable. Cette façon de faire donne un aperçu relativement

objectif de l'agitation verbale d'un résident. Toutefois, elle est assez coûteuse.

À cet égard, le fait d'évaluer l'agitation verbale d'un résident en recourant à l'expérience quotidienne qu'en a un observateur s'avérera moins coûteux que de recourir à l'observation directe. On procède à ce genre d'évaluation en interrogeant une personne qui connaît bien le résident, généralement un membre du personnel soignant. On peut utiliser pour ce faire des questionnaires préconçus dans lesquels les comportements d'agitation verbale sont déjà définis. Le *Cohen-Mansfield Agitation Inventory* (Cohen-Mansfield, Marx et Rosenthal, 1989), qu'on trouve au chapitre 24, remplira fort bien cette fonction. Notons cependant que le caractère rétrospectif et subjectif de l'évaluation par interrogation d'un soignant pourra en biaiser les résultats.

D'un point de vue clinique, les deux méthodes d'évaluation dont il vient d'être question sont complémentaires. L'observation directe demeure la meilleure méthode pour mesurer objectivement les comportements d'agitation verbale. Toutefois, l'évaluation par interrogation d'un soignant s'avère souvent la seule méthode à laquelle il est possible de recourir.

En plus d'évaluer l'agitation verbale selon une des méthodes décrites précédemment, l'infirmière devra décrire l'agitation verbale du résident selon une méthode de classification rigoureuse, comme celle de Cohen-Mansfield et Werner (1997a). En outre, elle devra tâcher de déterminer quels sont les facteurs qui peuvent la provoquer, tels que la sous-stimulation, le manque d'interaction et le malaise, par exemple.

PROGRAMME D'INTERVENTION

Le programme d'intervention destiné à un résident qui manifeste de l'agitation verbale comprend quatre étapes liées à des objectifs spécifiques, que présente le tableau 27-2.

Lors de la première étape du programme d'intervention, celle du recadrage, le soignant doit tâcher de déterminer, paradoxalement, si un programme d'intervention est vraiment nécessaire pour réduire les comportements d'agitation verbale du résident. Il est certain que l'agitation verbale d'un résident peut grandement déranger les personnes qui le

côtoient, et même déranger davantage le résident lui-même. Toutefois, l'agitation verbale représente rarement une source de danger, et intervenir dans ces circonstances ne relève pas de l'urgence.

Aussi, dans certains cas, plutôt que d'intervenir pour réduire l'agitation verbale d'un résident, il vaudra mieux aider le personnel soignant à accroître sa résistance à l'agitation verbale. On considérera alors que la tolérance à l'agitation verbale dépend non seulement des comportements

Tableau 27-2	Programme d'intervention relatif à l'agitation verbale
ÉTAPES	**OBJECTIFS**
Recadrage	Déterminer la pertinence d'intervenir en vue de réduire les comportements d'agitation verbale.
Évaluation et élaboration des objectifs	Évaluer l'efficacité du programme d'intervention.
Sélection d'une intervention non pharmacologique (interaction, stimulation, suppression des causes de malaise)	Réduire la fréquence ou la gravité de l'agitation verbale.
Sélection d'une intervention pharmacologique (consultation du médecin)	Réduire la fréquence ou la gravité de l'agitation verbale.

eux-mêmes, mais aussi de facteurs tels que la perception qu'ont les soignants de l'agitation verbale et leur degré de fatigue. Ainsi, pour développer une certaine tolérance à l'agitation verbale, il faudra se rappeler que, lorsqu'on soigne un résident atteint de démence et qu'il profère des injures, celles-ci peuvent résulter de son atteinte cognitive et non du fait que le résident n'apprécie pas, par exemple, les soins qu'on lui prodigue. Cette façon de concevoir l'agitation verbale évitera qu'on s'attribue entièrement la responsabilité de ce comportement et permettra de mieux y faire face. Enfin, si une équipe interdisciplinaire conclut que l'agitation verbale d'un résident n'est pas causée par une maladie active ou l'environnement du résident, on pourra tout simplement encourager les soignants à se boucher les oreilles avec des bouchons lorsqu'ils prodiguent des soins à ce résident.

Au cours de la deuxième étape du programme d'intervention, à savoir évaluer et concevoir les objectifs de l'intervention, il faut tout d'abord cerner quel(s) comportement(s) du résident on souhaite modifier ou réduire. Il faut éviter de se contenter d'une description floue et subjective du problème. On doit plutôt tâcher de décrire l'agitation verbale en termes de comportements observables par tous. Ensuite, on concevra de manière précise le ou les objectifs de l'intervention, de façon à pouvoir vérifier si celle-ci est efficace. On se demandera par exemple si l'on souhaite réduire de moitié la fréquence des demandes répétitives du patient, diminuer du tiers la durée des cris ou prévenir les menaces verbales lors du bain, tout dépendant des comportements du résident.

Au cours de la troisième étape du programme d'intervention, il faut déterminer s'il est possible de réduire l'agitation verbale du résident au moyen d'un traitement non pharmacologique. Il est recommandé de recourir d'abord à ce type d'intervention, car elle ne comporte généralement pas d'effets secondaires ni de risque de toxicité pour le résident.

Cela dit, si l'évaluation des comportements d'agitation verbale du résident révèle que ceux-ci résultent d'un problème qui se traite mieux par médication, il vaudra mieux passer d'emblée à la quatrième étape du programme d'intervention et donc opter pour un traitement pharmacologique (Sloane *et al.*, 1997).

Pour choisir quel type d'intervention (non pharmacologique ou pharmacologique) conviendra à la situation d'un résident, il faut tenir compte de son éventuelle efficacité, mais aussi des avantages et des inconvénients (voire des risques) qu'elle comporte pour le soignant et, surtout, pour le résident. Ainsi, certains traitements non pharmacologiques exigent que le soignant passe beaucoup de temps avec le résident, tandis que les effets secondaires des médicaments utilisés pour traiter l'agitation sont, pour leur part, bien connus. En ce qui concerne l'efficacité des traitements, selon les soignants qu'ont interrogés Cariaga *et al.* (1991), les interventions les plus efficaces pour réduire l'agitation verbale sont, dans l'ordre : prêter attention au résident, converser avec lui, lui administrer des médicaments psycho-

tropes, le réprimander verbalement et le toucher. D'autres interventions, telles que corriger une position incommode et récompenser le résident pour l'absence d'agitation verbale durant une période de temps donnée, ne sont considérées comme efficaces que pour 13 % des résidents, environ.

Il faut interpréter ces résultats avec prudence, car ils peuvent refléter la préférence des soignants plutôt que l'efficacité réelle de chaque intervention. C'est pourquoi, dans les lignes qui suivent, nous allons nous pencher sur des interventions dont l'efficacité a reçu un certain appui empirique. Nous accorderons d'ailleurs une plus grande importance aux interventions non pharmacologiques.

Interventions non pharmacologiques

Avec certains résidents, il pourra être utile de recourir à des interventions visant à répondre aux besoins qui causent l'agitation verbale. Nous avons vu précédemment que le manque de stimulation et d'interaction tout comme un sentiment de malaise peuvent précipiter l'agitation verbale. Or, les résidents qui adoptent des comportements d'agitation verbale éprouvent souvent des difficultés de langage et ne peuvent donc exprimer directement et facilement de tels besoins. Il semble logique que, si l'on satisfait ces besoins, il soit possible de réduire ou de prévenir l'agitation verbale. Les connaissances relatives à cette approche sont encore limitées, mais nous pouvons décrire ici quelques interventions qui en relèvent.

D'abord, voyons deux types d'interaction sociale que Cohen-Mansfield et Werner (1997b) ont décrits dans leurs travaux. Il y a d'une part l'interaction sociale qui s'effectue en personne, ou *in vivo*, et d'autre part l'interaction sociale simulée. La première forme d'intervention vise à favoriser l'interaction du résident avec une autre personne, qu'il s'agisse d'une infirmière, d'un soignant ou d'un proche, au moyen d'une activité stimulante. Il faut que la personne en question amorce des activités avec le résident, en privilégiant celles qui nécessiteront la participation de ce dernier. Il s'agit, par exemple, d'amorcer avec le résident une conversation qui portera d'abord sur lui. Si le résident n'interagit pas ou réagit mal aux activités qui requièrent sa participation, on peut opter pour des activités plus passives, telles que lui lire ce qui lui plaît. En matière d'activités requérant la participation du résident, outre la conversation, il y a les exercices de mouvement, la stimulation sensorielle et les activités manuelles. Ainsi, on pourra lui lancer une balle en mousse, lui faire manipuler des tissus ou, encore, lui faire faire un collage.

Voyons maintenant en quoi consiste le deuxième type d'interaction, à savoir l'interaction sociale simulée. Dans ce type d'intervention, on présente au résident un enregistrement vidéo de ses proches, ceux-ci ayant tout le loisir de décider quel sera le contenu de cet enregistrement.

Dans le cadre de leur étude, Cohen-Mansfield et Werner (1997b) ont ainsi testé ces deux types d'interaction sur 32 résidents présentant de l'agitation verbale. Il est à noter qu'ils ont aussi examiné les effets d'un troisième type d'intervention, plus passive : ils faisaient écouter de la musique aux résidents. Voici les résultats de leur recherche. La diminution moyenne de l'agitation verbale des résidents a été de 56 % lorsqu'ils ont été soumis à l'interaction sociale *in vivo*, de 46 % lorsqu'ils ont été soumis à l'interaction sociale simulée, de 31 % lorsqu'ils ont écouté de la musique et de 16 % lorsqu'ils n'ont été soumis à aucune intervention. Chacune des trois interventions se révèle donc significativement plus efficace que l'absence d'intervention.

Dans le même ordre d'idées, Bédard et Landreville (sous presse) ont récemment décrit une intervention visant à réduire l'agitation verbale. Combinant différentes techniques visant à répondre aux besoins de stimulation sensorielle, d'interaction sociale et de confort des personnes atteintes de démence et résidant en CHSLD, cette intervention se divise en 3 périodes de 10 minutes chacune. Tout d'abord, pendant la première période, dite d'attention, l'infirmière se présente au résident, s'informe de son état et amorce avec lui une conversation portant sur un sujet susceptible de l'intéresser. Il s'agit alors d'adapter la communication aux capacités du résident. Durant la deuxième période, l'infirmière doit déterminer quelles peuvent être pour le résident les causes possibles de malaise (une température ambiante trop froide, par exemple) et y remédier. Finalement, au cours de la troisième période, elle engage avec le résident une activité de stimulation sensorielle. Il s'agit de choisir une activité qui tienne compte des intérêts du participant, tels que les auront décrits ses proches. Le choix de cette activité dépend également des capacités résiduelles du résident. Ces activités peuvent consister, par exemple, en des tâches de stimulation visuelle (regarder des revues ou des banques d'images sur ordinateur portable) ou de stimulation auditive (écouter de la musique ou des enregistrements de bruits de la nature).

Il est généralement préférable de recourir à des interventions non pharmacologiques avant d'opter pour des interventions pharmacologiques, en raison des risques d'effets secondaires liés à la prise de médicaments et en raison de la polypharmacie (voir le chapitre 23) des résidents des CHSLD.

Interventions pharmacologiques

Seuls quelques articles décrivent les effets des médicaments sur l'agitation verbale, différents auteurs rapportant que des antidépresseurs, notamment la trazodone, la doxépine, le citaprolam et la paroxétine, permettent de réduire l'agitation verbale. Cependant, leurs observations ne se basent généralement que sur l'observation de quelques individus, soit entre 1 et 6 personnes.

L'étude ouverte de Pollock *et al.* (1997) constitue à cet égard une exception notable. Elle portait sur des résidents de CHSLD qui prenaient du citaprolam. Elle a ainsi démontré que 13 des 16 participants toléraient bien ce médicament, et les chercheurs ont observé une réduction significative de l'agitation verbale.

D'autre part, le rispéridone, un antipsychotique atypique, semble également réduire avec succès les comportements d'agitation verbale. Notons que différentes études contrôlées ont démontré que les médicaments antipsychotiques ont une efficacité modérée pour contrer les manifestations psychotiques associées à la démence (Kindermann, Dolder, Bailey, Katz et Jeste, 2002). Cette classe de médicaments pourrait donc avoir un effet bénéfique sur l'agitation verbale causée par une manifestation psychotique telle que des hallucinations ou des délires.

Quoi qu'il en soit, dans tous les cas, lorsque le soignant opte pour une intervention pharmacologique, il faut en surveiller les effets thérapeutiques attendus et les effets secondaires, car cela est essentiel à la démarche de soins (voir à ce sujet le chapitre 23).

Conclusion

Bien que les recherches sur l'agitation verbale soient relativement récentes et peu nombreuses, ce phénomène complexe et très répandu en CHSLD est de mieux en mieux compris. Actuellement, il apparaît certain que l'agitation verbale peut avoir plusieurs causes, qu'il s'agisse de dommages neurologiques, de malaises, de souffrance psychologique, d'un manque de stimulation sensorielle ou d'isolement social (Lai, 1999). Sur le plan clinique, cette diversité des facteurs pouvant causer l'agitation verbale oblige les soignants à adopter une approche individualisée dans laquelle l'évaluation occupe une place importante. La mesure de l'agitation verbale, l'évaluation fonctionnelle du résident et la prise en compte des facteurs prédisposants et précipitants leur fournissent des indications sur les causes de ce genre de comportement et des pistes possibles d'intervention. Il leur faudra privilégier à cet égard un traitement non pharmacologique, sauf si l'évaluation des comportements suggère une cause qu'un médicament traitera mieux. Quoi qu'il en soit, la poursuite des recherches dans ce domaine devrait permettre de cerner avec plus de précision les causes de l'agitation verbale et d'évaluer les traitements et les interventions possibles. Cela devrait également permettre de préciser lesquels sont les plus appropriés en fonction des types d'agitation verbale et des caractéristiques individuelles des résidents.

ÉTUDE DE CAS

Madame Dupont, âgée de 87 ans, est atteinte d'une démence de type Alzheimer et réside en CHSLD depuis cinq ans. Elle passe une partie importante de la journée dans sa chambre, couchée dans son lit, sans faire d'activité particulière. Elle partage cette chambre avec une autre résidente, qui ne s'y trouve que rarement durant le jour. La communication avec Mme Dupont est très limitée en raison de ses déficits langagiers, très prononcés. Lorsqu'elle répond à une question que lui pose le soignant, ce qu'elle fait rarement, ses réponses tiennent en un ou deux mots. Toutefois, selon les soignants, Mme Dupont crie pendant plusieurs minutes à différents moments de la journée. Cette forme d'agitation verbale se manifeste toujours lorsqu'elle se trouve seule dans sa chambre.

Dans le cadre d'un projet de recherche, une équipe du CHSLD a décidé d'appliquer à Mme Dupont l'intervention non pharmacologique décrite par Bédard et Landreville (sous presse). Tout d'abord, on a déterminé à quel moment de la journée l'agitation verbale de Mme Dupont est la plus intense. Après consultation des

soignants et quelques périodes d'observation, l'équipe en est arrivée à la conclusion que Mme Dupont montre principalement de l'agitation verbale entre 15 h 30 et 16 h. Conséquemment, durant une semaine, les cris de Mme Dupont ont été enregistrés pendant cette période, et ce, sans qu'on applique l'intervention décrite par Bédard et Landreville. Au cours de la semaine suivante, l'équipe a recouru à cette intervention, tout en enregistrant encore les cris de Mme Dupont entre 15 h 30 et 16 h.

Grâce à ces enregistrements, l'équipe a pu mesurer la durée et la fréquence des cris de Mme Dupont. Cette procédure visait à évaluer l'effet de l'intervention. L'équipe a appliqué les composantes « communication », « confort » et « stimulation » de l'intervention dans cet ordre, à chaque séance. L'intervention s'est déroulée dans la chambre de la résidente. Or, l'équipe a noté que la fréquence des cris de Mme Dupont a diminué de 25 %, tandis que leur durée s'est réduite de moitié, soit de 50 %, tout cela à la suite de l'introduction de l'intervention.

Questions

1 Décrivez les conséquences potentielles de l'agitation verbale de Mme Dupont.

2 Classez l'agitation verbale de Mme Dupont selon la typologie de Cohen-Mansfield et Werner (1997a).

3 Décrivez les facteurs prédisposants de l'agitation verbale de Mme Dupont.

4 Quels sont les avantages et les inconvénients possibles de l'intervention retenue ?

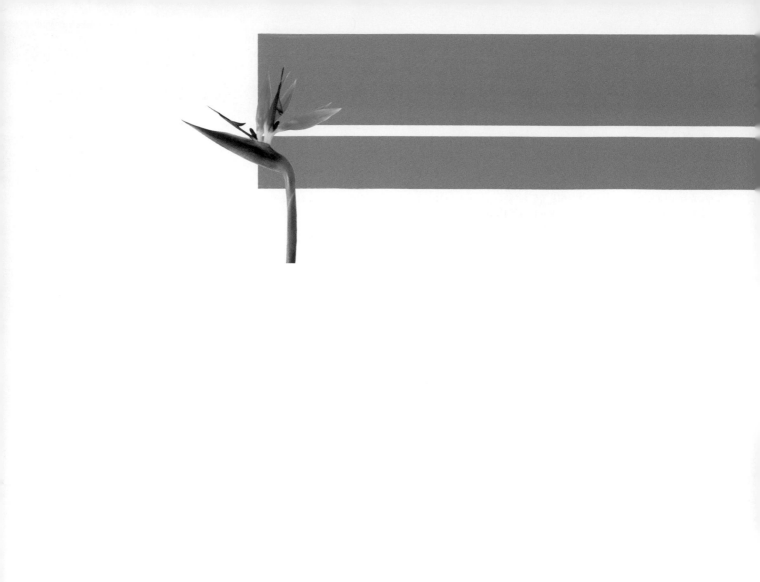

28 LES COMPORTEMENTS AGRESSIFS

par **Jean Vézina** et **Guylaine Belzil**

Plusieurs pathologies, comme la schizophrénie, la dépression avec caractéristiques psycho-tiques ou l'alcoolisme peuvent amener une personne âgée à manifester des comportements agressifs. Dans les CHSLD, toutefois, de tels comportements sont principalement associés, dans 75 % des cas, à une forme ou à une autre de démence. On estime ainsi qu'entre 42 et 77 % des résidents manifesteraient des comportements agressifs verbaux ou physiques. C'est dire que les comportements agressifs constituent un problème grave, d'autant que leurs conséquences sont nombreuses et lourdes de conséquences, notamment pour les soignants.

En effet, en présence de comportements agressifs, les soignants pourront souffrir de détresse psychologique ou d'épuisement professionnel, éprouver des sentiments de peur, d'insécurité et d'impuissance, voire développer une tendance à l'absentéisme. Tout cela sans compter les risques de blessures... Enfin, et voilà sans doute la plus inquiétante des conséquences des comportements agressifs, certains soignants décideront d'abandonner carrément les milieux de soins de longue durée.

Pour éviter ces écueils, nous proposons dans le cadre de ce chapitre une intervention qui repose sur les principes des approches comportementales, à savoir le renforcement différentiel des comportements. Le grand intérêt de cette intervention vient de ce qu'elle récompense les comportements désirables dans le but de diminuer les comportements indésirables. Évidem-ment, pour qu'elle se révèle efficace et donne de bons résultats, il faut tout d'abord l'implanter correctement dans le milieu de soins.

NOTIONS PRÉALABLES SUR LES COMPORTEMENTS AGRESSIFS

Définition

Malgré l'existence de plusieurs définitions des comporte-ments agressifs, aucune n'est consensuelle, et ce concept demeure encore très imprécis. Toutefois, on retrouve souvent dans les écrits scientifiques la définition de Patel et Hope (1993). Ces auteurs définissent le comportement agressif comme un «acte non accidentel observable qui implique l'émission de stimuli nuisibles envers une personne, un objet ou soi-même». Par rapport à cette définition, il s'agit de déterminer si une personne souffrant de démence a inten-tionnellement émis un comportement agressif. Ryden (1988) propose sensiblement la même définition, précisant que les comportements agressifs sont des actes hostiles dirigés vers une autre personne, vers un objet ou vers soi-même. Ces deux définitions mettent à l'avant-plan les comportements hétéroagressifs, autoagressifs ou dirigés vers un objet. Il convient de souligner que les comportements autoagressifs sont rarement pris en compte dans les recherches.

Ampleur du problème

Malgré des divergences méthodologiques et conceptuelles, la majorité des études montre que près de la moitié des personnes âgées souffrant de démence et qui demeurent dans leur communauté manifestent des comportements agressifs, et que ce pourcentage est plus élevé chez les per-sonnes atteintes de démence résidant en CHSLD. Entre 42 et 77 % des résidents âgés atteints de démence et résidant en CHSLD présenteraient des comportements agressifs. On estime ainsi que 28 à 39 % des résidents auraient des comportements agressifs verbaux, alors qu'environ 29 % présenteraient des comportements agressifs physiques (Brodaty *et al.*, 2001; Eustace *et al.*, 2001 et 2002; Schreiner, 2001; Wood *et al.*, 1999). Ceux-ci seraient moins fréquents que les comportements d'agression verbale (Patel et Hope, 1992).

Les études sur l'incidence des comportements agressifs sont beaucoup plus rares, mais elles laissent supposer qu'un fort pourcentage de personnes souffrant de démence développent des comportements agressifs au cours de l'évolution de leur maladie. Par exemple, sur une période de deux ans, on a observé une incidence de comportements agressifs chez 75 % des résidents atteints de démence (Eustace *et al.*, 2002). Parmi l'ensemble des symptômes psychologiques et comportementaux de la démence, les comportements agressifs sont peu fréquents, bien que communs, toutefois leurs conséquences seraient plus graves.

Conséquences

Il est admis que les comportements agressifs ont des conséquences néfastes pour les aidants familiaux, les soignants professionnels et le résident lui-même. Les études ont démontré que la détresse et le fardeau des aidants familiaux sont plus étroitement associés aux troubles du comportement (toutes formes confondues) qu'aux autres symptômes de la démence, comme la détérioration cognitive ou l'incapacité à effectuer les activités élémentaires de la vie quotidienne.

Une fois admis dans un CHSLD, les résidents atteints de démence continuent à présenter des comportements dérangeants. Somme toute, trop peu de recherches ont examiné les conséquences des comportements agressifs sur les soignants professionnels. Néanmoins, quelques recherches permettent d'affirmer que les comportements agressifs sont significativement associés à la détresse psychologique (MacPherson, Eastly, Richards et Mian, 1994) et à l'épuisement émotionnel des soignants professionnels (Evers, Tomic et Brouwers, 2002). Des auteurs mentionnent qu'ils peuvent être la cause de blessures qu'infligent les résidents, sans compter qu'ils peuvent susciter de la peur et de l'insécurité, et que les soignants se sentent souvent impuissants face à ces comportements. Les résidents qui manifestent des comportements agressifs requièrent une prise en charge plus importante et un degré de surveillance accrue. D'autre part, certains notent que l'absentéisme et le désir de quitter la profession ou le milieu des soins de longue durée sont des conséquences des comportements agressifs (Souder, Heithoff, O'Sullivan, Lancaster et Beck, 1999).

Pour ce qui est du résident, il semble que les comportements agressifs auraient un effet sur sa qualité de vie, l'empêcheraient de recevoir des soins de qualité, alors que, paradoxalement, un résident qui fait preuve d'agressivité requiert une prise en charge plus importante (Burgio, 1996; Cohen-Mansfield, 1995; Cohen-Mansfield, Werner, Marx et Lipson, 1993; Richie, 1996; Souder *et al.*, 1999). De plus, une personne souffrant de démence et manifestant des comportements agressifs reçoit davantage d'agents psychotropes ou se trouve plus souvent sous contention physique que celle qui n'est pas agressive (Talerico, Evans et Strumpf, 2002). Ces interventions ont des effets secondaires graves pour le résident, sans compter qu'elles nécessitent une gestion lourde et coûteuse. Les psychotropes provoquent des effets secondaires indésirables et sont associés à une accélération du déclin cognitif (Woerner, Alvir, Kane, Saltz et

Lieberman, 1995). Des chutes et blessures telles des fractures de la hanche (Ray, Thapa et Gideon, 2000) peuvent survenir à la suite du recours à la contention, causant au surplus une détresse psychologique chez le résident.

Facteurs prédisposants et facteurs précipitants

Comme nous l'avons mentionné précédemment, l'intérêt pour les comportements agressifs des résidents souffrant de démence est récent. Cet intérêt tout nouveau fait en sorte qu'il est sans doute prématuré d'avoir une position ferme sur les facteurs prédisposants et précipitants.

Facteurs prédisposants

Vieillissement

L'avancement en âge n'est pas en soi un facteur prédisposant à l'apparition des comportements agressifs. Ceux-ci ne font pas partie des manifestations associées au vieillissement normal. Même chez les résidents atteints de démence, l'avancement en âge seul n'explique pas l'apparition des comportements agressifs (Gormley, Rizwan et Lovestone, 1998; Keene *et al.*, 1999; Schreiner, 2001). Il y aurait cependant un lien à établir avec l'évolution de la maladie. Ainsi, les comportements agressifs sont plus fréquents chez les résidents qui en sont aux stades modéré et sévère de la maladie (Reisberg, Franssen, Sclan, Kluger et Ferris, 1989), et, généralement, les résidents qui en sont à un stade plus avancé de leur maladie sont aussi plus âgés.

Maladies

À l'exception des démences de type frontal (voir le chapitre 2), aucune différence ne semble exister entre les différentes formes de démence concernant le risque de comportements agressifs (Swearer, Drachman, O'Donnell et Mitchell, 1988). Les comportements agressifs augmenteraient avec la sévérité de la maladie jusqu'au moment où la personne devient grabataire. Si le fait d'être atteint d'une forme de démence prédispose un individu à manifester des comportements agressifs, ce n'en est toutefois pas une condition suffisante. À preuve, ce n'est pas l'ensemble des résidents atteints de démence qui manifestent ce type de comportements. D'autres conditions tant physiques qu'environnementales doivent être présentes pour entraîner le déclenchement de comportements de type agressif.

Certaines recherches ont démontré que les comportements agressifs peuvent être liés d'une part à l'atrophie du lobe temporal (Burns, Jacoby et Levy, 1990), d'autre part à celle du lobe pariétal (Rapp, Flint, Herrmann et Proulx, 1992), ou encore à un débalancement plus marqué du système sérotoninergique (Patel et Hope, 1993). Depuis peu, d'autres altérations associées aux changements cérébraux causés par la démence émergent comme facteur prédisposant aux comportements agressifs. Ainsi, des auteurs ont noté que les altérations visuelles (Rapp et Gutzmann, 2000) et celles liées à la communication verbale (Talerico *et al.*, 2002) pouvaient favoriser de tels comportements. Ces altérations amèneraient le résident à interpréter incorrectement les intentions des soignants et à y répondre de manière agressive.

Les résidents présentant une morbidité ou une polymorbidité dont le dénominateur commun serait la douleur ont davantage tendance à manifester des comportements agressifs. La douleur associée à des problèmes de santé qu'on observe fréquemment en CHSLD, comme l'arthrite, l'ostéoporose, un antécédent de fracture de la hanche ou de cancer, constituerait un facteur prédisposant les résidents atteints de démence aux comportements agressifs (Cohen-Mansfield et Werner, 1998 ; Feldt, Warne et Ryden, 1998 ; Middleton, Richardson et Berman, 1997). La difficulté qu'éprouvent ces résidents à communiquer et donc à exprimer leur souffrance pourrait expliquer le fait que la douleur provoque des comportements agressifs.

Facteurs psychologiques

Selon certains, les traits de personnalité prémorbides pourraient constituer des facteurs prédisposant aux comportements agressifs. Des auteurs ont ainsi émis l'hypothèse que les comportements agressifs d'un résident atteint de démence auraient été encapsulés dans le répertoire comportemental du résident avant même l'apparition de sa maladie. La démence ne ferait que les exacerber. Dans de tels cas, les proches, évaluant rétrospectivement le résident, le présenteront comme ayant eu un haut niveau de névrotisme, c'est-à-dire qu'il était enclin à vivre des émotions telles que la colère, l'hostilité, l'impulsivité, l'anxiété, la dépression et la vulnérabilité, et ce, de façon plus marquée que les résidents ne présentant pas de comportements agressifs. On considérera également qu'un tel résident aura été plus affirmatif et plus désagréable, et qu'il aura eu un mode de vie plus actif avant le début de sa démence (Kolanowski, Strand et Whall, 1997). Il faut toutefois interpréter ces résultats avec prudence puisque les études qui se sont penchées sur cet aspect n'arrivent pas toutes aux mêmes conclusions (Low, Broday et Draper, 2002 ; Swearer, Hoople, Kane et Drachman, 1996).

On a d'autre part associé d'autres pathologies aux comportements agressifs. Parmi celles-ci, notons la dépression (Tarelico *et al.*, 2002), l'anxiété (Swearer *et al.*, 1988) et des symptômes psychotiques comme les délires (Gilley, Wilson, Beckett et Evans, 1997).

Autres facteurs

Certains ont émis l'idée, intuitivement juste, que les hommes âgés atteints de démence seraient plus disposés que les femmes à manifester des comportements agressifs. Toutefois, les résultats des rares études portant sur cet aspect arrivent à des résultats contradictoires. Et même lorsqu'une différence de genre explique effectivement les comportements agressifs, il demeure la possibilité d'interpréter autrement les résultats, puisque, étant moins bien tolérés par son entourage, les comportements agressifs d'un homme seraient davantage rapportés que ceux d'une femme. Cette explication demeure à être appuyée.

Facteurs précipitants

Facteurs environnementaux : les soignants et leurs interventions

Même si les travaux portant sur les facteurs environnementaux en tant que facteurs précipitants sont peu nombreux, des constats commencent à émerger. Malgré les dommages irréversibles qui sont ceux du cerveau d'une personne atteinte de démence, il semble que les comportements agressifs ne se manifestent pas constamment ni de manière spontanée (Bridges-Parlet, Knopman et Thompson, 1994). Ils se manifestent pour la plupart dans des contextes environnementaux bien précis, ce qui laisse supposer qu'il existe dans l'environnement du résident des éléments déclencheurs, soit internes (la douleur), soit externes (qui proviendraient donc de l'environnement). On distingue habituellement deux types d'environnements externes. D'une part, il y a l'environnement physique, c'est-à-dire le milieu où se trouve le résident. La température ambiante, la luminosité, la couleur, le bruit, le moment de la journée, la qualité du milieu, le nombre de résidents constituent des variables de l'environnement physique qui pourraient précipiter les comportements agressifs. D'autre part, il y a l'environnement social. Plusieurs recherches montrent que les comportements agressifs surviennent dans des situations particulières et récurrentes, par exemple lors des repas, des soins journaliers du matin, de l'habillage ou du bain. Ces situations ont deux aspects en commun. D'abord, elles rappellent cruellement aux résidents qu'ils sont tributaires d'autrui pour accomplir des activités de base de la vie quotidienne comme se nourrir, se laver, se vêtir. Ensuite, elles les forcent à constater que la présence des soignants est obligatoire et donc à être en interrelation.

Les interactions entre le soignant et le résident sont un phénomène complexe qu'on n'a pas véritablement examiné de près dans le contexte des comportements agressifs. Pourtant, nous savons que les comportements agressifs surviennent dans ces contextes, et les raisons qui les expliquent demeurent obscures. Quelques chercheurs ont émis quelques hypothèses. Ainsi, les comportements agressifs pourraient constituer une réponse : au toucher, à la frustration de se faire aider ou de se faire donner des consignes (Keene *et al.*, 1999) ; à l'incapacité dans laquelle se trouve le résident de comprendre ce qui lui arrive (Hope *et al.*, 1997 ; Ware, Fairburn et Hope, 1990) ; à la façon dont le résident interprète les gestes du soignant, c'est-à-dire comme une menace (Patel et Hope, 1993). Une étude plus récente jette sur cet aspect un éclairage nouveau et intéressant. Béland (2004) a en effet constaté que, lors des soins d'hygiène, les consignes émises par les soignants et les contacts étaient fortement liées aux comportements physiques agressifs des résidents. Plus précisément, les soins du visage et ceux du haut du corps provoquaient une réponse agressive. Cette étude a aussi relevé que les soignants ne demeuraient pas passifs à la suite d'un geste agressif et tendaient à y répondre par des énoncés négatifs et des consignes. En résumé, ces diverses études montrent que les comportements agressifs sont fortement associés aux circonstances dans lesquelles ils surviennent.

Pour expliquer les comportements agressifs, certains avancent qu'ils constitueraient une réponse du résident à l'invasion de son espace personnel (Miller, 1997; Marx, Werner et Cohen-Mansfield, 1989). Cette réaction serait d'autant plus importante que, en CHSLD, le résident ne peut se soustraire aux soins quotidiens qu'on lui prodigue. Il ne lui reste alors que la possibilité de s'en prendre verbalement au soignant qu'il considère comme un agresseur et, si cela ne suffit pas, de l'agresser physiquement.

Enfin, plusieurs ont émis l'hypothèse selon laquelle un faible ratio infirmière-résidents constitue un facteur précipitant l'apparition de comportements agressifs. Il faut se rendre compte que cette affirmation n'a pas fait l'objet d'études. Récemment, Zeisel et ses collaborateurs (2003) ont observé que plus le ratio personnel soignant-résidents est élevé, moins les comportements d'agression verbale sont fréquents. Les résultats de cette étude contredisent donc l'hypothèse. D'autres recherches seront donc nécessaires pour expliquer cette relation.

Médicaments et contention

Les médicaments psychotropes, tels les antipsychotiques ou les benzodiazépines, qu'on utilise souvent pour endiguer les symptômes psychologiques et comportementaux de la démence, peuvent paradoxalement les exacerber, en plus d'occasionner des déficits fonctionnels et cognitifs supplémentaires (American Psychiatric Association [APA], 1997). Certaines données indiquent également que l'utilisation de la contention ferait augmenter les comportements agressifs, à cause du trauma et de la peur qu'une telle méthode engendre (Sullivan-Marx, 1995; Talerico *et al.*, 2002).

Environnement physique

Des chercheurs ont affirmé que certaines caractéristiques de l'environnement constituent des déclencheurs potentiels de comportements agressifs. Parmi celles-ci, mentionnons: la température ambiante inadéquate, c'est-à-dire trop chaude ou trop froide (Eriksson, 2000; Fisher et Swingen, 1997), le niveau de bruit (Chou, Kaas et Richie, 1996), l'éclairage (Nijman, À Campo, Ravelli et Merckelbach, 1999) et les changements d'environnement ou de routine (Silliman, Sternberg et Fretwell, 1988). Toutefois, les études qui confirment que ces caractéristiques physiques sont réellement des déclencheurs se font plutôt rares. Enfin, une étude a démontré que plus un CHSLD disposait de chambres privées et personnalisées, moins les résidents avaient tendance à manifester des comportements agressifs (Zeisel *et al.*, 2003).

Manifestations cliniques

Parmi les comportements hétéroagressifs, il faut distinguer les comportements physiques et verbaux. Bousculer, lancer un objet en direction de quelqu'un, pincer, frapper, gifler, mordre, pousser sont des exemples de comportements hétéroagressifs physiques, alors que tenir un langage hostile, accusateur, menaçant constitue plutôt un comportement agressif verbal. Ajoutons que ces divers comportements peuvent varier en fréquence, en durée et en intensité. Même si les comportements agressifs physiques et verbaux tendent à coexister (Cohen-Mansfield et Werner, 1998), on remarque toutefois que les comportements agressifs verbaux précèdent les comportements agressifs physiques.

Lorsqu'ils apparaissent, les différents types de comportements agressifs tendent à se manifester pendant une année ou pendant plus de deux ans. La majorité des résidents qui adoptent de tels comportements demeurent agressifs jusqu'à leur mort (Hope, Keene, Fairburn, Jacoby et McShane, 1999; Keene *et al.*, 1999). Toutefois, peu avant le décès du résident, les comportements agressifs cessent.

PROGRAMME D'INTERVENTION

Le renforcement différentiel des comportements

Pour faire face aux comportements agressifs, on a mis à l'essai diverses interventions ces dernières années en vue d'éviter le recours à la contention physique et aux traitements pharmacologiques. L'intervention comportementale que nous proposons dans le cadre de ce chapitre est le renforcement différentiel des comportements (ci-après le «renforcement différentiel»). L'intérêt de cette intervention vient entre autres du fait qu'elle récompense les comportements désirables dans le but de diminuer les comportements indésirables, à savoir les comportements agressifs. Bref, elle consiste à renforcer l'absence de comportements agressifs à la suite d'un intervalle de temps déterminé.

Le renforcement différentiel ressemble aux approches comportementales en ceci qu'il présente leurs caractéristiques fondamentales. Premièrement, les approches comportementales définissent les problèmes cliniques d'une manière opérationnelle, principalement en termes de comportements observables. Cela n'implique toutefois pas qu'on néglige les sentiments et les pensées des résidents, puisqu'ils peuvent contribuer à la compréhension des comportements agressifs. Deuxièmement, les approches comportementales mettent l'accent sur l'apprentissage comme processus de correction du problème. À cet égard, on entend souvent l'objection voulant qu'une personne souffrant de démence n'a plus la capacité d'apprendre de nouvelles informations, ce qui rendrait inopérante l'intervention du renforcement différentiel. Si cette objection peut être valable dans les situations d'apprentissage qui demandent un effort conscient d'acquisition, elle ne l'est pas en matière de renforcement différentiel. Troisièmement, les approches comportementales accordent une importance primordiale à l'évaluation des effets de l'intervention. En utilisant des définitions opérationnelles des comportements problématiques, ou des instruments d'évaluation pertinents, il est relativement simple de trouver des indicateurs observables de l'efficacité de l'intervention. Quatrièmement, les approches comportementales préconisent que le soignant soit actif et directif dans l'application des techniques comportementales. Finalement, les approches comportementales sont des interventions qui s'effectuent principalement sur le terrain et requièrent la collaboration de tous pour que les changements visés soient atteints (Kazdin, 1989).

Le renforcement est évidemment à la base de l'intervention que nous préconisons dans ce chapitre. Le renforcement désigne l'augmentation de la fréquence d'un comportement par l'introduction d'un stimulus, positif ou négatif, qui agit comme élément renforçateur. Lorsqu'un comportement est récompensé, il s'en trouve renforcé, et la probabilité qu'il se reproduise augmente d'autant. Un sourire ou un geste affectueux constituent des exemples de renforçateurs positifs. En matière de renforcement différentiel, on utilise le renforcement positif lorsque le comportement ne se produit pas pendant un intervalle de temps déterminé à l'avance.

On recourt d'autre part au renforcement négatif lorsque, pour favoriser un comportement, on élimine quelque chose de désagréable, présent dans l'environnement. Par exemple, lorsqu'un conducteur monte dans sa voiture et qu'il met le contact, un son se fait automatiquement entendre (le renforçateur négatif) pour lui indiquer de boucler sa ceinture de sécurité. Une fois la ceinture attachée, ici le comportement désiré, le son cesse de retentir. Soulignons à cet égard qu'il ne faut pas confondre renforcement négatif et punition. La punition consiste en un stimulus visant à limiter les manifestations d'un comportement indésirable. Réprimander un résident est un exemple de punition.

L'implantation de l'approche du renforcement différentiel de comportements s'effectue en plusieurs étapes (voir le tableau 28-1). Elle commence par une analyse fonctionnelle (qu'on appelle aussi grille d'observation clinique, voir le chapitre 24), qui vise à étudier les interrelations entre le résident et son milieu, et à spécifier quels comportements doivent être modifiés, dans quelles conditions ils ont été acquis ou quels facteurs favorisent leur persistance. Quoiqu'il existe plusieurs modèles d'analyse fonctionnelle, l'objectif demeure pour chacun le même : recueillir des informations pour arriver à formuler des hypothèses sur l'apparition du ou des comportements ciblés, ses déterminants et ce qui lui ou leur permet de subsister.

L'analyse fonctionnelle

Au cours de cette première étape de l'implantation en CHSLD de l'approche du renforcement différentiel, il faut

Tableau 28-1	Étapes menant à l'implantation de l'approche du renforcement différentiel des comportements
ÉTAPE	**OBJECTIF**
Analyse fonctionnelle	Déterminer ce qui cause le problème ou lui permet de subsister.
Planification de l'intervention	Établir un plan d'action.
Implantation de l'intervention	Changer les comportements.
Évaluation de l'intervention	Déterminer si l'intervention a eu l'effet escompté.

se pencher sur le ou les facteurs qui contribuent à ce que se manifestent le ou les comportements du résident. Auparavant, il importe évidemment d'avoir une bonne idée de ces comportements. Ainsi, affirmer qu'un résident est agressif n'est pas suffisant pour guider l'analyse fonctionnelle. Comme nous l'avons vu précédemment, plusieurs comportements, comme pousser, mordre, frapper, etc., permettent de dire qu'un résident est agressif. Il s'agira donc de dresser une liste exhaustive de ces comportements en excluant ceux qui se basent sur de telles affirmations : « il ne m'a pas frappé, mais il en avait sûrement l'intention ». Par la suite, il faudra définir ces comportements. Ce travail de sélection et de définition doit se faire en équipe de façon à ce que tous s'accordent sur la compréhension des comportements en cause.

Après avoir défini les comportements, ce qui constitue une étape essentielle pour la suite des choses, il faudra documenter et décrire de façon détaillée les comportements problématiques. On établira avant tout leur fréquence, leur durée ou leur intensité. Selon les comportements, ces paramètres peuvent varier. Par exemple, tapoter sur une table peut certes énerver à la longue, mais peu de gens considéreront cela comme un acte agressif, tandis que marteler la même table à coups de poing, et donc avec plus d'intensité, en énervera plus d'un rapidement et sera considéré par tous comme un geste agressif.

L'analyse fonctionnelle vise à bien comprendre le problème et à le circonscrire en déterminant ce qui constitue l'élément déclencheur des comportements agressifs ou encore ce qui permet à de tels comportements de subsister. C'est pourquoi des instruments comme l'inventaire d'agitation de Cohen-Mansfield (voir le chapitre 24) ou le *Rating of Aggressive Behaviour in the Elderly* (RAGE ; Patel et Hope, 1992), s'ils s'avèrent utiles pour déterminer la fréquence générale des comportements agressifs, ne sont pas appropriés pour une analyse fonctionnelle. Bien qu'il existe plusieurs méthodes pour réaliser une analyse fonctionnelle (l'entrevue et les grilles d'auto-observation par exemple), nous privilégions l'observation. Dans sa forme la plus simple, l'analyse fonctionnelle consiste en un modèle ABC, où A représente les antécédents qui ont pu déclencher un comportement agressif précis (comme se faire pousser), B représente ce comportement, et C représente la conséquence de B, c'est-à-dire une action qui favorise la réapparition du comportement problématique. Au moyen de ce modèle, on cherche à savoir quand le comportement est apparu, où il est survenu et ce qui est arrivé par la suite. Par exemple, lorsqu'un résident se met à hurler dans sa chambre (B), une infirmière va voir ce qui se passe (C). La prochaine fois que le résident voudra que quelqu'un vienne, il répétera le même comportement (A).

Les données concernant la fréquence des comportements, leur durée ou leur intensité serviront aussi de base de comparaison, c'est-à-dire qu'elles indiqueront ce qu'étaient les comportements agressifs du résident avant l'implantation de l'intervention. C'est ainsi grâce à ces données qu'il sera possible d'effectuer une évaluation de l'intervention pour en déterminer l'efficacité, autrement dit pour déterminer si elle parvient à réduire les comportements agressifs. De cette première étape de l'implantation de l'approche du renforcement différentiel, il résultera des observations qui permettront d'élaborer des hypothèses sur les relations entre ce qui a été observé et qui favoriseront la compréhension de la fonction des comportements que l'on désire modifier. Notons que, si cela est possible, l'analyse fonctionnelle devrait durer au moins deux semaines si l'on souhaite avoir une idée juste des circonstances dans lesquelles se produisent les comportements agressifs. Quoi qu'il en soit, l'infirmière devra encadrer cette démarche, mais il est souhaitable que l'analyse des résultats (dans les cas complexes) se fasse avec le soutien d'une infirmière ou du psychologue clinicien.

Planification

Lorsque l'évaluation fonctionnelle est terminée, il faut planifier l'intervention comme telle. Pour ce faire, on déterminera d'abord combien de temps durera l'intervention et à quel moment de la journée on la pratiquera, selon les caractéristiques du ou des comportements ciblés tels que leur fréquence, leur complexité et le contexte en fonction duquel ils se manifestent. On utilisera à cet égard les informations recueillies au cours de l'analyse fonctionnelle pour prendre des décisions éclairées. Par exemple, si l'évaluation a permis d'observer que le comportement se manifeste surtout lors des soins du matin, c'est au cours de cette période qu'il faudra intervenir.

Lorsqu'on recourt au renforcement différentiel, on utilisera le renforcement positif quand on observe que la personne adopte le comportement que l'on souhaite, c'est-à-dire, dans notre cas, l'absence de comportement agressif. En revanche, si la personne continue d'adopter des comportements indésirables, à savoir, ici, les comportements agressifs, il s'agira de ne pas y répondre, de quelque façon que ce soit. Pour choisir le renforçateur qui récompensera les comportements souhaitables, on peut s'appuyer sur des informations recueillies lors d'un entretien avec les proches qui connaissent mieux que quiconque le résident.

Il est possible d'employer plusieurs types de renforçateurs, tels ceux de type social ou tangible. Le renforçateur social est un stimulus résultant d'une interaction interpersonnelle qui maintient ou augmente la fréquence d'apparition du comportement qu'il suit immédiatement. Parmi la multitude de renforçateurs sociaux, mentionnons à titre d'exemple une caresse, un sourire ou un compliment. Le renforçateur tangible est, quant à lui, un stimulus qui possède des propriétés renforçantes intrinsèques, c'est-à-dire qu'il vise à satisfaire des besoins physiologiques, comme la faim ou le bien-être.

Implantation de l'intervention

Après les étapes de l'analyse fonctionnelle et de la planification, les soignants peuvent implanter l'intervention en fonction du contexte choisi. Il faut appliquer l'intervention rigoureusement et conformément à la planification pour obtenir une efficacité satisfaisante dans un délai optimal. Quand on utilise le renforcement différentiel, on donne au résident le renforçateur sélectionné lorsque le comportement ciblé ne se manifeste pas. Au fur et à mesure qu'on implante l'intervention, il est recommandé d'espacer l'administration du renforçateur, de manière à produire un résultat durable. Par exemple, imaginons que, au début d'une intervention, on utilise un renforçateur toutes les 30 secondes, dans la mesure où on observe que le résident adopte un comportement non agressif. Par la suite, on veillera à espacer progressivement les moments où on utilise le renforçateur. Comme on le voit, le renforcement différentiel est une intervention qui présente l'avantage d'être relativement simple et facile d'application, puisque, après l'avoir implanté et avoir commencé à l'appliquer, il suffit de déterminer si le comportement ciblé (ou non désiré) apparaît ou non au cours d'un laps de temps.

Le renforcement différentiel comporte cependant certaines limites dont il faut être conscient. D'une part, cette intervention ne permet pas nécessairement au résident d'apprendre des comportements appropriés si ceux-ci ne se manifestent pas spontanément chez lui, et l'intervenant pourra renforcer des comportements indésirables. Il faut donc être vigilant à cet égard lors de la planification. D'autre part, outre une planification et une implantation rigoureuse, le renforcement différentiel exige que les soignants fassent preuve d'une certaine disponibilité. Ainsi, il ne sert à rien d'implanter cette intervention, ou une autre méthode du même type, si les autres membres du personnel renforcent même par inadvertance les comportements indésirables!

Évaluation

L'évaluation de l'efficacité de l'intervention comportementale est de mise autant pendant l'implantation de l'intervention qu'après. Cette évaluation peut porter sur le comportement ciblé comme tel, par exemple sur sa fréquence d'apparition, ou sur les conséquences qu'il engendre, tel le niveau de détresse des soignants du résident. Cette façon d'évaluer permet d'effectuer un suivi de l'évolution du comportement ciblé au cours de l'intervention, ce qui permet d'amasser de l'information sur l'efficacité de l'intervention sur le plan de sa capacité à produire rapidement une amélioration et sur celui du degré de l'amélioration. Après l'intervention, cette même évaluation fournira aux intervenants des informations sur le maintien des effets observés et sur leur généralisation.

Toutefois, il faut réaliser que les effets de l'intervention ne se maintiendront que si l'on continue à renforcer les comportements appropriés. Il n'est pas nécessaire de le faire de manière systématique une fois l'intervention terminée. Il est d'ailleurs admis qu'un programme de renforcement intermittent, c'est-à-dire qu'on ne renforce pas un comportement chaque fois qu'il se produit, a un effet plus durable que celui d'un programme de renforcement continu.

Conclusion

Les comportements agressifs, qu'ils soient de nature verbale ou physique, constituent un problème important tant chez les personnes qui les émettent que chez celles qui en sont victimes. Même s'ils sont moins fréquents que d'autres comportements liés à la démence, ils surviennent chez une proportion non négligeable de résidents âgés atteints de démence. Comme nous l'avons vu, plusieurs facteurs prédisposants peuvent les expliquer, et la présence d'une démence apparaît comme la principale cause des comportements agressifs, bien que, en soi, ce seul facteur soit

insuffisant pour que de tels comportements se produisent. Le fait qu'à la démence s'ajoutent d'autres problèmes de santé, notamment ceux qui causent de la douleur, favoriserait ainsi l'apparition des comportements agressifs. La présence de dépression, d'anxiété et de délires, conjuguée à une personnalité encline à répondre agressivement à tout stimulus, cristallise d'ailleurs ce risque. Enfin, l'intervention des soignants, particulièrement lors des soins les plus intimes, constitue le déclencheur le plus fréquent des comportements agressifs.

Le renforcement différentiel des comportements est une technique comportementale d'intervention ayant pour objectif la diminution d'un comportement indésirable. L'implantation du renforcement différentiel se fait en plusieurs étapes. Elle commence par une évaluation fonctionnelle, qui vise essentiellement à permettre aux soignants de comprendre les relations entre les variables qui influencent l'apparition, les déterminants et le maintien du comportement ciblé par l'intervention. Viennent ensuite la planification de l'intervention comme telle, puis la mise en œuvre du programme d'intervention. Il s'agira alors de donner au résident un renforçateur lorsque le comportement ciblé ne se manifeste pas pendant un intervalle déterminé, ce qui fait du renforcement différentiel une intervention relativement simple à appliquer. Son efficacité, qu'illustre l'étude de cas qui suit, tient au fait qu'elle produit rapidement un effet positif sur les comportements agressifs physiques et verbaux, en diminuant significativement leur fréquence, et que cet effet se maintient à long terme.

 ## ÉTUDE DE CAS

Gosselin (1998) a appliqué le renforcement différentiel des comportements à une résidente âgée de 83 ans et atteinte de démence mixte, qui résidait en centre d'hébergement depuis 22 mois. Les soignants évaluaient, au moment où ils ont recommandé la résidente au chercheur, qu'elle présentait des problèmes de comportements depuis environ 6 mois. L'analyse fonctionnelle a révélé que la résidente manifestait des comportements agressifs pendant les soins d'hygiène, ce qui causait beaucoup de détresse chez les soignants. Les manifestations comportementales de la résidente tenaient à des comportements tels que crier, insulter, blesser, pincer, égratigner, et lancer des objets aux soignants.

Le médecin, qui se trouvait sur le point de prescrire une médication avant le début de l'étude, accepta d'essayer avant la technique d'intervention comportementale. Gosselin travailla alors à l'instauration d'un programme de renforcement différentiel, en fonction duquel les soignants s'occupant des soins de la résidente devaient utiliser un renforçateur social toutes les 30 secondes pendant la durée des soins d'hygiène, et ce, lorsqu'aucun comportement agressif ne se manifestait pendant l'intervalle. Ils utilisaient ainsi des renforçateurs sociaux verbaux, indiquant par exemple à la résidente combien il est agréable de l'aider quand

elle sourit et qu'elle coopère bien. À l'inverse, lorsque la résidente manifestait des comportements physiques agressifs, les soignants ne devaient pas recourir au renforcement. D'autre part, au cours de l'intervention de l'étude de Gosselin, la résidente recevait également un renforçateur tangible, à savoir un petit cœur en chocolat, qui lui était remis une fois les soins d'hygiène terminés. Les soignants ne devaient lui remettre ce chocolat que s'ils n'observaient aucun comportement physique agressif au cours des trois dernières minutes des soins.

On a appliqué le renforcement différentiel pendant une période de 13 jours, après un niveau de base de 3 jours. Les résultats (voir la figure 28-1, p. 416) démontrent que l'intervention a rapidement eu un effet positif sur les comportements agressifs physiques et verbaux de la résidente, en diminuant significativement leur fréquence. De plus, les soignants ont observé une amélioration clinique significative, la résidente étant devenue plus souriante, amicale et coopérative pendant les soins après l'instauration de l'intervention. Les soignants considéraient que les améliorations étaient toujours observables 6 mois après l'expérience. Les soignants ayant participé à l'étude se disaient également avoir plus confiance en leur capacité à réduire les comportements agressifs.

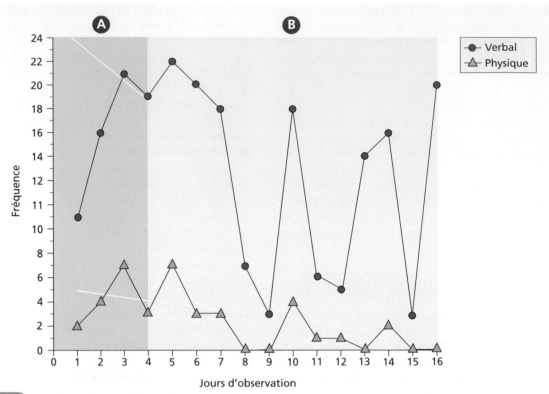

FIGURE 28-1 **Fréquence des comportements agressifs physiques et verbaux lors du niveau de base (A) et lors de l'implantation de l'intervention basée sur le renforcement différentiel du comportement (B)**

Source : N. Gosselin (1998). *Utilisation du RDA afin de réduire les comportements agressifs chez une femme âgée atteinte de démence en institution*. Mémoire de maîtrise inédit, Université Laval, Québec, Canada.

Questions

1 Décrivez le type de renforçateurs que Gosselin (1998) a utilisé lors de sa recherche et en quoi il consiste.

2 Comme l'illustre l'étude de cas qui précède, quel facteur déclenche le plus souvent des comportements agressifs chez les résidents atteints de démence ?

3 Décrivez en quoi consiste la technique de renforcement différentiel des comportements.

4 Nommez les paramètres à déterminer lors de la planification de la technique du renforcement différentiel du comportement.

L'ERRANCE

par **Shirley Imbeault**

Vous rendez visite à votre sœur aînée, qui travaille dans un CHSLD et vous sert de modèle dans vos études d'infirmière. Traversant le couloir de son unité de soins, vous vous sentez frôlée par un résident qui ne fait aucune attention à vous et qui n'a pas du tout cherché à vous éviter. Il longe le mur en marmonnant, passant machinalement le doigt sur la rampe de sécurité tout au long de son parcours. Vous remarquez que, lorsqu'il arrive au bout du couloir, il effectue le même trajet en sens inverse en faisant le même geste machinal de la main. Finalement, avant que vous ayez eu le temps de rejoindre votre sœur, il vous croise et cette fois vous bouscule, mais toujours sans vous regarder, en marmonnant et en effectuant le même geste stéréotypé sur la rampe. Vous comprenez alors que vous étiez sur SON chemin. Interloquée, vous demandez à votre sœur ce qu'il en est. «Ah! c'est M. Dupas, notre marathonien de service! Sa démence l'amène à errer presque tout le jour. Il faudra t'y faire, car il n'est pas le seul dans son cas!»

Comme le fait remarquer votre sœur, l'errance est effectivement un phénomène très répandu dans les CHSLD, notamment parce qu'elle est susceptible d'affecter les résidents qui présentent des atteintes cognitives. Or, les conséquences de l'errance peuvent être très sérieuses, allant de blessures résultant d'une chute jusqu'au décès, dans les cas les plus dramatiques. Toutefois, si elle est encadrée, l'errance peut avoir des effets bénéfiques sur la vie du résident puisqu'elle constitue une activité physique favorisant le tonus musculaire et facilitant le sommeil, entre autres choses. C'est pourquoi les milieux doivent réaliser qu'il est important de répondre à l'errance autrement qu'au moyen des contentions physique ou chimique. Il leur faut plutôt viser à lui appliquer des interventions ayant pour but de l'encadrer, afin que le résident puisse errer sans se blesser ni nuire au milieu de vie et de travail. Voilà ce que nous examinerons dans le cadre de ce chapitre.

NOTIONS PRÉALABLES SUR L'ERRANCE

Définition

Ni les chercheurs qui publient sur le sujet (Algase, 1999a ; Lai et Arthur, 2003 ; Silverstein, Flaherty et Tobin, 2002) ni les grandes organisations professionnelles (Algase, 1992 ; NANDA, 2001) ne s'entendent sur une définition de l'errance. Néanmoins, si l'on s'appuie sur la recherche empirique et sur les prises de position de certaines organisations, il est possible de concevoir une définition de ce phénomène. L'errance constitue ainsi un symptôme comportemental découlant d'une atteinte des fonctions cognitives qui survient la plupart du temps, mais non exclusivement, dans le contexte d'un état démentiel. Elle se traduit par une déambulation ou une locomotion répétitive et aléatoire, sans but apparent ou rationnel pour l'observateur. Au cours de ce déplacement, la personne ne semble pas se préoccuper de ses besoins physiques ou de sa sécurité. Enfin, la déambulation est fréquemment incongrue avec les règles, les limites ou les obstacles existants. L'errance, diurne ou nocturne, s'effectue par la marche ou au moyen d'un fauteuil roulant, et peut être ponctuée de périodes de non-locomotion.

Il faut distinguer l'errance du déplacement volontaire qui comporte habituellement un but, une visée ou une intention (telle une fugue). L'errance n'équivaut pas non plus au fait de marcher de long en large ou de faire les cent pas, comportements qui dénotent plutôt un état de préoccupation, d'attente ou d'impatience. Longtemps classée sous la nomenclature du comportement perturbateur, l'errance est aujourd'hui considérée comme un symptôme comportemental de la démence.

Ampleur du problème

L'errance peut survenir chez tous les résidents mobiles présentant des atteintes cognitives (Algase, Kupferschmid, Beel-Bates et Beattie, 1997; Silverstein *et al.*, 2002). En CHSLD, sa prévalence varie entre 6,5 et 100% selon les études (Algase *et al.*, 1997; Ott, Lapane et Gambassi, 2000; Schreiner, Yamamoto et Shiotani, 2000; Sloane *et al.*, 1998; Wagner, Teri et Orr-Rainey, 1995; Yang, Hwang, Tsai et Liu, 1999). Cette disparité de prévalence s'explique, entre autres, par des différences dans la définition opérationnelle de l'errance qu'utilisent les chercheurs et par la variabilité des critères de sélection des échantillons, notamment sur le plan de la sévérité et du type de démence des sujets impliqués dans les études (Algase, 1999a; Klein *et al.*, 1999).

Conséquences

Tout d'abord, l'errance accroît les besoins nutritionnels et hydriques du résident, en plus de faire augmenter les risques de perte de poids (Silverstein *et al.*, 2002). D'autre part, le résident qui erre pourra se blesser, ou encore être blessé par des résidents qui, souffrant ou non d'atteintes cognitives, supportent mal les intrusions sans cesse répétées d'un pair. Une étude récente a de fait démontré que l'errance constitue le problème comportemental le plus associé aux blessures causées par un autre résident (Shinoda-Tagawa *et al.*, 2004).

Parmi les causes de blessures résultant de l'errance, on compte les chutes, qui représentent un risque important à cet égard (Algase, 1999a; Cesari *et al.*, 2002). Certains chercheurs considèrent d'ailleurs l'errance comme une variable prédictive significativement associée aux fractures de la hanche chez les femmes mobiles de plus de 65 ans (Colon-Emeric, Biggs, Schenck et Lyles, 2003). À ce sujet, la fatigue, voire l'épuisement, qui accable certains errants ne fait qu'accroître la possibilité qu'ils chutent. De surcroît, la médication psychotrope qu'on prescrit souvent aux résidents agités ou errants peut induire des effets secondaires tels que des étourdissements et des vertiges qui favorisent les chutes (Opie, Doyle et O'Connor, 2002). Dans ces conditions, il arrivera régulièrement qu'on choisisse d'utiliser la contention avec les résidents qui errent, non seulement pour éviter qu'ils se blessent, mais aussi pour ne pas avoir à subir les désagréments qu'engendre leur errance dans le milieu de vie et de travail. Par conséquent, en CHSLD, les aînés errants représentent une importante proportion des résidents à qui on prescrit à tort la contention physique (voir le chapitre 22).

L'errant qui s'aventure hors des lieux surveillés, même s'ils lui sont familiers, risque de se perdre, de se blesser et, plus tragiquement, de décéder (Rowe et Bennett, 2003; Silverstein *et al.*, 2002). L'errant qui se perd court quant à lui le risque de ne pouvoir recevoir une médication ou un traitement qui lui est vital (Price, Hermans et Grimley, 2004). Sur le plan psychologique, l'errant qui se perd pourra vivre une réaction catastrophique (devenir complètement épouvanté par la situation), et ce, tout spécialement à la tombée du jour (Flaherty et Scheft, 1995). Au quotidien, l'errance constitue un fardeau significatif et, pour les proches, un élément majeur menant à la décision du placement de l'aîné (Gehrman *et al.*, 2003; Hope *et al.*, 2001; Silverstein et Flaherty, 2003).

Cela dit, l'errance n'implique pas que des conséquences négatives. En effet, lorsqu'elle permise et bien gérée, elle favorise le maintien du tonus musculaire, de la masse osseuse et du fonctionnement intestinal et vésical. Elle permet au résident de conserver sa mobilité, facilite son sommeil et lui permet de socialiser. Elle favorise ainsi le maintien de son autonomie fonctionnelle.

Facteurs prédisposants et facteurs précipitants

Les facteurs prédisposants et précipitants de l'errance sont d'origine biologique, psychosociale et environnementale.

Facteurs prédisposants

Maladies neuropathologiques

Les démences sont sans contredit un important facteur de risque. Plus précisément, ce sont les atteintes cognitives induites par les démences qui prédisposent le résident à errer. Le type de démence dont souffre une personne semble également influer sur l'errance. À cet égard, la maladie d'Alzheimer se démarque, et la prévalence de l'errance chez les personnes qui en sont atteintes est plus élevée que chez les personnes atteintes de démences de type vasculaire ou d'autres types, tels que les démences mixtes (Klein *et al.*, 1999; Thomas, 1997; Thomas, 1999).

Cependant, l'errance n'apparaît pas liée à l'âge ou encore au moment où survient la maladie (Hope *et al.*, 2001; Logsdon *et al.*, 1998). La durée de la maladie neurodégénérative et le degré de l'atteinte cognitive seraient plutôt en cause, étant positivement associés à l'errance (Algase, 1999a et 1999b; Algase, Beattie et Therrien, 2001; Klein *et al.*, 1999; Hope *et al.*, 2001; Logsdon *et al.*, 1998; Yang *et al.*, 1999). Une étude a d'ailleurs récemment démontré que l'errance est plus fréquente chez les résidents souffrant d'atteintes cognitives modérées et sévères que chez ceux qui ne présentent que des déficits légers (Lopez *et al.*, 2003).

Par ailleurs, il semble que l'atteinte de certaines habiletés cognitives soit spécifiquement associée à l'errance. Par exemple, une mémoire de travail défaillante ne permet pas à la personne de garder en tête l'endroit où elle désire se rendre tout en triant l'information essentielle de celle qui ne l'est pas. Cela peut la conduire à déambuler, sans destination précise (Algase, 1999b). De plus, une pensée désordonnée ainsi qu'une difficulté à traiter l'information et à effectuer un raisonnement adéquat risque d'influencer significativement la capacité du résident à intégrer les indices de son environnement et à les analyser efficacement en vue de se déplacer (Ross, 2003). Également, le simple fait que le résident éprouve de la difficulté à exprimer l'endroit où il désire se rendre peut l'amener à déambuler sans but apparent (Hoffman et Platt, 2000).

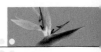

D'autre part, certaines maladies neurodégénératives provoquent une dégénérescence des zones cérébrales sensorielles. Or, la perte de neurones sensoriels engendre chez l'individu une sous-stimulation ou une surstimulation sensorielle susceptible de favoriser l'errance (Ross, 2003). C'est que le résident peut ne plus être en mesure de percevoir les stimuli de l'environnement ou encore il peut les percevoir de façon altérée ou disproportionnée. Il risque donc d'être isolé par un manque de stimulation ou agressé par des stimulations trop intenses ou trop nombreuses, et d'y réagir par de la déambulation. Dans le même ordre d'idées, l'agnosie visuelle qui caractérise certains états démentiels pourra provoquer des comportements d'errance en raison de la méprise perceptuelle qu'elle engendre. Par exemple, chez le résident atteint de démence de type Alzheimer, il pourra arriver qu'une patère, perçue à tort comme un étranger menaçant, provoque de l'anxiété ou de la colère, qui se traduira chez le résident par de l'agitation locomotrice.

L'évolution de certaines maladies neurodégénératives peut également prédisposer le résident à l'errance. Par exemple, au fur et à mesure que progresse la maladie d'Alzheimer, le rythme circadien se détériore (Ancoli-Israel *et al.*, 2003). Dans ce contexte, le résident atteint de cette démence pourra dormir pendant le jour et être éveillé pendant une bonne partie de la nuit. Cependant, il peut être très anxiogène et stressant pour le résident d'être éveillé la nuit, alors que la presque totalité des indices diurnes d'orientation (lumière, bruits, personnel régulier de jour, etc.) auxquels il est habitué ont disparu (Hoffman et Platt, 2000). Hope et ses collaborateurs (2001) ont d'ailleurs déterminé qu'il existe un lien entre la perturbation du rythme circadien et l'augmentation de l'errance nocturne chez les personnes atteintes de démence.

Non-satisfaction des besoins de base

Les besoins physiologiques non satisfaits tels que la faim, la soif, la constipation (Kiely, Morris et Algase, 2000) et le besoin d'aller aux toilettes (Hoffman et Platt, 2000) constituent des facteurs prédisposant le résident à errer. On imagine en effet fort bien un résident confus et ayant faim sortir de sa chambre pour se diriger vers une cuisine, existante ou non, qu'il ne trouverait pas et qui errerait à la recherche de vivres ou qui, simplement, se déplacerait en réaction à ce malaise. De ce point de vue, un malaise physique non résolu, une douleur non soulagée (Hoffman et Platt, 2000; Kiely *et al.*, 2000; Ross, 2003) ainsi que la sensation de «fourmis» (picotements) dans les jambes (Ross, 2003) augmentent également le risque d'errance chez le résident.

Facteurs psychiatriques et psychologiques

Certains symptômes psychologiques tels que la dépression (Klein *et al.*, 1999; Logsdon *et al.*, 1998; Lyketsos *et al.*, 1997; Teri *et al.*, 1999) et l'anxiété (Colombo *et al.*, 2001; Hoffman et Platt, 2000; Logsdon *et al.*, 1998; Teri *et al.*, 1999; Kiely *et al.*, 2000) constituent des facteurs prédisposants de l'errance. Quant aux facteurs psychiatriques, les hallucinations, les illusions et les psychoses des individus atteints de démence semblent également favoriser le phénomène (Hope *et al.*, 2001; Klein *et al.*, 1999; Lopez *et al.*,

2003; Salmons, 1999). La déambulation d'un résident serait ainsi une réponse adaptée à une hallucination en cours. Par exemple, un ancien instituteur pourrait s'imaginer être dans une école, à la recherche de sa classe.

Autres facteurs

S'intéressant à l'influence du style de vie prémorbide, des auteurs soutiennent que les stratégies qu'utilisaient les personnes pour faire face aux situations de stress, le métier qu'elles ont exercé et la tendance à l'affiliation sont des facteurs associés aux comportements d'errance (Goldsmith, Hoeffer et Rader, 1995). En effet, des habitudes de vie telles que faire une promenade après une querelle ou en réaction à un épisode de stress peuvent se reproduire même lorsque la personne souffre d'atteintes cognitives. Il s'agit donc là de facteurs de risque (Hoffman et Platt, 2000). De même, les caractéristiques d'une personne peuvent également expliquer son errance (Salmons, 1999). À cet égard, on pensera par exemple à une personne qui n'a jamais aimé être confinée ou qui se trouvait toujours à l'extérieur. Enfin, les loisirs qu'a pratiqués une personne au cours de sa vie et les préférences qui ont été les siennes pourront influencer ses comportements une fois qu'elle sera atteinte de démence (Thomas, 1999).

Facteurs précipitants

Soignants

L'effet précipitant que peuvent avoir les interactions avec les soignants sur la manifestation de symptômes comportementaux liés à la démence tels que l'errance est souvent sous-estimé. Récemment, une étude basée sur l'observation directe de personnes âgées démentes et institutionnalisées a d'ailleurs démontré que les comportements agressifs étaient dirigés vers le personnel dans 68 % des cas (Primeau, 2001). Ces comportements survenaient plus particulièrement pendant les activités de la vie quotidienne, dans la chambre du résident, entre 9 h et 11 h ainsi qu'entre 17 h et 19 h, c'est-à-dire vraisemblablement lorsque les soignants prodiguent les soins du matin et du soir, et distribuent les repas. D'une part, au cours de ces interactions, il se peut que le résident interprète la communication verbale ou non verbale des soignants comme punitive, menaçante et rude, et que cela induise en lui de la peur et de l'anxiété (Ross, 2003) en plus d'une possible agressivité. D'autre part, des gestes brusques, impatients ou agressifs de la part des soignants risquent également d'engendrer ce type de sentiments chez le résident, auxquels il pourra réagir par de l'errance.

Médicaments

Les études démontrent que les neuroleptiques constituent un facteur précipitant de l'errance (Kiely *et al.*, 2000; Klein *et al.*, 1999). Malheureusement, en raison de la symptomatologie qui est la sienne, on prescrit souvent ce genre de médicament à la clientèle des CHSLD. Les antipsychotiques peuvent ainsi provoquer des comportements d'errance, car ils peuvent induire chez le résident de la confusion, de la désorientation, de l'insomnie et de l'agitation. Les neuroleptiques entraîneraient même parfois ce qu'il est convenu d'appeler de l'errance acathisique. Causée par l'acathisie qui, elle-même, résulte de la prise de neuroleptiques (voir le chapitre 23), il s'agit d'une errance d'impatience motrice. Notons que les neuroleptiques classiques, connus pour induire des problèmes extrapyramidaux, provoquent davantage l'acathisie que ceux de nouvelle génération (Soucy, 1999). D'autre part, certaines médications tranquillisantes, telles que les benzodiazépines, peuvent provoquer chez le résident un effet paradoxal, c'est-à-dire un état d'excitation qui résulte en une augmentation de l'errance (Hoffman et Platt, 2000).

Environnement

Le résident qui souffre d'une atteinte cognitive et dont l'environnement est teinté de tension et de stress peut adopter des comportements d'errance (Hoffman et Platt, 2000). Cela s'explique du fait que le résident atteint de démence perd progressivement les habiletés qui lui permettent de gérer des situations de stress environnemental et d'y réagir adéquatement, de sorte qu'il perçoit son environnement comme étant de plus en plus stressant. Simultanément, son seuil de tolérance au stress s'abaisse, ce qui résulte en une hausse importante de l'anxiété (Cohen-Mansfield, 2001). De façon concrète, cela signifie que de nombreux bruits, une pièce achalandée et une lumière trop intense (ou insuffisante) sont susceptibles de stresser le résident, stress auquel il pourra réagir en se mettant à errer. De la même façon, tout phénomène de nouveauté, de non-familiarité peut précipiter l'errance puisqu'un nouvel environnement (une nouvelle chambre) ou une nouvelle routine (un changement de personnel) sont autant de facteurs qui risquent de rendre le résident anxieux (Ross, 2003).

Paradoxalement, un environnement ennuyant et dans lequel le résident n'est pas stimulé pourra tout autant précipiter l'errance, notamment chez le résident habitué à un haut niveau d'activité (Ross, 2003). Des observations cliniques et diverses études démontrent ainsi que les comportements associés à la démence surviennent plus souvent lorsque les personnes qui en sont atteintes sont seules ou ressentent de l'ennui (Aubert, 2002 ; Brochu, 2002 ; Kolanowski, Richards et Sullivan, 2002). Or, les résidents atteints de démence qui se trouvent en situation d'hébergement passent entre 60 et 80 % de leur temps à ne rien faire (Cohen-Mansfield, Werner et Marx, 1992), et la plupart souffrent d'inactivité et d'ennui (Buettner, 1999). Les chercheurs qui ont observé de tels taux d'inactivité soutiennent que c'est justement pendant ces périodes, où il n'y pas d'encadrement, que la plupart des problèmes comportementaux surviennent et que, dans certains CHSLD, la prévalence élevée d'errance et d'agitation résulte de l'ennui que ressentent les résidents (Buettner, 1999).

Manifestations cliniques

L'errance s'effectue par la marche ou au moyen d'un fauteuil roulant, de façon diurne ou nocturne. Plus précisément, du point de vue de l'observateur, les comportements d'errance sont multiples, comme le présente le tableau 29-1.

L'errance se distingue d'un déplacement dont la visée est précise et grâce auquel le résident, par exemple, sortira de sa chambre et ira chercher son journal pour le lire au solarium. Elle diffère également de la sortie bijournalière de la gentille résidente qui se promène en cherchant un contact social afin de discuter. L'errant pourra bien sûr avoir un but en tête, mais celui-ci apparaîtra irrationnel ou inapproprié à l'observateur. C'est le cas des inépuisables « testeurs de portes » de sortie, qui vérifieront toutes celles qu'ils trouveront sur leur chemin. D'ailleurs, l'errance implique de surveiller de près les résidents afin d'éviter qu'ils ne se faufilent par les sorties en question. Enfin, notons que les errants qui ont des comportements de talonnage peuvent être importuns pour les soignants, en raison de l'agacement que cause le fait d'être suivi à la trace.

D'autre part, en CHSLD, l'errance engendre régulièrement des situations problématiques. Par exemple, il arrivera qu'un errant s'introduise dans les chambres des autres résidents et leur dérobe nourriture et effets personnels.

Tableau 29-1	Manifestations possibles de l'errance

- Déplacements fréquents ou incessants d'un endroit à l'autre, avec retours fréquents aux mêmes lieux.
- Déplacements continuels dans le but de retrouver des personnes « absentes » ou des lieux inaccessibles.
- Déplacements aléatoires.
- Déambulations dans des endroits non autorisés ou privés.
- Déplacement ayant pour résultat le départ non intentionnel d'un lieu.
- Déambulations pendant de longues périodes sans destination apparente.
- Déambulation agitée ou d'un pas rythmé.
- Incapacité de localiser des points de repère dans un endroit familier.
- Déplacements qui ne peuvent être facilement arrêtés ou réorientés.
- Déambulation derrière le soignant ou dans son sillage.
- Empiétement sur la propriété d'autrui.
- Hyperactivité.
- Comportements de personnes qui scrutent, qui cherchent, qui sont en quête de quelque chose.
- Périodes de déambulation alternant avec des périodes d'inactivité, assis, debout ou couché.
- Tendance à se perdre.

Source : ANADI (2004). *Diagnostics infirmiers : Définitions et classification 2003-2004*. Paris : Masson.

Il pourra également se saisir de la télécommande du téléviseur et la ranger dans une chambre située plus loin. Dans les faits, ce genre d'intrusion dans l'espace personnel agresse ou indispose souvent les autres résidents, et cause des conflits. À cet égard, les errants dont les comportements sont agressifs constituent un défi de taille. Mobiles et souvent imprévisibles, ils sont susceptibles de frapper un autre résident ou un membre du personnel. Un errant intrusif qui fait preuve d'agressivité pourra d'ailleurs réagir violemment aux protestations d'un résident qui ne désire pas recevoir « sa visite ».

Cependant, il faut se garder de conclure que tous les errants sont agressifs et intrusifs. Certains errants sont tout ce qu'il y a de plus pacifique, marchant d'un air songeur, les mains derrière le dos, sans dire un mot, ne dérangeant d'aucune façon les soignants et les autres résidents.

Quelle que soit la forme que prend l'errance chez le résident, obtenir l'attention de celui-ci pour procéder aux activités de la vie quotidienne peut s'avérer très difficile. Interrompre l'errant pour qu'il mange, s'habille, fasse sa toilette ou aille dormir relève ainsi parfois du défi. C'est que certains errants sont pratiquement des athlètes de calibre olympique, marchant du matin au soir d'un pas solide! D'autres, à l'inverse, sont d'une lenteur déconcertante ou encore sont affligés d'une démarche parkinsonienne ou acathisique. Soulignons de fait que certains errants peuvent marcher jusqu'à l'épuisement s'ils ne sont pas dirigés vers un fauteuil pour se reposer. Même dans un tel cas, il arrivera que ces errants refusent de s'asseoir ou que, une fois assis, ils se relèvent aussitôt.

Chez certains errants, on note qu'une augmentation des comportements d'errance apparaît lorsque la démence atteint un stade modéré et qu'elle persiste pendant une ou deux années (Hope *et al.*, 2001). Toutefois, après une période de progression de la maladie, au cours de laquelle l'errance atteint un sommet, les déficits fonctionnels et cognitifs deviennent tels que l'errance décroît (Colombo *et al.*, 2001;

Hope *et al.*, 2001; Schreiner *et al.*, 2000; McShane *et al.*, 1998). Ainsi, plus la maladie du résident progresse, plus la distance qu'il pourra parcourir pour atteindre un but devra être courte et le trajet pour s'y rendre direct (Algase *et al.*, 2001). L'errance diminue donc en fonction des pertes motrices de la personne, celles-ci la menant plutôt vers l'immobilité (Hope *et al.*, 2001). L'errance cessera finalement lorsque le résident aura complètement perdu ses habiletés ambulatoires (Algase, 1999b).

Détection du problème

Il n'est pas toujours simple de déterminer ce qui constitue des comportements d'errance puisque, comme nous l'avons vu, aucune définition du phénomène n'emporte l'unanimité. Les manières de détecter l'errance varient donc grandement. Différents auteurs ont jusqu'à maintenant utilisé différentes échelles, des index divers, en recourant parfois à l'observation directe et indirecte, et d'autres fois aux évaluations fonctionnelles. De plus, certains instruments évaluant des conditions plus globales comportent des sous-échelles ou des éléments sélectionnés au moyen desquels il est possible de documenter l'errance. C'est le cas de l'inventaire d'agitation de Cohen-Mansfield (Cohen-Mansfield et Billig, 1986) et de l'inventaire neuropsychiatrique de Cummings et de ses collaborateurs (1994), qu'on trouvera dans le chapitre 24.

D'autre part, l'échelle d'errance d'Algase, 2e version (Algase, Beattie, Bogue et Yao, 2001) est un instrument qui évalue spécifiquement le phénomène de l'errance. Elle consiste en un questionnaire comportant 28 points, qui examinent le schéma et le rythme de l'errance. Il s'agit sans doute de l'instrument le plus utilisé dans le cadre de recherches empiriques en vue d'évaluer l'errance. Malheureusement, il n'existe pas de version française de cet instrument. Néanmoins, l'échelle d'Algase a récemment fait l'objet d'études de validation auprès de la population canadienne anglophone (Algase *et al.*, 2004; Song *et al.*, 2003).

PROGRAMME D'INTERVENTION

Le programme individuel d'intervention que nous proposons ici pour réduire ou encadrer l'errance d'un résident repose à la fois sur des objectifs généraux et spécifiques, que présente le tableau 29-2 (p. 422).

Notons que les sous-objectifs de l'intervention pourront varier en fonction du contexte de l'intervention elle-même, du contexte de l'institution, de la dangerosité et du dérangement qu'engendre l'errance du résident. On ne devrait adopter un objectif visant à enrayer totalement l'errance que dans les cas de dangerosité importante, pour lesquels les sous-objectifs que nous présentons ont fait l'objet d'interventions qui se sont avérées vaines.

Principes d'intervention

En matière de traitement des symptômes comportementaux associés à la démence, tels que l'errance, notre conception nord-américaine des soins nous amène à souhaiter une solution simple, rapide, voire instantanée. Ces attributs, souhaitables il est vrai, ne caractérisent que très peu de solutions dans le contexte des soins en CHSLD. En fait, seulement deux types d'interventions peuvent être ainsi qualifiés. Il s'agit des contentions chimique et physique (voir les chapitres 22 et 23), dont diverses études ont démontré l'inutilité lorsqu'il s'agit d'intervenir auprès des résidents qui errent.

Tableau 29-2	Objectifs du programme d'intervention
Objectifs généraux	1. Assurer la sécurité de l'errant, maintenir et favoriser son autonomie fonctionnelle tout en exploitant ses capacités résiduelles. 2. Offrir aux autres résidents un milieu de vie calme, sécuritaire et où ils sont respectés.
Objectifs spécifiques	1. Encadrer l'errance de sorte que le résident ne se place pas dans des situations dangereuses pour sa santé. 2. Permettre au résident d'errer sans importuner les autres résidents. Cela peut comprendre les sous-objectifs suivants : • Adapter le trajet habituel de l'errant. • Rediriger l'errant vers une autre aire de déplacement. • Réduire l'errance sans recourir à la contention, donc en utilisant des méthodes de rechange (comme celles que présente le tableau 29-3).

Une étude récente a d'ailleurs démontré que la plupart des interventions les plus efficaces sont non pharmacologiques et présentent l'avantage de pouvoir être effectuées par des professionnels de multiples disciplines (Crooks et Geldmacher, 2004). Cependant, comme nos connaissances actuelles du phénomène ne sont pas suffisantes pour nous permettre d'expliquer entièrement ce qui cause l'errance et pourquoi elle se manifeste à tel moment plutôt qu'à tel autre (Lai et Arthur, 2003), les interventions dont nous disposons pour faire face au problème reflètent cette relative méconnaissance.

De façon générale, l'intervention portant sur les symptômes psychologiques et comportementaux associés à la démence doit se fonder sur l'implication de l'équipe de soins, la connaissance du résident et de son histoire, la continuité et l'homogénéité de l'intervention, et, enfin, sur la capacité de concevoir des stratégies de soins novatrices, adaptables et applicables (voir le chapitre 24). L'implication des proches constitue également un facteur favorisant la réussite de l'intervention, qui doit s'effectuer dans le respect du résident, de ses valeurs et de celles de ses proches. Finalement, l'intervention doit viser à promouvoir la sécurité, la dignité et le soutien, et reposer sur la prémisse que chaque résident est un humain à part entière (Anderson, Wendler et Congdon, 1998).

Bien que la gestion des symptômes comportementaux de la démence soit une de ses responsabilités professionnelles (voir le chapitre 1), l'infirmière doit absolument s'assurer que tous les membres de l'équipe interdisciplinaire y prêtent leur concours. C'est que le plan d'intervention, conçu de façon consensuelle, doit être appliqué par tous à chaque quart de travail, sans cela l'intervention deviendra vite inefficace.

À cet égard, concernant l'errance, il s'avère particulièrement important de se demander d'abord s'il est pertinent d'intervenir. Le soignant devra donc se demander s'il est importuné par le comportement d'errance et pour qui cela constitue un danger ou un problème. Est-ce pour le résident lui-même ? Pour les autres résidents ? Pour le personnel ? Il devra même se demander si le comportement d'errance constitue un réel problème et s'il peut être toléré comme tel par les soignants ou les autres résidents. Si l'errance d'un résident apparaît comme un problème réel, il devra tâcher de déterminer s'il n'y a pas moyen d'appliquer une intervention qui ne restreigne pas l'errant. Autrement dit, avant d'intervenir, le soignant doit se livrer à une opération de recadrage.

Le recadrage permet de mettre les choses en perspective, d'évaluer la portée réelle de l'errance sur l'environnement. En obligeant le soignant à reconsidérer les priorités d'intervention, il laisse envisager des solutions de rechange à la contention, chimique ou physique. De plus, il permet de concevoir une solution qui cible spécifiquement les problèmes causés par l'errance et qui tente de rendre la situation satisfaisante pour tous sans qu'il faille restreindre le résident dans ses mouvements de déambulation. De la sorte, le recadrage évitera par exemple qu'on procède à une intervention invasive auprès d'un résident qui n'importunerait qu'un seul soignant ou qu'un seul résident. Dans les faits, on ne devrait intervenir en raison de l'errance que lorsqu'elle épuise le résident, qu'elle interfère avec la consommation adéquate de nourriture ou de fluides, qu'elle crée ou augmente un malaise chez le résident (Siders *et al.*, 2004) et, enfin, qu'elle met en danger l'errant lui-même, d'autres résidents ou les visiteurs.

Enfin, le recadrage rappellera au soignant que l'errance n'est pas un symptôme atypique qu'il faut enrayer, mais plutôt un symptôme comportemental qui peut se manifester fréquemment chez les résidents des CHSLD. Bref, l'errance est un symptôme qu'il faut tenter d'encadrer et d'intégrer le plus harmonieusement possible à la vie du CHSLD. Concernant cette intervention qui constitue un défi majeur et quotidien, les soignants ne doivent pas craindre d'essayer ce que proposent les articles et les livres publiés sur le sujet. Ils ne doivent pas avoir peur d'oser, de recommencer et même d'innover. Il y a autant d'interventions possibles qu'il y a de résidents errants. De ce point de vue, les soignants doivent savoir partager leurs trucs et leurs idées, s'encourager et se féliciter en tant qu'équipe, que les réalisations soient grandes ou petites.

Interventions

De façon traditionnelle, les interventions visant à prévenir l'errance des résidents consistaient à restreindre ceux-ci au moyen de l'action humaine, de contentions physique et médicamenteuse, d'alarmes et de portes verrouillées. Ces interventions engendraient, de manière directe et indirecte, des coûts élevés (Price *et al.*, 2004). Or, au cours des dernières décennies, divers intervenants et chercheurs ont tâché de concevoir et de développer des solutions de rechange à ces façons de faire. À ce sujet, Cohen-Mansfield (2001) présente une méta-analyse fort intéressante classifiant en diverses catégories des interventions qui visent à faire face à l'agitation liée à la démence, telle l'errance. Le tableau 29-3 (p. 424) présente une version modifiée de cette classification.

Comme on le constate, certaines interventions peuvent se classer dans plus d'une catégorie. Ainsi, il est possible de procéder à du renforcement au moyen d'un autre type d'intervention. Par exemple, en utilisant de façon répétée une stimulation sensorielle appréciée de l'aîné en réponse à un comportement adéquat, on créera un renforcement positif. D'autre part, il faut bien comprendre qu'une intervention conviendra à une situation d'errance, mais pas nécessairement à l'autre. En fait, il importe de choisir une intervention en fonction de ce qui caractérise l'errance du résident, de ce qui en est la cause, des capacités résiduelles de l'errant et de sa personnalité. Lorsqu'on choisit une intervention, il faut donc en considérer le but, comme l'ont montré Siders et ses collaborateurs (2004), dont le tableau 29-4 (p. 425) présente les propositions.

Thérapie occupationnelle

Puisque l'ennui et l'inactivité constituent des facteurs non négligeables associés à la manifestation de symptômes comportementaux de la démence (Buettner, 1999; Cohen-Mansfield, 1996; Cohen-Mansfield et Billig, 1986), la thérapie occupationnelle apparaît hautement intéressante dans un contexte de soins de longue durée.

À l'origine, on développa la thérapie occupationnelle dans une perspective d'adaptation et de réhabilitation. Par conséquent, elle valorisait l'indépendance, le contrôle et l'autonomie. Grâce à cette intervention, la personne devait apprendre ou réapprendre à faire par elle-même ce qu'elle désirait accomplir. Cette approche ne s'est toutefois pas révélée appropriée pour les personnes présentant une atteinte dégénérative comme la démence (Perrin et May, 2000). Au contraire, elle plaçait plutôt le résident en situation d'échec répété, lui rappelant ainsi ses déficits. Dans un contexte de thérapie occupationnelle appliquée à des résidents atteints de démence, l'infirmière doit donc éviter de vouloir rendre conformes les comportements du résident. Afin de développer un processus thérapeutique efficace, elle doit d'abord tâcher de comprendre la réalité dans laquelle vit le résident dément. Ensuite, il est important qu'elle s'investisse dans la relation occupationnelle avec le résident et l'apprécie.

En premier lieu, il lui faut donc bien comprendre de quelle façon particulière et altérée le résident perçoit son environnement. Par exemple, elle doit savoir que les pertes cognitives associées à la démence suivent l'ordre inverse des acquisitions cognitives de l'enfance (Perrin et May, 2000). Elle doit également réaliser que les derniers stades de la démence sont caractérisés par un mode d'existence où seul « maintenant » existe et seul le moment présent compte. Autrement dit, lorsque le résident mange de la crème glacée, plus rien n'existe pour lui, sinon « ce que goûte la crème glacée au moment où elle se retrouve sur [sa] langue » (Ignatieff, 1992). Le champ de conscience du résident se trouve alors complètement envahi, totalement absorbé par la sensation agréable que procure cette douceur sucrée.

Dans ce contexte d'immédiateté, le résultat de l'activité de la thérapie prend moins d'importance que le processus par lequel le résident y parvient. La thérapie occupationnelle vise donc la participation du résident à un processus de créativité où le processus est plus important que la création elle-même. De ce point de vue, si le résident éprouve plaisir et satisfaction à se livrer à l'activité de la thérapie, le but de l'intervention est atteint.

Dans le cadre d'une thérapie occupationnelle efficace, l'interaction entre le résident et le soignant constitue un aspect crucial. La qualité de cette interaction, la capacité du soignant à communiquer avec le résident, sa volonté de côtoyer la personne démente et son ouverture d'esprit instaureront une atmosphère propice à ce que le résident s'engage dans l'occupation que le soignant lui propose. D'ailleurs, la thérapie occupationnelle soutient que l'engagement dans l'occupation est central dans le processus d'optimisation du bien-être des résidents atteints de problèmes cognitifs. C'est pourquoi les soignants doivent veiller à ce que les résidents, dans le cours de leur maladie, soient maintenus dans un état occupationnel le plus longtemps possible.

En CHSLD, la thérapie occupationnelle vise donc à favoriser le bien-être du résident, en l'amenant à s'investir dans une ou des activités. Elle sera conçue de telle façon que le résident fasse une utilisation optimale de ses capacités résiduelles et soit confronté le moins possible à ses limites. Chez le résident, un bien-être optimal ne peut être suscité que s'il existe un équilibre entre ses capacités et le degré de difficulté de l'activité qu'on lui propose. Celle-ci doit donc placer le résident en situation de réussite apparente. Elle doit aussi être significative pour lui, une personne étant plus encline à s'investir dans des activités compatibles avec ses intérêts, ses traits de personnalité et son degré fonctionnel (Kolanowski *et al.*, 2002). Si s'investir dans une activité significative est essentiel pour une personne bien portante, cela l'est tout autant pour celle atteinte de déficits.

Choisir une activité significative implique nécessairement que l'infirmière connaisse suffisamment le résident. L'identité occupationnelle qui s'appuie sur l'histoire de vie (voir le chapitre 24) du résident, à laquelle on porte trop peu d'attention dans un contexte de soins en CHSLD, prend alors toute son importance. Celle-ci concerne la sphère occupationnelle de la vie de l'individu, ce qu'elle était dans sa vie passée et ce qu'elle est devenue aujourd'hui. S'intéresser à l'identité occupationnelle permet à l'infirmière de connaître les préférences, les passions, les intérêts du résident, les habiletés qu'il a exploitées durant sa vie active et les activités ou loisirs auxquels il s'est livré à divers moments

Tableau 29-3	Interventions de rechange pour gérer l'errance des résidents
CATÉGORIES	**EXEMPLES**
Les interventions sensorielles et de relaxation	• Musique : Les infirmières font jouer la musique favorite de M. Padoult dans sa chambre. Cela semble l'inciter à y rester et retarde sa déambulation, puisqu'il s'y berce maintenant un certain temps après le déjeuner. • Massage : L'un des membres de l'équipe de soins a remarqué qu'un massage des mains et des avant-bras semble le détendre et capte son intérêt pendant toute la durée de l'intervention.
Les contacts sociaux	• Interaction simulée : Lorsque Mme Légaré se met à errer dans les chambres, les soignants lui font jouer les enregistrements vidéo des célébrations de sa famille ou encore l'enregistrement dans lequel son fils s'adresse directement à elle en lui remémorant de vieux souvenirs. Ces moments captent toujours son attention et semblent la rassurer. • Zoothérapie : Lorsque l'intervenant lui rend visite accompagné d'un animal, cela crée une réaction très positive chez M. Lebœuf, qui interrompt alors son errance et tente de caresser la gentille bête.
La thérapie comportementale	• Renforcement positif : Lorsque Mme Lebrun prend son repas du midi « correctement » avant de reprendre sa déambulation, le soignant le récompense par sa gâterie favorite, un verre de soda mousse. • Renforcement différentiel : Lorsque M. Laplante cesse d'errer et s'assoit enfin au solarium, un intervenant lui donne de l'attention en lui lisant quelques pages du livre d'histoire apporté par son épouse. Cependant, de concert, l'équipe vise à ne lui donner aucune attention particulière de ce genre durant ses périodes d'errance. • Contrôle du stimulus : 1) Une bande adhésive bleue, faisant office de barrière subjective, a été fixée au plancher devant la chambre de Mme Labelle. Depuis ce temps, M. Lepier n'ose s'y aventurer. Il observe la ligne bleue quelques instants et passe son chemin. 2) En prenant bien soin de la situer à un endroit stratégique, l'équipe de soins réalise une fresque pour chaque événement important de l'année (Saint-Valentin, Noël, etc.). Riche en contenu et en couleurs, elle attire longuement le regard des errants et vise à créer une diversion chez les « testeurs de portes ».
La thérapie occupationnelle	Tâches d'implication et de valorisation : • À l'étage, les résidents errants sont stimulés et encadrés par des activités significatives favorisant leur bien-être et leur estime personnelle. L'équipe sait que les résidents n'exécutent pas parfaitement les tâches qu'on leur demande de faire, mais comprend l'importance que les résidents leur accordent. Ainsi, M. Lacroix et M. Jacques distribuent le feuillet de messe tous les dimanches en plus de participer au classement des romans prêtés aux résidents. De même, Mme Vaillancourt distribue les serviettes et les tabliers des résidents avant chaque repas. Activités structurées : • Réminiscence : Une fois par semaine, les résidents participent à une activité qui consiste en la réalisation de leur album de vie. • Marches extérieures : Les résidents errants sont amenés à l'extérieur chaque après-midi, afin qu'ils puissent se promener. La plupart sont ensuite plus calmes, et leur sommeil s'en trouve amélioré. • Activité physique : Une enseignante retraitée anime un programme d'exercices physiques ayant pour clientèle cible les errants afin d'accroître leur dépense énergétique, leur souplesse et leur force musculaire. • Activités artistiques : Les infirmières remarquent que les activités de chant, de danse et de bricolage captivent Mme Larue. Conséquemment, en collaboration avec le service des loisirs, l'équipe de soins tâche de lui faire pratiquer ces activités aux moments de la journée où elle erre le plus.
Les interventions sur l'environnement	• Réduction des stimulations : 1) Dans l'unité de soins où se trouvent des errants, on tente de garder le milieu de vie le plus calme possible afin de ne pas les surstimuler et on demande au concierge de ne plus vernir les planchers en raisons des troubles perceptuels (agnosie, cataractes, etc.) des résidents. 2) L'équipe de soins érige un mur de fleurs et de lierre dans le solarium des résidents. Un aquarium est intégré au décor et suscite beaucoup d'intérêt. Enfin, de la musique incorporant des bruits de la nature parachève ce décor relaxant. Par ces aménagements, l'équipe désire favoriser le repos des errants. • Aire d'errance : Une aire d'errance sécuritaire est aménagée tout près du poste d'infirmier. M. Lainé y passe plusieurs heures par jour. Ainsi, il n'importune plus M. Lagacé, avec qui les conflits se multipliaient dans le corridor.
Les interventions impliquant des soins médicaux ou infirmiers	• Contrôle de la douleur : Depuis que l'infirmière a décelé que M. Gagné souffrait de douleurs aux dos et qu'elle l'en a soulagé, il erre moins, reste assis beaucoup plus longtemps et s'alimente mieux. • Diminution des contentions : Depuis que Mme Laliberté n'est plus installée dans un fauteuil gériatrique l'après-midi, ses périodes d'errance sont moins fréquentes, et elle « teste » moins souvent les portes.
Les systèmes de surveillance	• Luminothérapie : Depuis qu'une lampe servant à la photothérapie est placée pendant quelques heures le matin dans la chambre de M. Lenoir, celui-ci présente beaucoup moins d'agitation le jour et de comportements d'errance la nuit. • Le bracelet antifugue, la télésurveillance, le détecteur de mouvements installé sous le lit ou à divers endroits stratégiques constituent des moyens d'assurer la sécurité du résident errant et d'encadrer ses déplacements.

Source : J. Cohen-Mansfield (2001). Nonpharmacologic interventions for inappropriate behaviors in dementia : a review, summary, and critique. *American Journal of Geriatric Psychiatry*, 9 (4), 361-381.

Tableau 29-4	Types d'intervention à privilégier selon l'objectif poursuivi	
BUT DE L'INTERVENTION	**TYPES D'INTERVENTION À FAVORISER**	
Éliminer ou réduire la manifestation de l'errance dans des lieux où elle n'est pas désirée, appropriée ou sécuritaire.	Interventions de type passif: barrières visuelles, modification de l'environnement, systèmes de surveillance.	
Limiter l'errance, ou son effet sur autrui, à un moment spécifique.	Interventions de type actif: activités structurées, thérapie occupationnelle.	
Réduire dans sa globalité l'errance du résident ou éliminer un comportement d'errance spécifique.	Interventions visant la modification du comportement telles que le renforcement différentiel.	

Source: C. Siders, A. Nelson, L.M. Brown, I. Joseph, D. Algase, E. Beattie et S. Verbosky-Cadena (2004). Evidence for implementing nonpharmacological interventions for wandering. *Rehabilitation Nursing, 29* (6), 195-206.

de sa vie. À cet égard, il faut se garder de conclure que les intérêts du résident sont restés les mêmes, puisque la maladie modifie son identité. En vue de déterminer quelle activité sera significative pour le résident, l'infirmière doit donc se pencher sur son identité actuelle tout en tenant compte de ce qu'elle était auparavant.

Même si l'infirmière connaît bien le résident, il n'est pas toujours simple de déterminer quelles activités seront stimulantes pour une personne dont les compétences cognitives se trouvent réduites. À ce sujet, Buettner (1999) a mené une étude ($n = 55$) qui visait à concevoir et à créer des objets de stimulation adaptés aux résidents atteints de démence, et à en évaluer les effets sur la fréquence de leurs symptômes comportementaux et sur le rapport du résident avec ses proches. Il est à noter que Buettner avait fait confectionner les objets par les proches et des bénévoles. Les résultats qu'il a obtenus démontrent que les résidents dont les capacités cognitives étaient très limitées appréciaient par-dessus tout les objets qui comportaient des balles. D'autre part, il a observé que, à la suite de cette thérapie occupationnelle, la prévalence des symptômes comportementaux, l'errance étant comprise, a diminué de façon significative et que le nombre de visites des proches s'est accru, tout comme leur degré de satisfaction à l'égard de ces visites. Les proches se disaient en effet plus satisfaits de leurs visites, sachant dorénavant quoi faire pendant ces rencontres et comment établir un contact avec le résident. L'étude a mis en évidence que l'ennui est un phénomène important chez les résidents de CHSLD, qu'il engendre de l'agitation et de l'errance, mais qu'il est possible d'en réduire le degré par la mise en place d'activités adaptées aux compétences cognitives des résidents.

Quelques années auparavant, Kovach et Henschel (1996) ont cherché à comparer l'efficacité de cinq activités sur le degré de participation des résidents atteints de déficits cognitifs. Ils ont ainsi mesuré l'efficacité de la musicothérapie, de la thérapie par l'art, de l'exercice, de la stimulation cognitive (groupe de discussion) et de la réalisation de travaux domestiques (épousseter, cuisiner, laver la vaisselle, etc.). Leurs résultats indiquent que l'exercice physique et la musicothérapie constituaient les activités intéressant le plus les résidents. De plus, les chercheurs ont constaté que le sommeil des résidents qui participaient davantage aux différentes activités s'était amélioré. Enfin, ils ont été en mesure d'établir que la participation des résidents augmentait lorsque les activités proposées étaient associées à celles qu'ils avaient pratiquées dans le passé.

Les activités de thérapie occupationnelle (Algase, 1999a; Alzheimer's Association, 1995; Dénommée, 1999) telles que le bricolage, la peinture et la cuisine (Buckwalter, Stolley et Farran, 1999) présentent un grand potentiel d'amélioration de la qualité de vie du résident, et réduisent la probabilité que celui-ci manifeste des symptômes comportementaux associés à la démence.

Voilà, en somme, ce qu'est la thérapie occupationnelle et ce qu'elle peut offrir aux résidents et aux soignants en vue d'améliorer la qualité de vie des uns et le milieu de travail des autres. Le tableau 29-5 (p. 426) résume comment les soignants peuvent intervenir auprès d'un résident en utilisant ce type de thérapie.

Exercice physique et marche

Chez certains errants, la déambulation résulte d'un manque d'activité physique, d'une énergie débordante ou d'une impatience motrice, ce qui les pousse à marcher presque continuellement. Malgré la fatigue et la faim, certains éprouveront même de la difficulté à s'arrêter assez longtemps pour prendre leurs repas, à trouver le sommeil ou à le maintenir toute la nuit (Carillo, Albers, Statton et Frederickson, 2000). Dans ce contexte, l'exercice physique se présente comme une intervention intéressante, permettant de canaliser l'énergie de l'errant de façon positive (voir le chapitre 2). Diverses études ont d'ailleurs démontré que l'exercice physique s'avère efficace pour réduire les symptômes comportementaux de la démence, améliore la qualité de vie des

| Tableau 29-5 | Processus d'intervention au moyen de la thérapie occupationnelle |

ÉTAPES	DESCRIPTION
Histoire de vie	L'infirmière s'enquiert de l'identité occupationnelle du résident, c'est-à-dire ses préférences passées et actuelles.
Choix d'activités occupationnelles potentielles	En collaboration avec les proches, l'infirmière procède à un choix d'interventions occupationnelles en considérant les approches non traditionnelles, créatives et amusantes. Elle tâchera de choisir des activités en fonction des habiletés résiduelles du résident et de son identité occupationnelle.
Détermination de la cible thérapeutique	Les soignants déterminent les périodes d'errance du résident.
Application de l'intervention	L'infirmière met en application l'intervention occupationnelle au moment des périodes d'errance du résident. L'activité qu'elle lui propose doit favoriser son bien-être. Si ce n'est pas le cas, l'infirmière y mettra fin et proposera une nouvelle activité au résident. L'infirmière doit procéder elle-même aux premiers essais de l'intervention occupationnelle. Elle sera alors en mesure de faire les ajustements nécessaires afin d'accroître l'efficacité de l'intervention. Lorsque celle-ci s'avère efficace, l'infirmière enseignera à un autre soignant comment l'appliquer.
Évaluation	L'équipe soignante, sous le leadership de l'infirmière, évalue le degré d'errance post-intervention.

résidents en CHSLD et a des effets bénéfiques pour les errants (Beck, Modlin, Heithoff et Shue, 1992; Coltharp, Richie et Kaas, 1996; McGrowder-Lin et Bhatt, 1988).

Le fait d'effectuer une promenade à l'extérieur, par exemple, a l'avantage d'offrir au résident une stimulation sociale et physique (Holmberg, 1997a). Cela le met également en contact avec la nature, qu'il s'agisse des fleurs, de la neige ou du soleil, ce qui peut susciter chez lui des souvenirs. De plus, exposer le résident au grand air, qu'il soit estival ou hivernal, pourra le revigorer et améliorer sa condition de santé (Carillo *et al.*, 2000). À cet égard, les articles publiés sur le sujet démontrent que la marche extérieure réduit de façon significative l'errance, contribue à ce que les résidents restent plus longtemps assis lors des repas et donc le terminent, permet à plus de résidents de dormir toute la nuit, tout en améliorant le sommeil des errants (Carillo *et al.*, 2000; Holmberg, 1997b; Cohen-Mansfield et Werner, 1998). De même, ce type d'intervention réduirait le risque que surviennent chez les errants des comportements agressifs (Holmberg, 1997b). D'ailleurs, une étude menée dans 320 milieux de soins disposant d'un parc où les errants peuvent marcher a démontré que, dans 77 % des cas, le fait de marcher à l'extérieur avait un effet positif sur les errants (Cohen-Mansfield et Werner, 1999). Certains chercheurs préconisent l'ajout d'autres activités à la marche telles que la cueillette de fleurs, le ramassage des feuilles, le sarclage, etc. (Coltharp *et al.*, 1996; McGrowder-Lin et Bhatt, 1988).

Barrières objectives et subjectives

En raison de certains résidents errants que l'on appelle communément les « testeurs de portes », la surveillance des sorties et des portes peut constituer un réel défi pour les soignants. Les « testeurs de portes » peuvent d'ailleurs devenir un irritant important à la fois pour les résidents et les soignants. En CHSLD, les barrières objectives et notamment les barrières subjectives se présentent comme des solutions intéressantes pour contrer ce phénomène.

Les barrières objectives sont des obstacles physiques de nature diverse, apposées près d'un lieu où la présence du résident errant n'est pas souhaitée. Il pourra s'agir par exemple de bandes de tissus fixées par du velcro, d'une demi-porte en plexiglas ou d'une fine lanière de bois amovible. Ces barrières empêcheront ainsi l'errant d'accéder aux chambres des autres résidents, sans pourtant entraver totalement la liberté de mouvement de l'une ou l'autre des parties en cause.

D'un point de vue éthique, les barrières subjectives constituent une solution avantageuse pour contrer l'errance des résidents. On les définit comme un faux-semblant ou un trompe-l'œil qui tire parti de l'agnosie visuelle de l'errant pour lui faire interpréter la barrière comme un obstacle réel et insurmontable. La barrière subjective peut également être conçue pour empêcher l'errant de percevoir dans l'environnement un élément qui suscite son intérêt, tel qu'une porte par exemple. Autrement dit, les barrières subjectives modifient la réalité environnementale que perçoit le résident. Plus souvent de nature visuelle, elles peuvent également être de nature thermale (de l'air chaud par exemple) ou auditive (une sonnerie par exemple). Concrètement, en vue de dissimuler des sorties et des portes, de telles barrières pourront prendre la forme d'un grand miroir, de fresques décoratives, d'un assemblage de feuilles ou de fleurs. Aussi, la présence d'une grille dans le plancher ou de lignes contrastantes sur celui-ci peuvent être perçues comme des obstacles réels (perçus comme surélevés ou au contraire comme profonds) et dissuader le résident de pénétrer dans une pièce. Les barrières subjectives offrent l'avantage de ne pas limiter réellement l'accès aux lieux visés par l'intervention. De même, elles ne restreignent pas directement la liberté du résident: elles l'invitent plutôt à passer son chemin.

La dissimulation de sorties ou de portes permet d'éviter que le résident s'aventure en des lieux où sa présence n'est pas souhaitable, par exemple dans la salle de lavage, la cuisine ou la réserve de matériel. Notons que, à cet égard, l'installation d'un miroir peut s'avérer fort efficace puisque l'errant en phase avancée de démence percevra son reflet comme un inconnu qui lui fait face plutôt que comme une porte à ouvrir. Toutefois, comme les miroirs pourront susciter de l'anxiété chez certains résidents, les soignants devront appliquer cette intervention avec vigilance.

C'est dans le but de contrer l'intrusion des errants dans les chambres des autres résidents, un problème fréquent en CHSLD, que Hussian et Brown (1987) ont placé devant la porte de certains résidents un tapis comprenant huit barres horizontales. Cette stratégie reposait sur le fait que la majorité des résidents dont la démence se trouve au stade avancé sont atteints d'agnosie visuelle. Les chercheurs ont donc émis l'hypothèse que les résidents présentant ce déficit cognitif mésinterpréteraient l'information visuelle que présentaient les tapis et éviteraient de marcher dessus, ce qui diminuerait le nombre d'intrusions. Comme en font foi leurs résultats, ils avaient vu juste puisque, au moyen de cette simple stratégie, le pourcentage d'intrusions dans les chambres est passé de 98 à 30 %, une diminution impressionnante.

Une étude plus récente (Kincaid et Peacock, 2003) a évalué l'efficacité d'une fresque peinte auprès de résidents atteints de démence et présentant le comportement de tester les portes. La démarche des auteurs de cette étude a ceci d'intéressant qu'ils ont demandé aux étudiants du département d'art d'un collège voisinant le CHSLD de participer au projet en créant la fresque en question. Celle-ci, qui s'étendait du plancher au plafond, couvrait deux portes et représentait une scène aquatique. Les résultats d'observation de cette étude ont démontré une diminution significative des comportements de vérification des portes. D'autre part, les auteurs de l'étude ont émis l'hypothèse qu'une telle fresque permet au résident d'expérimenter davantage le sens de la maîtrise de soi – parce que les soignants ne les redirigent pas – et rend le milieu de vie plus invitant et apaisant, c'est-à-dire moins institutionnel et médical.

Si les barrières subjectives constituent une solution de rechange éthique, peu coûteuse, sécuritaire et efficace, plusieurs études sur le sujet manquent toutefois de rigueur sur le plan méthodologique (Price *et al.*, 2004). Il nous faut donc souhaiter que des recherches rigoureuses soient menées et publiées dans un avenir proche.

Modifications de l'environnement

Les modifications de l'environnement visent à aménager l'espace du CHSLD de façon à ce qu'il soit mieux adapté à la réalité du résident errant. Ces modifications impliquent en général des changements simples et peu coûteux, mais elles peuvent aussi être plus majeures, notamment lorsqu'il s'agit d'aménager un espace extérieur pour les promenades.

Installer des pictogrammes qui indiquent les lieux (toilette, salle de bain, salle à manger, salon), mettre sur les murs des objets qui précisent le temps (calendrier, horloge) et apposer aux abords de sa porte une représentation du

résident (photo) pour lui indiquer que cette porte mène à sa chambre constituent des stratégies de modifications de l'environnement très bénéfiques pour l'orientation du résident (Philo, Richie et Kaas, 1996; Williams-Burgess, Ugarriza et Gabbai, 1996). Dans le même ordre d'idées, le personnel soignant tâchera d'individualiser la chambre du résident avec des objets qui lui sont significatifs (affiches, peintures, photos de famille, coussins jetés sur le lit, etc.) afin de susciter en lui un sentiment d'appartenance et de sécurité (Philo *et al.*, 1996). À cet égard, on consultera le chapitre 32, qui traite, entre autres, de l'orientation à la réalité.

D'autre part, il est recommandé de placer des chaises à plusieurs endroits dans les corridors du CHSLD afin que les errants aient la possibilité de se reposer (Buckwalter *et al.*, 1999). L'objectif de cette intervention consiste en une réduction des possibilités de chute chez les résidents qui errent jusqu'à s'épuiser. D'ailleurs, plusieurs études préconisent la mise en place d'endroits permettant aux résidents d'errer librement et en toute sécurité (Buckwalter *et al.*, 1999; Matteson et Linton, 1996), une recommandation que certains CHSLD ont suivie en aménageant des aires communes d'errance. Celles-ci donnent aux résidents un sentiment de liberté, réduisent les risques de blessures et évitent le recours à la contention physique ou chimique, tout en permettant aux résidents d'avoir plus de contacts sociaux et de maintenir un degré adéquat d'autonomie fonctionnelle.

Puisque la fugue est fréquemment associée à l'errance, des chercheurs ont avancé l'hypothèse qu'un panneau routier indiquant l'arrêt, un signe commun dans la vie du citoyen moyen, pourrait s'avérer efficace à contrer ce phénomène (Matteson et Linton, 1996). La logique de leur hypothèse s'appuie sur le fait qu'il est fort probable que les résidents, malgré une atteinte cognitive, aient conservé une représentation du signe d'arrêt. Ils ont donc installé à différents endroits stratégiques d'un CHSLD un panneau d'arrêt similaire à ceux de la signalisation routière. Malgré que cet élément visuel ne s'harmonise pas très bien à une approche de type milieu de vie, cette intervention s'est néanmoins avérée efficace (Matteson et Linton, 1996).

Conclusion

L'errance est un symptôme comportemental qu'on observe fréquemment en milieu de soins de longue durée. Induite principalement par une altération des processus cognitifs, la déambulation constitue parfois une situation problématique pour l'infirmière, les soignants, les proches et les autres résidents. L'errance risque en effet de placer le résident dans des situations dangereuses pour sa santé et sa sécurité. Connaître le résident, son histoire, ses habitudes et sa personnalité, être novateur, favoriser le travail d'équipe et impliquer les divers acteurs du CHSLD et les proches dans l'application d'une intervention sont autant de facteurs qui favoriseront la réussite de l'intervention visant à gérer l'errance.

ÉTUDE DE CAS

Monsieur Lamarche, âgé de 73 ans, est atteint d'une démence vasculaire artériopathique dégénérative. Il vit depuis cinq ans en milieu de soins de longue durée. Voilà cinq mois, après deux séjours transitoires, ses proches ont finalement obtenu pour lui une place dans le CHSLD de leur choix. Au cours de sa vie active, M. Lamarche occupait un poste de fonctionnaire au ministère de la Justice et était un adepte de musique classique. En dépit de son atteinte neurodégénérative, cet ancien golfeur se trouve en bonne condition physique et déambule d'un pas relativement assuré dans l'établissement.

Les atteintes cognitives de M. Lamarche affectent lourdement la production du langage. En fait, il n'est plus en mesure de communiquer de façon verbale ou non verbale, ni de décoder le sens d'une question, même simple. Lorsqu'ils lui prodiguent des soins, puisqu'il ne comprend pas les instructions les plus simples, les soignants doivent amorcer pour lui les mouvements et les déplacements qu'il doit faire. De façon générale, M. Lamarche collabore bien aux interventions des soignants. En outre, il souffre d'une désorientation spatiale, temporelle et identitaire. Dans les faits, il ne reconnaît plus ses proches ni les soignants, et ceux-ci doivent toujours le reconduire à sa chambre. Sa médication se compose d'un antihypertenseur, d'aspirine, d'un hypolipidémiant, d'une benzodiazépine et d'un anti-angineux, au besoin.

M. Lamarche partage sa chambre avec M. Lavoie, un résident grabataire à un stade avancé de la maladie d'Alzheimer. M. Lavoie pousse des cris de façon intermittente toute la journée. Cependant, il présente surtout ce type d'agitation lorsqu'il est stimulé parce qu'on lui prodigue des soins d'hygiène, qu'on lui fait prendre son repas ou qu'il reçoit une visite. Les interactions sociales entre M. Lamarche et son compagnon de chambre sont donc, à vrai dire, impossibles.

Bien qu'il soit pacifique, M. Lamarche dérange les résidents et visiteurs de son unité de soins de longue durée. C'est qu'il entre dans les chambres des autres et s'empare de leurs objets. De plus, il fait peur aux dames qu'il croise lorsqu'il déambule en leur présentant un faciès crispé et en émettant un sifflement qu'il produit constamment avec sa bouche, en aspirant et en expirant l'air entre ses dents. Récemment, la situation est devenue véritablement problématique. En effet, le mois dernier, M. Lamarche s'est fait frapper à deux reprises au visage et au thorax par un résident qui n'acceptait pas de le voir entrer dans sa chambre. L'équipe de soins a abordé la question en réunion interdisciplinaire, et l'infirmière a demandé à ce qu'une évaluation soit faite en vue d'appliquer une intervention adéquate.

Questions

1 Quels sont les effets positifs que peut avoir l'errance sur l'état de M. Lamarche ?

2 Nommez trois facteurs qui prédisposent, ou pourraient prédisposer, M. Lamarche à errer.

3 Quelles sont les caractéristiques que doit avoir l'intervention infirmière visant à mieux gérer l'errance de M. Lamarche ?

4 Que vise la thérapie occupationnelle en CHSLD ?

30

LE SYNDROME CRÉPUSCULAIRE ::

par Jacynthe Bilodeau

Phénomène à première vue étrange puisqu'il ne se manifeste chez les résidents qu'au cré-puscule, le syndrome crépusculaire ne relève pas pour autant du mythe! Bien que les observateurs et chercheurs ne s'entendent pas pour chiffrer exactement sa prévalence, le syndrome crépusculaire est bien présent dans les CHSLD. Et il ne faut pas en négliger les conséquences, lourdes à plusieurs égards: troubles du sommeil, contention, prescription de médicaments psychotropes pour les résidents, et stress et épuisement professionnel pour les soignants.

Les soignants doivent donc connaître ce phénomène pour mieux y faire face, d'autant plus que, comme nous le verrons, leurs propres interventions figurent au nombre des facteurs précipitant l'apparition ou la manifestation des comportements liés au syn-drome crépusculaire. Connaître l'existence de ce phénomène et savoir le déceler chez un résident est d'ailleurs très important, car, outre l'observation directe, il n'existe pas actuellement d'instrument, d'outil spécifique ou d'examen clinique permettant de le détecter infailliblement.

NOTIONS PRÉALABLES SUR LE SYNDROME CRÉPUSCULAIRE

Définition

Il n'existe pas de définition universellement acceptée de ce qu'est le syndrome crépusculaire. Néanmoins, on le définit généralement comme une apparition ou une exacerbation, vers l'heure du coucher du soleil, des symptômes psycho-logiques ou comportementaux de la démence. Sur le plan psychologique, ces symptômes prennent le plus souvent la forme d'un délire, d'un sentiment d'anxiété, d'un sentiment de peur ou d'hallucinations, tandis que, sur le plan compor-temental, ils consisteront généralement en de l'agitation verbale ou physique, pouvant être accompagnée d'agres-sivité (Evans, 1987; Païva, 1990; Rindlisbacher et Hopkins, 1991; Vitiello, Bliwise et Prinz, 1992).

Ampleur du problème

Tous les soignants d'un CHSLD ont dû faire face, à un moment ou à un autre de leur carrière, à un résident pré-sentant des symptômes du syndrome crépusculaire. La pré-valence de ce phénomène varie selon les cas: elle se situe à 15,6 % chez les aînés non déments, et entre 15 à 57 % chez les aînés atteints de la maladie d'Alzheimer (Rindlisbacher et Hopkins, 1991). Toutefois, des études ayant été menées dans des CHSLD ont observé des taux fort différents. Par exemple, Evans (1987) rapporte une prévalence de 13 %;

Little, Satlin, Sunderland et Volicer (1995) en rapportent une de 24 %; Lebert, Pasquier et Petit (1996) en sont arrivés à une prévalence de 26 %; et, finalement, Drake, Drake et Curwen (1997) ont conclu pour leur part que la prévalence du syndrome crépusculaire en CHSLD s'établissait à 39 %. Il faut donc en déduire nous-mêmes que le syndrome cré-pusculaire se trouve bien présent dans les CHSLD, même si sa prévalence exacte reste à déterminer. Notons qu'il n'existe pas de données sur l'incidence du syndrome cré-pusculaire en CHSLD.

Conséquences

Le syndrome crépusculaire implique des conséquences individuelles pour la santé et le bien-être du résident. D'abord, ce syndrome engendrera des troubles du sommeil qui constituent un fardeau pour les aidants naturels et pré-cipitent le placement. D'autre part, le fait qu'un résident présente des symptômes liés au syndrome crépusculaire accroît les risques que les soignants le mettent sous conten-tion ou lui administrent des médicaments psychotropes (Exum, Phelps, Nabers et Osborne, 1993). Néanmoins, comme nous le verrons, pour traiter ces comportements, il faudra privilégier des interventions non pharmacologiques (Païva, 1990).

Le syndrome crépusculaire comporte également des conséquences pour les soignants. Les symptômes comportementaux liés au syndrome crépusculaire pourront leur causer du stress et les conduire à l'épuisement professionnel (Gallagher-Thompson, Brooks, Bliwise, Leader et Yesavage, 1992 ; Satlin, Volicer, Ross, Herz et Campbell, 1992).

Facteurs prédisposants et facteurs précipitants

Facteurs prédisposants

La démence est sans contredit le facteur prédisposant le plus à même d'amener un résident à présenter des symptômes du syndrome crépusculaire. En effet, Dewing (2000) a noté que l'apparition du syndrome crépusculaire survient plus fréquemment chez les résidents souffrant d'une démence que chez tout autre groupe de résidents. Toutefois, le syndrome crépusculaire ne se manifestera pas chez tous les résidents déments (Duckett, 1993 ; Lebert *et al.*, 1996). Quoi qu'il en soit, diverses recherches ont noté à cet égard que le syndrome crépusculaire serait associé à la démence en raison du déclin des habiletés du résident à répondre de façon non verbale aux stimuli environnementaux (Bliwise, Yesavage et Tinklenberg, 1992 ; Vitiello *et al.*, 1992).

D'autre part, les atteintes cognitives associées aux stades moyen et avancé de la maladie d'Alzheimer apparaissent également comme des facteurs prédisposants pouvant expliquer l'apparition du syndrome crépusculaire chez un résident.

De ce point de vue, le fait que les résidents atteints de la maladie d'Alzheimer souffrent fréquemment de troubles du sommeil (Colenda, Cohen, McCall et Rosenquist, 1997 ; Hoch, Reynolds et Houck, 1988 ; Vitiello *et al.*, 1992) apparaît comme un facteur prédisposant au syndrome crépusculaire. C'est que, chez ces résidents, les régions du cerveau qui régularisent le cycle veille/sommeil dans le système nerveux central subissent une dégénérescence, ce qui entraîne rapidement des problèmes de sommeil, qui s'aggravent avec l'évolution de la maladie (Morin, Bastien, Blais et Mimeault, 2000). Le rythme circadien s'en trouve déréglé, ce qui expliquerait l'apparition du syndrome crépusculaire (Lebert *et al.*, 1996 ; Volicer, Harper, Manning, Goldstein et Satlin, 2001).

Dans le même ordre d'idées, rappelons que la démence peut aussi altérer le système nerveux central, qui préside à la sécrétion de la mélatonine, que produit la glande pinéale en fonction de l'intensité et de la durée de la lumière du jour. Si la production de mélatonine se trouvait entravée par une dégénérescence du système nerveux central, cela pourrait se répercuter sur la qualité du sommeil du résident et augmenter chez celui-ci les risques de l'apparition du syndrome crépusculaire.

Chez le résident atteint d'une démence qui souffre déjà d'agnosie, la perte d'acuité visuelle résultant du vieillissement normal affectera la capacité d'orientation du résident, ce qui contribue à l'apparition du syndrome crépusculaire (Burney-Puckett, 1996 ; Duckett, 1993). Lorsque la luminosité diminue, le résident ne distingue plus clairement son environnement et interprète mal ce qu'il voit, perdant graduellement les indices visuels qui l'aident à compenser ses détériorations cognitives et sensorielles.

La fatigue, l'inactivité, la solitude et un seuil moins élevé de tolérance au stress en fin de journée favoriseraient également l'apparition du syndrome crépusculaire (Païva, 1990 ; Rindlisbacher et Hopkins, 1991). À ce sujet, le modèle conceptuel de l'abaissement du seuil de stress de Hall et Buckwalter (1987) indique que les résidents atteints de démence perdent progressivement la capacité d'interpréter et de s'adapter aux stimuli de l'environnement, principalement à cause de la progression de la pathologie cérébrale et de la dégénérescence de leurs fonctions cognitives. De ce fait, l'évolution de la maladie tend à réduire la marge entre ce que le résident considère comme approprié et inapproprié en matière de comportements. Dès lors, les stimuli environnementaux et les stresseurs internes peuvent excéder plus facilement son seuil de stress, ce qui favorise l'apparition de comportements anxieux ou un sentiment de malaise. Si le degré de stress du résident continue à augmenter au cours de la journée, des comportements dysfonctionnels tels que ceux liés au syndrome crépusculaire pourront apparaître.

Enfin, la perte de la capacité d'orientation influencerait de manière significative le développement du syndrome crépusculaire. Ainsi, Wallace (1994) suggère que la désorientation des résidents pourrait causer chez ceux-ci le syndrome crépusculaire, car ils associeraient le crépuscule au moment où il leur faut retourner à la maison, après une journée de travail.

Facteurs précipitants

Interventions des soignants

Certaines interventions des soignants pourront précipiter l'apparition du syndrome crépusculaire. En effet, distribuer les médicaments du matin à des heures strictes ou changer les résidents de position ou de culotte pendant la nuit (pour ceux qui présentent des risques de plaies de pression ou qui souffrent d'incontinence) constituent des routines de soins inflexibles, qui dérangent le rythme circadien et fragmentent le sommeil (Bliwise, 1994 ; Païva, 1990). D'autre part, les routines de soins ne correspondant pas au style de vie des résidents peuvent causer chez ceux-ci de la désorientation (Wallace, 1994). Or, comme on l'a vu, la fragmentation du sommeil et la désorientation favorisent l'apparition du syndrome crépusculaire en fin de journée, en raison de la fatigue qu'accumule le résident.

De plus, le fait que les soignants administrent aux résidents des neuroleptiques pour contrer la manifestation des symptômes comportementaux et psychologiques de la démence peut constituer un facteur précipitant l'apparition du syndrome crépusculaire. C'est que les neuroleptiques engendrent des effets secondaires (agitation et perturbation du sommeil) qui peuvent s'assimiler aux symptômes du syndrome crépusculaire (Lebert *et al.*, 1996). Dans ces circonstances, il se peut que les soignants confondent les manifestations réelles du syndrome crépusculaire et les effets secondaires des neuroleptiques.

Environnement physique

Des études ont démontré que les comportements associés au syndrome crépusculaire se manifestant après le coucher du soleil pouvaient être liés aux faibles niveaux de luminosité (Bliwise, Carroll et Dement 1989 ; Bliwise, Carroll, Lee, Nekich et Dement, 1993). Certains concluent d'ailleurs que le syndrome crépusculaire résulterait, dans ces circonstances, d'une baisse de luminosité liée au dérèglement du rythme circadien (Drake *et al.*, 1997).

D'autre part, le fait d'avoir été admis récemment en CHSLD ou d'avoir changé récemment de milieu de vie (un changement de chambre, un passage de la maison vers le CHSLD, un séjour de moins d'un mois dans une unité de soins) pourra précipiter l'apparition du syndrome crépusculaire. Cela démontre que le résident éprouve de la difficulté à s'adapter à un nouvel environnement (Evans, 1987 ; Burney-Puckett, 1996 ; Little *et al.*, 1995 ; Païva, 1990). De ce point de vue, la diminution des contacts sociaux ou la solitude que cause le placement, des même que des interactions minimales avec les soignants, peuvent aussi amener le résident à présenter les symptômes du syndrome crépusculaire. D'ailleurs, on a noté une réduction de la fréquence et de la durée de ces symptômes lorsque les résidents se trouvent en présence d'un proche (Rousseau, 2000).

Manifestations cliniques

Des études ont démontré que les symptômes psychologiques ou comportementaux du syndrome crépusculaire peuvent se manifester à raison d'un seul ou d'une combinaison de symptômes (Bliwise *et al.*, 1993 ; Cohen-Mansfield, Marx et Rosenthal, 1989). Pour se classer comme des symptômes du syndrome crépusculaire, les comportements en question doivent se manifester vers l'heure du coucher du soleil.

Sur le plan des symptômes psychologiques, l'anxiété, le délire et les hallucinations se présentent comme les comportements les plus fréquents.

L'anxiété consiste en un sentiment de danger imminent et indéterminé s'accompagnant d'un état de malaise, d'agitation, de désarroi et d'anéantissement devant ce danger (Garnier et Delamare, 1999).

Dans le contexte du syndrome crépusculaire, le délire désigne surtout le fait que le résident interprète de façon erronée son environnement. Il s'agit là d'un désordre des facultés intellectuelles, caractérisé par une suite d'idées erronées, choquant l'évidence, inaccessibles à la critique (Garnier et Delamare, 1999). Ainsi, le résident pourra penser qu'on l'a volé ou se sentira persécuté. Il arrivera aussi que le résident éprouve un sentiment de peur s'il se trouve pris de délires. La pâleur du résident, des tremblements ou une augmentation de la fréquence cardiaque dénotent ce sentiment.

Généralement liées à un sentiment d'anxiété, les hallucinations tiennent quant à elles à des expériences sensorielles que ressent le résident en l'absence de toute stimulation externe (Cook et Fontaine, 1991). Les hallucinations les plus courantes sont auditives et visuelles, les hallucinations tactiles, olfactives et gustatives étant moins fréquentes.

Sur le plan des symptômes comportementaux, les études portant sur le syndrome crépusculaire rapportent que l'agitation motrice ou verbale est le comportement le plus fréquent. À cet égard, les comportements d'agitation qui composent l'inventaire d'agitation de Cohen-Mansfield constituent de bons exemples de signes comportementaux du syndrome crépusculaire (voir le chapitre 24). Cela dit, d'autres symptômes comportementaux de la démence peuvent apparaître comme des signes comportementaux du syndrome crépusculaire. On consultera donc à ce sujet les chapitres sur l'agitation verbale (chapitre 27), les comportements agressifs (chapitre 28) et l'errance (chapitre 29).

Notons enfin que la présence d'anxiété et d'agitation est une combinaison fréquente de symptômes engendrée par le syndrome crépusculaire.

Détection du problème

Actuellement, il n'existe pas d'instrument ou d'outil spécifique ni d'examen clinique permettant de détecter le syndrome crépusculaire. Toutefois, mentionnons que le *Sundown Syndrome Confusion Inventory* (SSCI) (Evans, 1991) est un instrument de mesure qui peut appuyer l'évaluation de l'infirmière qui cherche à déterminer si un résident souffre du syndrome. Cependant, cette échelle n'a pas été validée en langue française.

Pour pouvoir détecter le syndrome crépusculaire, une telle échelle devrait prendre en considération le moment de la journée où se font les observations cliniques et tenir compte des signes psychologiques et comportementaux de la démence. De plus, elle devrait rendre possibles les comparaisons en fonction de périodes de 24 heures par jour, sans interruption (Drake *et al.*, 1997 ; Evans, 1987, 1991). Puisqu'il n'existe pas en français d'outil d'évaluation utilisant ces critères, le soignant devrait documenter dans les notes évolutives la présence des symptômes du syndrome. Il pourra tout de même à cet égard utiliser l'inventaire d'agitation de Cohen-Mansfield (1986) pour documenter les signes comportementaux et procéder à l'inventaire neuropsychiatrique des symptômes psychologiques (voir le chapitre 24).

Pour se livrer à son évaluation, le soignant devra voir à s'installer d'une manière qui facilitera l'observation du résident. À raison de deux périodes de 10 minutes, le matin entre 10 h et 12 h et le soir entre 16 h et 18 h, l'observation devra s'étaler sur deux jours consécutifs. Pendant ces périodes, le soignant prendra en note tous les comportements du résident, et l'heure exacte où ils se produisent. Il lui faudra s'abstenir d'engager une conversation avec le résident ou d'autres résidents, de même qu'avec les soignants ou les visiteurs. Le tableau 30-1 (p. 432) présente une échelle pouvant servir à la collecte des données associées à une telle démarche d'évaluation.

Tableau 30-1	Exemple d'échelle permettant de détecter le syndrome crépusculaire chez un résident	
MOMENT	**JOUR 1**	**JOUR 2**
10 h à 12 h	Présence de signes psychologiques Documenter : Score : Inventaire neuropsychiatrique : Présence d'agitation Documenter : Score : Cohen-Mansfield :	Présence de signes psychologiques Documenter : Score : Inventaire neuropsychiatrique : Présence d'agitation Documenter : Score : Cohen-Mansfield :
16 h à 18 h (choisir le moment le plus près du crépuscule)	Présence de signes psychologiques Documenter : Score : Inventaire neuropsychiatrique : Présence d'agitation Documenter : Score : Cohen-Mansfield :	Présence de signes psychologiques Documenter : Score : Inventaire neuropsychiatrique : Présence d'agitation Documenter : Score : Cohen-Mansfield :

Pour conclure qu'un résident souffre du syndrome crépusculaire, il faudra que le soignant constate une différence entre les symptômes qui se manifestent le matin et ceux qui se manifestent l'après-midi. Plus cette différence est importante (c'est-à-dire qu'il y a plus de symptômes l'après-midi que l'avant-midi), plus la probabilité que le résident soit atteint du syndrome crépusculaire est élevée.

PROGRAMME D'INTERVENTION

Bien que le nombre d'études sur le sujet demeure limité, l'état actuel de nos connaissances nous permet de concevoir des interventions qui visent à réduire le risque que les résidents des CHSLD développent le syndrome crépusculaire. Aussi, le programme individuel d'intervention que nous suggérons comporte d'une part l'instauration d'activités occupationnelles au moment du crépuscule et d'autre part la photothérapie.

Le principe général du programme d'intervention consiste à remédier, lorsque cela est possible, aux facteurs prédisposants et précipitants associés à l'apparition du syndrome crépusculaire. S'il est évident qu'il est impossible d'agir directement sur certains facteurs comme la démence, il est néanmoins possible de pallier les composantes nuisibles de ces facteurs.

Dans un premier temps, l'application du programme d'intervention nécessite la collecte des données pertinentes permettant de déterminer quels facteurs engendrent chez le résident des comportements liés au syndrome crépusculaire. Une fois ces facteurs connus, le soignant aura recours à des mesures visant à contrer l'effet précipitant ou prédisposant de ces facteurs. Il pourra s'agir d'amener graduellement le résident à effectuer des activités au crépuscule, de favoriser son sommeil ou d'encourager un de ses proches à être présent ou à s'impliquer lorsqu'on lui prodigue des soins. Comme on l'a dit, le fait qu'un résident souffrant du syndrome crépusculaire se trouve en présence d'un proche contribue à réduire la fréquence et la durée des manifestations du syndrome. D'autre part, la présence d'objets familiers pourra avoir le même effet, car ils permettront au résident d'éprouver un sentiment de confiance et de calme.

Contrer l'effet prédisposant et précipitant des facteurs menant à l'apparition du syndrome

Comme nous l'avons décrit précédemment, plusieurs facteurs de risque conduisent le résident à souffrir du syndrome crépusculaire. Lorsqu'il sait qu'un résident souffre de ce problème, le soignant devrait dans un premier temps déterminer les facteurs qui en favorisent et en précipitent l'apparition, et intervenir en fonction de ceux-ci. Par exemple, comme on l'a vu, le fait qu'un résident souffre de pertes visuelles et auditives diminue ses capacités à interpréter correctement son environnement et pourra l'amener à être désorienté (Païva, 1990). Or, la désorientation est un facteur qui prédispose le résident au syndrome crépusculaire. Le soignant remédiera à ce problème et aux risques de la manifestation du syndrome en s'assurant que le résident porte son appareil auditif ou ses verres correcteurs. Si cela s'avère nécessaire, il mettra au chevet du résident, à la disposition des autres soignants ou des proches, un amplificateur de voix, ou vérifiera que l'éclairage de l'environnement du résident est adéquat. Enfin, il sera avisé de mettre une note dans le plan de soins précisant de quel type de prothèses (ou toute autre mesure correctrice) le résident a besoin. Si le soignant constate chez le résident une atteinte sensorielle non corrigée, il devra recommander le résident au professionnel approprié.

La fatigue et l'insomnie constituent deux autres facteurs prédisposant un résident à souffrir du syndrome crépusculaire. Pour contrer la fatigue, le soignant pourra recourir à la stimulation sur une base quotidienne, au moyen d'exercices physiques soit passifs, soit actifs (Hall et Gerdner, 1999). À cet égard, effectuer une promenade à l'extérieur du CHSLD est doublement bénéfique : cela expose le résident à la luminosité naturelle et lui fait faire de l'activité physique. D'autre part, les exercices physiques tiennent le résident occupé et éveillé pendant la journée, et favorisent son sommeil la nuit (Taylor, Friedman, Sheikh et Yesavage, 1997). Pour enrayer l'insomnie, un programme simple d'hygiène du sommeil incluant un massage, un lait chaud, l'écoute de musique de détente ou une réduction du bruit ambiant favorisera considérablement la qualité du sommeil du résident, et réduira, par le fait même, le risque de voir apparaître le syndrome crépusculaire (voir le chapitre 16).

Afin d'éviter que le résident se sente isolé, le soignant favorisera l'implication des proches. On se reportera à cet égard au chapitre 33, qui présente un programme visant à assurer la participation des proches aux activités de l'unité de soins. Sinon, en vue de contrer l'isolement du patient, l'équipe de soins pourra le distraire et l'occuper au moyen de loisirs appropriés à ses goûts (voir le chapitre 34). Elle pourra aussi recourir à la zoothérapie (voir le chapitre 35) pour enrayer l'ennui.

Parmi les facteurs précipitants, une trop grande rigidité dans l'administration des soins peut perturber la qualité du sommeil des résidents et favoriser l'apparition du syndrome crépusculaire. Il importe donc d'offrir aux soignants plus de latitude pour qu'ils puissent décider avec plus de flexibilité à quel moment ils prodigueront des soins aux résidents. On se reportera à ce sujet aux chapitres 39 et 38, qui portent sur le changement organisationnel, et l'administration d'une unité de soins de longue durée.

Quant au dernier facteur précipitant l'apparition du syndrome crépusculaire, à savoir la désorientation que cause un changement de milieu de vie, il faudra tâcher, pour l'enrayer, de favoriser des transitions plus harmonieuses. Par exemple, lorsqu'on fait passer un résident dans une nouvelle chambre, les proches devraient participer activement à l'ensemble du processus. Le résident devrait savoir qu'on va le déménager d'endroit, et les soignants pourront organiser des visites vers sa nouvelle chambre et sa nouvelle unité. D'ailleurs, plus la date du déménagement approche, plus la fréquence et la durée de ces visites devraient augmenter. Enfin, on veillera à transporter rapidement vers sa nouvelle chambre les objets significatifs du résident, afin de lui permettre de s'orienter plus facilement dans son nouvel environnement.

Interventions spécifiques

Il est possible de recourir à plusieurs interventions pour traiter le syndrome crépusculaire. Cependant, dans le cadre de ce chapitre, nous n'abordons que la thérapie occupationnelle et la photothérapie. Notons que l'orientation à la réalité (voir le chapitre 32) pourra s'avérer utile auprès du résident qui se trouve au premier stade de la démence et est atteint du syndrome crépusculaire.

Thérapie occupationnelle

La thérapie occupationnelle consiste à enrichir le quotidien du résident au moyen d'activités conçues en fonction des expériences et des intérêts du résident (Onega et Tripp-Reimer, 1997). Lorsqu'il opte pour cette intervention, le soignant se doit évidemment de concevoir des activités culturellement significatives pour le résident, afin d'améliorer sa qualité de vie (voir le chapitre 29). Il y arrivera plus facilement en établissant le parcours de vie du résident grâce à l'un de ses proches (voir le chapitre 24). D'autre part, il verra à ce que ces activités stimulent le résident sur les plans tactile, auditif et olfactif, ce qui réduira la sous-stimulation ou l'ennui dont souffrent fréquemment les résidents atteints du syndrome crépusculaire. Enfin, pour traiter efficacement le syndrome crépusculaire, les activités s'effectuant dans le cadre de cette intervention doivent se faire au moment du crépuscule ou durant les périodes de somnolence du résident.

Soulignons que des activités occupationnelles personnalisées telles que le bricolage, la peinture, l'exercice physique, la zoothérapie, la musicothérapie et la cuisine sont des interventions qui présentent un fort potentiel pour améliorer la qualité de vie du résident et ainsi réduire la probabilité qu'il souffre du syndrome crépusculaire.

Il est à noter que la salle Snoezelen se présente également comme une solution fort intéressante pour stimuler le résident atteint du syndrome crépusculaire. On utilise cette forme de thérapie avec les résidents atteints d'une démence entre autres, spécialement lorsqu'il y a la présence de troubles comportementaux et psychologiques. Quelques CHSLD possèdent ce type de salle. On y trouve des sons, des odeurs, des textures, des couleurs, des images ou des jeux de lumière qui, à des degrés divers, stimulent les sens du résident et lui permettent de conserver ses capacités résiduelles. La salle Snoezelen offre au résident un environnement à la fois relaxant et stimulant, et constitue un lieu d'exploration.

Photothérapie

Pour traiter le syndrome crépusculaire, le soignant peut également avoir recours à la photothérapie. La photothérapie, qu'on appelle aussi luminothérapie, est une technique qui consiste à exposer le résident de façon quotidienne et systématique à une lumière très vive, projetée par des lampes fluorescentes couvrant la totalité du spectre lumineux. Ayant pour but d'augmenter le temps d'exposition à la lumière du jour, le traitement peut être donné à titre préventif ou curatif.

Concernant la photothérapie, plusieurs études ont suggéré qu'une exposition appropriée, c'est-à-dire d'une durée habituelle de 2 à 3 heures, à une intensité supérieure à 2 500 lux, peut améliorer le sommeil et réduire l'agitation qu'engendre le syndrome crépusculaire. Toutefois, il n'existe pas de consensus sur le meilleur moment d'administration de ce traitement. Au surplus, on connaît mal le mécanisme de son effet, mais il semble qu'il impliquerait la sécrétion de mélatonine (McGaffigan et Bliwise, 1997). Rappelons que la glande pinéale, sise dans le cerveau, libère cette hormone en réaction à la noirceur (Norton, 1991). La mélatonine induit le sommeil en synchronisant l'horloge biologique.

La photothérapie est un traitement facile d'utilisation et peu onéreux par comparaison à l'utilisation des neuroleptiques. Une lampe coûte entre 150 $ et 290 $, et peut être utilisée pour environ 4 résidents par jour. Il est recommandé de remplacer les fluorescents, qui coûtent en moyenne 25 $ chacun, après 2 ans d'utilisation afin de conserver l'intensité recommandée pour un traitement efficace. Il est possible de se procurer les lampes des compagnies Northern Light, Litebook ou Naturebright dans des pharmacies, des magasins d'équipements médicaux ou des commerces d'éclairage.

Conclusion

Si nous comprenons de mieux en mieux les symptômes psychologiques et comportementaux de la démence, il faut reconnaître que le syndrome crépusculaire demeure un défi important pour les chercheurs et les intervenants du milieu. À court terme, en attendant que de nouvelles recherches nous en apprennent plus sur le sujet et nous permettent de mieux traiter les résidents, il semble que déterminer les facteurs prédisposants et précipitants, la thérapie occupationnelle et la photothérapie constituent les interventions de choix pour traiter le syndrome crépusculaire.

ÉTUDE DE CAS

Madame Desgagné, âgée 83 ans, habite en CHSLD, car elle est atteinte d'une démence de type Alzheimer. Toujours calme vers 16 h, elle manifeste de façon systématique vers 18 h des symptômes comportementaux (errance) et psychologiques (anxiété) du syndrome crépusculaire. Elle semble soudainement ne plus savoir où et qui elle est. Les soignants traitent son agitation, en vue de la réduire, en la distrayant et lui faisant faire des promenades. Le soir, elle s'endort assez bien. Le matin, elle est calme et collabore avec les soignants lors des soins. Cependant, lorsque le crépuscule survient, ses symptômes réapparaissent.

Questions

1 Nommez les symptômes comportementaux et psychologiques qui sont associés au syndrome crépusculaire.

2 Le sentiment d'anxiété de Mme Desgagné peut-il constituer un symptôme du syndrome crépusculaire ?

3 Quel facteur prédisposant rend Mme Desgagné vulnérable au syndrome crépusculaire ?

4 Nommez deux interventions qui permettraient de réduire l'agitation qui découle du syndrome crépusculaire.

5 PROGRAMMES DE PROMOTION DE LA QUALITÉ DE VIE

Cette cinquième partie est consacrée aux différents programmes de promotion de la qualité de vie des aînés vivant dans les CHSLD. Il est important que les infirmières réalisent qu'elles doivent se préoccuper autant du bien-être psychologique et de la qualité de vie des résidents que de leur état de santé. Puisque le CHSLD doit être à la fois un milieu de vie et un milieu de soins, chaque infirmière doit participer à l'atteinte de cet objectif. Les infirmières doivent de la sorte, s'il le faut, mettre sur pied des programmes visant la promotion de la qualité de vie des résidents ou participer à ceux qui sont déjà en place. Ainsi, en plus de leurs responsabilités à l'égard de la santé physique des aînés en perte d'autonomie, elles ont la responsabilité de s'engager dans les activités de promotion de la qualité de vie.

Pour chacun des aspects que nous examinons, à savoir une bonne communication, la stimulation cognitive au quotidien, l'intégration des familles, les loisirs, la zoothérapie, la musicothérapie et l'approche prothétique élargie, nous proposons divers programmes d'intervention dont la pertinence repose sur des justifications théoriques et empiriques, dont nous faisons état également. Notons que, puisqu'une majorité de résidents des CHSLD sont atteints de déficits cognitifs, nous accordons une importance particulière à ce groupe et aux défis qu'ils posent. Dans tous les cas, nous présentons différents moyens permettant d'implanter efficacement les programmes de promotion de la qualité de vie et nous indiquons à quelles stratégies les infirmières peuvent recourir pour appliquer les interventions que nous proposons.

31

LA COMMUNICATION AVEC LES RÉSIDENTS PRÉSENTANT DES DÉFICITS COGNITIFS

par **Daniel Pelletier**

Ce chapitre aborde la problématique de la communication avec les résidents présentant des déficits cognitifs associés à la démence. L'objectif est de sensibiliser les infirmières aux différentes dimensions des échanges avec les résidents, leurs proches et les collègues de travail. D'une part, nous examinerons les attitudes et principes de base propres à une relation thérapeutique. D'autre part, en analysant les composantes de la communication interpersonnelle, nous tâcherons de cerner les difficultés qu'on peut éprouver à communiquer avec des résidents ayant des problèmes d'expression et de compréhension, et nous présenterons en conséquence des pistes d'intervention pour faire face à ce type de problèmes.

NOTIONS PRÉALABLES SUR LA COMMUNICATION

Définition

La plupart des dictionnaires définissent la communication à la fois comme le fait, l'action, la technique, mais aussi ce qui est communiqué et qui nous permet d'établir une relation avec une autre personne. De ce fait, la communication apparaît comme un élément essentiel de notre relation à nous-même et aux autres (Habermas, 2001; Habermas, Cooke et NetLibrary, 1998). Qu'il s'agisse du premier cri du nouveau-né, d'un regard jeté furtivement à un étranger ou de la veste qu'on dépose sur un siège à scs côtés pour marquer son espace, tous ces gestes contribuent à établir notre rapport avec ce qui nous entoure. Le nouveau-né crie: «Je suis là!» En réalité, ce «je» n'existe pas encore. Le poupon n'est encore que besoins et sensations, plus ou moins distincts. Il dépend entièrement de l'adulte qui prend soin de lui. Pourtant, il communique ses besoins, ses émotions, ses humeurs. Il importe alors que l'adulte saisisse, décode et interprète correctement cette communication.

En CHSLD, l'infirmière a une responsabilité similaire, mais n'a cependant pas affaire à un enfant. Son rôle implique une relation d'aide tout orientée vers une personne adulte dépendante. Divers aspects de la pensée de cette personne, de ce résident peuvent être altérés par les déficits associés à la démence, ce qui peut compromettre la façon dont le résident s'exprime et rendre la communication ou la compréhension laborieuses (Ducharme, 1987; Lévesque et Marot, 1988). Aussi, le personnel soignant doit compenser ces déficits (Conseil des aînés, 2000; Ducros-Gagné, 1988; Tierney et Charles, 2002). L'expertise clinique, une connaissance à la fois implicite et explicite du

comportement humain et les habiletés de communication joueront à cet égard un rôle déterminant. Plusieurs auteurs considèrent ces aspects comme essentiels (Tierney et Charles, 2002). Tous les acteurs de la communication, à savoir l'infirmière, le résident, les proches, les autres résidents et les collègues de travail, jouent un rôle qui s'inscrit dans une réciprocité d'attentes.

Attitudes de base en communication

L'infirmière établit une relation d'aide plus ou moins formelle avec le résident en portant une attention particulière à ses besoins psychologiques et sociaux. Cette relation se fonde sur un ensemble d'habiletés et d'attitudes particulières. Rosenberg et Hovland (1960) définissent la notion d'attitude selon les dimensions cognitive, affective et comportementale. Une attitude suppose ainsi une manière organisée et cohérente de penser, de ressentir et de réagir à l'égard d'une question donnée. En matière de communication, cela relève d'habiletés cognitives et affectives et cela s'exprime par des comportements adaptés chez l'infirmière. Voici les principales attitudes dont elle doit faire preuve lorsqu'elle se trouve en relation d'aide: l'écoute, l'empathie, l'acceptation, l'authenticité et la congruence (Bioy et Maquet, 2003; Chalifour, 1999; Hétu, 2000). Développées dans une perspective holistique et humaniste, ces attitudes sont centrées sur la personne (Kohlberg, 1984; Rogers, 1970). Cette perspective affirme ainsi le primat de la subjectivité, des besoins de croissance et d'actualisation chez tout individu.

L'écoute est à la fois une attitude et une habileté fondamentale en communication. Elle implique que l'infirmière porte attention au message et au vécu du résident. Cette écoute suppose qu'elle soit ouverte et dispose de temps et d'énergie, mais également d'une capacité à décoder correctement ce que le résident exprime dans le registre tant verbal que non verbal. En outre, chez l'infirmière, l'écoute doit aussi être une capacité d'observation.

Lorsqu'il s'agit d'émotions, l'écoute doit se transformer en une habileté à se mettre à la place de l'autre, à se centrer sur son expérience. On parle alors d'empathie, c'est-à-dire d'une forme de compréhension permettant de saisir la manière dont l'autre perçoit la réalité et de se centrer sur cette perception. Pour être empathique, l'infirmière doit puiser dans son expérience personnelle. À cet égard, l'empathie n'est pas un phénomène inné ou totalement spontané. Elle s'acquiert grâce à un processus de socialisation et relève du développement moral et affectif des individus (Bennett, 2001). D'autre part, pour faire preuve d'empathie, l'infirmière devra avoir acquis une certaine maturité et posséder un sentiment de sécurité personnelle (Bioy et Maquet, 2003). Il s'agit donc d'une habileté variable d'une personne à l'autre, dans le temps ou encore selon les émotions que suscite une situation donnée.

Il est parfois difficile de faire preuve d'empathie, car cette attitude fait appel à une attitude complémentaire : l'acceptation, que l'on conçoit ici comme le fait de ne pas juger l'autre. L'acceptation n'est pas une acceptation des comportements proprement dits, mais plutôt l'acceptation des émotions ou de la souffrance qui peuvent être à l'origine de tels comportements. L'empathie véritable permet de garder une certaine distance, un esprit ouvert, mais critique. Cette capacité empathique exige que l'infirmière soit à la fois à l'écoute du résident et authentique. L'authenticité consiste en un regard critique que l'infirmière porte sur elle-même et qui lui permet de déterminer s'il y a congruence entre ce qu'elle éprouve et le rôle thérapeutique qu'elle doit jouer. Cette congruence est un élément essentiel du professionnalisme de l'infirmière et un garant de la qualité de ses interventions. L'ensemble de ces attitudes sert de fondement à la communication (Bennett, 2001) et participe ainsi à la définition d'une intervention de qualité auprès du résident (Santé Canada, 1998 ; Tierney et Charles, 2002).

Le rôle de l'infirmière en CHSLD l'amène également à nouer des liens avec le résident et ses proches et avec les autres soignants ou collègues de travail. Chacun de ces acteurs contribue à définir le milieu de vie et la qualité de vie de tous. À cet égard, le fait que ces acteurs communiquent bien entre eux rehaussera à proportion la qualité du milieu de vie (Jansen, 2002). Ainsi, l'infirmière doit être attentive à la souffrance et aux difficultés que vivent les résidents, mais aussi aux ressources et aux habiletés qui sont celles de ses collègues, tout comme à leur connaissance des résidents. Cela favorisera l'implication de tous et l'apprentissage de modalités de communication avec les proches (Vézina et Pelletier, 2004 ; Vézina, Pelletier et Centre de recherche sur les services communautaires,

2001). Autrement dit, il importe de bien connaître la personnalité et les compétences relationnelles de chacun pour établir avec l'ensemble des acteurs du milieu une communication de qualité et pour travailler de concert avec eux.

Il faut également porter une attention spéciale à ce que communique l'environnement du résident. Le bruit, la lumière, la chaleur, le froid, la circulation de l'air, l'encombrement ou la proximité d'espaces ouverts ou fermés, l'achalandage, les rythmes et les couleurs entrent en ligne de compte dans la communication et l'influencent. Il en va de même de l'environnement personnel et social du résident, du climat qui règne dans l'unité de soins et du niveau de tension ou de stress des soignants et des proches.

Principes généraux de la communication

Notons d'abord qu'il existe de nombreuses théories et techniques de la communication (Santé Canada, 1999 ; Du Plooy, 2002 ; Griffin, 2003 ; Rogers, 1970). De même, on ne compte plus les ouvrages portant sur des techniques comme l'écoute « active », la reformulation, la clarification, la focalisation, le reflet et nombre d'autres (Phaneuf, 2002). Néanmoins, nous nous pencherons ici sur les principes généraux de la communication, à savoir les composantes du modèle émetteur-récepteur (voir la figure 31-1), que nous considérerons comme une base pour analyser les difficultés qui peuvent survenir dans les échanges avec les résidents atteints de déficits cognitifs.

L'émetteur est la personne qui a quelque chose à communiquer, que ce soit l'infirmière ou le résident. La personne se sert alors d'un code, c'est-à-dire d'un ensemble de signes, de signaux ou de symboles qui transmettent généralement un sens. C'est le codage. Chacun transforme l'information d'une certaine manière et l'exprime de diverses façons. C'est le message, qu'il est possible de transmettre par différents canaux, par exemple par le téléphone ou de vive voix (canal verbal), par écrit ou par gestes (canal non verbal). Chaque canal dispose de qualités particulières et comporte des limites spécifiques. Ainsi, communiquer par écrit permet de transmettre plus d'informations que communiquer oralement, mais le récepteur doit alors garder l'information à portée de main et être capable de décoder l'écriture utilisée par l'émetteur. Quoi qu'il en soit, chaque canal requiert que l'information soit structurée d'une certaine façon pour que la transmission et la réception se fassent bien.

Le récepteur est la personne qui reçoit le message qu'envoie un émetteur. Pour comprendre l'information qu'il reçoit, le récepteur doit percevoir ce message et pouvoir le décoder correctement. Dans bien des cas, il doit décoder non seulement l'information factuelle du message, mais également l'intention de l'émetteur, par exemple ses motivations et les besoins qu'il exprime. Lorsqu'il aura décodé le message, le récepteur vérifiera s'il a bien compris le message et émettra à son tour un message destiné à l'émetteur. Celui-ci corrigera alors la compréhension du récepteur –

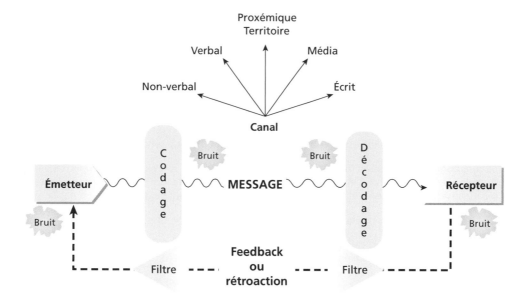

FIGURE 31-1 Modèle émetteur-récepteur

si nécessaire – au moyen d'un second message. Ce processus circulaire se nomme feedback ou rétroaction.

Les « bruits » apparaissant dans la figure 31-1 sont les difficultés liées à la communication. Un environnement bruyant, des difficultés de concentration ou d'attention et les déficits cognitifs peuvent par exemple introduire des bruits dans la circulation de l'information entre émetteur et récepteur, et rendre difficiles l'encodage ou le décodage du ou des messages.

En ce qui a trait au contenu, c'est-à-dire à l'information que transmet un message, il en existe trois types, que l'on considérera comme des niveaux logiques. L'émetteur peut ainsi transmettre des faits, des opinions ou, finalement, des plans d'action (Hall, 1984). Pour que la communication soit efficace, l'émetteur et le récepteur doivent se situer au même niveau logique ou retourner éventuellement à un niveau précédent pour expliciter leur pensée. Pour bien comprendre une opinion, par exemple, des interlocuteurs reviendront aux faits qui en sont à l'origine. Pour comprendre un plan d'action, ils essaieront de comprendre ce qui le motive. D'autre part, toute communication comporte un niveau implicite, à savoir celui des composantes relationnelles-émotionnelles, qui se manifestent de trois façons, comme le montre le tableau 31-1.

Puisqu'ils surgissent dans toutes les communications interpersonnelles, les questionnements inhérents à chacune de ces composantes obligent l'infirmière à se demander si elle adopte ou non les attitudes thérapeutiques que nous avons décrites précédemment. Son ouverture et sa disponibilité intellectuelles et émotives sont essentielles pour que la communication entre les résidents et elle-même soit saine. Cette ouverture et cette disponibilité sont d'autant plus importantes qu'elles lui permettront de résoudre les difficultés qui ne peuvent manquer de survenir tant sur le plan du contenu des messages que sur celui de la relation et des émotions qui y sont associées (Gélinas, 2001 ; Kourilsky-Belliard, 2004).

Bien qu'il illustre convenablement les principes de base de la communication, le modèle émetteur-récepteur est linéaire et passe en partie sous silence différents aspects des communications interpersonnelles. Par exemple, il n'indique pas que les habitudes et la culture, avec leur lot de règles et de conventions, influencent également la communication (Forte, 2001 ; Hall, 1979). La proxémique peut nous aider à pallier l'insuffisance théorique de ce premier modèle. Ce champ d'études explore la gestion de l'espace interpersonnel et le langage corporel comme éléments tacites et néanmoins importants de la communication. Si l'on tient

Tableau 31-1	Composantes relationnelles-émotionnelles de la communication
COMPOSANTES	**QUESTIONNEMENTS INHÉRENTS**
Engagement	Suis-je à l'intérieur ou à l'extérieur de la relation ? Jusqu'à quel point suis-je engagé dans cette relation ? Le suis-je physiquement ou émotionnellement ?
Contrôle	Quelle est mon influence, mon pouvoir dans la relation ? Est-ce que je domine la situation ou est-ce que je suis dominé ? Comment mon pouvoir s'exerce-t-il ?
Sentiments et émotions	Qu'est-ce que j'éprouve pour l'autre personne ? Est-ce que je désire être près ou loin d'elle ?

Tableau 31-2	Modèle orchestral de la communication : principes de base
1er principe	Nous ne pouvons pas ne pas communiquer. La communication est partout.
2e principe	La communication est une interaction. Elle est un processus établi sur la base de la réciprocité et d'une capacité minimale d'empathie et de reconnaissance de l'autre.
3e principe	La communication est un processus actif et continu de traitement de l'information, qui met en jeu une interprétation du contexte et des éléments qui supportent la communication, tels que le langage et le média. Elle est à la fois expression et recherche de sens.
4e principe	La communication se réalise simultanément à plusieurs niveaux, soit explicite et implicite, verbal et non verbal, et dans plusieurs registres. Cela marque l'importance du contexte, des rôles, du statut, des aspects symboliques, reconnaissables chez chacun des interlocuteurs tant par le contenu des messages que par la relation sous-jacente.
5e principe	Une saine communication requiert une attitude d'ouverture et de disponibilité.
6e principe	Une saine communication exige la clarté ou la clarification des messages en fonction à la fois des niveaux logiques du contenu et des éléments qui définissent la relation.
7e principe	Une saine communication est destinée à faciliter la compréhension réciproque. Chaque fois qu'une information peut être transmise de plusieurs façons, il est préférable de choisir la façon la plus simple.
8e principe	La dimension affective de la communication demeure toujours présente et porteuse de sens.

compte de ces aspects, la notion de communication s'élargit et nous oblige à élaborer un second modèle de la communication, un modèle dit orchestral, dont le tableau 31-2 présente les principes.

Dans le modèle orchestral, la communication est conçue comme une musique qu'on écoute activement. Le message est codé, décodé et interprété simultanément au moyen d'une multitude d'indices. Le ton, le volume et le rythme de la voix, les gestes, l'aspect général de la personne, sa posture, sa proximité, les mots qu'elle choisit, le statut social que chaque interlocuteur prête à l'autre, tout ce qui entoure le message fait dès lors partie du message, comme une pièce musicale où se distingueraient à la fois la mélodie et les instruments. Chaque interlocuteur réagit de manière continue à chacun de ces éléments, et le codage-décodage de ceux-ci se déroule simultanément, dans plus d'un registre, selon les contextes et les multiples aspects significatifs que chacun reconnaît. Selon le modèle orchestral, une bonne communication est ainsi un processus réciproque, relativement prévisible, continu et toujours actif de partage de significations, grâce à une suite d'interactions (Goffman, 1997 ; Golander et Raz, 1996 ; Griffin, 2003).

Si l'on parle de processus continu, c'est parce que le premier principe du modèle orchestral de la communication affirme que nous ne pouvons pas « ne pas communiquer ». La communication est en effet partout, dans les mots, les gestes, les silences et même les parfums. Tout ce qui vient de nous communique quelque chose. Évidemment, chaque interlocuteur interprétera différemment l'ensemble de ces manifestations, en fonction de la façon dont il les perçoit, de ses références et de ses valeurs. Néanmoins, tout signe est porteur d'un langage, qu'il s'agisse d'un langage verbal, d'un langage corporel ou du langage de l'espace personnel (qui sert notamment à définir l'intimité ou le territoire ; à cet égard, notons que les objets significatifs dont la personne s'entoure communi-

quent également quelque chose, puisque la personne les a choisis). Bref, au-delà du simple message ou de l'information qui constitue le premier niveau de la communication, il existe toujours dans la relation communicationnelle un second niveau de sens, plus difficile à saisir, et auquel il faut donc être attentif.

La relation de communication se définit d'autre part et se contextualise en fonction des rôles et des attentes réciproques qui s'établissent entre les interlocuteurs. Le jeu de ces interactions et la réciprocité des rôles influencent le statut et l'identité même des interlocuteurs (Bandler et Grinder, 1982 ; Charon et Cahill, 2004). Ainsi, dans un CHSLD, le résident pourra se dire : « aux yeux de l'infirmière, je suis un malade » ou « aux yeux de l'infirmière, je suis une personne digne d'attention ».

L'habileté à utiliser ou à interpréter les différents registres de langages et à y réagir correctement n'est cependant pas la même pour tous. Dans cette perspective, il importe que l'infirmière soit constamment attentive à ce que le résident communique, mais également à ce qu'elle-même communique lorsqu'elle interagit avec chacun des acteurs d'un CHSLD.

Principes de communication avec le résident

Grâce aux deux modèles de la communication que nous avons présentés, à savoir le modèle émetteur-récepteur (voir la figure 31-1) et le modèle orchestral (voir le tableau 31-2), nous pouvons cerner certaines des difficultés inhérentes aux communications avec les résidents et concevoir diverses solutions. Tout d'abord, l'infirmière doit porter attention aux déficits sensoriels ou cognitifs du résident et en avoir une compréhension clinique appropriée, car cela lui rendra évidentes les limites d'un résident en matière de communication. À cet égard, peu importent les limites, l'infirmière devra toujours communiquer

Tableau 31-3	Principes de base de la communication avec un résident atteint d'une démence

- S'efforcer d'établir le contact avec le résident pour obtenir son attention et s'assurer que le message est bien reçu.
- Considérer le résident comme une personne qui désire communiquer mais qui en est incapable avec les moyens habituels de communication, en raison des déficits sensoriels et cognitifs liés à son état.
- Valoriser le résident lorsqu'il effectue le moindre geste ou signe de communication pour maintenir chez lui cette envie de communiquer, et l'encourager à maintenir son autonomie et un contact avec son monde social.
- Faire preuve de patience et d'imagination pour surmonter les obstacles liés aux troubles de la communication et pour répondre au mieux aux besoins tant physiques que psychologiques du résident.
- Essayer de rendre chaque contact avec le résident aussi agréable que possible pour entretenir une bonne relation thérapeutique.

avec le résident avec patience, respect, douceur et simplicité. Il s'agit là d'une règle fondamentale. D'autre part, dans ce qu'elle communique au résident, il lui faut distinguer le nécessaire de l'inutile en sachant que les déficits de la mémoire et de l'attention sont chose courante dans un CHSLD. Enfin, elle doit avoir conscience que les fonctions cognitives des résidents varient d'un jour à l'autre, et que certains déficits s'aggravent au fur et à mesure que les maladies qui les causent évoluent. L'infirmière aura donc à réviser ses attentes en matière de communication en tenant compte de ce que le résident peut faire.

Divers chercheurs (Lévesque et Marot, 1988 ; Lévesque, Roux et Lauzon, 1990 ; Robichaud, Bédard, Durand et Ouellet, 2001 ; Robichaud et Durand, 1999) ont proposé des principes de base fort pertinents en ce qui concerne la communication avec un résident atteint d'une démence. Le tableau 31-3 résume ces principes.

Si l'on traduit ces principes de base en actions concrètes, on en déduit que l'infirmière devra s'efforcer de parler clairement, au moyen d'un langage simple mais pas trop simplet, en tenant compte des déficits du résident. Il s'agit d'utiliser les langages (verbal, non verbal, etc.) et les symboles qui ont un sens pour le résident et lui sont encore accessibles. Ainsi, le soignant pourra faciliter la compréhension en faisant certains gestes ou en recourant à des supports de communication tels que des images ou des objets. Le fait de joindre des gestes aux paroles (tenir la main du résident, par exemple), de décrire les activités qu'on s'apprête à faire ou qu'on est en train de faire permet d'établir un contact avec le résident et de maintenir son attention. D'autre part, lorsqu'elle communique avec le résident, l'infirmière doit tâcher d'éliminer les bruits qui nuisent à la communication. Enfin, outre les formules de politesse, les gestes et les regards qui rendent possible une relation chaleureuse et personnalisée, elle devra parsemer ses échanges avec le résident d'informations qui permettront à celui-ci de mieux comprendre la situation dans laquelle il se trouve et l'aideront à suivre ce qui se passe. Autrement dit, l'infirmière indiquera régulièrement le rôle qu'elle joue, l'endroit où le résident se trouve, l'heure qu'il est et la séquence des activités qu'elle s'apprête à faire. Cela ressemblera à ceci, en quelque sorte : « Bonjour, madame X. … Il fait beau ce matin. Je suis votre infirmière. Je viens vous aider aujourd'hui pour accomplir telle tâche et vous donner vos médicaments. Voudriez-vous vous asseoir ? … Après, vous pourrez prendre votre déjeuner dans la salle d'à côté. »

PROGRAMME D'INTERVENTION

Malgré tous les efforts déployés par l'infirmière ou le résident, des barrières pourront tout de même entraver la communication. Comme le suggère le modèle émetteur-récepteur, ces barrières émanent de l'émetteur, du récepteur, du canal ou encore du message lui-même. Lorsqu'elle constate que des obstacles nuisent à la communication, l'infirmière passe en revue les principes de communication pour chacun de ces éléments. Pour illustrer ce que peuvent être des barrières de communication en CHSLD, nous présentons ici trois cas de figures. Nous proposons des stratégies en fonction des barrières qui viennent de l'émetteur, lequel sera, dans un premier temps, le résident et, dans un deuxième temps, l'infirmière. Finalement, nous abordons les barrières de communication que les activités de la vie quotidienne peuvent engendrer.

Stratégies lorsque le résident est l'émetteur

Dans bien des cas, lorsque le résident émet un message, les barrières de communication résulteront de sa capacité à exprimer ses besoins. Ces barrières seront d'autant plus importantes si le résident est atteint de déficits tels que l'anomie ou l'aphasie. Toutefois, diverses stratégies permettront à l'infirmière de surmonter ces barrières.

Par exemple, si le résident emploie un mot à la place d'un autre, l'ensemble de sa phrase aidera l'infirmière à comprendre ce qu'il veut dire. À cet égard, il est important que l'infirmière lui montre qu'elle a compris son message, soit par un signe de tête ou un sourire, soit en reprenant la phrase. Il est d'ailleurs préférable d'éviter de corriger un

résident qui se trompe de mot ou inverse l'ordre des mots. L'infirmière veillera plutôt à le rassurer.

Si le résident hésite ou a un trou de mémoire, l'infirmière lui laissera le temps de trouver son mot ou son idée. S'il ne le trouve pas, elle lui suggérera quelques mots entre lesquels il pourra choisir. Elle pourra même proposer au résident de lui décrire ce qu'il veut ou l'objet qu'il désire, ou de lui en expliquer la fonction. Si le résident n'arrive pas à s'exprimer, elle pourra l'encourager à pointer du doigt l'objet en question ou à lui en montrer la forme. Enfin, si le résident est encore en mesure d'écrire, l'infirmière lui suggérera de coucher ses demandes sur papier.

À titre de réceptrice, il incombe à l'infirmière de décoder correctement les messages du résident, d'observer ses comportements verbaux et non verbaux. Lorsque le résident semble bloqué après avoir prononcé quelques mots, elle pourra ainsi répéter ces quelques mots pour lui indiquer qu'elle cherche à saisir son message. Si le résident n'emploie qu'une suite de paroles incohérentes ou qu'il est incapable de trouver le bon mot (même s'il sait fort bien de quoi ou de qui il parle), et qu'il est impossible de le comprendre, l'infirmière portera attention aux émotions qu'exprime sa voix, à son intonation et à son rythme. Elle pourra ainsi mieux comprendre le sens global du message que tente d'exprimer le résident. Il est à noter qu'il est parfois possible d'isoler quelques mots que le résident emploie de façon répétitive ou qui semblent plus clairs pour tenter de saisir le sens du message qu'il essaie de livrer.

Dans tous les cas, l'infirmière ne doit jamais feindre de comprendre le message du résident, alors qu'elle ne le comprend pas en réalité. Cela dévalorise le résident et l'empêche d'exprimer ce qu'il cherche à dire. L'infirmière doit plutôt déterminer quelle émotion le résident tente d'exprimer, que ce soit de la peur, de la colère, un sentiment de menace ou encore le besoin d'être rassuré. Lorsqu'elle l'a déterminé, elle peut agir en conséquence. Elle lui indique alors qu'elle comprend son message et qu'elle accepte l'émotion qui l'anime.

Lorsque le résident parle et s'arrête au milieu de sa phrase, il est important que l'infirmière maintienne avec lui un contact visuel et l'aide à retrouver le fil de ses idées, par exemple en répétant les derniers mots qu'il a prononcés. Il importe alors de lui laisser le temps de répondre. Si cette démarche ne fonctionne pas, l'infirmière peut toujours changer de sujet ou rassurer la personne, pour mieux reprendre la conversation plus tard.

Notons d'ailleurs que le fait d'adopter des gestes, des mimiques et des attitudes corporelles appropriées permet de renforcer la communication verbale. Maintenir un contact visuel avec le résident, lui sourire et faire des gestes d'apaisement sont des stratégies que peut utiliser l'infirmière pour indiquer au résident qu'elle porte un intérêt à sa conversation. Si le résident se perd dans ses idées, change de sujet, se perd en digressions, elle peut résumer ses paroles pour l'aider à revenir au sujet initial ou au sujet important.

La maladie dont souffre un résident peut l'empêcher d'amorcer la conversation ou de la soutenir. Dans ces cas-là, l'infirmière recourt à des rituels sociaux tels que saluer le résident et lui tendre la main, ce qui peut susciter un échange et indique à tout le moins au résident qu'elle lui porte attention. Si le résident se trouve encore en mesure de répondre à des questions, elle peut lui en poser des simples en lui laissant bien le temps de répondre. De ce point de vue, si le résident s'efforce de communiquer ou de dire quelque chose, l'infirmière doit encourager ses efforts, que ce soit en établissant un contact visuel, en l'écoutant patiemment ou en lui souriant. Si le résident semble demander une chose inhabituelle, elle essaie de deviner ses intentions en observant son comportement ou son langage non verbal. Elle vérifie ensuite par la parole si son interprétation est correcte.

Enfin, lorsque le résident fait une demande, l'infirmière lui répète d'abord ses paroles, sans lui poser de question. Si le résident approuve l'interprétation de l'infirmière, elle peut lui poser des questions pour mieux interpréter sa demande. Par exemple, un résident qui demande son manteau peut vouloir dire qu'il veut sortir ou encore qu'il a froid. Même si elle est mal formulée ou l'est de façon obscure, la demande est souvent porteuse d'une intention, d'un plan d'action ou même d'un besoin bien spécifique. C'est pourquoi l'infirmière doit faire preuve de patience et se montrer réceptive lorsqu'elle écoute le résident. Elle doit avoir développé sa capacité à décoder les émotions et les besoins qui se cachent derrière les barrières de communication. Pour conclure, notons que, si l'infirmière ne considère que le registre cognitif lorsque le résident tente de lui faire comprendre quelque chose, elle ne fait souvent qu'accentuer l'anxiété du résident.

Stratégies lorsque l'infirmière est l'émettrice

Lorsque l'infirmière est l'émettrice, rappelons combien sont importants son attitude, son expression et le ton de sa voix, car tous ces éléments sont porteurs de messages. Pour exprimer ce qu'elle doit dire, il est préférable que l'infirmière s'en tienne à un seul message à la fois, qu'elle utilise des mots simples, des phrases courtes. Ces composantes de la communication sont capitales, car la capacité des résidents à traiter les informations diminue avec l'évolution des maladies dont ils sont atteints.

Pour s'adresser au résident, l'infirmière attire d'abord son attention lorsqu'elle arrive dans sa chambre, notamment en frappant à la porte et en le saluant. Elle veille à s'approcher de lui par l'avant. Elle entre ainsi dans son champ visuel sans le surprendre. Ayant pris le temps d'établir un contact visuel avec le résident, elle tâche ensuite d'éliminer ou de réduire le plus possible les bruits environnants. Le fait d'utiliser ces stratégies simples indique au résident que l'infirmière le respecte et qu'elle donne de l'importance à leurs échanges, puisqu'elle leur accorde une attention spéciale.

Pour parler au résident, l'infirmière doit avant tout obtenir son attention, comme nous venons de le dire. Pour ce faire, elle peut le toucher, le regarder ou le saluer en l'appelant par son nom. Elle doit également tâcher de demeurer dans son champ visuel ou auditif. En parlant lentement, en prononçant clairement chaque mot, en utilisant des mots simples et des phrases courtes, l'infirmière obtient de meilleurs résultats. Il faut à cet égard éviter d'infantiliser le résident : lui parler comme on parle à un adulte, c'est lui montrer qu'il demeure une personne à part entière. D'autre part, le fait que l'infirmière ne transmette qu'une information à la fois permet au résident de se concentrer sur chaque phrase, évite qu'il se sente bombardé d'informations et laisse à l'infirmière la possibilité de vérifier que le résident la comprend au fur et à mesure que progresse la conversation. D'ailleurs, l'infirmière doit permettre au résident de s'exprimer en lui en laissant tout le temps nécessaire. Si le résident ne donne pas de signe qui indique qu'il comprend, l'infirmière répète simplement sa demande ou l'information qu'elle tente de transmettre, sans hausser la voix. De fait, en baissant le ton de sa voix, elle attire bien plus l'attention du résident qu'en le haussant. Hausser la voix risquerait de l'effrayer ou de provoquer des réactions négatives, puisque cela dénote généralement de la colère ou de l'impatience.

En fonction de l'évolution de la maladie dont est atteint le résident, l'infirmière peut continuer à poser des questions simples, du moins tant que la personne est en mesure d'y répondre. Elle évite dans tous les cas des questions qui font appel à la mémoire à court terme, puisque celle-ci est généralement la première à faire défaut. Le mieux est de poser des questions en donnant au résident des choix de réponses limités ou de lui poser des questions simples auxquelles il peut répondre par oui ou par non. Il est judicieux de permettre au résident d'exercer sa capacité à choisir, tant qu'il peut le faire, en lui demandant par exemple s'il veut tel ou tel fruit. S'il n'est plus en mesure de faire un choix, l'infirmière fera elle-même ce choix, tout en essayant de respecter ses goûts.

Lorsque l'infirmière communique avec le résident, elle doit orienter la conversation sur ses talents, sur ses capacités, sur les fonctions qu'il a conservées, en vue de le valoriser. Cela le stimulera, l'incitera à garder son autonomie et à rester utile. L'infirmière doit profiter de toutes les occasions qui se présentent pour le féliciter. Il s'agit de rendre les moments qu'elle passe avec lui aussi agréables et stimulants que possible, en lui rappelant des moments heureux, en chantant ou en faisant appel aux aspects sympathiques ou qu'on apprécie chez lui. Le fait que l'infirmière soit de bonne humeur et manifeste du plaisir en voyant le résident ou en accomplissant ses tâches contribue à créer un bon climat. Dans les cas où le résident est moins bien disposé, l'infirmière s'informe de son humeur et doit l'accepter sans le juger ni lui faire de remontrance. Cela lui montre qu'elle l'accepte comme il est et le respecte, et qu'elle fait preuve de sollicitude. Une telle attitude permet en outre au résident et à l'infirmière de « passer à autre

chose », sans que rien ne vienne remettre en cause une relation qui se veut positive et fonctionnelle.

Enfin, notons que si le résident démontre une grande fatigue, il vaut mieux pour l'infirmière attendre un autre moment pour communiquer avec lui, choisir un moment plus propice aux échanges.

Stratégies lors des activités de la vie quotidienne

Après avoir présenté les stratégies qui visent à surmonter les barrières de communication qui surviennent lorsque l'émetteur est le résident ou l'infirmière, il nous faut maintenant aborder les stratégies qui permettent de vaincre les difficultés qu'engendrent les activités de la vie quotidienne. Cela est d'autant plus important que, comme les diverses activités ou situations de la vie courante ne demandent pas au résident de procéder à des raisonnements compliqués, il est possible de profiter de ces activités pour communiquer « socialement » avec lui. Ces échanges entretiennent d'ailleurs l'ouverture au monde social. À cet égard, le fait de consacrer du temps à socialiser avec le résident est une compétence relationnelle très appréciée des résidents et de leurs proches (Berne, 1977 ; Cardon, Lenhardt et Nicolas, 1979 ; Santé Canada, 1998). D'autre part, au cours de ces échanges, si elle utilise des mots empreints de gentillesse et qu'elle adopte des gestes du quotidien (poignées de main, sourires, formules de politesse), l'infirmière indique au résident qu'elle le reconnaît comme une personne, un être social à part entière.

Au cours d'activités sociales, par exemple lorsque le résident reçoit de la visite, l'infirmière doit éviter de demander au résident qui est la personne qui lui rend visite ou quel lien de parenté les unit. En effet, si le résident éprouve alors un problème de mémoire, cela peut lui causer de l'embarras. D'autre part, lorsqu'elle se trouve en présence du résident, l'infirmière doit éviter de parler de lui comme s'il n'était pas dans la pièce.

Lorsqu'elle prodigue des soins à un résident dont les pertes cognitives sont sévères, l'infirmière ne doit pas s'étonner que la conversation ressemble davantage à un soliloque qu'à une discussion. En accompagnant ainsi les soins qu'elle prodigue par des paroles, l'infirmière peut émettre des commentaires sur ce qui touche le résident et même traduire les mimiques du résident qui n'arrive presque plus ou plus du tout à s'exprimer. C'est que, bien souvent, les yeux ou la respiration du résident sont des indices de son assentiment, de la sympathie qui s'installe entre l'infirmière et lui au fil de ce soliloque. Il importe donc que l'infirmière fasse passer dans son monologue les émotions et les sentiments qui l'animent, car le résident les perçoit, même s'il ne comprend pas toujours le sens des mots. Elle doit de ce fait profiter du moment où elle soliloque ainsi pour donner de l'information au résident et s'assurer qu'il l'a comprise. Elle peut même mettre par écrit l'information pour que le résident s'y reporte au besoin ou

encore joindre à l'information qu'elle transmet un objet, une image, un geste ou le toucher pour en faciliter la compréhension.

Il est important que le résident continue à avoir des occupations, qu'il s'agisse d'entretenir des plantes d'intérieur, de faire des promenades ou d'organiser les objets qui l'entourent. De même, l'infirmière doit essayer de l'amener là où il peut rencontrer d'autres personnes. Elle l'incite à participer aux discussions, à communiquer avec d'autres résidents, avec les visiteurs ou avec d'autres membres du personnel. Lorsqu'il se livre à de telles occupations ou activités, le résident utilise des routines qu'il connaît et d'anciennes habitudes de vie, ce qui lui donne l'occasion de se servir des compétences et des aptitudes qui lui restent. De ce fait, l'infirmière peut s'informer de la façon dont il avait l'habitude d'effectuer telle ou telle activité, et tâcher de savoir ce qui lui plaisait dans cette activité. Elle peut aussi demander aux proches du résident de quelle façon il aime prendre son bain, quelles étapes il suit pour s'habiller, ce qu'il aime le plus faire et nombre d'informations de ce genre.

Loin d'être des détails inutiles, ces informations permettent à l'infirmière de prodiguer de meilleurs soins au résident et favorisent la communication entre elle et lui. Par exemple, le fait de connaître les habitudes d'habillement du résident donne à l'infirmière des indices quant à la façon d'amorcer les gestes de l'activité. En accompagnant ses paroles par des gestes, l'infirmière simplifie la tâche en la découpant en étapes faciles à accomplir, compensant ainsi les limites du résident, et en l'aidant au besoin. L'infirmière doit toutefois prévoir des périodes de repos ou modifier son approche lorsque le résident semble fâché ou irrité par la tâche à accomplir. Après avoir attendu quelques minutes, l'infirmière peut essayer de lui faire accomplir la même tâche, mais d'une autre façon.

L'écoute dans la réalisation des activités quotidiennes

Par « écoute dans la réalisation des activités quotidiennes », nous entendons ici le respect des limites de communication de la personne atteinte d'un déficit, en vue d'éviter de la pousser au-delà de celles-ci ou d'apporter un soutien accru à la réalisation de ces activités par la communication. Ainsi, au cours de telles activités, l'infirmière accompagne ses gestes d'une description de ceux-ci et fait des commentaires sur ce qu'elle fait, car cela favorise l'orientation vers la réalité et stimule les habiletés résiduelles du résident. Pour accomplir des tâches exigeantes avec le résident, elle choisit des périodes pendant lesquelles il est plus vigilant et alerte. Elle fait alterner les périodes d'activité et les périodes de repos, et évite de faire participer le résident à une tâche ou à une activité s'il montre des signes de résistance. Il faut accorder plus d'importance au résident qu'à l'activité elle-même. Vouloir terminer une tâche ou une activité à tout prix, au détriment des besoins de la personne, ne constitue pas une bonne stratégie.

Lorsqu'elle accomplit des tâches avec le résident, il est important que l'infirmière donne des consignes simples, qu'elle joigne le geste à la parole, qu'elle amorce l'activité et qu'elle dispose les articles nécessaires dans l'ordre qui convient. Notons à cet égard que des tâches qui semblent simples se révèlent souvent complexes lorsqu'on analyse la séquence des opérations qu'il faut accomplir pour les mener à bien. Par exemple, pour s'habiller, il faut enlever ses vêtements de nuit, mettre ses sous-vêtements puis d'autres vêtements, tout ça dans le bon ordre. L'infirmière veille donc à ce que le résident ne fasse qu'une chose à la fois, attend qu'il ait terminé une première opération avant d'en commencer une autre. Elle met d'ailleurs de côté les longues explications et donne clairement et simplement des instructions concrètes, toujours avec gentillesse pour éviter que le résident devienne hostile. Cette gentillesse exprime aussi qu'elle apprécie les efforts que déploie le résident.

Lorsqu'elle participe à des activités ou accomplit des tâches avec le résident, l'infirmière doit dire ce qui se passe au moment où cela se passe. C'est que la mémoire du résident peut être défaillante, et de tels rappels lui permettent de mieux suivre la progression de l'activité. Ce faisant, l'infirmière utilise de préférence les mêmes mots et les répète souvent. D'autre part, l'évolution de certaines maladies rend la communication non verbale plus importante, mais l'infirmière ne doit pas hésiter à joindre la parole aux gestes pour favoriser la compréhension. De ce point de vue, l'infirmière doit tâcher d'éviter qu'il y ait discordance entre ce qu'elle veut communiquer et la façon dont elle le communique. Par exemple, il est illogique d'émettre des paroles rassurantes en adoptant un ton de voix fort ou de vouloir tranquilliser un résident en faisant des gestes qui montrent qu'on est pressé. Pour être conséquente, l'infirmière peut se permettre de montrer son propre état d'épuisement ou d'impatience, et reconnaître qu'elle a ses limites. Si cela produit une forte réaction chez le résident, l'infirmière devra l'accepter comme une conséquence inévitable mais le plus souvent transitoire.

Dans le cadre des activités de la vie quotidienne, la communication par écrit et au moyen d'illustrations demeure un moyen de communication pertinent. Grâce aux notes, aux étiquettes, aux illustrations, aux images et aux pictogrammes, l'infirmière peut indiquer au résident où se trouvent les objets d'usage courant, identifier les pièces, préciser le contenu des tiroirs, indiquer l'horaire ou la routine à suivre, laisser un message lorsqu'elle s'absente, donner des listes de choses « à faire » et même présenter un mets pour rappeler au résident qu'il doit manger.

Pour qu'une bonne communication s'installe entre le résident et elle, l'infirmière doit d'abord établir un contact avec le résident. Par la suite, une écoute appropriée permet de satisfaire adéquatement ses besoins et de réagir correctement à ses émotions, de le rassurer, de le valoriser et d'obtenir plus de collaboration de sa part. Pour l'infirmière, ces aptitudes constituent à la fois un savoir-être et un savoir-faire qui lui permettent de personnaliser, de rendre plus gratifiantes et de renouveler des tâches qui comportent souvent bien des renoncements et des répétitions. Même si le résident décode difficilement voire pas du tout l'information qu'elle émet, l'infirmière doit comprendre et réaliser qu'il continue de communiquer et qu'il a besoin de le faire, bien qu'il soit dépendant de son environnement et surtout des habiletés de son entourage à décoder correctement ses messages et à entretenir son lien avec la réalité.

Conclusion

La personne atteinte de déficits cognitifs peut éprouver diverses difficultés à communiquer, tant sur le plan de l'expression que sur celui de la compréhension. Ces deux aspects, qui se résument aux rôles d'émetteur et de récepteur, sont importants, et l'infirmière doit les comprendre en fonction d'un modèle élargi de la communication, afin que ses interventions soient adaptées aux besoins de la personne atteinte. Étroitement liées aux interactions quotidiennes entre infirmière et résident, ces interventions doivent appliquer les principes d'une bonne communication et d'une relation thérapeutique adéquate. L'ensemble des personnes qui entourent le résident, ses proches et l'ensemble des soignants, doivent s'approprier ces principes en vue de faciliter le respect mutuel et une écoute de la souffrance. Au-delà de la communication d'informations, de consignes et de faits, les fondements de la communication en CHSLD reposent sur l'écoute des émotions, l'attention accordée à l'autre et l'intérêt qu'on lui porte, à lui et à ses besoins véritables.

ÉTUDE DE CAS

Au cours des dernières semaines, presque tous les matins, M. Tremblay fouille dans les armoires de sa chambre. Il les vide presque chaque fois et devient irritable. Il semble chercher quelque chose de précis. Lorsque l'infirmière lui demande ce qu'il cherche, il répond invariablement : « Lorsque je l'aurai trouvé, je vous le dirai. » Ses opérations de recherche lui prennent toujours un certain temps. Il est à cet égard très systématique et n'est guère disponible pour quoi que ce soit d'autre tant qu'il n'a pas satisfait ce besoin de recherche ou tant que l'infirmière n'a pas réussi à lui changer les idées.

En discutant avec la fille de M. Tremblay, l'infirmière en est toutefois arrivée à trouver une explication à ce comportement. Elle a en effet appris que M. Tremblay était un ouvrier spécialisé. Tous les matins, il partait au travail avec sa boîte à lunch, qu'il préparait lui-même.

Le lendemain de la conversation, alors que M. Tremblay se livrait à ses recherches habituelles, l'infirmière lui a demandé s'il cherchait sa boîte à lunch. M. Tremblay a semblé interloqué, mais n'a pas su répondre. Néanmoins, l'infirmière a poursuivi en essayant de savoir à quoi ressemblait l'objet qu'il cherchait ou à quoi il servait. M. Tremblay a continué de rester muet. Sans s'arrêter de converser ainsi, l'infirmière est passée à autre chose, en l'interrogeant gentiment sur ce qu'il faisait dans la vie, ce à quoi il a mieux répondu. Il a semblé prendre grand plaisir à cette conversation et s'est montré ouvert à participer aux activités que l'infirmière proposait. Tout au long de ces activités, elle accompagnait ses paroles par des gestes et décrivait ce qu'elle faisait et allait faire. Enfin, elle témoignait de l'intérêt pour ce que M. Tremblay dévoilait de son travail et se montrait impressionnée par les activités auxquelles il s'était livré au cours de sa vie active.

Le lendemain de cette conversation, lorsque l'infirmière est entrée dans la chambre, elle a constaté que M. Tremblay cherchait encore quelque chose dans ses armoires. Comme d'habitude, elle lui a demandé : « Qu'est-ce que vous cherchez M. Tremblay ? » Comme d'habitude, il a répondu : « Lorsque je l'aurai trouvé, je vous le dirai. » Même si l'infirmière a continué à l'interroger, il est resté muet comme une carpe, et elle a remarqué un début d'irritation. Elle a alors décidé de passer à autre chose en laissant entendre à M. Tremblay qu'on pourrait revenir sur le sujet plus tard.

Quelques jours plus tard, l'infirmière est entrée dans la chambre de M. Tremblay avec, à la main, une boîte à lunch en métal. Elle lui demandé s'il cherchait quelque chose de ce genre. M. Tremblay a alors répondu « oui », avec de grandes effusions de joie.

Remarques

Notons tout d'abord que le comportement de M. Tremblay indique une intention claire, un plan d'action. Lorsque le résident répond à la question de l'infirmière, il confirme son plan d'action, mais sa réponse reste évasive quant à ce qu'il cherche véritablement. Il s'agit là d'une réponse qui dénote une difficulté cognitive. Même à l'aide de questions complémentaires sur la description ou la fonction de l'objet, M. Tremblay ne trouve pas les mots ou l'image correspondant à une boîte à lunch. Sa réponse est astucieuse ; elle masque en fait le déficit qui l'affecte.

L'infirmière a fait preuve de perspicacité en cherchant à obtenir auprès d'un proche, d'un témoin de sa vie, des renseignements sur M. Tremblay. Cela lui a permis de mieux cerner le « plan d'action » sous-jacent aux recherches systématiques de M. Tremblay. Cette démarche s'est révélée d'autant plus fructueuse qu'elle a donné à l'infirmière la possibilité de contextualiser le comportement et d'en baser sa compréhension sur des faits expliquant l'intérêt du résident.

Remarquons d'autre part que le comportement de M. Tremblay est porteur de sens. Le fait que M. Tremblay soit interloqué par la question de l'infirmière constitue un élément d'observation important de la communication non verbale. Qu'il n'arrive pas à trouver la réponse à cette question témoigne d'une difficulté cognitive. D'autre part, le fait qu'il n'arrive pas plus à dire ce qu'il cherche alors que l'infirmière adopte des stratégies de contournement (questions sur la description de l'objet, sa fonction) indique que la représentation mentale de l'objet, sa fonction et d'autres caractéristiques semblent lui échapper.

Lorsqu'elle lui a finalement présenté une boîte à lunch se rapprochant de l'objet qu'il cherchait, un déclic s'est fait chez M. Tremblay. Il a reconnu l'objet parce qu'il était semblable à celui qu'il cherchait réellement. Un autre type de boîte à lunch (portant des illustrations de bandes dessinées ou pour enfants, par exemple) aurait pu faire l'affaire, mais la boîte à lunch en métal

>>>

était sans doute plus appropriée au statut d'ouvrier de M. Tremblay. Cet objet communiquait des éléments de son statut, de son histoire personnelle. Finalement, le fait que l'infirmière ait apporté cet objet à M. Tremblay témoigne d'une attitude vérita-blement respectueuse et empathique à son égard. M. Tremblay s'est senti compris par l'infirmière, parce qu'en lui amenant cette boîte à lunch, elle a communiqué avec lui en tenant compte de sa vie et des représentations symboliques de son vécu.

Questions

1 Quels modèles de la communication avons-nous abordés dans ce chapitre, et quels principaux éléments les distinguent ?

2 Quelles sont les attitudes et les habiletés de base en matière de communication avec les résidents dans un contexte de relation d'aide ?

3 Quelles sont les composantes relationnelles-émotionnelles du niveau implicite de la communication, et comment se définissent-elles ?

4 Pourquoi dit-on qu' « on ne peut pas ne pas communiquer » ?

32

LA STIMULATION COGNITIVE AU QUOTIDIEN

par **Anne Monat**

Plusieurs défis attendent les femmes et les hommes qui choisissent de mener une carrière de professionnels de la santé en CHSLD. Toutefois, il en est un qui ressort entre tous, à savoir la prévention du déclin des fonctions cognitives des résidents. Voilà pourquoi nous consacrons ce chapitre à la stimulation cognitive au quotidien, car celle-ci permet de préserver ces fonctions ou de ralentir leur détérioration en maximisant les compétences cognitives résiduelles du résident.

La stimulation cognitive au quotidien est d'autant plus importante qu'elle aide les résidents à vivre plus longtemps de façon autonome, et dans la dignité. À cet égard, ne pas stimuler les résidents équivaudrait à ne plus les alimenter : la stimulation cognitive est chez l'être humain un besoin qu'il faut satisfaire tout autant que la faim ou la soif.

Or, en CHSLD, si on veille généralement à ce que les résidents ne soient pas surstimulés par une multitude de stimuli plus ou moins agressants, on se préoccupe bien moins de la sous-stimulation dont plusieurs souffrent. C'est pour remédier à cette situation que les soignants doivent connaître et adopter différentes stratégies de stimulation sensori-perceptuelles au quotidien. Soulignons d'ailleurs l'expression «au quotidien». Il ne faut pas voir ces stratégies comme des activités en soi. Il faut plutôt les considérer comme des moyens ou des habitudes de communication et des façons d'agir que les soignants doivent intégrer à leur démarche de soins et de services, en vue de stimuler les résidents, au quotidien, dès qu'ils se trouvent avec eux, pour quelque motif que ce soit.

NOTIONS PRÉALABLES SUR LA STIMULATION COGNITIVE

Définition

La stimulation cognitive désigne un ensemble de moyens permettant d'améliorer les fonctions cognitives d'une personne, de les préserver ou de ralentir leur détérioration. Dans le contexte particulier des soins psychogériatriques, la stimulation cognitive fournit aux infirmières et autres soignants des stratégies et des moyens de facilitation ou de renforcement des capacités sensori-perceptuelles. Enfin, ce type de stimulation comprend des stratégies de compensation qui permettent de pallier la défaillance des capacités cognitives (Mercier, 1997).

Pour les résidents des CHSLD et plus particulièrement pour ceux qui présentent des déficits cognitifs, les interventions liées à la stimulation cognitive optimisent l'ensemble de leur fonctionnement cognitif au quotidien et les performances, liées à l'autonomie fonctionnelle et psychosociale. En d'autres termes, par diverses mesures individualisées et adaptées qui respectent les forces et limites de chacun, la stimulation cognitive au quotidien aide les résidents à vivre de façon autonome le plus longtemps possible, en toute dignité (Van der Linden, Belleville et Juillerat, 2000).

La stimulation cognitive cherche donc principalement à intervenir sur la compétence cognitive du résident. Par «compétence cognitive», il faut entendre, entre autres, les processus fondamentaux de l'attention, de la perception, de l'apprentissage et de la mémoire. De ces processus dépendent les capacités de comprendre les stimuli du milieu et d'y réagir, d'apprendre en fonction de l'expérience et de se souvenir des événements vécus (Pushkar et Arbuckle, 2000). La compétence cognitive désigne également la capacité de faire face aux tâches de la vie et de réagir adéquatement aux demandes du milieu, et ce, tant dans des situations simples que dans des situations complexes.

Or, la compétence cognitive des résidents hébergés en CHSLD est généralement menacée par une altération sensori-perceptuelle, à savoir une perturbation du degré maximal de stimulation sensori-perceptuelle requis pour maintenir un état d'éveil. À cet égard, il est possible d'attribuer une perturbation sensori-perceptuelle à des causes internes (dysfonctionnement des organes sensoriels ou du système nerveux) ou à des causes externes (monotonie du milieu, bruits excessifs, odeurs désagréables, rapidité ou manque de contacts avec le résident, routine de travail axée sur la tâche) (Lévesque, Roux et Lauzon, 1990).

Chez les résidents, une perturbation sensori-perceptuelle peut se trouver à l'origine de difficultés de concentration, d'organisation de la pensée, du rappel de l'information, et de l'orientation dans le temps, l'espace et à l'égard des personnes; elle peut aussi aggraver de tels problèmes (Lévesque *et al.*, 1990; Phaneuf, 1998). Des manifestations émotives et affectives (labilité, irritabilité, sentiment de peur et anxiété) peuvent d'autre part découler d'une perturbation sensori-perceptuelle. Enfin, une telle perturbation peut prédisposer le résident à souffrir d'un delirium.

Principes soutenant l'intervention

La stimulation en général n'est pas seulement une résultante d'un stimulus extérieur : elle répond à un besoin fondamental, du même type que les besoins physiologiques, c'est-à-dire d'origine interne comme la faim et la soif. Ce besoin, s'il n'est pas satisfait, crée un état de tension qui devient vite insupportable. Dans les CHSLD, on veille en général à ce que les résidents ne soient pas surstimulés par divers bruits, des températures ambiantes inadéquates ou par un éclairage inapproprié. En revanche, on n'accorde que peu d'importance à la sous-stimulation, qui est aussi dommageable que la surstimulation (Cadet, 1998).

Dans le contexte des CHSLD, les sources de stimuli sont multiples, qu'il s'agisse entre autres des sens, des relations interpersonnelles, de l'activité physique ou de l'exploration de l'environnement. Quelle que soit la source du stimulus, le soignant doit en examiner les caractéristiques, qui sont au nombre de cinq, comme le montre le tableau 32-1.

D'autre part, outre les caractéristiques des stimuli, les soignants doivent également tenir compte de leur nombre et veiller à ce qu'ils soient suffisants pour éviter la sous-stimulation. L'état de privation sensori-perceptuelle constitue une situation de limitation dans la mesure où la quantité de stimuli auxquels est exposée une personne se situe en deçà du degré dont elle a besoin. Or, cela peut être une source de désorientation pour les résidents. Selon Personne (1996), il existe divers types de désorientation. Il y a d'emblée la désorientation spatiale, marquée par un apprentissage insuffisant des lieux. La désorientation peut également être de nature sociale lorsque les critères relationnels sont absents. On dira que le résident souffre d'autre part de désorientation temporelle lorsqu'il a perdu le sens de la continuité entre le passé et l'avenir. Enfin, un résident est atteint de désorientation fonctionnelle lorsqu'un handicap amoindrit temporairement ou définitivement ses capacités.

En CHSLD, le manque de stimulation sensori-perceptuelle et l'isolement psychologique et social représentent des facteurs de risque majeurs de l'aggravation de la dépendance des résidents. C'est pourquoi la préservation des fonctions cognitives passe par la stimulation et le maintien d'un degré de stimulation approprié aux besoins de chaque résident.

Tableau 32-1	Les cinq caractéristiques d'un stimulus
CARACTÉRISTIQUES D'UN STIMULUS	**EXPLICATIONS**
Intensité ou force	• Il est possible que le résident ne perçoive pas un stimulus parce que celui-ci manque d'intensité ou de force. • En matière d'intensité, pour qu'un stimulus soit perçu et produise une stimulation, il faut tenir compte de la condition dans laquelle se trouve l'appareil sensoriel du résident.
Variation ou ampleur par rapport à un autre stimulus	• Dans certaines situations, il faut veiller à ce que la variation entre stimuli soit minimale, c'est-à-dire qu'il faut veiller à ce que l'environnement du résident soit stable sur le plan des stimuli, ce à quoi on parvient en évitant de procéder à de trop nombreux changements. • À l'inverse, une trop grande stabilité peut engendrer de la monotonie et contribuer à la privation sensori-perceptuelle. Il faut donc trouver un juste milieu entre de trop grandes variations et l'absence complète de variations.
Prévisibilité	• Il faut éviter de soumettre le résident à des stimuli complexes, tels que des informations ou consignes données avec trop de détail.
Pertinence	• Il faut tâcher de rendre les stimuli prévisibles, pour que l'information qu'ils donnent puisse être associée au même comportement ou transmette le même message. Par exemple, pour qu'un résident reconnaisse immédiatement sa chambre, on veillera à ne pas changer inopinément son couvre-lit, d'une couleur personnalisée. • Pour pouvoir réagir à un stimulus, le résident doit être capable de lui donner un sens. C'est pourquoi le stimulus doit être associé à quelque chose que le résident connaît bien.

Sources : C.R. Kovach, P. Dohearty, A.M. Schlidt, S. Cashin et A.L. Silva-Smith (2004). Effect of the BACE intervention on agitation of people with dementia. *Gerontologist*, 44 (6), 797-806 ; L. Lévesque, C. Roux et S. Lauzon. (1990). *Alzheimer – Comprendre pour mieux aider.* Montréal : Éditions du Renouveau Pédagogique.

Si les soignants doivent veiller à ce que le nombre de stimuli auxquels sont exposés les résidents soit suffisant, ils doivent également veiller, à l'inverse, à ce que ces stimuli ne provoquent pas de surcharge. Une surcharge se produit lorsque la quantité de stimuli auxquels le résident est exposé augmente et dépasse ses besoins (Lévesque *et al.*, 1990). C'est qu'un environnement dans lequel plusieurs stimuli se font « concurrence » exige plus d'efforts sur le plan cognitif. De plus, dans un tel environnement, certains stimuli peuvent en masquer d'autres, plus significatifs et pertinents pour les résidents. Or, en CHSLD, il est capital d'éviter de placer les résidents souffrant d'atteintes cognitives dans des situations trop exigeantes (Bowlby Sifton, 1998 ; Lévesque *et al.*, 1990 ; Phaneuf, 1998).

Pour cette raison, les soignants doivent veiller à ce que les stimuli auxquels sont exposés les résidents disposent de caractéristiques appropriées à la condition de chaque résident. Par conséquent, il leur faut ainsi éliminer les stimuli qui, de ce point de vue, sont jugés nuisibles. Exercer un contrôle strict des stimuli de l'environnement permet de soutenir l'expérience cognitive et émotive des résidents, ce qui maintient intactes, pour un temps, leurs capacités, tout en préservant leur dignité (Phaneuf, 1998).

PROGRAMME D'INTERVENTION

Il est important de comprendre que la stimulation cognitive ne relève pas seulement de professionnels de l'animation et qu'elle ne s'effectue pas uniquement lors d'activités structurées de groupe. En réalité, il est possible d'associer la stimulation cognitive à tous les gestes quotidiens, qu'il s'agisse des soins d'hygiène bucco-dentaire, des conversations que l'on tient à propos de tout et de rien, de la préparation des repas, de l'habillement ou des loisirs. Même un geste comme regarder par la fenêtre et émettre des commentaires avec le résident sur ce qu'on voit dehors peut constituer de la stimulation cognitive. D'autre part, soulignons qu'il ne faut pas associer la stimulation cognitive à la simple idée « d'occuper la personne » pour passer le temps.

Toutes les activités et tous les contacts fournissent donc aux soignants l'occasion d'établir un lien significatif avec le résident, c'est-à-dire l'occasion d'animer, d'enrichir et d'égayer le moment présent. À ce sujet, des études démontrent que les soignants voient dans chaque interaction l'occasion d'encourager le résident à utiliser ses capacités cognitives en prenant part à des activités significatives et cognitivement stimulantes (Bowlby-Sifton, 1998).

Application de la stimulation cognitive au quotidien

Les stratégies de stimulation cognitive que nous présentons dans ce chapitre constituent des interventions efficaces pour stimuler les capacités d'attention, de concentration, d'orientation et de décision des résidents. Elles sont à cet égard aussi efficaces que peut l'être une utilisation adéquate du schéma corporel, des praxies, des gnosies et de la communication (voir le chapitre 2). Ces stratégies permettent ainsi à tous les résidents hébergés et notamment à ceux présentant des déficits cognitifs d'actualiser ou de réapprendre à utiliser leurs capacités fonctionnelles, psychologiques et sociales. De plus, elles font en sorte qu'ils préservent leur dignité et leur estime de soi, leur permettent de rester en contact avec leur environnement et soulagent une détresse psychologique souvent manifeste (Lévesque *et al.*, 1990).

Les stratégies de stimulation cognitive favorisent la participation du résident à des occupations qui lui sont familières, comme les activités de la vie quotidienne, les activités utilitaires et les activités de loisir. Toutefois, pour que les stratégies de stimulation cognitive soient efficaces, il faut prendre certaines précautions d'ordre général. Ainsi, selon Bowlby Sifton (1998), Phaneuf (1998) et Ylieff (2000), il faut :

- Procéder à une évaluation interdisciplinaire, qui permettra aux soignants de déterminer quelles sont les incapacités du résident, mais aussi et surtout quelles capacités physiques et cognitives il faudra stimuler par des stratégies de stimulation cognitive.

- Personnaliser les stratégies de stimulation cognitive en tenant compte le plus possible des habitudes du résident, de ses valeurs et des rôles qu'il a occupés tout au long de sa vie.

- Veiller à ce que tous les soignants, d'une équipe à l'autre ou d'un soignant à l'autre, utilisent de façon continue les stratégies de stimulation cognitive propres à chaque résident.

- Utiliser la communication prothétique (voir le chapitre 37), qui facilite l'application des stratégies de stimulation cognitive.

Plusieurs stratégies de stimulation cognitive pourront aider le résident à conserver le plus longtemps possible ses capacités cognitives et une bonne santé mentale. Les stratégies et les exemples que nous présentons dans ce chapitre sont principalement associés aux activités de la vie quotidienne et aux activités de soins. Nous examinerons ainsi dans ce chapitre la stratégie décisionnelle, les stratégies de stimulation sensorielle, les stratégies d'orientation spatiale, les stratégies d'orientation temporelle, les stratégies de stimulation des praxies et les stratégies de stimulation des gnosies.

Notons que quelle que soit la stratégie de stimulation cognitive qu'ils utilisent, les soignants qui côtoient les résidents toute la journée en raison des tâches qu'ils effectuent peuvent profiter de ces moments pour les stimuler. Cela est d'autant plus important que des études ont démontré que la stimulation cognitive qu'effectuent les soignants contribue à ce que la stimulation cognitive en groupe structuré ait des effets bénéfiques. Autrement dit, même si certains résidents bénéficient de stimulation cognitive en groupe, il

Tableau 32-2	Application de la stratégie décisionnelle

Précautions à prendre
- Restreindre le nombre de choix offerts au résident pour ne pas créer en lui de tensions inutiles et le placer en situation d'échec.
- Proposer les choix de façon claire, sans précipitation.
- Ne jamais obliger le résident à prendre une décision ; si le résident n'arrive pas à se décider, ne pas abandonner et prendre la décision à sa place ; le soignant tâchera plutôt de s'y prendre autrement et fera preuve de créativité à cet égard.

APPLIQUER LA STRATÉGIE DÉCISIONNELLE AU QUOTIDIEN

INTERVENTIONS	EXEMPLES
Adapter aux capacités du résident la quantité de choix à faire.	Lors du repas, le soignant demandera par exemple : • « Voulez-vous du thé ou du café, M. Ferdinand ? » • « Vous avez du spaghetti pour dîner, Mme Tremblay ; est-ce que ça vous va ? » Si le résident n'arrive pas à répondre au soignant, celui-ci procédera par choix visuel : • « Voulez-vous ce gâteau au chocolat ou cette crème glacée à la vanille ? » Lors de l'activité d'habillage, le soignant demandera par exemple : • « Voulez-vous porter un pantalon ou une robe, Mme Duguay ? » • « Voulez-vous la robe rouge ou la robe bleue ? » • « Voulez-vous porter cette robe rouge aujourd'hui ? » Si le résident n'arrive pas à répondre au soignant, celui-ci procédera par choix visuel : • « Voulez-vous ce gilet vert ou ce gilet noir ? »
Répertorier toutes les occasions permettant au résident de choisir et d'exercer son autodétermination.	Exemples de telles occasions : • Choix du moment de sa toilette matinale • Choix de l'organisation de sa chambre • Choix de l'heure du lever ou du coucher • Choix d'écouter la radio ou la télévision, et choix du poste désiré • Choix de participer ou non à une sortie ou à une activité • Choix de ses compagnons de table
Utiliser des mots simples, informer le résident de ce qu'on fait, le lui expliquer et l'impliquer dans la réalisation de la tâche.	Lors d'une activité fonctionnelle, le soignant emploiera des consignes comme celles-ci : • « Je vais vous demander de vous lever debout, êtes-vous prête, Mme Bertrand ? » • « M. Langlois, vous avez bien dormi ? Seriez-vous prêt à vous asseoir au bord du lit ? »

demeure que la stimulation cognitive au quotidien est essentielle et complémentaire à l'efficacité des activités de stimulation se faisant en groupe (Spector, Orrell, Davies et Woods, 2000).

La stratégie décisionnelle

La stratégie décisionnelle consiste en une série d'actions ou de petits gestes qu'il est possible d'utiliser dans tous les moments de la vie quotidienne et qui font en sorte que le résident se trouve dans une situation où il doit recourir à ses ressources personnelles pour exercer sa capacité de choix et d'autodétermination. Cette stratégie favorise le maintien des capacités d'interaction du résident et évite la désagrégation de son identité, tout en prévenant la soumission, le désengagement et la perte d'autonomie.

Dans le contexte des CHSLD, il est souvent plus facile et plus rapide pour les soignants de décider pour le résident. Or, une telle mesure comporte plus de désavantages que d'avantages. D'une part, le résident qui n'a plus l'occasion de prendre des décisions adoptera une attitude de désengagement personnel. D'autre part, ce désengagement l'amènera à dépendre davantage des soignants. Pour expliquer l'attitude des soignants de ce point de vue, il faut mettre en cause la routine de soins. C'est qu'une routine de soins inflexible fera vite oublier aux soignants d'utiliser leurs habiletés d'intervention relationnelle, leur travail devenant alors axé sur la tâche plutôt que sur l'aspect humain (Personne, 1996 ; Phaneuf, 1998 ; Ploton, 1990). Le fait que les soignants utilisent efficacement la stratégie décisionnelle lors de la prestation des soins indiquera au résident qu'on le respecte et qu'on le traite avec considération. Le tableau 32-2 précise comment appliquer au quotidien la stratégie décisionnelle.

Les stratégies de stimulation sensorielle

Les stratégies de stimulation sensorielle placent les résidents dans des situations où les soignants tenteront de stimuler leurs sens (ou d'attirer leur attention sur ce qu'ils ressentent) au moyen de toute une gamme d'odeurs, de sensations tactiles, d'images, de sons et de saveurs. Elles permettent ainsi au résident d'utiliser ses habiletés sensorielles résiduelles pour surmonter les obstacles qu'il rencontre, et d'éprouver du plaisir. Elles favoriseront d'autre part l'occupation du résident et l'amèneront à interagir avec son environnement (Bowlby Sifton, 1998). Les activités de la vie quotidienne constituent des occasions privilégiées pour mettre en œuvre des stratégies de stimulation sensorielle.

Le tableau 32-3 précise comment appliquer au quotidien les stratégies de stimulation sensorielle.

Les stratégies d'orientation spatiale

Les stratégies d'orientation spatiale stimulent les comportements exploratoires du résident, le sensibilisent à la présence des signes d'orientation, l'encouragent à les utiliser et favorisent sa connaissance des lieux. De ce point de vue, notons que le fait d'utiliser l'approche prothétique élargie pour aménager l'espace physique du CHSLD peut faciliter l'orientation spatiale des résidents, étant donné la mise en place de points de repère significatifs et de prothèses environnementales dont le résident peut se servir (voir le chapitre 37).

Cela dit, rares sont les résidents capables de repérer et d'utiliser spontanément les indices architecturaux et signes prothétiques mis à leur disposition. Par leurs interventions

Tableau 32-3	Application des stratégies de stimulation sensorielle

Précautions à prendre
- Faire vérifier la vue et les lunettes du résident, sa bouche, ses dents et ses appareils dentaires, son ouïe et, le cas échéant, ses appareils auditifs.
- Stimuler un seul sens à la fois en n'utilisant qu'un seul stimulus.
- Utiliser du matériel que le résident reconnaîtra, lié par exemple aux activités quotidiennes (aliments, articles de toilette, vêtements, etc.).
- Lorsqu'on stimule le résident et qu'on attire son attention sur quelque chose, tâcher de réduire le plus possible les bruits (voir à ce sujet le chapitre 31, sur la communication) pouvant nuire à la concentration.

APPLIQUER LES STRATÉGIES DE STIMULATION SENSORIELLE AU QUOTIDIEN

INTERVENTIONS	EXEMPLES
Informer le résident de ce que l'on fait ou sur ce qu'il est en train de faire, ou lui poser des questions.	Lors du repas, le soignant pourra animer la conversation et interagir avec le résident au moyen d'interventions comme celles-ci : • « Mme Marchand, vous mangez un beau morceau de gâteau au chocolat. Est-ce qu'il est bon ? » • « Quel est le légume que vous mangez actuellement, Mme Dufresne ? » • « Est-ce que vous aimez la soupe aux légumes de ce midi Mme Laflèche ? » • « Voulez-vous sentir l'orange que je viens de peler pour vous Mme Brunelle ? » • « Trouvez-vous que ça sent le bon café Mme Dalpé ? »
	Lors des activités d'hygiène et d'habillage, le soignant pourra employer les interventions suivantes : • Parler avec le résident de la température de l'eau, de la couleur et de la texture des serviettes, etc., ou lui poser des questions sur ces divers aspects. • Lui faire sentir le savon ou tout autre produit de toilette. • Encourager le résident à appliquer lui-même sa crème corporelle. • Poser au résident des questions sur la texture et le caractère confortable de ses vêtements.
Établir des liens entre ce que l'on fait et les intérêts et habitudes de vie du résident.	Lors du repas, le soignant pourra intervenir de la sorte : • « Voici un bon bouilli canadien, comme vous le prépariez si bien dans votre temps Mme Blouin. Est-ce qu'il est aussi bon que le vôtre ? »
	Lors de l'habillage, le soignant pourra commenter ainsi les choix du résident en matière de vêtement : • « Vous avez choisi de porter cette belle robe verte ce matin. Vous avez toujours aimé porter des robes, il me semble, et le vert a toujours été votre couleur préférée, n'est-ce pas Mme Lamarche ? »
Informer le résident ou lui poser des questions sur ce qu'il voit ou entend dans les divers lieux du CHSLD.	Lors des déplacements, le soignant pourra animer la conversation en posant au résident des questions telles que celles-ci : • « Avez-vous remarqué le beau feu de foyer, M. Gosselin ? » • « Voyez-vous, Mme Mousseau, c'est le printemps et les arbres sont tous en fleurs. » • « Mme Fortin, entendez-vous la pluie qui frappe votre fenêtre de chambre ? » • « C'est l'été, entendez-vous les oiseaux chanter, M. Lafrenière ? » • « C'est dimanche, M. Beauchamp, entendez-vous les cloches de l'église qui sonnent ? »
Favoriser l'écoute de musique en respectant les goûts du résident.	Durant la journée, les soignants pourront offrir des moments de détente aux résidents par l'écoute de musique judicieusement choisie.
Donner l'occasion au résident de manipuler des objets familiers et de différentes textures.	Lors des activités journalières, les soignants mettront à la disposition des résidents du matériel à manipuler tel que : • Des serviettes de bain, des vêtements, des tabliers à plier • Des vis, des boutons à classer • Des pièces de bois à sabler • De la laine à mettre en pelote

et l'attention qu'ils portent aux déplacements des résidents, les soignants peuvent toutefois faciliter l'utilisation de ces indices et signes (Lévesque *et al.*, 1990 ; Sève-Ferrieu, 2001 ; Yielff, 2000). Le tableau 32-4 présente de telles interventions qu'il est possible d'appliquer au quotidien et qui découlent des stratégies d'orientation spatiale.

Les stratégies d'orientation temporelle

Les stratégies d'orientation temporelle ne servent pas qu'à informer mécaniquement le résident de l'heure qu'il est et de la date. Elles donnent aux soignants l'occasion d'établir un contact chaleureux et valorisant pour le résident. Elles visent également à soutenir la personne qui cherche à rester en contact avec la réalité. En effet, au cours des conversations qu'ils ont avec le résident, ces stratégies fournissent aux soignants des moyens pour l'aider à donner un sens à l'univers qui l'entoure. Les soignants y parviendront en intégrant aux propos qu'ils tiennent au résident des données de base sur la réalité (Lévesque *et al.*, 1990).

Soulignons que les soignants devront intégrer de façon cohérente les stratégies d'orientation temporelle aux activités journalières des résidents et veiller à ce que les interventions liées à ces stratégies ne prennent jamais la forme d'un harcèlement. Le tableau 32-5 précise comment appliquer au quotidien les stratégies d'orientation temporelle.

Les stratégies de stimulation des praxies

Ces stratégies visent à encourager le résident à utiliser ses capacités à manipuler des objets, à planifier un mouvement et à l'effectuer dans un but déterminé, et ce, en tenant compte de ses habiletés sensorielles et motrices (Sève-Ferrieu, 2001). Le tableau 32-6 précise comment appliquer au quotidien les stratégies de stimulation des praxies.

Les stratégies de stimulation des gnosies

Les stratégies de stimulation des gnosies favorisent la capacité du résident à reconnaître les personnes, les sons, les formes et les caractéristiques des objets, et à reconnaître les diverses parties de son propre corps (Phaneuf, 1998 ; Sève-Ferrieu, 2001). Le tableau 32-7 (p. 454) précise comment appliquer au quotidien les stratégies de stimulation des gnosies.

Tableau 32-4	Application des stratégies d'orientation spatiale

Précaution à prendre
• Pour les résidents qui présentent des déficits cognitifs modérés et sévères, offrir les stratégies d'orientation spatiale en vue de préserver la dignité des résidents en adoptant la conviction qu'il vaut mieux stimuler les résidents en fonction de l'ici et du maintenant plutôt que dans une perspective d'apprentissage.

APPLIQUER LES STRATÉGIES D'ORIENTATION SPATIALE AU QUOTIDIEN

INTERVENTIONS	EXEMPLES
Éviter de procéder à des changements dans l'environnement.	• Veiller à ce que les objets que le résident reconnaît comme familiers restent aux mêmes endroits, qu'il s'agisse de meubles, de photos ou de bibelots. • Veiller à ce que la décoration de la chambre du résident reste la même.
Rendre disponibles des points de repère significatifs facilitant l'orientation spatiale du résident et encourager celui-ci à les utiliser.	• Suspendre des objets décoratifs sur la porte de la chambre du résident, objets que le résident aura choisis lui-même. • Accrocher des images ou des écriteaux au mur qui permettront au résident de déterminer vers quelle pièce il se dirige ou dans quelle pièce il se trouve. • Étiqueter les armoires et les tiroirs en précisant sur les étiquettes quel en est le contenu. • Installer une veilleuse de nuit dans la salle de toilette (pour tous les exemples : Lefebvre et Vézina, 2002).
Lors des déplacements du résident, lui indiquer quel est le lieu de départ, lui décrire le chemin parcouru, attirer son attention sur les points de repère significatifs et, à l'arrivée, lui préciser que le trajet est terminé et qu'il se trouve dans le lieu de destination.	Dans une telle situation, le soignant pourra adopter un discours semblable à celui-ci : • « Mme Lacharité, nous partons du salon pour aller à votre chambre ; nous empruntons le corridor peint en jaune, c'est-à-dire celui de votre chambre. Reconnaissez-vous les cadres avec les fleurs ? Lorsque vous voyez ces cadres, c'est que nous approchons de votre chambre. Voilà votre chambre, sur la porte de laquelle se trouve une couronne de fleurs. Reconnaissez-vous votre couvre-lit ? »

Tableau 32-5	**Application des stratégies d'orientation temporelle**

Précautions à prendre
- Pour les résidents qui présentent des déficits cognitifs modérés et sévères, offrir les stratégies d'orientation temporelle en vue de préserver la dignité des résidents en adoptant la conviction qu'il vaut mieux stimuler les résidents en fonction de l'ici et du maintenant plutôt que dans une perspective d'apprentissage.
- Concevoir les stratégies d'orientation temporelle comme une expérience continue, qui s'effectue 24 heures sur 24 et 7 jours sur 7, en fonction du moment présent.

APPLIQUER LES STRATÉGIES D'ORIENTATION TEMPORELLE AU QUOTIDIEN

INTERVENTIONS	EXEMPLES
Favoriser l'orientation du résident en lui mentionnant les événements ou les activités qui caractérisent la journée.	Lorsqu'il se trouve en présence du résident, le soignant pourra lui fournir des informations telles que celles-ci : • « Aujourd'hui, c'est la Saint-Valentin, M. Vallière. » • « Vous ne trouvez pas qu'il fait chaud pour un 3 mai, M. Desbiens ? » • « Bonjour, Mme Sicot, aujourd'hui, nous sommes jeudi, l'avant-midi s'achève, et ce sera le dîner dans quelques minutes. » • « Bonjour M. Bergeron. C'est le matin maintenant et c'est l'heure de votre bain. »
Fournir au résident des outils lui permettant de s'orienter en fonction du temps qui passe.	• S'assurer que chaque résident a dans sa chambre un calendrier et cocher avec lui la journée de la semaine. • Dans le même esprit, utiliser un horaire journalier des activités quotidiennes ou le tableau d'orientation à la réalité de l'unité de vie.
Fournir au résident des moyens de rester en contact avec les événements qui se déroulent à l'extérieur du CHSLD, dans la société.	• Laisser les journaux bien en vue pour que le résident pense à les consulter.
S'assurer que le résident puisse connaître l'heure qu'il est s'il le désire.	• Veiller à ce qu'il y ait dans chacune des chambres et dans les espaces communs des horloges avec de gros chiffres.
Établir au besoin des liens entre l'heure qu'il est, le moment de la journée, le lieu, les personnes et l'activité qui se déroule.	Tout au long de la journée, lors des activités et des soins, le soignant pourra tenir des propos comme ceux qui suivent : • « Il est 2 h 30 de l'après-midi, Mme Labonté : c'est l'heure de la collation. » • « Mme Dorval, c'est jeudi matin, et je vais vous accompagner pour aller à la messe de 10 h. » • « Mme Labonté, il est 1 h de l'après-midi. Louise, votre physiothérapeute, vous attend pour votre traitement. » • « Bonjour Mme Lajeunesse, il est 7 h 30 du matin. Avez-vous passé une bonne nuit ? »

Tableau 32-6	**Application des stratégies de stimulation des praxies**

Précautions à prendre
- Pour réaliser les différentes étapes de l'activité, utiliser la série d'interventions qui suit, dans l'ordre, pour fournir au résident des consignes appropriées à ses capacités (Lévesque *et al.*, 1990 ; Ylieff, 2000) :
  - Utiliser des incitations verbales et non verbales.
  - Recourir au mimétisme ou imiter le geste à faire.
  - Aider le résident à effectuer la première étape du geste afin d'enclencher l'automatisme du geste et de le stimuler.
  - S'il ne peut accomplir le geste initial, effectuer à la place du résident cette première étape.
- Si le résident ne réussit pas à accomplir une étape d'un geste ou d'une activité, ne pas le considérer comme inapte à effectuer le reste de l'activité ; au contraire, poursuivre en continuant à utiliser la série d'interventions qui précèdent.
- Fragmenter l'activité en étapes simples et facilement réalisables.
- Allouer au résident le temps nécessaire pour effectuer la tâche et l'encourager tout au long de l'activité.
- Essayer de faire en sorte que le résident soit toujours en contact avec les mêmes soignants lors des activités de la vie quotidienne et de soins, et que les approches qu'on utilise avec lui soient aussi toujours les mêmes. Cela implique qu'on applique des interventions au résident toujours dans le même environnement, qu'on lui donne toujours les mêmes indices et les mêmes consignes, et qu'on lui demande de suivre la même séquence d'étapes.

>>>

APPLIQUER LES STRATÉGIES DE STIMULATION DES PRAXIES AU QUOTIDIEN

INTERVENTIONS	EXEMPLES
Veiller à ce que les objets qui sont à la portée du résident ne soient pas en trop grand nombre.	Lors du repas, le soignant pourra adopter les stratégies suivantes : • Ne donner au résident qu'un seul plat à la fois. • Lui présenter l'ustensile requis pour le plat qu'il mange.
	Lors de l'activité d'habillage, le soignant pourra adopter les stratégies suivantes : • Placer les vêtements du résident en ordre sur le lit. Cela aidera le résident à déterminer par quoi il doit commencer. • Si le résident ne réagit pas correctement à ce « séquençage » des vêtements, les lui présenter un à un.
Décomposer la tâche en sous-tâches pour que le résident puisse en réaliser quelques-unes s'il ne peut toutes les accomplir.	Lors du repas, le soignant pourra adopter les stratégies suivantes : • Un résident n'arrive pas à ouvrir un sachet de sucre, mais il peut le verser dans son café : le soignant ouvrira donc le sachet, mais laissera le résident terminer la tâche. • Un résident arrive à mettre du beurre sur sa rôtie, mais éprouve de la difficulté à la couper : le soignant coupera donc la rôtie en s'abstenant d'intervenir pour ce qui est de la beurrer.
	Lors de l'activité d'hygiène, le soignant pourra guider ainsi les gestes du résident : • « M. Giguère, vous pouvez commencer à laver votre figure. Rincez-la maintenant. Il ne vous reste plus qu'à essuyer votre figure. Je vous félicite, M. Giguère. »
Faciliter la tâche en vérifiant que le matériel à utiliser pour l'accomplir est approprié aux capacités du résident.	Lors de l'activité d'habillage, le soignant vérifiera que les vêtements sont assez amples et qu'ils ne sont pas trop difficiles à enfiler. Il vérifiera la difficulté de manipulation liée aux boutons, aux agrafes, aux élastiques, aux cordons et aux fermetures éclair.

Tableau 32-7	**Application des stratégies de stimulation des gnosies**

Précautions à prendre
• Procéder à une évaluation des appareils visuels et auditifs du résident et, si nécessaire, corriger d'éventuels troubles de la vision ou de l'audition.
• Tenir compte des autres déficits sensoriels non compensés du résident ; déterminer s'il est droitier ou gaucher.
• Utiliser des objets familiers liés aux activités que connaît le résident.
• Vérifier que le résident ne souffre pas d'hallucinations et d'illusions.

APPLIQUER LES STRATÉGIES DE STIMULATION DES GNOSIES AU QUOTIDIEN

INTERVENTIONS	EXEMPLES
Profiter de chaque contact avec les résidents pour stimuler les gnosies.	Lors du repas, le soignant pourra adopter les stratégies suivantes : • Discuter avec le résident des types d'aliments, de leur couleur et de leur forme. • Lui poser des questions sur ces aspects pour l'amener à reconnaître les aliments.
	Lors de l'activité d'hygiène, le soignant pourra adopter les stratégies suivantes : • Discuter avec le résident des parties de son corps, des objets qu'il faut manipuler et de leur utilité. • Lui poser des questions sur ces aspects pour l'amener à reconnaître les parties de son corps et les objets liés à l'hygiène.
	Lors de l'habillage, le soignant pourra adopter les stratégies suivantes : • Discuter avec le résident des types de vêtement, de leur couleur et des parties du corps impliquées dans le port de tel ou tel vêtement. • Lui poser des questions sur ces aspects pour l'amener à reconnaître les vêtements et à associer ceux-ci à une partie spécifique du corps.

>>>

APPLIQUER LES STRATÉGIES DE STIMULATION DES GNOSIES AU QUOTIDIEN

INTERVENTIONS	EXEMPLES
Veiller en tout temps à installer le résident de façon à ce qu'il puisse bien voir, manipuler et reconnaître les objets qui l'entourent.	Lors du repas, le soignant pourra vérifier si la table et la chaise sont ajustées pour permettre au résident de voir ce qu'il mange ou les objets autour de lui.
Encourager le résident à reconnaître les diverses parties de son corps.	Lors de l'activité d'hygiène, le soignant pourra adopter les stratégies suivantes : • Inviter souvent le résident à se regarder devant le miroir pour se peigner, se raser ou se maquiller. Cependant, s'il a peur de sa propre image, recouvrir le miroir ou l'enlever. • Encourager le résident qui le peut à appliquer sa crème corporelle. Pour les résidents présentant des déficits cognitifs sévères, le soignant adoptera plutôt les stratégies suivantes lors de l'activité d'hygiène : • Appliquer certaines techniques douces de massage (Phaneuf, 1998).
Stimuler la capacité du résident à se reconnaître et à reconnaître les autres.	Lors du repas, le soignant pourra adopter les stratégies suivantes : • En tenant compte des affinités respectives de chacun, veiller à ce que les résidents puissent toujours s'asseoir au même endroit dans la salle à manger, et ce, pour les trois repas. • Si nécessaire, identifier la place de chacun au moyen d'un carton sur lequel figure le nom du résident ou au moyen d'un objet personnel. En tout temps, le soignant pourra adopter les stratégies suivantes : • Appeler le résident par son nom aussi souvent que possible. • Le soignant se nommera lorsqu'il commence à interagir avec le résident et ajoutera certaines des caractéristiques qui le distinguent des autres soignants, pour aider le résident à le reconnaître : « Bonjour, Mme Lacharité, moi, c'est Monique, votre soignante. Vous savez, c'est moi qui aime beaucoup les oiseaux, tout comme vous. »
Favoriser le plus possible les chances que le résident perçoive des informations et discrimine les pertinentes des non pertinentes.	En tout temps, le soignant pourra adopter les stratégies suivantes : • Exercer un certain contrôle sur les bruits environnants provenant des téléviseurs, des radios, etc.

Conclusion

Les travaux de recherche sur la mémoire et l'apprentissage ont démontré que le cerveau humain dispose d'une capacité d'adaptation lorsqu'il est sollicité en fonction des capacités cognitives de la personne. D'autres recherches confirment cette plasticité cérébrale et l'utilité de la sollicitation, même chez les personnes présentant un syndrome démentiel accompagné d'un état altéré des fonctions cognitives (Phaneuf, 1998). Cependant, en CHSLD, les contraintes organisationnelles et les difficultés que présente la clientèle amènent souvent le soignant à se concentrer essentiellement sur la tâche à accomplir, ce qui induit rapidement le recours à la philosophie d'intervention axée sur des missions d'entretien et de surveillance (Lévesque *et al.*, 1990 ; Monat, 1999 ; Personne, 1996). Malgré tout, l'infirmière et les soignants doivent s'engager formellement à utiliser des stratégies de stimulation cognitive auprès de chaque résident et croire que ces stratégies améliorent la qualité de vie des résidents.

Cela dit, avant de décider d'appliquer les stratégies de stimulation cognitive, ils doivent se poser des questions sur leurs croyances fondamentales relatives au maintien d'un lien relationnel significatif avec le résident et sur leur degré d'engagement personnel à répondre à ce besoin fondamental de stimulation cognitive. D'autre part, ils doivent apprendre à accepter la lenteur des progrès des résidents, à se contenter de résultats presque inversement proportionnels à la quantité d'efforts fournis, à noter des gestes moins évidents ou habituels, et à apprendre à en décoder le sens.

L'infirmière et l'équipe soignante qui savent reconnaître les petites réussites découlant de leurs interventions devront se sentir concernés par de tels résultats (aussi infimes soient-ils) et s'attribuer une part de responsabilité dans l'expression plus ou moins évidente de mieux-être du résident. C'est en cela que les stratégies de stimulation cognitive fournissent aux soignants des moyens propres à donner un sens à leurs interventions auprès des résidents hébergés en CHSLD et à leur permettre d'éprouver un sentiment de satisfaction professionnelle et personnelle.

ÉTUDE DE CAS

Monsieur Picard est hébergé depuis quelques semaines dans un CHSLD. Il présente un syndrome démentiel accompagné de déficits cognitifs qui vont de modérés à sévères. Même si sa mobilité est entière, les soignants observent qu'il éprouve des difficultés fonctionnelles surtout lorsqu'il s'alimente, se lave et s'habille. Ces difficultés ont tendance à irriter M. Picard et à provoquer chez lui de la colère. Évidemment, il serait facile de prendre en charge le résident et de tout faire pour lui. L'infirmière propose plutôt aux soignants d'utiliser certaines stratégies de stimulation cognitive, parce qu'elle est convaincue qu'en équipe ils ont la possibilité d'améliorer les capacités fonctionnelles de M. Picard, l'estime qu'il a de lui-même et son bien-être.

Questions

1 Pourquoi l'infirmière a-t-elle proposé aux soignants d'inclure dans leurs interventions les stratégies de stimulation cognitive ?

2 Quelles précautions devront prendre les soignants avant d'appliquer l'une ou l'autre des stratégies de stimulation cognitive ?

3 Les soignants constatent lors des repas que M. Picard s'alimente difficilement, même si les aliments qu'on lui présente ont été préparés. Avant de décider de se suppléer complètement à M. Picard pour ce qui est de son alimentation, les soignants recourent à une série d'interventions successives, à appliquer dans l'ordre, pour trouver le degré approprié de consignes à lui fournir afin qu'il puisse s'alimenter seul. Quelle est cette série d'interventions ?

4 M. Picard souffre d'une désorientation temporelle. Certains soignants préconisent de ne pas cesser de recourir à des stratégies d'orientation temporelle pour remédier à cet aspect, alors que d'autres prétendent qu'il n'y a plus rien à attendre de ce type d'intervention pour M. Picard. Quelle est votre position à ce sujet et pourquoi ?

33

L'INTÉGRATION DES FAMILLES ET DES PROCHES AIDANTS

par **Lise R. Talbot** et **Marjolaine Landry**

Nul ne peut ignorer l'importance du rôle des proches aidants dans le maintien du bien-être des membres de la famille. C'est pourquoi l'infirmière se doit de considérer les liens qui existent entre le résident et ses proches lorsqu'elle planifie et prodigue des soins et des services à un résident hébergé dans un CHSLD. À cet égard, elle se doit de tout faire pour inclure les proches dans la planification et la prestation de soins. Cela revêt d'ailleurs une importance capitale lorsqu'il est question d'un résident nouvellement hébergé, puisque ses proches seront alors fragiles sur le plan émotif, auront de nombreux motifs d'inquiétude et auront de la difficulté à laisser à d'autres le soin de la personne qui leur est chère. Or, si les soignants ne tiennent pas compte de cet état de fait et ne cherchent pas à rassurer les proches en les invitant à leur faire part de leurs inquiétudes, il pourrait en résulter des conflits, désagréables pour tous, et surtout peu constructifs. Pour aider à prévenir de telles situations, nous présentons dans ce chapitre un programme d'intégration des proches aidants à la vie du CHSLD et quelques interventions pour désamorcer d'éventuels conflits.

NOTIONS PRÉALABLES SUR L'INTÉGRATION DES FAMILLES ET DES PROCHES AIDANTS

Définition

Si l'on souhaite en arriver à une définition cohérente de la notion d'intégration des proches, tâchons tout d'abord de définir ce que nous entendons par « familles » ou « proches ». Wright, Watson et Bell (1990) optent à cet égard pour la description qui suit, que nous faisons nôtre : « Reconnus comme la cellule de base de la société, les familles et proches désignent un groupe de personnes apparentées ou liées par l'affection, la dépendance ou la confiance, et qui se présentent comme membres d'une famille. » Même si on ne trouve pas dans la littérature de définition précise de ce que peut être l'intégration des proches aux soins en CHSLD, avec en tête cette définition des proches nous pouvons nous reporter à la Déclaration officielle sur l'intégration de la famille aux soins et services dans le réseau de la santé et des services sociaux (Conseil de la famille, 1996). Adoptée par les conseils d'administration des établissements de santé du Québec, cette déclaration stipule entre autres que la famille a un rôle déterminant à jouer à l'égard de la santé et du bien-être du résident. Selon cette déclaration, les soignants doivent voir les proches aidants comme des partenaires actifs – comme des collaborateurs dirions-nous – en matière de planification, de prestation et d'évaluation de soins et de services de qualité.

Contexte de l'admission en CHSLD

Dans notre société industrialisée, les aînés préfèrent vivre à domicile plutôt qu'en institution. Pour les aînés qui ne peuvent plus demeurer à la maison, soit par manque de ressources, soit par épuisement des proches aidants, le fait d'emménager dans un CHSLD est une grande source d'anxiété. Il en va de même pour les proches aidants. D'ailleurs, il est fréquent que, après avoir décidé de placer une personne qui leur est chère dans un établissement d'hébergement, les proches aidants ne s'engagent dans le processus qu'à la dernière minute. C'est que le fait de placer un aîné en CHSLD est généralement perçu comme un échec. Les proches aidants envisageront donc ce processus avec ambiguïté. D'une part, ils se sentent soulagés de ne plus avoir à assumer le « fardeau » que constituent les soins qu'il faut prodiguer à la personne aimée. D'autre part, ils se sentent coupables de n'avoir pas pu continuer à prodiguer ces mêmes soins.

Lorsque les proches se décident à placer un aîné en CHSLD, ils invoquent principalement les trois raisons suivantes : l'épuisement de l'aidant, la maladie d'un autre membre de la famille ou la maladie de l'aidant (Ryan et Scullion, 2000a). On constate dans la littérature que, durant la période d'admission, les proches aidants éprouvent de la culpabilité et de la détresse émotionnelle, et qu'ils reçoivent rarement de l'aide afin de faire face à leurs émotions. Ryan et Scullion (2000b) notent de fait que les proches se retrouvent au centre d'un véritable tourbillon d'émotions, ressentant à la fois de la tristesse, de la colère, de la solitude, de la résignation, du soulagement, un sentiment d'échec et du regret.

Selon Nolan *et al.* (1996), le processus d'admission et les perceptions du résident influenceront et détermineront en partie la qualité même de l'admission et la manière dont la personne âgée s'adapte à son nouveau milieu de vie. Nolan et ses collaborateurs (1996) ont conçu à cet égard une typologie des types d'admission qui, au nombre de quatre, influencent la façon dont la personne âgée perçoit son admission. Le tableau 33-1 présente cette typologie.

Collaboration avec les proches

Pour que la qualité de vie des résidents en CHSLD soit meilleure, il est indispensable d'intégrer les proches qui le désirent aux soins à titre de collaborateurs. Par «collaboration», il faut entendre ici la participation des proches à la réalisation d'une tâche ou d'une responsabilité (Bouchard, Talbot, Pelchat et Boudreault, 1997). Cette collaboration peut constituer une solution permettant d'améliorer non seulement la qualité de vie des résidents et de leurs proches, mais aussi celle des soignants. En effet, les proches sont souvent en mesure de fournir une aide d'appoint précieuse.

Cela dit, pour que s'instaure cette collaboration, il importe de créer un climat de confiance dès les premiers contacts avec les proches, de préférence avant l'élaboration d'un plan d'intervention. À ce sujet, St-Arnaud (2003) a conçu un modèle théorique qui pourra s'avérer utile à l'infirmière qui désire instaurer un climat de collaboration avec les proches. Comme on peut le constater à la figure 33-1, ce modèle

illustre de quelle façon peuvent interagir l'acteur et l'interlocuteur en fonction d'un but commun dans une perspective de coopération ou de collaboration.

Dans le modèle de St-Arnaud, les deux premiers éléments, à savoir l'acteur et l'interlocuteur, désignent les personnes impliquées dans la relation. L'acteur représente la personne qui dirige l'intervention verbale, alors que l'interlocuteur correspond à la personne ou au groupe de personnes avec lesquelles l'acteur communique. Dans un contexte professionnel, l'acteur équivaut toujours à l'intervenant, et l'interlocuteur au résident ou à ses proches. Le troisième élément du modèle de St-Arnaud, soit le but de la rencontre, tient à ce que les protagonistes cherchent à obtenir de la rencontre. C'est le rapport entre ces trois éléments qui détermine la structure de la relation, qui sera soit une structure de service ou de pression. Cela dépendra de celui qui, entre l'acteur ou l'interlocuteur, amorce ou propose l'atteinte d'un but.

L'élément clé de la collaboration entre l'infirmière (l'acteur) et les proches (l'interlocuteur) repose entre autres sur l'établissement d'un but commun. Or, ce but n'est pas toujours explicité ou exprimé dès le départ, et n'est pas toujours partagé également par l'acteur et l'interlocuteur. Ainsi, il est possible que le but diffère selon que l'initiative de la rencontre est le fait de l'acteur ou de l'interlocuteur. Si l'interlocuteur entreprend la démarche, la relation prendra la forme d'une structure de service, c'est-à-dire d'une structure dans laquelle l'interlocuteur se trouve à demander un service à l'acteur.

À l'inverse, si l'acteur amorce la démarche, la relation prendra la forme d'une structure de pression, puisque l'interlocuteur n'a pas sollicité la demande et qu'elle lui est imposée par l'acteur. Ce scénario peut compromettre l'atteinte du but puisque seul l'acteur choisit le but et qu'il est possible, en conséquence, que la démarche ne satisfasse pas les

Tableau 33-1	Typologie des admissions en CHSLD
TYPES D'ADMISSION	**DESCRIPTION**
Choix positif	L'aîné participe à la prise de décisions qui le concerne, se trouvant sur un pied d'égalité avec ses proches pour ce qui est de choisir où il sera hébergé, quand il emménagera et comment se déroulera son admission.
Solution de rechange rationnelle	C'est la forme la plus fréquente d'admission. L'aîné perçoit son admission comme légitime ou réversible. En agissant de cette manière, il fait preuve d'altruisme, considérant avant tout le bien-être de son proche aidant.
Choix discrédité	Alors qu'initialement elle relevait du choix positif ou de la solution de rechange rationnelle, l'admission est désormais perçue comme différente de ce qu'elle devait être à l'origine. Il pourra s'agir, par exemple, d'une situation ressemblant à ceci. À l'origine, on avait promis à l'aîné qu'il disposerait d'une chambre privée. Au contraire, il se retrouve dans une chambre semi-privée, où vivent d'autres résidents. De positive ou de rationnelle qu'elle était, l'admission s'en trouve discréditée. Ce genre de situation crée des sentiments de méfiance et de résignation chez le nouveau résident.
Fait accompli	Il s'agit de la pire des admissions. L'aîné n'a pas voix au chapitre, c'est-à-dire que d'autres que lui prennent la décision de l'admission et ne le consultent pas. Il n'a pas l'occasion d'envisager d'autres possibilités. L'aîné perçoit très négativement cette décision (et donc son admission).

Source: M. Nolan, G. Walker, J. Nolan, S. Williams, F. Poland, M. Curran et B. Kent (1996). Entry to care: positive choice or *fait-accompli*? Developing a more proactive nursing response to the needs of older people and their carers. *Journal of Advanced Nursing, 24* (2), 265-274.

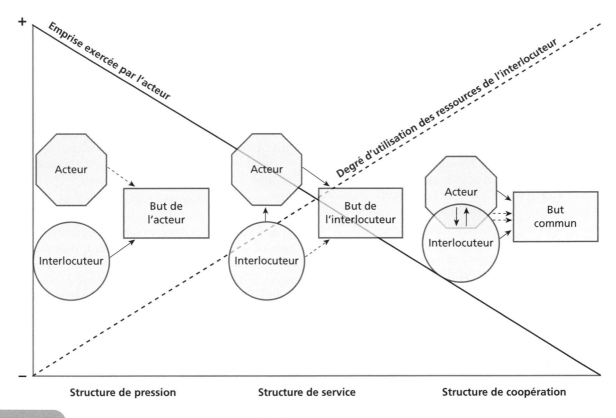

Structure de pression   **Structure de service**   **Structure de coopération**

FIGURE 33-1 **L'emprise exercée par l'acteur et l'utilisation des ressources**

Source : Y. St-Arnaud (2003). *L'interaction professionnelle : Efficacité et coopération*, 2ᵉ éd. Montréal : Presses de l'Université de Montréal.

besoins réels de la famille. En effet, lorsque la relation prend la forme d'une structure de pression, il peut y avoir résistance de la part de l'interlocuteur puisque le but est celui de l'acteur.

Enfin, lorsque le but qu'on poursuit dans la relation est celui de l'interlocuteur, il est raisonnable de penser que l'acteur fera preuve de passivité, ce qui peut constituer un problème. Or, si les deux protagonistes parviennent à s'entendre sur le but à atteindre, la relation prendra la forme d'une structure de coopération. Il s'agit là de la forme de relation à privilégier, car il y a alors poursuite d'un but commun, reconnaissance mutuelle de compétences au regard du but et partage du pouvoir. Bref, lorsqu'il s'agit d'amener les proches à collaborer aux soins en vue d'améliorer la qualité de vie des résidents, il faut s'interroger sur les aspects suivants, pour mieux comprendre la dynamique à l'œuvre : Qui initie l'interaction ? Quel but se propose-t-on d'atteindre ? Dans quel sens l'influence s'exerce-t-elle ?

Facteurs facilitant l'intégration des proches

Contrairement à ce qu'affirme la croyance populaire voulant que les proches abandonnent l'aîné qu'ils ont placé en hébergement, la plupart continuent à assumer leur rôle d'aidants. Cela peut favoriser une meilleure continuité de soins et apaiser le sentiment de culpabilité que ressentent souvent les proches lorsqu'ils recourent au placement d'une personne qui leur est chère (Aneshensel, Pearlin, Mullan, Zarit et

Whitlatch, 1995). En conséquence, les soignants doivent tâcher d'intégrer les proches aux soins et autres activités qui se déroulent dans le CHSLD. Parmi les facteurs qui pourront faciliter l'intégration des proches à la « routine » des soignants, notons les suivants : accepter l'aide et les connaissances des proches, et les informer, adopter des attitudes positives à l'égard des proches et suivre une approche structurée.

Accepter l'aide et les connaissances des proches, et les informer

Pour faciliter l'intégration des proches aux soins en CHSLD, les soignants devront d'abord faire preuve d'ouverture, afin que les proches aient le sentiment que les soignants les perçoivent comme des partenaires utiles. Cela implique que les soignants tiennent compte des compétences des aidants et partagent celles-ci avec les autres membres de l'équipe, et ce, conformément à la philosophie du CHSLD (Janzen, 2001) (voir le chapitre 44). Notons au passage que le CHSLD a un rôle à jouer de ce point de vue, car il doit fournir aux soignants le soutien nécessaire pour qu'ils puissent faire preuve de respect envers les proches et que leurs rapports se déroulent en toute convivialité. Ce soutien se traduit par l'adoption d'une philosophie d'humanisation des soins et d'écoute d'indices de détresse.

Établir l'histoire du résident et concevoir un génogramme (voir plus loin) avec la famille (Wright et Leahey, 2001) dès l'admission de l'aîné en CHSLD sont des aspects qui donneront aux proches le sentiment que les soignants reconnaissent l'importance de leur rôle. Cela favorisera d'emblée un climat propice à la collaboration. D'autre part, le fait de donner aux proches de l'information concernant les règles régissant l'établissement constitue également un facteur facilitant leur intégration, car cela établit un climat de confiance entre les soignants et les proches (Merette, 1998). Dans une étude portant sur la qualité des soins dispensés en unités de courte durée gériatriques, Roberge, Ducharme, Lebel, Pineault et Loiselle (2002) ont d'ailleurs démontré que les préoccupations des proches aidants à l'égard de leur rôle se divisent en quatre dimensions, à savoir l'information, la communication, l'attitude du personnel et les ressources physiques (voir le tableau 33-2). Comme l'a montré cette étude, les préoccupations concernant l'information se sont révélées les plus importantes. Ainsi, s'ils désirent établir un partenariat et collaborer, les soignants et les proches doivent revoir leur manière d'être et d'agir avec les autres, et adopter des moyens de collaboration tels qu'une entrevue d'admission centrée sur la personne et l'aidant afin de connaître leurs préoccupations et faciliter leur intégration (Fontaine et Pourtois, 1998).

Adopter des attitudes positives à l'égard des proches

Diverses attitudes contribuent à l'instauration d'un climat de confiance et de collaboration entre les soignants et les proches. Mentionnons entre autres les suivantes: être authentique en tout temps et en toute circonstance, éviter de créer des situations ambiguës, éviter de susciter des attentes auxquelles il sera impossible de répondre, être emphatique, donner de l'information sur la maladie du résident et se montrer disponible.

Souvent, lorsque les proches ont le sentiment que les soignants les écoutent et les comprennent, les infirmières indiquent que moins de problèmes marquent le séjour du résident en CHSLD. Comme le mentionnent Wright et Leahey (2001), il est important que les soignants reconnaissent les forces et les expertises des proches. En misant sur ces forces (qui tiennent souvent au fait que les proches connaissent mieux que quiconque le résident), les soignants leur reconnaîtront une ou des compétences qui leur sont propres. Or, il est primordial de connaître le résident et ses proches afin de faciliter l'expression de leurs émotions, de leurs croyances, de leurs perceptions et de leurs appréhensions relativement de la situation d'hébergement. Sans cette connaissance, donc sans l'écoute et l'intégration des proches, les soignants ne pourront fournir le soutien le plus approprié et ainsi gérer les difficultés inhérentes à l'admission.

D'autre part, en matière d'attitude à adopter envers les proches, notons que le fait d'être réceptif à leurs suggestions ou de les impliquer dans le plan d'intervention et les traitements facilite leur intégration à la routine de soins et accroît la satisfaction que le résident tire des soins et services qu'il reçoit. Il importe de procéder de la sorte, car, à la suite de l'admission du résident, le rôle des proches comme aidants change considérablement. En conséquence, ils se sentiront souvent inutiles et exclus. Il est essentiel que l'infirmière intervienne adéquatement auprès d'eux, en leur offrant par exemple un soutien moral et en les encourageant à trouver des solutions et des ressources qui leur permettent de s'adapter et de trouver une façon satisfaisante de continuer à assumer leur rôle. Ryan et Scullion (2000) abondent en ce sens, mentionnant que les infirmières et les autres soignants doivent aider les proches à faire face au changement de situation qu'ils vivent et à redéfinir le rôle qu'ils continuent à jouer auprès du résident.

Suivre une approche structurée

Sur le plan pratique, pour faciliter l'intégration des proches à la routine du CHSLD, l'infirmière devra structurer ses interventions et déterminer quels sont les besoins et les préoccupations des proches. Pour ce faire, elle pourra recourir au modèle d'évaluation et d'intervention familiale de Calgary (Wright et Leahey, 2001), qui permet de mener à bien une entrevue familiale. Selon Wright et Leahey (2001), outre qu'elle est utile, l'entrevue avec les proches peut se

Tableau 33-2	**Préoccupations des proches aidants concernant leur rôle**	
PRÉOCCUPATIONS	**EXEMPLES DE DEMANDES DES PROCHES**	**INTERVENTIONS INFIRMIÈRES**
Information	Je désire savoir ce qui se passera la prochaine semaine.	Si vous le désirez, nous allons effectuer une première évaluation des besoins de votre père et déterminer quelles sont vos attentes.
Communication	À qui dois-je m'adresser pour savoir ce qui se passe durant la semaine?	Je vais vous présenter l'équipe de soins et vous pourrez choisir une interlocutrice.
Attitude du personnel	À qui vous fiez-vous pour établir le plan d'intervention?	Sur vous et les membres de votre famille, car vous connaissez mieux que quiconque votre père.
Ressources physiques	Quelles sont les activités qu'offre le CHSLD?	Il en existe une multitude. Je vous présenterai la personne responsable des activités. De plus, je vous remettrai d'ici peu la programmation mensuelle.

Source: D. Roberge, F. Ducharme, P. Lebel, R. Pineault et J. Loiselle (2002). Qualité des soins dispensés en unités de courte durée gériatriques: la perspective des aidants familiaux. *La Revue canadienne du vieillissement, 21* (3), 393-403.

révéler instructive, voire thérapeutique. Son objectif consiste à partager des informations et à établir un plan d'intervention selon les ressources disponibles. En situation de résolution de problème, orienter l'entrevue vers le partage de l'information et l'élaboration de solutions constitue généralement une bonne stratégie. Diverses expériences menées avec des familles ont démontré l'utilité de ce modèle et l'importance qu'il faut attribuer à la préparation de l'entrevue, notamment lorsqu'il s'agit de l'admission d'un résident en CHSLD et de l'intégration de ses proches. Bref, l'utilisation du modèle de Calgary permet à l'infirmière d'effectuer une entrevue fructueuse en matière de collecte d'informations et satisfaisante en général pour tous les participants.

Comme nous l'avons indiqué précédemment, les aidants qui décident de placer définitivement leur proche ressentiront parfois des émotions négatives, auxquelles seront associées diverses réactions émotives. Le fait de savoir que le résident et ses proches éprouvent de telles émotions aidera l'infirmière à comprendre les réactions des proches lors de l'entrevue d'admission. Enfin, lors de cette entrevue, écouter attentivement les besoins des proches permettra à l'infirmière de concevoir des interventions efficaces, propres à intégrer adéquatement le résident et ses proches au nouveau milieu de vie que constitue le CHSLD, et favorisera l'établissement d'un climat de confiance.

Cela dit, pour mener à bien une telle entrevue, l'infirmière doit adopter certaines attitudes. Pour Wright et Leahey (2001), cinq éléments clés permettent de conduire avec succès une entrevue avec les proches. Ainsi, au cours de cette entrevue, l'infirmière doit faire preuve de savoir-être, doit faire prendre à la conversation un tour thérapeutique, doit établir un génogramme et une écocarte, doit poser des questions thérapeutiques ou liées à l'intervention, et doit déterminer quelles sont les forces individuelles et collectives des proches.

Faire preuve de savoir-être

Dans le cadre d'une entrevue familiale faisant suite à l'admission récente d'un résident, faire preuve de savoir-être implique d'emblée que l'infirmière se présente à la famille et indique le but de l'entretien et le temps qu'il durera. Expliquer le but de la rencontre permet d'établir un climat de confiance et de collaboration. D'autre part, préciser aux proches combien de temps ils devront consacrer à l'entrevue leur donnera la possibilité de se rendre disponibles pour le temps nécessaire, ce qui évitera que l'un d'eux quitte la rencontre avant la fin de l'entrevue. Ce préambule est un aspect important de l'entrevue familiale : pour que celle-ci soit réussie, les proches doivent savoir que telle personne (l'infirmière) est une personne-ressource à qui ils pourront poser des questions au besoin, et ils doivent pouvoir bénéficier de repères, même si ceux-ci ne concernent que le temps.

Le fait de discuter ouvertement avec les proches du but de la rencontre permet souvent d'éviter de part et d'autre les malentendus et les déceptions. L'un des premiers objectifs de l'entrevue familiale consiste à créer un contexte favorable aux changements, en vue de donner aux proches l'occasion d'adopter une nouvelle vision ou de nouvelles croyances à l'égard de la situation problématique. Au cours de l'entrevue, l'infirmière a ainsi pour rôle d'aider les proches à découvrir de nouveaux moyens pour faire face à cette situation, ces moyens pouvant relever d'aspects tant comportementaux que cognitifs ou affectifs.

Faire prendre un tour thérapeutique à la conversation

Pour que la conversation qui s'engage dans le cadre de l'entrevue familiale soit thérapeutique, l'infirmière doit écouter attentivement les proches, faire preuve d'empathie et de compassion à l'égard de leur situation. Aucune conversation entre une infirmière et un résident ou un proche n'est futile. D'ailleurs, ce n'est pas la durée de la conversation qui importe, mais plutôt le fait qu'elle donne au résident et à ses proches l'occasion de se faire connaître et respecter. Voilà ce qui confère à la conversation tenue lors d'une entrevue familiale ses formidables possibilités thérapeutiques. De ce point de vue, l'art d'écouter s'avère d'une grande importance. Il arrivera fréquemment que les infirmières croient que le fait d'écouter implique l'obligation de faire quelque chose pour régler le problème que soulèvent le résident ou ses proches. Cependant, cela implique surtout que l'infirmière fasse preuve de compassion et mette en valeur les forces de ceux qui sont aux prises avec le problème. Cette façon de faire sera souvent l'amorce d'un changement chez le résident ou les proches, changement qui leur permettra de mieux faire face à la situation.

Établir un génogramme et une écocarte

Le fait d'établir un génogramme (voir la figure 33-2, p. 462) et une écocarte (voir la figure 33-3, p. 463) résume en un schéma simple l'organisation familiale du résident et détermine en cela de quelles ressources familiales dispose le résident et quels sont ses proches immédiats. Une fois inclus dans le dossier du résident, ces outils donnent à ceux qui les consultent une vue d'ensemble sur le réseau de soutien formel (services du réseau de la santé, organismes communautaires) et informel (membres de la famille, amis, voisins) du résident en perte d'autonomie, leur indiquent qui sont les proches du résident et enfin précisent quels sont les problèmes de santé des autres membres de la famille.

En donnant à l'infirmière une vue d'ensemble de la structure familiale du résident et des liens qui en unissent les membres, le génogramme se présente comme un outil clinique qui favorise l'instauration d'un climat d'entraide et facilite l'évaluation des relations familiales. L'écocarte schématise quant à elle les liens qui unissent les membres de la famille du résident aux ressources de soutien extérieures et donne des informations sur la qualité de ce soutien, c'est-à-dire sur les soins et services qui peuvent être offerts par d'autres personnes que les membres de la famille et qui répondent à certains besoins du résident.

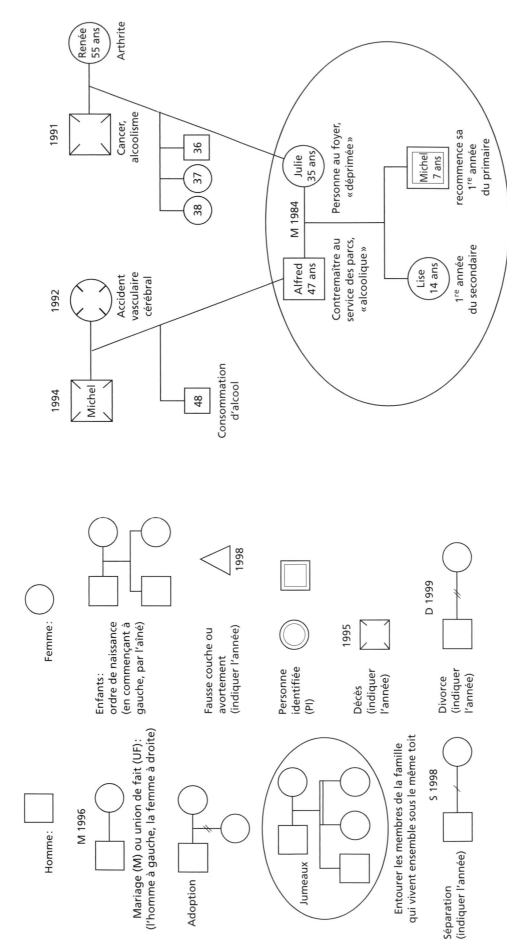

FIGURE 33-2 Exemple de génogramme

Source: L.M. Wright et M. Leahey (2001). *L'infirmière et la famille: Guide d'évaluation et d'intervention*, 2ᵉ éd. Saint-Laurent: Éditions du Renouveau Pédagogique, 99-100.

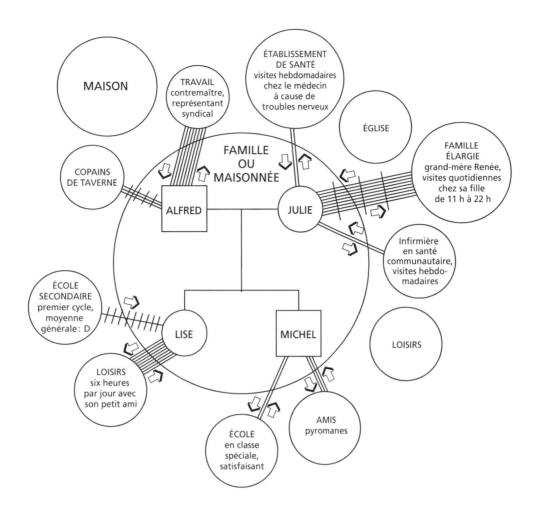

Légende

- Les lignes continues évoquent des liens solides.
- Les lignes pointillées évoquent des liens précaires.
- Les lignes barrées évoquent des relations difficiles.
- Le nombre de lignes juxtaposées traduit la force du lien.

FIGURE 33-3 **Exemple d'écocarte**

Source: L.M. Wright et M. Leahey (2001). *L'infirmière et la famille: Guide d'évaluation et d'intervention*, 2e éd. Saint-Laurent: Éditions du Renouveau Pédagogique, 107.

Poser des questions thérapeutiques ou liées à l'intervention

Lorsqu'elle mène une entrevue familiale, l'infirmière doit éviter le piège qui consiste à déterminer qui, des proches ou des soignants (ce qui l'inclut), a raison ou détient la «vérité». Il est important qu'elle accepte les perceptions de tous les proches et qu'elle leur donne la possibilité d'envisager le problème d'une nouvelle façon (technique de recadrage; voir les chapitres 24 et 29).

En adoptant cette attitude, l'infirmière doit poser aux proches des questions concernant leur perception de la situation. Comme le montre le tableau 33-3 (p. 464), l'infirmière peut se servir de plusieurs types de question afin d'amener les proches à exprimer leurs inquiétudes, leurs besoins et leurs attentes.

Déterminer quelles sont les forces individuelles et collectives des proches

Il est important, lors des dix premières minutes de l'entrevue, d'établir quelles sont les forces individuelles ou collectives des proches. Le fait d'acquérir cette connaissance au début de l'entrevue donne aux proches le sentiment qu'on les

Tableau 33-3	Types de questions que l'infirmière peut poser lors d'une entrevue familiale		
TYPES DE QUESTION	**DÉFINITION**	**EXEMPLES**	**RÉSULTATS ESCOMPTÉS**
Linéaire	Ce type de question permet de mieux cerner les inquiétudes des proches, qui diffèrent souvent de l'un à l'autre.	Un événement précis a-t-il précipité l'admission de votre père en CHSLD?	Déterminer ce qui a motivé les proches à placer l'aîné.
Circulaire affective	Ce type de question vise à provoquer un changement sur le plan émotionnel.	Dans votre famille, qui a éprouvé le plus de chagrin concernant le placement de votre père?	Déterminer qui a été le plus touché par l'événement et tâcher de procurer du réconfort.
Comportements affectifs	Ce type de question vise à provoquer un changement sur le plan comportemental.	Que faites-vous lorsque votre père se met à pleurer?	Déterminer quel peut être le résultat d'une inquiétude affective.
Dyadiques cognitives	Ce type de question vise à connaître les perceptions d'une tierce personne, que celle-ci soit présente ou non lors de l'entrevue.	Que répondrait votre frère si je lui demandais de commenter le fait que votre père soit désormais placé?	Déterminer quelle personne est la plus touchée par la situation, que cette personne soit présente ou non.
Hypothétiques comportementales	Ce type de question cherche à déterminer comment les proches envisagent l'issue d'une situation simulée.	Qu'arriverait-il si vous ne pouviez plus venir visiter votre père aussi souvent?	Établir des solutions de rechange à la situation simulée.
Future affective	Ce type de question vise à déterminer comment les proches perçoivent le futur et les effets émotifs.	Comment entrevoyez-vous le futur maintenant que votre père se trouve hébergé dans un CHSLD?	Déterminer comment les proches perçoivent le futur.
Unique	Ce type de question vise à déterminer ce qui inquiète le plus les proches.	Si vous aviez un seul souhait à formuler, quel serait-il?	Déterminer quelle est la plus grande inquiétude des proches en vue d'orienter les interventions selon celle-ci.

écoute, qu'on les comprend et qu'on les respecte. Cette forme d'attention bienveillante indique aux proches que les habiletés qu'ils ont déployées avant de recourir au placement de la personne qui leur est chère sont importantes.

Facteurs entravant l'intégration des familles

Comme nous l'avons vu précédemment (au tableau 3-1), certains processus d'admission, comme le choix discrédité ou le fait accompli, rendent les relations entre le résident et les intervenants plus difficiles (Nolan *et al.*, 1996). C'est pourquoi il est important de faire ressortir, durant l'entrevue familiale, les circonstances ou événements qui ont précipité l'admission et le contexte dans lequel la décision a été prise (Talbot et Landry, 2004).

Parmi les facteurs pouvant entraver l'intégration des proches, notons d'autre part une expérience antérieure négative du système de santé. S'ils ont vécu une expérience pénible dans un hôpital (par exemple) avant de se décider à placer un des leurs dans un CHSLD, les proches seront bien plus méfiants envers le personnel soignant. Il importe donc d'amener les proches à s'exprimer sur leurs expériences de la maladie et des services de soins de santé. Cela permettra à l'infirmière de déterminer quels sont leurs inquiétudes et leurs besoins, et ainsi d'intervenir plus efficacement.

Finnema, de Lange, Droes, Ribbe et van Tiburg (2001) indiquent pour leur part que des facteurs qui ne sont en aucun cas liés à la qualité des soins et des services offerts en CHSLD peuvent influencer le jugement des proches aidants. À titre d'exemple, ils indiquent que les proches pourront percevoir les soins et services en fonction d'expériences troublantes et éprouver de la culpabilité ou de la tristesse à l'idée que la personne qui leur est chère soit hébergée définitivement dans un milieu où la qualité des soins sera moindre que celle des soins qu'ils donnaient eux-mêmes. Cela nuira évidemment à leur intégration au milieu de vie et de travail que constitue le CHSLD.

Entre autres facteurs pouvant faire obstacle à l'intégration de la famille en CHSLD, notons également les conflits de rôle qui peuvent survenir entre le personnel soignant et les proches du résident. Duhamel (1995) souligne d'autre part que des divergences d'opinions ou d'attentes quant aux soins à prodiguer peuvent opposer non seulement les proches et les soignants, mais aussi les proches eux-mêmes. Les conflits de rôle entre les soignants et les proches prennent racine dans le fait que les croyances, les valeurs, les attitudes et les comportements des uns ne correspondent pas nécessairement à la perception ou aux attentes des autres. À cet égard, concernant la perception des soignants et des proches sur le rôle de ceux-ci en CHSLD, l'étude de Ryan et Scullion (2000a) a démontré que les soignants ont tendance à sous-estimer l'importance du rôle des proches. De plus, il ressort de cette étude que certaines infirmières croient que, une fois l'admission en CHSLD terminée, plusieurs proches se désintéressent de la possibilité de jouer un rôle actif en matière de soins. Lee et Craft-Rosenberg (2002) partagent cette idée et soulignent que certains proches ne souhaitent pas participer aux soins, vraisemblablement à cause de l'épuisement et d'un sentiment de culpabilité. Nous pourrions également conjecturer que ce désintéressement est lié aux difficultés auxquelles font face les proches lorsqu'ils désirent être intégrés aux soins.

PROGRAMME D'INTERVENTION

Programme d'intégration des proches en CHSLD

Le programme d'intégration des familles en CHSLD comporte principalement trois objectifs. Premièrement, le programme vise à faciliter le processus d'admission des résidents et l'intégration des proches à la vie de l'unité de soins. Deuxièmement, il vise à favoriser le bien-être des résidents en encourageant les proches à être présents dans le milieu de vie et à participer aux soins, et aux activités qui s'y déroulent. Troisièmement, il vise à ce que se développent des rapports harmonieux entre le personnel soignant et les proches.

En vue d'intégrer les proches aux activités du CHSLD, les soignants peuvent procéder par étapes, diverses interventions étant possibles à cet égard. Dans ce chapitre, nous présenterons les étapes ou interventions qui consistent en une rencontre avec l'infirmière, en une visite du CHSLD, en une rencontre avec les membres de l'équipe interdisciplinaire et en l'établissement de mesures de suivi. Enfin, nous illustrerons qu'il est important que les soignants échangent avec les proches afin de partager leurs craintes et inquiétudes.

Rencontre avec l'infirmière

Par « rencontre avec l'infirmière », nous désignons évidemment l'entrevue familiale, dont il a déjà été question dans ce chapitre. En CHSLD, cette étape du programme d'intégration des proches est déterminante, car elle contribue à personnaliser les soins. Or, cela revêt une grande importance, car le CHSLD est le milieu de vie permanent des résidents. Les infirmières appliquent les programmes individuels d'intégration des proches au moyen, entre autres, du plan d'intervention. En effet, l'infirmière peut inviter les proches à concevoir les résultats escomptés du plan d'intervention et revoir l'atteinte des résultats selon un échéancier prédéterminé.

En conséquence, il est primordial que l'infirmière se prépare adéquatement avant de mener une telle entrevue. Concrètement, l'infirmière peut rencontrer les proches dans les deux à trois semaines suivant l'admission du résident. De cette manière, elle a le temps de consulter le dossier du résident afin de connaître son diagnostic, son histoire, les ressources d'aide utilisées, les personnes aidantes, les croyances facilitantes et la médication prescrite ; bref, tout ce qui peut être utile pour en savoir plus sur le résident et bien orienter l'entrevue. De la sorte, lorsqu'elle rencontre la famille, l'infirmière dispose déjà d'informations sur l'état de santé du résident et sur son réseau de soutien.

L'entrevue familiale est une intervention infirmière efficace, car l'infirmière peut nouer avec les proches des conversations thérapeutiques, évaluer le fonctionnement familial grâce à ce qu'ils racontent de leur vie et créer un contexte propice aux changements. De plus, au cours de cette entrevue, elle peut faire en sorte que les changements positifs survenus chez les proches se maintiennent et, par la même occasion, leur suggérer d'adopter de nouvelles attitudes à l'égard de la situation.

Cela dit, les infirmières considèrent souvent que réaliser une entrevue avec les proches d'un résident constitue un défi de taille, car, bien souvent, elles n'ont pas reçu de formation spécifique sur cet aspect. D'autre part, le temps qu'il faut pour préparer et réaliser une telle entrevue et en analyser les résultats représente souvent une contrainte qui, en décourageant les infirmières, les amène à abandonner l'idée de mener une entrevue familiale.

Pour remédier à l'absence de formation des infirmières en matière d'entrevue familiale et pour rendre nulle l'idée qu'une telle entrevue requiert trop de temps, nous avons présenté dans la section précédente intitulée « Suivre une approche structurée » les principes théoriques de base qui constituent l'ossature d'une entrevue de 15 minutes. Voilà d'ailleurs le chiffre à retenir : une entrevue bien préparée, et dont les surprises seront absentes parce qu'elle est justement bien préparée, s'effectuera en peu de temps ! À cet égard, nous avons donné dans le tableau 33-3 des exemples de questions qui amèneront les proches à fournir à l'infirmière une quantité considérable d'informations et qui susciteront inévitablement chez ceux-ci la réflexion. Ainsi, l'intégration des principes théoriques de l'entrevue, la conception de bonnes questions suivant notre modèle et l'étude du dossier du résident, de son génogramme et de son écocarte ne pourront mener les infirmières qu'à des réussites d'une quinzaine de minutes en matière d'entrevue. Plus question, désormais, de se défiler ! Cela est d'autant plus important que les entrevues familiales permettent à l'infirmière de connaître en profondeur les proches du résident, ce qui favorise l'atteinte des trois objectifs du programme d'intégration des proches.

Visite du CHSLD

La deuxième étape ou intervention visant à intégrer les proches au milieu de vie consiste à leur faire visiter les lieux. Au cours de cette visite, l'infirmière doit fournir aux proches, d'une manière accessible, toutes les informations pertinentes concernant les ressources du CHSLD et les soins et services qu'on y offre en fonction de leur participation au programme d'intervention et de services de l'établissement (Merette, 1998). Elle peut ainsi leur fournir un plan du CHSLD, la liste des différentes ressources existantes et les noms et numéros de téléphone de personnes-ressources spécifiques. D'autre part, lors de cette visite, elle leur montrera les pièces qui seront le plus souvent utilisées, telles que la salle de bain adaptée, les salles de loisirs, la salle à manger, les jardins extérieurs. Pour conclure la visite, elle les mènera à la chambre du résident et présentera les résidents qui vivent à proximité de celui-ci. Visiter le CHSLD et le lieu de résidence de la personne qui leur est chère permet aux proches d'avoir une idée de l'environnement dans lequel vivra cette personne et favorise ainsi un climat de confiance.

Rencontre avec les membres de l'équipe interdisciplinaire

Bien qu'il ne soit pas toujours possible de présenter aux proches tous les membres de l'équipe de soins en une seule visite, l'infirmière doit s'assurer que, à court terme, les proches auront rencontré tous les soignants. De ce point de vue, il est utile de remettre aux proches une liste des membres du personnel qui contient leur nom, leur fonction et leurs coordonnées au travail. S'il est possible de joindre une photo des soignants à cette liste, il faudra y voir, car les proches apprécient généralement ce genre de repères.

Cela dit, pour faciliter la rencontre des proches avec les membres de l'équipe de soins, l'infirmière pourra leur indiquer à quel moment se tiendra la première rencontre interdisciplinaire concernant la personne qui leur est chère et pourra les inviter à y participer. Cette rencontre vise à déterminer les besoins du résident, ses inquiétudes, les soins et services qu'il requiert et qui entreront dans son programme d'intervention, et les modalités de suivi. Ainsi, au cours de cette rencontre, les proches pourront poser différentes questions aux membres de l'équipe interdisciplinaire, rencontrer les intervenants et savoir qui joue quel rôle, ce qui favorisera l'atteinte du troisième objectif du programme d'intégration des proches visant le développement de rapports harmonieux.

Établissement de mesures de suivi

Il importe d'établir avec les proches aidants des objectifs de soins et des échéanciers réalistes en fonction des ressources disponibles. L'infirmière doit informer les proches de l'évolution de l'application du programme d'intervention en leur remettant un suivi écrit. C'est que les proches d'une personne admise en CHSLD cherchent avant tout à se tenir informés de l'évolution de la maladie dont cette personne est atteinte et à savoir si le programme d'intervention donne les résultats escomptés selon l'échéancier prévu. Le tableau 33-4 donne un exemple de programme d'intervention.

En somme, l'application de chacune des étapes du programme d'intégration des proches rendra possible l'atteinte de ses trois objectifs. Dans un premier temps, l'accueil chaleureux des soignants et l'intérêt qu'ils portent aux inquiétudes et attentes des résidents et de leurs proches encourageront les proches à participer aux soins et autres

Tableau 33-4	**Exemple de programme d'intervention**			
PROGRAMME D'INTERVENTION INDIVIDUALISÉ				
BESOIN / INQUIÉTUDE	**RÉSULTAT ESCOMPTÉ**		**ÉCHÉANCIER**	**RESPONSABLES**
1. Chambre répondant aux besoins du résident	Obtention d'une chambre privée, équipée d'un téléviseur et du câble, et dotée d'un accès aux toilettes.		2 semaines	• Responsable de l'unité de soins • Fille du résident
2. Médication	Évaluation de la médication. Médication autoadministrée sous surveillance.		1 semaine	• Médecin et pharmacien • Médecin et infirmière
3. Diète	Évaluation des goûts et besoins énergétiques du résident. Établissement d'une diète en fonction d'un contrôle adéquat du diabète de type 2 dont il est atteint.		1 semaine	• Nutritionniste • Médecin • Infirmière
4. Loisirs	Recensement des loisirs que pratiquait antérieurement le résident et comparaison avec ceux qui sont disponibles.		2 semaines	• Récréologue • Chef d'unité • Fille du résident

activités du CHSLD. Dans un deuxième temps, le programme d'intervention que concluent tacitement les soignants et les proches au sujet des besoins du résident et des soins à fournir pour les satisfaire améliorera le bien-être du résident. Enfin, parce qu'ils auront eu la possibilité de se rencontrer et d'échanger, les relations entre les soignants et les proches seront plus harmonieuses.

Programme d'interventions individuelles auprès des proches

Même si l'intégration des proches à la vie du CHSLD est réussie, il arrivera fréquemment par la suite que des conflits surviennent au quotidien entre les soignants et les proches. C'est pourquoi nous proposons ici un second programme d'intervention, qui vise à prévenir et à résoudre de tels conflits. Ceux-ci découleront généralement d'une méconnaissance de l'histoire des proches, de leurs besoins, de leurs inquiétudes et de leurs attentes (du point de vue des soignants), et des ressources dont dispose le CHSLD et des soins et services qu'on y offre (du point de vue des proches). Le fait de ne pas connaître parfaitement ces aspects conduit les soignants à ne pas fournir un soutien et des soins adéquats en fonction des besoins des proches, et les proches à formuler des demandes qui ne tiennent pas compte des ressources disponibles. Il en résulte des conflits.

Évidemment, il relève de la responsabilité des soignants de trouver des pistes de solution à ces conflits, leur position leur permettant de mieux informer les proches et de mieux s'informer sur les besoins et attentes des proches et du résident. Or, l'infirmière doit tâcher d'évaluer la problématique que vivent les proches en fonction d'un contexte familial, et non pas selon un contexte individuel. Autrement dit, mieux vaut avoir une vision d'ensemble de la situation qu'un aperçu partiel, voire partial. À cet égard, il faut imaginer la famille comme un mobile, ces jolis objets constitués d'un ensemble d'éléments légers, agencés de telle sorte qu'ils prennent des dispositions variées sous l'influence du vent ou de toute autre force motrice. L'ensemble des éléments se trouve en équilibre, relativement stable, tout en étant constamment en mouvement (sauf si rien ne vient le perturber). Dans ce monde miniature, tous les éléments sont liés les uns aux autres, et, si l'un des éléments subit l'action d'une force quelconque, tous les autres se mettront également en mouvement. Chaque élément, aussi individuel semble-t-il être, joue un rôle essentiel dans l'équilibre du système tout entier. Il en va de même pour les familles. Il suffit qu'un de ses membres subisse un stress quelconque ou vive une situation dramatique pour que l'ensemble soit déstabilisé et se mette en mouvement de façon chaotique.

Avec cette image en tête, nous examinerons dans les lignes qui suivent des pistes de solution qui permettront aux soignants d'intervenir en contexte de conflits entre les soignants et les proches, en vue de régler de telles situations.

Poser des questions concernant les stresseurs et les défis

D'emblée, lorsqu'elle doit affronter une situation de conflits avec les proches, l'infirmière doit recourir à des moyens d'interventions afin de bien circonscrire le problème. Il s'agit d'utiliser l'entrevue et des questions systémiques, d'avoir sous la main le génogramme et l'écocarte, et d'établir un climat relationnel de confiance réciproque. Cela dit, il arrivera rarement que le seul fait de comprendre le problème permette d'apporter des changements qui le régleront. D'ailleurs, l'infirmière évitera de discuter directement du problème avec les proches, car cela consisterait à aborder la situation de front et de façon cavalière. Cela ne réglerait rien, et empirerait peut-être même le conflit. Au contraire, l'infirmière veillera plutôt à formuler des questions sur les conséquences du problème lui-même. Bref, le fait de poser des questions qui portent sur les stresseurs et les défis qui résultent du problème permettra à l'infirmière de concevoir d'éventuelles interventions en vue de trouver des solutions à la situation.

Déterminer en quoi consistent le ou les problèmes grâce à des hypothèses

Une hypothèse constitue la formulation d'une supposition guidant une investigation, à la suite de laquelle on acceptera l'hypothèse ou on la réfutera. Dans un contexte de conflit avec les proches, les soignants émettront des hypothèses en se servant des connaissances dont ils disposent sur les proches (et qu'ils ont colligées lors des rencontres avec ceux-ci) et de leur propre expérience. Grâce à de telles hypothèses, les infirmières pourront interroger les proches sur la nature du conflit en donnant à la collecte de données une structure et une direction effectuée (Duhamel, 1995).

Pour illustrer cet aspect, imaginons par exemple que l'une des proches (Maude) d'un résident (M. Théberge, son père) agresse constamment les soignants par des remarques désobligeantes. Constatant ce conflit et passant en revue les informations dont elle dispose, l'infirmière émet l'hypothèse que ce conflit résulte du fait que : Maude se sent épuisée, et éprouve de la culpabilité parce qu'elle a placé son père en hébergement, ce qui se trouve aggravé par la réaction de ses frères, qui n'approuvent pas le placement. En fonction de cette hypothèse, l'infirmière pourrait poser les questions suivantes en vue de la confirmer et essayer de désamorcer la situation : Comment vivez-vous le placement de votre père ? Qu'est-ce qui est le plus difficile pour vous ? Comment entrevoyez-vous le futur maintenant que votre père est placé ?

Dans le même ordre d'idées, supposons cette fois qu'une altercation entre Maude et une soignante oblige l'infirmière à tenter de désamorcer la situation. En fonction des informations dont elle dispose, elle émet cette fois-ci l'hypothèse que le processus d'adaptation au changement (le placement

de son père) pousse Maude à éprouver de la colère et de la culpabilité, ce qu'elle projette sur les soignants de diverses façons. Grâce à cette hypothèse, l'infirmière pourrait poser à Maude les questions suivantes : Comment votre père perçoit-il son hébergement ? Comment pouvons-nous vous aider à mieux vivre le placement de votre père ? Qu'est-ce qui vous aiderait le plus pour faire face à cette situation ?

Mettre en valeur les forces et compétences individuelles et collectives des proches

Pour désamorcer ou prévenir certains conflits, l'infirmière pourra émettre des commentaires bienveillants concernant les forces et compétences individuelles et collectives des proches. En aidant les proches à réaliser quelles sont leurs forces et compétences, l'infirmière leur permet de comprendre le rôle qu'ils ont joué quant aux changements effectués afin de diminuer leurs sources de stress, et leur donne ainsi la confiance nécessaire pour faire face aux problèmes futurs. L'infirmière devra mettre en valeur les forces et compétences des proches dès qu'elle les décèle et féliciter ceux-ci au moyen de commentaires crédibles, liés à leurs croyances, et ce, en utilisant un langage accessible. En attribuant aux proches le mérite du changement (le placement de l'aîné), l'infirmière permet aux proches

d'utiliser de nouveau les mêmes stratégies afin de répondre à leurs besoins. L'infirmière qui néglige de le faire risque de donner involontairement aux proches l'impression qu'ils ne sont pas compétents.

Conclusion

Dans ce chapitre, nous avons défini un cadre de référence qui permettra aux infirmières d'instaurer un climat propice à une collaboration saine entre les soignants et les proches d'un résident. Comme on l'a vu, pour que l'intégration des proches soit réussie, il importe avant tout d'établir un but que doivent chercher à atteindre les interventions des soignants. Pour cette raison, nous avons démontré l'utilité de l'entrevue familiale et présenté les divers outils impliqués dans la préparation d'une telle entrevue, tels que le génogramme, l'écocarte et les questions systémiques. Cette entrevue donne aux soignants la possibilité d'en apprendre plus sur les inquiétudes et attentes des proches, et d'établir avec ces informations un but commun visant leur intégration. D'autre part, comme des conflits peuvent se produire lors de l'admission d'un résident et après, nous avons abordé quelques techniques qui, nous l'espérons, permettront d'éviter les situations conflictuelles et d'y trouver des solutions.

ÉTUDE DE CAS

Maude a 54 ans. Ses deux frères, Jacques et Michel, ont respectivement 53 et 50 ans. Tous les deux souffrent de dépression. Maude souffre quant à elle d'un zona ophtalmique. Leur père, Arnold, âgé de 75 ans, est retraité et souffre d'une démence de type Alzheimer. L'état d'avancement de ses pertes cognitives correspond au stade 5 de l'échelle de Reisberg. Il souffre également d'hypertension et d'un diabète de type 2. Voilà deux ans, son épouse est décédée d'un accident vasculaire cérébral (AVC). Le génogramme qui suit (voir la figure 33-4) résume cette structure familiale.

Maude s'est résolue à placer son père à la suite de plusieurs événements, les plus marquants étant les « fugues » fréquentes d'Arnold. Mais ce n'est pas tout. En effet, avant de se décider à recourir aux services d'un CHSLD, Maude, afin d'être plus présente auprès de son père, a dû quitter son emploi. Au surplus, durant la période où elle s'est occupée d'Arnold, elle n'a eu recours à aucune ressource extérieure pour la soutenir, sauf lorsqu'elle allait à l'église, sa voisine gardant alors Arnold. Or, cette voisine a déménagé. L'écocarte qui suit (voir la figure 33-5) résume cette situation et fournit des informations supplémentaires sur les ressources de la famille et l'importance de chacune d'entre elles. Comme on peut le voir, le travail de Maude et ses visites à l'église constituaient pour elle une source de réconfort. On note également que ses relations avec ses frères sont tumultueuses.

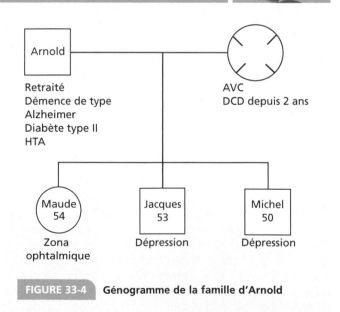

FIGURE 33-4 **Génogramme de la famille d'Arnold**

>>>

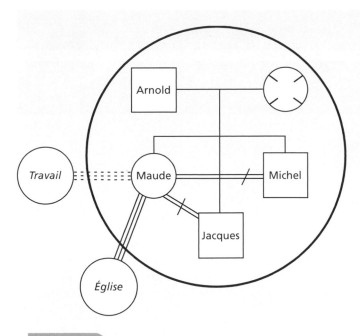

FIGURE 33-5 Écocarte de la famille d'Arnold

Mise en situation

Maude tient absolument à continuer à prodiguer des soins à son père, notamment en ce qui a trait au bain et aux soins des pieds d'Arnold qui sont fragiles. Cette exigence de Maude engendre un problème, car ce type de soins est généralement prodigué par les soignants, et ceux-ci ne tiennent pas à ce qu'une personne de la famille intervienne.

Comme la situation pourrait dégénérer rapidement, l'infirmière décide d'intervenir. Voici comment se déroule sa rencontre avec Maude.

Infirmière
Bonjour Maude, quelles sont vos attentes sur le plan des soins qu'il faut prodiguer à votre père ?

Maude
J'aimerais pouvoir continuer à lui donner le bain et à prendre soin de ses pieds, comme je le faisais lorsqu'il était à la maison, car il développe facilement des plaies à cause de son diabète.

Infirmière
Je comprends. Toutefois, vous savez, ces soins relèvent de notre responsabilité. Nous nous assurerons que votre père reçoive deux bains complets par semaine et que ses pieds soient soignés tous les jours, selon les règles et le fonctionnement de notre milieu. Donnez-nous un mois, et vous pourrez vérifier alors en tout temps si les soins répondent à vos attentes et nous faire part de vos commentaires.

Maude
D'accord, ça me rassure. Cependant, j'ai besoin de constater que vous ferez exactement ce que vous dites pour vous faire confiance. Vous savez, on devient protectrice après tant d'années…

Infirmière
Ne vous inquiétez pas, vous pourrez évaluer la situation autant que vous le voudrez. D'ailleurs, si vous évaluez que deux bains par semaine ne suffisent pas, nous pourrons envisager d'autres possibilités comme un préposé en service privé.

Maude
J'accepte de vous laisser faire pendant un mois et de vous observer. Je vous ferai part de mes commentaires ensuite. Concernant votre dernière proposition toutefois, je ne pourrai pas payer les services d'un préposé privé. Je suis au chômage, et mon père n'avait pas d'économies.

Infirmière
Nous verrons alors d'autres solutions si nécessaire. N'hésitez pas à nous poser des questions en tout temps et à observer les soins des pieds de votre père si vous le désirez, si vous êtes disponible le matin.

Maude
Merci de votre ouverture. J'y serai demain matin.

Grâce à ce dialogue, l'infirmière a transformé une situation conflictuelle en une situation consensuelle, où les deux parties trouvent comment parvenir à leur but commun, c'est-à-dire procurer de bons soins à Arnold.

Questions

1 Comment impliquer la famille dans le plan d'intervention ?

2 Quels sont les principaux facteurs entravant l'intégration des proches en CHSLD ?

3 Que peut-on déduire de la situation de Maude lorsqu'on consulte le génogramme et l'écocarte ?

4 Comment doit-on se préparer à intervenir auprès des proches ?

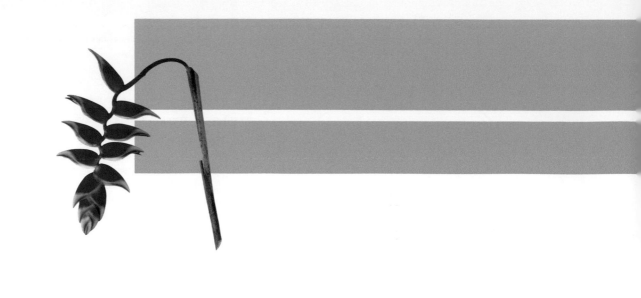

34

LE LOISIR

par **Jocelyne Trudel**

De nos jours, les CHSLD ne sont pas que des milieux de soins. Ce sont aussi des milieux de vie. Or, dans la vie, il n'y a pas que le travail et les corvées : il y a aussi les loisirs. Il en va de même dans les CHSLD, et un peu plus d'ailleurs. C'est qu'une fois que les résidents ont reçu les soins qu'ils requièrent, ils disposent de beaucoup de temps libre, bien plus sans doute qu'ils n'en ont jamais eu dans leur vie dite active. Il est par conséquent presque impératif que les résidents trouvent quelques activités pour combler ces temps libres, car, sans cela, le désœuvrement s'installe, et la dépression emboîte souvent le pas.

À cet égard, si les loisirs en CHSLD permettent de contrer de tels phénomènes de détresse psychologique, bien d'autres bienfaits leur sont associés. Ils sont ainsi directement liés à la qualité de vie des résidents, à leur bien-être et à l'amélioration de leur santé physique et mentale. D'autre part, ils animent le CHSLD et lui donnent une âme, en masquant en quelque sorte son côté institutionnel. Évidemment, pour parvenir à de tels résultats, il faut implanter correctement les loisirs dans ce milieu de soins et de vie. C'est là tout l'objet de ce chapitre.

NOTIONS PRÉALABLES SUR LE LOISIR

Définition

Selon Ouellet (2000), le loisir se définit au moyen de trois notions, à savoir le temps libre, l'activité de loisir et l'expérience émotionnelle. Le temps libre désigne le temps dont dispose une personne en dehors de ses obligations, c'est-à-dire en dehors de temps consacré au travail, aux tâches domestiques, aux transports et aux obligations sociales. Pour le résident d'un CHSLD, de telles obligations se résument aux soins liés aux activités de la vie quotidienne, c'est-à-dire aux besoins essentiels. Ainsi, le résident dispose de temps libre pendant la majeure partie de la journée.

L'activité de loisir est une activité non obligatoire que le résident a la liberté de choisir. Bien qu'il puisse refuser les soins thérapeutiques qu'on lui prodigue, le résident exerce rarement ce droit fondamental en raison de sa condition de santé précaire. En revanche, en ce qui a trait aux loisirs, le résident a la possibilité de décider de participer ou non aux activités offertes.

La notion d'expérience émotionnelle est la plus subjective. On la définira comme ce que ressent le résident lorsqu'il est engagé dans une activité de loisir. Chez le résident atteint de déficits cognitifs sévères, on ne peut évaluer cette dimension que par l'observation. Par exemple, au cours du déroulement d'une activité de loisir, si le résident sourit, interagit et établit un contact visuel soutenu avec l'intervenant, on pourra en conclure qu'il apprécie l'expérience qu'il est en train de vivre.

Place du loisir en CHSLD

Au cours des dernières années, la mission des CHSLD s'est transformée. En vertu de celle-ci, on envisage désormais les CHSLD comme des milieux de vie. Or, le loisir occupe une place importante dans cette façon de concevoir les CHSLD, puisqu'elle amène les intervenants du milieu à considérer le résident dans sa globalité, en fonction d'une vision biopsychosociale. Que la mission des CHSLD fasse de ceux-ci à la fois un milieu de soins et un milieu de vie ne relève pas de l'incompatibilité ou de la contradiction. Disons simplement que les soignants doivent essayer de remplir cette mission en deux volets de façon à ce que ceux-ci s'harmonisent et se complètent. Cela est d'autant plus important que les loisirs animent le milieu de vie et donnent une âme au CHSLD, en donnant aux résidents l'occasion de vivre des moments agréables.

Le loisir et ses bienfaits

Nombreux et variés, les bienfaits liés au loisir contribuent directement à la qualité de vie, au bien-être et à l'amélioration de la santé physique et mentale des résidents, tout en favorisant leur développement personnel. Leitner et Leitner (1996) ont procédé à une synthèse des divers bienfaits associés à la pratique d'activités de loisir et les divisent en deux catégories. Tout d'abord, il y a les bienfaits physiologiques, qui améliorent l'endurance physique, la mobilité et l'état global de santé des résidents. Ensuite, il y a les bienfaits psychologiques, puisque les loisirs procurent aux résidents une meilleure estime d'eux-mêmes et réduisent l'anxiété qu'ils ressentent, rendant d'ailleurs la dépression moins fréquente. Les liens entre la santé physique et psychologique des résidents et leurs activités récréatives démontrent ainsi que ces activités agissent comme des modérateurs en période de stress et facilitent l'intégration sociale.

Cela dit, il reste encore à expliquer scientifiquement les bienfaits du loisir sur les résidents. Il semble toutefois que les caractéristiques des activités de loisir jouent un rôle important. Deslauriers (2000) mentionne en effet que les activités de loisir doivent: d'une part, favoriser chez le résident un sentiment de liberté, de confiance et d'estime de soi; d'autre part, stimuler la créativité, la concentration et le changement; et, enfin, amener le résident à se détendre. Il faut en conclure qu'il est essentiel que non seulement les activités de loisir occupent les résidents pour qu'ils ne souffrent pas de désœuvrement, mais aussi qu'elles soient significatives pour eux. Il importe donc de considérer l'expérience de loisir de façon plus globale que comme la simple pratique d'activités récréatives.

PROGRAMME D'INTERVENTION

Il importe dans un premier temps de rappeler que le fait qu'un CHSLD offre à ses résidents des loisirs est un indicateur de la qualité de l'exercice infirmier en CHSLD (voir le chapitre 1). L'infirmière a donc une responsabilité clinique à l'égard du service de loisir. Toutefois, il incombe à tous les soignants, et tout spécialement aux récréologues ou aux intervenants en loisir, de voir au développement et à l'intégration des loisirs dans la vie du CHSLD. Pour se faire, l'intervenant en loisir doit encourager les résidents à pratiquer de façon autonome des activités de loisir. Il pourra d'ailleurs utiliser le loisir comme moyen thérapeutique en vue de résoudre divers problèmes, tels l'isolement, le manque d'intégration sociale ou la dépression. L'intervenant en loisir aura également la responsabilité de faire croître l'effet multiplicateur des activités qu'offre le service d'animation-loisirs en recrutant des bénévoles, des organismes communautaires et des spécialistes tels que les musicothérapeutes et les zoothérapeutes, entre autres. Enfin, il doit voir à la bonne marche des opérations administratives du service dont il a la charge et concevoir un programme d'activités de loisir qui soit adapté au CHSLD et à ses résidents.

Objectifs généraux des services d'animation-loisirs

Trois objectifs guident les services d'animation-loisirs en CHSLD. Premièrement, tous les résidents ont droit à des loisirs, et ce, quelles que soient leurs incapacités physiques ou cognitives. Deuxièmement, le service d'animation-loisirs doit favoriser le maintien de l'autonomie des résidents en leur permettant de choisir librement entre différentes activités. Troisièmement, le service d'animation-loisirs doit contribuer à créer dans l'unité de soins un milieu de vie en offrant des activités de loisir normalisantes, c'est-à-dire en offrant aux résidents des activités de loisir qui se rapprochent le plus possible d'une réalité non institutionnelle.

D'autre part, comme on l'a évoqué, les actions du service d'animation-loisirs peuvent être guidées, dans certaines circonstances, par des objectifs thérapeutiques spécifiques, conçus en collaboration avec l'infirmière ou une équipe interdisciplinaire. C'est que le loisir thérapeutique peut s'avérer fort utile pour faire face à un comportement d'agitation ou à une situation de dépression (Fédération québécoise du loisir en institution [FQLI], 2002).

Compte tenu de ces objectifs, il faut inclure des activités de loisir dans les soins qu'on prodigue aux résidents, et ce, dans une perspective d'interdisciplinarité. Il faudra choisir les activités de loisir de chaque résident avec rigueur, suivant une démarche qui tient compte, entre autres, de son autonomie fonctionnelle et de ses intérêts. Même si elle est peu utilisée actuellement, l'intervention thérapeutique reposant sur des activités de loisir constitue une approche que les soignants auront avantage à adopter.

Processus d'implantation du loisir en CHSLD

Implanter des loisirs en CHSLD est un processus complexe qui nécessite structure et planification. Il se déploie en plusieurs étapes, que voici: la compréhension du mandat, l'évaluation des besoins des résidents, l'évaluation des ressources, la consultation de tous les intervenants pertinents (interdisciplinarité), l'élaboration des programmes, l'implantation des activités et une évaluation des activités implantées. Le tableau 34-1 présente ces étapes, ce qui les justifie et les moyens par lesquels il est possible de les mettre en œuvre.

Compréhension du mandat

En vue d'implanter des loisirs dans un CHSLD, il importe avant tout de prendre connaissance de son mandat et de le comprendre, c'est-à-dire de comprendre sa mission, sa philosophie et ses objectifs. Au moyen de cette compréhension, le service d'animation-loisirs pourra se conformer à ce mandat pour intervenir logiquement et avec cohérence, suivant les valeurs du milieu. Il lui sera ainsi plus facile d'aborder le processus d'implantation des activités de loisir et de concevoir les objectifs généraux et spécifiques qui guideront ses décisions et interventions.

Tableau 34-1	Étapes du processus d'implantation du loisir en CHSLD	
ÉTAPES	**JUSTIFICATIONS**	**MOYENS**
Compréhension du mandat	Harmoniser les éventuelles activités de loisir avec la mission du CHSLD, en vue d'agir de façon logique et rationnelle dans le milieu.	Établir des objectifs généraux et spécifiques cohérents avec la mission du CHSLD en tenant compte de la réalité du milieu.
Évaluation des besoins des résidents	Établir un contact avec le résident pour mieux le connaître.	Utiliser des outils d'évaluation des besoins qui soient appropriés aux résidents.
Évaluation des ressources	Assurer une meilleure planification des activités que l'on souhaite mettre en place.	Procéder à l'inventaire des ressources physiques et humaines, puisque celles-ci ont une incidence directe sur la qualité et la quantité des activités offertes.
Consultation de tous les intervenants pertinents (interdisciplinarité)	Favoriser des interventions de qualité.	Communiquer avec les soignants de l'unité de soins, en vue que tous travaillent à atteindre auprès du résident le même objectif.
Élaboration des programmes	Établir l'orientation et la structure du programme des activités.	Utiliser des outils liés à l'orientation choisie, à savoir loisir-moyen ou loisir-but.
Implantation des activités	Atteindre les objectifs liés à la mise en place des activités.	Utiliser des techniques d'animation et des étapes appropriées pour mener à bien les activités retenues.
Évaluation des activités implantées	Apporter des améliorations et des corrections aux différents aspects du service.	Choisir des outils d'évaluation qui permettront la révision des activités et du programme.

Évaluation des besoins des résidents

L'évaluation des besoins en loisir des résidents est une étape cruciale du processus d'implantation des loisirs en CHSLD. L'intervenant en loisir devrait procéder lui-même à cette évaluation, qui suppose une collecte des données visant à déterminer les intérêts des résidents et leur degré d'autonomie fonctionnelle et cognitive. En ce qui a trait à cette collecte, une collaboration entre l'infirmière et l'intervenant en loisir permettra d'établir avec plus de précision quels types de loisirs sont adaptés aux intérêts et à la condition des résidents.

Pour déterminer quels sont les intérêts d'un résident en matière de loisirs, l'intervenant en loisir peut employer dans sa démarche deux outils d'évaluation, soit le Profil individuel en loisir de Carbonneau et Ouellet (2002) ou le Profil des habitudes de vie, aspects récréatif et social de la FQLI (2002). Il faut utiliser ces outils en fonction du type de clientèle à évaluer.

Le Profil individuel en loisir permet d'évaluer l'ensemble des composantes de l'expérience de loisir en vue d'améliorer la qualité de vie globale des résidents. Il est possible d'appliquer cet outil d'évaluation à diverses clientèles et de l'utiliser dans différents milieux institutionnels. De façon spécifique, il permet d'évaluer les activités de loisir préférées d'un résident, ses attentes, ses motivations, les contraintes qui gênent sa participation et la satisfaction qu'il éprouve à l'égard de l'activité de loisir. Cet outil d'évaluation tient également compte des caractéristiques et des données personnelles et sociales du résident, telles que son état de santé, son bien-être personnel et son réseau de soutien, par exemple.

Le Profil des habitudes de vie, aspects récréatif et social (FQLI, 2000) est quant à lui surtout utilisé auprès des résidents ayant des déficits cognitifs. Grâce à cet outil d'évaluation, il est possible de déterminer quelles activités de loisir permettront aux résidents de conserver leurs capacités résiduelles et favoriseront chez ceux-ci un sentiment de satisfaction et un certain degré d'autonomie. À cet égard, lors du processus d'évaluation, l'intervenant en loisir aura encore ici avantage à consulter l'infirmière qui connaît bien le profil fonctionnel et cognitif d'un résident. Cette collaboration lui permettra d'entrevoir quels intérêts du résident pourront être comblés par des activités de loisir, compte tenu de son état de santé. Il est à noter que l'évaluation des besoins des résidents atteints de déficits cognitifs est généralement plus complexe et requiert plus de temps et d'énergie, car il peut s'avérer ardu de concevoir ou de choisir des activités pour cette clientèle.

Grâce au Profil des habitudes de vie, aspects récréatif et social, l'intervenant en loisir pourra également procéder à une cueillette d'informations centrée sur les habitudes de vie significatives du résident, depuis son enfance jusqu'au contexte de vie actuel, le tout par groupes d'âge prédéterminés. Le principe de cet outil repose sur la mémoire à long terme du résident, c'est-à-dire sur les souvenirs personnels anciens et notamment sur les événements significatifs, auxquels le résident aura accès très longtemps malgré la progression de sa maladie. Par « habitudes de vie significatives », la FQLI désigne ce qui a du sens pour le résident, soit tout ce qui a eu une influence marquante dans sa vie. Cela relève donc d'aspects de la vie comme l'alimentation, l'habitation, la vie domestique, les relations interpersonnelles et familiales, le travail et les activités de loisir. En évaluant ces aspects en fonction de groupes d'âge prédéterminés, il est possible de déterminer précisément quelles habitudes de vie sont les plus ancrées dans la mémoire du résident et ainsi quelles activités répondront le mieux à ses intérêts.

Enfin, dans le cadre de l'évaluation des besoins des résidents en matière de loisirs, il importe de tenir compte de facteurs comme les valeurs et la culture du résident (voir à ce sujet le chapitre 41). Par exemple, il est probable que les intérêts d'un résident d'origine asiatique diffèrent de ceux d'un résident d'origine européenne, et que les activités de loisir qui les intéressent soient différentes.

En somme, cette étape du processus d'implantation des loisirs en CHSLD vise à cerner les intérêts du résident et ses capacités fonctionnelles et cognitives, en vue de déterminer quelles activités de loisir seront adaptées à son profil. Il pourra s'agir d'activités de groupe faisant partie du programme d'activités régulières du CHSLD ou d'activités thérapeutiques individuelles, dont les objectifs, spécifiques, relèveront du profil particulier du résident. Quoi qu'il en soit, les activités se doivent d'être significatives pour le résident et devront être choisies de façon judicieuse.

Évaluation des ressources

En vue d'implanter des loisirs dans un CHSLD, il est indispensable de procéder à l'évaluation des ressources du CHSLD, ce qui consiste à faire l'inventaire de tous les moyens se trouvant à la disposition des intervenants en loisir et qui leur permettront de mettre en place des activités. Ainsi, au cours de cette étape, il s'agira de passer en revue les ressources physiques telles que l'équipement et les locaux. Puis, il faudra évaluer les ressources financières en tenant compte de la part du budget du CHSLD alloué ou disponible pour les loisirs, des subventions ou de toute autre source pécuniaire. Enfin, l'intervenant en loisir devra déterminer de quelles ressources humaines il pourra disposer, qu'il s'agisse des soignants, des spécialistes, des stagiaires, des bénévoles et des proches des résidents. L'inventaire de ces ressources aura un effet direct sur la quantité et la qualité des activités qu'il sera possible de réaliser.

Consultation de tous les intervenants pertinents (interdisciplinarité)

Bien que le chapitre 44 traite spécifiquement de l'interdisciplinarité (on s'y reportera d'ailleurs au besoin), il importe de mentionner ici que la collaboration entre le service d'animation-loisirs et les soignants est cruciale en matière d'implantation des loisirs en CHSLD. À cet égard, les soignants et les intervenants en loisir devront collaborer efficacement pour ne pas perdre de vue que le résident doit demeurer au centre de leur démarche respective.

Pour le soignant, cette collaboration implique qu'il prenne connaissance des activités qui sont au programme, et ce, grâce au calendrier mensuel que conçoit et affiche le service d'animation-loisirs. En fonction de cette connaissance, il

peut alors s'occuper du résident et lui prodiguer ses soins de telle façon que celui-ci puisse prendre part aux activités prévues, et non pas les manquer. Puisqu'il connaît les activités auxquelles le résident prendra part, le soignant peut aussi aider le résident à choisir des vêtements appropriés et l'amener à la toilette avant le début des activités de loisir. D'autre part, il est essentiel que les soignants communiquent aux intervenants en loisir les informations médicales pertinentes relatives aux résidents, telles les allergies ou la dysphagie dont ils sont atteints et qui peuvent causer des problèmes lors des activités de loisir. Enfin, si l'on considère le fait qu'ils ont généralement une influence positive sur les résidents, il apparaît important que les soignants encouragent les résidents à participer aux activités de loisir et soutiennent cette participation de toutes les façons possibles.

En contrepartie, les intervenants en loisir doivent communiquer aux soignants comment les résidents réagissent aux activités. Par exemple, l'intervenant en loisir informera l'infirmière du fait que tel résident a somnolé durant l'ensemble de l'activité ou qu'il a régurgité son déjeuner. Il rapportera aussi à l'infirmière tout comportement du résident pendant le déroulement d'une activité qui dénoterait un changement soudain de ses capacités cognitives ou fonctionnelles.

Élaboration des programmes

En raison des différences qui distinguent les résidents qu'on trouve dans un CHSLD, concevoir un programme d'activités de loisir dans un tel établissement ne revêt pas la même dimension que ce qui peut se faire dans des milieux scolaire ou municipal, par exemple. Ainsi, les loisirs en CHSLD se divisent selon deux volets spécifiques, à savoir le loisir-moyen et le loisir-but. Cette dualité constitue la principale caractéristique des loisirs en milieu de santé. Au moyen de ces deux volets, le service d'animation-loisirs d'un CHSLD contribuera à la réadaptation des résidents et à la création d'une meilleure qualité de vie pour ceux-ci.

Le loisir-moyen a pour but de faciliter la réadaptation du résident et d'optimiser ses capacités (Tremblay, 1991). Il entre dans le cheminement thérapeutique du résident. Lorsqu'il conçoit des loisirs-moyens en vue de les intégrer au programme d'activités, l'intervenant en loisir le fera en ayant en tête que ce type de loisir doit favoriser l'atteinte d'objectifs cliniques, tels que la sécurisation, l'adaptation, la valorisation et l'intégration au milieu.

Le loisir-but vise quant à lui à améliorer la qualité de vie des résidents (Lamarre et Morier, 1989). Lorsqu'il utilise la méthode du loisir-but, l'intervenant en loisir devra imaginer des activités qui soient adaptées au potentiel des résidents et qui répondent à leurs besoins en matière de loisirs. Il existe cinq catégories d'activités de type loisir-but permettant de satisfaire les intérêts des résidents. Il y a les activités physiques, les activités de divertissement, les activités d'expression et de création, les activités intellectuelles et les activités sociales. Le tableau 34-2 donne des exemples d'activités pour chacune de ces catégories.

Tableau 34-2	Catégories d'activités de type loisir-but et exemples				
	ACTIVITÉS PHYSIQUES	**ACTIVITÉS DE DIVERTISSEMENT**	**ACTIVITÉS D'EXPRESSION ET DE CRÉATION**	**ACTIVITÉS INTELLECTUELLES**	**ACTIVITÉS SOCIALES**
Activités qu'il est possible de réaliser dans l'unité de soins	Exercices en groupe, pétanque, jeu des sacs de sable, minigolf	Cinéma, bingo, oko (forme de bingo avec jeu de cartes), spectacles, fête thématique, courses de chevaux sur table	Artisanat, chorale, rédaction de poèmes ou de pièces de théâtre, jardinage, musique	Quiz, jeux de société, soirée de casino, dessin, quiz-info sur des pays étrangers, scrabble ou activités de type Montessori	Café-rencontre, repas anniversaire, discussion en groupe, soirée
Clientèle cible	Toutes les clientèles	Jeune adulte ou résident autonome	Toutes les clientèles	Toutes les clientèles	Toutes les clientèles
Objectifs poursuivis	Maintenir la mobilité et l'endurance	Soutenir l'attention Favoriser la détente	Améliorer ou maintenir l'estime de soi	Maintenir la mémoire et la capacité de concentration	Favoriser la socialisation Combattre l'isolement

Les activités que le service d'animation-loisirs mettra au programme grâce à un calendrier mensuel devront être choisies en fonction de ces catégories, en tenant compte des ressources disponibles. Sur ce point, il importe de mentionner que les proches des résidents voudront généralement se joindre aux activités de loisir se déroulant dans les unités de soins. Ils y trouvent un moyen d'établir un contact avec la personne qui leur est chère et de communiquer avec elle. Les soignants et les intervenants en loisir veilleront donc à les impliquer activement aux diverses activités de loisir qu'offre le CHSLD. Il en va de même pour les bénévoles œuvrant dans le CHSLD. Enfin, notons qu'il est possible (voire souhaitable) de modifier le déroulement des activités que présente le tableau 34-2 (qui n'est d'ailleurs pas exhaustif) afin que celles-ci soient davantage appropriées aux profils des résidents.

Lors de la conception du programme d'activités de loisir, l'intervenant en loisir devra considérer qu'il est préférable d'offrir aux résidents atteints de déficits cognitifs des activités qui se déroulent dans leur unité de soins. Cela favorise leur orientation à la réalité et diminue les comportements d'agitation chez certains. D'ailleurs, les activités conçues pour de tels résidents doivent tenir compte de facteurs tels que la durée de l'activité, sa simplicité et son côté ludique, sans quoi ces résidents n'en retireront rien puisqu'ils ne pourront y participer pleinement en raison de leurs déficits cognitifs. Enfin, elles ne doivent pas exposer les résidents à un degré trop élevé de stress ou les mettre en compétition.

Pour concevoir des activités de loisir pour les résidents atteints de déficits cognitifs, l'intervenant en loisir aura avantage à se servir de la méthode Montessori, qui donne de bons résultats (Orsulic-Jeras, Judge et Camp, 2000). Conçue dans un premier temps pour des enfants ayant des carences sensorielles, cette méthode se fonde sur le conscient et le subconscient des personnes, à savoir que la personne (ou le résident, dans notre cas) est animée par la motivation de se livrer à des activités à la mesure de ses capacités. À cet égard, l'intervenant en loisir doit agir comme un guide qui, grâce à sa connaissance du résident, lui propose des activités appropriées à sa condition. Il se doit d'être positif, de ne pas placer le résident en situation d'échec, de respecter le rythme de chacun et de veiller à ce que l'environnement soit calme. Pour l'instant, la méthode Montessori fait discrètement son entrée au Québec, puisque seulement quelques CHSLD l'utilisent présentement, mais il ne fait pas de doute que de plus en plus d'établissements l'adopteront dans les années à venir.

Implantation des activités

Une fois toutes les étapes précédentes accomplies, l'intervenant pourra à proprement parler implanter les activités de loisir. Cette avant-dernière étape du processus d'implantation des loisirs en CHSLD se divise en quelques tâches ou sous-étapes, à savoir la publicité (il faut bien annoncer les activités!), la préparation du matériel nécessaire et la coordination des ressources humaines impliquées dans les activités. Viennent ensuite comme telles les activités et leur animation. Soulignons que l'animation constitue un aspect majeur de la réussite des activités de loisir. Même si toutes les étapes (compréhension du mandat, évaluation des besoins des résidents, etc.) que nous avons expliquées précédemment sont respectées, il est possible que les activités conçues ne donnent que de piètres résultats si elles ne sont pas animées de façon adéquate. Or, l'animation en CHSLD requiert la présence d'animateurs spécialisés qui, en plus de maîtriser les techniques d'animation, feront reposer leurs interventions sur une connaissance approfondie des résidents.

Les principales techniques d'animation qu'utilisent les animateurs spécialisés favorisent la participation des résidents et maintiennent leur intérêt durant les activités de groupe. Elles ont trois fonctions, à savoir une fonction de clarification, une fonction de contrôle et une fonction de facilitation (Beauchamp, Graveline et Quiviger, 1979). Ces fonctions s'appliquent aux activités de toutes les catégories.

La fonction de clarification permet d'orienter le groupe vers un objectif commun, de faire circuler l'information et de la reformuler de différentes façons, et ce, pour que tous les résidents comprennent le sens des interventions. En outre, elle permet à l'animateur de revenir sur ce qui a été dit et fait, et d'en faire une synthèse.

La fonction de contrôle a pour but de favoriser la participation de tous les résidents en encourageant les plus silencieux à s'exprimer, tout en freinant l'ardeur de ceux qui parlent souvent et longtemps. Bref, au moyen de cette fonction, l'animateur exerce un contrôle sur le temps que chacun passe à intervenir et sur le droit de chacun à l'expression ou à l'action.

Par la fonction de facilitation, l'animateur vise à favoriser la participation des résidents en les accueillant chaleureusement, en les traitant de façon égalitaire, en recourant à l'humour et en encourageant les résidents à verbaliser leurs sentiments, ce qui maintiendra un bon climat de groupe.

Dans le cas des activités destinées aux résidents atteints de déficits cognitifs, il est important que les intervenants modifient quelque peu la façon dont ils communiquent avec les résidents et dont ils les stimulent. Il est ainsi essentiel de recourir à des consignes simples, de constamment chercher à établir un contact visuel avec les résidents, de surveiller les signes de fatigue, de ne pas se substituer à eux, mais bien de les assister, de les encourager et de les féliciter pour leurs efforts.

Évaluation des activités implantées

Dernière étape du processus d'implantation des loisirs en CHSLD, l'évaluation finale des activités implantées vise à mesurer trois aspects des activités, à savoir leur déroulement, la participation et leur pertinence. Il s'agit ainsi dans un premier temps d'évaluer le déroulement de l'activité. Pour ce faire, l'intervenant en loisir procède à une révision des objectifs de l'activité elle-même, en observe la préparation, le déroulement, les ressources qu'elle utilise et l'animation, puis détermine dans quelle mesure les résidents apprécient les activités.

L'intervenant en loisir évaluera ensuite la participation des résidents aux activités implantées. Cette évaluation se fait au moyen des statistiques du service d'animation-loisirs et selon deux paramètres, c'est-à-dire la participation comme telle et le temps consacré aux loisirs. En mesurant ces deux paramètres, l'intervenant en loisir arrivera à connaître de façon précise, pour chaque résident, le degré de participation aux activités et le temps consacré à celles-ci. Fort pertinentes et utiles pour les soignants de l'équipe interdisciplinaire, ces données indiquent si les activités conçues répondent aux besoins des résidents et leur plaisent.

Finalement, l'intervenant en loisir se livrera à un examen global du programme de loisir pour évaluer la pertinence des activités offertes aux résidents. S'effectuant de façon saisonnière ou annuelle, ce dernier volet de l'évaluation permet de déterminer de façon systématique si les activités de loisir répondent toujours aux objectifs généraux et spécifiques du service d'animation-loisirs.

Programme individuel

L'activité de loisir individuelle s'adresse à un résident pour qui l'activité de loisir de groupe n'est pas appropriée pour différentes raisons, qu'elles relèvent de son état de santé, de sa mobilité ou d'autres motifs. Il résulte généralement de l'activité de loisir individuelle une relation significative entre l'intervenant en loisir et le résident. Les objectifs que poursuit un programme de loisir individuel consistent en ceci : combattre l'ennui et l'isolement, et améliorer la qualité de vie du résident. Soulignons que les activités individuelles pourront aussi servir de tremplin pour faciliter l'intégration de certains résidents à des activités de groupe.

Les résidents qui bénéficieront des activités de loisir individuelles sont identifiés comme tels lors de leur admission, à la suite de l'évaluation de leurs besoins en loisir et de la prise de connaissance de leur profil clinique. Suivant cela, les soignants veilleront à nouer des liens avec le résident afin de créer un climat de confiance et d'en arriver à connaître ses goûts et ses intérêts. S'il ne peut les indiquer lui-même, les soignants devront s'en informer auprès des proches, ce qui est d'autant plus important que cela permettra aux soignants d'en apprendre plus sur les facteurs et les incitatifs qui pourraient encourager le résident à participer aux activités de loisir.

Après avoir déterminé quels sont les goûts et intérêts du résident, l'intervenant en loisir établira des objectifs thérapeutiques qui le guideront dans la conception d'activités individuelles appropriées. C'est ainsi que certains spécialistes tels que le musicothérapeute et le zoothérapeute pourront se joindre à l'équipe de loisir en vue de communiquer avec le résident (voir à ce sujet les chapitres 35 et 36). Le tableau 34-3 présente quelques exemples d'activités de loisir individuelles.

Conclusion

L'organisation de loisirs en CHSLD est directement liée à la qualité de vie des résidents. Ils permettent de créer un milieu animé et vivant, ce qui a des répercussions positives sur le climat qui règne dans l'établissement. Or, pour que s'implante un service d'animation-loisirs de façon adéquate, il faut qu'un intervenant en loisir compétent et connaissant bien les résidents fasse preuve de leadership. Rappelons que les activités de loisir constituent un des critères d'évaluation de la qualité de l'exercice infirmier, ce qui devrait inciter les infirmières à collaborer avec l'intervenant en loisir.

Qu'elles se fassent en groupe ou individuellement, les activités de loisir doivent avoir été choisies judicieusement et être significatives pour les résidents, peu importe leur condition de santé physique ou mentale. Enfin, il est important de maintenir un équilibre entre le milieu de soins et le milieu de vie pour que la satisfaction des besoins des résidents demeure au centre des préoccupations de l'équipe interdisciplinaire.

| Tableau 34-3 | Exemples d'activités de loisir individuelles |

	EXEMPLE D'ACTIVITÉ	DESCRIPTION DE L'ACTIVITÉ	ÉLÉMENTS D'ANIMATION	RÉSULTATS ESCOMPTÉS
Activités physiques	Jeu des sacs de sable	Lancer des sacs de sable vers un tableau troué pour accumuler des points.	Permettre au résident de se mesurer à vous.	• Maintien de la capacité de lancer et d'atteindre une cible. • Amélioration de l'estime de soi.
	Jeux de ballon	Jouer avec des ballons de différentes grosseurs et textures.	Faire bouger les membres supérieurs à l'aide des ballons.	Diminution des tensions physiques des membres supérieurs.
Activités de divertissement	Soirée vidéo	Visionner un film avec le résident.	Convenir de la modalité du visionnement (endroit, moment, choix du film).	• Détente. • Pratique de la concentration. • Visionnement d'un aspect éducatif (selon le film).
	Sortie	Sortir le résident à l'extérieur de sa chambre.	Négocier avec le résident la possibilité de sortir de sa chambre.	Détente et amélioration de l'estime de soi.
Activités intellectuelles	Quiz et charivari	• Reconstituer un mot dont les lettres sont en désordre. • Jouer à tour de rôle.	Adapter le jeu en fonction du profil du résident.	Augmentation de l'estime de soi et de la capacité de concentration.
	Lecture	Lire un livre au résident.	Inciter le résident à choisir lui-même l'objet de la lecture entre des livres ou journaux selon ses intérêts.	Évaluation de la capacité du résident à lire par lui-même et de sa capacité de concentration.
Activités d'expression et de création	Bricolage	Créer des éléments de décoration pour sa chambre.	Disposer des photos de famille dans un cadre.	Augmentation de l'attention et de la capacité de concentration.
	Chant	Chanter avec le résident des chansons de son passé.	Inciter le résident à choisir entre des cahiers de chansons ou de la musique, et chanter avec le résident.	• Évaluation du degré de participation. • Maintien de la mémoire à long terme.
Activités sociales	Café-rencontre	Accompagner le résident dans un groupe de discussion.	Soutenir et encourager sa participation.	Augmentation de la capacité de socialisation pour en arriver à l'intégration à un groupe.

ÉTUDE DE CAS

Madame Labonté, âgée de 84 ans, vivait jusqu'à tout récemment dans un condo avec sa fille, mais, à la suite d'un AVC, il a fallu l'institutionnaliser. Depuis maintenant six mois, elle est hébergée dans un CHSLD. Mme Labonté a été mariée pendant 40 ans et est veuve depuis près de 15 ans. Elle a eu quelques problèmes de santé dans le passé, tels qu'un cancer du sein et une fracture de la hanche. Malgré cela, elle est demeurée assez active jusqu'à son admission. Elle entretenait des relations sociales avec plusieurs membres de sa famille, mais elle avait peu d'amis. Mme Labonté a eu cinq enfants et a vécu ses dix dernières années dans le condo d'une de ses filles, dans le Vieux-Québec. Désormais, la mobilité de Mme Labonté se trouve réduite, et elle éprouve de la difficulté à communiquer.

Sur le plan de ses intérêts et de ses passions, l'infirmière a appris que Mme Labonté dispose d'une grande culture et a voyagé en Europe et aux États-Unis. Elle a administré son propre restaurant

>>>

pendant plus de 35 ans et aimait particulièrement le contact avec ses clients. Elle apprécie beaucoup la musique des chanteurs français. Elle aime également la lecture et y consacre beaucoup de temps, appréciant spécialement les romans biographiques et les romans policiers. De plus, elle s'est toujours intéressée aux sports retransmis à la télévision. Elle n'a pas de préférence pour un sport en particulier, mais aime suivre les événements sportifs majeurs. Enfin, Mme Labonté aimait beaucoup jouer au poker et, au cours de sa quarantaine, elle organisait fréquemment des soirées de cartes avec ses amies.

Questions

1 Parmi les cinq catégories d'activités de loisir, quelles sont celles qui pourraient intéresser Mme Labonté ?

2 Parmi les activités de loisir qui se déroulent en groupe, lesquelles pourraient convenir à Mme Labonté, d'après ce que vous savez d'elle ?

3 Nommez trois bienfaits que Mme Labonté peut retirer de la pratique régulière d'activités de loisir.

4 Nommez deux moyens par lesquels les soignants peuvent encourager Mme Labonté à participer à des activités de loisir.

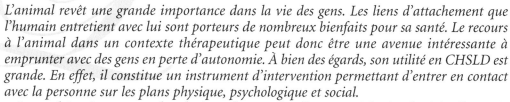

LA ZOOTHÉRAPIE

par **Annie Bernatchez** et **Carole Brousseau**

L'animal revêt une grande importance dans la vie des gens. Les liens d'attachement que l'humain entretient avec lui sont porteurs de nombreux bienfaits pour sa santé. Le recours à l'animal dans un contexte thérapeutique peut donc être une avenue intéressante à emprunter avec des gens en perte d'autonomie. À bien des égards, son utilité en CHSLD est grande. En effet, il constitue un instrument d'intervention permettant d'entrer en contact avec la personne sur les plans physique, psychologique et social.

La zoothérapie peut prendre plusieurs formes. Que l'on pense à la simple visite d'un animal familier accompagné d'un bénévole, à l'implantation plus complexe d'un programme d'intervention en zoothérapie ou encore à un animal résidant dans une unité, il faudra dans tous les cas observer des règles élémentaires de prudence, d'éthique, de sécurité et d'hygiène si l'on se soucie de respecter toutes les parties en présence dans un CHSLD. Pour ces raisons, le recours à un consultant professionnel qui détient des connaissances en comportement animal, en zoothérapie et en implantation de programme s'avérera judicieux et offrira les meilleures garanties de succès.

Le lecteur trouvera dans ce chapitre une tentative d'explication de la relation homme-animal, qui se trouve à la base même de la zoothérapie, les éléments à considérer pour l'implantation d'un programme d'intervention réussi et les différentes applications auprès des résidents.

NOTIONS PRÉALABLES SUR LA ZOOTHÉRAPIE

Définition

Dans le langage courant, le terme «zoothérapie» désigne l'effet positif présumé de la présence de l'animal pour la santé humaine. Fondé en 1988 et faisant figure de pionnier dans le domaine au Québec, l'organisme Zoothérapie Québec s'est inspiré de Cass (1981) pour définir la zoothérapie comme une «intervention qui s'exerce sous forme individuelle ou de groupe, à l'aide d'un animal familier soigneusement sélectionné et entraîné, introduit par un intervenant qualifié auprès d'une personne en vue de susciter des réactions visant à maintenir ou améliorer son potentiel cognitif, physique, psychologique ou social» (Martin et Brousseau, 1998). La triade thérapeutique, composée du résident, de l'intervenant et de l'animal, est une condition essentielle dans notre définition de la zoothérapie. Quelle que soit leur nature, les objectifs généralement inscrits dans le programme d'intervention individualisé du résident obligent l'intervenant à posséder une solide formation dans un domaine comme les sciences sociales, les sciences de la santé ou les sciences de l'éducation. Il s'alliera l'animal et les qualités indéniables de celui-ci pour susciter la réponse souhaitée chez le résident.

Les infirmières qui travaillent en CHSLD ont quant à elles rapidement compris le potentiel de stimulation et de renforcement que présentent les animaux pour les résidents en perte d'autonomie. Elles ont démontré ouverture et curiosité pour le recours aux animaux dans la poursuite de leurs objectifs cliniques. C'est que les animaux, vivants et dynamiques, leur fournissent une aide d'appoint non négligeable sur le plan de l'accomplissement de leur mission en CHSLD, et ce, en agissant aussi bien sur le résident lui-même que sur son milieu de vie. On le sait, l'environnement (le milieu de vie) contribue pour beaucoup à la qualité de vie des résidents, et les infirmières déploient de nombreux efforts pour le rendre accueillant, familier et chaleureux. À cet égard, l'animal peut s'avérer un moyen efficace pour normaliser l'environnement institutionnel et ainsi reconstituer un milieu de vie adapté aux attentes, aux valeurs et aux besoins des résidents.

Principes soutenant l'intervention

Aspects historiques

La zoothérapie est une approche globale qui repose sur le principe fondamental voulant qu'il existe naturellement des liens entre l'humain et l'animal. Les scientifiques estiment d'ailleurs que l'animal vit auprès de l'homme depuis environ 12 000 ans. La relation humain-animal se trouve donc inscrite dans l'histoire et fait partie du développement normal de l'humain (Nebbe, 2000). Jusqu'à ce jour, les théories qui tentent d'expliquer le fonctionnement de cette alliance fructueuse sont incomplètes. Malgré l'absence d'une théorie globale et cohérente, on croit que la relation homme-animal correspond adéquatement aux besoins psychosociaux de la personne en ce sens qu'elle évoque de nombreux aspects de la vie humaine : l'ordre et le contrôle sur sa vie (s'occuper de l'animal), les rapports interpersonnels (compagnonnage), la connaissance et la compréhension de l'environnement (les cycles de la vie), le rôle social (être le maître de l'animal) et l'activité physique (jeux, promenades) (Martin et Brousseau, 1998).

Outre le contexte historique qui explique imparfaitement le rapprochement entre l'humain et l'animal (et les bienfaits de cette relation), mentionnons que les attributs de l'animal jouent un rôle dans le succès de la zoothérapie. C'est en fonction de l'attrait que l'animal exerce sur la personne et de sa capacité à la stimuler que sont conçues les activités de zoothérapie. Objet de fascination pour l'humain, l'animal possède des qualités qui font de lui un instrument significatif. Il a l'immense avantage d'être vivant et spontané, et de pouvoir interagir avec la personne, ou plutôt avec le résident dans notre perspective. Il constitue un stimulus simple, qui ne juge pas le résident, ni n'exige de lui quelque compétence ou performance (Bernatchez, 2000).

Effets de l'animal sur la santé physique

Les preuves empiriques de l'effet apaisant de l'animal sur la santé physique de l'humain sont largement recensées dans la littérature. La recherche fondamentale qui s'effectue dans ce domaine et qui concerne les mesures physiologiques du stress a démontré que l'animal peut atténuer l'anxiété et favoriser la relaxation. Par exemple, on a démontré que caresser un animal diminue significativement la tension artérielle et la fréquence cardiaque (Friedman, 1991). Le contact d'une fourrure chaude et douce stimule les récepteurs de la peau, et il en résulte une réaction tactile agréable. Notons d'ailleurs que le toucher, qui est fondamental pour l'humain, est à la base de la zoothérapie. Selon Vuillemenot (1997), caresser, brosser ou enlacer un animal chaud et réceptif procure une détente mutuelle et contribue à diminuer l'activité du système nerveux sympathique. Enfin, Friedman, Katcher, Lynch et Thomas (1980) ont observé que le taux de survie des patients atteints de pathologies coronariennes augmente de façon significative lorsqu'ils possèdent un animal de compagnie.

Enfin, l'animal, agent de réadaptation, peut améliorer l'état physique de la personne en stimulant sa motricité, sa coordination et sa mobilité. Les chiens, notamment, incitent les résidents à marcher, à bouger et à effectuer des gestes simples. Il constitue de ce point de vue un instrument d'indiçage puisqu'il donne des repères au résident qui effectue des actions relevant d'un répertoire de gestes acquis de longue date (nourrir l'animal, le caresser et le brosser) (Bernatchez, 2001).

Effets de la zoothérapie sur la santé psychologique

Étant donné que la zoothérapie n'est utilisée en CHSLD que depuis peu, les effets à long terme d'un programme régulier sont peu connus (Baun et McCabe, 2000). Les données recueillies en CHSLD concernent principalement les personnes atteintes de troubles cognitifs, notamment de la démence de type Alzheimer puisque différentes méthodes de rechange sont envisagées pour contribuer à leur mieux-être. Churchill, Safaoui, McCabe et Baun (1999) ont ainsi noté que l'animal peut contribuer à réduire la détresse émotionnelle de résidents atteints d'une telle forme de démence. Selon Barnett et Quigley (1984), le fait de ressentir la chaleur qui se dégage de l'animal collé contre soi, que celui-ci accepte d'emblée la personne et qu'il fasse preuve envers elle d'affection amène la personne qui fait face à différentes pertes à éprouver un sentiment d'assurance.

D'autre part, l'animal, particulièrement le chien, possède la capacité de stimuler les fonctions mnésiques de la personne en facilitant les réminiscences. Selon Taillefer (1997), les souvenirs anciens empreints d'une charge affective demeurent accessibles plus longtemps à la personne atteinte de démence de type Alzheimer. On pourrait établir l'hypothèse suivante : les souvenirs autobiographiques associés à la possession d'un animal sont préservés plus longtemps, car ils sont plus facilement accessibles dans le répertoire des expériences passées de la personne. Cette hypothèse aurait l'avantage d'être cohérente avec la conception neuropsychologique des processus de la mémoire.

Quoi qu'il en soit, il est possible de trouver de réelles applications à cette hypothèse pour ce qui est des résidents atteints de troubles cognitifs, notamment lorsqu'il s'agit de leur prodiguer des soins. En effet, les soignants peuvent recourir à un animal lorsqu'ils souhaitent obtenir la collaboration du résident pour un long moment, par exemple s'ils doivent procéder à des soins qui entraînent de l'agitation comme le changement d'un pansement. Dans de tels cas, l'animal constitue un agent de diversion, car l'interaction qui se produit entre celui-ci et le résident (ou la réminiscence que cause la vue de l'animal) engendre chez le résident une réponse affective favorable. Or, cette réponse redirige l'attention du résident qui présenterait autrement, par exemple, des comportements d'agitation (Bernatchez, 1999). Dans le même ordre d'idées, Friedman (1991) conclut que le souvenir d'expériences passées agréables avec un chien peut suffire pour que la présence du chien d'intervention ait des effets apaisants sur le résident. La zoothérapie nous apparaît à cet égard une avenue prometteuse qu'il serait intéressant d'explorer davantage comme solution de rechange au traitement pharmacologique utilisé pour réduire les symptômes comportementaux de la démence en CHSLD.

D'autre part, selon Vuillemenot (1997), la présence de l'animal permet de maintenir le résident en contact avec la réalité en améliorant ses capacités d'attention, de mémoire, de concentration et de discernement. Selon ce chercheur, l'animal amène parfois le résident à s'exprimer de façon verbale et non verbale. Le fait que l'animal rende possibles des échanges non verbaux diminue le sentiment d'isolement des résidents dont les fonctions langagières sont altérées. De plus, cela favorise les échanges affectifs et l'expression des sentiments. Ainsi, l'intervention de zoothérapie satisfait le besoin du résident d'établir des relations significatives.

De plus, la zoothérapie en CHSLD constitue une solution intéressante pour la satisfaction du besoin de stimulation sensorielle des résidents, qui sont souvent privés de contacts physiques chaleureux (Struckus, 1991). L'environnement du résident atteint d'une maladie dégénérative doit contribuer à compenser ses pertes sensorielles et ainsi à pallier un manque de contacts affectifs (Barnett et Quigley, 1984).

Effets psychosociaux de la zoothérapie

Le rôle de catalyseur social que joue le chien fait de lui un intermédiaire idéal. En effet, en sa présence, les interactions sociales augmentent, et les gens engagent plus volontiers des conversations. Des études ont d'ailleurs démontré que la présence hebdomadaire d'un chien dans une unité de soins fait croître chez les résidents atteints d'une démence de type Alzheimer le nombre de comportements sociaux appropriés, qu'il s'agisse de sourires, de regards entre les résidents et envers le soignant, de rires, de contacts chaleureux, de verbalisations et de demandes (Kongable, Buckwalter et Stolley, 1989).

L'animal, en tant qu'agent thérapeutique, joue aussi le rôle d'un médiateur non menaçant qui contribue à ce que s'établisse une relation thérapeutique entre le résident et l'intervenant en zoothérapie ou l'infirmière.

PROGRAMME D'INTERVENTION

Préparation du milieu

Avant d'introduire un animal dans l'unité de soins, il faut préparer le milieu. Négliger cette étape de la démarche d'implantation peut mener à des insatisfactions ou conduire tout simplement le projet à l'échec. La mise sur pied d'un programme de zoothérapie dans l'unité de soins doit tenir compte des composantes du milieu, des besoins des résidents et de ceux de l'équipe soignante.

Initialement, il est important d'évaluer si la zoothérapie constitue une approche cohérente avec la philosophie d'intervention du milieu. Ensuite, il faudra déterminer si l'ensemble des acteurs du CHSLD est favorable à l'implantation d'un programme de zoothérapie. Il s'agit ainsi de sonder l'accueil que feront à un tel programme les administrateurs, les employés (infirmières comme soignants), les résidents et leurs familles. Ce serait une erreur de présumer que la venue d'un animal dans l'unité de soins emportera l'unanimité dans le CHSLD. Il importe de ce point de vue d'examiner si certains membres du personnel appréhendent l'arrivée d'animaux parce qu'ils craignent une surcharge de travail ou une malpropreté éventuelle causée par l'animal, qu'ils ont tout simplement peur des animaux ou qu'ils ont des allergies. Avec ce genre d'informations en main, les uns et les autres se sentiront respectés. Pour que réussisse l'implantation de la zoothérapie, il faut tenir compte du bien-être de tous.

Lors de la préparation du milieu, le rôle de l'intervenant en zoothérapie consiste à assister le personnel du CHSLD en documentant le projet et en l'aidant à le faire connaître à tous. Les administrateurs du CHSLD doivent quant à eux confier la responsabilité du programme de zoothérapie à une infirmière qui, connaissant le fonctionnement de l'unité de soins et les besoins des résidents, travaillera de concert avec l'intervenant en zoothérapie. Tous deux uniront alors leurs compétences afin de s'assurer que les étapes de l'implantation du programme sont adéquatement menées à bien.

Élaboration des objectifs

C'est ainsi en tandem que l'intervenant en zoothérapie et l'infirmière responsable du projet définiront les objectifs du programme de zoothérapie et la clientèle visée conformément à la volonté du CHSLD. Cette étape constitue évidemment l'assise du programme d'intervention. L'infirmière et l'intervenant devront déterminer si le programme sera préventif, thérapeutique ou de divertissement. Les caractéristiques de la clientèle visée influenceront les enjeux du programme. Ainsi, pour les résidents en perte légère d'autonomie, les objectifs viseront à maintenir les capacités résiduelles et à ce que les bienfaits que procure l'intervention se répercutent sur d'autres moments et sur les autres sphères de la vie du résident. Pour une clientèle en très grande perte d'autonomie, l'intervention visera la stimulation sensorielle et le bien-être durant l'intervention.

Néanmoins, il est important d'établir dès le départ le but de la démarche afin de pouvoir évaluer ultérieurement si elle atteint ses objectifs. Par exemple, si le programme vise la prévention de l'agitation verbale ou des comportements agressifs, il faudra mettre en place des méthodes d'évaluation de ces comportements afin de déterminer si l'intervention est un succès.

Les objectifs d'intervention sont déterminés par l'infirmière selon le plan individualisé d'intervention du résident. Parmi les objectifs les plus courants, notons : la socialisation, l'intégration des résidents nouvellement admis, l'expression personnelle, la stimulation et le maintien de l'intérêt et des fonctions cognitives, la responsabilisation, la valorisation, la diminution de l'agitation, le fonctionnement des membres supérieurs, la stimulation de la mobilité et la stimulation sensorielle. Quel que soit l'objectif, nous recherchons toujours en toile de fond le plaisir du résident. Pour que la zoothérapie connaisse un certain succès, l'infirmière fournira d'autre part à l'intervenant en zoothérapie les informations pertinentes concernant les résidents afin que celui-ci puisse adapter son approche et son intervention aux particularités de chacun.

Choix de la clientèle cible

Il arrive souvent que le milieu exige que les activités de zoothérapie s'étendent à un grand nombre de résidents, sans distinction aucune. Toutefois, soulignons que recourir à un animal dans une perspective thérapeutique n'est pas souhaitable pour tous. On ne doit jamais forcer une personne à interagir avec l'animal si elle ne le veut pas. Il faut ainsi tenir compte de l'intérêt du résident pour ce type d'intervention, de la facilité avec laquelle il interagit avec l'animal, de l'attrait qu'il éprouve pour l'animal et de sa condition médicale. L'importance de s'engager dans une activité significative est primordiale pour le résident si l'on souhaite obtenir sa pleine collaboration et lui procurer de la satisfaction.

Il est important que le résident perçoive l'animal de façon positive, et que celui-ci ait un « sens » affectif pour le résident. Il ne faut pas perdre de vue que l'attrait que présente un animal, la perception que la personne en a et le rôle social qu'il occupe sont des aspects qui diffèrent selon les cultures. Si un résident n'a jamais vécu d'expériences significatives avec un animal, les bienfaits qu'il retirera de sa présence et de l'intervention pourront s'en trouver réduits.

En matière de choix des résidents à qui les activités de zoothérapie peuvent convenir, il peut s'avérer judicieux de privilégier les résidents qui ne peuvent participer aux activités de loisir thérapeutique en raison de leurs limites physiques ou cognitives, ou de leur manque d'intérêt, afin qu'ils bénéficient eux aussi d'activités stimulantes.

Choix de l'animal

Afin de mettre en place un programme de zoothérapie, il convient également de choisir préalablement l'espèce animale avec laquelle on interviendra. On effectuera ce choix en fonction de quelques critères tels le potentiel qu'offre l'animal aux intervenants en matière d'atteinte des objectifs d'intervention et les possibilités du milieu à accueillir cet animal. Inutile de rappeler que l'animal ne fait rien seul. Il est possible de ce point de vue de recourir à plusieurs espèces d'animaux en zoothérapie. Le tableau 35-1 compare le potentiel d'intervention de chacune d'elles, leurs avantages et inconvénients, et les soins qu'elles requièrent.

En fonction de ce qu'on voit dans le tableau 35-1, le chien se présente comme l'animal qui offre le potentiel thérapeutique le plus significatif. Il se trouve dans le schème de référence d'un grand nombre de résidents ayant vécu avec lui des expériences de compagnonnage. Parce qu'il est social, dynamique et spontané, le chien semble reconnaître chaque résident qui l'accueille, renvoie un message qui signifie qu'il a du plaisir à le rencontrer, ce qui donne l'impression qu'il est capable de « réciprocité ». En effet, il n'est pas rare d'entendre un résident s'exclamer : « Il me reconnaît, il m'aime. » De plus, à titre d' « outil » thérapeutique, le chien offre au résident un éventail d'expériences tactiles, visuelles et sonores propres à le stimuler à tous points de vue.

Malgré cela, peu d'infirmières retiennent le chien comme animal mascotte appelé à vivre de façon permanente dans l'unité de soins, car il demande beaucoup de soins, de surveillance et d'encadrement pour l'équipe soignante, qui devra se répartir les tâches d'entretien de l'animal. Généralement, les CHSLD choisiront plutôt des animaux qu'il est plus facile d'associer au milieu de travail, comme le chat ou l'oiseau. S'ils désirent plutôt recourir au chien de zoothérapie, les CHSLD feront appel à un consultant externe spécialisé, qui fournira des services professionnels sur mesure appropriés aux besoins du milieu. Notons que les services contractuels constituent la forme la plus répandue de zoothérapie dans les CHSLD situés dans les grands centres urbains.

Lorsqu'il s'agit de choisir un animal en vue d'implanter des activités de zoothérapie, il est important de procéder à une évaluation comportementale rigoureuse. Dans le cas de chiens et de chats, il est important que l'animal démontre un intérêt pour les humains et qu'il soit obéissant. L'animal choisi doit avoir un bon tempérament, c'est-à-dire qu'il doit être enjoué, stable émotivement et ne pas être agressif. Des animaux excités, mal entraînés ou mal encadrés peuvent surprendre le résident, le faire tomber, le griffer ou encore le mordre. Il est toutefois possible de limiter de tels risques si des règles élémentaires de sécurité sont mises en place.

De plus, il est crucial de surveiller l'état de santé de l'animal. En effet, certaines maladies infectieuses sont transmissibles de l'animal à l'humain ; on parle dans ce cas de zoonoses. Fortier, Villeneuve et Higgins (2001) examinent les principales zoonoses et suggèrent des mesures de prévention pour l'animal et l'humain. Bien qu'elles soient peu fréquentes, on ne peut les ignorer, et la prudence reste en tout temps de mise.

D'autre part, les CHSLD n'échappent pas à la présence grandissante des maladies nosocomiales, ce qui soulève de nombreuses questions. Par exemple, l'animal peut-il en être un vecteur dans un même milieu ou d'un milieu à un autre ? Nous n'avons que peu de réponses à cet égard, puisque les chercheurs commencent tout juste à se pencher sur cette réalité. D'ici à ce que leurs lumières nous éclairent, il ne faudrait pas priver les résidents de la présence bienfaisante des animaux. De ce point de vue, l'hygiène demeure la plus efficace et la plus accessible des mesures pour éviter de tels problèmes.

C'est pourquoi, dès le début de la démarche d'implantation, nous recommandons fortement que l'infirmière et

Tableau 35-1	Les espèces d'animaux et la zoothérapie en CHSLD			
ESPÈCE	**AVANTAGES**	**INCONVÉNIENTS**	**POTENTIEL THÉRAPEUTIQUE**	**SOINS**
Chien	• Animal très sociable • Animal docile, facile à manipuler et à entraîner • Animal qui s'adapte facilement • Animal significatif pour une majorité de gens • Espèce qui offre une variété de races, de tailles, de couleurs et de textures	• Demande de l'entraînement et de l'encadrement • Implique des risques de peur et de phobie • Peut s'avérer allergène • Implique des risques de morsure • Implique des coûts élevés • Comporte plusieurs agents infectieux	**Très élevé:** • Grand potentiel de stimulation: sensorielle (ouïe, vue, odorat, toucher), cognitive (mémoire), motrice (action, jeu), affective (estime, responsabilisation) et sociale (socialisation) • Ludique	**Requiert:** • Des soins quotidiens (eau fraîche, nourriture de qualité, promenade) • Une stérilisation • Des examens annuels complets et vaccins • Des traitements préventifs (vers, puces) • Des toilettages réguliers
Chat	• Animal significatif pour un grand nombre de gens • Espèce qui offre une grande variété de races et de couleurs	• Possède un caractère indépendant • S'entraîne difficilement • Implique des risques de peur et de phobie • Peut s'avérer allergène • Implique des risques de griffure et de morsure • Comporte plusieurs agents infectieux	**Modéré:** • Offre un potentiel de stimulation: sensorielle (ouïe, vue, odorat, toucher), cognitive (mémoire), motrice (action, jeu), affective (estime, responsabilisation) et sociale (socialisation)	**Requiert:** • Des soins quotidiens (eau fraîche, nourriture de qualité) • Des toilettages réguliers • Une stérilisation • Un dégriffage • Des examens annuels complets et vaccins • Des traitements préventifs (vers, puces) • Un entretien quotidien de la litière pour éviter les odeurs
Oiseau	• Animal coloré • Animal qui émet des sons, chante ou parle à l'occasion • Animal qui peut être entraîné • Animal significatif pour un certain nombre de gens • Animal plaisant à regarder	• Offre un contact physique limité • Est fragile • Est malpropre • Ne présente, en général, qu'une courte espérance de vie • Est bruyant • Comporte des agents infectieux	**Plutôt limité:** • Potentiel de stimulation: sensorielle (ouïe, vue, toucher à l'occasion)	**Requiert:** • Des soins quotidiens (eau fraîche, nourriture) • Un nettoyage régulier du fond de la cage • Un entretien occasionnel complet de la cage (métal et accessoires)
Poisson	• Animal coloré • Espèce qui offre une grande variété de types et de couleurs	• N'offre aucun contact tactile • Est fragile • A une courte espérance de vie • Animal peu significatif	**Très limité:** • Offre un potentiel de stimulation: sensorielle (vue) • Est relaxant • Offre un potentiel de créativité dans la décoration de l'aquarium	**Requiert:** • De la nourriture au quotidien • Des changements d'eau occasionnels • Un nettoyage de l'aquarium et des accessoires, à l'occasion

l'intervenant responsables du programme de zoothérapie rédigent un protocole qui définira les règles et procédures à suivre en présence de l'animal. Voici, selon Brousseau (1998), les éléments qu'il faut considérer lors de la rédaction d'un tel protocole:

• La sélection et la formation de l'animal ainsi que son encadrement
• Les exigences et le respect de celles-ci concernant sa santé: vaccins, examens annuels, analyse de selles, stérilisation, nourriture, toilettage

• Les règles concernant ses déplacements autour du CHSLD et à l'intérieur: en laisse, cage
• L'aire de repos et la propreté
• L'hygiène en activité (lavage des mains des résidents et de celles de l'intervenant)
• Les horaires de travail
• Les sons qu'émet l'animal (gestion des bruits)
• La supervision constante de l'animal
• Le choix d'un vétérinaire
• Les assurances

C'est le responsable du programme de zoothérapie de l'établissement qui a la responsabilité de faire respecter ce protocole par toutes les parties présentes dans le CHSLD.

Planification des activités

Parmi les étapes menant à l'implantation d'un programme de zoothérapie, il faut inclure la planification d'un calendrier et d'un horaire d'intervention. Les intervenants doivent ainsi déterminer quelle fréquence d'intervention sera adéquate et quelle période de la journée sera propice à l'intervention, afin que l'implantation s'insère harmonieusement dans l'horaire des activités de l'unité. Les intervenants choisiront tantôt d'occuper les résidents qui attendent leurs soins – allégeant par le fait même la demande sur le personnel soignant –, tantôt de diminuer l'agitation d'un résident pendant les soins, tantôt de poursuivre des activités stimulantes, réconfortantes ou récréatives. Dans tous les cas, il importe de connaître les objectifs personnalisés pour chacun des résidents puisque leur atteinte sera évaluée pendant le programme de zoothérapie et lorsqu'il prendra fin.

La régularité des interventions est importante. Outre le fait qu'une telle régularité donne de meilleurs résultats, des activités de zoothérapie hebdomadaires fournissent aux résidents des repères temporels et structurent leur semaine. D'autre part, le caractère prévisible des activités de zoothérapie crée une anticipation stimulante pour le résident. Pour assurer une meilleure coordination des activités de zoothérapie se déroulant dans l'unité, tous les soignants et autres membres du personnel doivent connaître l'horaire des interventions.

Évaluation des activités de zoothérapie

Lorsque les activités de zoothérapie se trouvent implantées, il ne reste plus qu'à en évaluer régulièrement l'efficacité ou plutôt les effets. Pour ce faire, il s'agira de concevoir une grille d'observation permettant de noter l'apparition, la durée et la fréquence des comportements attendus. Grâce à une telle grille, les intervenants pourront suivre l'évolution du résident. En se reportant aux objectifs qu'ils avaient préalablement fixés pour le programme de zoothérapie, l'infirmière et l'intervenant en zoothérapie pourront déterminer si le programme atteint ses objectifs, est en voie de les atteindre, doit être révisé ou n'est pas pertinent pour un résident donné. L'évaluation fournit des orientations pour des interventions futures. Lors de l'évaluation des activités, l'intervenant en zoothérapie pourra soit se joindre à l'équipe multidisciplinaire pour faire état des réactions des résidents durant les sessions de zoothérapie, soit rédiger un rapport d'évolution clinique.

Description des interventions
Interventions en groupe

Les activités de zoothérapie peuvent se dérouler en groupe ou auprès d'un seul résident. Les intervenants retiendront l'une ou l'autre de ces possibilités en fonction du degré d'autonomie des résidents et des objectifs cliniques visés. Les interventions en groupe visent à satisfaire le besoin de socialisation des résidents, en les regroupant autour d'une activité commune, significative pour chacun d'eux. Comme le soulignent Dubé et Lemieux (1998), les activités de resocialisation aident les résidents à renouveler leur intérêt pour leur entourage, rendent possibles les réminiscences d'expériences positives, et ce, grâce à un contexte d'intervention agréable, où les contacts avec les pairs renforcent le sentiment d'utilité et de valeur. Les activités de zoothérapie offertes aux résidents réunis en groupe doivent être dynamiques afin d'accroître leur degré d'éveil, de maintenir leur intérêt et de les encourager à agir.

Organiser l'intervention selon un rituel permettra aux résidents d'anticiper les activités qu'on leur propose et contribuera à leur donner un sentiment de sécurité. Lors de l'activité, les intervenants devront utiliser l'animal comme un élément rassembleur permettant à la communication de s'établir entre les résidents. Autrement dit, l'animal sert de sujet de conversation neutre et de point de départ de conversations plus personnelles. Il contribue à créer un climat de confiance pour les résidents. Lors de telles activités de groupe, le rôle de l'intervenant ou de l'infirmière consiste à encourager les échanges entre les résidents, à leur proposer des activités stimulantes liées à l'animal et à augmenter leur sens des responsabilités. On proposera par exemple à deux résidents de brosser ensemble le chien qui se trouve étendu sur la table. Ainsi, en coordonnant leurs gestes en vue de brosser le chien, ces deux résidents amorceront des conversations et auront un but commun (voir la figure 35-1).

L'activité de zoothérapie doit aussi encourager l'actualisation de l'autonomie résiduelle du résident. C'est pourquoi elle doit être adaptée à ses capacités et à ses intérêts. Pour qu'elle soit telle, l'intervenant peut proposer au résident toute une gamme d'activités simples et concrètes directement associées à l'animal (le brosser, le caresser, le prendre, le nourrir ou jouer avec lui) ou indirectement associées (feuilleter un livre d'images ou partager des souvenirs ou des anecdotes). Le tableau 35-2 (p. 486) suggère des activités et indique quels sont leurs buts thérapeutiques. Les résidents qu'il est possible d'intégrer à une intervention de groupe présentent une légère perte d'autonomie et des troubles cognitifs légers ou modérés. Nous recommandons que les activités de zoothérapie se déroulant en groupe ne durent pas plus de 30 à 45 minutes, selon les capacités d'attention des résidents et leur fatigabilité.

Interventions individuelles

La zoothérapie prenant la forme d'interventions individuelles vise à répondre aux besoins des résidents grabataires, de ceux qui présentent des problèmes particuliers tels que de l'agitation verbale ou motrice, et de ceux pour qui la participation à des activités de zoothérapie en groupe s'est avérée un échec à plusieurs reprises.

Sur le plan individuel, la seule présence de l'animal peut constituer un prétexte à l'intervention. Accompagné par

FIGURE 35-1 **Les activités de brossage procurent un sentiment d'utilité et de satisfaction**

son animal de travail, l'intervenant en zoothérapie ou l'infirmière sera perçu positivement par le résident, qui pourra lui prêter des intentions bienveillantes. Il l'accueillera donc plus facilement.

L'activité de zoothérapie devient de la sorte un moment propice aux échanges et à l'expression des émotions (voir la figure 35-2). De ce point de vue, l'intervenant qui propose au résident un contact étroit avec l'animal doit rendre sa présence empathique et authentique en utilisant des techniques de communication comme le toucher et le contact visuel, et en portant une attention particulière au langage non verbal du résident. Par exemple, lorsqu'il se trouve avec un résident qui ne peut s'exprimer verbalement et qui de ce fait ne peut indiquer qu'il ne souhaite pas avoir l'animal à ses côtés, l'intervenant doit chercher les signes possibles de ce message en observant attentivement le faciès du résident et en notant toute résistance physique ou crispation des membres lorsqu'il présente l'animal.

Si le résident présente des incapacités motrices, l'intervenant en zoothérapie ou l'infirmière pourra accomplir avec lui l'une ou l'autre des activités que présente le tableau 35-2 (p. 486), afin de le faire profiter du contact avec l'animal. Enfin, s'il peut encore se déplacer, il est possible de lui proposer de faire une promenade avec le chien. Outre qu'elle l'encourage à bouger, cette activité est valorisante pour celui-ci, car elle lui donne un nouveau statut auprès des autres

FIGURE 35-2 **L'animal est un catalyseur social, le médiateur dans l'établissement d'une relation entre l'intervenant et le résident**

Tableau 35-2	Activités de zoothérapie et buts thérapeutiques

ACTIVITÉS	BUTS
Caresser l'animal	• Interagir avec l'animal • Favoriser la détente • Contrôler le mouvement • Stimuler de façon tactile
Prendre l'animal	• Stimuler de façon tactile • Établir un contact affectif • Stimuler le tonus musculaire
Brosser l'animal	• Améliorer la coordination • Responsabiliser le résident • Aborder la notion d'hygiène avec le résident
Nourrir l'animal	• Responsabiliser le résident par des actes de soins • Valoriser le résident
Jouer avec l'animal	• Améliorer la coordination • Favoriser le jeu, le rire
Promener l'animal	• Amener le résident à faire de l'exercice • Développer la mobilité • Travailler le mouvement et l'équilibre • Prendre conscience de l'autre
Donner des ordres à l'animal	• Exercer un contrôle positif sur l'animal • Aborder l'éducation • Contrôler l'humeur (la patience) • Valoriser le résident
Expliquer les soins à prodiguer à l'animal	• Stimuler l'attention • Favoriser de nouveaux apprentissages
Regarder des livres et des photos	• Stimuler les capacités cognitives du résident • Améliorer la motricité fine
Partage d'expériences avec un animal	• Favoriser les réminiscences • Encourager les discussions
Trouver des proverbes et des expressions où les animaux sont évoqués	• Stimuler les capacités cognitives (mnémoniques et langagières) • Encourager la pensée abstraite

résidents et du personnel de l'unité. Cela dit, il importe de ne pas placer le résident devant une situation pouvant lui faire vivre un échec, c'est-à-dire en lui proposant d'accomplir des activités qui dépassent ses capacités. À cet égard, soulignons que la connaissance du résident est essentielle.

Conclusion

En somme, l'animal offre de nombreux bienfaits pour la santé humaine. Il est une source de stimuli environnementaux appropriée pour les résidents en perte d'autonomie. C'est pourquoi le fait de l'utiliser de façon structurée dans des activités de zoothérapie permet d'atteindre les objectifs que se fixent les infirmières. En effet, la zoothérapie agit sur les résidents en suivant les principes fondateurs de l'approche de milieu de vie privilégiée par les soins infirmiers, car elle encourage l'expression des capacités rési-

duelles du résident et lui donne à jouer un rôle actif dans sa réadaptation.

Évidemment, pour obtenir de tels résultats, encore faut-il que les activités de zoothérapie soient bien implantées dans le CHSLD. À cet égard, les infirmières jouent un rôle déterminant. Il ne faut pas non plus négliger le rôle de l'intervenant en zoothérapie, qui les assistera tout au long de la démarche d'implantation du programme de zoothérapie, qui doit être rigoureuse à tous points de vue.

Il n'est donc pas étonnant que les infirmières aient recours à cette stratégie d'intervention qui favorise à la fois le maintien de la qualité de vie des résidents et l'animation de l'unité de soins. Pour l'essor de la zoothérapie, il importera d'ailleurs de sensibiliser les autres professionnels de la santé à ses bienfaits, et de conduire des recherches en CHSLD, afin de mieux comprendre ses effets bénéfiques pour les résidents des CHSLD du Québec.

ÉTUDE DE CAS

L'étude de cas que nous présentons ici relève d'un cas réel, celui d'une dame que nous appellerons fictivement Mme Sicotte, qui était atteinte de la démence de type Alzheimer et qui est décédée à l'âge de 91 ans. Elle a bénéficié d'interventions de zoothérapie sur une base hebdomadaire pendant deux ans. Évidemment, au cours de cette période, il a fallu adapter les interventions à l'évolution de la maladie et des symptômes comportementaux de Mme Sicotte. Alors qu'aux stades initiaux de sa démence Mme Sicotte présentait de légers troubles cognitifs, ses capacités cognitives se sont rapidement détériorées, ce qui s'est accompagné de sentiments anxieux et de problèmes d'agitation pathologique sans agressivité. En fin de journée, le degré d'agitation émotionnelle et verbale de Mme Sicotte augmentait. Son humeur était labile, et elle pleurait régulièrement. Elle se montrait aussi particulièrement agitée lorsqu'on lui prodiguait des soins, notamment lorsqu'il s'agissait du soin de ses pieds ; elle manifestait alors de l'opposition et criait. Au stade avancé de la maladie, elle se trouvait confinée à son lit. La communication verbale est devenue impossible, et il fallait recourir à la communication non verbale pour comprendre Mme Sicotte.

En vue de concevoir une stratégie d'intervention appropriée, l'infirmière responsable de l'unité de soins a initialement procédé à l'analyse des comportements d'agitation de Mme Sicotte et des conditions favorisant leur apparition. L'infirmière a retenu la zoothérapie parce que Mme Sicotte avait possédé un chien qu'elle avait aimé et que d'autres interventions avaient échoué. Avec l'intervenant en zoothérapie, l'infirmière a ensuite fixé deux objectifs d'intervention, soit réduire l'agitation crépusculaire de Mme Sicotte et favoriser sa collaboration lors des soins de ses pieds. L'intervention individuelle a été retenue. Conséquemment, les soignants et l'intervenant en zoothérapie, accompagné d'un chien, visitaient Mme Sicotte dans sa chambre en fin de journée et lors de ses soins, lorsque son degré d'agitation était au plus fort.

Ainsi, à la tombée du jour, alors que Mme Sicotte se tenait à proximité des ascenseurs et qu'elle souhaitait rentrer chez elle, l'intervenante en zoothérapie lui proposait de se rendre à sa chambre en promenant le chien, afin de l'éloigner de l'élément anxiogène. Elle lui proposait ainsi des activités concrètes au moyen de l'animal afin de canaliser son énergie, d'orienter son attention vers un comportement adapté et de favoriser sa détente. On invitait également Mme Sicotte à se remémorer des événements de sa vie adulte, ce qui contribuait à lui donner un sentiment de confiance et à réduire son anxiété.

À un stade plus avancé de sa maladie, le chien a été utilisé en tant qu'agent de diversion lors des soins de ses pieds. L'intervenante en zoothérapie travaillait alors en étroite collaboration avec l'infirmier qui prodiguait les soins. Préalablement, ils avaient convenu d'un scénario de diversion afin d'harmoniser leurs interventions. Ainsi, l'intervenante proposait à Mme Sicotte de mettre le chien sur la tablette de son fauteuil gériatrique et de le brosser. L'intervenante en zoothérapie amorçait le geste pour Mme Sicotte jusqu'à ce que l'automatisme permette à celle-ci de l'effectuer. C'est donc avec satisfaction que Mme Sicotte accomplissait cette activité. L'intervenante renforçait son comportement en assurant une présence empathique. Pendant ce temps, tandis que Mme Sicotte était concentrée sur l'activité de zoothérapie, l'infirmier procédait aux soins de ses pieds. Toutefois, au moindre signe de mécontentement, l'infirmier cessait ses activités, et l'intervenant avait alors la tâche de rediriger l'attention de Mme Sicotte sur l'animal. Grâce à ces efforts et à la zoothérapie, l'agitation de Mme Sicotte était moins importante, ce qui permettait à l'infirmier de terminer les soins sans que Mme Sicotte ait une réaction catastrophique.

Ultérieurement, lorsque l'état de Mme Sicotte s'est aggravé, l'intervenant en zoothérapie a utilisé le chien en tant qu'agent de stimulation, qui permettait à la résidente de bénéficier d'un toucher affectueux et apaisant en raison du contact avec l'animal chaleureux.

Questions

1 En quoi les interventions de zoothérapie dont a bénéficié Mme Sicotte s'inscrivent-elles dans les principes des soins infirmiers ?

2 Décrivez le rôle et la contribution de l'infirmière dans ce cas.

3 Expliquez comment les interventions de zoothérapie se trouvent modifiées par les pertes cognitives de Mme Sicotte.

4 Si vous aviez à évaluer les effets du programme de zoothérapie sur Mme Sicotte, quels seraient les résultats de votre évaluation ?

36

LA MUSICOTHÉRAPIE

par **Louise Léveillé**

La musique adoucit les mœurs, dit-on proverbialement. Cela s'applique aussi à certains des résidents des CHSLD. Comme nous le verrons dans ce chapitre, la musicothérapie produit chez eux divers effets bénéfiques, contrant parfois efficacement les symptômes psychologiques et comportementaux de la démence, c'est-à-dire les comportements d'agitation. En outre, sur le plan psychologique, on compte aussi, mais pas exclusivement, des effets tels que la réduction des symptômes de l'anxiété et de la dépression. Sur le plan physique, mentionnons que, de façon surprenante, la musicothérapie contribue entre autres à réduire la fréquence cardiaque et à abaisser la tension artérielle. Enfin, le fait de se servir de la musique pour établir une relation thérapeutique avec les résidents permet de briser l'isolement dans lequel ils se trouvent, surtout lorsque l'activité de musicothérapie se déroule en groupe. Voyons maintenant comment parvenir à de tels résultats, et à bien d'autres encore qui permettent d'améliorer grandement la qualité de vie des résidents. En avant la musique!

NOTIONS PRÉALABLES SUR LA MUSICOTHÉRAPIE

Définition

La musicothérapie est l'utilisation judicieuse de la musique comme outil thérapeutique pour maintenir, rétablir et améliorer la santé mentale et physique d'un résident de CHSLD. La nature créative et non verbale de la musique facilite la communication, l'expression de soi et la croissance personnelle.

Évidemment, la musicothérapeute doit être une musicienne pour être thérapeute. Il lui faut pouvoir s'exprimer par la musique, vue ici comme un langage. Elle a une formation universitaire de 1er cycle en musique, à laquelle s'ajoute une concentration en musicothérapie qui comprend deux volets, le volet théorique et le volet pratique, c'est-à-dire un stage. Grâce à sa formation théorique et à sa compréhension de la musique, elle peut lire et décoder les messages musicaux du résident. Pour y arriver, elle doit établir une relation de confiance avec le résident et une relation thérapeutique avec la musicothérapie.

Il serait souhaitable que tous les CHSLD puissent compter sur les services d'une musicothérapeute. Malheureusement, très peu de CHSLD disposent présentement d'une telle professionnelle dans leur équipe d'animation. Il faut donc encourager les initiatives des infirmières et des techniciennes en loisirs qui veulent utiliser la musicothérapie comme moyen d'intervention. Autrement dit, il n'est pas nécessaire de posséder un diplôme de musicothérapeute pour faire de la musicothérapie dans son établissement de soins de santé.

Principes théoriques soutenant la musicothérapie

La musicothérapie est une approche thérapeutique qui suscite un grand intérêt chez les scientifiques, les cliniciens et les infirmières. Il en résulte que divers chercheurs se sont penchés sur le sujet. De façon générale, les résultats des études mettent en évidence le potentiel thérapeutique de la musicothérapie et en démontrent clairement les bienfaits physiques, psychologiques et sociaux (Aldridge, 1994; Brotons, Koger et Pickett-Cooper, 1997; Carruth, 1997; Clair et Allison, 1997; Thomas, Heitman et Alexander, 1997). Sur le plan physique, les études démontrent que la musicothérapie peut avoir des effets positifs sur l'appareil cardiovasculaire. Par exemple, par son effet relaxant, la musique peut abaisser le rythme cardiaque et la tension artérielle. D'autre part, la musique douce stimule l'appétit des résidents atteints d'une démence et, par le fait même, réduit les risques de malnutrition. Comme elle produit un effet de diversion, la musique amène certains résidents à ne plus percevoir la douleur qu'ils ressentent normalement. Enfin, la musicothérapie peut réduire la durée de l'endormissement (voir le chapitre 16) et ainsi améliorer le sommeil des résidents.

Sur le plan psychologique, il est reconnu que la musicothérapie constitue une intervention de choix pour réduire les symptômes de l'anxiété et de la dépression de certains résidents. Il est aussi possible d'utiliser la musique comme moyen d'intervention pour contrer les symptômes psychologiques et comportementaux de la démence. En effet, la musique retarderait l'apparition des comportements d'agitation chez les résidents atteints d'une démence. En réduisant ces comportements, elle améliorerait la qualité de vie des résidents.

Selon Unkefer et Thaut (2002), la musique et la communication verbale auraient la même structure, si bien que la musique pourrait répondre aux besoins de communication des résidents atteints d'une démence. Ces auteurs présentent de fait la musique comme un moyen de communication répondant aux besoins d'échanges des résidents. Le résident peut être émetteur (lorsqu'il joue de la musique) ou récepteur (lorsqu'il en écoute). L'appréciation de la musique ne diminue pas au cours de vieillissement comme c'est le cas des capacités relatives aux autres activités humaines. D'ailleurs, comme la musique permet de faire resurgir des souvenirs, elle peut servir de catalyseur dans des séances de réminiscences.

Sur le plan social, certaines études (Aldridge, 1994; Unkefer et Thaut, 2002) ont démontré que la musicothérapie pouvait sortir les résidents de l'isolement où ils se trouvent, particulièrement si l'intervention s'effectue en groupe. Dans un tel cas, la musique sert à favoriser les échanges entre les résidents. La musicothérapie permet ainsi aux résidents de partager une activité en groupe et de développer un sentiment d'appartenance à ce groupe.

Le programme de musicothérapie vise à améliorer la qualité de vie des résidents atteints d'une démence. Il comporte deux objectifs généraux, à savoir une amélioration du bien-être psychologique des résidents et un accroissement de leur niveau de socialisation. Comme nous le verrons, pour atteindre ces objectifs, la musicothérapie peut s'effectuer en groupe ou individuellement.

PROGRAMME D'INTERVENTION

En CHSLD, l'infirmière et l'équipe interdisciplinaire peuvent établir pour les résidents, concernant le programme de musicothérapie, des objectifs spécifiques en plus des objectifs généraux. Par exemple, il peut s'agir de diminuer les périodes de somnolence durant la journée, d'accroître le niveau de collaboration lors de l'alimentation, etc. Malgré les contraintes organisationnelles et financières, tous les soignants peuvent contribuer à la mise en place de la musicothérapie en CHSLD et apporter leur soutien à l'équipe des loisirs dans la planification de cette activité. Cela est d'autant plus important que la musicothérapie constitue pour les soignants un moyen d'aider les résidents à demeurer actifs sur les plans physique, intellectuel et social. Dans plusieurs CHSLD, même en l'absence d'une musicothérapeute diplômée, on peut voir que des activités de musicothérapie ont été inscrites à la grille horaire des loisirs à l'initiative des soignants et du service des loisirs.

Conditions de réussite

La planification d'un programme de musicothérapie doit tenir compte des besoins des résidents, de la disponibilité des soignants et de la présence d'une intervenante spécialisée en musicothérapie. Afin de tenir compte des besoins des résidents, lorsqu'elle établit la biographie d'un résident (voir le chapitre 24), l'infirmière inclut dans les questions qu'elle pose aux proches des questions concernant les intérêts antérieurs du résident en matière de musique. Les soignants doivent quant à eux se montrer ouverts pour qu'un programme de musicothérapie réussisse, et être disposés à accompagner les résidents à l'activité de musicothérapie en groupe. À cet égard, les soignants devraient toujours connaître les objectifs de l'activité de musico-

thérapie. Finalement, bien que cela ne soit pas essentiel pour mettre sur pied un programme de musicothérapie, la présence d'une intervenante spécialisée dans le domaine de la musicothérapie facilite indéniablement l'atteinte des objectifs de la musicothérapie.

Musicothérapie de groupe

Sélection des résidents

Pour déterminer quels résidents pourraient profiter de cette activité, les membres de l'équipe interdisciplinaire porteront une attention particulière aux capacités cognitives et auditives des résidents. C'est que les résidents dont la capacité d'attention est fort réduite s'intéressent peu à la musicothérapie. Inclure de tels résidents dans un groupe compromettrait le déroulement de l'activité, car ceux-ci pourraient déranger les autres participants. Pour former des groupes de résidents, l'équipe interdisciplinaire peut tenir compte du stade d'avancement de la démence de chaque résident, selon l'Échelle de détérioration ou le score obtenu au mini-examen de l'état mental de Folstein (voir le chapitre 2).

Dans le même ordre d'idées, on ne devrait pas sélectionner, pour l'activité de musicothérapie en groupe, un résident dont les capacités auditives sont réduites. Dans un tel cas, la musicothérapie individuelle est plus indiquée.

D'autre part, il faut former des groupes en tenant compte des objectifs poursuivis. Par exemple, des objectifs comme la réduction de l'anxiété, la socialisation et la réduction des comportements d'agitation mèneront nécessairement à la constitution de groupes bien distincts. Enfin, l'équipe interdisciplinaire doit tenter de constituer des groupes homogènes, c'est-à-dire des groupes de résidents qui réagiront au même genre de musique.

Choix des thèmes musicaux et des instruments de musique

Pour une activité de musicothérapie en groupe, les choix musicaux s'effectuent de trois façons. D'abord, le répertoire des chansons doit tenir compte de la moyenne d'âge des résidents. L'infirmière doit à cet égard déterminer quelle musique était populaire à telle ou telle époque. Par exemple, pour un groupe de résidents âgés en moyenne de 80 ans, il est souvent utile de se reporter 50 ans plus tôt pour déterminer quelle musique était alors populaire. Ensuite, l'infirmière peut rencontrer individuellement les résidents et leurs proches pour leur demander quelle est leur musique préférée. Enfin, il faut veiller à ce que les préférences musicales des résidents correspondent aux objectifs de la musicothérapie. Autrement dit, si la musicothérapie a pour objectif la relaxation, il est évident qu'une musique dansante comme le cha-cha-cha ne peut se trouver au centre de l'activité.

Cela dit, la musicothérapie peut aussi s'effectuer au moyen d'un instrument de musique. À ce sujet, les instruments musicaux qu'on utilise le plus souvent et qui sont les plus populaires sont le piano, les timbales, le tambourin et les maracas. Ceux-ci sont d'ailleurs très faciles à manipuler pour les résidents.

Établissement de l'horaire de l'activité

L'équipe d'animation doit inclure l'activité de musicothérapie dans la grille horaire mensuelle et l'inscrire sur le tableau d'activités de l'unité de vie. Il s'agit alors de planifier des activités de musicothérapie selon un horaire régulier pour créer un rituel. L'activité devrait avoir une durée de 30 à 40 minutes et devrait préférablement se dérouler en après-midi. La durée que nous proposons constitue habituellement la durée maximale pendant laquelle il est possible de susciter l'intérêt et de retenir l'attention des résidents souffrant de démence.

Déroulement de l'activité

Le déroulement de l'activité de musicothérapie s'effectue en trois étapes : l'accueil, l'intervention et la conclusion de l'activité.

Accueil

L'accueil est une étape importante, puisque le fait de souhaiter la bienvenue aux participants permet de les mettre à l'aise. Cette étape donne en outre la possibilité à l'intervenant d'indiquer au résident que sa présence est souhaitée et qu'il appartient au groupe. Nous encourageons l'intervenant à accueillir chaque résident de façon personnalisée et en utilisant une chanson de salutation de type « bonjour ». L'intervenant choisit cette chanson pour qu'elle marque le début de l'activité de musicothérapie et la fait écouter dans cette perspective, c'est-à-dire pour rappeler aux résidents que l'activité débute.

C'est au moment de l'accueil que les soignants s'assurent que les résidents se trouvent confortablement installés. De ce point de vue, les soignants doivent choisir une salle d'activités bien éclairée, où la température ambiante est tiède. Concrètement, l'intervenant, avec l'aide des soignants, amène les résidents qui participent à l'activité dans cette salle. Il s'agit alors d'asseoir les résidents en demi-cercle autour de la musicothérapeute, afin de créer une ambiance propice à l'écoute. D'autre part, la forme du demi-cercle facilite les contacts visuels entre participants et crée le sentiment d'une équipe qui travaille à un but commun. L'équipe de soignants devra éviter que des stimuli externes s'immiscent dans la salle d'activités, si l'on veut que l'attention des résidents soit optimale.

Intervention

L'étape de l'intervention correspond à la réalisation de l'activité de musicothérapie proprement dite. Pendant celle-ci, l'intervenant doit s'assurer que tous les résidents participent ou réagissent à l'activité en notant leur niveau d'intérêt et d'engagement. Il doit aussi veiller à ce que le son des chansons ne soit ni trop fort ni trop faible.

L'implication des proches durant l'activité de musicothérapie est évidemment souhaitable, particulièrement lorsque l'objectif de l'intervention est la socialisation. La musicothérapie donne aux proches l'occasion d'utiliser la musique pour communiquer avec le résident (Clair et Allison, 1997).

Si on utilise des instruments de musique pendant l'activité, l'intervenant encourage les résidents à en jouer, soit en groupe, soit individuellement, à tour de rôle, ce qui permet à tous de participer activement et de jouer un segment de la mélodie qui constitue la trame de fond de l'activité. D'autre part, le fait que les résidents jouent à tour de rôle rend possible une interaction entre eux. Ils peuvent improviser comme ils le veulent avec l'instrument, mais il faut toutefois les encourager à suivre le rythme de la mélodie. L'utilisation de tam-tams s'avère intéressante lorsque tous les résidents jouent d'un instrument en même temps, car il empêche qu'une cacophonie résulte de l'ensemble. Grâce à l'improvisation, l'activité de musicothérapie exploite la créativité des résidents, que l'on peut aussi amener à fredonner et à chanter pour créer l'effet d'une chorale.

Conclusion

La conclusion constitue une étape importante du déroulement de l'activité, car elle sert à terminer celle-ci de façon progressive et harmonieuse. Au moment de conclure, l'intervenant procède à un exercice de rétroaction, en demandant aux résidents et aux proches ce qu'ils pensent de l'activité. Il leur rappelle alors toute cette musique que le groupe a créée ou les chansons qu'il a entendues. Lors de cet exercice, l'intervenant doit encourager les résidents à partager leurs impressions sur l'activité, en vue de trouver des stratégies visant à faire de l'activité une expérience encore plus positive la fois suivante. Finalement, il peut jouer ou faire entendre une chanson en guise d'au revoir musical.

Évaluation de l'activité de musicothérapie

L'équipe soignante doit procéder à l'évaluation de l'efficacité de l'activité de musicothérapie toutes les quatre semaines et inscrire les résultats de cette évaluation dans le dossier de tous les participants. L'équipe soignante doit évidemment se fier à certains critères pour évaluer les effets de l'intervention et déterminer si celle-ci atteint ses objectifs. Le tableau 36-1 présente diverses activités de musicothérapie et divers critères pour en évaluer l'efficacité.

D'autre part, nous encourageons l'infirmière à compléter l'évaluation en mesurant le degré d'engagement (voir le tableau 36-2) et de plaisir (voir le tableau 36-3) des résidents. Les échelles d'évaluation de ces tableaux s'inspirent des travaux de Bédard (2005), de Lawton, Van Haitsma et Klapper (1996) et d'Orsulic-Jeras, Judge et Camp (2000).

Au moyen des résultats d'une telle évaluation, l'équipe interdisciplinaire est en mesure de déterminer pour chaque résident si l'intervention est efficace et s'il est pertinent de la poursuivre.

Musicothérapie individuelle

On aura recours à l'intervention individuelle lorsqu'un résident nécessite une prise en charge plus grande, pour éviter qu'il ne soit distrait durant l'activité, lorsque la présence des autres résidents provoque chez lui de l'anxiété ou de l'agitation, ou encore lorsqu'il perturbe le groupe par son comportement durant l'activité de musicothérapie.

Objectifs de l'intervention individuelle

L'intervention individuelle permet d'atteindre les mêmes objectifs que l'intervention qui se déroule en groupe. L'infirmière peut ainsi viser à diminuer l'anxiété du résident, à favoriser son interaction avec les autres, à le stimuler sur le plan cognitif ou encore à améliorer sa mobilité. Toutefois, la musicothérapie s'effectuant à l'échelle individuelle offre bien d'autres possibilités. Par exemple, elle peut servir à diminuer la fréquence des symptômes comportementaux de la démence, tels que l'errance. Elle peut aussi servir de moyen d'intervention complémentaire dans le traitement de la dépression.

Choix des thèmes musicaux et des instruments de musique

Tout comme pour l'activité qui se déroule en groupe, l'infirmière interroge le résident ou ses proches sur ses goûts musicaux et lui demande s'il sait se servir d'un instrument de musique en particulier. Connaître les intérêts du résident est un aspect essentiel pour la réussite et le succès de l'activité.

Lorsqu'il s'agit de choisir des instruments, l'infirmière doit tenir compte des capacités physiques de chacun et les respecter. D'autre part, il faut considérer la qualité sonore de l'instrument, car elle contribue grandement au résultat global de l'expérience musicale. Les instruments appropriés aux séances de musicothérapie doivent être simples et pouvoir être manipulés avec une main ou deux mains. Parmi les plus populaires, mentionnons les maracas, les grelots, le xylophone et le piano portatif.

Déroulement de l'activité

Il importe dans un premier temps de s'assurer que le résident est confortablement installé. Qu'il soit dans son lit ou assis dans un fauteuil, l'infirmière lui offrira son soutien s'il exprime le désir d'adopter une position plus agréable. Le bien-être du résident est primordial, car s'il se trouve installé de façon inconfortable, il ne sera que peu attentif à l'activité de musicothérapie. L'intervention n'apportera alors pas tous les bénéfices escomptés.

Tableau 36-1	Évaluation de l'activité de musicothérapie selon les objectifs établis	
OBJECTIFS	**ACTIVITÉS**	**CRITÈRES D'ÉVALUATION**
Stabilisation de la santé mentale	• Chanter des chansons pertinentes en fonction de la moyenne d'âge des résidents. • Jouer d'un instrument dont on a appris à se servir dans sa jeunesse.	• Le résident se souvient des paroles des chansons. • Un sourire se dessine sur son visage. • Le résident est calme et concentré. • Il joue de l'instrument avec aisance.
Socialisation	• Jouer d'un instrument avec le groupe. • Chanter avec le groupe.	• Le résident interagit avec ses pairs. • Il suit le rythme du groupe. • Il se sent valorisé par ses pairs.
Stimulation	• Chanter seul ou avec le groupe. • Jouer d'un instrument seul ou avec le groupe.	• Le résident reste assis pendant la durée de l'activité. • Il chante avec le groupe ou seul, selon la consigne. • Il joue d'un instrument seul ou avec le groupe, selon la consigne.
Mobilité	• Jouer du tambourin. • Jouer des maracas ou des timbales.	• Le résident tient l'instrument durant l'activité. • Il joue de l'instrument selon la consigne.

Tableau 36-2	Mesure du degré d'engagement du résident durant l'activité de musicothérapie

ENGAGEMENT

À quel point sentez-vous que le résident est engagé, de façon générale, pendant les interventions ?

1	2	3	4	5
Absence d'engagement		Engagement passif		Engagement actif

Absence d'engagement. La plupart du temps, le résident n'est pas engagé dans l'interaction ou dans l'activité. Par exemple, il regarde en l'air, il ne vous regarde pas quand vous lui parlez, il regarde dans une direction bien différente de celle de l'activité, il dort, il est absorbé par un comportement d'automanipulation (il joue avec ses vêtements, ses cheveux ou une partie de son corps).

Engagement passif. La plupart du temps, le résident était engagé de façon passive dans l'interaction ou l'activité. Il manifeste un intérêt pour l'interaction ou l'activité sans y participer de façon active. Par exemple, il vous regarde et écoute ce que vous dites, mais ne répond pas ; il vous regarde manipuler le matériel de musique, il suit les instruments de musique des yeux, etc.

Engagement actif. La plupart du temps, le résident était engagé de façon active dans l'interaction ou l'activité. Il manifeste des comportements verbaux ou moteurs correspondant à l'interaction ou à l'activité. Par exemple, il chante, il joue de l'instrument, il vous parle ou il vous répond quand vous vous adressez à lui, etc.

Tableau 36-3	Mesure du degré de plaisir du résident durant l'activité de musicothérapie

PLAISIR

À quel point sentez-vous que le résident a du plaisir pendant les interventions ?

1	2	3	4	5
Absence de plaisir		Plaisir moyen		Plaisir important

Absence de plaisir. La plupart du temps, le résident ne sourit pas, ne rit pas et ne blague pas. Il demande à quitter l'activité.

Plaisir moyen. Le résident sourit, rit et blague à l'occasion.

Plaisir important. La plupart du temps, le résident sourit, rit et blague. Il demande de poursuivre l'activité.

Une fois qu'elle est certaine que le résident se trouve confortablement installé, l'infirmière lui présente l'instrument de musique retenu pour la séance de musicothérapie. Elle donne au résident la possibilité d'improviser un thème musical, ce qui favorise son expression personnelle spontanée. Les consignes qui permettent d'amorcer l'activité peuvent d'ailleurs varier. Elles sont plus ou moins directives selon l'objectif général de la musicothérapeute. En tout état de cause, la musicothérapeute doit donner au résident l'occasion de créer de la musique, ce qui l'amène à relaxer et lui procure une distraction lui permettant d'échapper à son quotidien.

Il est souhaitable que les proches soient présents lors des séances de musicothérapie, afin de stimuler leur intérêt à communiquer avec le résident et de leur permettre de mieux comprendre sa réalité.

Grâce à la musique, le résident peut établir une communication, et c'est cette communication que la musicothérapeute doit encourager. Pour ce faire, il faut un climat général de confiance, de jeu et de partage, de respect du résident. L'activité est donc un accompagnement individuel, comme en psychologie.

Évaluation de l'activité de musicothérapie

Ici encore, l'équipe soignante doit évaluer l'efficacité de l'activité de musicothérapie toutes les quatre semaines. Il s'agit

Tableau 36-4	Évaluation de l'activité de musicothérapie individuelle selon les objectifs établis	
OBJECTIFS	**ACTIVITÉS**	**CRITÈRES D'ÉVALUATION**
Stabilisation de la santé mentale	• Jouer d'un instrument dont on a appris à se servir au cours de son enfance ou de sa vie adulte.	• Un sourire se dessine sur le visage du résident. • Le résident se souvient comment jouer de l'instrument.
Socialisation	• Jouer d'un instrument de musique.	• Le résident entre en contact avec le thérapeute et ses proches.
Stimulation	• Jouer d'un instrument de musique seul.	• Le résident est en mesure de jouer de l'instrument. • Le résident arrive à se concentrer assez longtemps.
Mobilité	• Jouer d'un instrument seul.	• Le résident est en mesure de produire des sons avec l'instrument de musique.

d'inscrire cette évaluation dans le dossier du résident. Le tableau 36-4 présente des activités de musicothérapie et les critères d'évaluation que nous suggérons.

D'autre part, comme pour l'activité de musicothérapie se déroulant en groupe, l'infirmière peut compléter son évaluation en mesurant le degré d'engagement et de plaisir du résident au cours de l'activité (voir les tableaux 36-2 et 36-3, p. 493).

Au moyen des résultats de l'évaluation, l'équipe interdisciplinaire peut valider l'efficacité de l'intervention et déterminer pour chaque résident s'il est pertinent de continuer à l'utiliser. Lorsqu'un résident réagit positivement à la musicothérapie individuelle, on peut tenter de l'intégrer à un groupe.

Conclusion

La musicothérapie est une intervention dont les effets positifs sur les résidents sont multiples. La musique peut améliorer la santé physique, la santé cognitive, la santé psychologique et la santé sociale des résidents. Très peu d'interventions offrent autant de possibilités d'amélioration de la qualité de vie des résidents.

En collaboration avec la musicothérapeute, l'infirmière peut favoriser la participation des résidents à l'activité de musicothérapie se déroulant en groupe. Celle-ci peut d'autre part se dérouler de façon individuelle. Dans ce cas, la musicothérapie peut s'intégrer au plan de soins pour atteindre des objectifs thérapeutiques tels que le traitement de la dépression.

ÉTUDE DE CAS

Atteinte d'une démence, Mme Pierre est âgée de 99 ans. Elle se déplace à l'aide d'un fauteuil roulant, ce qui l'amène fréquemment à errer dans l'unité de soins. Elle émet souvent des cris lorsqu'elle vit de l'anxiété, de jour comme de soir. Les soignants doivent donc lui donner beaucoup d'attention. Afin de remédier à cette situation, l'infirmière a consulté la musicothérapeute du CHSLD, et, ensemble, elles ont décidé de tenter d'utiliser la musicothérapie avec Mme Pierre. Si l'infirmière a pensé à consulter la musicothérapeute, c'est qu'elle croit que l'errance de la résidente s'explique notamment par l'ennui que celle-ci ressent et qui jouerait aussi sur son niveau élevé d'anxiété.

Ayant estimé que la résidente s'intégrerait au groupe de résidents qui participent déjà à l'activité de musicothérapie, l'infirmière

et l'intervenante ont conduit Mme Pierre à la salle d'activités de l'unité de vie. L'infirmière a présenté Mme Pierre au groupe de résidents. L'intervenante lui a remis des maracas et lui a demandé de suivre le rythme des chansons qu'elle entendrait. Spontanément, dès la première chanson, Mme Pierre s'est mise à fredonner, ce qui s'est reproduit pour toutes les autres chansons que la musicothérapeute avait mises au programme de l'activité.

En somme, l'activité a permis de réduire le niveau d'anxiété et l'ennui de Mme Pierre.

Maintenant, lorsque la résidente présente des comportements d'agitation à différents moments de la journée, les soignants lui font écouter de la musique à l'aide d'un baladeur.

Questions

1 Quelles caractéristiques indiquent chez un résident qu'il vaut mieux recourir à la musicothérapie individuelle plutôt qu'à la musicothérapie de groupe ?

2 Quelles observations l'infirmière doit-elle consigner dans le dossier du résident pour valider l'efficacité de l'activité de musicothérapie ?

3 Est-il préférable de former des groupes homogènes ou hétérogènes pour le bon déroulement de l'activité de musicothérapie ?

4 Pour une intervention individuelle, comment l'infirmière choisit-elle la musique la plus appropriée pour le résident ?

37

L'APPROCHE PROTHÉTIQUE ÉLARGIE

par **Anne Monat**

De nos jours, la clientèle des CHSLD diffère grandement de ce qu'elle était voilà quelques décennies. Auparavant, elle se composait de résidents souffrant surtout de troubles physiques. Désormais, il s'agit de résidents principalement atteints de maladies neurologiques dégénératives qui entraînent des troubles cognitifs. Or, ces troubles ou déficits cognitifs – dont souffrent entre 60 et 80 % des résidents – constituent des défis de taille pour les soignants, car ils peuvent causer des pertes d'autonomie graves et des troubles du comportement. Dans bien des cas, malheureusement, on «règle» le problème en recourant à des moyens de contention physiques ou chimiques qui réduisent grandement la qualité de vie du résident.

Heureusement, il existe des solutions de rechange. Comme nous le verrons dans ce chapitre, l'approche prothétique élargie peut aider à mieux faire face à la perte d'autonomie et aux troubles du comportement des résidents atteints de déficits cognitifs. Se présentant non pas comme une simple intervention ou activité, cette approche n'est ni plus ni moins qu'une nouvelle façon de concevoir à la fois l'environnement physique (le CHSLD), les activités de tous les jours et la communication avec les résidents. Son implantation requiert la participation et la collaboration de tous, et ne s'effectue pas en un jour! Toutefois, tous en retireront des bénéfices: la qualité de vie de tous les résidents, notamment des résidents atteints de troubles cognitifs, s'en trouvera améliorée, ce qui, en retour, rendra la tâche des soignants plus valorisante.

NOTIONS PRÉALABLES SUR L'APPROCHE PROTHÉTIQUE ÉLARGIE

Définition

Le terme «prothétique» dérive de «prothèse», qui désigne un appareil ou un dispositif servant à remplacer un membre ou un organe amputé, gravement atteint ou détruit, en vue de redonner une certaine fonctionnalité à la personne. Lorsqu'une personne est malade et qu'on ne peut plus soigner sa maladie pour guérir les fonctions atteintes, il faut concevoir son environnement physique et psychosocial comme des mesures extérieures, des prothèses qui pourront combler ses lacunes et optimiser ses performances (Pasturel, 1999).

En CHSLD, un résident qui éprouve de la difficulté à s'alimenter, à se laver, à se déplacer ou qui erre, fouille ou résiste aux soins devrait pouvoir compter sur un ensemble de prothèses qui lui permettront d'améliorer sa qualité de vie. L'approche prothétique élargie prône donc la mise en place de tous les moyens qui fournissent un soutien fonctionnel et psychosocial au résident. Elle vise par là à compenser ses limites, à actualiser ses capacités et à lui épargner la frustration que peuvent causer la détresse et les troubles du comportement (Association des CLSC et des CHSLD du Québec [ACCQ] et Association des hôpitaux du Québec [AHQ], 1998).

Lorsqu'on implante l'approche prothétique élargie, comme celle-ci se fonde sur le principe d'une normalisation du milieu de vie, il faut l'implanter de telle façon qu'elle serve l'ensemble des résidents, particulièrement les résidents atteints de déficits cognitifs. L'approche prothétique élargie repose sur trois éléments, à savoir l'environnement physique prothétique, les activités prothétiques et la communication prothétique.

Contexte d'application

Selon une étude menée par le ministère de la Santé et des Services sociaux du Québec (MSSSQ, 2003), la proportion de résidents des CHSLD affectés par une forme ou l'autre de troubles cognitifs se situe entre 60 et 80 %. Au-delà des pertes de mémoire et de la désorientation dans le temps et l'espace, les résidents atteints d'une démence peuvent se trouver en perte d'autonomie fonctionnelle et présenter des troubles du comportement prenant la forme de comportements dysfonctionnels et agressifs. Ces comportements relèvent des symptômes comportementaux et psychologiques de la démence.

Autrement dit, les résidents qu'on trouve de nos jours dans les CHSLD présentent majoritairement des déficits cognitifs. Leur profil diffère grandement de celui des résidents des années 1980, qui avaient principalement des problèmes de santé de nature physique. Ce constat oblige tous les intervenants du milieu à réévaluer l'ensemble de leurs interventions afin de mieux répondre aux besoins spécifiques de ce nouveau type de résidents atteints de déficits cognitifs et manifestant parfois des troubles du comportement.

On considère souvent que les déficits cognitifs de certains résidents constituent l'unique cause de leur perte d'autonomie fonctionnelle et psychosociale, et expliquent à eux seuls l'apparition de troubles du comportement (Lévesque, Roux et Lauzon, 1990). C'est pourquoi on a tendance à recourir à la prise en charge clinique et fonctionnelle, combinée aux moyens de contention physiques et chimiques (Whall *et al.*, 1997).

Comme il n'existe aucune façon de renverser les atteintes cérébrales que cause la démence, il est admis qu'on ne peut pas compenser la perte d'autonomie et les troubles du comportement par des stratégies spécifiques de réadaptation et de gestion du comportement (ACCQ et AHQ, 1998). Cependant, on reconnaît désormais que la maladie chronique n'est plus l'unique cause de la perte d'autonomie et des troubles du comportement. C'est que la nature et la complexité des interactions entre le résident et son environnement (Lévesque *et al.*, 1990) peuvent engendrer chez lui une désorganisation, entretenir et renforcer certains de ses troubles du comportement, et aggraver sa perte d'autonomie.

De fait, de nombreux articles portant sur le sujet confirment qu'en plus des facteurs associés à la maladie chronique, plusieurs causes expliquent la perte d'autonomie et les troubles du comportement des résidents atteints de déficits cognitifs (ACCQ et AHQ, 1998 ; Bowlby-Sifton, 1998 ; Jones, 1998 ; Lévesque *et al.*, 1990 ; voir également le chapitre 24). Comme le rapporte Phaneuf (1998), les troubles qu'éprouve le résident atteint d'une démence ne peuvent être attribués qu'aux lésions cérébrales : « Ces comportements trouvent souvent leur source dans des malaises physiques parfois peu évidents, dans des conflits relationnels avec les proches, dans des déclencheurs environnementaux, dont malheureusement on ne peut exclure les attitudes de certaines soignantes. »

De ce point de vue, il apparaît possible d'intervenir sur certains facteurs qui favorisent l'apparition de troubles du comportement chez le résident, de diminuer la fréquence de ceux-ci, voire de les prévenir. En outre, de telles interventions favoriseront l'autonomie du résident et réduiront

au minimum le recours aux moyens de contention physiques et chimiques (voir les chapitres 22 et 23).

Assises de l'application de l'approche prothétique élargie

Dans un CHSLD, tous les résidents suivent un processus de vieillissement normal auquel s'ajoutent une ou plusieurs maladies chroniques telles qu'une démence, la maladie de Parkinson, l'arthrite ou la sclérose en plaques. Or, une approche thérapeutique ne suffit pas pour faire face aux conséquences de ces affections. Le résident souffrant de telles maladies doit être suivi de près, et les interventions que son état requiert doivent souvent porter sur plusieurs autres facteurs que sa santé physique pour éviter que s'accentue sa perte d'autonomie physique et psychosociale (voir le chapitre 1).

Selon Hébert (1999), la perte d'autonomie constitue un des syndromes cliniques que l'on observe le plus fréquemment en gériatrie. Qu'elle soit aiguë ou subaiguë, ses causes sont multiples et peuvent être d'ordre physique, psychologique ou social (pauvreté). La perte d'autonomie s'appuie sur une définition fonctionnelle de la maladie chronique que propose l'Organisation mondiale de la santé (OMS) dans le cadre théorique de sa classification des déficiences, incapacités et handicaps. Le tableau 37-1 présente cette conception.

Comme on peut le constater, une incapacité résulte de la déficience d'un organe ou d'un système qui modifie la performance fonctionnelle ou le comportement de la personne en limitant certaines de ses fonctions ou en ne lui permettant plus d'accomplir certaines activités. Un handicap résulte de l'écart entre l'incapacité de l'individu et les ressources matérielles et sociales dont il dispose pour pallier cette incapacité. Cet écart le désavantage sur le plan social. L'autonomie s'oppose donc au handicap.

De plus, il n'y a pas que la nature des incapacités qui détermine la dépendance de la personne ; il y a aussi leur simultanéité, leur intensité, leur durée, leurs répercussions fonctionnelles et la perception que la personne a de ses capacités d'adaptation (Ylieff, 2000). Le degré de dépendance du résident est aussi grandement influencé par la perception qu'ont de lui les soignants et ses proches. En effet, les soignants qui considèrent les résidents comme malades, dépendants ou incapables de décider quoi que ce soit peuvent contribuer notamment à la création d'incapacités circonstancielles (Lévesque *et al.*, 1990 ; Bowlby-Sifton, 1998 ; Ylieff, 2000). Ces incapacités se présentent ainsi comme des incapacités supérieures aux incapacités réelles du résident attribuées au processus de la maladie dont il est atteint.

Les incapacités circonstancielles constituent des déficits réversibles qui résultent de divers facteurs prédisposants et précipitants, au nombre desquels il faut compter l'attitude des soignants (Lévesque *et al.*, 1990 ; Phaneuf, 1998 ; Ylieff, 2000). Cela dit, en CHSLD, plusieurs autres facteurs peuvent aggraver les handicaps des résidents, comme le montre la figure 37-1. En connaissant bien ces facteurs, les

Tableau 37-1	Conception fonctionnelle de la maladie chronique selon l'Organisation mondiale de la santé (OMS)

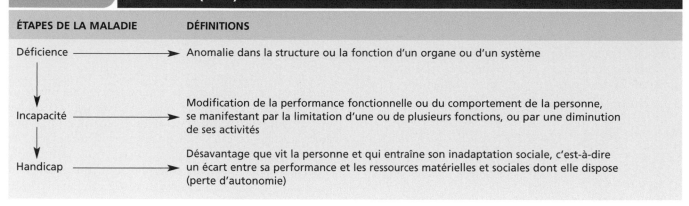

ÉTAPES DE LA MALADIE	DÉFINITIONS
Déficience ⟶	Anomalie dans la structure ou la fonction d'un organe ou d'un système
Incapacité ⟶	Modification de la performance fonctionnelle ou du comportement de la personne, se manifestant par la limitation d'une ou de plusieurs fonctions, ou par une diminution de ses activités
Handicap ⟶	Désavantage que vit la personne et qui entraîne son inadaptation sociale, c'est-à-dire un écart entre sa performance et les ressources matérielles et sociales dont elle dispose (perte d'autonomie)

Source : Inspiré de R. Hébert (1999). La perte d'autonomie : définition et épidémiologie. Dans R. Hébert, K. Kouri et G. Lacombe (dir.), *Autonomie et vieillissement. Actes du congrès scientifique* (pp. 51-52). Sherbrooke : Édisem.

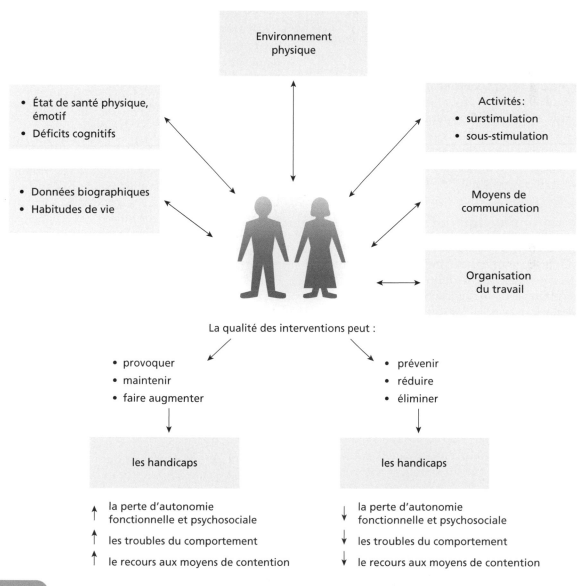

FIGURE 37-1 **Facteurs prédisposants et précipitants des handicaps en CHSLD**

Source : A. Monat (1999). *Répondre aux besoins spécifiques de la clientèle atteinte de déficits cognitifs : Un défi réalisable. Cahier de formation.* Kirkland : document personnel.

soignants pourront trouver des solutions efficaces pour prévenir, réduire et éliminer les handicaps du résident. Par contre, s'ils méconnaissent l'un ou l'autre de ces facteurs et ne les ciblent pas dans leurs interventions, ils pourront provoquer, maintenir et faire augmenter les handicaps du résident, ce qui aggravera la perte d'autonomie et les troubles du comportement du résident. Cela favorisera enfin une utilisation exagérée des moyens de contention.

Données biographiques et habitudes de vie

Les traits de personnalité, les mécanismes d'adaptation, les habitudes de vie, le niveau scolaire diffèrent grandement d'un résident à l'autre. Est-il besoin de dire qu'à cet égard, chaque résident est unique? Or, si le caractère unique du résident n'est pas accepté et respecté, celui-ci pourra éprouver de la frustration, se sentir incompris et se montrer agressif. Ce genre de situation résultera d'une approche de soins non personnalisée et d'un milieu de travail reposant sur une routine institutionnelle favorisant les handicaps des résidents. À titre d'exemple, un résident habitué de longue date à se coucher à 22 h pourra se relever plusieurs fois durant la soirée si les soignants ne respectent pas ses habitudes et le couchent vers 19 h. Le fait qu'il tente de se lever ou qu'il se relève plusieurs fois pourra amener les soignants à le percevoir comme dérangeant et à utiliser un moyen de contention favorisant la perte d'autonomie. Des soignants soucieux de respecter les habitudes de sommeil d'un tel résident n'auront pas à recourir à ce moyen.

États de santé physique et émotif, et déficits cognitifs

Les états de santé physique et émotif peuvent influencer l'autonomie et le comportement du résident. En effet, des problèmes comme le diabète, l'insuffisance cardiaque, l'arthrite, la déshydratation, la constipation, un changement dans la médication, des déficits sensoriels, la douleur, l'ennui et le deuil peuvent nuire grandement à son autonomie fonctionnelle et faire apparaître chez lui des troubles du comportement. De même, les déficits cognitifs comme les troubles de la mémoire, de la pensée et du jugement peuvent engendrer une diminution de son autonomie. Enfin, l'apraxie et l'agnosie affectent aussi l'autonomie fonctionnelle du résident. C'est que l'une altère la capacité du résident à effectuer des tâches physiques complexes, tandis que l'autre l'empêche de reconnaître des objets, des personnes ou des sons.

En plus des incapacités réelles que peuvent engendrer les déficits cognitifs du résident et ses états de santé physique et émotif, les soignants peuvent aggraver la perte d'autonomie par des interventions inadéquates. Par exemple, en raison de ses déficits cognitifs, il est possible qu'un résident soit incapable de s'alimenter seul si on lui présente son repas sur un plateau. À l'inverse, lorsqu'on lui sert son repas plat par plat, il réussit à s'alimenter seul. Cet exemple

illustre le fait que le soignant doit savoir trouver la bonne intervention pour compenser les déficits cognitifs du résident, afin de maintenir son autonomie et l'estime qu'il a de lui-même.

Environnement physique

L'environnement physique du résident peut engendrer l'apparition de troubles du comportement au même titre que des interventions inadéquates. L'absence de points de repère ou des points de repère non pertinents peuvent limiter substantiellement les capacités fonctionnelles du résident et provoquer des troubles du comportement. D'autre part, un environnement pauvre en stimuli visuels ou auditifs ou surchargé de tels stimuli peut avoir les mêmes conséquences. Ainsi, un résident désorienté qui tente de trouver sa chambre dans des corridors qui ne lui offrent aucun point de repère pourra manifester de l'agressivité, surtout si sa chambre n'est pas décorée, c'est-à-dire personnalisée de manière à se distinguer des autres.

Dans le même ordre d'idées, les soignants peuvent interpréter à tort l'agitation d'un résident comme une conséquence de sa démence, alors que son comportement d'agitation résulte d'une agnosie auditive. Le fait qu'il éprouve de la difficulté à reconnaître des sons peut l'amener à réagir fortement aux stimuli auditifs provenant des téléviseurs, des radios, de l'interphone, des cloches d'appel, des soignants ou des activités qui créent beaucoup de bruit. Bref, un milieu de travail où les soignants exercent peu de contrôle sur les stimuli visuels et auditifs peut aggraver les troubles du comportement des résidents qui présentent des déficits cognitifs tels que l'agnosie. Il faut en conclure que s'il peut fournir un soutien au résident lorsqu'il est aménagé adéquatement, un environnement physique inadapté peut également compromettre son bien-être et aggraver son incapacité fonctionnelle et ses troubles du comportement.

Activités

Les résidents s'irritent et s'agitent lorsque les demandes de performance dépassent leurs capacités fonctionnelles. À l'inverse, ils se sentent frustrés et inutiles et se résignent lorsque les soignants effectuent à leur place la totalité ou une partie des tâches qu'ils peuvent encore accomplir. Ainsi, s'il procède à la toilette et à l'habillement du résident alors que celui-ci en est encore capable, le soignant provoque des incapacités circonstancielles et une perte d'autonomie. Le soignant qui ne reconnaît pas la capacité du résident à faire lui-même certains gestes et qui perçoit certaines activités comme des *soins* à donner et non comme des *activités* que le résident peut effectuer au moyen d'une approche graduée d'accompagnement confine le résident à un rôle passif. Le résident se sent alors sous-stimulé. En revanche, le résident qu'on a amené à participer à une activité de bricolage peut éprouver une grande anxiété s'il ne dispose plus des habiletés nécessaires pour mener à bien cette activité. Dans ce cas, les soignants n'ont pas tenu compte de ses capacités par rapport à celles qu'exige le bricolage. En conséquence, le résident s'est trouvé surstimulé par une activité trop exigeante. Comme on le constate, il est crucial que les soignants adaptent l'aide qu'ils fournissent aux capacités réelles des résidents. Comme chaque résident est unique et que les capacités de l'un n'équivalent pas celles de l'autre, les soignants doivent constamment veiller à ajuster le niveau de leur intervention. Enfin, les soignants ne doivent pas engager les résidents dans des activités qui les surstimuleraient en requérant des capacités qu'ils ont perdues. Cela pourrait favoriser l'apparition de troubles du comportement.

Moyens de communication

Lorsqu'ils sont incapables d'interpréter ce qu'on leur dit ou qu'ils n'arrivent plus à se faire comprendre par leur entourage, les résidents atteints d'une démence peuvent éprouver de la colère et de l'inquiétude, et manifester de l'agitation (Bowlby-Sifton, 1998). Par exemple, un résident peut résister lorsqu'on lui donne son bain si les soignants, trop préoccupés par la tâche à accomplir, négligent d'établir une relation avec lui. Si, pour rassurer le résident et l'amener à collaborer pleinement, ils omettent également de lui expliquer les séquences de la tâche qu'ils sont en train d'accomplir (voir à ce sujet le chapitre 31), ils peuvent aussi

déclencher des troubles du comportement ou aggraver sa perte d'autonomie.

Organisation du travail

L'équipe de travail d'une unité de soins se doit de déterminer si elle n'accorde pas trop d'importance à différents gestes quotidiens au détriment du bien-être des résidents, si les soins qu'elle apporte ne sont pas trop dépersonnalisés, si les heures du lever et du coucher (ou des soins d'hygiène, des repas, de la sieste, de l'ensemble des activités quotidiennes) ne sont pas trop rigides. C'est que si les rituels sont rassurants par leur fixité, ils amènent parfois les soignants à perdre de vue l'intérêt des résidents au profit des besoins organisationnels. Ainsi, les soignants qui se dépêchent de faire manger les résidents parce qu'ils doivent retourner les plateaux au service concerné à une heure précise provoquent des incapacités circonstancielles et une perte d'autonomie fonctionnelle chez les résidents. Un examen minutieux des soignants et un travail de collaboration interservices permettront d'intervenir en vue de modifier les aspects de l'organisation du travail qui peuvent être à l'origine d'incapacités circonstancielles ou de troubles du comportement.

PROGRAMME D'INTERVENTION

Composantes de l'approche prothétique élargie

L'approche prothétique élargie regroupe trois composantes, soit l'environnement physique prothétique, les activités prothétiques et la communication prothétique (voir la figure 37-2, p. 500). Le fait de rendre prothétiques l'environnement physique du CHSLD, les activités qu'on y effectue et les communications permet de réduire, de contrer, voire d'éliminer l'effet des facteurs prédisposants et précipitants sur les handicaps, la perte d'autonomie fonctionnelle et psychosociale du résident et les troubles du comportement (voir la figure 37-1). L'implantation, en CHSLD, d'un environnement, d'activités et d'une communication prothétiques procure aux résidents un soutien fonctionnel et psychosocial qui favorise leur autonomie, réduit les troubles du comportement et rend moins nécessaire le recours à la contention. Bref, l'application de l'approche prothétique élargie améliore la qualité de vie des résidents.

Environnement physique prothétique

Selon Lawton (1981), plus une personne est démunie, plus elle est sensible à un environnement non adapté ; à l'inverse, le moindre ajustement positif de son environnement peut résulter en une amélioration marquée de son état. Un milieu d'hébergement qui soutient adéquatement les résidents compensera donc les pertes cognitives, motrices

et sensorielles de ceux-ci, tout en facilitant l'actualisation de leur potentiel.

Pour que s'établisse une relation positive entre les résidents et l'environnement physique, le CHSLD doit être aménagé de façon à offrir aux résidents un milieu de vie de type familial, des soutiens environnementaux et des îlots prothétiques (Calkins et Arch, 1998 ; Day, Carreon et Stump, 2000 ; Francœur, 1997 ; MSSSQ, 1999 ; ministère de la Santé nationale et du Bien-être social Canada, 1997 ; Zeisel, Hyde et Shi, 1999). Examinons dans le détail chacun de ces éléments.

Milieu de type familial

Le CHSLD doit se rapprocher le plus possible, par son aménagement, de l'environnement dans lequel le résident a vécu sa vie. L'environnement de type familial doit ainsi remplacer l'environnement institutionnel. Le fait de rendre le CHSLD semblable au milieu de vie dans lequel a vécu le résident donnera à ce dernier une meilleure perception de la réalité. Il en comprendra mieux la situation dans laquelle il se trouve et s'y adaptera plus facilement.

Dans une unité de soins aménagée comme une maison et comportant les éléments connus d'un salon, d'une cuisine et d'une salle à manger, les résidents participeront plus ou collaboreront mieux aux activités qui doivent s'y dérouler. C'est que le décor des pièces leur rappellera leur milieu de vie et favorisera la poursuite des habitudes de vie.

APPROCHE PROTHÉTIQUE ÉLARGIE

Environnement physique prothétique
- Création d'un environnement de type familial
- Soutiens environnementaux favorisant:
  - l'orientation spatio-temporelle
  - le contrôle des indices sonores et visuels
  - l'intimité et la socialisation
  - une personnalisation des lieux
  - la sécurité
  - l'autonomie
- Regroupement de résidents par îlots

Activités prothétiques
- Activités de la vie quotidienne
- Activités utilitaires
- Activités structurées
- Activités non structurées
- Activités de soins et de santé

Communication prothétique
- Composantes de base
- Stratégies de communication:
  - diversion
  - réminiscence
  - orientation à la réalité
  - validation
  - capture et rebouclage sensoriels

FIGURE 37-2 **Les trois composantes de l'approche prothétique élargie**

Source: Association des CLSC et des CHSLD du Québec (ACCQ) et Association des hôpitaux du Québec (ACCQ) (1998). *Les comportements dysfonctionnels et perturbateurs chez la personne âgée: de la réflexion à l'action. Approche prothétique élargie.* Montréal: AHQ.

Soutiens environnementaux

Les soutiens environnementaux ont pour but d'aider le résident à s'orienter dans son environnement, malgré ses limites, et de faciliter l'actualisation de ses capacités. Ainsi, des indices d'orientation spatio-temporelle comme des calendriers, des tableaux d'orientation à la réalité, des objets personnels accrochés aux portes des chambres, des corridors de couleurs différentes et décorés différemment faciliteront chez le résident la compréhension de l'information et l'aideront à s'orienter au quotidien dans son milieu de vie.

Un milieu de vie qui soutient le résident favorise les contacts sociaux grâce à des espaces communs, comme un salon convivial ou des salles d'activités, tout en respectant le besoin d'intimité en donnant accès à une chambre personnelle.

En contrôlant judicieusement les indices sonores du milieu de vie (bruits émis par la radio, les téléviseurs, l'interphone, les cloches d'appel et autres sources), les soignants permettront d'autre part au résident de percevoir les bonnes informations. Sur le plan visuel, un éclairage à intensité variable et des couleurs contrastées donneront au résident la possibilité de différencier les lieux et les objets du milieu de vie. Ils présentent aussi l'avantage de créer différentes ambiances affectives, voire sécurisantes.

Le fait de personnaliser la chambre du résident au moyen de photos, de meubles, d'objets personnels et de souvenirs

aidera par ailleurs le résident à s'approprier un espace, celui-ci devenant unique et différencié. De plus, laisser le résident ranger et organiser lui-même ses effets personnels (s'il le peut) produira généralement le même résultat.

En matière de sécurité, l'approche prothétique élargie préconise divers dispositifs et divers principes visant à réduire les risques et les accidents de toutes sortes, et favorisant donc l'autonomie des résidents. Mentionnons, entre autres, les mains courantes de chaque côté des corridors, les portes électromagnétiques, la mise sous clé des produits dangereux et le dégagement des corridors.

L'autonomie favorise l'actualisation des habiletés et des rôles sociaux des résidents dans les activités de la vie quotidienne, les activités de la vie domestique et les activités récréatives, sociales et spirituelles. Le fait, pour les résidents, d'utiliser des équipements appropriés facilitera l'actualisation de leur autonomie fonctionnelle et psychosociale. Les soignants mettront à la disposition des résidents des équipements adaptés, tels que des lits à hauteur variable, des lavabos et des miroirs à la bonne hauteur, des appuis latéraux de part et d'autre du siège de la toilette, etc. L'ensemble des dispositifs environnementaux permettront aux résidents de faire preuve d'autonomie dans divers aspects de leur vie quotidienne, en leur donnant aussi la possibilité de se divertir et de se sentir utiles.

Création d'îlots prothétiques

Selon le MSSSQ (2003), un CHSLD doit fonctionner selon un modèle d'échange et de communication qui se concrétisera idéalement par une sectorisation des résidents en îlots de petite taille. Ces micromilieux reproduisant le milieu familial devraient rassembler environ 14 résidents. La stratégie des îlots favorise le regroupement sélectif des résidents et permet d'adapter l'approche prothétique élargie aux besoins spécifiques des résidents d'un îlot donné. Chaque îlot peut donc avoir une vocation distincte, qu'il s'agisse de réunir de jeunes adultes ou les résidents atteints d'une démence et présentant des troubles persistants d'errance et de désorientation. D'autre part, le fonctionnement par îlots humanise le CHSLD en le scindant en plusieurs petits milieux de vie. Il faut alors concevoir chaque îlot comme une entité distincte comportant son propre mode de fonctionnement et ayant adopté une approche prothétique élargie adaptée aux besoins des résidents regroupés.

Activités prothétiques

Tout comme l'environnement physique, certaines activités utilisées adéquatement peuvent servir de prothèses aux résidents des CHSLD (ACCQ et AHQ, 1998; Association des services de loisirs en institution du Québec, région 04/17 [ASLIQ 04/17] et Fédération québécoise du loisir en institution [FQLI], 2002). Comme le résume le tableau 37-2, des activités adaptées aux capacités résiduelles des résidents peuvent avoir plusieurs effets bénéfiques (Monat, 1999).

Avant de faire participer les résidents à telle ou telle activité prothétique, les soignants procéderont à une évaluation interdisciplinaire (voir le chapitre 44). Il s'agira alors de fixer des objectifs réalistes pour chaque résident et de concevoir un programme d'activités qui tienne compte des capacités du résident, de ses limites, de ses habitudes de vie, de ses goûts, de ses intérêts et du plaisir qu'il montre ou non lors de l'activité.

Les différentes activités conçues dans le cadre d'une approche prothétique élargie ne doivent pas être considérées comme des événements structurés et isolés, externes au milieu de vie. Il faut plutôt les voir comme un ensemble d'activités intégrées au quotidien du résident, liées à ses habitudes de vie et aux activités qui étaient les siennes avant. Soulignons qu'il faut inclure dans les activités prothétiques les activités thérapeutiques et préventives nécessaires au maintien de la santé des résidents.

Comme elles ont majoritairement lieu dans le CHSLD, les activités prothétiques sont principalement réalisées par les soignants qui apportent quotidiennement des soins aux résidents. Les nombreuses interactions entre les résidents et les soignants donnent à ceux-ci l'occasion d'établir une vraie relation et des communications efficaces avec les résidents. L'intégration des activités prothétiques au quotidien des résidents rend l'atteinte des objectifs (voir le tableau 37-2) plus certaine. Toutefois, pour que ces activités aient sur les résidents les effets escomptés, la collaboration est de rigueur. Les soignants devront ainsi compter sur la participation d'autres professionnels, tels l'infirmière clinicienne spécialiste, les intervenants en loisirs, les ergothérapeutes, les physiothérapeutes, les nutritionnistes, les travailleurs sociaux et les agents de pastorale. Enfin, pour faciliter la réalisation des activités prothétiques, le soutien des bénévoles et des proches est indispensable.

En matière d'activités prothétiques, il faut inclure les activités de la vie quotidienne, les activités utilitaires, les activités structurées, les activités non structurées et les activités de soins et de santé (ASLIQ 04/17 et FQLI, 2002; Carbonneau *et al.*, 1999; Jones, 1998; Mercier, 1997; Monat, 1997; Simard, 1999).

Activités de la vie quotidienne

Selon l'approche prothétique élargie, se laver, s'habiller, marcher, se nourrir et éliminer sont des activités que le résident peut faire lui-même, et non des soins de base qu'il faut lui prodiguer (ACCQ et AHQ, 1998). Par exemple, dans le cadre conceptuel de l'approche prothétique élargie, on ne parle plus des *soins d'hygiène*, mais plutôt des *activités d'hygiène*. De plus, on considère que la participation active du résident atteint de déficits cognitifs est possible grâce aux habiletés qu'il a acquises tout au long de sa vie et qui sont fortement ancrées dans sa mémoire procédurale (Bowlby-Sifton, 1998). Rappelons que la mémoire procédurale correspond à la mémoire des gestes appris de longue date et relevant pour cette raison de l'automatisme (Van der Linden, Belleville et Juillerat, 2000).

C'est dire que les soignants qui, plutôt que de se substituer au résident, le laissent faire ces activités en le guidant selon une approche graduée d'accompagnement (stimuler, guider puis aider partiellement) favoriseront grandement l'actualisation de ses capacités et de son potentiel fonctionnel, et amélioreront son estime de soi (Monat et Bergeron, 1996; Phaneuf, 1998; Rogers *et al.*, 1999; Ylieff, 2000).

Tableau 37-2	Effets bénéfiques d'activités prothétiques

- Préserver et promouvoir l'estime de soi.
- Permettre d'évoluer dans un environnement normalisant et soutenant.
- Soulager la détresse émotionnelle.
- Maximiser les capacités physiques, perceptuelles, mentales et sociales.
- Maintenir l'autonomie fonctionnelle et psychosociale à un niveau optimal.
- Optimiser la communication entre le résident et son entourage.
- Diminuer l'utilisation des moyens de contention physiques et chimiques.
- Prévenir ou diminuer les troubles du comportement.

Source: A. Monat (1999). *Répondre aux besoins spécifiques de la clientèle atteinte de déficits cognitifs: Un défi réalisable. Cahier de formation.* Kirkland: document personnel.

Activités utilitaires

Épousseter, cuisiner, plier le linge, peler des légumes, laver la vaisselle et balayer constituent aussi des activités procédurales qui font partie du quotidien. Ces activités procureront aux résidents qui s'y livrent un sentiment d'utilité et des stimulations sensorielles variées; de plus, de telles activités requérant une bonne dose de motricité auront un effet bénéfique sur l'estime de soi (Ducros-Gagné, 1988). Puisque ces activités améliorent l'état de santé du résident, les soignants ne doivent pas éprouver de gêne à encourager les résidents à y prendre part.

Activités structurées

Le bricolage, le jardinage, le chant, la participation à la messe et les activités organisées selon une structure évidente permettent aux résidents de nouer des liens et de socialiser avec les autres. Ces activités contrent l'ennui et contribuent à prévenir la perte d'autonomie et l'apparition de troubles du comportement, surtout chez les résidents atteints de déficits cognitifs.

Activités non structurées

Lire le journal, écouter de la musique, se bercer, marcher, observer la nature et s'asseoir en petits groupes sont aussi des activités qui favorisent l'autonomie fonctionnelle et psychosociale de chaque résident en lui donnant la possibilité d'exercer un certain contrôle sur son existence. De plus, elles favorisent chez le résident un état d'éveil.

Activités de soins et de santé

Certains problèmes de santé, comme la constipation, la déshydratation, les infections ou les effets secondaires des médicaments, peuvent se manifester par l'apparition de troubles du comportement ou par un déclin soudain de l'autonomie fonctionnelle. Dépister des problèmes de santé chez les résidents atteints de déficits cognitifs constitue un défi de taille pour les infirmières. L'état de santé de certains résidents peut donc rendre nécessaires les interventions thérapeutiques de divers professionnels, tels que l'infirmière, le médecin, l'ergothérapeute ou la physiothérapeute. De plus, dans le cadre des activités de soins et de santé, les soignants veilleront à actualiser les programmes préventifs (programme de prévention des plaies de pression ou de prévention des chutes, par exemple) en fonction des besoins et des caractéristiques des résidents.

Communication prothétique

Tout comme l'environnement et les activités, la communication peut être utilisée pour compenser les difficultés d'expression, réduire les frustrations dues à une moins bonne habileté à communiquer, prévenir ou diminuer les troubles du comportement et la perte d'autonomie des résidents. L'efficacité de la communication prothétique repose sur une approche qui engage les soignants dans une relation fondée sur la confiance, la douceur et la bienveillance. Ce savoir-être du soignant, indispensable à l'efficacité de la communication, laisse émaner calme, espoir et sécurité, ce

qui rend le résident plus sensible à la présence du soignant (Phaneuf, 1998). De plus, la communication prothétique fournit aux soignants des stratégies de communication spécialisées qui permettent d'améliorer grandement la compréhension et la collaboration des résidents (ACCQ et AHQ, 1998; Fleury, 2004; Lévesque *et al.*, 1990; Roux, 1998). Le tableau 37-3 résume les principes de base de la communication prothétique.

La communication prothétique repose aussi sur certaines stratégies de communication telles que la diversion, la réminiscence (voir le chapitre 9), l'orientation à la réalité, la validation (voir le chapitre 24), la capture et le rebouclage sensoriels. Voyons en quoi consistent ces stratégies.

Diversion

La diversion consiste à détourner l'attention du résident atteint de déficits cognitifs afin de prévenir chez lui des réactions catastrophiques, un sentiment d'anxiété, de l'agitation, des illusions ou de la persévération lors de situations pouvant provoquer de telles réactions. Cette stratégie met à profit la mémoire épisodique du résident, grâce à laquelle une personne se rappelle les événements marquants de sa vie selon le moment et le lieu où ils se sont produits (Taillefer et Geneau, 1997; voir le chapitre 2). Comme les souvenirs personnels agréables demeurent accessibles très longtemps, les soignants peuvent les utiliser comme sujets de conversation lorsqu'ils veulent dévier l'attention du résident d'une intervention perçue comme désagréable (Dubé et Lemieux, 1998).

Réminiscence

La réminiscence est une stratégie de communication qui recourt à la mémoire à long terme du résident, celle qui s'est conservée. Elle met en avant les sphères de compétence du résident et son identité, et peut servir à détourner l'attention du résident de la situation peu agréable qu'il est en train de vivre. Les soignants qui connaissent bien les données biographiques du résident, ses habitudes de vie, ses objets préférés peuvent se servir de ces aspects et les

Tableau 37-3	**Principes de base de la communication prothétique**

- Écouter et observer attentivement le comportement verbal et non verbal (regard, ton de la voix, fébrilité des gestes, etc.) du résident.
- Décoder les messages transmis par les mots, les gestes, les objets utilisés par le résident, les trajets qu'il emprunte.
- Observer l'expression émotive du résident en étant attentif aux manifestations de plaisir ou de déplaisir.
- Aborder efficacement le résident pour qu'il saisisse le message qu'on lui transmet. On y parviendra en utilisant par exemple un ton calme et des phrases courtes portant sur des sujets concrets et ne contenant qu'une idée. Il faudra aussi clarifier le propos à l'aide de gestes, d'objets, du toucher ou de rituels sociaux.

évoquer durant les soins. De la sorte, ils lui rappelleront son passé, tout en stimulant ses facultés cognitives et ses liens affectifs (Lévesque *et al.*, 1990 ; Phaneuf, 1998).

Orientation à la réalité

La stratégie de communication qu'est l'orientation à la réalité permet à tous les membres de l'équipe de soins d'utiliser tous les aspects de la vie en CHSLD pour donner au résident toutes sortes d'informations sur sa situation ou sur le déroulement de la journée. Lorsqu'on adopte cette stratégie, il faut concevoir l'habillage, les soins d'hygiène, les repas, la marche, les loisirs, les exercices ou toute autre activité comme des occasions de fournir au résident des informations sur son identité, le lieu où il se trouve et la raison pour laquelle il s'y trouve, l'heure, le jour, la date, les attentes qu'on a à son sujet, la personne qui lui parle, etc. (Lévesque *et al.*, 1990). L'orientation à la réalité constitue une technique de communication qui doit être utilisée en continu, 24 heures sur 24, et intégrée aux activités journalières du résident, lequel ne doit toutefois pas recevoir un déluge d'informations.

Validation

La validation est une stratégie de communication par laquelle les soignants montrent au résident atteint de déficits cognitifs qu'ils acceptent et reconnaissent ses sentiments. Il s'agit là d'une stratégie de communication essentielle, fondée sur une acceptation inconditionnelle du résident et sur l'empathie (voir le chapitre 24).

Capture et rebouclage sensoriels

La méthodologie de soins Gineste-Marescotti en CHSLD (Gineste *et al.*, 2003) est basée sur une philosophie de soins prenant en compte la notion d'humanitude. La capture sensorielle repose sur des regards soutenus, permanents et emprunts de tendresse, sur un débit constant de paroles et sur le toucher, qu'on voudra doux et chargé, lui aussi, de tendresse. Le fait que le regard, la parole et le toucher reviennent en boucle et s'harmonisent les uns avec les autres apaise le résident. Cette méthode de soins est particulièrement adaptée aux communications qui doivent s'effectuer lors des activités d'hygiène.

Implantation de l'approche prothétique élargie

L'implantation de l'approche prothétique élargie dans un CHSLD a comme objectif premier d'améliorer la qualité de vie des résidents. Cela dit, elle pourra également aider à prévenir et à diminuer la perte d'autonomie, l'apparition des troubles du comportement et l'utilisation des moyens de contention physiques et chimiques. Cependant, si l'état d'un résident ne s'améliore pas après l'implantation de l'approche prothétique élargie, les soignants devront procéder à une analyse fonctionnelle et à une analyse spécifique de son trouble du comportement, en vue d'adapter correctement et de façon spécifique leurs interventions auprès de ce résident (voir le chapitre 24).

L'implantation de l'approche prothétique élargie dans un CHSLD prendra du temps. Les soignants devront considérer cette implantation non pas comme une opération qui s'effectue en quelques mois, mais plutôt comme une démarche continue. Pour qu'elle réussisse, la direction générale et le conseil d'administration du CHSLD devront s'assurer que l'ensemble du personnel intègre cette approche dans ses activités et dans le fonctionnement général de l'institution (ACCQ, 1999 ; ACCQ et AHQ, 1998). Bien que le chapitre 39 fournisse de multiples détails sur la façon d'apporter des changements dans un CHSLD, le tableau 37-4 présente quelques éléments clés pour une implantation réaliste de l'approche prothétique élargie en CHSLD.

Tableau 37-4	**Conditions de réussite de l'implantation de l'approche prothétique élargie**

L'implantation et l'application en continu de l'approche prothétique élargie reposent avant tout sur :

- La volonté de la direction générale du CHSLD de prévoir des moyens humains, matériels et financiers permettant une gestion efficace de l'implantation de l'approche prothétique élargie et assurant l'obtention des résultats escomptés.
- L'acceptation et l'intégration par tous les soignants, employés, proches et bénévoles d'une philosophie d'intervention axée sur l'actualisation des capacités des résidents.
- La disponibilité d'un intervenant, à qui l'on attribue la responsabilité de mettre en place l'approche prothétique élargie.
- Une planification du changement prévoyant l'implantation graduelle des trois composantes de l'approche prothétique élargie.
- Le respect par tous les soignants du système de valeurs favorisant, pour chaque résident, l'intégrité, le respect, l'individualité et le droit à des services de qualité.
- Une organisation du travail souple et centrée sur le résident.
- Une collaboration interdisciplinaire et interservices dans l'évaluation et la suggestion de solutions créatives et innovatrices.
- Un programme de formation continue dans l'action.
- L'écoute des proches.

Sources : Association des CLSC et des CHSLD du Québec (ACCQ) (1999). *Guide de gestion de l'implantation de l'approche prothétique élargie*. Montréal : ACCQ.

Association des CLSC et des CHSLD du Québec (ACCQ) et Association des hôpitaux du Québec (AHQ) (1998). *Les comportements dysfonctionnels et perturbateurs chez la personne âgée : de la réflexion à l'action. Approche prothétique élargie*. Montréal : AHQ.

Conclusion

L'approche prothétique élargie permet aux soignants de prodiguer des soins aux résidents dont ils ont la charge et de leur offrir un milieu de vie agréable dans lequel ils peuvent réaliser des activités correspondant à leurs capacités et à

leurs habitudes de vie. D'ailleurs, des études sur le terrain, c'est-à-dire dans des CHSLD qui sont en train d'implanter l'approche prothétique élargie, ont noté les bienfaits de cette approche (ACCQ et AHQ, 1998 ; Bowlby-Sifton, 1998 ; Fleury, 2004 ; Leclerc et Lalande, 2003). Or, au cours des dernières années, de nombreux efforts ont été faits pour tenter de mieux répondre aux besoins des résidents hébergés en CHSLD. Il semble donc que l'approche prothétique élargie soit toute désignée pour améliorer la qualité de vie des résidents hébergés en CHSLD et, par le fait même, celle des soignants et des proches, comme le résume le tableau 37-5.

Tableau 37-5	**Effets bénéfiques possibles de l'approche prothétique élargie**

POUR LES RÉSIDENTS :

- Une meilleure qualité de vie.
- Le maintien d'un bon état de santé.
- Une amélioration de l'autonomie fonctionnelle.
- Une baisse de l'utilisation des moyens de contention physiques et chimiques.
- Une augmentation du poids.
- Une diminution des troubles du comportement.
- Un plus grand bien-être psychologique.
- Une augmentation et une amélioration des interactions sociales.

POUR LES PROCHES :

- Une meilleure compréhension du CHSLD et un meilleur sentiment d'appartenance au milieu.
- Une meilleure compétence en matière de communication avec le parent hébergé et les autres résidents.
- Une baisse du stress et de la frustration.
- Une meilleure attitude envers les soignants et une plus grande collaboration avec eux.

POUR LES SOIGNANTS :

- Une meilleure qualité de vie au travail.
- Des compétences accrues en matière de soins concernant les résidents atteints de déficits cognitifs.
- Une meilleure perception de leur travail qui les amène à ne plus se considérer comme des exécutants mais plutôt comme des intervenants.
- Une meilleure capacité à prévenir, à réduire et à gérer les troubles du comportement.
- Une baisse importante de l'absentéisme, du stress et des frustrations.
- Un accroissement du sentiment d'appartenance au milieu de travail.
- Une plus grande efficacité de l'interdisciplinarité.

ÉTUDE DE CAS

Atteinte de la maladie d'Alzheimer, Mme Doucet est hébergée depuis quelques jours dans un CHSLD qui est en train d'implanter l'approche prothétique élargie. On l'a incluse dans un îlot de 14 résidents atteints de démence. Ceux-ci sont mobiles et présentent de l'errance avec une perte de territorialité. L'environnement physique de l'îlot est prothétique. On y trouve un salon, une cuisine, une salle de douches adaptée, et chaque résident dispose de sa chambre. De plus, l'îlot prothétique est fermé par des portes électromagnétiques permettant à chaque résident de circuler en toute sécurité.

Les soignants notent que depuis son arrivée, Mme Doucet dîne et soupe seule avec enthousiasme, mais refuse de s'alimenter au déjeuner. Après avoir analysé ce comportement, les soignants découvrent qu'elle a travaillé plus de 40 ans dans un presbytère et que tous les matins, elle y déjeunait seule, vêtue d'un tailleur et non d'un pyjama. À la suite de ce constat, les soignants ont décidé qu'ils veilleraient à faire porter un tailleur à Mme Doucet, après l'avoir accompagnée dans son activité d'hygiène matinale. En outre, ils ont résolu de lui réserver un coin de la salle à manger pour qu'elle puisse y déjeuner seule, avant les autres résidents. Depuis, Mme Doucet déjeune seule avec grand plaisir.

Questions

1 De quels facteurs prédisposants et précipitants les soignants ont-ils dû tenir compte pour déterminer pourquoi Mme Doucet refusait de déjeuner ?

2 Si les soignants avaient décidé de faire déjeuner Mme Doucet sans se donner la peine de chercher une solution selon l'approche prothétique, quelles auraient été les conséquences ?

3 Vous visitez un CHSLD et concluez que les repas sont donnés selon l'approche prothétique élargie. Qu'est-ce qui vous permet d'arriver à cette conclusion ?

4 Mme Doucet demeure dans un îlot prothétique. Quelles sont les principales caractéristiques d'un îlot prothétique ?

6 LES DÉFIS POUR LES CHSLD

Dans cette sixième et dernière partie, nous examinons les grands défis qui attendent la profession infirmière et les CHSLD. Tous ces défis ont un point en commun: les relever et les surmonter permettra d'améliorer la situation des aînés en perte d'autonomie hébergés dans les CHSLD.

Nous consacrons le premier des chapitres qui suivent au rôle exigeant qu'est celui des infirmières gestionnaires et aux compétences qu'elles doivent posséder pour assumer pleinement leurs fonctions. Nous abordons à cet égard le rôle de la responsable d'une unité de soins. Comme nous le verrons, seule une infirmière dûment formée peut remplir cette fonction. Le deuxième chapitre porte sur un sujet tout aussi pertinent, c'est-à-dire le changement dans les organisations. En effet, puisque plusieurs chapitres de ce livre suggèrent de nouvelles façons de faire, nous croyons qu'il est essentiel de présenter une méthode qui facilite l'intégration de nouvelles pratiques dans des milieux comme les CHSLD.

Les autres chapitres de cette partie traitent de défis tout aussi importants pour les milieux de soins de longue durée. Ainsi, nous nous penchons sur la vie sexuelle des aînés dans les CHSLD, les soins interculturels, les soins de fin de vie, les questions d'éthique, l'interdisciplinarité et la formation en soins infirmiers gériatriques.

38

ADMINISTRER UNE UNITÉ DE SOINS DE LONGUE DURÉE

par **Lucie Tremblay**

Le réseau de la santé et des services sociaux ne cesse d'évoluer. Il est modelé sur les connaissances scientifiques, la technologie et les tendances sociales, notamment la démographie, et ce, dans le contexte des contraintes budgétaires de l'État. Ainsi, pour assurer une prestation sécuritaire et complète des services, les infirmières gestionnaires d'une unité de vie en CHSLD doivent adopter des approches efficaces (Ordre des infirmières et infirmiers du Québec [OIIQ], 2004b).

L'infirmière gestionnaire travaillant en CHSLD est fréquemment appelée à résoudre des problèmes complexes. Elle doit réagir rapidement de façon adéquate à des situations imprévues. Elle doit innover dans sa recherche de solutions, tout en considérant les effets de ses décisions sur l'ensemble de l'unité. Le fait que le CHSLD est un milieu de vie en plus d'être un milieu de soins ajoute à la complexité de son travail. En effet, la loi régissant les CHSLD prescrit d'offrir aux résidents un milieu de vie, des services d'hébergement, d'assistance et de soutien, mais aussi des services de réadaptation, des services psychosociaux, infirmiers et médicaux. Ainsi, les soins infirmiers se donnent dans un milieu qui doit répondre aux besoins de soins des résidents et dans un environnement le plus possible semblable au milieu naturel (OIIQ, 2004a).

L'infirmière gestionnaire d'une unité de vie joue un rôle crucial dans le maintien de l'équilibre entre les objectifs de milieu de vie et ceux de milieu de soins du CHSLD. À ce sujet, les études scientifiques mettent en évidence les facteurs qui permettent d'atteindre une gestion optimale des soins infirmiers. Elles démontrent que le leadership infirmier, le niveau d'encadrement, le pouvoir décisionnel des infirmières, le soutien clinique, une charge de travail adéquate et la disponibilité du personnel d'assistance sont des facteurs qui ont une grande influence sur la qualité des soins donnés aux clientèles, notamment à celle des aînés des CHSLD (Baumann et al., 2001; Fagin, 2001; O'Brien-Pallas et Murphy, 2002; Needleman, Buerhaus, Mattke, Stewart et Zelevinsky, 2001; Norrish et Rundall, 2001). L'infirmière gestionnaire d'une unité de vie doit donc créer ce contexte clinique favorisant l'atteinte des indicateurs de la qualité de l'exercice infirmier, ainsi qu'un milieu de vie agréable. En bref, elle est la pierre angulaire de la réussite de l'équilibre entre le milieu de vie et le milieu de soins (Commission infirmière régionale [CIR] de Laval, 2003).

Le présent chapitre a pour but de donner une vision d'ensemble de la fonction de l'infirmière gestionnaire d'une unité de vie de longue durée et aborde pour cela trois grands sujets: la mission de l'infirmière gestionnaire, les compétences clés qu'elle doit avoir et l'utilisation d'indicateurs de qualité. Il se termine par l'illustration concrète de l'application de ces concepts pour atteindre des résultats qui se mesurent à l'aide d'un indicateur de qualité.

Mission de l'infirmière gestionnaire d'une unité de vie

Harold Greneen affirme que la gestion d'une entreprise suppose que l'organisation ait un but et une volonté de dévouement impliquant même un engagement émotionnel. Son propos s'applique tout à fait à la gestion d'une unité de vie. Dans la préface du livre de Bernard Brault (2002), Thierry Pauchant rappelle que le mot «administrateur», synonyme de «gestionnaire», a été formé à l'aide de la particule latine *ad* signifiant «vers» et du mot latin *minister*

signifiant «service». Ainsi, selon lui, un administrateur est une personne qui va vers le service. C'est quelqu'un qui doit suivre des principes tels que la transparence, la continuité, l'efficacité, l'équilibre et l'abnégation.

La gestion est une discipline qui comprend à la fois art et science. Elle repose sur une conception claire de la mission à accomplir et sur le savoir-faire du dirigeant. Rémi Tremblay et Linda Plourde (2002) utilisent à ce sujet la fable des tailleurs de pierres, qui illustre bien l'importance de la conception de la mission. Il s'agit d'un tailleur de pierres interrogé par un autre sur la nature de son travail. Bien candidement, l'homme explique que son travail est de tailler des pierres. Puis, il retourne la question à son interlocuteur: «Mais toi, qu'est-ce que tu fais?» Ce dernier sourit et répond: «Je construis des cathédrales.»

L'infirmière gestionnaire d'une unité de vie joue un rôle essentiel tant sur le plan de la prestation sécuritaire des soins que sur celui de la réalisation de l'excellence dans la distribution des soins et services. Sa vision systémique de la situation des soins infirmiers dans l'unité de vie lui permet de donner des orientations claires. Elle la fortifie au moyen de tout un système de valeurs partagé par l'équipe. L'infirmière gestionnaire établit un plan d'action pour l'unité, en concertation avec l'équipe, et veille à sa réalisation (OIIQ, 2004a). Chaque décision, chaque geste doit refléter la raison d'être de l'unité de vie. L'infirmière gestionnaire joue un rôle non négligeable dans l'atteinte du succès des interventions en étant à la fois rigoureuse et souple. Elle doit souvent guider l'équipe dans la prise de décisions respectant les droits individuels et collectifs. Bien que sa tâche soit essentiellement administrative, sa mission est fondamentalement clinique. Chaque décision qu'elle prend doit témoigner de ce souci de construire une cathédrale, c'est-à-dire d'offrir des soins infirmiers de haute qualité dans un contexte de milieu de vie.

Compétences clés du gestionnaire

Pour soutenir les gestionnaires dans leur mission, l'Ordre des administrateurs du Québec et le Collège canadien des directeurs de services de santé (CCDSS) ont défini neuf compétences clés: la sensibilité au milieu politique et au milieu de la santé; la gestion de soi et la formation continue; la sensibilité aux consommateurs et à la collectivité; le leadership; la communication; la gestion efficace des ressources; la gestion de la complexité; la conformité aux normes; et la gestion axée sur les résultats. Chaque compétence correspond à un aspect du rôle de l'infirmière gestionnaire d'une unité de vie de CHSLD.

Sensibilité au milieu politique et au milieu de la santé

Tout d'abord, l'infirmière gestionnaire d'une unité de vie doit comprendre les enjeux politiques, sociaux et économiques des services de santé et des services sociaux, ainsi que leur influence. Elle doit saisir ces enjeux au sein même de son établissement. Elle s'engage activement dans l'amélioration des services (CCDSS, 2002) et pour cette raison est sensible à son environnement, qui a un effet sur la gestion de l'unité de vie. Elle analyse une grande quantité d'informations émanant tant de l'environnement interne que de l'environnement externe. Conformément à sa mission, elle indique à l'équipe la direction à prendre. Sachant que le soignant est la personne qui rend possible la prestation de soins de qualité, elle projette une image positive de son travail. Par ailleurs, elle saisit les occasions d'amélioration continue qui se présentent. Enfin, elle s'assure que les activités de l'unité contribuent au mieux-être des résidents et à la création d'un milieu de vie stimulant.

Gestion de soi et formation continue

L'infirmière gestionnaire d'une unité de vie doit aussi savoir agir avec autonomie, se remettre en question, s'améliorer et consolider ses compétences. Grâce à ses habiletés, à ses valeurs, à son équilibre émotionnel, à sa gestion du stress et à son ouverture d'esprit, elle apporte une valeur ajoutée au sein de l'organisation (CCDSS, 2002). Dans leurs études sur les effets de la restructuration des hôpitaux, Norrish et Rundall (2001) ainsi que Fagin (2001) soulignent l'importance de l'encadrement clinique, c'est-à-dire de la supervision, de la formation continue et du mentorat. L'infirmière gestionnaire a la responsabilité de s'assurer que les soignants possèdent les connaissances nécessaires à leur travail. Le savoir favorise le respect des principes soutenant la qualité des soins, la qualité de la vie et le partage de valeurs communes. L'infirmière gestionnaire joue un rôle primordial dans l'accroissement des compétences cliniques. Elle soutient en effet ce développement, afin que les soignants soient en mesure de relever les défis liés aux soins. Elle fait en sorte que les soignants aient des connaissances qui leur permettent de toujours être à l'avant-garde. Pour ce faire, elle est à l'affût des besoins des résidents, des meilleures façons de soigner et des nouvelles technologies disponibles. Elle partage ses idées et le fruit de ses lectures.

L'infirmière gestionnaire d'une unité de vie stimule le développement du personnel qui se trouve sous sa responsabilité (OIIQ, 2004b), afin que celui-ci soit en mesure de prendre des décisions éclairées. Elle évalue les compétences des soignants, lors de la période d'essai, lors du traitement de plaintes spécifiques ou dans le cadre d'un processus annuel. De plus, elle fait des observations directes de la pratique des soignants et mesure les résultats cliniques. Elle sonde les soignants pour mieux saisir leurs besoins en matière de formation et de soutien. À la lumière des résultats, elle détermine les grandes tendances et les écarts, puis élabore un plan de formation. Au besoin, elle met en place des mesures correctives. Elle soutient les membres de l'équipe à l'aide d'un plan d'amélioration des compétences (OIIQ, 2004b).

Sensibilité aux consommateurs et à la collectivité

L'infirmière gestionnaire d'une unité de vie doit promouvoir et établir des relations publiques internes et externes, et s'assurer que les soins et services offerts répondent aux attentes des clients internes et externes de l'organisation (CCDSS, 2002). De nos jours, son rôle doit s'adapter à de nouvelles réalités. En effet, les résidents et leurs proches ont un niveau élevé de connaissances quant à leur état de santé et aux modes d'interventions possibles. Ils sont plus critiques et exigeants pour ce qui est de la coordination et de la continuité des soins et services. Ils estiment que les organisations et les professionnels doivent répondre à leurs attentes (Association des hôpitaux du Québec [AHQ], 2000). Par ailleurs, les soignants ont aussi à faire face à des attentes parfois contradictoires du résident et

des proches, ou des membres d'une même famille lorsque le résident est inapte. L'infirmière gestionnaire doit alors s'assurer que le personnel sait intervenir avec compétence et doigté.

L'infirmière gestionnaire d'une unité de vie doit donc s'entourer des meilleurs éléments. Elle doit s'assurer que les membres de l'équipe acquièrent et développent des habiletés toutes particulières, et faire du résident et de ses proches des partenaires de l'équipe soignante. Elle encourage la participation des proches et les guide vers le consensus quant au programme d'intervention. L'équipe soignante doit être en mesure de soutenir les proches dans leurs décisions concernant le niveau de prise en charge thérapeutique (OIIQ, 2004b). Pour cela, l'infirmière gestionnaire organise des rencontres individuelles ou de groupe avec les proches, ainsi que des discussions avec le comité des usagers. Elle fait participer tous ces gens à la création d'un milieu où il fait bon vivre. Ainsi, elle évalue la possibilité de créer une unité de vie répondant à une multitude de besoins et procurant à chaque résident un milieu de vie propice à son développement personnel.

Enfin, l'infirmière gestionnaire d'une unité de vie fixe des lignes directrices pour l'élaboration et l'implantation de nouveaux programmes de soins et d'enseignement permettant de répondre aux besoins toujours renouvelés des résidents.

Leadership

Le leader définit une vision. Il influence son ou ses interlocuteurs en fonction de valeurs sociales et organisationnelles, et mobilise ses collaborateurs et divers partenaires internes et externes autour d'objectifs communs découlant de cette vision (CCDSS, 2002). Cette compétence permet au gestionnaire de soins infirmiers de guider son organisation vers l'excellence. Il agit comme un traducteur : il explique à l'équipe de gestion de l'établissement ce que signifient les soins infirmiers en termes administratifs. Les défis complexes de la santé requièrent de grandes compétences en gestion. L'infirmière gestionnaire d'une unité de vie doit mettre à profit sa double compétence administrative et clinique pour offrir notamment le soutien nécessaire aux professionnels de la santé.

De plus, on attend du dirigeant qu'il possède non seulement un leadership clinico-administratif, mais également un leadership transformationnel (OIIQ, 2004b). Dans un contexte de constante évolution, l'infirmière gestionnaire doit sans cesse réinventer l'unité de vie. Elle se remet en question, exploite sa créativité. Elle ne doit pas craindre le changement, mais l'accueillir. Elle doit transformer pour permettre l'adaptation. Le gestionnaire du XXIe siècle n'est pas seulement un patron ; il est aussi un *coach*. L'infirmière gestionnaire fait confiance aux soignants et leur délègue des tâches pour atteindre les résultats souhaités. Elle doit faire preuve d'une grande humilité en reconnaissant son incertitude et en l'exprimant. Elle sait tirer profit de l'erreur. Elle favorise l'appropriation (*empowerment*) par l'équipe de la mission à accomplir. Elle est transparente et vise l'équité. Ainsi, elle donne du sens au travail des soignants, lesquels ne se limitent pas à effectuer des tâches, mais prennent des responsabilités.

L'infirmière gestionnaire d'une unité de vie reconnaît les points forts de l'équipe qu'elle dirige et sait compenser les points faibles. Elle accepte les membres de son équipe tels qu'ils sont, n'attend pas qu'ils soient comme elle l'aimerait. Elle félicite le travail de qualité avec générosité et réprimande avec doigté. Elle est dure avec les problèmes, mais douce avec les personnes. Elle a une habileté pour la simplification et encourage la participation. Elle résout les problèmes en mettant l'accent sur le présent plutôt que sur le passé. Elle veille à ce que les soignants disposent des outils et du matériel nécessaires pour la prestation des services. Elle est disponible et sensible. Elle traite les personnes qu'elle côtoie avec la même courtoisie, qu'il s'agisse de résidents, de proches collaborateurs ou de partenaires occasionnels. Son but, pour mener son unité au succès, est d'unir les soignants pour en faire une communauté responsable, un groupe d'individus interdépendants assumant des responsabilités.

Le leadership repose sur cinq éléments clés connus sous le vocable des « cinq E » : l'éthique, l'écoute, l'enthousiasme, l'engagement et l'ensemble des partenaires.

Communication

Si l'infirmière gestionnaire d'une unité de vie doit être à l'écoute, elle doit aussi communiquer, susciter des interactions intéressantes tant à l'interne qu'à l'externe. Elle fait circuler l'information afin de favoriser les échanges productifs fondés sur le respect et la confiance (CCDSS, 2002). À la tête d'une unité de soins, elle a un défi de communication colossal à relever. En effet, elle doit transmettre de l'information à des soignants répartis sur trois quarts de travail, sept jours sur sept, trois cent soixante-cinq jours par année. De plus, elle a une multitude de partenaires.

Pour atteindre l'ensemble des soignants, l'infirmière gestionnaire d'une unité de vie doit utiliser différentes méthodes : la communication verbale individuelle et de groupe, le rapport interservices et les réunions interdisciplinaires. Elle doit mettre en place des mécanismes rigoureux, transmettre l'information par écrit grâce à des outils comme les communiqués, l'exposé de politiques et de procédures, et les cahiers de communication. Enfin, à l'ère de la technologie, elle peut utiliser des moyens comme l'intranet et l'apprentissage en ligne.

Gestion efficace des ressources

L'infirmière gestionnaire d'une unité de vie doit être capable d'administrer de façon efficace les ressources humaines et matérielles, financières et informationnelles disponibles en vue d'atteindre les objectifs de l'organisation (CCDSS, 2002). C'est dans leur pratique quotidienne que les soignants acquièrent leur expérience et grâce à la formation continue qu'ils acquièrent des connaissances. Ils atteignent ainsi un haut niveau de compétence. Or, l'infirmière gestionnaire d'une unité de vie est le maître d'œuvre qui instaure un climat favorable à l'acquisition de cette compétence (CIR de Laval, 2003).

L'économiste et sociologue français Siegfried a dit que le talent avait besoin de gestion. La mobilisation des ressources humaines et la création d'un partenariat entre les différents professionnels sont essentielles à l'obtention de résultats cliniques positifs. Elles reposent sur le respect des compétences et des responsabilités de chacun. La satisfaction qu'éprouvent les soignants dans leur travail a un effet direct sur la qualité des soins et services. La performance d'une organisation de services et de soins repose sur des soignants motivés, renseignés et disposant de ressources appropriées (AHQ, 2004). Ainsi, l'infirmière gestionnaire d'une unité de vie soutient, met à contribution et mobilise les soignants. Elle doit situer l'organisation des soins et des services dans une dynamique de collaboration professionnelle et organisationnelle accrue en vue d'une utilisation judicieuse des ressources (OIIQ, 2004b).

Gestion de la complexité

L'infirmière gestionnaire d'une unité de vie doit savoir résoudre des problèmes complexes. Elle doit réagir adéquatement à des situations imprévues et innover dans la recherche de solutions, tout en considérant les effets de ses décisions sur l'ensemble des systèmes (CCDSS, 2002).

C'est en ayant une vision claire de la façon d'actualiser le concept de milieu de vie et en accordant de l'importance aux besoins des résidents dans un environnement normalisant que le gestionnaire pourra garantir la qualité des soins infirmiers dans l'unité de vie du CHSLD (OIIQ, 2004a). L'infirmière gestionnaire d'une unité de vie a un rôle particulièrement difficile de répartition du travail entre les différentes catégories de professionnels et de soignants, en fonction notamment des besoins des résidents, des compétences requises, des ressources disponibles et du respect des activités réservées d'après les lois professionnelles et le code des professions. De plus, il lui faut mettre en œuvre un certain nombre de stratégies pour maîtriser l'accroissement des coûts des services et des soins.

La clientèle des CHSLD requiert des soins nécessitant l'intervention d'une équipe interdisciplinaire. Ainsi, l'infirmière gestionnaire d'une unité de vie doit implanter des mécanismes qui permettent de rapprocher les soignants dans la prise de décisions. Elle doit avoir la capacité de faire émerger le leadership clinique. Parmi ses priorités doivent figurer la circulation de l'information entre les différents professionnels ainsi que la mise en place de conditions facilitant le travail interdisciplinaire. D'après une étude sur la qualité des soins (OIIQ, 2001), les conditions de travail ayant l'effet positif le plus important sur la qualité des soins infirmiers incluent la collaboration avec les autres professionnels. De plus, des études ont démontré que de bonnes relations au sein de l'équipe, en particulier entre les infirmières et les médecins, sont associées à de meilleurs résultats chez les résidents, notamment à un taux de mortalité moins élevé (Baumann *et al.*, 2001).

L'infirmière gestionnaire d'une unité de vie guide l'équipe dans sa prise de décisions tout en favorisant la participation du résident et de ses proches. Il est important qu'elle ne se substitue pas à l'équipe pour prendre les décisions. De plus, elle propose des modèles de distribution de soins pertinents assurant la cohérence des soins infirmiers entre eux et avec les autres types de soins, ainsi que la qualité du milieu de vie. Elle contribue à la conception d'outils permettant le suivi des résidents et s'assure de l'intégration des pratiques professionnelles reconnues comme les meilleures.

Ainsi, la gestion de la complexité passe par l'établissement de conditions qui favorisent l'interdisciplinarité, la collaboration avec les résidents et les proches, et l'adoption de modèles de distribution des soins afin de garantir la qualité.

Conformité aux normes

L'infirmière gestionnaire d'une unité de vie doit également faire respecter les lois et règlements liés aux pratiques professionnelles et à la *Loi sur les services de santé et les services sociaux* (2004), ainsi que les normes et exigences (CCDSS, 2002). Elle fait la promotion de pratiques professionnelles fondées sur des résultats probants. Elle encourage les pratiques cliniques reconnues comme les meilleures en facilitant l'intégration de nouvelles connaissances, notamment celles issues de la recherche, et ce, en collaboration avec les autres professionnels (OIIQ, 2004b).

Gestion axée sur les résultats

Enfin, l'infirmière gestionnaire d'une unité de vie doit axer la gestion sur les résultats. Elle doit fixer des objectifs en termes de qualité, d'efficacité et d'effet, et faire en sorte de les atteindre en effectuant une gestion rigoureuse, grâce à la planification, à l'organisation, au contrôle et à la coordination. De plus, il est crucial qu'elle mesure les résultats obtenus. En effet, si on ne mesure pas les résultats, on ne peut distinguer le succès de l'échec. Or, si on ne reconnaît pas le succès, on ne peut le récompenser, et si on ne reconnaît pas l'échec, on ne peut le corriger. Ainsi, on ne peut tirer profit de l'expérience, des apprentissages. De plus, si on n'affiche pas les résultats, on ne peut avoir le soutien du public.

Par ailleurs, mesurer les résultats permet également d'observer et d'évaluer l'effet des décisions administratives sur la qualité des soins infirmiers. Par exemple, l'infirmière gestionnaire qui se voit imposer une modification dans la composition de son équipe de soins pourrait prendre des notes sur les effets de cette décision. Elle pourrait ainsi rapporter aux décideurs l'effet positif ou négatif que le changement de composition de l'équipe a eu sur le nombre de chutes, le nombre de résidents pour lesquels on a recouru à la contention physique, le nombre de prescriptions de benzodiazépine et la perte d'autonomie. De plus, elle pourrait signaler si le taux d'absentéisme a augmenté ou non et si le moral des membres de l'équipe a baissé ou non. Il en serait de même pour l'introduction d'une innovation.

En matière de qualité et de sécurité des soins infirmiers, l'infirmière gestionnaire d'une unité de vie applique le programme de surveillance et de contrôle de la qualité des soins. Néanmoins, il est préférable de promouvoir une culture de la qualité plutôt que de s'acharner à faire un contrôle rigide de la qualité. Pour appliquer le programme, l'infirmière gestionnaire se sert d'indicateurs de résultats pour la clientèle, en vue d'une démarche collective d'amélioration continue de l'exercice infirmier. Elle met en place des mesures permettant d'évaluer et de prévenir les risques associés à la prestation des soins infirmiers. Elle collabore à la mise sur pied d'un système de surveillance des infections nosocomiales et d'un mécanisme de compilation et d'analyse des rapports d'accidents et d'incidents (OIIQ, 2004b). Pour répondre aux besoins des résidents, elle communique les objectifs à atteindre et les résultats obtenus à l'équipe, à ses collègues et aux dirigeants de l'organisation. Elle s'appuie sur le portrait d'ensemble des réalisations de l'équipe et diffuse les résultats. Elle insiste sur le rôle de l'équipe dans les accomplissements : chaque soignant a contribué aux résultats obtenus chez le résident.

Aujourd'hui, l'être humain produit plus d'informations qu'il n'est capable d'en prendre connaissance et d'en analyser. Dans ce contexte, l'infirmière gestionnaire d'une unité de vie doit savoir discerner le bon grain de l'ivraie. Elle doit choisir ce qu'elle désire mesurer et s'assurer que ses choix lui permettent de concrétiser sa vision. Elle doit utiliser des outils qui la renseignent sur la situation. Le piège qui la guette, c'est celui de se laisser ensevelir sous l'information et paralyser, puis de se laisser détourner de sa vision. L'infirmière gestionnaire doit viser avant tout la prestation optimale des soins infirmiers en CHSLD.

Utilisation des indicateurs de qualité

Pour s'assurer qu'elle agit conformément à sa mission et atteint les objectifs fixés, l'infirmière gestionnaire d'une unité de vie doit mesurer les résultats obtenus grâce aux compétences clés de gestion. Pour ce faire, il lui faut nécessairement utiliser des indicateurs de différentes natures. Moxey, O'Connor, White, Turk et Nash proposent, dans le *Joint Commission Journal on Quality Improvement* (2002), un tableau de bord comprenant quatre catégories d'indicateurs : les indicateurs organisationnels, cliniques, environnementaux et sociaux.

Indicateurs organisationnels

Au Québec, depuis plusieurs années, l'infirmière gestionnaire d'une unité de vie de CHSLD utilise des indicateurs de mesure de charge de travail pour décider de la distribution des ressources. Elle peut mettre en place des conditions organisationnelles permettant une pratique professionnelle sécuritaire. Elle procède régulièrement à une évaluation des besoins en soins et mesure l'intensité des soins ou des besoins en heures de soins. Les résultats obtenus lui permettent de planifier et de coordonner les soins infirmiers en fonction des ressources mises à sa disposition. Ils lui permettent aussi d'obtenir les ressources nécessaires à une prestation sécuritaire de soins de qualité. En fonction de l'analyse des résultats, elle propose des mesures correctrices et veille à ce que le personnel de soutien soit en nombre suffisant pour maximiser la contribu-

tion des professionnels de la santé. À eux seuls, les indicateurs de besoins et de personnel ne veulent rien dire. Toutefois, combinés à des indicateurs clinico-administratifs, ils permettent de comprendre certaines situations. Cela dit, bien connaître son unité est essentiel à l'analyse et à l'interprétation des résultats.

Indicateurs cliniques

Les indicateurs cliniques permettent de mesurer les résultats en termes de qualité des soins infirmiers. L'infirmière gestionnaire d'une unité de vie a la responsabilité de gérer les ressources qui lui sont confiées à la lumière de ses compétences cliniques. Ainsi, elle doit assurer un suivi de la qualité des soins donnés, à l'aide des indicateurs de risque les plus sensibles aux soins infirmiers, comme les taux de chutes, d'infections nosocomiales, de plaies de pression et d'erreurs dans la distribution des médicaments.

De plus, elle veille à l'application des normes de pratique concernant, par exemple, la contention, l'administration de la médication et l'évaluation de l'état de santé dans les situations les plus à risque. À ce sujet, les indicateurs cliniques disponibles sont innombrables. Certains, cependant, semblent faire l'unanimité. Il s'agit des taux de plaies de pression, d'utilisation de dispositifs de contention, d'utilisation de la médication psychotrope, de constipation et d'accidents.

L'infirmière gestionnaire d'une unité de vie utilise aussi des indicateurs sensibles aux soins infirmiers en matière de sécurité des résidents. Il s'agit ici des taux d'erreurs de médicaments, de chutes des résidents, de plaies de pression et d'infections nosocomiales (Doran, 2003).

Il existe d'autres indicateurs de résultats sensibles aux interventions, notamment la gestion des symptômes, le contrôle de la douleur, l'état fonctionnel et les capacités d'autosoins de la personne, ainsi que la satisfaction de la clientèle (Doran, 2003). De plus, l'infirmière gestionnaire peut décider d'utiliser d'autres indicateurs pertinents selon ses objectifs et les particularités de son unité. Il peut s'agir de taux de malnutrition, de symptômes de dépression et d'anxiété, de delirium et de symptômes comportementaux de la démence.

Outre qu'elle suit les divers indicateurs, l'infirmière gestionnaire fait l'inventaire des programmes mis en place : programme de marche, programme d'hydratation, programme d'hygiène du sommeil, programme de sevrage de benzodiazépine, programme de prévention des chutes, programme visant l'élimination adéquate, programme de dépistage du delirium, programme de gestion de la douleur, programme de prévention de l'abus, programme d'intégration des proches, etc. En bref, elle évalue dans quelle mesure les soins prodigués sont complets et s'assure que tous les soins requis par la condition des résidents sont prodigués (voir les tableaux 1-1 et 1-3 dans le chapitre 1).

Indicateurs environnementaux

Les indicateurs associés à l'environnement donnent des indices sur les sources des difficultés que peuvent éprouver les soignants dans la prestation des soins. Ils aident à gérer les risques. L'infirmière gestionnaire d'une unité de vie doit s'assurer que les lieux physiques sont sécuritaires, adaptés aux besoins, qu'on respecte les droits des résidents et que l'équipement et le matériel de soins sont disponibles, fonctionnels et sécuritaires (OIIQ, 2004b).

Indicateurs sociaux

Le climat social de l'unité est un indicateur auquel doit être sensible l'infirmière gestionnaire qui souhaite maintenir le fragile équilibre entre le milieu de vie et le milieu de soins. Pour évaluer ce climat, l'infirmière gestionnaire de l'unité de vie peut recueillir diverses informations sur la situation globale : satisfaction des résidents à l'égard des soins, accessibilité des soins et services, satisfaction des soignants concernant leur travail, santé physique et mentale des soignants, ancienneté des soignants et atmosphère de travail.

Il est bon de signaler que la dimension environnementale se révèle être la moins importante pour la qualité des soins donnés. Or, dans plusieurs CHSLD, les infirmières gestionnaires la placent au centre de leur démarche. À l'inverse, elles n'accordent pas toute l'attention nécessaire au climat social et à la dimension clinique, qui est la plus importante. Pourtant, ce que doit justement savoir faire une infirmière gestionnaire, c'est prendre des décisions administratives en tenant compte des effets cliniques qu'elles auront. Aucun autre type de professionnel n'a les compétences requises pour mesurer les effets des décisions administratives sur les soins infirmiers. Evelyn Adam (1983), infirmière renommée, explique que, lorsque les infirmières exécutent des tâches qui se situent en dehors de leur champ de compétences, d'autres personnes ne possédant pas les compétences requises remplissent leur rôle. L'infirmière gestionnaire a l'expertise pour apprécier l'effet clinique, positif ou négatif, de ses décisions et de celles de l'organisation sur les soins infirmiers. C'est ce qui la distingue d'un administrateur pur n'ayant pas de formation en sciences infirmières. Elle doit donc se servir de cet atout dans l'administration de l'unité de soins.

Conclusion

L'administration d'une unité de vie repose sur une mission claire : assurer une prestation sécuritaire et optimale des soins tout en tenant compte des contraintes administratives. Pour arriver à faire cela, l'infirmière gestionnaire doit posséder diverses compétences et être animée de détermination et de passion afin de maintenir le cap vers ses objectifs.

L'image de l'artiste de cirque aux multiples talents illustre bien le rôle du gestionnaire en soins infirmiers d'un CHSLD (voir la figure 38-1). En effet, tel le funambule, l'infirmière gestionnaire d'une unité de vie marche vers un but précis en composant avec les risques pour maximiser le bien-être

de sa clientèle. Tel le funambule, elle marche sur la corde raide pour maintenir l'équilibre précaire entre la prestation de soins sécuritaire et de qualité et les contraintes budgétaires. Elle veille aussi à maintenir l'équilibre entre le milieu de vie et le milieu de soins, et guide les membres de son équipe dans cette perspective. Tel un trapéziste, l'infirmière gestionnaire, comme les soignants, doit passer du respect des droits individuels au respect des droits collectifs. Tel un jongleur, elle doit manipuler les composantes organisationnelle, clinique, environnementale et sociale de l'unité sans en oublier une si elle ne veut pas aboutir à la catastrophe. Tel le directeur de cirque, elle doit veiller à ce que les membres de son équipe développent leurs compétences et collaborent afin que le spectacle soit grandiose. Elle doit s'assurer que chacun connaît parfaitement son rôle et respecte celui des autres. Elle sait que la qualité des soins repose sur l'interdépendance des membres de l'équipe, qui doivent donc nécessairement communiquer le mieux possible entre eux.

Comme l'artiste de cirque, enfin, l'infirmière gestionnaire est une passionnée qui souhaite être toujours au sommet de son art et offrir le meilleur d'elle-même. Elle évalue les résultats obtenus et apporte les modifications nécessaires pour que la représentation suivante soit meilleure que la précédente. Quoiqu'un peu loufoque, cette métaphore illustre fort bien la complexité du rôle de l'infirmière gestionnaire d'une unité de vie de CHSLD.

FIGURE 38-1 **L'infirmière aux multiples talents**

ÉTUDE DE CAS

Le tableau 38-1 donne un exemple de démarche que pourrait entreprendre une infirmière gestionnaire d'une unité de vie pour réduire l'usage des dispositifs de contention physique dans son unité, conformément à sa mission.

Tableau 38-1	Démarche visant à réduire l'usage des dispositifs de contention physique		
INTERVENTION	**OBJECTIF À ATTEINDRE**	**COMPÉTENCES CLÉS**	**EXEMPLE**
Définir la cible	Partager une conception claire de la cible	• Sensibilité au milieu politique • Sensibilité aux consommateurs et à la collectivité • Gestion de la complexité	Définir ce qu'est un dispositif de contention
Évaluer la situation initiale	Établir si la pratique dans l'unité de vie est conforme: • Aux lois • Aux normes professionnelles • Aux données probantes • À la philosophie organisationnelle • Au principe de prestation sécuritaire des soins	• Gestion axée sur les résultats • Conformité aux normes	Évaluer le taux de dispositifs de contention physique utilisés
Faire un étalonnage, une analyse comparative	Assurer la comparaison avec des unités accueillant le même type de clientèle Se servir de l'expérience des autres	Gestion axée sur les résultats	Pourcentage de dispositifs de contention utilisés dans l'unité par rapport au pourcentage moyen de l'établissement (ou de la région, de la province, du pays)
Déterminer les sources de difficultés ou de succès	Mettre en place un plan d'action ciblant les sources de succès ou de difficultés	• Sensibilité aux consommateurs et à la collectivité • Communication • Gestion de la complexité	Le pourcentage de dispositifs de contention est supérieur à la moyenne de l'établissement, car les soignants ne connaissent pas les orientations ministérielles et les mesures de remplacement qui existent. Ils croient que la contention est la seule mesure qui permette d'assurer la sécurité des résidents. Ils sous-estiment les risques associés à cette pratique. Il n'y a pas de matériel disponible pour soutenir l'utilisation de mesures de remplacement. Les familles des résidents souffrant de déficit cognitif insistent pour que des dispositifs de contention soient utilisés.
Élaborer un plan d'intervention respectant les bonnes pratiques cliniques et visant à ramener le pourcentage d'utilisation des dispositifs de contention à la moyenne de l'établissement	Définir les interventions et les étapes nécessaires au succès du programme	• Leadership • Gestion axée sur les résultats	• Faire connaître les solutions de remplacement au personnel et acheter le matériel correspondant • Donner de la formation sur les orientations ministérielles • Diffuser une revue de presse des accidents dus à la contention et les rapports de coroners • Diffuser régulièrement aux rencontres d'équipes, pour tous les quarts de travail, le pourcentage de moyens de contention utilisés • Analyser les difficultés

>>>

INTERVENTION	OBJECTIF À ATTEINDRE	COMPÉTENCES CLÉS	EXEMPLE
			• Élaborer et implanter un programme d'enseignement à l'intention des résidents et des proches • Féliciter les soignants en cas de succès
Assurer un suivi		Gestion axée sur les résultats	• Faire un suivi des indicateurs • Explorer les pistes de solution, si nécessaire • Faire des suivis réguliers dans l'unité • Donner de la rétroaction à l'équipe • Faire des tournées

Questions

1 Nommez quatre indicateurs sensibles aux soins infirmiers qui peuvent être utilisés dans le cadre de la gestion d'une unité de vie de longue durée.

2 Quels moyens permettent d'assurer une bonne communication dans une unité de vie de longue durée ?

3 Quelles sont les neuf compétences clés que doit posséder l'infirmière gestionnaire d'une unité de vie pour administrer adéquatement l'unité de vie ?

4 Pourquoi est-il si important de mesurer les résultats obtenus ?

39

LA PLANIFICATION DU CHANGEMENT EN CHSLD

par **Chantal Viens**

Avec les mutations profondes que subit le système de santé, la pénurie des ressources humaines et financières et l'aggravation de l'état de santé des résidents, le changement est devenu une réalité à laquelle les CHSLD et leur personnel soignant ne peuvent échapper. L'amélioration des services ambulatoires et l'intégration des aînés dans les réseaux de services permettent maintenant de prodiguer de plus en plus de soins et de services dans la communauté et à domicile. Par suite de ces transformations du système et de l'évolution de la clientèle, les CHSLD accueillent des résidents aux pathologies multiples et complexes, présentant d'importantes incapacités motrices et sensorielles, qui s'accompagnent souvent de sérieux problèmes d'ordre cognitif. L'évolution de la clientèle est donc manifeste, et la demande de soins et de services est de plus en plus grande, en quantité comme en complexité. Malheureusement, l'ajout de soignants, le renouvellement des compétences, le matériel et l'équipement supplémentaires ne suivent pas toujours au moment opportun. En bref, les temps changent.

Auparavant, la durée de vie des planifications organisationnelles était de 10 ans ou plus. Aujourd'hui, elle ne dépasse guère 20 mois! Alors comment les gestionnaires arrivent-ils à motiver les soignants des CHSLD? Comment les différents groupes de soignants réussissent-ils à acquérir de nouvelles compétences afin de répondre adéquatement aux besoins complexes de la clientèle en lourde perte d'autonomie qui réside maintenant dans les CHSLD? Ces établissements ont apparemment de grands défis à relever pour assurer cette nécessaire évolution des soins et services. En fait, plusieurs CHSLD doivent se contenter de moins, mais avec l'obligation de faire plus et mieux. Or, pour réussir de telles transformations organisationnelles, il faut d'abord intégrer la notion de changement. Autrement dit, il faut commencer par réussir à percevoir positivement le changement et la recherche d'approches novatrices. Ensuite, il faut apprendre à réorganiser les soins et les services de façon continue afin de suivre l'évolution des différents besoins des résidents. L'organisation des soins et du travail doit demeurer adaptable, voire novatrice, afin que le milieu de soins et de vie substitut demeure, pour les résidents, un lieu où il fait bon vivre et, pour les soignants qui y œuvrent, un milieu de soins et de services de qualité.

Le changement en CHSLD

Tout d'abord, définissons la notion de changement en CHSLD. C'est une action qui permet de faire autrement, de transformer, de rendre différentes, de modifier, de remplacer, de revoir les procédures de routine et les façons de faire. Bref, le changement, c'est une occasion rêvée d'évoluer! Notre définition se veut donc plutôt positive, dans la mesure où les personnes qui vivent le changement y participent et voient dans le changement plus d'avantages que d'inconvénients. Par ailleurs, on ne peut parler du changement sans introduire la notion de pertinence. Les raisons du changement envisagé doivent être valables pour tous, mais tout particulièrement pour ceux et celles qui le vivront. En fait, le besoin de changements en CHLD est animé par quatre grandes catégories de raisons (voir le tableau 39-1, p. 518).

La première catégorie de raisons a trait aux modifications de l'environnement socioculturel. Par exemple, certains CHSLD ont procédé à des réorganisations des soins et du travail par suite d'une pénurie d'infirmières ou d'une autre catégorie de professionnels. Les administrateurs se voient dans l'obligation de réexaminer l'organisation des soins et des services offerts. Il arrive également que des réorganisations surviennent à l'arrivée d'une nouvelle équipe de direction qui favorise un nouveau type de gestion, ou encore que la direction procède à des changements par suite de la détérioration du climat de travail.

Les changements technologiques constituent le deuxième groupe de raisons susceptibles de provoquer une réorganisation des activités. C'est le cas, par exemple, de l'introduction de nouvelles approches relationnelles et ergonomiques,

Tableau 39-1	Les quatre principaux types de raisons d'un changement
RAISONS	**EXEMPLES**
Socioculturelles	Les caractéristiques démographiques de la main-d'œuvre, une pénurie d'infirmières, un manque de relève, une nouvelle équipe de direction.
Technologiques	De nouvelles approches de milieu de vie, de nouvelles méthodes de soins, de nouvelles techniques informatiques ou du nouveau matériel.
Politiques	De nouvelles orientations ministérielles, une nouvelle loi, l'influence des groupes de pression.
Économiques	Des déficits ou des surplus budgétaires, des problèmes ou des compressions budgétaires.

comme l'approche Gineste-Marescotti ou l'approche prothétique élargie. En effet, ces approches exigent de revoir les compétences des différents soignants, les espaces et les lieux ergonomiques, la composition des équipes de travail et leurs routines de soins.

Le troisième type de raisons est de nature politique. Ces raisons tiennent aux décisions gouvernementales de fusionner des établissements, de mettre en place de réseaux intégrés ou encore d'adopter de nouvelles lois, comme la *Loi modifiant le Code des professions et d'autres dispositions législatives dans le domaine de la santé*, qui permet d'élargir l'éventail des compétences des infirmières et infirmières auxiliaires.

Enfin, la quatrième catégorie regroupe des raisons qui entraînent des changements organisationnels selon divers facteurs économiques, tels les déficits, les compressions budgétaires, la hausse des frais liés aux médicaments, etc.

Lorsque la pertinence du changement est incontestable, il importe d'instaurer les conditions qui favoriseront le changement et qui réduiront les risques d'échec. Habituellement, il faut procéder à l'analyse de cinq grands facteurs qui influent directement sur le succès du changement à mettre en œuvre (voir le tableau 39-2).

Premier facteur : Le contexte

Il faut tout d'abord vérifier si le CHSLD dispose des ressources humaines, financières et matérielles à court, moyen ou long terme pour réaliser les changements envisagés. Par exemple, il est particulièrement difficile d'instaurer des changements en période de pénurie de soignants ou encore lorsque les soignants présents sont déjà surchargés de travail. Supposons, par exemple, que peu de temps après avoir instauré un changement, le CHSLD ne dispose pas des fonds nécessaires pour assurer la formation prévue pour le personnel. Cette situation sapera la crédibilité des responsables de la mise en œuvre du changement, et à l'avenir, il sera très difficile de compter sur les soignants.

Deuxième facteur : La structure

Il importe ensuite de déterminer si le CHSLD possède le type de structure qui favorise un processus de changement. Autrement dit, la structure administrative est-elle organique ou mécanique ? Une structure organique, c'est-à-dire associative, décentralisée et participative, est beaucoup plus propice aux changements que la structure mécanique. Il est effectivement reconnu que la gestion organique favorise la

Tableau 39-2	Les cinq facteurs d'analyse de la capacité de l'organisation à procéder à des changements en CHSLD
FACTEURS	**EXPLICATIONS**
Contexte	Le contexte se rapporte au lien entre le CHSLD et son environnement. Le CHSLD est-il un établissement performant ? Dispose-t-il de ressources humaines, matérielles et financières suffisantes ?
Structure	La structure est-elle de type mécanique ? (Le CHSLD a une organisation hiérarchique au sein de laquelle chaque employé accomplit une tâche en exécutant les ordres qui viennent d'en haut.) La structure est-elle organique ? (Dans ce cas, les mécanismes de gestion sont souples et mobiles, les soignants sont consultés et responsabilisés.)
Culture de l'organisation	Ce sont les valeurs, la vision, le code d'éthique du CHSLD.
Leadership	Le leadership désigne la capacité d'influence que possèdent les gestionnaires, les groupes et les soignants en rôle d'autorité formelle et informelle afin d'atteindre les buts et objectifs du CHSLD.
Complexité du changement	La complexité du changement qui est entrepris suppose la mise en relation des quatre facteurs précédents. Cela peut signifier faire des changements qui touchent tant le personnel (changement dans les routines de soins) que les méthodes ou procédures (changement dans les descriptions de tâches, les procédures et protocoles de soins).

participation des soignants et qu'elle produit un effet favorable sur la mise en place des réformes. À l'inverse, dans une structure mécanique, la direction de l'établissement prend les décisions, puis elle en informe les soignants. La communication de l'information est donc verticale et unidirectionnelle ; elle va du haut vers le bas. Ce type de gestion n'a pas autant de succès lors des réorganisations, car il ne favorise pas la responsabilisation et l'autonomisation des soignants.

Troisième facteur : La culture

Il est également de toute première importance de clarifier et de partager les valeurs, la mission, la vision et le code d'éthique qui sous-tendent le changement prévu. Il ne faut pas oublier que les réformes entreprises doivent être liées directement à ces facteurs culturels afin d'assurer la cohérence entre les changements apportés et la mission du CHSLD. Par exemple, la dignité, la sécurité et la promotion de l'autonomie sont généralement des valeurs essentielles pour les CHSLD. Or, même si ces valeurs semblent à première vue convergentes, il arrive parfois qu'elles s'opposent. Ainsi, l'implantation dans un CHSLD d'un programme de prévention des chutes et de réduction des contentions risque de conduire à des discussions houleuses entre les soignants. Il est reconnu que certains soignants favorisent (à tort) la contention des résidents à risque afin de prévenir les chutes. Le soignant recourt à la contention pour la sécurité du résident, conformément aux valeurs de sécurité promues par le CHSLD. Mais l'immobilisation brime l'autonomie du résident ainsi que sa santé (voir les chapitres 17, 22 et 29).

Quatrième facteur : Le leadership

Le style de leadership des gestionnaires du CHSLD constitue le quatrième facteur déterminant dans le succès de la réforme à instaurer. Il existe différents styles de leadership, selon que le leader est autocratique, débonnaire, démocratique, participatif ou transformationnel. Le leader autocratique ne délègue pas et prend toutes les décisions sans consulter les cadres et les employés. Le leader débonnaire, qui a tendance au *laisser-faire*, donne peu de directives et ne recherche pas la cohésion des personnes avec lesquelles il travaille. De son côté, le leader démocratique suscite la participation des soignants, délègue et encourage les initiatives. Le leader participatif encourage également la participation. Il permet aux soignants de développer leurs profils de carrière, il vérifie leurs attentes et tient compte de leurs suggestions. Toutefois, le type transformationnel est le leadership le plus efficace dans le contexte des réorganisations. En effet, ce gestionnaire allie les styles démocratique et participatif, et va même encore plus loin. Il motive son équipe soignante à accomplir un travail de qualité et remet en question les pratiques et les techniques en vigueur au CHSLD. De plus, il favorise l'amélioration continue de la qualité des soins et des services. Il sait soutenir, guider, encourager, accepter l'erreur et mobiliser les soignants. Il travaille de concert avec l'équipe soignante avant, pendant et après les changements. Enfin, son intérêt et sa facilité à communiquer sont une autre de ses grandes qualités. Ce leader transformationnel suscite la confiance et le respect des soignants.

Cinquième facteur : La complexité du changement

Certains changements sont plus complexes que d'autres et, par le fait même, nécessitent de nombreuses activités de toutes sortes. Il va de soi qu'il est plus facile de décider de changer l'architecture des lieux que d'instaurer une approche milieu de vie. En effet, dans le cas des transformations physiques du bâtiment, le centre d'intérêt est ergonomique, ce qui est bien différent des changements qui touchent les émotions et les habitudes des soignants, ainsi que la dynamique avec les résidents. Prenons l'exemple de l'instauration de l'approche prothétique élargie (APE). Il faut repenser l'environnement physique en fonction des déficits des résidents. Habituellement, les modifications architecturales se déroulent sans problèmes. Mais la situation se complique quand il s'agit de réexaminer les routines des soignants en fonction des besoins complexes de soins et de services des résidents présentant divers problèmes cognitifs. Dans cette phase de la mise en œuvre de l'APE, le changement est complexe. En effet, il faut à la fois revoir la composition des équipes de soins, les routines liées aux bains, aux installations et aux repas, et tenter d'arrimer le tout aux besoins complexes des résidents. Il va sans dire que ces différentes transformations du travail en CHSLD exigent du doigté, de la planification, du temps, de la formation, de l'information et de la patience.

L'ensemble de ces facteurs met en relief l'importance de prendre en compte la dimension humaine du changement, sans laquelle la réorganisation des soins et du travail ne peut réussir. C'est pourquoi nous étudions cette dimension en détail.

La dimension humaine du changement en CHSLD

La majorité des gens aspire habituellement à la stabilité, et il ne faut pas s'étonner que certains membres du personnel soignant résistent au changement qui doit modifier leur façon de travailler ou de se comporter. Sauf dans certains cas où les changements se font sans trop de bouleversements et passent presque inaperçus, la majorité des réformes causent tout un choc et provoquent une gamme de réactions et d'émotions. Dans de telles situations, les soignants ne réagissent pas tous de la même façon et doivent franchir différentes étapes. La plupart du temps, il est possible de distinguer trois étapes auxquelles sont associées des réactions à l'égard du changement : 1) l'abandon des anciennes habitudes ; 2) le changement par l'acquisition des nouvelles façons de faire ; 3) l'acceptation du changement.

Abandon des habitudes

La première étape est celle où les soignants doivent abandonner leurs méthodes de travail ou certains de leurs comportements habituels. Cette étape est donc marquée par le réexamen des différentes façons de faire. Elle demande courage et persévérance, car il est généralement difficile d'abandonner des procédures bien établies et des routines qui permettaient un certain confort et de la sécurité. La durée de cette étape est variable et dépend de l'ampleur du changement envisagé. Néanmoins, elle varie habituellement de quelques semaines à trois mois. C'est au cours de cette première étape que la résistance et la méfiance de certains soignants sont les plus fortes. Les uns résistent activement en exprimant leur mécontentement ou en manifestant leur colère. D'autres passent à l'action et entravent le processus afin de bloquer le changement. Plus subtilement, certains soignants acceptent le changement, mais en surface seulement. Il sera plus facile de les faire rallier un camp ou l'autre, selon que les choses tourneront bien ou mal. Enfin, la dernière catégorie est celle des indifférents, composée d'individus qui font comme si de rien n'était et qui dévient l'attention des équipes de soins vers d'autres préoccupations. Au cours de cette première étape, les soignants acceptent plus difficilement le changement si les raisons qui le motivent ne leur semblent pas crédibles ou si les résultats escomptés tardent à se produire.

Appropriation du changement

La deuxième étape est celle de l'appropriation du changement. Les soignants apprennent à penser et à faire autrement. Ils commencent à concevoir différemment leur travail. Cette étape dure de trois à six mois. Prenons l'exemple de la mise en œuvre d'un programme d'intégration des familles auprès des résidents du CHSLD, un programme qui sous-tend plusieurs activités. Les soignants doivent étudier la documentation, la littérature et les résultats probants traitant de l'intégration des familles, élaborer un processus d'accueil adéquat, concevoir une procédure de collecte des données familiales, prévoir un horaire de travail qui laisse du temps aux familles, et enfin trouver un lieu de rencontre. Par la suite, ils doivent acquérir différentes habiletés relationnelles, compte tenu des types de familles rencontrés. Enfin, il faut élaborer un processus d'évaluation afin d'assurer le suivi du programme. Cette deuxième étape d'appropriation du changement demande de procéder à petits pas. Il faut de la patience, de l'imagination et le soutien tant social que financier de l'administration. Il faut également assurer la formation nécessaire et faire un suivi serré des résultats, si petits soient-ils, car ce suivi permet d'effectuer les ajustements requis et favorise ainsi la réussite du changement mis en œuvre.

Acceptation du changement

La troisième étape consiste en l'acceptation du changement. Il se produit lorsque les soignants comprennent que le changement va de soi. À cette étape, il est crucial de ne pas oublier de faire un suivi du changement, car « chassez le naturel, et il revient au galop ». Il est donc important d'instaurer des mesures de suivi et de responsabiliser un soignant ou une équipe tout entière. Par exemple, dans le cas du programme d'intégration des familles, à plusieurs

reprises, les infirmières auront à justifier le temps qu'elles ont passé auprès des familles au lieu de prodiguer des soins directs, comme des bains ou des installations. Pour répondre à leurs collègues qui souhaiteraient les voir faire autre chose de plus utile à leurs yeux, les infirmières auront avantage à cibler les indicateurs et à noter les résultats obtenus, car ils leur permettront de démontrer à l'ensemble de l'équipe de soins la pertinence et le succès de leur programme.

Si l'infirmière est en mesure de déterminer où se situent les soignants dans le processus de changement, elle pourra mieux comprendre leurs besoins, leurs préoccupations et leurs attentes, et ainsi respecter leur rythme de changement. Cela veut également dire savoir gérer les résistances qui risquent de survenir à chaque étape du changement.

Sources de résistance et interventions

Il est impossible de contrer la résistance au changement sans en déterminer et en comprendre la source ou les sources. Par exemple, il est possible de se poser les questions suivantes : les soignants se sentent-ils menacés dans leurs conditions de travail ? Ont-ils l'impression que le changement met en doute leurs compétences ? Se sentent-ils mis à l'écart ? Les infirmières occupant des fonctions de gestionnaires, d'assistantes ou de chefs d'équipe en CHSLD sont des acteurs clés qui devront reconnaître et interpréter les réactions et les émotions des soignants, tout en les encourageant durant la mise en œuvre du changement. Or, pour jouer le rôle d'un « agent de changement mobilisateur », l'infirmière doit faire preuve de certaines compétences et être en mesure d'accomplir différents petits gestes quotidiens qui ont leur importance (voir le tableau 39-3).

Communiquer avec respect et faire preuve d'une grande écoute

Le changement suscite de nombreuses émotions et une grande insécurité. Il est fréquent que les émotions des soignants soient à fleur de peau. Il importe donc que l'infirmière agent de changement puisse faire preuve d'une grande écoute afin de recueillir avec respect les nombreuses réactions que suscite le changement. À cet égard, il est souhaitable de créer des lieux et de prévoir des moments pour discuter et permettre aux soignants d'exprimer leurs craintes, leurs résistances, mais également de faire part de leurs suggestions à propos du changement en question.

Tableau 39-3	Compétences clés d'un agent de changement en CHSLD

- Communiquer avec respect et faire preuve d'une grande écoute.
- Clarifier la nature du changement et partager la vision de ce changement avec l'équipe.
- Faire participer les équipes de soins et de services au changement et au processus de prise de décisions.

De son côté, l'infirmière agent de changement peut informer les soignants de ses propres limites, faire preuve de transparence et donner les raisons de ses gestes et prises de décision. La rétroaction constructive et descriptive est une forme de communication qui a fait ses preuves. Par exemple, l'infirmière ne doit pas juger les personnes, mais plutôt leurs actes et leurs idées. C'est l'art d'utiliser les bons mots, avec les bonnes personnes, au bon moment et au bon endroit.

Clarifier sa vision du changement et la partager avec les soignants

Le changement demande parfois que les soignants remettent en question les valeurs qui sous-tendent les approches et routines de soins du CHSLD. Par exemple, l'implantation d'une approche milieu de vie en CHSLD impose de revoir les façons de faire. Les soignants perçoivent comme un défi de taille le fait de passer de routines bien établies à un nouveau type de soins qui tient compte du rythme et des capacités résiduelles des résidents. Il est donc essentiel de vérifier la perception des soignants au regard de leur définition de la qualité des soins et des services en milieu de vie.

Favoriser l'engagement des équipes de soins et de services

Le temps où les gestionnaires prenaient unilatéralement les décisions semble révolu. Il est devenu essentiel que les équipes de soins, les associations professionnelles et syndicales et les autres groupes s'investissent à fond dans le changement annoncé. En fait, les gestionnaires des CHSLD ont intérêt à informer rapidement les soignants lorsque surviennent des situations de changement et à discuter constamment avec eux. Il faut se rappeler que les soignants sont des experts du travail quotidien : les consulter constitue une stratégie de choix. Il faut également comprendre qu'ils sont aux prises avec la situation problématique à l'origine du changement demandé. Alors, pourquoi ne pourraient-ils pas participer aux discussions et à la mise en place des solutions ?

En résumé, être une infirmière agent de changement en CHSLD représente un immense défi. L'infirmière qui possède de telles qualités est recherchée et respectée quand vient le temps de procéder à la réorganisation, car elle favorise une approche participative et traite les soignants avec courtoisie et respect, tout comme elle le fait avec les résidents. Elle les consulte afin de clarifier la vision et la mission du CHSLD, les tient régulièrement au courant de l'évolution de la situation et leur demande de la rétroaction. Elle sait écouter et décoder les résistances exprimées, et elle tient compte des demandes des soignants afin d'adapter son soutien et son appui. De plus, elle est réaliste et compréhensive quant aux résultats attendus, car elle sait bien que « Rome ne s'est pas bâtie en un jour » et qu'il vaut mieux faire de petits pas gagnants que de grandes enjambées périlleuses !

Après avoir abordé les aspects plus humains inhérents à tout processus de changement, considérons maintenant la dimension opérationnelle du changement, c'est-à-dire la démarche planifiée.

Plan du changement planifié

La démarche planifiée d'un changement se divise en quatre phases que nous résumerons par l'acronyme PLAN : 1) Poser un diagnostic ; 2) La planification du changement ; 3) Actions à réaliser ; 4) Ne pas oublier d'évaluer (voir la figure 39-1).

Poser un diagnostic

Cette première phase permet d'abord de reconnaître la situation insatisfaisante présente ou risquant de survenir si personne n'y remédie, puis de décrire la solution que l'on pourrait y apporter. C'est également au cours de cette étape qu'il faut procéder à l'analyse des cinq grands facteurs qui influent directement sur la réussite de la mise en œuvre du changement souhaité. Ces facteurs ont été décrits dans la première section de ce chapitre. C'est donc au cours de cette première phase qu'il faut analyser les besoins, les raisons, les conséquences du changement, ainsi que les gains réels et potentiels qui pourraient en résulter. De plus, il faut connaître les différents acteurs susceptibles d'être touchés par le changement et créer des alliances dès le début du processus. Par exemple, si des familles se plaignent auprès d'un CHSLD de ne pas se sentir engagées auprès des résidents, de ne pas être tenues suffisamment au courant de la situation ou encore d'avoir l'impression de déranger les soignants dans leurs différentes activités de soins, il est nécessaire de trouver ce qui ne va pas. Pour ce faire, il existe plusieurs moyens. Par exemple, il est tout à fait approprié de rencontrer les familles et les résidents concernés, ou encore d'organiser des réunions avec les soignants. Lors de ces rencontres, l'infirmière cherchera à comprendre les insatisfactions qu'ils ont exprimées et à vérifier leur perception de la situation.

Une fois le diagnostic organisationnel établi, il importe de chercher des solutions et d'élaborer des stratégies de

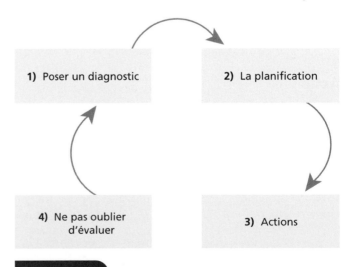

FIGURE 39-1 Les quatre phases d'un changement planifié ou PLAN

résolution de problèmes. Il en existe dans la documentation spécialisée qui traite de la question, mais il est également possible de consulter des experts ou des CHSLD qui auraient éprouvé des difficultés identiques. En résumé, cette première phase consiste à repérer, à comprendre et à analyser ce qui est problématique et ce qui devrait être fait pour améliorer la situation. Après cette étape du *pourquoi* et du *quoi changer*, il faut instaurer un plan de changement.

Planification

La phase de planification commence avec le choix des personnes qui procéderont aux différentes étapes du changement et aux activités qu'entraînera sa mise en œuvre. C'est la composition de l'équipe dite de pilotage. Cette équipe a avantage à réunir des représentants des différents groupes œuvrant dans le CHSLD, c'est-à-dire la direction, les soignants et les différents groupes d'influence, tels le comité des résidents, les syndicats ou tout autre groupe concerné, selon le type de changement que le CHSLD désire instaurer. Il incombe à cette équipe de concevoir le plan de travail, c'est-à-dire les objectifs, les interventions, les moyens à mettre en œuvre, les indicateurs de résultats, l'échéancier et les ressources à allouer aux différentes étapes du projet. Au cours de cette deuxième phase, il est également nécessaire de prévoir un plan de communication afin que toutes les personnes concernées soient tenues au courant du projet de changement. Reprenons notre exemple de la situation vécue par les familles. La planification peut prévoir que l'équipe de pilotage se donnera comme premier objectif d'intégrer rapidement et harmonieusement les familles lors de l'accueil d'un nouveau résident au CHSLD. À cette fin, les changements proposés pourraient prévoir une visite de préadmission, une rencontre avec la famille dès l'admission, une collecte de données s'adressant à la famille. De leur côté, les soignants pourraient suivre une formation en approche familiale et systémique. La responsabilité d'atteindre ce premier objectif revient à l'infirmière de l'unité, qui s'assurera qu'il a été atteint en vérifiant dans les dossiers si la collecte de données familiales a bien été effectuée et rédigée selon la procédure établie. La phase de planification, c'est donc le *comment changer* !

Actions

Cette phase est celle de la mise en œuvre des décisions et des interventions préalablement planifiées. Il est essentiel que l'équipe de pilotage ou une infirmière qui fait office d'agent de changement participe à cette phase, car il arrive que le plan écrit diffère de la réalité vécue. Il faudra peut-être offrir de la formation aux soignants, ainsi que du soutien ou de l'écoute, car il se peut qu'ils aient de la difficulté à communiquer avec des familles en crise, à trouver du temps à consacrer aux familles, ou encore qu'ils ne disposent pas d'outil de collecte de données adapté aux familles. C'est à cette phase-ci que se réalise le changement, dans l'action.

Ne pas oublier d'évaluer

Malheureusement, la planification de plusieurs projets de changement ne prévoit pas toujours l'évaluation des effets des différentes transformations réalisées. Au premier abord, il peut sembler difficile de trouver des mesures cliniques, des standards de pratique et des indicateurs valides et fiables qui permettront de mesurer l'amélioration continue de la qualité, ou celle de la gestion des risques, ou encore d'évaluer la performance du CHSLD. Or, la documentation spécialisée permet d'établir des indicateurs destinés à vérifier la structure, les processus et les résultats de projets de changement dans les CHSLD. En ce qui concerne les familles mécontentes, il est important de déterminer si celles-ci se sont bien intégrées aux unités et de quelle façon et à quel niveau s'est déroulée cette intégration. Il est également possible de mesurer le degré de satisfaction des familles au moyen de questionnaires, d'entrevues téléphoniques, de rencontres de groupe, etc., qui permettent à ces familles de se prononcer verbalement ou par écrit. De plus, un comité d'amélioration continue de la qualité peut décider de choisir un échantillon de dossiers de résidents afin de vérifier si la collecte de données familiales a été effectuée et rédigée adéquatement. Si ce comité relève des difficultés, il peut s'avérer nécessaire de procéder à des réajustements qui tiendront compte des résultats de l'évaluation de la situation. Il est primordial de diffuser les résultats, d'encourager les soignants et de prévoir offrir des remerciements à toutes les personnes engagées dans des projets de changement.

Conclusion

Le changement repose sur une planification rigoureuse et stratégique, et ce n'est pas *perdre du temps que de bien prendre le temps de le planifier*. En outre, les infirmières sont invitées à jouer le rôle d'agents de changement en consultant les soignants et les personnes concernées par les changements, et en suscitant leur participation. C'est une marque de transparence et de reconnaissance de leur part. Le changement bien planifié et mesuré adéquatement ne devrait pas être déstabilisant. Il devrait plutôt représenter l'occasion d'harmoniser la mission, les objectifs et les ressources des CHSLD.

ÉTUDE DE CAS

Le CHSLD Le bel âge accueille depuis six mois trois nouvelles résidentes qui présentent des problèmes de santé mentale. Un diagnostic de schizophrénie a été établi pour l'une d'entre elles, avec des symptômes de paranoïa et de manie, et les deux autres souffrent de labilité émotionnelle. Les caractéristiques cliniques de ces nouvelles résidentes ont suscité beaucoup d'émoi au sein de l'équipe soignante. Les soignants se disent peu préparés et prétendent qu'ils n'ont pas reçu de formation pour gérer les problèmes associés à la maladie mentale chez les aînés. Quant aux autres résidentes, elles ont peur de ces nouvelles pensionnaires dont les comportements leur semblent tout à fait incompréhensibles.

Une équipe de soignants se présente au bureau de la gestionnaire, Mme Bonelli, et lui demande : « Pourquoi n'existe-t-il pas de milieu spécialisé pour cette clientèle ? Leur place n'est pas dans un CHSLD, car ces personnes dérangent les autres résidents et sont une source de dangers pour tout le monde. » De plus, l'équipe soignante fait remarquer à la gestionnaire qu'il y a à peine un an, il a fallu réorganiser le travail, car la prise en charge

des résidents en fin de vie exigeait l'acquisition de compétences spécialisées en gestion de la douleur et en soins palliatifs. Or, la charge de travail est déjà lourde, et l'équipe de soins ne voit pas comment elle pourra aussi prodiguer des soins de qualité à cette nouvelle clientèle. De plus, l'équipe se demande pourquoi les nouvelles résidentes présentant ce type de problème sont encore admises dans son unité de soins. Il lui semble que, dans son CHSLD, c'est toujours aux mêmes personnes que reviennent les cas difficiles.

Mme Bonelli écoute et explique qu'elle doit également composer avec cette clientèle, car la nouvelle politique des soins de santé oblige les CHSLD à accueillir la clientèle âgée présentant des problèmes de santé mentale. Mme Bonelli se dit très consciente de la surcharge, surtout émotionnelle, du personnel soignant et invite l'équipe à élaborer avec elle un plan afin de remédier à cette situation. Elle propose d'étudier avec l'équipe les moyens à employer pour arriver à bien intégrer la nouvelle clientèle malgré la surcharge de travail.

Questions

1 Quels éléments permettent de conclure que cette situation problématique nécessite un changement ?

2 Que peut répondre Mme Bonelli aux réactions de peur exprimées par le personnel soignant ?

3 À quelle forme de résistance Mme Bonelli fait-elle face ?

4 Pourriez-vous décrire les facteurs qui rendent la situation insatisfaisante ?

5 Après la lecture de ce chapitre, comment percevez-vous le changement en CHSLD et quels sont pour vous les mots-clés d'un processus de changement réussi ?

40

LA VIE SEXUELLE DES AÎNÉS EN CHSLD

par **André Dupras**

Les CHSLD ont connu des transformations au cours des deux dernières décennies. Ils ont cherché à s'adapter à leur clientèle diversifiée et à lui offrir des services de qualité. C'est ainsi qu'ils en sont venus à prendre en considération la vie sexuelle des résidents. Dès les années 1980, des auteurs comme Ravinel (1980) et Schlesinger (1983) ont exhorté les CHSLD à évoluer sur les plans des mentalités et des pratiques à l'égard de la sexualité des résidents. Il y a eu des réponses à cet appel. Ainsi, dans certains endroits, on a aménagé des lieux d'intimité pour permettre aux résidents de s'isoler et d'avoir des relations intimes sans être dérangés.

Cette évolution est sûrement due à une vision différente de la sexualité des aînés dans notre société. En effet, de nos jours, la sexualité n'est plus un privilège des jeunes et des gens en forme. Elle est considérée comme importante à toutes les étapes du développement de la personne. Ainsi, depuis au moins trois décennies, le milieu gérontologique a entamé une réflexion sur la sexualité, avec le souci de permettre aux aînés de préserver, malgré leurs limites et leurs dépendances, une certaine qualité de vie sexuelle. Rappelons que, dès le début des années 1970, des auteurs comme Felstein (1970) et Mongeau (1970) ont abordé la question de la sexualité du troisième âge. L'intérêt croissant pour la vie sexuelle des aînés est à l'origine de recherches visant à mieux comprendre l'univers sexuel des aînés et à améliorer leur santé sexuelle (Badeau et Bergeron, 1991 ; Stryckman, 1989).

Place de la sexualité dans les CHSLD

Les gestionnaires et les soignants des CHSLD se sentent concernés par la recherche d'un mieux-vivre sexuel au sein de leur établissement. Toutefois, il arrive que les actions concrètes du quotidien ne correspondent pas aux déclarations de principes. Pire encore, il peut exister des contradictions entre la philosophie de l'établissement et les pratiques des soignants. Soulignons que ces derniers sont interpellés par la sexualité. Dans leurs pratiques professionnelles, ils se trouvent parfois dans des situations où des résidents s'adonnent à des activités sexuelles et peuvent alors mal réagir. L'expression de la sexualité les dérange et les perturbe. Ils tentent le plus souvent de la restreindre ou de l'empêcher. Des témoignages d'aînés et de soignants rapportent ce malaise concernant la vie sexuelle. À titre d'exemple, un résident qui fait sa sieste dans l'intimité de sa chambre en profite pour se masturber. Un soignant arrive inopinément et reste stupéfait devant la scène. Comme solution à ce problème, l'équipe soignante décide d'interdire au résident de faire la sieste et de l'obliger à rester dans le salon commun pour l'empêcher de se masturber.

Cet exemple ne vise pas à blâmer les soignants, mais plutôt à susciter la réflexion et la discussion sur la vie sexuelle des aînés en CHSLD. L'infirmière doit se demander si l'établissement dans lequel elle travaille respecte les droits sexuels des résidents, si elle-même contribue ou non à procurer aux aînés des conditions de vie favorables à leur bien-être sexuel. Le souci d'assurer un mieux-être sexuel aux résidents exige d'associer réflexion et action. Tout d'abord, il faut concevoir un cadre de référence pour guider les interventions, leur donner du sens et de la cohérence. Ensuite, il faut des actions concrètes, des situations vécues pour alimenter la réflexion, aider à comprendre et à changer les choses, si nécessaire. Les piliers du cadre de référence sont deux concepts largement évoqués et utilisés en gérontologie : la qualité et le projet. La qualité de vie sexuelle est la finalité de l'action sexologique. Ainsi, les CHSLD devraient chercher à assurer le bien-être physique, psychique et social de leurs résidents en matière de sexualité. Ils peuvent le faire en formulant et en réalisant un projet de vie sexuelle pour et avec les résidents.

Vie sexuelle

Dans un premier temps, il est nécessaire de définir la « vie sexuelle » qui sert de pilier au cadre de référence. En effet, le sexuel se voit attribuer plusieurs significations. Pour certaines personnes, tout est sexuel et le sexe est partout. Pour d'autres, au contraire, le sexuel se limite au génital et le sexe correspond à la relation coïtale. Il importe donc de préciser ce qui appartient ou non à la vie sexuelle. Pour ce faire, nous allons considérer chacune des deux composantes de l'objet de l'intervention sexologique : la vie et le sexuel.

La vie

Nous avons choisi la notion de vie pour deux raisons principales. La première, de nature stratégique, est que le mot « vie » permet de faire valoir le caractère positif de la sexualité, puisqu'il évoque l'idée d'une chose bonne et désirable. Cette connotation optimiste du concept de vie vient contrebalancer la vision pessimiste de la sexualité qui s'est développée notamment avec la prolifération du sida et des abus sexuels (Dupras, 1995). La deuxième, de nature heuristique, est que la notion de « vie » évoque un ensemble de composantes servant à définir la vie sexuelle.

Parmi les multiples caractéristiques de la vie, quatre en particulier donnent une orientation à l'intervention sexologique.

1. *La vie est une organisation complexe.*

Selon Albert Jacquard (1992), un être vivant constitue une structure complexe composée d'éléments ayant entre eux et avec les éléments extérieurs des rapports d'action et de réaction très divers. Jacquard soutient que l'être vivant « est l'accumulation de pouvoirs apportés par la complexité » (p. 46). Ainsi, la personne âgée s'inscrit dans un processus de complexification de sa vie sexuelle comptant plusieurs dimensions. Dès lors, son accompagnement constitue une pratique complexe impliquant différents systèmes, biologiques, psychologiques et sociologiques, notamment.

2. *La vie constitue une structure intégrée.*

Christian de Duve (1996) aborde la vie dans son unité : « La vie est une » (p. 27). L'être vivant est un ensemble d'éléments intégrés formant un tout. Cette idée permet de se représenter la vie sexuelle comme un tout qui se construit et s'exprime à l'aide de divers éléments. Ainsi, l'accompagnement consiste à aider le résident à se construire un style de vie sexuelle fait d'activités sexuelles variées.

3. *La vie est un processus évolutif.*

François Raulin (1994) définit le vivant comme un système « capable d'évoluer » (p. 20). La structure des organismes vivants change et se transforme au fil du temps. De même, la vie sexuelle se développe et se modifie au cours des années. L'intervention sexologique aide le résident à s'adapter aux altérations de son état physique, psychique et social qui influencent sa vie sexuelle.

4. *La vie implique un projet à réaliser.*

Jacques Monod (1970) considère que les êtres vivants sont « doués d'un projet » (p. 22). L'être vivant se définit en fonction de ce qu'il réalise à partir d'une projection de sa personne dans un avenir souhaité. Selon cette perspective, l'accompagnement du résident doit comprendre la prise en compte de son projet de vie sexuelle. Le projet de vie est un outil important pour l'infirmière et les soignants.

Le tableau 40-1 résume les grandes caractéristiques de la vie et ses implications cliniques.

Le sexuel

Pour ce qui est de la notion du « sexuel », elle a également plusieurs significations selon les orientations théoriques. Trois dimensions sont primordiales pour définir les objectifs de l'intervention sexologique.

1. *Le sexuel témoigne d'une appartenance identitaire.*

Money et Tucker (1975) étudient la sexualité à partir des « différences entre les sexes » (p. 13). Ils présentent le sexuel en faisant référence à tous les traits physiques, psychiques et sociaux propres au sexe masculin ou au sexe féminin. L'identité sexuelle correspond au sentiment d'appartenir à un sexe. En CHSLD, il importe de créer un lieu de vie et d'encourager un mode de vie qui préserve l'identité sexuelle des résidents.

2. *Le sexuel comprend une recherche de plaisir érotique.*

Sigmund Freud (1963) considère la satisfaction des pulsions comme une finalité importante de la sexualité humaine. Selon lui, « le caractère normal de la vie sexuelle est assuré par la conjonction, vers l'objet et le but sexuels, de deux courants : celui de la tendresse et celui de la sensualité » (p. 111-112). Ainsi, l'être humain vit des expériences faisant intervenir des composantes corporelles, comme la stimulation et l'excitation, des composantes psychiques, comme l'imagination et l'émotion, et des composantes sociales, comme les normes et les rôles, avec l'intention de se procurer à soi-même du plaisir et d'en procurer à son partenaire. En CHSLD, il ne s'agit pas de fermer la porte à l'érotisme, mais plutôt de l'ouvrir à de nouvelles dimensions et d'en améliorer la qualité.

3. *Le sexuel constitue une expression de la génitalité.*

William Masters et Virginia Johnson (1968) ont « procédé à l'analyse des réactions humaines à l'excitation sexuelle »

Tableau 40-1	Implications cliniques de la maîtrise des composantes de la vie
LA SEXUALITÉ EST...	**L'INFIRMIÈRE AIDE LE RÉSIDENT À...**
Une organisation complexe	Améliorer et apprécier les aspects physique, psychique et social de sa vie sexuelle.
Une structure intégrée	Unifier et harmoniser les diverses composantes de sa vie sexuelle.
Un processus évolutif	Comprendre et assumer les modifications de sa vie sexuelle.
Un projet à réaliser	Concevoir et réaliser son projet de vie sexuelle.

(p. 19) dans le but de mieux comprendre l'orgasme génital. Il arrive souvent, quoique pas toujours, que la quête de plaisir érotique s'inscrive dans le contexte d'une activité génitale. Ainsi, l'orgasme génital constitue un volet du plaisir sexuel recherché. En CHSLD, il importe d'aider les résidents qui valorisent l'expérience orgasmique à surmonter les difficultés physiques, psychiques et sociales qui perturbent leur réponse sexuelle.

Le tableau 40-2 résume les grandes caractéristiques de la sexualité et ses implications cliniques.

Cette liste de composantes de la vie et du sexuel permet de concevoir la « vie sexuelle » comme une propriété essentielle des êtres vivants qui évolue depuis la naissance jusqu'à la mort en remplissant des fonctions de reproduction et de plaisir propres au sexe masculin et au sexe féminin. La vie sexuelle comprend des facteurs biologiques comme les hormones et les organes génitaux, des facteurs psychiques comme les désirs, les fantasmes, les affects, les connaissances et les croyances, des facteurs spirituels comme les valeurs, les conceptions de la femme et de l'homme, du plaisir, de l'amour, et des facteurs sociaux comme les rôles, les relations interpersonnelles et les normes. Ces multiples facteurs sont en interaction constante et forme un tout qui s'exprime sous la forme d'une identité sexuelle personnelle.

Le résident peut vivre sa vie sexuelle en se fixant des buts : avoir des réactions physiques adéquates, avoir accès à des lieux intimes, maintenir sa relation de couple et avoir des activités sexuelles satisfaisantes, faire des apprentissages et acquérir des compétences nouvelles dans le domaine de la sexualité. Ces buts peuvent servir de critères qui rendent compte de la qualité de sa vie sexuelle. Or la qualité de vie sexuelle est l'objectif ultime de l'intervention sexologique de l'infirmière auprès des résidents.

Qualité de vie sexuelle

En mettant l'accent sur le bonheur plutôt que sur le malheur, le concept de qualité de vie a permis le passage d'une vision négative des services en CHSLD à une vision positive (Mercier, 1993). Dès lors, il s'avère avantageux d'utiliser la notion de qualité de vie sexuelle comme cadre de référence pour les interventions des soignants. La qualité de vie sexuelle se définit comme « un état de mieux-être sexuel qui s'exprime par l'adoption d'un style de vie individuelle et relationnelle qui permet de satisfaire ses besoins sexuels d'une manière épanouissante » (Dupras, 1997, p. 341). L'approche qui se fonde sur cette notion adopte une vision globale de la sexualité et s'inspire du modèle d'intervention biopsychosociale. Elle tient compte de tous les aspects du bien-être sexuel, qui sont interdépendants et en interaction constante.

Bien-être biosexuel

La qualité de vie sexuelle implique d'abord un bon fonctionnement de l'appareil génital. Or, le processus de la vie comprend le vieillissement biologique. La vieillesse se traduit par des modifications morphologiques et fonctionnelles qui entraînent des pertes sur le plan des capacités corporelles. Des changements se produisent dans les divers systèmes. Ainsi, dans le système endocrinien, le taux d'œstrogènes diminue. Dans le système cardio-vasculaire, les artères perdent de leur élasticité. Dans le système neurologique, le nombre et la qualité des cellules et des fibres nerveuses baissent. Dans le système locomoteur, la masse osseuse et la masse musculaire se réduisent. Dans le système respiratoire, la surface alvéolaire diminue. Enfin, dans le système urinaire, le tonus sphinctérien baisse. Tous ces changements biologiques peuvent influencer la réponse sexuelle. L'érection est plus lente chez les hommes âgés et la lubrification vaginale est lacunaire chez les femmes âgées. De plus, la réponse sexuelle est plus ou moins perturbée par la maladie et l'absorption de certains médicaments (Hillman, 2000).

La réponse des soignants aux besoins biosexuels des résidents peut prendre diverses formes compte tenu de l'expertise et de la pratique professionnelle de chacun. Ainsi, l'infirmière peut effectuer un examen clinique ou donner de l'information sur les façons de se protéger contre les infections transmissibles sexuellement. Le médecin peut prescrire du Viagra ou modifier la médication qui perturbe la réponse sexuelle. L'ergothérapeute peut suggérer des aménagements qui facilitent l'utilisation d'une position sexuelle. Le récréologue peut proposer des activités de relaxation ou des jeux visant à réapprendre la sensualité. Le préposé aux bénéficiaires peut donner des conseils quant aux façons de se maquiller, de se coiffer et de se vêtir pour améliorer son apparence physique. Enfin, le psychologue peut travailler sur l'image corporelle pour faire naître et se développer une perception positive des attributs physiques. Somme toute, c'est une action concertée de l'équipe interdisciplinaire qui devrait être réalisée pour améliorer le bien-être sexo-corporel des résidents. Bien qu'on en trouve peu en CHSLD, un sexologue serait un atout majeur pour coordonner les différentes interventions.

Tableau 40-2	Implications cliniques de la maîtrise des composantes de la sexualité
LE SEXUEL EST...	**L'INFIRMIÈRE AIDE LE RÉSIDENT À...**
Une appartenance identitaire	Préserver et consolider son identité sexuelle.
Une recherche de plaisir	Préciser ses besoins sexuels et trouver des moyens pour les satisfaire.
Une expression de la génitalité	Maintenir et améliorer la qualité de sa réponse sexuelle.

Bien-être psychosexuel

La qualité de vie sexuelle se manifeste par le sentiment d'apprécier la sexualité, d'être capable de satisfaire ses besoins sexuels, d'être un bon partenaire sexuel et de s'estimer comme homme ou femme. Le processus de vieillissement et l'apparition de différentes maladies entraînent des changements qui ont des répercussions sur la vie psychique et sexuelle. Parmi celles-ci, mentionnons la diminution de facultés cognitives comme l'attention et la mémoire qui peuvent perturber les relations et les communications, la perte de l'image positive de soi qui peut engendrer des états dépressifs et la perte d'autonomie qui peut restreindre la liberté de mouvement et de déplacement. De plus, la perte d'un futur radieux peut provoquer le pessimisme et le défaitisme, et le sentiment de perte de soi influence la sexualité. La perte d'intérêt pour la sexualité conduit souvent à l'abandon des activités sexuelles. Ce dernier est perçu comme la fin inévitable de la période de vie sexuelle. Enfin, les pensées négatives à l'égard de la mort viennent appauvrir, voire tuer le désir sexuel (Thériault, 2002).

En l'absence de sexologue, les infirmières peuvent aider les résidents à se réapproprier leur univers sexuel en les accompagnant dans leur démarche de réévaluation de leur vécu sexuel et de réorientation de leur vie sexuelle. Il s'agit pour elles de contribuer à améliorer leur estime de soi sexuel, de les aider à se sentir à nouveau des hommes ou des femmes, à s'ouvrir à un avenir sexuel plus prometteur. Ainsi, des gestes quotidiens peuvent favoriser l'estime de soi sexuel : écouter les demandes et respecter les besoins sexuels, demander l'avis et obtenir l'accord concernant des interventions qui peuvent affecter la vie sexuelle, s'intéresser aux sentiments amoureux et aux désirs sexuels à l'égard d'un autre résident, approuver et féliciter un geste affectueux à l'égard d'un conjoint. D'autres gestes peuvent consolider l'identité sexuelle : appeler le résident par son nom et éviter les diminutifs infantilisants, complimenter le résident qui assume un rôle sexuel, reconnaître qu'une façon de penser et de se comporter est caractéristique des hommes ou des femmes. De plus, il importe d'entretenir l'espoir d'une vie sexuelle meilleure, de suggérer des moyens et de proposer des solutions pour améliorer et apprécier la vie sexuelle.

Bien-être sociosexuel

La qualité de vie sexuelle suppose des relations harmonieuses avec l'entourage concernant le vécu sexuel et un environnement favorable à l'expression d'une sexualité épanouissante. Les proches d'un résident, les membres de sa famille en particulier, peuvent percevoir de manière négative l'exercice de la sexualité. Ils peuvent alors exercer des pressions pour décourager le résident de poursuivre une relation amoureuse et des activités sexuelles. Par ailleurs, la vie en institution rend difficile le respect des droits à l'intimité sexuelle et à des lieux propices à l'expression de sa sexualité. La dépendance vis-à-vis des autres et le regard des autres entraînent souvent une perte d'autonomie sexuelle (Holstensson et Rioufol, 2000).

Le CHSLD doit être un milieu vivant donnant une place à la sexualité. Ainsi, les activités devraient permettre aux résidents de tisser des liens, voire de former des couples. Toutefois, l'expression de la sexualité peut créer des conflits. Les paroles crues, la vulgarité et l'exhibitionnisme sont mal vécus par les autres résidents et par les soignants. Il faut donc exiger des résidents excessifs qu'ils respectent le droit collectif en tempérant leurs propos et en se trouvant un lieu intime pour ne pas gêner. Il va sans dire que des aménagements sont nécessaires pour assurer l'intimité, par exemple réserver un lieu pour les rencontres intimes. De même, les soignants doivent respecter l'intimité des résidents, par exemple, en frappant avant d'entrer dans une chambre.

Le tableau 40-3 résume les différents aspects du bien-être sexuel et les interventions infirmières correspondantes.

Des initiatives isolées, même positives, ne risquent guère d'améliorer de façon notable la qualité de vie sexuelle. Il importe de concevoir un projet de vie sexuelle à partir des besoins des résidents et des réflexions des soignants.

Tableau 40-3	**Interventions infirmières visant l'amélioration de la qualité de vie sexuelle des résidents**	
BIEN-ÊTRE…	**POUR AMÉLIORER…**	**LE SOIGNANT PEUT PROPOSER…**
Biosexuel	• l'apparence corporelle • la mobilité corporelle • la sécurité corporelle • la fonctionnalité corporelle	• une coiffure ou un vêtement. • un exercice ou une position. • un préservatif ou une alarme. • un médicament ou un traitement.
Psychosexuel	• la maîtrise de soi • l'estime de soi • la compréhension de soi • l'actualisation de soi	• une situation ou un but. • un compliment ou une écoute. • une interprétation ou une discussion. • un rôle ou un projet.
Sociosexuel	• l'interaction sociale • l'approbation sociale • la cohésion sociale • l'aide sociale	• une rencontre ou une activité. • un consentement ou une autorisation. • une règle ou une norme. • une assistance ou une ressource.

Projet de vie sexuelle

L'élaboration d'un projet de vie sexuelle est une démarche qui permet aux résidents et aux soignants de construire ensemble un cadre de vie sexuelle respectant à la fois les droits individuels et les devoirs à l'égard de la collectivité. Deux projets de vie sexuelle sont possibles, un pour l'établissement et un pour le résident. Il importe de les distinguer l'un de l'autre, mais aussi de les conjuguer.

Le projet de vie sexuelle institutionnel regroupe les orientations de l'établissement concernant l'expression de la sexualité, les conditions de vie sexuelle et les modes de fonctionnement des services visant le bien-être sexuel des résidents. S'inscrivant dans le cadre de la mission générale du CHSLD, il lui permet de prendre clairement position sur l'accompagnement de la vie sexuelle des résidents et d'envisager les moyens nécessaires à sa mise en œuvre. Le projet de vie sexuelle individuel, quant à lui, permet à chaque résident de préciser ses aspirations et ses attentes concernant sa vie sexuelle au sein de l'établissement. À partir d'un bilan de vie sexuelle et d'une évaluation de ses besoins sexuels, le résident peut préciser ce qu'il souhaite vivre dans le domaine de la sexualité. Le personnel soignant peut consulter le projet de vie sexuelle pour planifier ses interventions. Ce projet fait partie intégrante du projet global de vie du résident.

S'il est heureux que le résident soit au centre des discours, voire des préoccupations des soignants, il faut cependant éviter l'écueil de limiter le projet de vie sexuelle aux personnes. On risquerait de laisser trop d'indépendance au résident pour élaborer son projet personnel et d'oublier le projet institutionnel. Or, sans ce dernier, il manque une vision globale pour enrichir la perspective individuelle. Les projets de vie sexuelle individuel et institutionnel sont indissociables. Le premier ne peut se vivre que dans le cadre du second.

Si un projet de vie sexuelle individuel ne s'harmonise pas avec le projet institutionnel, le résident risque d'être marginalisé. Si, à l'inverse, le projet institutionnel ne tient pas assez compte des particularités, certains résidents peuvent devoir renoncer à leur originalité individuelle par exigence de conformité. Dans les deux cas, des problèmes d'identité peuvent surgir, stigmatisation d'identité déviante ou perte d'une partie d'identité. Le résident doit trouver un équilibre entre l'ouverture aux autres, d'une part, et l'écoute de ses aspirations personnelles, d'autre part.

Projet de vie sexuelle institutionnel

Les manifestations sexuelles des résidents soulèvent la question du quoi faire et du comment faire. Comment intervenir en CHSLD concernant la sexualité? Faut-il permettre ou interdire? Faut-il en parler ou se taire? Faut-il intervenir ou s'abstenir? Il est difficile d'arriver à un consensus entre soignants à ce sujet, compte tenu de la disparité des points de vue. Le projet de vie sexuelle institutionnel est une base pour les attitudes des soignants, un moyen de donner un sens et une cohérence à leurs actions. L'élaborer permet d'établir un cadre de travail sécurisant pour les soignants, qui connaissent alors les attentes des dirigeants à l'égard de leurs pratiques professionnelles lors de situations sexuelles.

La sexualité en CHSLD, comme ailleurs, se caractérise par l'incertitude et la turbulence des idées et des valeurs. Les changements permanents que connaissent nos sociétés modernes nous poussent à reconsidérer nos modes de pensée, d'action et de gestion quant à la sexualité, à reconstruire des références éthiques, sociales et culturelles. Le projet de vie sexuelle peut contribuer à la construction de nouveaux repères dans le CHSLD. Son élaboration permet d'harmoniser les intentions de l'établissement en matière de sexualité et les moyens mis en œuvre pour les réaliser.

La direction de l'établissement a l'obligation de préciser les orientations et les valeurs en matière de sexualité sur lesquelles les soignants vont s'appuyer dans leur travail quotidien. Le cadre de référence commun ainsi établi définit ce qu'est une vie sexuelle épanouissante dans l'établissement et comment elle se réalise. Il peut prendre la forme d'une charte des droits sexuels ou celle d'une politique institutionnelle en matière de sexualité. Il s'agit d'un document écrit ayant pour but d'énoncer un ensemble de valeurs et de principes éthiques en matière de comportements sexuels des résidents et de pratiques professionnelles des soignants (voir le tableau 40-4). La politique

Tableau 40-4	Des valeurs pour un projet de vie sexuelle
Globalité et diversité	La sexualité de la personne est perçue dans ses multiples dimensions et respectée dans ses différences.
Liberté et autonomie	La personne est considérée comme un sujet de soins capable de donner son avis et de choisir lui-même son mode de vie sexuelle en fonction de ses besoins.
Dignité et respect	La vie sexuelle de la personne est envisagée avec considération dans le respect de son caractère privé et intime.
Équité et égalité	La personne est traitée de manière impartiale et sans discrimination dans la reconnaissance de ses droits sexuels.
Responsabilité et participation	La personne est définie comme un acteur social responsable qui participe activement au processus d'amélioration de sa qualité de vie sexuelle.
Sécurité et protection	La personne est protégée contre les infections et les agressions sexuelles.

constitue un engagement moral de l'établissement de se fonder sur des valeurs et principes pour donner un sens à ses actions. L'élaboration d'un cadre de référence en matière de sexualité a l'avantage, d'une part, de pousser les dirigeants à réfléchir à la philosophie de l'établissement à l'égard de la sexualité, d'autre part, d'aider les équipes soignantes à intervenir de façon cohérente. Elle propose un cadre général dans lequel vont s'inscrire les projets de vie individuels.

Le centre Providence, situé à Scarborough, en Ontario, a conçu une politique pour aider le personnel soignant à agir de manière adéquate concernant la vie sexuelle des résidents recevant des soins de longue durée (Doyle, Bisson, Janes, Lynch et Martin, 1999). L'étude de la démarche suivie a permis de dégager sept étapes, décrites dans le tableau 40-5. Nous avons inséré trois principes dont l'application permet, à notre avis, d'augmenter les chances de réussite d'un projet institutionnel en matière de sexualité.

Projet de vie sexuelle individuel

L'existence d'un projet de vie sexuelle institutionnel constitue une condition favorable à l'élaboration d'un projet de vie sexuelle individuel. En effet, l'engagement du CHSLD à respecter les droits sexuels des résidents peut encourager ces derniers à maintenir un certain degré de fonctionnement dans le domaine de la sexualité. Le projet de vie sexuelle permet au résident d'actualiser son intention de vivre sa sexualité. Malheureusement, il est souvent conçu comme un outil permettant de combler les manques et les pertes, aidant le résident à surmonter des difficultés. Cette approche négative s'appuie sur une vision déficitaire du résident et de sa sexualité.

Il est préférable que ce soit un sexologue qui aide le résident à élaborer son projet de vie sexuelle. Cependant, en l'absence de sexologue, il appartient à l'infirmière de remplir ce rôle. Cela exigera d'elle de reconsidérer sa perception et sa compréhension de la vie sexuelle. Elle devra concevoir la vie sexuelle comme un processus évolutif s'appuyant sur les expériences antérieures, sur les contextes actuels et sur les aspirations, comme quelque chose qui se construit en s'adaptant de manière positive aux changements physiques, psychiques et sociaux qui se produisent. Ainsi, le projet de vie sexuelle implique une mise à l'épreuve et une consolidation de l'identité sexuelle. L'infirmière doit s'assurer que le résident conserve un certain sentiment de continuité par rapport à la femme ou à l'homme qu'il a été, malgré les transformations. Il importe de maintenir les repères et les liens qui fondent l'identité sexuelle.

Tableau 40-5	Étapes de l'élaboration d'une politique institutionnelle	
ÉTAPES	**DESCRIPTION**	**PRINCIPES**
1. Constitution d'un groupe de travail	L'établissement confie à un groupe interdisciplinaire de professionnels la mission de concevoir une politique en matière de sexualité.	Contribution d'un consultant: La conception et la révision d'une politique institutionnelle nécessitent l'aide d'un consultant qui facilitera la démarche.
2. Élaboration d'un canevas de travail	Le groupe de professionnels formule une série de questions pour les guider dans leur réflexion et leur travail.	
3. Évocation de l'histoire institutionnelle	Le groupe de travail étudie l'histoire de l'établissement afin de connaître les idéologies religieuses et culturelles dans lesquelles s'inscrivaient les missions de l'institution.	
4. Formulation des valeurs sexuelles	Le groupe énonce des valeurs liées à la sexualité, entre autres, le respect et la dignité s'exprimant dans la reconnaissance du droit à la vie privée et à l'intimité.	Participation des résidents: L'établissement doit placer les résidents au centre de sa démarche, en leur demandant leur point de vue (en les interrogeant ou en demandant à des représentants de faire partie du groupe de travail).
5. Détermination des besoins	Le groupe répertorie les besoins sexuels des résidents et procède à un inventaire des obstacles à leur satisfaction.	
6. Conception de procédures	Le groupe propose la mise en œuvre d'activités visant à répondre aux besoins sexuels des résidents, plus particulièrement des résidents atteints de démence ou présentant des troubles de comportement.	
7. Évaluation de la démarche	Pour vérifier la réussite de l'implantation de la politique, l'établissement évalue, au bout d'un an, les changements éventuels de mentalités et de pratiques.	Révision du projet: L'établissement doit périodiquement repenser et remanier sa politique institutionnelle afin de l'adapter aux nouvelles réalités.

En fait, très tôt dans sa vie, toute personne commence à élaborer un projet de vie sexuelle dont les éléments vont la guider jusqu'à sa mort. Certains auront pour projet de se trouver un compagnon de vie avec lequel ils seront heureux sur le plan sexuel et auront des enfants. Ils seront ainsi grandement influencés par leurs parents. D'autres, au contraire, auront un projet différent, ne voudront pas d'enfants ni de compagnon de vie régulier. La personne construit peu à peu son projet de vie sexuelle à partir de son vécu passé et présent, de ses valeurs et des composantes de son identité sexuelle profonde. Elle le modifie en fonction de son développement sexuel, y intégrant de nouvelles conceptions et de nouveaux comportements. Grâce à son projet de vie sexuelle, elle se projette dans le futur, imagine ce qu'elle veut devenir comme personne sexuée.

Une façon de consolider son identité sexuelle consiste à se définir à partir de son projet de vie sexuelle, à partir de sa capacité d'imaginer un futur sexuel différent. Le projet de vie sexuelle s'insère dans un projet de vie global. Il n'est pas recommandé d'élaborer un projet de vie sexuelle si le projet de vie global n'est pas clair. L'infirmière doit partir du projet de vie global du résident pour l'aider à définir son projet de vie sexuelle. Elle peut adopter la stratégie consistant à faire le va-et-vient entre le projet de vie global et le projet de vie sexuelle. Somme toute, il faut aider le résident à élaborer et à mettre en œuvre un projet personnel cohérent, qui lui soit propre, qui corresponde à ses capacités, à ses motivations et à sa personnalité. L'élaboration du projet de vie sexuelle est une démarche très personnelle. Une façon de procéder consiste à réfléchir globalement et directement au projet de vie sexuelle du résident, sans l'expliciter dans des activités particulières. Une autre façon consiste à partir des activités sexuelles particulières que le résident souhaiterait vivre: elles constituent des révélateurs qui permettent de découvrir le projet de vie.

Pour élaborer le projet, il faut trouver un équilibre entre les possibilités, les libertés et les limites, les contraintes. Le résident peut le bâtir à partir d'un certain nombre de repères:

1. *Sa vie sexuelle personnelle, c'est-à-dire son histoire sexuelle, son vécu psychique, ses capacités, ses acquis, sa volonté de réaliser son projet.*

2. *Sa vie sexuelle relationnelle, c'est-à-dire son état civil, ses goûts et préférences, ses compétences, ses rapports avec les autres.*

3. *Sa vie sexuelle liée à son environnement, c'est-à-dire ses aires de vie sexuelle, les lieux où s'exprime la sexualité, ses conditions de vie sexuelle.*

La réflexion sur ces repères peut conduire à une synthèse servant de base à l'évocation de l'avenir sur le plan sexuel. Explorer avec le résident son intentionnalité permet de l'aider à préciser le sens et la direction qu'il veut donner à sa vie sexuelle (Parent, 2003). L'intentionnalité du résident traduit sa façon personnelle de concevoir et d'organiser sa vie sexuelle. Elle témoigne de son projet de vie sexuelle véritable. À titre d'exemple, un résident peut faire du charme à plusieurs personnes, mais avoir comme intention profonde de rechercher un partenaire stable et régulier.

Est-il possible de concevoir un projet de vie sexuelle avec un résident atteint de troubles cognitifs dus à différentes pathologies, notamment la démence vasculaire ou la démence de type Alzheimer? Comment construire un projet de vie sexuelle avec un résident dont la mémoire et les autres fonctions cognitives comme la compréhension, l'attention, l'orientation et le jugement se détériorent? Il est tentant d'abdiquer dans le cas d'un résident atteint de la maladie d'Alzheimer qui vit une diminution de l'appétit sexuel. Les soignants auront même tendance à intervenir pour supprimer les manifestations d'une hyperactivité sexuelle. Cependant, malgré leurs limites, les résidents déments ont des besoins sexuels et relationnels qu'ils ont le droit d'exprimer dans le respect des autres.

Un projet de vie sexuelle institutionnel est particulièrement utile pour aider les soignants de l'établissement dans leur démarche d'élaboration d'un projet de vie sexuelle individuel pour un résident atteint de démence. À titre d'exemple, un groupe de travail (Christie, 2002) de la région de Hamilton (Ontario) a conçu un guide pour l'élaboration d'une politique en matière de sexualité, guide qui reconnaît aux résidents déments le droit à une vie sexuelle. Ce guide propose aux soignants de procéder à l'observation de situations concrètes pour arriver à une bonne connaissance des comportements sexuels des résidents déments. De plus, il souligne qu'il est important de vérifier si ces derniers s'engagent dans des activités sexuelles consentantes. Le consentement d'un résident ayant une démence sévère peut s'évaluer par l'observation du visage et des comportements verbaux et physiques lorsque s'engagent des rapports sexuels avec le partenaire. L'aide d'un consultant en sexologie est souvent fort utile pour comprendre les besoins sexuels des résidents déments et trouver des réponses adaptées à leurs particularités. À titre d'exemple, Badeau (2001) rapporte le cas d'une résidente démente qui touchait souvent sa vulve et introduisait des objets dans son vagin. Une sexologue a rencontré la dame pour mettre en évidence ses désirs sexuels, ses goûts et ses aspirations. Puis, un travail d'équipe avec la consultante a permis de lui proposer l'utilisation d'un vibrateur et de lubrifiant. Lors de l'évaluation, tout indiquait qu'elle était satisfaite de la solution apportée à son besoin. En somme, ce sont l'ouverture d'esprit, la créativité, la connaissance et le jugement éthique éclairé qui soutiennent la démarche des soignants visant à répondre aux besoins sexuels des résidents.

Conclusion

La notion de «vie sexuelle» constitue une bonne référence heuristique pour découvrir la sexualité et les moyens à employer pour améliorer le bien-être sexuel des résidents des CHSLD. La sexualité donne non seulement la vie, mais également du plaisir. Le sexuel, c'est la vie, mais aussi

l'envie. Vivre sa vie sexuelle, c'est vivre son désir de jouir du plaisir sexuel. Parler de la vie sexuelle en CHSLD permet de confirmer les résidents comme des êtres de désir et de besoins sexuels (Dupras, 2004a). Malgré la maladie ou le handicap, malgré l'âge, les résidents des CHSLD sont des êtres vivants qui ont une sexualité jusqu'à la fin de leur vie. Le projet de vie sexuelle individuel permet de garder le sexuel en vie, de découvrir des modalités d'expression satisfaisantes de la sexualité non plus évanouie, mais épanouie.

À notre avis, la présence d'un projet de vie sexuelle institutionnel et de projets de vie sexuelle individuels dans un CHSLD constitue un indicateur de l'évolution des mentalités et des pratiques en matière de sexualité. Le projet de vie sexuelle reconnaît aux résidents des droits sexuels et contribue à ce que les soignants reconnaissent ces droits dans leur pratique professionnelle (Dupras, 2004b). Son élaboration peut rencontrer des résistances, mais le souci partagé d'améliorer la qualité dc vie sexuelle des résidents saura encourager les soignants à accomplir leur mission. Les CHSLD seront fiers de donner aux résidents les meilleures conditions assurant leur bien-être sexuel.

ÉTUDE DE CAS

Monsieur Saint-Onge, âgé de 70 ans, vit depuis quatre ans dans une chambre privée d'un CHSLD. Il est veuf et père de trois enfants. Lorsque son épouse vivait, elle venait le voir, mais repoussait ses gestes intimes. Elle trouvait que l'endroit ne convenait pas pour avoir des rapports sexuels. M. Saint-Onge est très intéressé par la sexualité. Il aime regarder les femmes et les taquiner. Il ne rate pas une occasion de leur faire des compliments. Les autres résidents l'apprécient beaucoup pour sa bonne humeur. Son passe-temps favori consiste à raconter des histoires. Il regarde souvent les émissions d'humour pour enrichir son répertoire. Il se spécialise dans les farces à contenu sexuel, mais fait attention à qui il s'adresse. Certaines personnes lui ont cependant reproché d'être grivois dans ses propos. M. Saint-Onge raffole des films érotiques. Il demande souvent aux préposés aux bénéficiaires de lui procurer des films d'action… sexuelle. Un jour, un soignant est entré dans sa chambre lorsqu'il regardait l'un de ces films et l'a surpris en train de se masturber. Un peu plus tard, la responsable de l'unité est venue le voir pour lui demander de s'assurer que personne ne le voyait se livrer à ses pratiques masturbatoires.

Depuis un certain temps, M. Saint-Onge s'intéresse à Mme Hudon, nouvelle résidente du CHSLD. Il la trouve jolie et attrayante et essaye de la rencontrer le plus souvent possible. Ainsi, il s'assoit à sa table pour manger et l'accompagne à ses activités de loisirs. Il se place à côté d'elle pour regarder la télévision et lui prend la main. Un jour,

il confie à une infirmière qu'il a eu un rapport sexuel avec Mme Hudon. L'infirmière est embêtée de l'apprendre, car elle a des doutes sur les capacités de Mme Hudon à donner un consentement valide à une activité sexuelle. La résidente a des problèmes cognitifs qui ne lui permettent pas de tout comprendre ce que les autres lui disent. L'infirmière va s'enquérir auprès d'elle de son consentement. Elle demande également à M. Saint-Onge s'il a perçu des signes de désapprobation chez sa partenaire.

M. Saint-Onge a une autre préoccupation. Son expérience sexuelle lui a permis de découvrir qu'il a des difficultés érectiles. Il interroge donc l'infirmière à propos des effets de ses médicaments sur la réponse sexuelle. Ensuite, il demande à son médecin de lui prescrire du Viagra. Le médecin croit qu'il s'agit d'une blague. Mais M. Saint-Onge est sérieux et insiste.

M. Saint-Onge a le projet de vivre en couple avec Mme Hudon. Il propose à la résidente de partager la même chambre. Elle semble accepter. Il doit donc convaincre la direction du CHSLD de les reconnaître comme couple et de leur attribuer une chambre à leur convenance. Il découvre alors que les avis sont partagés quant à leur projet de vie commune. On lui dit que sa demande va être étudiée. Un autre obstacle se présente. Les enfants de Mme Hudon s'opposent au projet de vie commune. Ils s'interrogent sur les motivations réelles de M. Saint-Onge et sur les aspirations profondes de leur mère.

Questions

1 Quels sont les trois objectifs spécifiques, tenant compte des aspects physique, psychique et social de la sexualité, qu'il faut poursuivre pour aider M. Saint-Onge à améliorer son bien-être sexuel ?

2 Que doit faire et ne pas faire l'infirmière pour respecter le droit à l'intimité sexuelle d'un résident ?

3 Nommez trois critères qui permettraient d'évaluer la capacité de Mme Hudon à consentir librement à une activité sexuelle.

4 Quels sont les trois types de questions à poser à un résident pour le guider dans son processus d'élaboration de son projet de vie sexuelle individuel ?

41 LES SOINS INTERCULTURELS EN CHSLD

:::

par **Ginette Lazure** et **Margot Tremblay**

Les infirmières qui travaillent dans les CHSLD ont conscience de l'importance de dévelop-
per des compétences culturelles dans leur pratique professionnelle afin de répondre de façon
sensible aux besoins des résidents d'origines ethniques et culturelles variées.

Établir un lien tant théorique que pratique entre les soins apportés et la culture des rési-
dents implique une remise en question de certitudes solidement ancrées dans les milieux de
soins des CHSLD. Le personnel-cadre doit faire preuve de beaucoup de souplesse et d'ouver-
ture pour que les soignants puissent appréhender cette diversité comme un défi à relever
personnellement plutôt que comme une menace à l'ordre établi. Très longtemps, les dimen-
sions culturelles des soins se sont limitées à la différenciation entre « soi » et les « autres ». On
mettait l'accent sur les attributs uniques, exotiques et inhabituels d'un groupe. Cela condui-
sait à des représentations stéréotypées, à des généralisations sur lesquelles on se fondait pour
dispenser les soins.

Dans le présent chapitre, il s'agit d'abord de présenter un portrait de la situation démo-
graphique du Canada et du Québec. Par la suite, les concepts essentiels à la compréhension
des soins en contexte interculturel sont clarifiés. Enfin, la théorie de la diversité et de l'uni-
versalité des soins culturels élaborée par Madeleine Leininger (1991) est présentée afin
d'offrir un cadre intéressant pour la réflexion et la construction de guides ethnoculturels
adaptés à la réalité de chaque CHSLD.

Portrait démographique

À cause de ses politiques d'immigration, le Canada est devenu, au fil du temps, un pays culturellement fort diversifié où plus d'une centaine de communautés ethnoculturelles se côtoient (Stryckman, 1991). D'après le recensement canadien de 2001, la population immigrée représente environ 5 448 485 personnes, dont 55,6 % vivent en Ontario et 18,5 % en Colombie-Britannique (ministère des Relations avec les citoyens et de l'Immigration [MRCI], 2004). Au Québec, 706 965 immigrants ont été recensés en 2001. Parmi eux, 358 675 étaient de sexe féminin et 348 290 de sexe masculin. Par ailleurs, les Polonais, les Ukrainiens, les Juifs, les Britanniques et les Allemands sont des groupes dont le degré de vieillissement est élevé, puisqu'ils comptent 10 % d'individus de plus de 65 ans (Choinière et Robitaille, 1990). Concernant les religions, le catholicisme est la principale dans la population immigrée, devant l'islam, dont 73 % des fidèles sont arrivés durant la décennie 1991-2001 (MRCI, 2004). Enfin, pour ce qui est des langues, seuls 5,3 % des immigrants déclarent ne parler ni français ni anglais.

Guberman et Maheu (1997) ont décrit les circonstances dans lesquelles les familles d'origine italienne et haïtienne utilisent l'hébergement en CHSLD. Pour ces familles, le CHSLD constitue un recours ultime, lorsque le réseau familial est incapable de prendre en charge l'aîné ou lorsque la personne soignante à la maison est épuisée. Même s'il est une nécessité, l'hébergement en CHSLD n'est pas une transition facile. Les résidents et leur famille ont évoqué les divers problèmes qu'ils rencontraient : barrière linguistique, isolement, peur d'être négligé, distance culturelle et coûts de l'hébergement, surtout pour les personnes parrainant un résident.

Pereira, Lazarowich et Wester (1996) recommandent aux gestionnaires de CHSLD multiethniques d'embaucher un personnel reflétant la composition ethnoculturelle de l'établissement. Ils conseillent par ailleurs aux gestionnaires de CHSLD monoethniques de mettre en place des stratégies d'acquisition et de développement de compétences culturelles pour tout le personnel.

Diversité des concepts

Pour acquérir et développer des compétences culturelles, les soignants doivent d'abord comprendre certains concepts de base : la culture, l'ethnicité, le racisme, la discrimination, les préjugés et les stéréotypes.

La culture correspond à une construction sociale dynamique des modèles de comportements, des croyances, des valeurs, des modes de vie, des coutumes qui oriente la

vision du monde, guide les processus de pensée et les modes de décision d'un groupe de personnes (Leininger, 1991). Au-delà de la diversité ethnique, cette définition évoque aussi le pluralisme culturel lié à l'orientation sexuelle, à la religion, à l'âge et au sexe. À titre d'exemple, les femmes âgées juives de la classe moyenne ont des valeurs très différentes des jeunes hommes juifs étudiants.

L'ethnicité est un processus d'organisation sociale où un groupe utilise des traits culturels pour se distinguer des autres. Entre ici en jeu le sentiment d'appartenance qu'éprouve une personne envers un groupe dont les membres se réclament d'une origine commune, réelle ou fictive, et partagent des caractéristiques physiques, des croyances religieuses, une culture et une langue (Gelfand et Barresi, 1987). À titre d'exemple, les résidents réfugiés d'origine africaine n'ont pas tous la même identité ethnique. Certains vont davantage s'identifier à un groupe ethnique comme les Somaliens; d'autres à un groupe religieux comme les musulmans.

Le racisme, quant à lui, renvoie à des idéologies, à des attitudes, à des pratiques et à des conduites qui ont pour origine des préjugés ou des généralisations fondés sur des caractères raciaux, ethniques et culturels. Après l'attaque de Pearl Harbour, en 1942, plus de 22 000 Japonais et Canadiens d'origine japonaise ont été victimes de racisme de la part des États-Unis d'Amérique. Ils se sont vu confisquer leurs biens et ont été internés dans des camps militaires. Dans ces cas, les caractéristiques des personnes et leurs qualités individuelles ont été ignorées. Le critère de la race uniquement a fondé les traitements injustes subis.

La discrimination et la ségrégation sont des expressions du racisme. La discrimination est le traitement inégal de personnes dans la vie sociale selon les critères raciaux, mais aussi le statut social, le sexe et l'âge. Hagey et ses collaborateurs (2001) ont démontré que, au Canada, des infirmières d'origines ethniques diverses sont victimes de discrimination s'exprimant par du harcèlement, mais aussi par de l'hostilité. En lien avec la discrimination, la ségrégation est le fait de tenir à distance, de mettre à part des personnes appartenant à un certain groupe racial, social ou sexuel, ou à une certaine catégorie d'âge. À titre d'exemple, sous le régime de l'apartheid, en Afrique du Sud, des règles interdisaient aux Noirs de fréquenter les écoles et d'utiliser le transport en commun.

Enfin, les préjugés et les stéréotypes sont à l'origine du racisme. Préjuger signifie juger à l'avance, sans connaître. Les stéréotypes sont des images simplifiées, figées d'un groupe qu'on se fait à partir d'une généralisation de particularités de certains membres du groupe. Ils sont le reflet d'une fermeture d'esprit qui a très souvent des conséquences négatives sur les soins. Les recherches ont mis en évidence le fait que, de nos jours, les Arabes et les Haïtiens sont les principaux groupes visés par les stéréotypes négatifs dans nos institutions (Alliance des communautés culturelles pour l'égalité dans la santé et les services sociaux [ACCÉSSS], 2000).

La reconnaissance de la complexité et de l'éventuelle ambiguïté des concepts qui viennent d'être définis permet d'éviter des dérapages conceptuels et pratiques. La culture mais aussi l'ethnicité renvoient à une vision folklorique qui peut donner lieu à des stéréotypes, à des préjugés et parfois même à du racisme. C'est souvent le cas dans les milieux de soins, où les incompréhensions culturelles sont à la source de situations parfois délicates qui font obstacle à la qualité des soins. Pour donner un sens aux soins, comprendre les comportements des résidents et éviter les dérapages culturels, Madeleine Leininger propose sa théorie de la diversité et de l'universalité des soins culturels.

Théorie de la diversité et de l'universalité des soins culturels

Par la formulation de concepts spécifiques à partir d'une synthèse judicieuse de l'anthropologie, de la sociologie et de la science infirmière, Madeleine Leininger a élaboré la théorie de la diversité et de l'universalité des soins culturels (1991). Elle soutient qu'il existe plus de variations intraculturelles que de variations interculturelles, et que les véritables connaissances culturelles se fondent avant tout sur une connaissance des personnes et de leurs trajectoires individuelles et collectives. Selon sa théorie, l'infirmière qui procède à une évaluation ethnoculturelle doit s'efforcer de comprendre comment l'unicité et la différence s'expriment, plutôt que de porter toute son attention sur les expériences communes des résidents d'une même origine. La représentation graphique de la théorie de la diversité et de l'universalité de Leininger, connue sous le nom de «modèle Sunrise», met en lumière les dimensions interreliées qui influent sur les soins et la santé (voir la figure 41-1). La partie supérieure du demi-cercle présente les visions du monde qui influencent les soins. Ces dernières, qui sont expliquées en détail un peu plus loin, sont intimement liées à l'environnement et à la façon de communiquer, et sont à la base des conceptions et des convictions concernant la santé.

Les composantes de la structure sociale sont les suivantes: la technologie, la religion, la famille et les liens sociaux, les valeurs culturelles et les modes de vie ou activités de la vie quotidienne, la politique et les lois, l'économie et l'éducation. Comme ces composantes sont dynamiques et tendent à changer en fonction de l'époque et du milieu, il importe d'être au fait des informations ethnohistoriques pour comprendre leur influence sur l'expérience de santé. À titre d'exemple, une résidente ayant survécu à un conflit dans son pays d'origine et ayant vécu quelques années dans un camp de réfugiés risque de présenter davantage de problèmes de santé tant physiques que psychologiques qu'un autre, étant donné sa trajectoire migratoire et son histoire.

Dans la figure 41-1, les flèches indiquent des relations d'influence possibles, non des relations causales. En ce sens, l'infirmière peut, par ses décisions et actions, promouvoir la santé d'un résident en appliquant trois principes: 1) le maintien et la conservation des soins culturels, 2) la

SOINS CULTURELS

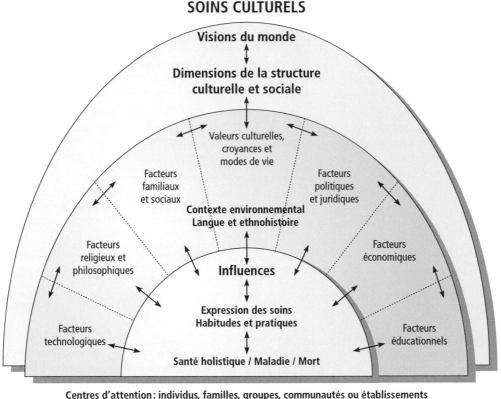

Visions du monde

Dimensions de la structure culturelle et sociale

Valeurs culturelles, croyances et modes de vie

Facteurs familiaux et sociaux

Facteurs politiques et juridiques

Contexte environnemental Langue et ethnohistoire

Facteurs religieux et philosophiques

Facteurs économiques

Influences

Expression des soins Habitudes et pratiques

Facteurs technologiques

Facteurs éducationnels

Santé holistique / Maladie / Mort

Centres d'attention : individus, familles, groupes, communautés ou établissements dans divers contextes de santé

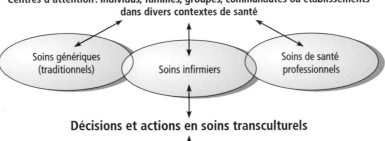

Soins génériques (traditionnels)

Soins infirmiers

Soins de santé professionnels

Décisions et actions en soins transculturels

Préservation / maintien des soins culturels
Adaptation / négociation des soins culturels
Remodelage / restructuration des soins culturels

Soins infirmiers adaptés à la culture dans une situation de santé, de bien-être ou de fin de vie

FIGURE 41-1 **Schéma du modèle Sunrise de Leininger illustrant les soins culturels**

Source : M. Leininger (2002). Culture care theory : a major contribution to advance transcultural nursing knowledge and practice. *Journal of Transcultural Nursing, 13*, 191.

négociation de soins culturels, 3) la restructuration des soins culturels.

Le tableau 41-1 (p. 536) définit ces trois principes et donne des exemples cliniques de leur application.

Il ne s'agit pas ici d'aborder toutes les dimensions culturelles proposées dans le modèle Sunrise, mais plutôt de traiter de celles qui influencent de façon importante la compréhension de l'expérience de santé des résidents des CHSLD : l'ethnohistoire, les visions du monde, les valeurs culturelles, les activités de la vie quotidienne, la communi-

cation, la famille et les liens sociaux, et la religion. Pour des explications plus détaillées, on pourra consulter l'ouvrage d'Andrews et Boyle (2003). Afin de tenir compte des différences culturelles lorsqu'elle dispense des soins, l'infirmière doit connaître l'importance de l'influence des diverses dimensions culturelles sur les soins. Toutefois, il importe de rappeler que les connaissances culturelles ne peuvent se réduire à des savoirs pratiques à utiliser dans toutes les situations. Enfin, les groupes spécifiques évoqués dans ce texte ne sont là qu'à titre d'exemples, pour illustrer l'une ou l'autre dimension.

Tableau 41-1	Principes de soins infirmiers culturels	
PRINCIPE	**DÉFINITION**	**EXEMPLE CLINIQUE**
Maintien et conservation des soins culturels	Activités d'assistance et de facilitation se fondant sur la culture du résident et maintenant sa santé et son style de vie à un niveau acceptable pour lui.	L'infirmière encourage le maintien des aliments ethniques qui apportent du réconfort au résident. Elle demande, par exemple, à la famille de cuisiner à l'occasion ses mets favoris.
Négociation de soins culturels	Activités d'assistance et de facilitation négociées et adaptées ou ajustées à l'état de santé et au style de vie du résident.	L'infirmière négocie des combinaisons alimentaires qui non seulement respectent les croyances du résident concernant l'alimentation, mais aussi tiennent compte des contraintes du diabète.
Restructuration des soins culturels	Activités présentant au résident une nouvelle signification des habitudes de vie, de manière à ce qu'il apporte les changements requis.	À la suite d'une évaluation culturelle, l'infirmière informe le résident et ses proches des effets secondaires et des complications possibles des herbes prescrites par le tradipraticien, et négocie avec le résident des changements dans les pratiques traditionnelles.

Ethnohistoire

De nombreuses recherches indiquent que les expériences de santé des résidents immigrants sont avant tout influencées par les événements vécus lors du processus migratoire. Ainsi, une meilleure connaissance des enjeux liés au parcours migratoire est essentielle à la construction d'approches culturelles sensibles. Lors de l'admission d'un nouveau résident, l'infirmière s'intéressera donc aux événements qui ont marqué la période allant du départ du pays d'origine à l'arrivée au Canada.

On distingue trois catégories de résidents permanents au Canada : les immigrants indépendants, les familles et les personnes en situation de détresse, c'est-à-dire les réfugiés reconnus et les réfugiés tels que les définit la convention de Genève et qu'on nomme aussi demandeurs d'asile. À chaque catégorie correspondent certains trajets migratoires. Les immigrants indépendants viennent au Canada pour répondre à des besoins de main-d'œuvre et contribuer à l'atteinte des objectifs démographiques de la société d'accueil. Les familles arrivent ensemble ou séparément. Leurs démarches sont facilitées parce que la réunification familiale favorise l'enracinement des immigrants. Enfin, les réfugiés et autres personnes en détresse fuient les menaces et la persécution qu'elles vivent dans leur pays. Le Canada les accueille par solidarité internationale, pour leur venir en aide.

Massé (1995) souligne que l'immigration peut être une expérience particulièrement difficile pour les aînés et les femmes. Outre les circonstances dans lesquelles s'est effectué le départ du pays d'origine, la distance culturelle entre la société d'origine et la société d'accueil, concernant les relations familiales, par exemple, exerce une influence sur l'état de santé d'un résident de CHSLD. Ainsi, il est essentiel d'évaluer cette distance entre la culture du groupe auquel s'identifie le résident et celle des groupes ethno-culturels en présence. Cela permet d'évaluer dans quelle mesure et comment les différences culturelles influencent les expériences de vieillissement des résidents (Pereira *et al.*,

1996). Le tableau 41-2 propose des exemples de questions permettant de faire cette évaluation.

Visions du monde

Une vision du monde représente la manière dont des personnes perçoivent et interprètent leur expérience, leur vécu. Les différentes conceptions de la santé et de la maladie qu'ont les membres d'un groupe spécifique découlent généralement d'une des trois principales visions du monde : la vision scientifique, la vision magico-religieuse et la vision holiste. Selon la vision du monde qui domine chez une personne ou dans une communauté, les pratiques de prévention, de promotion et de maintien de la santé, l'expression et le soulagement de la douleur ainsi que les soins et traitements requis peuvent varier énormément. Des soins prodigués avec une sensibilité culturelle s'appuient avant tout sur le savoir découlant de la vision du monde du résident.

Vision scientifique

Selon la vision scientifique du monde, la vie se résume à une série de processus physiques et biochimiques qui peuvent être étudiés et manipulés. D'après la vision scientifique, il est possible de contrôler les processus de la vie par des interventions mécaniques, il y a une dichotomie entre le corps et l'esprit, et tout ce qui est vrai peut être observé et mesuré. La formation biomédicale de la plupart des soignants ainsi que les soins qu'ils dispensent sont teintés de

Tableau 41-2	Quelques exemples de questions pour l'évaluation de la distance culturelle

1. Depuis quand avez-vous quitté votre pays d'origine ?
2. Pourquoi avez-vous immigré au Canada ?
3. Avez-vous vécu ailleurs avant de vous établir au Québec ?
4. Quelle formation avez-vous suivie ? Où ?
5. Avez-vous travaillé dans votre domaine à votre arrivée ?

cette vision du monde. Cependant, il est important de prendre conscience qu'elle n'est pas partagée par la majorité des résidents.

Vision magico-religieuse

Selon Andrews et Boyle (2003), dans la vision magico-religieuse, le monde est vu comme une arène où les forces surnaturelles dominent. Cinq catégories d'événements sont responsables d'un malaise ou d'une maladie: la sorcellerie, l'intrusion d'un objet, l'intrusion d'un mauvais esprit, la perte d'une âme et une punition pour la transgression d'un tabou. À titre d'exemple, certains Haïtiens attribuent les malaises les plus tenaces et les plus graves aux esprits vaudou, manœuvrés par un adversaire quelconque. Ils pensent que la maladie doit être prise en charge par la famille et un *hougan*, ou prêtre vaudou. De même, les communautés sud-américaines croient beaucoup au «mauvais œil», pour lequel il faut consulter un *curandero*. Le «mauvais œil» est un mauvais esprit engendré par une parole forte, un regard envieux ou une transgression du code de conduite. Il permet d'expliquer la nature, les causes et les conséquences de la plupart des problèmes vécus. On l'éloigne à l'aide de fétiches et de talismans.

Les symboles et objets religieux procurent un réconfort à la personne qui a une vision magico-religieuse du monde. Ainsi, la résidente italienne ou mexicaine aime parfois porter sur elle un rosaire. Parfois, le Cambodgien et le Latino portent des cordelettes autour du poignet. L'autochtone peut vouloir mettre un capteur de rêves à la tête de son lit.

Plusieurs résidents d'origines diverses recourent à des rituels religieux comme la prière ou le port d'un rosaire pour des demandes d'aide en santé. La relation de cause à effet n'est pas organique, mais plutôt mystique. La santé et le rétablissement sont alors perçus comme le résultat d'une bénédiction ou d'une grâce de Dieu. La vision magico-religieuse donne une certaine assurance qu'il existe un ordre des choses dans la vie en dépit de la souffrance, des contradictions et des ambiguïtés morales.

Vision holiste

Selon la vision holiste du monde, les forces de la nature doivent être maintenues en harmonie, en équilibre. Cette vision du monde existe depuis plusieurs siècles, entre autres dans les communautés autochtones et asiatiques. Certaines personnes attribuent la maladie à un déséquilibre entre les humains et les forces métaphysiques et géophysiques de l'univers. Les médecines traditionnelles privilégient ainsi une approche holiste, en tentant de rendre compte d'un problème précis et en le resituant dans l'ensemble organique, psychologique, spirituel et social de la personne. La théorie du chaud et du froid et celle du Yin et du Yang sont des métaphores de cette vision du monde. Les maladies, les aliments, les boissons, les herbes et les médicaments se classent ici selon leurs effets, non selon leurs propriétés physiques. À titre d'exemple, une personne d'origine asiatique peut se plaindre de chaleur excessive sans pour autant vouloir dire qu'elle se sent fiévreuse. Il peut s'agir d'un symptôme causé par un déséquilibre comme la constipation. Cet excès de «chaud» ou de «Yang», selon les communautés, nécessite un soin «froid» ou «Yin». La médecine ayurvédique des Hindous, quant à elle, tente de rééquilibrer les trois «humeurs» que sont l'air, le feu et l'eau. Considérant l'asthme comme un excédent d'air, elle prescrira, pour stimuler les deux autres humeurs, un régime alimentaire d'où seront exclus les aliments associés à l'air, comme le riz et les épices. Pour analyser la situation et donner son diagnostic, le tradipraticien ayurvédique tient compte de certains traits de caractère de la personne et de son environnement, mais aussi des circonstances familiales et personnelles dans lesquelles le malaise est apparu.

La vision du monde a même une influence sur la réponse à la douleur. Certains groupes, en effet, encouragent la libre expression de la douleur, pensant qu'elle permet de retrouver l'équilibre des humeurs. D'autres, au contraire, privilégient l'attitude de stoïcisme, croyant que la souffrance est salvatrice. Dans tous les cas, l'infirmière doit faire une évaluation individuelle pour mieux cerner les besoins et le type de soulagement requis.

S'ouvrir à la vision du monde du résident et de ses proches donne un sens aux besoins exprimés. En écoutant les explications du résident et de ses proches quant aux causes du malaise et de ses symptômes et quant à l'approche de soins la plus efficace selon eux, l'infirmière crée un climat de confiance propice à l'application du principe du «maintien culturel» ou de celui de la «négociation culturelle», selon la théorie de Leininger. Le tableau 41-3 propose des exemples de questions que l'infirmière peut poser pour découvrir quelle vision du monde domine chez le résident.

Valeurs culturelles

Selon Andrews et Boyle (2003), les valeurs sont des critères intériorisés qui permettent aux individus de sélectionner et d'évaluer leurs propres buts et comportements en société. Les normes sont dérivées des valeurs fondamentales et servent de lignes directrices pour le choix des comportements requis dans des contextes précis. Elles indiquent ainsi comment se vêtir, s'exprimer, réagir selon l'âge. Le grand défi de l'infirmière de CHSLD, ici, est de dispenser des soins en tenant compte des valeurs du résident et en reconnaissant l'influence de ses propres valeurs. À titre d'exemple, l'infirmière devrait allouer plus de temps, en

Tableau 41-3	Quelques exemples de questions pour la détermination de la vision du monde

1. Que faites-vous lorsque vous êtes malade?
2. Qui consultez-vous lorsque vous avez un problème de santé?
3. Quelle personne apporte le plus de soulagement à vos problèmes?
4. D'après vous, quelle est la cause probable de vos problèmes?
5. Qui peut vous aider le plus?
6. Prenez-vous des herbes médicinales?
7. Portez-vous un objet qui vous aide, vous soulage?

utilisant des techniques de soins particulières, à une résidente originaire du Moyen-Orient, où la « modestie » est une valeur très importante.

Plusieurs recherches démontrent que l'organisation des soins de longue durée est régie par le paradigme selon lequel les valeurs anglo-saxonnes sont généralement applicables à toute la population aînée du pays. Cette idée laisse peu de place à la réflexion sur les soins de longue durée au sein d'une société de plus en plus multiethnique. Comment arriver à concilier nos valeurs d'autonomie, d'indépendance, d'efficience, d'efficacité et de performance avec les valeurs d'interdépendance familiale qui prévalent dans d'autres communautés ?

Lors des relations entre les infirmières et les résidents immigrants se manifestent des conflits de valeurs qui, selon Roy (1991), reflètent plusieurs « zones d'incompréhension ». Le tableau 41-4 présente quelques-unes de ces zones d'incompréhension, qu'on retrouve dans l'une ou l'autre des dimensions culturelles de Leininger, particulièrement la communication. Le tableau 41-5 propose des exemples de questions que l'infirmière peut se poser pour mieux comprendre le résident, ses valeurs.

Activités de la vie quotidienne

Replacer les activités quotidiennes dans le contexte culturel aide à comprendre l'importance de certains rituels comme l'alimentation et l'hygiène corporelle.

Tableau 41-4	Zones d'incompréhension culturelle

- Perception de l'espace et du temps
- Notions de famille et d'organisation familiale, rôles et statuts des membres d'une famille
- Rapports entre les hommes et les femmes
- Rapports entre les résidents hommes et les infirmières
- Conceptions de la santé physique et mentale, de la maladie, de la vie et de la mort
- Conceptions des services et du rôle professionnel des infirmières
- Modèles de communication

Source : A. Battaglini, S. Fortin, B. Heneman, M.C. Laurendeau et M. Tousignant (1997). *Bilan des interventions en soutien parental et en situation infantile auprès de clientèles pluriethniques.* Régie régionale de la santé et des services sociaux de Montréal-Centre : Direction de la santé publique de Montréal-Centre.

Tableau 41-5	Quelques questions pour prévenir l'incompréhension culturelle

1. Quelles sont les attitudes du résident concernant son admission en CHSLD ?
2. Comment le résident perçoit-il le changement ?
3. Est-ce que le résident valorise l'intimité, la modestie, la courtoisie, le toucher, les relations avec les autres ? Comment ?

Alimentation

Très souvent, les aînés admis en CHSLD souffrent de malnutrition et éprouvent des difficultés à s'adapter au nouvel environnement social. Selon Sidenvall, Fjellstrom et Ek (1996), ignorer la dimension culturelle des repas ne peut qu'aggraver la situation. Lors de l'évaluation culturelle, l'infirmière doit accorder une attention particulière à la signification de la nourriture, aux préférences et aux tabous alimentaires, aux restrictions religieuses ainsi qu'à certains problèmes diététiques spécifiques à certains groupes ethniques.

Selon la trajectoire personnelle, les croyances et les valeurs culturelles, la nourriture peut être un symbole de coexistence pacifique, un moyen de promouvoir la guérison ou encore une expression d'amour et de solidarité. En plus de s'intéresser à ce que les résidents mangent, l'infirmière se penche sur tout le symbolisme entourant le repas. Certains mets ethniques contribuent à rehausser la fierté, apportent une sécurité et, par conséquent, contribuent au bien-être du résident. Inviter les proches à cuisiner ces mets, c'est reconnaître la richesse de la diversité.

Selon les diverses conceptions de la santé et de la maladie, certains aliments sont interdits, d'autres fortement encouragés en fonction des circonstances. À titre d'exemple, M. Asami, résident d'origine pakistanaise, refuse très souvent de manger la nourriture qu'on lui sert. L'infirmière essaye de comprendre le problème dans une perspective anthropologique, afin d'établir des liens entre le comportement alimentaire de M. Asami et ses différentes dimensions culturelles. C'est ainsi qu'elle apprend du fils du résident que ce dernier évite en hiver toute nourriture dite « froide », comme le poulet, le poisson et les fruits.

La reconnaissance des rituels religieux représente un enjeu éthique important en CHSLD. La connaissance des rituels alimentaires des grandes confessions religieuses ou de certains groupes ethnoculturels est incontournable. L'islam et le judaïsme interdisent le porc et imposent des périodes de jeûne spécifiques. Pendant le ramadan, les musulmans ne peuvent ni boire ni manger du lever au coucher du soleil, afin de mieux se recueillir. La religion juive demande à ses fidèles de jeûner pour Yom Kippur, le jour du Grand Pardon. Malgré leur santé, certains résidents insistent pour jeûner et refusent parfois de prendre les médicaments prescrits. Dans ce genre de cas, il est nécessaire de réévaluer le dosage des médicaments et de faire preuve de souplesse dans l'horaire de la prise des médicaments. Les juifs orthodoxes suivent des règles alimentaires spécifiques : ils doivent manger des aliments casher. Ces règles proscrivent les mollusques et les crustacés. Elles interdisent de manger la viande et les laitages au cours du même repas ou avec les mêmes couverts. Les laitages doivent être servis les premiers, quelques heures avant la viande.

Le tableau 41-6 propose des exemples de questions que l'infirmière peut poser au résident pour connaître ses besoins et contraintes alimentaires.

Tableau 41-6	Quelques questions pour reconnaître les besoins alimentaires

1. Quels aliments sont bons pour vous ? Lesquels sont à éviter ?
2. Quels aliments devez-vous manger tous les jours ?
3. Quels aliments votre religion interdit-elle ?
4. Combien de repas prenez-vous dans une journée ?

Hygiène corporelle

Les rituels associés à l'hygiène corporelle varient beaucoup d'une culture à l'autre, qu'il s'agisse de la fréquence des bains ou des produits utilisés. Ainsi, les résidents originaires de pays où l'eau est une denrée rare auront tendance à vouloir prendre leur bain moins souvent. De plus, tout le monde ne recherche pas de la même manière à éliminer les odeurs corporelles. Dans ce cas-ci, pour créer un milieu de vie acceptable pour tous, l'infirmière devra très souvent faire appel au principe de la négociation culturelle.

Dans plusieurs communautés, les soins physiques ne répondent pas uniquement à des impératifs de santé. À titre d'exemple, pour les résidents haïtiens, le bain et les massages ont des fonctions purificatrices, curatives, bienfaitrices et régénératrices qui répondent à des besoins tant physiques que psychologiques.

Ainsi, l'infirmière qui sera sensible aux particularités culturelles respectera les besoins des résidents dans les activités de la vie quotidienne : façon de s'habiller, fréquence des bains, préférences alimentaires, loisirs.

Communication

Abdallah-Pretceille (1986) définit l'*approche interculturelle* comme une interaction entre deux identités qui se donnent mutuellement un sens, dans un contexte à définir chaque fois. En CHSLD, comme dans plusieurs milieux de soins, la relation entre l'infirmière et le résident immigrant ou ses proches s'ancre dans des situations marquées par l'histoire, l'économie, le politique, ainsi que dans un rapport social où une culture est plus valorisée que l'autre, où s'opposent les notions « développé » et « sous-développé » ou encore Blanc et Noir, « identité menaçante » et « identité menacée ». Il y a donc une dynamique identitaire engendrant des stratégies offensives et défensives des deux côtés (Cohen-Émerique, 1993). L'infirmière doit être consciente de cette réalité et en tenir compte lorsqu'elle communique avec le résident. À l'occasion, elle pourra avoir besoin de l'aide d'un interprète. Il n'est pas recommandé de recourir à un membre de la famille pour lui faire remplir cette fonction. En effet, par souci d'objectivité et de respect de l'intimité du résident, il est préférable de s'adresser à un organisme gérant une banque d'interprètes. Le tableau 41-7 propose quelques exemples de questions que l'infirmière peut poser au résident et se poser à elle-même pour mieux comprendre le résident et savoir comment communiquer avec lui.

Tableau 41-7	Quelques questions pour communiquer efficacement

1. Quelle est votre langue maternelle ? Parlez-vous d'autres langues ?
2. Parlez-vous un dialecte spécifique ?
3. Vous est-il difficile de partager vos sentiments, vos pensées ou vos idées avec votre famille ? Avec vos amis ? Avec les professionnels de la santé ?
4. Avez-vous des réserves à être touché par les professionnels de la santé ? (Observez la façon dont le résident établit le contact physique.)
5. Comment préférez-vous qu'on vous salue ?
6. Quelle distance physique établit la famille avec le résident ?
7. Est-ce que le résident maintient un contact visuel lorsqu'il vous parle à vous, l'infirmière ?

Famille et liens sociaux

Les infirmières interrogées sur les principales difficultés qu'elles éprouvent avec les résidents de communautés culturelles répondent spontanément qu'elles ont trait à la famille. La participation de la famille élargie, qui a son organisation propre, est très souvent source d'insatisfaction pour les infirmières et de conflits concernant les soins à apporter en CHSLD.

En CHSLD, l'organisation des soins se fonde très souvent sur la croyance que la famille normale est la famille nucléaire, que l'unité fondamentale de la société est l'individu, que les droits individuels sont fondamentaux. Or, cela ne correspond pas à la réalité de plusieurs sociétés, où la famille élargie, non l'individu, est l'unité de base. L'interdépendance familiale étant alors valorisée, c'est avec toute la famille que se prend une décision concernant les soins, souvent même à l'insu du résident. De plus, ces familles ne peuvent comprendre le concept d'autosoins. Elles veulent faire manger le résident et le vêtir, même s'il n'éprouve pas de difficultés fonctionnelles.

Dans plusieurs familles traditionnelles d'origine asiatique, africaine et latino-américaine, la structure familiale est très hiérarchisée. Cela signifie que chaque membre, selon son statut, a un rôle défini, des tâches précises. Chacun a des devoirs, mais aussi des droits particuliers.

Le tableau 41-8 propose quelques exemples de questions que l'infirmière peut poser pour connaître le fonctionnement de la famille du résident.

Tableau 41-8	Quelques questions pour connaître le fonctionnement de la famille

1. Qui fait partie de votre famille ?
2. Qui prend la plupart des décisions dans votre famille ?
3. Quels sont les rôles de la personne âgée dans votre famille ?
4. Quels sont les rôles des autres membres de la famille ?

Religion et spiritualité

Bien que les infirmières reconnaissent l'importance du respect des besoins spirituels des résidents, elles négligent très souvent cette dimension lorsqu'elles prodiguent des soins. Les principales raisons invoquées sont liées au fait que la religion et les besoins spirituels font partie de la sphère privée et concernent davantage les proches ou même la personne responsable de la pastorale. De plus, le manque de connaissances ajoute à la confusion concernant la différence entre les besoins spirituels et les besoins psychosociaux (Andrews et Boyle, 2003).

Le tableau 41-9 propose des exemples de questions à poser pour connaître les besoins spirituels du résident.

Rituels de fin de vie

Les rituels de fin de vie englobent les croyances religieuses associées à la mort, les rituels de préparation du corps, les pratiques funéraires et le deuil. Davantage orientées vers le recouvrement de la santé et la mise en place de conditions facilitant l'adaptation aux changements physiques, psychologiques et émotionnels liés au nouvel état de santé, les infirmières minimisent parfois l'importance des rituels de fin de vie pour les personnes mourantes et leurs proches.

Les rituels de fin de vie varient selon les groupes ethnoculturels, mais sont assez stables dans le temps. Ainsi, l'infirmière doit acquérir des connaissances sur les pratiques spécifiques entourant la mort et sur la façon dont les différents résidents du CHSLD vivent le deuil. L'infirmière portera une attention particulière aux attentes des proches en ce qui concerne les pratiques spécifiques, religieuses ou autres, en fin de vie (Mazanec et Tyler, 2003). Par exemple, plusieurs groupes culturels, les immigrants récents surtout qui n'ont pas encore adopté les pratiques de la société d'accueil, accordent une grande importance à la préparation du corps. Certaines coutumes asiatiques veulent que les

proches qui sont du même sexe que le mort lavent et préparent le corps pour la crémation. Dans ce genre de cas, l'infirmière du CHSLD offre un type d'accompagnement qui va au-delà de ses tâches habituelles et qui fait appel à la négociation pour concilier les besoins particuliers du groupe en question, les règles institutionnelles et les besoins des autres résidents. En pareille situation, l'infirmière offrira aux proches une salle privée afin qu'ils puissent procéder aux cérémonies requises par leurs croyances religieuses. Enfin, l'expression de la perte et du deuil en réponse à la mort varie non seulement entre ethnies, mais aussi entre les membres d'une même ethnie. Ainsi, la meilleure stratégie de soutien que pourra adopter l'infirmière durant le deuil sera de déterminer les attentes culturelles en réaction à la mort et au chagrin, d'explorer la signification accordée par le résident et ses proches à l'agonie, à la mort et à la vie après la mort, et d'agir de façon adaptée.

Le tableau 41-10 propose quelques exemples de questions permettant de connaître et de comprendre les rites de fin de vie du groupe ethnique du résident.

Conclusion

Les infirmières des CHSLD travaillent de plus en plus dans des milieux multiethniques et multiculturels, et ont donc de nouveaux défis à relever. Afin d'adapter leurs soins à ces nouveaux contextes sociaux et politiques, elles ont à acquérir et à développer une compétence culturelle élargie. En s'aidant de la théorie de la diversité et de l'universalité des soins culturels de Leininger, elles arriveront mieux à comprendre et à respecter les diverses valeurs culturelles, sociales et religieuses, ainsi que les différents styles de vie des résidents. Elles pourront tenir compte des particularités culturelles dans leur pratique quotidienne et contribuer de cette façon à la qualité de vie des résidents.

Tableau 41-9	Quelques questions pour connaître les besoins spirituels du résident

1. Quelle est votre religion ?
2. Combien de fois par jour priez-vous ?
3. Qu'avez-vous besoin pour prier ?
4. Est-ce que vous méditez ?
5. Qu'est-ce qui vous donne des forces, vous réconforte ?

Tableau 41-10	Quelques questions pour comprendre les rites de fin de vie

1. Quels sont les rites de préparation à la mort ?
2. Est-ce que les enfants participent aux rituels de fin de vie ?
3. Quelles sont les pratiques pour la préparation du corps ? Pour l'embaumement, la crémation, l'enterrement ?
4. Comment les hommes vivent-ils leur deuil ?
5. Comment les femmes vivent-elles leur deuil ?
6. Est-ce que vous croyez à une vie après la mort ?

ÉTUDE DE CAS

Madame Ahmad, âgée de 80 ans et d'origine algérienne berbère, est admise en CHSLD. Elle est accompagnée de ses huit enfants et de ses deux frères. Mme Ahmad porte une longue robe par-dessus plusieurs couches de sous-vêtements, ainsi que le foulard islamique. Elle tient dans ses mains un chapelet et un petit Coran. Mme Ahmad vit au Canada depuis dix ans et a habité chez son fil aîné pendant tout ce temps. Elle comprend très peu le français et ne parle que l'arabe. Elle a été victime d'un accident vasculaire cérébral à l'âge de 75 ans, et sa santé s'est détériorée depuis dix mois. Lors de l'entrevue initiale, l'infirmière constate que son fils aîné est très préoccupé par la qualité des soins dispensés en CHSLD. Il pose plusieurs questions sur un ton méfiant. Quant à sa fille, elle explique que sa mère persiste à croire que son état s'est aggravé depuis la visite d'une cousine. Cette dernière lui aurait rapporté des récits de terrorisme qui l'auraient profondément troublée. Depuis ce moment, elle refuse de s'alimenter et ne cesse de prier afin d'éloigner le « mauvais œil ».

Questions

1 Sous quelle catégorie d'immigrants pensez-vous que Mme Ahmad a été admise au Canada ? Expliquez.

2 Quelles sont les principales dimensions culturelles qui influencent le bien-être de Mme Ahmad ?

3 Quelle vision du monde domine dans cette situation ?

4 De quelle manière l'infirmière va-t-elle pouvoir prodiguer ses soins tout en préservant les pratiques religieuses de Mme Ahmad ?

42 LES SOINS DE FIN DE VIE

par **Hubert Marcoux** et **Geneviève Léveillé**

« Quand il n'y a plus rien à faire, tout reste à faire. »

Cicely Sauders

Le CHSLD est souvent la dernière demeure des personnes qui souffrent d'une sérieuse perte d'autonomie. C'est là qu'un bon nombre d'entre elles achèveront probablement leur vie. C'est pourquoi les CHSLD doivent être en mesure d'offrir les soins appropriés qui répondront à leurs besoins. Les soignants des CHSLD doivent être compétents dans les domaines des soins palliatifs, ce qui comprend les soins de confort et l'accompagnement des personnes mourantes et de leurs proches (ministère de la Santé et des Services sociaux [MSSS], 2003).

Le mourir en CHSLD

Pour répondre aux besoins des résidents en fin de vie, les CHSLD doivent prendre en compte un certain nombre d'exigences organisationnelles liées notamment au nombre de personnes qui décèdent annuellement dans ces établissements. Malheureusement, il est difficile d'obtenir des données précises à ce sujet. En fait, le taux de décès en CHSLD est extrapolé à partir du taux de renouvellement des résidents. Selon les données du MSSS, le taux de renouvellement des résidents en CHSLD serait en hausse depuis 1995, puisqu'il est passé de 20,9 % en 1991 à 23,7 % en 1995 et à 26,3 % en 2001.

Il est donc raisonnable de penser qu'en 2004 le taux de décès annuel se situait à environ 30 %. En effet, le rapport des visites d'évaluation effectuées dans 47 établissements du réseau public d'hébergement du Québec, qui regroupe un total de 5 989 lits occupés à 95,4 %, ce qui représente environ 5 714 résidents, établit à 1 705 le nombre de décès pour l'année 2002-2003 (MSSS, 2004a). En présumant que la tendance a été relativement stable pendant les années 2002-2003 et 2003-2004, les calculs donnent un taux moyen de décès de 29,8 %. Ces pourcentages mettent en évidence de façon éloquente l'ampleur des besoins en soins palliatifs pour les résidents en fin de vie dans les CHSLD.

Pourtant, le phénomène du mourir est souvent occulté dans les CHSLD. Cette situation s'explique partiellement par le désir plus ou moins avoué de ces milieux de se départir de leur image d'hospice et de mouroir. Ce déni de la mort, présent dans l'ensemble de la société, trouve un écho dans le *Rapport de l'opération d'identification des besoins et des programmes offerts aux personnes hébergées dans les CHSLD publics* (Association des CLSC et CHSLD du Québec, 2003), qui souligne: «en ce qui concerne les soins particuliers et parfois complexes qui sont offerts, ils

se répartissent ainsi: […] soins de confort pour les personnes en fin de vie ou alitées (8,3 %).» Selon les données fournies par les établissements ayant participé à l'enquête, seulement 8,3 % de la clientèle hébergée nécessite des soins de confort, alors qu'on estime qu'au moins 30 % des résidents meurent chaque année. Cet écart de 20 % entre les besoins réels et la situation décrite par le rapport n'est pas sans soulever un certain nombre de questions.

Différentes publications font ressortir les carences de l'offre de services pour les patients en fin de vie (Conseil de la santé et du bien-être, 2003 ; MSSS, 2004b). Par ailleurs, le rapport du Comité consultatif national (2000) relève également un certain nombre de mythes et de croyances erronées sur la mort à un âge avancé, qui font obstacle aux soins de fin de vie (voir le tableau 42-1).

Les soins de fin de vie

Il n'est pas toujours facile sur le plan clinique de distinguer les soins prolongés des soins palliatifs ou des soins de fin de vie. Ces derniers constituent pourtant des soins spéciaux, et ils visent des objectifs particuliers.

Tableau 42-1	Mythes au sujet de la mort chez les résidents en CHSLD

- Les personnes âgées n'ont pas besoin de soins en fin de vie puisqu'elles vont mourir de toute façon.
- La plupart des aînés meurent dans des établissements de soins prolongés et, par conséquent, reçoivent les soins de fin de vie dont ils ont besoin.
- La personne âgée est tout à fait préparée à l'idée de mourir; on meurt de vieillesse; on ne peut rien faire pour un vieillard qui meurt.

Comme l'indique le chapitre 1, les soins prolongés visent le maintien, l'amélioration et l'optimisation de l'autonomie fonctionnelle des résidents, ainsi que l'amélioration constante de leur qualité de vie. Par ailleurs, les soins prolongés visent à ralentir la progression des maladies chroniques et à prévenir l'apparition de maladies aiguës. Si une maladie survient, il incombe aux soignants de prodiguer les soins appropriés.

Mais, avec le temps, la maladie chronique évolue vers des conditions cliniques irréversibles et impose irrémédiablement de passer à des objectifs de soins de nature palliative. Les soins palliatifs et les soins de fin de vie font donc partie d'un continuum de soins auxquels il faudra faire appel quand les soins prolongés deviendront inappropriés.

La notion de « soins de fin de vie » est associée davantage à la phase terminale de la maladie et à la mort, qui en est la phase ultime. Selon le *Guide des soins en fin de vie aux aînés* (Comité consultatif national, 2000), les soins palliatifs et de fin de vie exigent une approche active et un accompagnement destinés à traiter, à soulager et à réconforter les résidents d'âge avancé sur le point de mourir de maladies évolutives ou chroniques. Ces soins doivent tenir compte des valeurs personnelles, culturelles et spirituelles, des croyances et des modes de vie des personnes auxquelles ils sont prodigués. De plus, les soins de fin de vie englobent le soutien aux familles et aux proches, ce qui peut inclure la période de deuil (Comité consultatif national, 2000).

Des soins prolongés aux soins palliatifs, puis aux soins de fin de vie

Le passage des soins prolongés aux soins palliatifs et de fin de vie se fait souvent imperceptiblement, sans qu'il soit réellement possible d'établir à quel moment débute précisément l'étape des soins palliatifs ou celle des soins de fin de vie. En effet, un certain nombre de problèmes, qu'ils soient associés à une pathologie chronique ou aiguë, sont totalement ou partiellement réversibles. Après une période de décompensation, plus la condition clinique d'un résident en perte d'autonomie se détériore, plus ce dernier a de la difficulté à retrouver son équilibre physique et psychologique. Les objectifs des soins se font de plus en plus palliatifs, puis il devient évident qu'il faut se limiter aux seules interventions de confort et que la maladie entre dans sa phase terminale. Tout au long de ce processus, les soignants devront adapter leur conduite à la réalité clinique du résident et tenir compte des volontés qu'il exprime. Plusieurs facteurs aident les soignants à discerner l'étape des soins prolongés de celle des soins palliatifs que nécessite la phase terminale.

Distinguer les soins prolongés des soins palliatifs

Certaines données cliniques se rapportant aux différentes dimensions de la personne (biologique, psychologique, sociale et spirituelle) peuvent constituer des paramètres qui permettent de reconnaître le moment d'introduire des soins palliatifs en fin de vie.

Sur le plan biologique, la phase palliative est associée à plusieurs événements cliniques qui comprennent notamment :

- La condition générale.
- L'impossibilité d'appliquer le plan de soins habituel (programme de marche, de stimulation, d'hydratation, etc.).
- Le caractère irréversible des différentes pathologies et complications, ainsi que leur aggravation progressive.
- La dénutrition liée à l'anorexie.
- La diminution de l'efficacité des soins thérapeutiques associés à des problèmes répétitifs.
- L'augmentation des effets secondaires des médicaments, qui deviennent plus importants que les effets thérapeutiques.
- La conviction qu'aucun soin thérapeutique ne pourrait ralentir ou stopper l'évolution de la maladie vers sa phase terminale.

Il est également possible de considérer d'autres éléments caractéristiques d'une perte d'autonomie de plus en plus grave. En règle générale, l'évolution de la maladie vers sa phase terminale s'accompagne d'une régression qui ramène l'individu aux premiers stades de développement psychomoteur de l'être humain. En effet, les résidents atteints d'un processus dégénératif commencent par perdre les comportements qu'ils ont acquis à la fin de leur processus de développement psychomoteur. Les pertes commencent avec l'incapacité de trouver et d'employer le mot exact, puis vient la difficulté de s'exprimer. Surviennent ensuite un certain nombre de pertes, telles celles de la mobilité, de la continence, de la capacité de s'alimenter, d'exprimer la faim ou la soif, et finalement celle de déglutir. Lorsque le résident est plus démuni que le nouveau-né pour répondre à ses besoins de base, il convient de s'interroger sur sa capacité à vivre et sur l'inéluctabilité de sa mort.

Pour sa part, l'état psychologique du résident livre un certain nombre d'indices permettant aux soignants de connaître l'état du malade. Parmi les éléments de nature psychologique associés à la fin de la vie, on peut mentionner :

- L'opinion exprimée par le résident qui déclare de lui-même qu'il est rendu à la fin de sa vie.
- La perte de la combativité et de la capacité d'adaptation.
- Le désintérêt pour les dimensions relationnelles de la vie.
- La perte d'intérêt pour les activités quotidiennes et les loisirs.
- L'indifférence envers les proches et le besoin d'isolement.
- Le désir de mourir.
- La perte de la conscience de soi et d'autrui.

La conviction du malade qui affirme que sa vie ne vaut plus la peine d'être vécue, et encore moins d'être prolongée, est un autre indice à considérer. Le résident peut exprimer ce sentiment verbalement ou le manifester par ce discours corporel (anorexie, somnolence, faiblesse) appelé syndrome de glissement.

Il convient ici de bien distinguer les propos négatifs qu'exprimerait un résident à la suite d'un manque de soins ou d'activités sociales, et que l'on pourrait interpréter, mais à tort, comme des éléments cliniques indiquant que l'individu a atteint la phase palliative. En effet, il se peut que des résidents tiennent des propos qui s'apparentent aux indices que nous venons de décrire, alors qu'ils résultent en fait de la douleur non soulagée, de l'isolement ou du manque d'activités sociales intéressantes. Dans ce cas, le résident souffre d'un mal de vivre causé par l'absence de soins de qualité, et ses propos font plutôt référence à des intentions suicidaires (voir le chapitre 10). Le résident qui parle ainsi ne souhaite pas mourir, il désire être soulagé, entendu et exprime son désir de bénéficier d'une meilleure qualité de vie.

Sur le plan social, le résident en fin de vie se désintéresse souvent de ce qui se passe autour de lui et dans la société. Il refuse généralement de maintenir des liens avec les autres résidents. Il est incapable de se percevoir dans son rôle de conjoint, de parent ou de citoyen. Ici encore, il faut bien distinguer le résident dépressif de celui qui présente différentes manifestations associées à la phase palliative de sa condition clinique (voir le chapitre 9).

Finalement, sur le plan spirituel, quand le résident ne trouve plus rien d'intéressant dans le présent et que le passé ne lui permet plus de donner de sens au moment présent, c'est que la fin de vie approche. Lorsque le résident se voit sans futur et que l'unique sens de sa vie est dans l'au-delà, en fait, il réclame la mort.

Souvent, à cette étape, les soignants et les proches remettent unanimement en question la prolongation de la vie du résident. La phase palliative s'impose comme un état de fait lorsque l'entourage constate l'appauvrissement des choix, et lorsque les soignants reconnaissent l'inutilité de poursuivre les traitements et décident de se limiter aux soins de confort. Il en est de même lorsque l'entourage reconnaît que la qualité de vie du résident est insatisfaisante et qu'il n'y a pas d'espoir d'amélioration, ou encore lorsque sa très grande perte d'autonomie suscite la désolation, voire l'indignation des proches qui dénoncent l'inutilité de poursuivre certains soins.

Cette phase est difficile, car elle s'accompagne de différents enjeux éthiques marqués par ce que les uns dénoncent comme de l'acharnement thérapeutique et les autres comme de l'abandon thérapeutique. Il va de soi que, durant cette phase, la discussion entre les proches et l'équipe interdisciplinaire est capitale.

Réflexion critique sur la notion de niveaux de soins

Les niveaux de soins sont fixés par une ordonnance médicale qui détermine l'intensité des soins à prodiguer afin de prendre la meilleure décision quand surviennent des situations urgentes ou lorsque les personnes qui prennent les décisions sont incapables de donner leur avis ou leur consentement au moment voulu. Ce niveau de soins est déterminé conjointement par le malade, sa famille et les membres de l'équipe interdisciplinaire.

Les niveaux de soins sont fixés en fonction de l'état du résident et tiennent compte d'un certain nombre de scénarios susceptibles de se produire, comme un arrêt cardio-respiratoire ou une infection pulmonaire. De façon générale, il existe trois niveaux de soins dont la numérotation varie selon les milieux. Le premier niveau est celui des soins optimaux. Il comprend le transfert du résident dans un milieu de soins de courte durée où l'on pourra effectuer le traitement approprié. Le deuxième niveau fixe le type de soins qui pourront être offerts et ceux qui ne le seront pas. Ainsi, on peut décider que, en cas de complications, le résident ne sera pas transféré dans un milieu de soins de courte durée, ou que l'on pourra recourir à une antibiothérapie par voie orale, mais non par voie intraveineuse. Quant au troisième niveau, c'est celui des soins de confort, et il n'a qu'un objectif: assurer le bien-être du résident jusqu'à sa mort.

Pour certains, les soins de confort consistent à s'abstenir de traiter des complications susceptibles de guérir. Cependant, il faut se rappeler, par exemple, qu'une infection urinaire peut causer de fortes douleurs, mais qu'elle n'entraîne pas nécessairement une détérioration rapide de l'état du malade. Dans ce cas, il peut être tout à fait approprié de traiter l'infection avec des antibiotiques. Autrement dit, il faut considérer l'objectif poursuivi par le moyen employé et non le moyen en soi.

La démarche inhérente au choix du niveau de soins est très importante pour le résident et ses proches. Elle est souvent l'occasion de déterminer l'état clinique du résident et de discuter de la fin de sa vie. En outre, les échanges que suscite cette démarche permettent au résident et à ses proches d'intérioriser la réalité de la mort à venir. Elle est donc partie intégrante des étapes d'un cheminement vers la mort. Il ne faut pas banaliser les dimensions émotives de ces discussions, et les soignants doivent être attentifs aux réactions que suscite cette démarche afin de soutenir le résident et ses proches dans cette ultime étape de la vie.

Le choix du niveau de soins doit répondre à la situation particulière de chaque résident. Il importe d'insister sur ce point, car, de plus en plus, la clientèle hébergée en CHSLD, tend à être étiquetée « soins de confort ». L'état de santé souvent problématique de la clientèle, la lourdeur des cas et un ratio infirmière/résidents ne permettant pas de prodiguer des soins plus actifs sont des facteurs qui incitent les CHSLD à offrir des services qui se limitent aux soins de confort, c'est-à-dire aux soins qui, par exemple, excluent la voie intraveineuse ou certains examens. Bien que 30 % de la clientèle d'un CHSLD meure chaque année, il faut éviter d'exclure du système de santé les malades qui pourraient bénéficier de soins plus actifs. Est-il admissible qu'un aîné résident d'un CHSLD reçoive des soins moins énergiques, comparativement à l'aîné qui demeure chez lui ? Par exemple, bien des aînés qui vivent à domicile peuvent recevoir une antibiothérapie intraveineuse, alors que bien des CHSLD n'offrent pas ce type de traitement. La philosophie concernant la création de milieu de vie ne doit

pas être mise en opposition avec le concept de milieu de soins. En outre, l'expression *soins de confort* ne doit pas servir de paravent pour éluder un problème éthique, justifier un abandon thérapeutique ou exclure les plus vulnérables des soins de santé.

Les programmes de soins palliatifs en CHSLD

Les programmes de soins palliatifs ont pour but de répondre aux besoins des personnes en perte d'autonomie qui sont atteintes de maladies à évolution lente, mortelles à plus ou moins brève échéance, et qui sont déjà hébergées dans des centres de soins de longue durée. Ces programmes poursuivent les objectifs suivants :

- Offrir les services nécessaires répondant aux normes de pratique reconnues et basés sur une approche globale de la personne et sur le respect de la dignité.
- Soutenir les proches dans le processus menant à la perte d'un être cher et orienter ces personnes vers les services dans la communauté susceptibles de prendre en charge des deuils normaux ou pathologiques.

Ces programmes doivent être mis en œuvre par des personnes qualifiées en soins palliatifs. Ils ont pour responsabilité de soutenir les soignants des unités de soins dans la prestation des services offerts aux résidents et à leurs proches. De plus, ces personnes doivent former les soignants aux caractéristiques particulières de l'approche palliative. Il faut donc qu'elles disposent du temps nécessaire pour répondre aux exigences inhérentes à ces tâches. Pour les résidents en fin de vie, l'instauration d'un programme de soins palliatifs comprend notamment l'aménagement de chambres privées qui serviront à accueillir les mourants et leur famille. Ce programme comporte également un volet de contrôle de la douleur et prévoit l'accompagnement des proches et du mourant (Association des CLSC et CHSLD du Québec, 2003). L'organisation d'un service de visites de bénévoles permet aussi d'assurer un soutien d'appoint dans le domaine des soins palliatifs.

Certains CHSLD réservent un certain nombre de lits pour les soins palliatifs dans toutes les unités et assurent la formation de tous les soignants à ce type de soins. En revanche, d'autres CHSLD préfèrent constituer une équipe de soins palliatifs qui se rend dans les différentes unités afin d'améliorer l'attitude des intervenants à l'égard des besoins en soins palliatifs des résidents et de leurs proches. Enfin, dans certaines régions, il est possible de bénéficier des services d'experts provenant de l'extérieur du CHSLD (Comité consultatif national, 2000).

En bref, les soins palliatifs en CHSLD ne doivent pas être un fait implicite, mais une réalité explicite, ce qui sous-entend la mise en place de composantes organisationnelles et structurelles. Les administrateurs des CHSLD doivent reconnaître les besoins associés à la phase terminale des résidents en fin de vie et doivent doter les unités de soins des ressources humaines et matérielles qui permettent d'accompagner ces personnes vers la mort.

Soins de confort associés à la fin de la vie

Comme le disait Dame Cicely Sauders, une pionnière des soins palliatifs, « quand il n'y a plus rien à faire, tout reste à faire ». Ainsi, la pratique des soins palliatifs est constituée d'un savoir, d'un savoir-faire et d'un savoir-être propres à cette démarche dont nous traiterons en détail dans les pages suivantes. Les soins offerts en fin de vie visent le bien-être global du résident et le maintien d'une qualité de vie optimale. De plus, ces soins exigent de considérer le résident avec toute la dignité que commande sa condition humaine, même quand ont presque disparu les attributs qui lui confèrent le statut de personne, tels que la conscience de soi et celle d'autrui, ou encore ses capacités relationnelles.

Il est facile de se détourner de l'essentiel, lorsqu'il s'agit de soins de confort, notamment avec le raffinement de l'approche pharmacologique qu'il est possible d'instaurer chez les personnes mourantes. Il est primordial, avant d'aller plus loin, de rappeler certains éléments de réflexion de Léveillé :

> Mais qu'est-ce que soigner ? C'est « avoir soin », c'est « prendre soin ». Et prendre soin d'une personne, c'est être préoccupé par toutes les dimensions de son être. Lorsque nous donnons cette portée à nos soins, nous ne pouvons faire autrement, ce faisant, que d'accompagner le résident dans cette étape si importante de sa vie. Mais, qu'est-ce qu'accompagner ? Accompagner, c'est « aller quelque part » avec quelqu'un. C'est « être avec ». Or, y a-t-il un temps plus intime et plus privilégié pour « être avec » que tous ces moments où nous prodiguons des soins à quelqu'un qui va mourir ? Réalisons-nous bien que les soins que nous donnons sont une période privilégiée d'accompagnement ? [...]

> Ces soins de confort comprennent une panoplie d'interventions qui permettent à l'infirmière de deviner, de détecter, de pressentir et d'identifier les inconforts ainsi que de proposer, d'appliquer voire même d'inventer des solutions pour les prévenir ou y remédier. (Léveillé, 2003)

Soins d'hygiène

Il importe en premier lieu de rappeler l'importance des soins d'hygiène chez les résidents en fin de vie. En effet, outre leurs effets bénéfiques pour la peau, ces soins sont essentiels pour l'apparence de la personne, laquelle contribue à l'estime de soi et favorise la présence de l'entourage et le toucher thérapeutique. La négligence entourant le changement des vêtements souillés ou le nettoyage des sécrétions buccales, par exemple, contribue à l'isolement du résident en fin de vie et ce laisser-aller devient parfois une véritable source d'humiliation pour le résident qui a gardé sa conscience. De plus, les résidents en fin de vie dont l'état de conscience est altéré risquent d'être moins exigeants quant au respect que tous les soignants se doivent de manifester envers le corps. La routine étant l'ennemi premier du plan de soins de longue durée, la banalisation des soins d'hygiène entraîne souvent une diminution de la qualité des soins d'hygiène, lesquels risquent de devenir une tâche à accomplir plutôt qu'un soin à donner (voir le chapitre 26).

Soins de la peau

En plus de faire partie des soins d'hygiène cutanée, l'hydratation de la peau à l'aide d'une crème émolliente contribue au bien-être du résident, car la peau sèche entraîne souvent du prurit. Le résident se gratte et finit par présenter des lésions de grattage incommodantes, parfois au point d'affecter son sommeil.

La prévention des plaies de pression demeure un objectif primordial (voir le chapitre 19). Chez les résidents dont la peau est fragile, notamment ceux qui reçoivent de fortes doses de cortisone, il faut employer les techniques de mobilisation adéquates et utiliser les dispositifs thérapeutiques appropriés, comme les matelas à coussin d'air, afin de préserver l'intégrité de la peau et prévenir la formation des plaies de pression.

En soins infirmiers, il est de bonne pratique de changer régulièrement de position les résidents alités. Toutefois, en fin de vie, ces mobilisations risquent de causer de la douleur et le résident peut se mettre à gémir. Dans ce cas, il n'est pas rare que les membres de la famille refusent que le résident soit changé de position. Dans ce cas, il importe de faire appel au jugement clinique afin de discerner ce qui est utile au bien-être du résident, même si le déroulement du plan de soins risque de s'en trouver modifié.

La rougeur est un indice clinique d'une altération de l'oxygénation des tissus cutanés. Elle traduit aussi la présence de lésions. S'il n'y a pas d'érythème, il est possible d'espacer les changements de position, mais il faut demeurer extrêmement vigilant et surveiller l'apparition des signes traduisant une atteinte de l'intégrité de la peau. Par ailleurs, il faut se rappeler que la diminution de la fréquence des changements de position augmente les risques d'ankylose. Or, l'absence de mouvement des articulations est elle aussi une source de douleurs. Il est donc important d'expliquer aux proches les conséquences de l'immobilisation. Évidemment, la conduite de l'équipe interdisciplinaire varie selon que le pronostic se mesure en heures ou en jours.

Le soignant doit en outre s'assurer de préserver l'image corporelle du résident (voir le chapitre 43), veiller à ce que ce dernier se sente en sécurité et faire preuve de créativité afin de laisser un peu de place pour les petits bonheurs (Léveillé, 2003). Ces soins conservent leur importance même dans les dernières heures de la vie.

Contrôle de la douleur

Le contrôle de la douleur physique est une dimension capitale des soins de confort, car la douleur survient fréquemment en fin de vie. Les résidents grabataires dont l'état général est très détérioré souffrent généralement de fortes douleurs ostéoarticulaires, auxquelles s'ajoutent des douleurs d'origines multiples inhérentes aux différents problèmes de santé dont ils souffrent, tels que l'insuffisance artérielle et veineuse, l'arthrite, les crampes abdominales consécutives à la constipation, etc.

Les règles de base du traitement antalgique en fin de vie sont les mêmes que celles que l'on applique à la douleur chronique. Par ailleurs, il faut se rappeler que la plupart du temps, la douleur est plus que l'expression d'une lésion organique. Elle est multidimensionnelle et l'appréhension d'une mort imminente contribue largement à la souffrance générale de l'individu.

Il est également essentiel d'évaluer la douleur afin d'en établir précisément l'étiologie, tout comme il importe d'effectuer le monitorage de la douleur afin d'en déterminer l'intensité et de s'assurer de l'efficacité de l'approche pharmacologique et non pharmacologique. La présente section ne reprend pas les notions décrites au chapitre 20, mais elle apporte des informations complémentaires en vue d'un meilleur contrôle de la douleur en fin de vie.

Utilisation des moyens diagnostiques en fin de vie

Comme le résident est généralement incapable de décrire l'origine et l'intensité de sa douleur, l'infirmière doit tenter de relever tous les facteurs associés à la douleur afin que le médecin puisse prescrire la médication appropriée. L'examen physique, réalisé par le personnel infirmier ou par le personnel médical, constitue une source irremplaçable de renseignements. Cependant, il est parfois nécessaire de confirmer l'existence des problèmes soupçonnés à l'examen physique par certains moyens diagnostiques complémentaires. Le jugement clinique s'impose dans l'utilisation des examens diagnostiques complémentaires, car il faut considérer les souffrances et les désagréments que peuvent entraîner ces investigations au regard des bénéfices qu'apporteront un diagnostic plus précis et un traitement plus adéquat de la douleur. Par exemple, le traitement de la douleur secondaire à une ostéomyélite ne consiste pas uniquement à prescrire des opioïdes ; il comprend également une antibiothérapie. Par ailleurs, la douleur associée à une insuffisance artérielle sera davantage soulagée par un timbre de dérivés nitrés, la douleur associée à une thrombophlébite par des anticoagulants, tandis que la calcitonine s'avérera un médicament de choix pour soulager la douleur consécutive à des écrasements vertébraux. Ces différents états pathologiques nécessitent parfois l'utilisation de l'imagerie médicale afin d'obtenir un diagnostic précis et un choix pharmacologique adéquat.

Interventions associées au seuil de la douleur

Sur le plan des soins infirmiers, il est important de rappeler qu'il faut agir sur les facteurs qui influent sur le seuil de la douleur. Outre le soulagement des différents symptômes associés à la maladie et la prise de médicaments antalgiques, il importe de favoriser le sommeil et le repos du résident. Il faut également réduire son anxiété, traiter les états dépressifs et la confusion, apaiser le sentiment d'abandon et de solitude, et enfin agir sur les éléments culturels et spirituels qui peuvent contribuer à atténuer la souffrance globale. Il est parfois nécessaire d'agir aussi sur l'environnement en procurant au résident en fin de vie un milieu plus calme et sécurisant (voir le chapitre 20).

Modes d'administration des médicaments

Chez les résidents en fin de vie, l'administration des médicaments s'effectue surtout par voie orale. En raison de la

dysphagie associée à une grande faiblesse, il est souvent nécessaire d'écraser la médication dans une compote ou tout autre aliment à texture molle apprécié du résident. Cependant, certains médicaments ne peuvent être broyés, car le broyage risque d'en perturber la pharmacocinétique. L'infirmière ne doit pas hésiter à consulter le pharmacien pour connaître le mode d'administration qui convient le mieux. Généralement, ces informations sont contenues dans le Compendium des produits et spécialités pharmaceutiques, couramment appelé «CPS», et se retrouvent aussi à l'annexe II du livre de Léveillé (2003). On en discute brièvement au chapitre 25.

Lorsqu'il devient impossible d'administrer les médicaments par la bouche, il est fréquent de recourir à la voie parentérale. Bon nombre de médicaments peuvent être injectés par voie sous-cutanée, même quand cette voie d'administration n'est pas officiellement recommandée. Le lecteur trouvera en annexe du CPS ainsi qu'à l'annexe XIV de l'ouvrage de Léveillé (2003) une liste des médicaments qu'il est possible d'administrer par voie parentérale. En plus de la voie sous-cutanée, il est aussi possible d'administrer les médicaments par voie transdermique ou intrarectale, ou encore d'utiliser une stomie. Il est important de souligner que l'arrêt soudain de l'administration de certains médicaments risque d'entraîner des symptômes de sevrage, voire des convulsions. Même si le résident présente un état de conscience très altéré, il est nécessaire de poursuivre l'administration des opioïdes, de même que celle des benzodiazépines, des corticostéroïdes et des autres médicaments susceptibles d'entraîner des symptômes de sevrage.

Médication PRN

La médication prescrite au besoin (PRN) est un élément capital pour le bien-être du malade. En fin de vie, l'infirmière dispose de plusieurs médicaments susceptibles d'aider le patient, compte tenu des symptômes qu'il présente. Cependant, il arrive que ce type de médication soit sousutilisé, en particulier pour les opioïdes. Différents éléments de connaissance peuvent aider l'infirmière à recourir judicieusement à la médication PRN (voir le tableau 42-2).

Il est important que l'infirmière sache faire la différence entre la fréquence d'administration des médicaments PRN et celle des médicaments normaux, car les horaires d'administration ne sont pas les mêmes. Si un résident continue de souffrir après avoir reçu sa médication habituelle, destinée à soulager un symptôme donné, il est possible d'administrer immédiatement le ou les PRN prescrits pour apporter le soulagement souhaité. Toutefois, à partir de ce moment, il faudra respecter l'intervalle d'administration des PRN, mais indépendamment de l'horaire habituel de cette médication (Léveillé, 2003).

La médication PRN ne sert pas uniquement à soulager les symptômes apparents. Elle permet aussi de prévenir l'apparition de certains malaises. Par exemple, on peut administrer des opioïdes en PRN afin d'atténuer la douleur associée aux changements de position ou des anxiolytiques chez un patient anxieux qui fait de l'insomnie.

L'efficacité de la médication PRN dépend directement de la capacité de l'infirmière d'observer attentivement les effets de la médication administrée au malade. Elle doit donc consigner rigoureusement au dossier du malade le nom de tous les médicaments qu'elle a administrés, les effets obtenus, de même que les délais d'action (voir le chapitre 23). Rappelons que l'utilisation des PRN aide souvent le prescripteur à ajuster de façon optimale la médication régulière afin d'assurer le bien-être du résident souffrant.

Anorexie et déshydratation

L'anorexie et la déshydratation sont des symptômes fréquents en fin de vie, car ils accompagnent généralement la phase terminale des maladies chroniques. Par exemple, l'anorexie survient fréquemment chez les résidents qui présentent un état de déséquilibre physiologique grave consécutif à une infection ou à un désordre métabolique, de même que chez les résidents qui manifestent un syndrome de glissement ou qui se trouvent dans un état dépressif.

Plusieurs interventions infirmières permettent de favoriser l'alimentation et l'hydratation. Ces interventions sont décrites dans les chapitres 11 et 12. Il faut toutefois comprendre que si la qualité de vie des résidents dépend d'une bonne alimentation et d'une hydratation adéquate, il n'en est pas de même chez les résidents en fin de vie : poursuivre inconsidérément ces objectifs risque d'entraîner plus de désagréments et de souffrance que de bénéfices. Avant d'envisager l'apport de suppléments alimentaires, il importe de préciser la nature des problèmes de santé associés à cette anorexie. Or, en fin de vie, ces problèmes sont souvent

Tableau 42-2	**Éléments de connaissance pour l'usage judicieux des médicaments PRN**

Connaissance de l'état du résident

De quoi souffre-t-il ? De quelle maladie est-il atteint ? Quelle est l'étendue de sa maladie ? À quel stade en est-il rendu ? Comment sa maladie a-t-elle progressé ? Que s'est-il passé au cours des dernières 24 ou 48 heures ? Son état a-t-il changé ? Évolué ? Présente-t-il de nouveaux symptômes ? Certains symptômes se sont-ils atténués ou ont-ils disparu ?

Connaissance de la médication

- L'infirmière connaît le médicament qu'elle administre et la raison d'administration.
- Elle doit connaître les voies d'administration possibles des médicaments prescrits.
- Elle connaît bien la cible thérapeutique et les éventuels effets secondaires des médicaments.
- Elle connaît la pharmacocinétique du médicament, c'est-à-dire les délais avant que le médicament fasse effet, le temps qu'il faudra pour que le médicament administré atteigne son effet maximal et pendant combien de temps il fera effet.

Source : G. Léveillé (2003). *Guide d'intervention clinique en soins palliatifs*. Sillery : Éditions Anne Sigier.

incurables. Dans de telles circonstances, il est vain de songer à fournir des suppléments alimentaires et il vaut mieux renoncer à alimenter le résident malade, car la signification de l'alimentation dépasse largement la dimension de l'apport énergétique nécessaire au maintien d'une bonne condition physique. Par ailleurs, traiter abusivement l'anorexie risque de causer des nausées, voire des vomissements. Enfin, chez le résident cancéreux en phase terminale, il est d'autant plus futile de vouloir poursuivre l'alimentation qu'elle n'empêchera pas la perte de poids.

L'hydratation en fin de vie est aussi un sujet controversé. La xérostomie, ou sécheresse de la bouche associée à la déshydratation, est désagréable et pénible. La confusion et la constipation sont souvent des conséquences d'une faible hydratation. À ce propos, les membres du Comité de bioéthique de l'Institut universitaire de gériatrie de Montréal (1998) ont émis l'avis suivant: «Malgré la controverse relevée dans la documentation scientifique, notre expérience clinique nous permet de conclure que le fait de ne pas intervenir pour corriger une prise insuffisante d'eau et de nourriture en phase terminale n'augmente pas la souffrance du patient. Il nous apparaît raisonnable d'affirmer que le recours à des soins palliatifs incluant de bons soins oraux (sans intraveineuse) constitue une bonne pratique à ce stade de la vie du patient.» L'infirmière doit absolument offrir de l'eau et de la nourriture aux résidents et ne doit jamais présumer que celui-ci refusera de boire ou de manger parce qu'il est en phase terminale. En revanche, l'infirmière ne doit pas chercher à prodiguer à tout prix des soins que le résident refuse verbalement ou autrement (Gagnon-Brousseau, Labbé et Léveillé, 2002).

Élimination intestinale

La constipation est un problème très fréquent en CHSLD, mais son incidence est encore plus élevée chez les patients en fin de vie qui reçoivent des opioïdes et des médicaments cholinergiques. On pense, à tort, que l'arrêt de l'alimentation entraîne l'arrêt de l'élimination intestinale. Au contraire, il importe de surveiller de près l'élimination intestinale, et ce, même si le malade ne mange plus. En effet, l'intestin continue de produire des déchets cellulaires, des sécrétions et du mucus en quantités relativement importantes. Or, leur accumulation dans l'intestin risque de causer des problèmes et il importe de s'assurer que ces déchets sont éliminés régulièrement. Le résident à qui l'on prescrit des opioïdes ou toute autre médication susceptible d'entraîner de la constipation doit recevoir des laxatifs contenant un émollient pour amollir les selles, et un stimulant pour activer l'intestin et assurer une élimination régulière.

Les mesures généralement préconisées en CHSLD pour éviter la constipation (voir le chapitre 15) sont souvent inappropriées en fin de vie. En raison de la faible hydratation des malades, de leur incapacité à bouger et de la consommation de médicaments diminuant la motilité intestinale, il est inapproprié de traiter la constipation au moyen de produits comme les fibres qui augmentent le volume du contenu intestinal. La prise de laxatifs tant décriée en gériatrie

devient donc inévitable, car il faut éviter que le résident souffre de nausées, de vomissements, de confusion ou de delirium consécutifs à la constipation. Le personnel infirmier devrait connaître les différents protocoles d'utilisation des suppositoires et des lavements afin d'exercer un contrôle rigoureux de la fonction intestinale chez les résidents en fin de vie.

Élimination urinaire

L'extrême faiblesse des résidents en fin de vie rend souvent difficiles les mobilisations, ce qui amène l'incontinence et nécessite le port de culottes d'incontinence. Cette mesure ne doit être utilisée qu'en dernier ressort, lorsque la condition clinique du malade l'exige réellement. Il n'est pas rare que le malade en fin de vie présente des rétentions urinaires causées par la prise de médicaments anticholinergiques. Très souvent, les soignants confondent les mictions par regorgement et l'élimination urinaire normale. De plus, la détection d'un globe vésical n'est pas toujours facile, surtout chez les résidents obèses. Ainsi, dans les derniers jours de vie, la faible hydratation des malades amène souvent les soignants à ne pas se préoccuper de la rétention urinaire. Chez le résident en fin de vie qui présente de l'agitation, il faut effectuer un test de résidu pour s'assurer que la vessie se vide efficacement. Il est peut-être alors indiqué d'installer une sonde à demeure. En effet, l'utilisation d'un agent parasympathicomimétique comme l'urécholine risque d'entraîner d'importants symptômes de confusion.

Nausées et vomissements

Les nausées et les vomissements surviennent fréquemment en fin de vie. D'étiologies multiples, ces symptômes sont souvent causés par la constipation ou par une stase gastrique. Ils résultent également de certains effets indésirables de la médication, de l'irritation gastrique occasionnée par la prise d'AINS, ou encore de l'insuffisance rénale. Il est important que l'infirmière consigne avec précision les nausées et les vomissements, de même que l'heure et la fréquence, et ce qui les soulage ou les aggrave, car les informations recueillies par le personnel infirmier permettront d'ajuster la médication. Trop souvent, la prise en charge des nausées et des vomissements se limite à l'exécution d'une ordonnance permanente comme le dimenhydrinate (Gravol). Or, en fin de vie, cette mesure pharmacologique est généralement inefficace, car elle néglige la source du problème.

Agitation et delirium

Bien que fréquente, l'agitation en fin de vie demeure anormale et le personnel infirmier devrait intervenir pour la soulager. Un fécalome, la douleur, l'anxiété, la dyspnée et la rétention urinaire risquent de causer de l'agitation, mais il est possible de la corriger ou de la soulager. Il va de soi que les patients agités doivent tout d'abord être réconfortés et placés dans un environnement calme.

Fréquent chez les personnes en fin de vie, le delirium l'est encore plus chez les résidents des CHSLD, car bon nombre d'entre eux souffrent déjà de problèmes cognitifs

et d'atteintes sensorielles (voir le chapitre 7). Il est bon de rappeler que les résidents qui se mettent à souffrir de delirium ont souvent souffert de confusion. À ce propos, il faut insister sur l'absolue nécessité de prodiguer des soins infirmiers compétents, justes, soutenants et rassurants, car les crises de delirium représentent des moments très pénibles pour le malade et pour ses proches. Au moment de la crise, le malade se sent souvent très anxieux et, une fois celle-ci terminée, il n'est pas rare qu'il se souvienne de tout ce qui s'est passé. Or, ces souvenirs éveillent en lui beaucoup de craintes, de regrets, mais aussi de gêne et de culpabilité. Quant aux proches, ils ont souvent de la difficulté à comprendre ce qui se passe quand le malade commence à délirer. Ils ne reconnaissent pas la personne qu'ils aiment et ne savent pas comment se comporter. Ils sont souvent blessés par ce qui se dit ou se fait dans ces moments, et ils ont le sentiment de «perdre avant le temps» cette personne qui leur est si chère, mais avec laquelle ils ne peuvent plus communiquer correctement. Le malade et ses proches ont besoin d'être éclairés, informés, rassurés, resitués et soutenus par du personnel compatissant, certes, mais surtout qui sait faire preuve d'assurance et de compétence (Léveillé, 2003).

Le problème que génère la confusion chez les résidents en fin de vie dans un CHSLD relève probablement de la banalisation des troubles cognitifs que vivent bon nombre de patients dans ces milieux. De plus, les soignants ne font pas preuve de la vigilance qu'exige l'apparition du delirium, bien qu'il existe des outils permettant de détecter le stade précoce du delirium et d'intervenir rapidement (voir le chapitre 7), comme ceux qui ont été mis au point à la Maison Michel-Sarrazin (Léveillé, 2003). Rappelons que «l'infirmière a un rôle majeur à jouer dans l'utilisation de la médication prescrite en PRN dans les cas d'agitation et de delirium, puisque de la bonne gestion de cette médication dépendra grandement la rapidité avec laquelle cette situation si pénible se résorbera ou s'atténuera» (Léveillé, 2003).

Dyspnée

La dyspnée s'accompagne d'une sensation subjective d'angoisse associée à la difficulté à respirer. Plusieurs pathologies qui affectent le système respiratoire sont susceptibles d'entraîner de la dyspnée. C'est le cas de plusieurs pathologies pulmonaires, telles que l'emphysème, les bronchopneumopathies chroniques obstructives, les infections consécutives à des pneumonies d'aspiration, les néoplasies pulmonaires et les bronchites. Par ailleurs, d'autres pathologies, telles l'insuffisance cardiaque, l'anémie grave, la sclérose latérale amyotrophique, etc., s'accompagnent également de dyspnée. Or, toutes ces pathologies affectent souvent les résidents des CHSLD.

La présence de sécrétions endobronchiques ou oropharyngées amplifie souvent la dyspnée, car elles contribuent à l'embarras respiratoire et provoquent la toux. La dyspnée se soulage en atténuant la sensation d'étouffement. Pour ce faire, on peut assurer une meilleure oxygénation, améliorer le rythme respiratoire, corriger l'embarras respiratoire ou atténuer la toux. Pour soulager le patient dyspnéique,

l'infirmière peut monter la tête de son lit, lui donner de l'oxygène, ou encore faire fonctionner un ventilateur ou ouvrir les fenêtres. Il a été observé que le fait de «donner de l'air» est souvent plus efficace pour soulager les crises aiguës de dyspnée, que de donner de l'oxygène (Léveillé, 2003).

Plusieurs médicaments atténuent la dyspnée et les sensations désagréables qui l'accompagnent. C'est le cas des opioïdes, des anxiolytiques et des bronchodilatateurs inhalés sous forme d'aérosols. Si la personne en fin de vie souffre d'embarras respiratoire, les interventions de l'infirmière seront surtout d'ordre médicamenteux. Dans ce cas, elle peut recourir aux aérosols ou à une médication antimuscarinique afin d'assécher les voies respiratoires. Elle doit cependant savoir qu'il faut éviter l'aspiration mécanique des sécrétions, puisqu'elle irrite les voies respiratoires, ce qui provoque l'augmentation des sécrétions. De plus, l'aspiration est anxiogène, car elle entraîne une sensation d'étouffement.

Détresse respiratoire

Plusieurs états pathologiques entraînent une détresse respiratoire importante, notamment les infections pulmonaires, ainsi que l'insuffisance pulmonaire ou cardiaque terminale. Cependant durant l'agonie, ce sont les râles très intenses, aussi appelés ronchi, qui induisent la détresse respiratoire. Même quand ces râles sont traités adéquatement, l'encombrement bronchique peut persister, ce qui rend la respiration laborieuse. L'infirmière peut mettre en œuvre un traitement destiné à soulager la détresse respiratoire en commençant par administrer par voie sous-cutanée une médication très sédative à base de midazolam. Ensuite, toujours par voie sous-cutanée, elle injecte un opioïde et de la scopolamine préalablement mélangés dans la même seringue. Le dosage de ces trois médicaments dépendra de la posologie quotidienne de benzodiazépines, d'opioïdes et de scopolamine, si le malade en prend déjà.

L'infirmière éprouve parfois de la réticence à instaurer ces mesures pour traiter la détresse respiratoire, car elle établit un lien de causalité entre la mise en œuvre de ces mesures et le décès qui arrive par la suite. Mais il importe de rappeler que le malade qui reçoit un tel traitement se trouve dans un état susceptible d'entraîner sa mort, et que ce sont les conséquences des complications respiratoires qui sont responsables de son décès et non l'administration de la médication. D'ailleurs, beaucoup de résidents se réveillent après avoir reçu ce traitement et il n'est pas rare qu'une personne en fin de vie qui souffre d'insuffisance respiratoire doive recevoir ce traitement à plusieurs reprises. Une mauvaise compréhension des effets de cette intervention pour soulager la détresse respiratoire contribue parfois à priver les malades d'une mort digne et sereine.

Dépression et anxiété

Il n'y a pas d'âge pour mourir, et les gens très malades et présentant une grave perte d'autonomie estiment parfois que la mort arrive trop vite ou trop tôt. Dans ce contexte, l'imminence de la mort devient souvent une grande source d'anxiété et peut même entraîner un état dépressif. Il arrive même que les malades présentant d'importantes atteintes cognitives et tenant habituellement des discours incohérents tiennent à ce moment des propos morbides et connaissent des états de panique associés au fait qu'ils sentent la mort approcher. Une façon efficace d'apaiser l'anxiété et la dépression est d'apporter au mourant une présence rassurante. Également, les anxiolytiques, les antidépresseurs, et si nécessaire les antipsychotiques sédatifs, contribuent à apaiser le mourant confronté à la dure réalité que représente le cheminement vers la mort. De plus, le calme retrouvé du résident rassure la famille et encourage sa présence, car elle se sent moins impuissante.

Fièvre

Les résidents en fin de vie font souvent de la fièvre; celle-ci peut être forte et atteindre les 40 °C. La fièvre est parfois associée à un état septique. Dans ce cas, les antipyrétiques, comme l'acétaminophène, soulagent efficacement le malade. Mais ce n'est pas toujours le cas, puisque la fièvre est parfois d'origine centrale, par suite d'un dérèglement du centre cérébral de thermorégulation. L'infirmière devrait expliquer ce phénomène aux proches afin qu'ils comprennent l'inutilité d'un traitement. Si la fièvre s'accompagne d'une diaphorèse importante, l'infirmière doit veiller au bien-être du résident en changeant régulièrement ses vêtements ainsi que la literie.

Agonie

L'agonie est une période éprouvante tant pour les soignants que pour les proches. Ces derniers ressentent souvent un profond sentiment d'impuissance lorsqu'il paraît évident que la mort est devenue inéluctable et qu'en plus elle arrive trop lentement aux yeux des témoins forcés de se soumettre à une réalité qui leur paraît souvent dénuée de sens.

C'est pourquoi il incombe au personnel infirmier de redoubler de vigilance afin d'adoucir, dans la mesure du possible, une réalité souvent vécue cruellement par les proches. Il est donc nécessaire de s'occuper sans délai des signes de malaise que manifeste le mourant, tels que les gémissements et la bouche sèche.

La prise des signes vitaux vient parfois meubler bien maladroitement le sentiment d'impuissance que ressentent les soignants. La respiration, le pouls, la température, ainsi que la coloration et la chaleur des téguments, sont des signes utiles à un monitorage adéquat de l'agonie. Les changements respiratoires, tels les périodes d'apnée, le tirage et les râles, sont des réalités physiologiques impressionnantes pour les proches. L'infirmière doit tenter d'atténuer leur sentiment d'impuissance en répondant à leurs questions et en expliquant la signification de ces manifestations cliniques. Les proches se sentent rassurés lorsque les soignants leur expliquent que le tirage est l'expression d'une faiblesse musculaire extrême qui ne permet plus une respiration adéquate. Par ailleurs, les soignants peuvent encourager la famille à observer la modification de la coloration des téguments, aidant ainsi l'entourage à prendre conscience par lui-même des changements qui surviennent

et à réaliser que si l'état clinique du mourant semble très stable, des modifications physiologiques importantes le conduisent irrémédiablement vers la mort. De plus, si la famille en exprime le désir, il est primordial de laisser les proches participer aux soins. Les gestes quotidiens que constituent les soins de base, la participation à l'hydratation, à l'alimentation, aux soins de la bouche ou au positionnement constituent une forme d'accompagnement silencieux d'une grande valeur tant pour le mourant que pour l'entourage.

Gémissements

Il arrive assez souvent que le résident manifeste par des gémissements la douleur ou les malaises qu'il ressent. L'infirmière doit toujours, dans un premier temps, essayer de corriger cette situation en administrant des opioïdes ou d'autres médicaments prévus à cet effet. Elle peut également tenter de changer le malade de position, si la douleur est d'origine posturale, ou encore en effectuant un autre traitement. Il arrive cependant que ces interventions n'apportent aucune amélioration. Dans ce cas, les gémissements ne sont pas nécessairement un signe de souffrance, mais plutôt le résultat de phénomènes mécaniques ou réflexes. Ils peuvent aussi être causés par une occlusion partielle des cordes vocales par suite du stress de l'agonie. Après avoir fait ce qui s'impose, il reste à l'infirmière d'essayer de rassurer les proches présents au chevet du résident, en leur expliquant ce phénomène.

Comme on le constate, les soins palliatifs constituent un domaine d'expertise en soi et il est essentiel que les infirmières soient dûment formées dans ce sens. Pour être en mesure de répondre adéquatement aux besoins du résident mourant et à ses proches, l'infirmière doit recourir à toutes ses compétences et puiser dans son savoir, son savoir-faire et son savoir-être.

Conclusion

Les soins palliatifs en CHSLD demeurent un défi qui comporte des dimensions de nature organisationnelle, mais qui nécessite également d'améliorer certains aspects de la pratique professionnelle des soignants, car ces derniers ne peuvent faire l'économie d'une formation adéquate en soins palliatifs. La philosophie des soins palliatifs a beaucoup à apporter à l'ensemble des résidents des CHSLD en favorisant une fin de vie digne et accompagnée. Les soins palliatifs invitent d'abord à un changement d'attitude qui valorise l'importance de chaque minute de vie, peu importe l'état clinique du malade. Pour les soignants, les soins prodigués en fin de vie sont souvent l'occasion de réaliser que la personne qu'ils ont soignée et dont ils ont partagé le quotidien n'est plus une étrangère. La mort d'un résident crée donc un grand vide. Ces séparations parfois douloureuses à vivre témoignent cependant de l'humanité et de la solidarité qui se sont établies avec le temps entre le soignant et le résident, même lorsque la personnalité de celui-ci a fini par s'estomper sous l'usure du temps et de la maladie.

ÉTUDE DE CAS

Madame Lamarre demeure dans un CHSLD depuis près de deux ans en raison d'une perte d'autonomie progressive causée par les graves problèmes musculosquelettiques dont elle souffre depuis quelques années.

Il y a trois mois, elle a fait une chute en se rendant aux toilettes, alors qu'elle circulait seule avec sa marchette. Immédiatement après sa chute, elle s'est plainte de vives douleurs dans la région lombaire. Les radiographies ont révélé des fractures causées par l'écrasement des vertèbres lombaires.

Comme les analgésiques légers et la calcitonine n'arrivaient pas à calmer la douleur, il a fallu introduire des opioïdes puissants et un coanalgésique, tel que la gabapentine, afin de traiter la composante neuropathique de la douleur.

Malgré toute l'attention particulière dont bénéficia Mme Lamarre pour préserver son autonomie fonctionnelle et maintenir une alimentation optimale, les douleurs chroniques de Mme Lamarre entraînèrent graduellement une diminution de sa mobilité, de la qualité de son sommeil, de son appétit et du désir de vivre qu'elle avait toujours manifesté.

La malade est devenue progressivement grabataire en raison d'une anorexie causée par des nausées persistantes. Mme Lamarre a commencé à perdre beaucoup de poids ; son état général s'est dégradé progressivement et la résidente s'est affaiblie jour après jour. L'embarras respiratoire, d'abord léger, qui s'installa dégénéra à la suite d'une surinfection bronchique accompagnée de fièvre et d'épisodes d'altération de son état de conscience.

Mme Lamarre a bénéficié de soins attentionnés de la part du personnel infirmier. Ce dernier a veillé à son confort et a apporté le soutien psychologique que nécessite cette étape. Les proches ont participé aux soins, comme ils le souhaitaient. À l'agonie, la résidente est devenue comateuse, mais la famille a pu suivre l'évolution de son état grâce aux explications données par les soignants. Mme Lamarre est décédée paisiblement, accompagnée par l'une de ses filles. La famille a déclaré que la présence et la compétence dont le personnel soignant avait fait preuve dans les derniers jours de la vie de la résidente les aidaient maintenant à vivre leur deuil dans la sérénité.

Questions

1 Décrivez les éléments qui, dans cette étude de cas, permettent d'établir que Mme Lamarre reçoit plutôt des soins palliatifs que des soins prolongés.

2 Nommez différentes causes susceptibles d'entraîner des nausées chez Mme Lamarre et énumérez les observations cliniques sur lesquelles l'infirmière pourrait se baser pour préciser l'étiologie de ces nausées.

3 Comme Mme Lamare ne s'alimente plus et ne s'hydrate plus, est-il utile de continuer à surveiller l'élimination intestinale ?

4 Indiquez les observations que l'infirmière doit effectuer après l'administration d'une médication PRN, ainsi que les informations qu'elle doit consigner dans le dossier de la malade.

43

LES SOINS EN CHSLD : ENJEUX ÉTHIQUES

par **Danielle Blondeau** et **Hubert Marcoux**

Les CHSLD ont une grande mission à accomplir : être à la fois des milieux de soins et des milieux de vie. Étant donné les besoins croissants de sa population âgée, il s'agit d'un énorme défi à relever, qui soulève de multiples questions d'ordre éthique.

Toute institution a ses règles pour pouvoir fonctionner. Ainsi, les résidents des CHSLD doivent, dès leur admission, s'adapter à un nouveau milieu et, pour cela, renoncer à certains traits de leur personnalité. À cet enjeu de la dépersonnalisation sont liés d'autres enjeux concernant la prise en compte de l'individu. Les gestionnaires et les équipes soignantes se trouvent sans cesse dans des situations complexes où s'affrontent divers principes, diverses valeurs. Pour arriver à prendre des décisions éthiques, ils doivent suivre une démarche particulière orientée vers le dialogue.

L'institutionnalisation des soins prolongés : du discours à la réalité

Plusieurs aînés vivront les derniers mois, voire les dernières années de leur vie dans un CHSLD. La diminution ou la perte d'autonomie sur les plans physique, fonctionnel, psychologique et social, entre autres, comptabilisée en heures de soins, sera à l'origine de leur admission en milieu institutionnel. Ce nouveau lieu d'hébergement sera généralement leur dernier lieu de vie. Selon l'article 83 de la *Loi sur les services de santé et les services sociaux*, la mission des CHSLD est « d'offrir de façon temporaire ou permanente un milieu de vie substitut, des services d'hébergement, d'assistance, de soutien et de surveillance ainsi que des services de réadaptation, psychosociaux, infirmiers, pharmaceutiques et médicaux aux adultes qui, en raison de leur perte d'autonomie fonctionnelle ou psychosociale, ne peuvent plus demeurer dans leur milieu de vie naturel, malgré le support de leur entourage ». Bref, la mission des CHSLD est d'offrir un milieu de vie et un milieu de soins à des personnes qui sont en perte d'autonomie (voir le chapitre 1).

Caractéristiques de la clientèle

Dans un document récent, le ministère de la Santé et des Services sociaux (MSSS) fait une description des caractéristiques des personnes hébergées qui met en évidence l'accroissement de la clientèle et l'alourdissement de ses problèmes de santé :

> Les personnes hébergées présentent aujourd'hui un profil d'âge élevé. En effet, 46 % de la population hébergée est âgée de plus de 85 ans […] et 63 % des personnes admises et présentes en CHSLD sont en très grande perte d'autonomie. (MSSS, 2003, p. 6.)

Le rapport évoque : « l'évolution fulgurante des diagnostics reliés aux déficits cognitifs », lesquels toucheraient entre 60 et 80 % des résidents ; « la multiplication des problèmes graves de santé physique, souvent concomitants », et nécessitant un niveau de soins plus élevé, plus complexe ; « une augmentation des incapacités motrices, principalement des limitations à la marche et aux déplacements » ; enfin, « la progression constante du nombre de personnes très âgées » (MSSS, 2003, p. 7-8).

Le diagnostic est facile à établir : les besoins de la population hébergée sont gigantesques. Il est donc légitime de se poser un certain nombre de questions. Est-ce que l'offre de services peut suffire à la demande ? Est-ce que l'investissement tant social qu'économique dans le secteur de l'hébergement permet de combler les besoins ? Sinon, quel autre secteur profite de cet investissement ? Dans un percutant éditorial de *Perspective infirmière*, la présidente de l'Ordre des infirmières et infirmiers du Québec (OIIQ), Gyslaine Desrosiers, dénonçait le manque de soins et de financement dans les centres de soins de longue durée : « Le manque de soins est institutionnalisé au Québec » (Desrosiers, 2004, p. 9). Comment alors les CHSLD peuvent-ils accomplir leur véritable mission ?

Le discours

Dans pareil contexte, un nouveau paradigme émerge sous la forme d'une orientation ministérielle et se résume à l'aide de l'expression « milieu de vie ». Puisque le centre d'hébergement sera généralement le dernier domicile de l'aîné, il s'agit de lutter contre les effets pervers de l'institutionnalisation (MSSS, 2003, introduction). Cette approche, qui date d'une dizaine d'années, considère le résident comme une personne unique ayant des besoins et faisant des choix qui lui sont propres, et vise une plus grande humanisation des soins. Ses défenseurs se l'approprient, explique Gyslaine Desrosiers, «afin de démédicaliser ou encore de réduire à juste titre les contraintes liées au fonctionnement d'un milieu hospitalier (horaires rigides, asepsie, etc.)» (Desrosiers, 2004, p. 9). Si l'intention qui est à l'origine du concept de «milieu de vie» est louable, l'introduction de ce paradigme risque de pervertir la mission des CHSLD, qui sont avant tout des milieux de soins. Une tension entre les paradigmes de milieu de vie et de milieu de soins pourrait porter atteinte aux droits des résidents. La question est de savoir si ces deux types de milieux se complètent ou s'excluent.

La présidente de l'OIIQ, qui oppose carrément milieu de vie et milieu de soins, évoque très justement le danger associé à la déprofessionnalisation des soins. En effet, l'approche «milieu de vie» a été implantée et s'est développée dans les CHSLD sans les professionnels de la santé, en particulier les infirmières. La suppression du poste de directrice des soins infirmiers, la réduction du nombre d'infirmières auxiliaires, le recours à des agences privées et le retrait de l'autorité de l'infirmière à l'égard du préposé sont autant de facteurs qui ont conduit à dénaturer les soins que les personnes hébergées sont en droit de recevoir.

À ce phénomène organisationnel interne s'ajoute un problème structurel lié à l'évolution du savoir et aux progrès de la technologie. Ainsi, Marcoux soutient que l'organisation des services de santé, centrée durant les dernières décennies sur le réseau hospitalier et les unités de soins spécialisés, témoigne de l'adaptation des institutions à l'approche scientifique et technologique de la médecine. Il déclare:

> Dans ce contexte, les unités de soins prolongés ou de long séjour sont devenues les témoins gênants des limites d'une approche permettant de prolonger l'espérance de vie. [...] Le fossé qui sépare de plus en plus le monde des interventions curatives du monde des interventions chroniques remet même en question l'organisation du système de santé. La fonction hospitalière étant de plus en plus spécifique à l'univers des traitements curatifs, elle tend à exclure les milieux où l'activité médicale se préoccupe davantage de soigner que de traiter. Il est possible d'observer, du moins au Québec, une tendance à détacher les centres d'hébergement de soins de longue durée du réseau hospitalier pour les associer au réseau d'organisation des soins communautaires. Ainsi, la mission de soins infirmiers thérapeutiques et médicaux cède le pas à la mission d'hébergement, de milieu de vie. Ce retour à la fonction d'hébergement des centres de soins prolongés, qui poursuit la tradition des hospices, bien que favorable à une vision globale de la personne malade, n'est pas sans soulever un certain nombre de questions qui sont de l'ordre de la justice. (Marcoux, 2001, p. 744-745.)

Ainsi, une question se pose. Est-ce que la structure du réseau de santé conduit à l'exclusion de la personne hébergée? En d'autres termes, la personne hébergée a-t-elle droit comme les autres aux services d'urgence ou même à l'hospitalisation dans un centre de soins de courte durée, ou bien est-elle condamnée à finir ses jours dans un milieu de vie se trouvant en marge de la société active, privée de

certains services de santé? Pour aller plus loin encore, comment expliquer qu'un milieu de vie puisse primer sur le milieu de soins?

Du discours à la réalité

Les enjeux éthiques liés à ce double phénomène, organisationnel et structurel, sont énormes. Le sort que la société réserve aux personnes hébergées, qui sont pour la plupart des aînés, témoigne des valeurs qui dominent et des préjugés qui existent concernant cette catégorie d'âge. Dans notre société de consommation active, la jeunesse, l'efficacité, la rentabilité, la productivité sont à l'honneur. Cependant, la marginalisation des personnes «vieilles», non efficaces et non productives crée un clivage entre les générations. Solidarité défaillante, individualisme et bien commun ne font pas bon ménage. L'enjeu, associé au principe de justice sociale, est grand. Il concerne directement la distribution des ressources quand l'âge devient un critère de discrimination. Par exemple, pourquoi traiter médicalement une personne âgée dont la vie est derrière elle et qui mourra fatalement? Les risques d'abandon sont grands. Robichaud dénonce fermement une telle situation: «Refuser un traitement à partir du seul critère de l'âge est une forme d'âgisme et est par conséquent aussi inacceptable que le sexisme ou le racisme» (Robichaud, 2002, traduction libre, p. 43). Bref, la façon dont une société traite ses personnes âgées en dit long sur les valeurs qu'elle privilégie.

Les discours qui font la promotion du concept de milieu de vie se traduisent parfois et paradoxalement dans la réalité par un appauvrissement des services et des soins. Exclus du système hospitalier et isolés dans leur milieu de vie et sa philosophie, les résidents des CHSLD deviennent des citoyens de seconde zone. Mais qu'en est-il de l'obligation éthique concernant autrui? Citant le philosophe Lévinas, Lavoie (2003) explique que la première obligation envers autrui est l'accueil du visage humain, malgré la souffrance qui défigure, et parfois effraie les proches et même les soignants. Il parle des personnes mourantes, des personnes en fin de vie, pour paraphraser Lévinas. Mais ce qu'il dit s'applique tout autant à la population hébergée, puisqu'il est avant tout question de «personnes». C'est pourquoi, dans l'extrait ci-dessous, les expressions «personne en fin de vie» et «personnes mourantes» ont été remplacées par «personne hébergée»:

> Face à la maladie et à la souffrance, la [personne hébergée] cherche souvent elle-même l'empreinte de son visage passé. De surcroît, elle doit parfois subir le regard de l'autre qui juge, qui a du dédain et qui fuit. Les [personnes hébergées] redoutent déjà trop vivement l'abandon de leurs proches et des soignants. [...] L'appel de Lévinas nous invite ainsi à redonner forme au visage de la [personne hébergée], à dépasser l'image première qu'il laisse voir et à le considérer en tant qu'être humain jusqu'à la toute fin de sa vie. C'est l'une des formes premières de notre responsabilité éthique. Une responsabilité [...] qui n'admet aucune demi-mesure. (Lavoie, 2003, p. 178.)

Risques et enjeux de l'institutionnalisation

Dépersonnalisation

« La dignité absolue de tout être humain est la même dans chaque phase de sa vie, depuis la conception jusqu'à l'extrême faiblesse de la vieillesse. Car il s'agit toujours du même individu humain, de la même personne » (De Koninck, 1999, p. 80). L'être humain est une personne unique et autonome qui a ses besoins et ses caractéristiques propres. Il est un être de relation vivant dans un environnement qui lui est propre. Il évolue dans un lieu et un espace donnés. C'est pourquoi il est important de lui reconnaître les droits fondamentaux qui lui permettent de se réaliser et d'exprimer son caractère unique en fonction de ses choix et de ses valeurs. Dans un contexte de CHSLD, compte tenu des contraintes organisationnelles, l'enjeu éthique fondamental concerne l'offre et la gestion des soins et services dans le respect de la dignité de la personne et de ses droits et choix.

Le passage du domicile au lieu d'hébergement vient considérablement modifier l'environnement de la personne ainsi que ses rapports avec autrui. La personne devient un résident, un être dépendant qui a des besoins spécifiques. En perte d'autonomie, elle a besoin d'autrui pour combler ses défaillances. Elle a les mêmes besoins de base que les autres résidents, à savoir manger, boire et dormir. Mais elle a aussi des besoins particuliers, qui peuvent être le besoin d'assistance pour les repas ou les déplacements. En l'absence d'autrui, elle doit occuper son temps, dans l'attente consciente ou non de voir satisfaits ses besoins de base. Son territoire est limité. Elle partage parfois sa chambre avec un ou plusieurs autres résidents, qui peuvent être du sexe opposé. À sa conception individuelle du temps et de l'espace se substitue une conception institutionnelle. Les exigences de la vie institutionnelle et l'organisation nécessaire des activités quotidiennes lui dictent un horaire et laissent peu de place à la flexibilité. Son milieu de vie est désormais un lieu de vie institutionnel. L'exigence de conformité et d'adhésion aux règles risque d'occulter ou d'effacer ses caractéristiques personnelles. Le risque de dépersonnalisation est grand, d'autant plus qu'est flagrant le manque de ressources physiques, humaines et matérielles.

Soulignons que la vie en institution est en elle-même une contrainte à laquelle sont associés divers enjeux éthiques. Il s'agit ici non pas de critiquer le travail difficile des professionnels de la santé dans un tel contexte, mais de mettre en évidence ces enjeux éthiques qui sont tous liés à la notion de justice.

En plus du danger de dépersonnalisation associé à la distribution des ressources et qui menace la dignité des personnes, l'institutionnalisation comporte d'autres enjeux éthiques relatifs aux principes suivants : bienfaisance, non-malfaisance, proportionnalité, et respect de l'autonomie.

Bienfaisance et justice

Agir avec bienfaisance consiste à agir selon les meilleurs intérêts de la personne et à lui procurer des bénéfices. Il peut s'agir d'apporter des soins d'hygiène et de bien-être, par exemple. Cependant, dans un contexte de manque de ressources, le principe de justice vient en quelque sorte remettre en question le principe de bienfaisance. En effet, comment contribuer au bien-être d'un résident en situation de compression budgétaire, de manque de personnel ? Comment maintenir les acquis ou les bénéfices des résidents quand le personnel est réduit ou pas assez formé ?

Pour nourrir l'ensemble des résidents, par exemple, des choix s'imposent quant à la quantité ou à la qualité des portions à donner et quant au temps à passer avec la personne incapable de s'alimenter seule. De même, faire porter une culotte d'incontinence à un résident souffrant d'incontinence urinaire est une solution économique au problème de gestion du temps. Comment, dans un contexte de pénurie, envisager un programme de rééducation vésicale qui constituerait un bénéfice pour la personne ? De plus, l'économie commandera même de calculer le nombre de culottes, alors que le bien-être de la personne demanderait autre chose. Comme on le voit, l'équilibre précaire entre les principes de bienfaisance et de justice touche la vie du résident, voire sa dignité.

Non-malfaisance et autonomie

Formulation négative de la bienfaisance, la non-malfaisance part du principe qu'à défaut de produire un bénéfice, il faut éviter de nuire, de causer un quelconque préjudice. Le recours à la contention physique en est une bonne illustration (voir le chapitre 22). En effet, la contention vise, entre autres, à protéger le résident en l'empêchant de tomber ou de faire des fugues. Divers dispositifs peuvent être utilisés : ridelle de lit, fauteuil gériatrique avec tablette, ceinture aimantée. L'intention est de prévenir un tort, notamment une fracture lors d'une chute, des ecchymoses et des contusions. Cependant, le principe de non-malfaisance peut se heurter au principe d'autonomie quand le résident apte refuse la contention et accepte de courir un risque. Il vient aussi en conflit avec le principe de justice quand, dans un contexte de manque de personnel, il est à l'origine du recours à la contention.

De plus, il arrive aussi que pour une même action, le principe de non-malfaisance pour l'un des protagonistes entre en compétition avec le principe de bienfaisance pour l'autre protagoniste. Il en va ainsi de l'utilisation du lève-personne lorsque le résident ne peut plus effectuer ses transferts de façon sécuritaire, tant pour lui que pour le soignant qui lui porte assistance. Souvent, l'aîné en perte d'autonomie serait prêt à courir les risques associés aux déplacements ou aux transferts afin de continuer à vivre sa vie le mieux possible à la verticale. Cependant, l'assistance qu'il requiert signifie que le soignant courrait lui aussi des risques qui pourraient compromettre sa propre santé, en lui causant des blessures comme une entorse lombaire ou une hernie discale. Qui doit donc être protégé? De quoi et de qui? Dans ce type de réalité entrent en jeu les principes de bienfaisance, de non-malfaisance, d'autonomie et de justice.

Proportionnalité des soins

Faire preuve de proportionnalité consiste à considérer à la fois l'intérêt de la personne et l'utilité ou l'efficacité d'une intervention. Il s'agit aussi d'évaluer les conséquences d'une action en termes de préjudices et de bienfaits. Marcoux définit ainsi les «soins proportionnés»: «interventions qui, compte tenu de l'état de la personne, des coûts, des implications personnelles exigées, sont proportionnées aux résultats escomptés pour le bien du malade» (2001, p. 746). En d'autres mots, selon le principe de proportionnalité sont mis en corrélation, pour une même action, les bénéfices recherchés pour le résident et le fardeau pour le patient, le soignant, les proches et la société. Prenons l'exemple d'un résident diabétique. Un suivi rigoureux de sa maladie consisterait à lui faire prendre un anticoagulant et, pour cela, à mesurer régulièrement sa glycémie et à lui faire des ponctions veineuses pour mesurer le temps de coagulation. Supposons que cette personne, dont les fonctions cognitives sont atteintes, n'est plus en mesure de collaborer et offre beaucoup de résistance aux interventions. Dans une telle situation, est-il vraiment approprié de faire des interventions invasives visant un suivi optimal d'un problème de diabète ou la prévention d'un accident vasculaire cérébral? Dans pareilles circonstances, la règle de la proportionnalité peut justifier de s'abstenir de faire certaines interventions tant diagnostiques que thérapeutiques. En effet, il s'agit de trouver un équilibre entre l'intérêt de la personne sur le plan strictement médical et son bien-être, entre les bienfaits de l'intervention et ses préjudices. Soulignons cependant que le principe de proportionnalité ne peut en aucun cas justifier l'abandon thérapeutique d'un patient faisant partie d'une catégorie en perte d'autonomie sévère et dont le coût social est élevé.

Respect de l'autonomie

L'autonomie est la faculté d'une personne de se gouverner par elle-même, de choisir ce qui lui convient et d'agir en fonction de ses choix et valeurs. En CHSLD, le résident qui n'a pas de problèmes moteurs voit son autonomie limitée par les règles et modes de fonctionnement du cadre institutionnel dans lequel il évolue. Prenons l'exemple du port de «vêtements adaptés». Il se justifie par l'exigence d'efficacité et d'économie de temps. Cependant, les proches peuvent l'interpréter comme une atteinte à l'autonomie de la personne, puisqu'il dépersonnalise celle-ci en effaçant ses particularités.

Outre les règles institutionnelles, une faiblesse, une incapacité ou une vulnérabilité peuvent limiter l'autonomie du résident. Néanmoins, au nom de son autonomie, le résident peut refuser un traitement ou un soin. Par exemple, une personne lucide peut décider de refuser l'amputation de sa jambe gangréneuse, tout en ayant conscience des conséquences de son choix, ou bien l'antibiothérapie intraveineuse visant à traiter sa pneumonie. Si l'unicité de la personne se traduit par des choix, des préférences, des valeurs, la reconnaissance de son autonomie est indissociable de la reconnaissance de sa dignité. C'est dans ce sens que Bandman et Bandman écrivent: «Est-ce que les aînés ont le droit de décider de vivre avec dignité et de choisir la cessation de leurs traitements?» (Bandman et Bandman, 2002, p. 238).

Si le contexte institutionnel limite l'autonomie du résident, qu'en est-il de l'inaptitude? Selon le principe du respect de la dignité humaine, le résident inapte mérite un surplus de protection. Toutefois, celui-ci ne doit pas se traduire par un acharnement à soigner ou à traiter, ou, à l'opposé, par un abandon. Même incapable de s'exprimer et quel que soit son état, le résident mérite qu'on le respecte.

En résumé, le phénomène de l'institutionnalisation comporte des dangers liés à la dépersonnalisation, atteinte à la dignité humaine. En effet, le résident devient un élément de la structure organisationnelle, peut perdre les traces de son histoire personnelle, se figer dans le présent et ne plus entrevoir d'avenir. Il est une pièce de la mosaïque, une condition et un instrument du système. Souvent pudique, il doit abandonner son corps à des étrangers qui le lavent, le retournent, l'habillent, le nourrissent. Il doit aussi renoncer à ses habitudes au profit du rituel institutionnel. Difficile, en effet, dans un contexte institutionnel, d'exprimer sa préférence pour un bain le soir, pour une grasse matinée ou pour des rôties fraîchement grillées. Les lois de l'économie et de la distribution des ressources conduisent le résident au sacrifice du soi. Que devient la personne à partir du moment où elle est hébergée?

En même temps, la dépendance à l'égard d'autrui, consécutive à la perte d'autonomie, vient remettre en question la conception répandue de la personne comme un moi unique. La personne existe aussi grâce à son rapport aux autres. La psychologie nous apprend qu'il n'y a pas de soi possible, d'identité possible sans interaction avec autrui. Ainsi, si le processus de personnalisation se construit avec l'autre, la dépersonnalisation et la perte d'identité se font également avec l'autre. Pour mieux comprendre, citons Jean-François Malherbe: «Il n'y a pas de "je" sans "tu", ni de "tu" sans "je". Et il n'y a pas de "il" sans "je" ni sans "tu". Nous pouvons prendre à tour de rôle la position "je", la position "tu" ou la position "il" dans le dialogue mais ces positions n'existent pas séparément; elles n'ont de sens que les unes par rapport aux autres. Nous sommes toujours déjà insérés dans une structure de réciprocité. C'est sans doute là le fait humain le plus fondamental et l'on verra toute son importance dans la question de l'éthique.» (Malherbe, 1987, p. 28.)

Gestion du risque et recours à la contention : proposition de démarche

Comment protéger un résident de CHSLD dont la vieillesse ou la démence représentent une menace pour lui-même ou pour autrui ? Rappelons que divers dispositifs de contention, physiques ou chimiques, visent à limiter de façon ponctuelle les risques de chutes, de fuites ou d'errance, et à protéger l'intégrité des résidents. Mais jusqu'où protéger ? Protéger qui et de quoi ? De même, jusqu'où aller en cas de difficultés d'alimentation ? Jusqu'où doit-on aller dans les soins pour prévenir l'effet dévastateur de la dénutrition lorsque le résident traduit, par sa perte d'appétit, sa perte d'envie de vivre ou son impossibilité d'exister ? Comment maintenir une formule de soins personnalisés dans un milieu institutionnel ?

Comme il n'existe pas de bonne réponse à toutes ces questions, les soignants doivent s'engager dans une démarche éthique pour trouver la meilleure réponse possible selon les situations. Blondeau (1999) propose une démarche qui est une synthèse de différentes grilles de résolution. Elle est résumée dans le tableau 43-1.

L'équipe interdisciplinaire a avantage à suivre ce type de démarche, en collaboration avec le résident et ses proches, pour résoudre des dilemmes éthiques. C'est ainsi qu'elle s'assurera de prendre des décisions correspondant au meilleur intérêt du résident. L'important est de toujours reconnaître l'individualité de chaque résident.

Tableau 43-1	Étapes d'une démarche de résolution d'un dilemme éthique
ÉTAPES	**DESCRIPTION**
Délimiter le problème de nature éthique.	Cerner la nature éthique du problème, ce qui signifie notamment cibler les valeurs et principes en cause, de même que les conflits qui les opposent.
Déterminer les différentes solutions possibles.	Les actions ou prises de décision reposent sur des valeurs. Quand ces dernières sont en opposition, des solutions distinctes sont possibles.
Évaluer chacune des solutions ainsi que les conséquences qui y sont associées.	Analyser, argumenter, justifier chaque solution. Évaluer les conséquences qui y sont associées. En d'autres mots, soupeser les pour et les contre.
Choisir l'intervention la plus bénéfique pour le résident.	Si le résident est apte à choisir, la décision lui appartient en vertu du principe d'autonomie. Sinon, le choix doit être fait en fonction du meilleur intérêt pour la personne.
Convertir le choix en action.	Puisque l'éthique concerne une action concrète, le passage de la décision à l'action est impératif.

Source : Adapté de D. Blondeau (dir.) (1999). *Éthique et soins infirmiers.* Montréal : Presses de l'Université de Montréal.

Conclusion

L'hébergement des aînés en CHSLD implique des défis énormes. L'institutionnalisation comporte en effet un facteur de risque constant de dépersonnalisation. Dans ce contexte, le respect de la dignité humaine de tout être devient un principe phare, mais aussi un défi pour assurer la coexistence d'un véritable milieu de vie avec un milieu de soins.

ÉTUDE DE CAS

Âgée de 92 ans, Mme Adeline Moïsan est hébergée en CHSLD depuis six semaines. Elle présente une démence de type Alzheimer, au stade 5 selon l'échelle de Reisberg. Ayant longtemps travaillé dans un commerce du centre-ville qui la mettait quotidiennement en contact avec les gens, elle aime circuler dans les corridors et engager la conversation avec le premier venu.

La semaine dernière, Mme Moïsan a fait trois chutes, qui n'ont pas eu de conséquences graves. Pour éviter d'autres accidents du même type, la famille a demandé qu'on utilise des mesures de contention. Cependant, l'équipe de soins lui a proposé de faire au préalable une évaluation de la problématique, déclarant que « la chute est à la personne âgée ce que la fièvre est à l'enfant ». Avec l'accord de la famille, elle a ainsi effectué des examens. Cela lui a

permis de découvrir un problème d'anémie sévère. En effet, les examens ont révélé, dans la formule sanguine de Mme Moïsan, un taux d'hémoglobine de 80, alors que trois mois auparavant, ce dernier se situait à un niveau normal de 125. Mme Moïsan prend un anti-inflammatoire non stéroïdien (AINS) depuis trois semaines, pour un problème de douleur due à de l'arthrose à la hanche droite. Il est fort probable que ce médicament soit à l'origine d'un saignement digestif occulte, ou ulcère peptique de l'estomac, expliquant son anémie. Or, l'anémie est un facteur de risque pour les chutes.

Étant donné l'absence de collaboration de Mme Moïsan, il est impossible d'envisager des démarches diagnostiques invasives pour confirmer l'hypothèse d'un ulcère peptique. L'arrêt de l'anti-inflammatoire et le traitement actif de l'ulcère à l'aide d'une médication par voie orale pourraient arrêter le saignement occulte. Quant à l'anémie, deux solutions sont possibles pour la traiter. La première consiste en un traitement de sulfate ferreux. Cependant, ce dernier mettra un certain temps à corriger l'anémie, période durant laquelle la résidente sera exposée à un risque élevé de chutes. La seconde solution, dont l'effet est plus rapide, consiste en une transfusion sanguine. Elle nécessite la collaboration de Mme Moïsan. Cependant, il est possible de recourir à un moyen de sédation.

Dans le CHSLD, les ressources ne permettent pas l'encadrement clinique nécessaire aux transfusions sanguines. Cela signifie qu'il faudrait transférer Mme Moïsan dans un autre établissement de santé. Or, cela pose certaines difficultés, notamment sur le plan de l'organisation des services interinstitutionnels offerts à la personne hébergée en CHSLD. L'équipe soignante se demande s'il est raisonnable de déployer tant d'énergie pour une patiente démente. Elle envisage le recours à la contention physique pour la durée du traitement de sulfate ferreux. Cependant, Mme Moïsan réagit avec beaucoup d'agressivité. De plus, d'après les connaissances actuelles, l'immobilisation cause certains problèmes. On sait aussi que les résidents ayant été sous contention se blessent habituellement plus gravement à la suite d'une chute que les autres.

Questions

Résolvez le problème éthique que pose le cas de Mme Moïsan en suivant les cinq étapes de la démarche éthique de Blondeau.

1 Délimitez le problème de nature éthique.

2 Déterminez les différentes solutions possibles.

3 Évaluez chacune des solutions ainsi que les conséquences qui y sont associées.

4 Choisissez l'intervention la plus bénéfique pour la résidente.

5 Convertissez votre choix en action.

44

L'INTERDISCIPLINARITÉ

par **Louise Thouin** et **Philippe Voyer**

Dans les ouvrages portant sur la santé, on parle beaucoup d'interdisciplinarité, de travail d'équipe. Le ministère de la Santé et des Services sociaux lui-même insiste sur l'importance de l'interdisciplinarité. Mais qu'est-ce que ce concept au juste? Pourquoi est-il nécessaire? Comment peut-on l'appliquer?

Dans les CHSLD, les résidents, de plus en plus vieux, ont de nombreux problèmes et requièrent une diversité de services. Dans ce contexte, l'interdisciplinarité est indispensable. Cependant, pour travailler réellement en équipe et être efficaces, les soignants doivent changer leur conception de leur rôle et de celui des autres, adopter une nouvelle façon de travailler. De manière plus pratique, le CHSLD, les gestionnaires et les soignants doivent suivre certaines démarches pour implanter des équipes interdisciplinaires et assurer leur succès.

L'interdisciplinarité : définition et avantages

Définition de l'interdisciplinarité

L'interdisciplinarité est un concept qui fait référence au travail d'équipe auquel se livrent les soignants de différentes disciplines. Comme les niveaux de collaboration entre les membres d'une équipe varient, plusieurs auteurs (Dussault, 1990; Guyonnet et Adam, 1992; Voyer, 2000, 2001) ont proposé pour chacun une appellation particulière reposant non seulement sur le degré de collaboration entre les disciplines, mais aussi sur l'intégration de la contribution de chacun des professionnels au travail de l'équipe. Selon ces deux paramètres, toute équipe se retrouvera sur un continuum allant de l'équipe multidisciplinaire à l'équipe transdisciplinaire.

Ainsi, la *multidisciplinarité* correspond au travail de l'équipe où les différents savoirs se juxtaposent et où les diverses disciplines agissent en parallèle, sans de véritables relations entre elles. La *pluridisciplinarité*, quant à elle, correspond à l'utilisation combinée et recherchée des différentes disciplines pour une meilleure efficacité. Enfin, la *transdisciplinarité* est la situation dans laquelle les interactions entre les différentes disciplines sont tellement fondamentales qu'elles aboutissent à la création d'une nouvelle discipline, comme la neuropsychologie ou la psychogériatrie.

L'interdisciplinarité se situe entre la pluridisciplinarité et la transdisciplinarité. Décrite génériquement (Voyer, 2000), l'équipe interdisciplinaire est une unité fonctionnelle qui prend place dans un espace commun et se compose de professionnels aux compétences variées, collaborant à la poursuite d'un même but ne pouvant être atteint que par l'équipe. Les décisions s'obtiennent par consensus, et les activités sont coordonnées selon une approche multidimensionnelle s'adaptant aux besoins du résident. L'équipe est consciente que seule la collaboration permettra de satisfaire les besoins du résident. Or, la collaboration implique des transformations dans les diverses disciplines si l'on souhaite être efficace et permettre l'établissement d'une réelle synergie dans l'équipe, d'une identité d'équipe. Les résultats des interventions des membres de l'équipe doivent être perçus comme ceux de l'équipe et non ceux de membres particuliers. Le tableau 44-1 (p. 560) applique chacun des éléments de cette définition au contexte du CHSLD.

Actuellement, dans la pratique, la collaboration entre les soignants varie beaucoup d'un CHSLD à l'autre. Cependant, on note une évolution. Ainsi, d'une approche unidisciplinaire, on est passé à la multidisciplinarité, et dans certains cas même à l'interdisciplinarité. Afin de pouvoir établir un programme d'intervention pour le résident, les différents professionnels doivent partager leur savoir et leur expertise. Depuis plus de vingt ans, les programmes de formation des différents professionnels de la santé, que ce soit en soins infirmiers, en réadaptation, en médecine ou en pharmacie, affirment l'importance qu'il y a à travailler en équipe multidisciplinaire. De plus, l'article 102 de la *Loi sur les services de santé et les services sociaux*, qui définit le programme d'intervention, a poussé les équipes à changer leurs méthodes et à évoluer vers un travail plus interdisciplinaire. Cependant, plusieurs milieux fonctionnent encore avec une série de programmes d'intervention unidisciplinaires à la place de vrais programmes interdisciplinaires. L'emploi du terme «interdisciplinarité» pourra-t-il faire modifier les pratiques? Les orientations du ministère de la Santé et des Services sociaux, *Un milieu de vie de qualité pour les personnes hébergées en CHSLD* (2003), insistent pourtant beaucoup sur cet aspect.

Tableau 44-1	L'interdisciplinarité en CHSLD
ÉLÉMENTS DE LA DÉFINITION GÉNÉRIQUE	**APPLICATION AU CONTEXTE DU CHSLD**
Unité fonctionnelle qui prend place dans un espace commun…	Au sein de chaque unité, l'équipe interdisciplinaire a un local qui lui est assigné et dans lequel elle fait ses activités.
… et se compose de professionnels aux compétences variées…	En CHSLD, l'équipe comprend notamment : infirmière, médecin, ergothérapeute, physiothérapeute, nutritionniste, famille et proches du résident, récréologue, psychologue clinicien, dentiste.
… collaborant à la poursuite d'un même but ne pouvant être atteint que par l'équipe.	Il peut s'agir de buts tels que la stimulation des capacités résiduelles et le ralentissement de la perte d'autonomie.
Les décisions s'obtiennent par consensus…	Chacun des points de vue est important. Lors de la prise de décisions, le résident est toujours au centre des préoccupations.
… et les activités sont coordonnées selon une approche multidimensionnelle dédiée aux besoins du résident.	L'équipe tient compte tant des besoins en loisirs que des besoins médicaux du résident lorsqu'elle planifie ses activités.
L'équipe est consciente que les besoins du résident ne peuvent être satisfaits que par la collaboration. Or, la collaboration implique des transformations dans les diverses disciplines si l'on souhaite être efficace…	Par exemple, l'ergothérapeute enseigne aux soignants le positionnement idéal lors de l'alimentation des résidents afin d'éviter les étouffements. Le médecin reconnaît comme valides les résultats du dépistage du delirium ou de la dépression fait par l'infirmière, qui utilise une échelle de mesure appropriée.
… et permettre l'établissement d'une réelle synergie dans l'équipe, d'une identité d'équipe.	Chaque équipe interdisciplinaire élabore ses propres méthodes de fonctionnement et de communication.

Pourquoi travailler en interdisciplinarité ?

Tout d'abord, l'interdisciplinarité fait partie d'un contexte normatif. Le ministère de la Santé et des Services sociaux (2003) écrit dans ses orientations ministérielles qu'elle est l'une des caractéristiques d'une approche centrée sur la personne : « Le processus de résolution de problèmes est axé sur la participation active des membres de l'équipe à toutes les étapes de l'élaboration du [programme] d'intervention. Le travail en équipe interdisciplinaire favorise une approche globale, permet une compréhension intégrée de la personne et met à profit des savoirs qui, autrement, seraient fragmentés. »

Ensuite, la complexité des situations vécues par la personne hébergée en termes de pathologies et de problématiques de santé, le nombre de soignants gravitant autour de la personne et la diversité des évaluations requises pour planifier les différents types de services ou de soins rendent l'interdisciplinarité nécessaire. L'ensemble de l'équipe doit avoir une approche globale reposant sur une attitude systémique. La compréhension du résident ne peut se faire sans un partage de l'information ni sans un consensus autour de l'établissement d'un projet thérapeutique commun englobant toutes les facettes de la problématique (Hébert, 1990).

Il existe aussi une raison administrative à l'interdisciplinarité. En effet, la discussion et l'interaction des soignants aboutissant à un consensus concernant un programme d'intervention précis permettent d'améliorer l'efficacité de l'utilisation des ressources.

Enfin, l'interdisciplinarité permet une réduction des coûts des services de santé, une amélioration des soins auprès des résidents de différents milieux et même une diminution de la mortalité, tout en faisant augmenter la satisfaction des professionnels à l'égard de leur travail (Hanson et Spross, 1996).

La nécessité de l'interdisciplinarité en CHSLD

La nécessité de l'interdisciplinarité en CHSLD est donc évidente. Les différentes normes d'agrément ainsi que les mécanismes d'amélioration continue de la qualité vont dans le sens de l'application de l'interdisciplinarité. Cette approche n'est cependant pas la panacée et ne prétend pas résoudre tous les problèmes.

L'interdisciplinarité a deux composantes essentielles, l'une formelle, l'autre informelle. La composante formelle correspond aux réunions d'équipe périodiques, qui visent notamment le partage d'informations et la coordination des interventions. Dans certains CHSLD, elle prend la forme de réunions s'inscrivant dans le cadre de programmes interdisciplinaires tels que des programmes de prévention des plaies de pression ou d'usage rationnel de la contention. Dans tous les cas, elle comprend des règles précises qui garantissent un fonctionnement efficace et harmonieux.

La composante informelle, quant à elle, correspond à la communication continue entre soignants et constitue la base du travail interdisciplinaire. Il s'agit des discussions ponctuelles qu'ont les soignants à propos d'un résident, dans un bureau, au poste ou même dans la chambre du résident. Cette composante informelle, fondamentale, ne

comporte pas de règles et repose sur la volonté des membres de l'équipe. C'est pourquoi elle constitue un défi de taille pour le fonctionnement de l'équipe interdisciplinaire en unité de soins. En effet, tous doivent être convaincus de la nécessité de l'interdisciplinarité, reconnaître leurs propres limites et les forces des autres soignants, et s'engager personnellement dans la communication avec les autres disciplines.

Les exigences de la collaboration interpersonnelle

Exigences individuelles

Changement de paradigme

Le fonctionnement interdisciplinaire requiert de chaque soignant qu'il voie son travail non pas de manière isolée, mais en interdépendance avec ses collègues. Cela demande donc un changement de paradigme. L'infirmière, au même titre que les autres, doit avoir l'esprit ouvert au chevauchement des rôles disciplinaires. Pour cela, elle doit connaître les autres disciplines, accepter une planification commune des interventions et voir le partage des expériences et les contacts avec les autres disciplines comme enrichissants sur les plans personnel et professionnel (Satin et Blakeney, 1994). Comme on le voit, l'interdisciplinarité est beaucoup plus complexe que le simple fait de travailler ensemble. Elle demande du savoir-faire méthodologique, une capacité à gérer rigoureusement un processus systématique d'intervention comportant certaines étapes et permettant de traiter une situation complexe, ainsi qu'un niveau élevé de compétence clinique (Lescarbeau, Payette et Saint-Arnaud, 1990).

Dans ce sens, les soignants ont parfois intérêt à clarifier leur vision du travail d'équipe et de l'interdisciplinarité. Par exemple, dans certains milieux, les dirigeants ont simplement modifié l'appellation des équipes, remplaçant le qualificatif « multidisciplinaire » par celui « d'interdisciplinaire », sans pour autant changer le mode de fonctionnement. Que veut dire travailler en équipe? Pour l'un, cela signifiera arriver à la réunion avec les résultats de son évaluation pour les partager avec l'équipe. Pour l'autre, ce sera discuter en groupe de l'évaluation globale du résident et en dégager une opinion clinique commune. C'est pourquoi il est primordial que les membres de l'équipe interdisciplinaire discutent de leurs conceptions personnelles du travail d'équipe et aient un cadre de référence commun, fourni par une association externe ou par la direction de l'établissement. Si cela n'est pas fait, il faut s'attendre à un manque d'efficacité et à des conflits.

Habiletés de communication

En plus de ses compétences sur les plans du savoir et du savoir-faire, l'infirmière doit posséder et développer des habiletés de communication. Son savoir-être est d'autant plus important pour elle qu'elle a souvent un rôle de pivot au sein de l'équipe. Outre la connaissance de techniques de communication, elle doit avoir certains traits de caractère.

Pour travailler en équipe interdisciplinaire, il faut notamment une assurance professionnelle, une bonne capacité d'écoute et une ouverture d'esprit.

Les principaux problèmes de fonctionnement des équipes surviennent à la suite de difficultés de communication, de perceptions divergentes, de confusion dans les rôles ou encore simplement d'une incompréhension du travail des autres. L'interdisciplinarité requiert de chacun de se laisser influencer par l'autre. Or, les soignants sont rarement préparés à cette réalité dans leur formation. Dans ces circonstances, il est important de rappeler que la collaboration est un apprentissage, non une aptitude innée. Ainsi, pour la mise sur pied d'une nouvelle équipe, on recommande le recours à des personnes-ressources externes pour aider au travail interdisciplinaire.

Les divers obstacles individuels au travail interdisciplinaire sont les différents statuts que peuvent avoir certaines disciplines, les divers niveaux d'engagement des membres de l'équipe, les jargons hermétiques, et la domination encore présente du corps médical dans certains milieux.

Exigences liées au fonctionnement de l'équipe

Programme d'intervention

Au Québec, en CHSLD, il faut obligatoirement établir un programme d'intervention pour chaque résident. Ce programme d'intervention doit être revu tous les 90 jours (art. 35 du *Règlement sur l'organisation et l'administration des établissements*). Il se réalise en équipe interdisciplinaire, ce qui permet de mieux détecter les nouveaux problèmes de santé, mais aussi de s'assurer de sa concordance avec les besoins évolutifs du résident. Ainsi, il est l'objectif premier de l'équipe interdisciplinaire. Le programme d'intervention interdisciplinaire précise les besoins, les objectifs, les moyens et la durée prévue des services (art. 102 de la *Loi sur les services de santé et les services sociaux*). Le tableau 44-2 (p. 562) en donne un exemple. Ce programme doit refléter la philosophie d'intervention et les valeurs du milieu de vie. À ce sujet, les dernières orientations du ministère de la Santé et des Services sociaux sont claires: « … l'intervention en CHSLD doit se traduire par une approche globale, adaptée, positive, personnalisée, participative et interdisciplinaire » (2003, p. 10). Le programme d'intervention est donc un outil qui facilite la collaboration interdisciplinaire.

Gestion des équipes interdisciplinaires

Le rôle d'animation de l'équipe doit être attribué par consensus à une personne précise, dès les premières rencontres. Cette personne, qui fait l'unanimité, dirigera les réunions. Elle veillera à rappeler régulièrement les objectifs des réunions pour maintenir le groupe dans la bonne direction. Elle s'assurera également que chacun peut s'exprimer. Enfin, elle se souciera de la bonne circulation de l'information avant, pendant et après les réunions, afin que tous se sentent à égalité les uns avec les autres.

Tableau 44-2	Exemple de programme d'intervention interdisciplinaire			
BESOINS	**OBJECTIFS**	**MOYENS**	**DURÉE**	**SOIGNANTS**
Accroître la mobilité des membres supérieurs	• Diminuer la douleur aux deux épaules • Augmenter la participation aux activités de la vie quotidienne	• Étirements, traitements analgésiques • Stimuler la participation progressive aux activités de la vie quotidienne	2 mois	• Physio-thérapeute • Préposés • Infirmière
S'adapter au CHSLD	• Diminuer le sentiment de solitude et d'abandon	• Rencontres d'évaluation à la suite de l'admission • Rencontre avec les proches	1 mois	• Infirmière • Travailleuse sociale

Si une personne en particulier anime toutes les réunions, un soignant différent joue le rôle de pivot pour chacun des résidents, selon les besoins du résident. Par exemple, la nutritionniste peut être le soignant pivot du résident diabétique ; l'infirmière celui du résident qui est dépressif et présente des symptômes comportementaux de démence. Ce soignant pivot a la responsabilité du suivi du programme d'intervention interdisciplinaire.

Comme au sein de tout groupe, une certaine dynamique s'installe dans l'équipe interdisciplinaire, en fonction de sa composition et de la chimie entre les membres. La gestion de l'équipe peut devenir difficile si certains membres s'approprient des rôles qui nuisent à l'interdisciplinarité. Ainsi, une personne peut jouer à celui qui sait toujours « tout » ou encore s'opposer aux propositions de façon systématique. De tels comportements rendent difficile la gestion de l'équipe et constituent des obstacles à l'élaboration du programme d'intervention interdisciplinaire du résident.

Identité professionnelle

Quelle que soit la discipline, infirmière ou autre, la formation professionnelle a comme buts importants non seulement de transmettre un savoir à des individus, mais aussi de préparer des professionnels autonomes qui ont une vision et une compréhension précises de leur rôle. Elle donne donc aux étudiants une identité professionnelle immuable. Cette dernière, cependant, varie légèrement en fonction du milieu de travail. Par exemple, l'infirmière joue un rôle un peu différent selon qu'elle se situe dans le contexte d'un CHSLD ou dans celui d'un hôpital de soins de courte durée. Une identité professionnelle bien intégrée facilite-t-elle ou au contraire mine-t-elle la collaboration entre soignants ? Fortin (2000) estime qu'il est primordial pour un soignant de consolider sa propre identité professionnelle et d'en établir clairement les limites avant d'aller à la rencontre d'autrui. À ce sujet, Voyer (2001) précise qu'une bonne compréhension de son rôle permet au professionnel de la santé de communiquer efficacement avec les autres. Ainsi, les infirmières qui ont de la difficulté à se définir doivent absolument résoudre ce problème. Voyer ajoute qu'il est essentiel pour l'infirmière d'avoir une image positive d'elle-même et de sa profession pour collaborer efficacement avec les autres professionnels de la santé. En équipe interdisciplinaire, chacun devrait apporter, par sa vision unique du résident, une perspective enrichissante pour le groupe. Le chapitre 1 du présent ouvrage décrit le rôle de l'infirmière en CHSLD.

Par ailleurs, il est important d'examiner les zones de compétences qui semblent communes à différents professionnels de la santé et de négocier afin de les réorganiser, de diminuer l'ambiguïté concernant la contribution de chacun. Au fil des expériences de travail en interdisciplinarité, un danger d'érosion de l'identité professionnelle peut guetter les membres de l'équipe. Selon Rogers (2001), bien que l'objectif commun prime, il ne faut pas pour autant négliger les différences entre disciplines.

Principes pour la mise en place de l'interdisciplinarité

Principes généraux

Dès 1996, le ministère de la Santé et des Services sociaux a commencé à proposer aux différents établissements du réseau de la santé une formation complète et intégrée de trois jours visant à faire des professionnels de la santé des personnes-ressources dans leur milieu concernant l'interdisciplinarité. Le document du ministère énumère des principes de base pour l'implantation de l'interdisciplinarité : détermination d'objectifs communs, flexibilité dans la communication interpersonnelle, complémentarité des rôles, perméabilité des modèles conceptuels et résolution positive des conflits. Ce qu'il faut faire à tout prix, c'est éliminer les barrières entre professions, les barrières de langages, la méfiance et parfois le non-respect des autres. Le tableau 44-3 présente une série de principes facilitant le travail interdisciplinaire et s'appliquant à chaque individu, à l'équipe et à l'organisation.

Comme l'illustre le tableau 44-3, les principes s'appliquent à trois niveaux pour permettre un bon fonctionnement de l'interdisciplinarité. Attardons-nous un peu plus sur le rôle de l'organisation. Il est primordial que les gestionnaires croient en l'interdisciplinarité, voient en ce concept un moyen d'améliorer les services offerts et d'en assurer la cohérence. L'employeur doit donc faire en sorte que les gestionnaires soient bien informés des responsabilités professionnelles de chacun et aient leur mot à dire lors

Tableau 44-3	Principes facilitant le travail interdisciplinaire
NIVEAU D'APPLICATION DES PRINCIPES	**PRINCIPES**
Individu	• Exprimer son point de vue de façon respectueuse. • Exprimer ses souhaits et ses attentes. • Écouter attentivement les autres. • Rester ouvert aux critiques constructives. • Se préparer aux rencontres. • Faire sa part de travail. • Contribuer à l'instauration d'un climat propice au travail (humour, soutien, sollicitude, valorisation du travail des autres). • Revoir son idéal de travail de groupe. • Bien comprendre son identité professionnelle.
Équipe	• Se fixer des objectifs réalistes. • Évaluer l'effort à fournir. • Évaluer les ressources disponibles. • Procéder par étapes. • Respecter les règles et les ententes. • S'assurer de la ponctualité et de l'assiduité de chacun. • Se répartir les tâches. • Se concentrer sur ce qui est prioritaire. • Instaurer des structures et procédures favorisant le travail (horaire, tour de table, procès-verbal, ordre du jour, distribution des tâches). • Profiter des compétences des membres du groupe.
Organisation	• Valoriser l'interdisciplinarité. • Mettre en place des conditions qui favorisent l'interdisciplinarité. • Prévoir la formation des soignants au travail interdisciplinaire.

Sources : Adapté de B. Fortin (2000). L'interdisciplinarité : rêves et réalité. *Psychologie Québec, 27* (3), 39-40 ; P. Voyer (2000). L'interdisciplinarité, un défi à relever pour les infirmières. *L'infirmière canadienne, 96* (5), 39-44.

de l'établissement des politiques de l'organisation. L'interdisciplinarité ne peut s'implanter sans une volonté réelle de l'organisation. Sans le soutien de cette dernière, de la direction d'un CHSLD, il y a trop d'obstacles à surmonter ou à contourner pour que l'interdisciplinarité soit possible. L'organisation doit favoriser le travail d'équipe par la mise en place de certaines conditions. Par exemple, elle peut clairement se prononcer en faveur d'une philosophie valorisant l'holisme et la collaboration professionnelle. Elle peut aussi instaurer un climat de confiance, d'honnêteté, de partage, de loyauté, de respect et de dignité.

Par ailleurs, les ordres professionnels et les politiques du domaine de la santé devraient transmettre des valeurs qui favorisent cette collaboration (Voyer, 2000). Les gestionnaires doivent aussi soutenir de façon concrète les pratiques interdisciplinaires, en particulier sur le plan de l'organisation du travail et de la formation. Enfin, en observant, au cours de leur formation, des équipes interdisciplinaires au travail, les étudiantes pourraient réfléchir à leur contribution future à ce genre d'équipes.

Suggestions de démarches à suivre

Le ministère de la Santé et des Services sociaux (1996) propose une démarche systématique pour le déroulement du travail interdisciplinaire. Le tableau 44-4 en présente les principales étapes.

Tableau 44-4	Étapes d'une démarche pour le déroulement du travail interdisciplinaire

• Acquérir une vision claire et cohérente de l'interdisciplinarité et de son application en CHSLD.
• Rattacher l'interdisciplinarité à la philosophie de l'intervention basée sur l'approche globale.
• Apprendre à connaître les membres de l'équipe.
• Mobiliser les membres de l'équipe ou soutenir leur mobilisation.
• Faire émerger un cadre de référence commun.
• Dresser un portrait du fonctionnement de l'équipe faisant état à la fois de ses forces et de ses limites.
• Établir et maintenir un climat de travail stimulant.
• Reconnaître les modalités de partage du pouvoir dans l'équipe.
• Gérer les conflits dans un esprit de concertation.
• Amener l'équipe à développer des outils communs.
• Amener l'équipe à évaluer son fonctionnement en vue d'améliorer son efficacité interdisciplinaire.
• Fournir une rétroaction aux membres de l'équipe.
• Évaluer le travail interdisciplinaire.

Source : Ministère de la Santé et des Services sociaux du Québec (1996). *Un soutien à la démarche d'une équipe vers l'interdisciplinarité dans le contexte de l'actualisation du plan d'intervention.* Cahier de participation à la formation.

Peu d'auteurs présentent une démarche d'implantation d'une équipe interdisciplinaire. Cependant, Schofield et Amodeo (1999) suggèrent quelques principes fondamentaux pour le succès de la mise en place de l'interdisciplinarité : établir des buts communs, choisir le bon moment d'implantation, s'assurer du soutien de l'organisation, s'appuyer sur l'expertise des différents membres du groupe, échanger des idées, soutenir la participation de chacun, faire preuve de persévérance, disposer de ressources financières suffisantes.

Par ailleurs, l'utilisation d'un outil d'évaluation commun favorise certainement le développement de l'interdisciplinarité. À ce sujet, l'outil d'évaluation Système de mesure de l'autonomie fonctionnelle (SMAF) (voir le chapitre 2) semble approprié, car il apporte un langage commun à l'ensemble des professionnels de la santé. De plus, le fait que le résident soit au cœur de l'évaluation fonctionnelle doit favoriser les échanges entre soignants concernant sa situation.

Enfin, il est très important d'évaluer dans quelle mesure l'implantation de l'interdisciplinarité est un succès ou non.

L'évaluation du travail interdisciplinaire permet aux membres de l'équipe non seulement de faire un bilan de groupe, mais aussi de corriger le tir éventuellement en fonction de l'objectif principal. C'est pourquoi il est important que les membres de l'équipe expriment leur niveau de satisfaction à la fin de chaque réunion (voir le tableau 44-5). De plus, l'équipe a intérêt à se doter d'une procédure d'évaluation plus formelle, à laquelle elle recourra deux ou trois fois par an et qui lui permettra de soutenir et de développer le travail d'équipe.

Conclusion

La littérature scientifique traite relativement bien de l'interdisciplinarité. Le ministère de la Santé et des Services sociaux insiste sur son importance. Les auteurs soulignent le fait qu'elle permet de répondre aux problématiques de plus en plus complexes auxquelles font face les soignants dans les CHSLD. Cependant, dans la pratique,

Tableau 44-5	Évaluation du travail interdisciplinaire
NIVEAU	**PARAMÈTRES**
Individu	Mon appréciation du travail interdisciplinaire : • Le climat qui régnait au cours de la rencontre était-il de nature à favoriser ma participation ? • Nous sommes-nous vraiment entendus sur ce qu'il fallait faire pour le résident concerné ? • Le groupe a-t-il utilisé les ressources de chacun des membres pour prendre ses décisions concernant le résident ? • Les façons de procéder durant les échanges ont-elles aidé les membres à mieux comprendre le résident ? • Les façons de procéder durant les échanges ont-elles favorisé les prises de décision ? • La personne qui animait a-t-elle réellement aidé le groupe à atteindre ses objectifs ? • La personne qui animait a-t-elle réellement aidé le groupe à utiliser les ressources de ses membres au cours de la rencontre ?
Équipe	Les membres de l'équipe : • arrivent préparés à la rencontre ; • connaissent et comprennent les tâches et rôles de chacun ; • partagent de l'information afin de parvenir à un consensus quant au portrait global du résident et à ses principaux besoins, et ce, dans une atmosphère de travail agréable et informelle ; • dégagent une vision commune du profil du résident, de ces ressources et de ces problèmes ; • s'entendent sur un objectif général qui reflète la problématique centrale du résident, et ce, dans un climat d'écoute et de communication satisfaisante ; • mettent l'accent sur les résultats à atteindre plutôt que sur les moyens à employer pour y parvenir ; • se concentrent toujours sur le résident lors des discussions ; • expriment leurs désaccords sur des idées, non sur des personnes ; • se soutiennent les uns les autres ; • partagent le leadership au sein du groupe ; • font preuve de créativité dans la recherche de solutions. Le programme d'intervention interdisciplinaire : • comporte un objectif général qui reflète la problématique centrale du résident ; • comporte des objectifs spécifiques ayant un lien étroit et direct avec l'objectif général ; • comprend des objectifs qui décrivent de façon simple et directe des résultats à atteindre (non des activités) qui sont mesurables et réalisables ; • désigne les intervenants et les groupes d'intervenants qui vont travailler à la poursuite des objectifs ; • prévoit avec précision les exigences à respecter dans les grilles horaires et les échéanciers.

Source : Adapté du ministère de la Santé et des Services sociaux du Québec (1996). *Un soutien à la démarche d'une équipe vers l'interdisciplinarité dans le contexte de l'actualisation du plan d'intervention.* Cahier de participation à la formation.

le travail réellement interdisciplinaire est encore trop rare. Il n'y a pas encore de vague importante de changements dans les CHSLD.

Travailler dans une équipe interdisciplinaire requiert des professionnels de la santé qu'ils changent de paradigme, qu'ils laissent de côté leur filtre d'interprétation professionnel pour en adopter un nouveau, commun à plusieurs disciplines, celui du souci constant du résident. L'importance de la collaboration fait ressortir la nécessité de mettre en place certaines conditions et formations permettant aux professionnels de la santé de mieux communiquer, d'arriver à prendre des décisions par consensus, de

rédiger des programmes d'intervention communs et de tenir des réunions régulièrement. Des démarches planifiées et des outils d'évaluation favorisent le succès du travail interdisciplinaire.

Pour l'avenir, il est souhaitable que les programmes de formation collégiale et universitaire des soignants s'orientent vers l'interdisciplinarité. Si les soignants arrivent bien préparés à cette réalité et qu'en plus les directions des organisations sont convaincues de la valeur ajoutée de l'interdisciplinarité, la mise en place du travail interdisciplinaire en sera grandement facilité, et ce, pour le plus grand bénéfice des résidents des CHSLD.

ÉTUDE DE CAS

CHSLD Belle-Vie. Lundi, 14 h. Yvette Beaupré, infirmière, examine le dossier de Mme Sanschagrin, arrivée dans l'unité quatre semaines auparavant. En plus de l'infirmière, le Dr Côté, Clémence Beaudet, l'ergothérapeute, Aline Thibault, la thérapeute en réadaptation physique, Guy Larouche, le travailleur social, et Chantal Comeau, la préposée de jour qui s'occupe de la résidente, sont réunis en équipe interdisciplinaire pour discuter de la situation de la résidente. Tout le monde a été avisé deux semaines auparavant de la date de cette rencontre interdisciplinaire au sujet de Mme Sanschagrin. Une période de discussion d'une trentaine de minutes doit être consacrée à l'élaboration d'un programme d'intervention interdisciplinaire qu'on présentera ensuite au fils de la résidente. Yvette Beaupré anime la réunion en s'assurant que chacun des intervenants ait un temps de parole. Elle veille aussi à ce que l'équipe se concentre vraiment sur les besoins et intérêts de la résidente. Par ailleurs, elle a

demandé à l'un des membres de l'équipe de bien vouloir consigner les éléments importants qui ressortent de la discussion sur le formulaire *Programme d'intervention*. À tour de rôle, les soignants présentent leur évaluation de la résidente ainsi que leurs recommandations. Il apparaît que Mme Sanschagrin a des difficultés pour faire ses transferts, et des divergences d'opinion se manifestent quant au type de professionnel de la santé qui doit s'occuper du problème. Est-ce au thérapeute en réadaptation physique ou à l'ergothérapeute de traiter Mme Sanschagrin? Comme cela arrive de temps à autre, Yvette Beaupré doit agir à titre de modératrice, tout en répondant à la préposée, qui dit ne pas avoir de problème pour transférer Mme Sanschagrin. Avant la fin de la rencontre, le médecin doit s'en aller pour une urgence au centre hospitalier. Mais l'équipe doit encore finaliser le programme d'intervention, car le fils de Mme Sanschagrin vient d'arriver et est prêt à rencontrer tout le monde.

Questions

1 Comment Yvette Beaupré, l'infirmière, pourra-t-elle aider l'équipe à se mettre d'accord sur la personne qui doit s'occuper du problème de transfert de Mme Sanschagrin?

2 Quel est le premier objectif de l'équipe interdisciplinaire?

3 Quelles habiletés l'infirmière doit-elle posséder pour travailler efficacement en équipe?

4 Qu'est-ce que l'identité professionnelle?

5 Quels indices permettent de conclure qu'une équipe interdisciplinaire travaille avec efficacité?

45
LA FORMATION EN SOINS INFIRMIERS GÉRIATRIQUES

par **Philippe Voyer** et **Isabelle Tardif**

« Un problème bien défini est à moitié corrigé. »

Albert Einstein, 1961

Tout comme les pays de l'Organisation de coopération et de développement économiques (OCDE), le Canada est aux prises avec un double problème : une importante pénurie d'infirmières (Simoens, Villeneuve et Hurst, 2005) et une accélération du vieillissement de la population, marquée par une augmentation rapide du nombre de personnes très âgées (ministère de la Santé et des Services sociaux, 2004). Ces deux tendances ont et auront des répercussions profondes sur le rôle de l'infirmière ainsi que sur l'organisation des services de santé. D'un côté, la pénurie d'infirmières remettra en question la pertinence de certaines interventions qu'elles assurent actuellement dans différentes situations cliniques. En effet, la pénurie d'infirmières poussera les gestionnaires à évaluer si un autre soignant moins qualifié ne pourrait pas remplacer l'infirmière (Baumbusch, Gero et Goldenberg, 2000). Dans ce contexte, il faudra démontrer la « plus-value » apportée par l'intervention de l'infirmière. D'un autre côté, le vieillissement de la population augmentera les besoins en services de santé (Mion, 2003). Ces aînés qui recourront en grand nombre aux services de santé auront le droit de recevoir des services de qualité par des infirmières qualifiées en gérontologie. Or, selon les études effectuées sur la question, la formation actuelle des infirmières en gérontologie semble déficiente. Il importe donc de bien préparer les infirmières à prodiguer les soins appropriés à cette population vieillissante et toujours plus nombreuse, afin qu'elles puissent jouer leur rôle spécifique et essentiel dans ce domaine.

Dans ce chapitre, nous nous intéressons d'abord à la formation des infirmières en gérontologie, principalement à leur préparation au rôle qu'elles ont à jouer dans les CHSLD. Compte tenu des deux tendances démographiques décrites plus haut, le rôle des infirmières dans les CHSLD pourrait devenir marginal, à moins qu'elles ne jouent rapidement et entièrement le rôle qui leur incombe dans ce milieu de pratique. Il est donc primordial de préparer au mieux les infirmières à soigner les résidents des CHSLD. Bien qu'il soit nécessaire de modifier les conditions organisationnelles actuelles afin de faciliter l'exercice du rôle de l'infirmière, la discipline infirmière doit également démontrer la contribution exceptionnelle qu'elle apporte aux soins donnés aux aînés en CHSLD. Le premier pas dans cette direction est de former adéquatement les infirmières aux défis des soins infirmiers en CHSLD.

Ce chapitre présente donc notre vision de la formation des infirmières en vue de les préparer à prodiguer des soins de qualité aux aînés des CHSLD. C'est pourquoi nous nous penchons d'abord sur la question de l'état de la formation des infirmières en gérontologie. Ne dit-on pas : « Il vaut mieux savoir d'où l'on vient pour savoir où l'on va ! » Par la suite, nous proposons des stratégies susceptibles de favoriser l'intérêt des étudiants et étudiantes au moment d'aborder l'étude des aspects théoriques de la gérontologie. Nous suggérons l'instauration d'une nouvelle forme de stage afin de les préparer à leur rôle de demain. Enfin, nous proposons un modèle de formation continue pour les infirmières œuvrant dans les CHSLD afin que ce type de formation assure des retombées à long terme dans le milieu.

Avant d'aborder la première section de ce chapitre, il est important de préciser que nous donnons un sens différent aux termes « gérontologie » et « soins infirmiers gériatriques ».

La gérontologie est l'étude du vieillissement sous ses différents aspects, tandis que les soins infirmiers gériatriques désignent les connaissances et habiletés propres à la discipline infirmière et qu'il est nécessaire de maîtriser pour travailler auprès des aînés dans les milieux cliniques. La gérontologie est donc un terme général et plus englobant. Lorsque nous employons le terme «gérontologie», c'est que nous voulons mettre l'accent sur la connaissance générale, alors que lorsque nous utilisons le terme «soins infirmiers gériatriques», c'est que nous voulons insister sur l'aspect clinique.

La formation des infirmières en gérontologie

Depuis le début des années 1990, plusieurs études se sont intéressées à la question de la formation des infirmières en gérontologie. Selon ces études, cette formation ne répond pas aux besoins d'une population vieillissante. Comme aucune étude n'a porté exclusivement sur la qualité de la formation reçue par les infirmières œuvrant dans les CHSLD, nous traiterons ici du domaine général de la gérontologie. Dans les sections qui suivent, nous décrirons successivement la situation antérieure aux années 2000 et la situation actuelle. Il est à noter que nous allons nous pencher uniquement sur la formation universitaire, car il n'y a pas de données comparables dans la littérature scientifique au sujet de la formation collégiale.

Situation antérieure

Il y a déjà plus d'une décennie, une étude canadienne (Earthy, 1993) avait évalué différents facteurs concernant la formation des infirmières en gérontologie au moyen d'un sondage effectué auprès de 20 directions d'écoles canadiennes de soins infirmiers et de 31 experts du domaine des soins infirmiers gériatriques. De ces experts, environ 60 % travaillaient dans des milieux de soins de longue durée, et 41 % détenaient une formation de 2ᵉ cycle. Les résultats démontrent d'abord que les écoles de soins infirmiers n'étaient pas préparées à offrir une formation orientée vers la gérontologie, puisque seulement 5 % des enseignants avaient une formation de 2ᵉ ou de 3ᵉ cycle dans ce domaine. Il est indéniable que le manque de formation et d'expérience du corps professoral relativement aux soins prodigués aux aînés influe négativement sur l'élaboration d'un programme de formation répondant adéquatement au rôle que joue l'infirmière en soins infirmiers gériatriques. Cette situation n'était pas unique au Canada, puisqu'une étude semblable portant sur 480 programmes de soins infirmiers aux États-Unis démontrait également que le personnel enseignant n'était pas outillé pour offrir des cours axés sur la gérontologie (Rosenfeld, Bottrel, Fulmer et Mezey, 1999).

L'étude canadienne d'Earthy (1993) comportait également des données sur les programmes de formation de 1ᵉʳ cycle en sciences infirmières offerts dans les différentes universités canadiennes. D'après les résultats de cette étude, seulement 3 des 20 programmes visés (15 %) offraient un cours obligatoire portant sur la gérontologie. Les autres programmes de formation présentaient ce contenu à l'intérieur d'autres cours. Selon les experts interrogés par Earthy, la gérontologie devrait être enseignée dans un cours particulier et revue dans d'autres cours, au fil des sujets traités. Dans l'étude américaine de Rosenfeld *et al.* (1999), la gérontologie prenait la forme d'un cours particulier et obligatoire dans 23 % des programmes. Par ailleurs, 89 % des programmes analysés disaient répartir la matière concernant la gérontologie dans l'ensemble des cours pertinents. Néanmoins, les données révèlent que, dans 80 % des cas où le contenu était intégré, la portion du cours traitant spécifiquement de la gérontologie représentait moins de 25 %.

Quant à la formation pratique, les résultats de l'étude canadienne (Earthy, 1993) révélaient que 30 % des programmes de formation n'offraient pas de stage particulier en soins infirmiers gériatriques. De plus, quand un stage était offert, la pratique en milieux non traditionnels, tels que les centres de jour et les unités psychogériatriques, ne couvrait qu'un très petit nombre d'heures. À ce propos, les experts mentionnaient que les étudiants devraient être en contact à la fois avec les aînés en bonne santé et les aînés fragiles, et ce, dans divers contextes cliniques (Earthy, 1993). La formation pratique était également problématique du côté américain, puisque seulement 5 % des programmes de formation à l'étude offraient la possibilité de visiter deux types de milieux cliniques lors des stages en soins infirmiers gériatriques (Rosenfeld *et al.*, 1999).

Situation actuelle

On pourrait penser que les résultats décrits dans la section précédente pourraient être liés à des différences culturelles ou à l'époque, puisque l'étude de Rosenfeld *et al.* (1999) s'est déroulée en 1997, et celle d'Earthy bien avant 1997. Mais les données plus récentes montrent que la situation n'a pas changé. En effet, une nouvelle étude canadienne (Baumbusch et Andrusyszyn, 2002) reprenant le questionnaire d'Earthy (1993) a été menée auprès de 21 écoles et facultés de sciences infirmières. Bien que Baumbush et Andrusyszyn aient sollicité toutes les universités canadiennes offrant un programme de baccalauréat en sciences infirmières en vigueur au moment de l'étude, seulement 55 % d'entre elles ont répondu à l'appel. De ces 21 programmes, 3,3 % entretenaient des liens avec des milieux cliniques liés aux soins infirmiers gériatriques, 5,7 % employaient des enseignants qui possédaient de l'expérience en gérontologie, et 33 % employaient des chercheurs qui étudiaient des sujets concernant les aînés (Baumbusch et Andrusyszyn, 2002). Il semble donc que l'expertise des enseignants et des chercheurs n'a pas connu de changements importants, ce qui laisse présumer un faible leadership facultaire concernant la prise en compte de la préoccupation gérontologique dans la profession infirmière. Cependant, les résultats de cette étude témoignent d'une certaine amélioration en ce qui concerne la présence d'un cours traitant spécialement de la question du vieillissement. En effet, 52,4 % des programmes (Baumbusch et Andrusyszyn, 2002) contiennent désormais un cours obligatoire sur la gérontologie, ce qui est nettement supérieur aux données d'avant 1993 (15 %). Toutefois, comme seulement 5,7 % des enseignants détenaient de l'expérience en soins infirmiers gériatriques, il y a lieu de s'interroger sur la qualité du contenu de ce cours. Il faut tout de même interpréter ces résultats avec prudence en raison du faible taux de réponse des universités sollicitées. Plus récemment, du côté des États-Unis, une étude portant sur 56 programmes de baccalauréat en sciences infirmières donnait des résultats tout aussi préoccupants (Grocki et Fox, 2004), puisque seulement 25 % des programmes offraient un cours obligatoire en gérontologie.

Quant à la formation pratique, les résultats de l'étude canadienne de Baumbusch et Andrusyszyn (2002) révèlent que les heures réservées aux soins infirmiers en gériatrie ne représentent que 8 % du total des heures de stage, ce qui est bien en deçà des 21 % proposés par les experts de l'étude d'Earthy (1993). Globalement, l'évolution des programmes de formation ne modifie pratiquement pas l'intérêt des étudiants pour les soins aux aînés. En effet, le pourcentage d'étudiants qui décident de se diriger vers un champ d'études ou une spécialisation en soins infirmiers gériatriques au cours de leur dernière année de formation est passé de 2,5 % (Earthy, 1993) à 5,5 % (Baumbusch et Andrusyszyn, 2002). Les optimistes prétendront que le pourcentage a doublé, ce qui est effectivement positif, mais, en réalité, il demeure nettement sous le seuil qui permettrait d'assurer une relève dynamique susceptible de répondre aux besoins des aînés dans le courant des années 2030 et après. En effet, il importe de réaliser qu'au moment où les effets du vieillissement de la population culmineront, c'est-à-dire aux alentours de 2030, les finissants d'aujourd'hui seront au sommet de leur carrière, puisqu'ils auront près de 50 ans. Au cours de cette période tumultueuse, ils seront devenus les décideurs. Il est donc essentiel de bien les préparer à jouer leur rôle.

Des recherches ont aussi été réalisées en vue de déterminer les limites ou les obstacles à l'origine de l'inadéquation entre les besoins de la population et la formation des infirmières. Les résultats mettent notamment en cause la surcharge des programmes (Baumbusch, Giro, et Goldenberg, 2000; Rosenfeld *et al.*, 1999), le faible intérêt des étudiants à l'égard de la gérontologie (Rosenfeld *et al.*, 1999), le manque de modèles d'experts en milieu clinique (Rosenfeld *et al.*, 1999) et de leaders dans l'enseignement et la recherche en gérontologie (Baumbusch et Goldenberg, 2000; Gavan, 2003).

Mais, dans bien des cas, il est possible de contourner ces obstacles. Pour nous, et pour d'autres, le manque de place accordé à la gérontologie dans les programmes d'étude reflète l'âgisme de la société, notamment des établissements d'enseignement (Baumbusch et Andrusyszyn, 2002). Il convient de mentionner que l'âgisme n'est pas exclusif aux soins infirmiers (Kaempfer, Wellman et Himburg, 2002). Nous parlons d'âgisme, car, depuis plus de 20 ans, les chercheurs et les experts demandent sans réel succès aux milieux scolaires d'augmenter la place accordée à la géron-

tologie (Grocki et Fox, 2004). Or, l'argument de la surcharge des programmes ne tient pas quand on constate que la population vieillit, que le taux de natalité chute et que les aînés reçoivent déjà une large part des soins que prodigue le système de santé. Présentement, les aînés reçoivent 60 % des soins ambulatoires, 80 % des soins à domicile, 50 % des soins hospitaliers et 85 % des soins de longue durée (Mezey et Fulmer, 2002; Rosenfeld *et al.*, 1999; Young, 2003). Un an après avoir obtenu leur permis de pratique, plus des deux tiers (69 %) des nouvelles recrues indiquent qu'elles travaillent auprès des aînés (Rosenfeld *et al.*, 1999). À titre indicatif, on estime qu'en 2020, toutes les infirmières consacreront 75 % de leur temps à prodiguer des soins aux aînés (Baumbusch et Andrusyszyn, 2002; Grocki et Fox, 2004). C'est pourquoi nous sommes d'avis que la formation initiale des infirmières devrait accorder plus de place à la gérontologie qu'à la périnatalité et à la pédiatrie (Baumbusch, Gero et Goldenberg, 2000; Grocki et Fox, 2004; Rosenfeld *et al.*, 1999). Il est difficile de greffer le contenu en gérontologie aux programmes de formation actuellement en vigueur. Il faut donc repenser la structure générale du programme pour que le temps d'enseignement prenne réellement en compte les besoins actuels et futurs de la population. Il est particulièrement préoccupant de constater que la majorité des milieux scolaires n'a pas encore bougé, malgré l'évidence du vieillissement de la population, lequel entraînera un accroissement des besoins d'infirmières expertes dans le domaine de la gérontologie.

Quant au manque d'intérêt des étudiants et étudiantes pour le domaine du vieillissement (Baumbusch, Gero et Goldenberg, 2000), nous pensons qu'il est une conséquence plutôt qu'une cause de la faible place que les programmes de formation accordent à la gérontologie. Certaines études ont révélé qu'il était possible de modifier favorablement l'attitude des étudiants envers les aînés en augmentant les connaissances en gérontologie et en les mettant en contact avec des aînés durant leur formation (Carmel, Cwikel et Galinsky, 1992; Fox et Wold, 1996). Ces données permettent de croire que des interventions appropriées durant la formation initiale et au cours de la formation continue des infirmières permettront de susciter l'intérêt des étudiants et des infirmières pour les soins infirmiers gériatriques. Ainsi, un plus grand nombre d'infirmières pourraient être amenées à se tourner vers la gérontologie et les soins infirmiers gériatriques, créant par la même occasion un bassin d'experts cliniques et de chercheurs dans le domaine. À leur tour, ces spécialistes pourront influencer positivement les nouveaux étudiants et transmettre une image positive du vieillissement au sein de la société. Ultimement, cette démarche aura pour effet d'améliorer la qualité des soins aux aînés.

Contrairement à la plupart des milieux scolaires (car il y a heureusement des exceptions), depuis les cinq dernières années, nous constatons que certains milieux cliniques se préparent activement aux effets du vieillissement de la population. Par exemple, au Canada, certains hôpitaux de courte durée assurent à tous leurs soignants de toutes les unités de soins une formation en gérontologie, afin qu'ils prodiguent de meilleurs soins aux aînés. Au Québec, le milieu communautaire est particulièrement dynamique. En effet, il suffit de penser à l'implantation des différents réseaux de services intégrés de soins aux personnes âgées en perte d'autonomie, au programme de prévention des chutes ou au programme sur l'usage optimal des médicaments, pour prendre conscience des changements en cours. Plusieurs infirmières ont aussi présenté des innovations fort intéressantes destinées à améliorer les soins prodigués aux aînés dans le cadre du concours 3M de l'OIIQ. Certains CHSLD se distinguent également, tels le CHSLD Maimonides, à Montréal, pour son programme de réduction des contentions, ou le CHSLD Saint-Augustin, à Québec, pour son projet portant sur les soins palliatifs, ou encore l'Institut universitaire de gériatrie de Sherbrooke pour ses travaux sur l'autonomie fonctionnelle et les symptômes psychologiques et comportementaux de la démence. Les milieux cliniques réagissent donc avec une certaine vitalité au vieillissement de la population et à ses enjeux. Il est très possible que les infirmières, constatant la présence élevée d'aînés dans leurs milieux de travail, aient réalisé qu'il était pertinent d'agir rapidement pour améliorer les soins fournis à cette clientèle.

À la suite de ces observations, trois constats s'imposent : (1) la formation théorique en gérontologie que reçoivent les futures infirmières est insuffisante et inadéquate ; (2) la formation pratique offerte à ces mêmes étudiantes et étudiants est insatisfaisante ; (3) les infirmières œuvrant dans les milieux de soins de longue durée ont reçu une formation inadéquate dans le domaine de la gérontologie et des soins infirmiers gériatriques (Mezey et Fulmer, 2002).

Ces trois constats ne sont réjouissants pour personne. Nous pensons toutefois qu'il est important de tracer un portrait juste de la situation. En cela, nous nous approprions la réflexion d'Einstein mise en exergue : « Un problème bien défini est à moitié corrigé. » Cette pensée s'applique à la réalité de la formation des infirmières en gérontologie. En effet, si tout le monde voulait bien reconnaître ce problème, on pourrait rapidement penser aux moyens de remédier à la situation. Répétons, puisqu'il le faut, que le nombre d'heures de formation théorique et pratique en gérontologie est trop faible, et que l'enseignement de la gérontologie est généralement assuré par des enseignants dont la formation en gérontologie est insuffisante et dont les projets de recherche ne portent pas sur le domaine du vieillissement. Dans ces circonstances, il est plus sage, mais aussi plus regrettable, d'affirmer que la qualité des cours assurés par ces enseignants est inférieure à celle que donnent des enseignants dûment formés dans le domaine. La compétence d'un enseignant en sciences infirmières repose notamment sur son expertise dans le domaine (les connaissances scientifiques) et sur son expérience clinique (Mezey, Amella et Fulmer, 1995). Or, si seulement 5,7 % des enseignants ont une expérience clinique adéquate en soins infirmiers gériatriques, cela signifie que plus de 90 % des enseignants n'en possèdent pas. Si les auteurs de ces lignes reconnaissent volontiers qu'ils n'ont pas la compétence pour enseigner la pédiatrie, la chirurgie, la psychiatrie, etc., ils aimeraient trouver la même réserve chez leurs collègues des autres secteurs. En effet, en reconnaissant leur incompétence en matière de pédiatrie, ils reconnaissent implicitement le champ de spécialisation de ce secteur.

Après avoir brossé ce tableau réaliste, considérons quelques pistes de solutions qui permettront d'accorder une plus grande place à l'enseignement de la gérontologie, et de fournir de meilleurs soins aux résidents des CHSLD.

La formation initiale

Cette section propose des pistes de solution qui permettront au programme de formation initiale des infirmières de contenir les éléments de gérontologie qui leur sont nécessaires. Nous mettrons d'abord l'accent sur les problèmes pertinents aux milieux de soins de longue durée. Par ailleurs, les thèmes proposés ne correspondent qu'à un minimum essentiel pour former une infirmière compétente dans le domaine de la gérontologie. Nous présenterons les thèmes pertinents en gérontologie et nous les mettrons en relation avec les compétences requises pour offrir des soins de qualité aux aînés dans les milieux de soins de longue durée. Nous proposerons également quelques stratégies pédagogiques. Puis, dans un deuxième temps, il sera question de la formation pratique en CHSLD et des stratégies pour appliquer les connaissances acquises pendant les cours théoriques.

Il est à noter qu'on ne fait pas de distinction ici entre la formation universitaire et la formation collégiale, car les deux programmes comportent l'enseignement des soins à l'aîné en perte d'autonomie. Les recommandations à propos des thèmes fondamentaux s'appliquent donc aux deux programmes.

Formation théorique

Les travaux de l'Ordre des infirmières et infirmiers du Québec (OIIQ) sur les compétences cliniques de l'infirmière et l'exercice infirmier en soins de longue durée ont permis de produire deux documents de référence importants pour la pratique infirmière au Québec (OIIQ, 2000 et 2001). Ces compétences sont décrites au chapitre 1. Dans ce chapitre, nous nous pencherons plus particulièrement sur la question du profil des compétences propres aux soins infirmiers gériatriques proposé conjointement par l'American Association of Colleges of Nursing et par le John A. Hartford Foundation Institute for Geriatric Nursing (2000). Ce profil de compétences complète bien celui du document de l'OIIQ (2000). Ce dernier s'intéresse aux soins infirmiers en CHSLD, alors que les documents américains visent les soins infirmiers gériatriques de tous les milieux cliniques. Les deux organismes américains ont également conçu un guide destiné à promouvoir l'intégration des contenus en gérontologie au sein de la formation des infirmières inscrites au 1er cycle universitaire. C'est de ce guide que s'inspirent les compétences et thèmes de contenu qui seront présentés dans cette section du chapitre. Le tableau 45-1 présente 30 compétences à maîtriser pour produire des soins infirmiers gériatriques de qualité.

Tableau 45-1	Compétences de base de l'infirmière en gérontologie

COMPÉTENCES

1. Reconnaître ses propres attitudes, valeurs et attentes à propos du vieillissement, ainsi que leurs conséquences sur les soins des aînés et sur leur famille.

2. Adopter le concept de soins centrés sur la personne pour en faire le standard de pratique avec les aînés.

3. Communiquer efficacement et respectueusement avec les aînés et leur famille.

4. Reconnaître que les changements fonctionnels, physiques, cognitifs, psychologiques et sociaux communs du vieillissement influent sur les sensations et les perceptions des aînés.

5. Faire appel dans sa pratique quotidienne à des outils d'évaluation clinique du statut fonctionnel, physique, cognitif, psychologique, social et spirituel.

6. Évaluer le milieu de vie des aînés, en portant une attention spéciale aux changements fonctionnels, physiques, cognitifs, psychologiques et sociaux communs du vieillissement.

7. Analyser l'efficacité des ressources communautaires en place pour aider l'aîné et sa famille à préserver leurs objectifs personnels, et pour maximiser le fonctionnement de la personne, maintenir son indépendance et lui permettre de vivre dans un environnement le moins contraignant possible.

8. Évaluer les connaissances de la famille sur les habiletés nécessaires pour prodiguer les soins aux aînés.

9. Adapter les habiletés cliniques afin de répondre aux capacités fonctionnelles, physiques, cognitives, psychologiques, sociales et d'endurance de l'aîné.

10. Individualiser les soins et prévenir la mortalité et la morbidité associées chez l'aîné à l'utilisation de contentions physiques et chimiques.

11. Prévenir ou réduire les facteurs de risque qui contribuent chez l'aîné au déclin fonctionnel, à la diminution de la qualité de vie et à l'augmentation des incapacités.

12. Établir et suivre des standards de soins afin de reconnaître et de signaler les abus envers les aînés.

13. Appliquer des standards probants pour le dépistage, l'immunisation et la promotion de saines habitudes chez les aînés.

14. Reconnaître et gérer les syndromes gériatriques communs chez l'aîné.

15. Reconnaître l'interaction complexe entre les conditions aiguës et chroniques communes chez les aînés.

16. Utiliser la technologie pour améliorer le fonctionnement, l'indépendance et la sécurité des aînés.

17. Faciliter la communication lors de processus de transition entre la maison, l'hôpital et le centre d'hébergement.

18. Aider les aînés et leur famille à comprendre et à trouver l'équilibre concernant les décisions quotidiennes liées à l'autonomie et à la sécurité.

19. Appliquer des principes éthiques et légaux aux enjeux complexes qui surviennent lors des soins aux aînés.

20. Apprécier l'influence des attitudes, des rôles, du langage, de la culture, de l'ethnie, de la religion, du sexe et du style de vie sur la façon dont les familles et les soignants prodiguent les soins de longue durée aux aînés.

21. Évaluer les différents modèles de soins gériatriques internationaux.

22. Analyser l'effet d'une population vieillissante sur le système de santé.

23. Évaluer l'influence des systèmes de financement sur l'accessibilité, la disponibilité et le coût des soins de santé pour les aînés.

24. Faire ressortir les avantages et les limites des services d'hébergement et de soutien au regard du fonctionnement et de l'indépendance des aînés et de leurs familles.

25. Reconnaître les bénéfices de la participation d'une équipe interdisciplinaire dans les soins prodigués aux aînés.

26. Évaluer l'utilité des pratiques complémentaires et intégratives de santé sur la promotion de la santé et la gestion des symptômes chez l'aîné.

27. Favoriser la participation active des aînés dans tous les aspects de leurs propres soins de santé.

>>>

COMPÉTENCES

28.	Faire participer, éduquer, et, s'il y a lieu, superviser les familles, les amis et le personnel de soutien dans la mise en œuvre des pratiques de soins de qualité pour les aînés.
29.	S'assurer que la qualité des soins prodigués aux aînés répond à leurs besoins réels. Les soins doivent être prodigués selon la fréquence et l'intensité exigées par la condition des aînés.
30.	Promouvoir l'accès à des soins de fin de vie de qualité pour les aînés, notamment la gestion de la douleur, comme une composante essentielle et désirable de la pratique infirmière.

Source: American Association of Colleges of Nursing et John A. Hartford Foundation Institute for Geriatric Nursing (2000). *Older adults: recommended baccalaureate competencies and curricular guidelines for geriatric nursing care*. Extrait du site Web de l'American Association of Colleges of Nursing, le 2 février 2005: http://www.aacn.nche.edu/Education/gercomp.htm (traduction libre).

L'acquisition de ces compétences se fait à la fois par l'enseignement théorique et au cours des stages pratiques. Ainsi, les objectifs d'un cours ou d'un stage devraient être élaborés en fonction de ces compétences. Il est possible de regrouper celles-ci en différentes catégories liées à de grands domaines de formation en soins infirmiers:

- La pensée critique
- La communication
- L'évaluation
- Les habiletés techniques
- La promotion de la santé et la prévention de la maladie
- La gestion des problématiques de santé
- L'information et les technologies de soins de santé
- L'éthique
- La diversité humaine
- Les soins de santé globaux
- Le système de santé et les politiques
- Le partenariat
- Le rôle professionnel

Enfin, des experts (Earthy 1993; Grocki et Fox, 2004; Rosenfeld *et al.*, 1999; Strumpf, Wollman, et Mezey, 1993) pensent que, pour être en mesure de transmettre les compétences illustrées au tableau 45-1, il faudrait qu'au moins 17% du corps professoral soit spécialisé en gérontologie, et que la faculté impose un cours de gérontologie et deux stages en milieu gériatrique. De plus, 21% de toutes les heures de stage de la formation de l'infirmière devraient être effectuées auprès des aînés. Enfin, il conviendrait d'inclure des notions de gérontologie dans d'autres cours obligatoires, comme ceux qui traitent de la promotion de la santé, de la santé des femmes, de l'approche familiale, etc.

Parmi les thèmes mentionnés au tableau 45-1, nous pensons qu'il est important de cibler et de délimiter les thèmes fondamentaux au regard de la formation des infirmières appelées à prodiguer des soins infirmiers gériatriques en CHSLD (voir le tableau 45-2). Ces thèmes font l'objet de chapitres particuliers de ce manuel et devraient être considérés comme des thèmes incontournables.

Tous les thèmes mériteraient d'être traités en détail, mais, à des fins d'explicitation et de démonstration, nous n'en retiendrons que deux afin de présenter des stratégies d'enseignement. Il s'agit respectivement des changements sensoriels liés à la communication et de l'humanisation des soins dans la démence.

Tableau 45-2	Thèmes fondamentaux d'enseignement pour la pratique infirmière en CHSLD
THÈMES	**CHAPITRES DU MANUEL**
Rôle de l'infirmière en CHSLD	Chapitre 1
Vieillissement normal	Chapitre 1
Changements sensoriels et communication	Chapitres 31 et 32
Évaluations fonctionnelles et cognitives	Chapitre 2
Examen clinique	Chapitre 1
Delirium	Chapitre 7
Démence	Chapitre 2
Symptômes psychologiques et comportementaux de la démence	Chapitres 24 à 30
Usage optimal des médicaments	Chapitre 23
Chutes	Chapitre 17
Douleur	Chapitre 20
Dépression	Chapitre 9
Plaies de pression	Chapitre 19
Nutrition	Chapitre 12
Sommeil	Chapitre 16
Élimination vésicale et intestinale	Chapitres 14 et 15
Contentions physiques	Chapitre 22

Changements sensoriels et communication avec les aînés

Les étudiants devraient être en mesure de connaître les pertes sensorielles qui surviennent chez les aînés et leurs effets négatifs sur la communication. Ils devraient également être capables de reconnaître les barrières cognitives, psychologiques et sociales susceptibles d'entraver une bonne communication avec les aînés. Une façon de rendre le contenu concret et stimulant est de faire faire aux étudiants des simulations de pertes sensorielles. Les deux exemples ci-dessous ont été utilisés à plusieurs reprises à la Faculté des sciences infirmières de l'Université Laval. Les deux scénarios visent à faire ressortir deux situations découlant de pertes sensorielles. Les deux mettent en scène un aîné atteint de certains déficits sensoriels interagissant avec un soignant lors d'un enseignement.

L'enseignant entreprend cette activité en demandant à quatre étudiants de se porter volontaires, en précisant qu'il lui faut les étudiants les moins timides du groupe. Ces étudiants quittent la classe. Ils pourront réaliser les deux activités.

Activité 1 : déficits auditifs

La première activité consiste à recréer des déficits auditifs chez un des quatre étudiants qui se sont portés volontaires. L'enseignant fait entrer un premier étudiant et lui demande de venir s'asseoir à l'avant de la classe pour jouer le rôle de l'aîné. Pour simuler les pertes auditives, il demande à l'étudiant de se mettre des bouchons dans les oreilles et il fait jouer de la musique sur un magnétophone, après avoir placé les hauts parleurs de chaque côté de l'étudiant. C'est l'enseignant qui joue le rôle du soignant. Dans le premier scénario, l'enseignant joue le rôle d'un soignant pressé. Il ne prend pas le temps de se présenter et d'expliquer le but de l'activité, et vient se placer derrière l'étudiant. Tout en tournant le dos à l'étudiant, il fait la lecture d'une histoire banale d'environ cinq phrases. À plusieurs reprises, l'enseignant interrompt sa lecture sans avertissement. Lorsque l'étudiant se tourne vers lui pour essayer de comprendre ce qui se passe, l'enseignant lui demande de regarder devant lui. Lorsque l'histoire est terminée, l'enseignant, toujours dans son rôle du soignant, demande à l'étudiant de quitter la classe.

L'enseignant fait entrer un deuxième étudiant et l'accueille chaleureusement. Il maintient un contact visuel pendant qu'il lui explique le but de l'exercice. Il informe l'étudiant qu'il devra mémoriser une histoire et lui dit qu'ils ont le temps de lire cette histoire ensemble et de la mémoriser. Dans son rôle de soignant, l'enseignant se montre souriant, disponible, avenant et cherche à diminuer le niveau d'anxiété de l'étudiant qui se demande s'il sera capable de retenir l'histoire. L'enseignant donne des trucs à l'étudiant pour l'aider à retenir l'histoire. Par exemple, il met l'histoire dans son contexte et il fait faire des associations à l'étudiant portant sur les différentes parties de l'histoire. Lorsque l'étudiant indique qu'il a mémo-

risé l'histoire, l'enseignant insiste pour faire une dernière répétition afin de s'assurer que l'étudiant a tout assimilé correctement. Puis, il lui dit qu'un peu plus tard il devra raconter l'histoire en question.

L'enseignant demande alors au premier étudiant de revenir en classe afin de vérifier s'il a bien retenu l'histoire qu'il lui a lue. Évidemment, ce dernier réussit généralement à ne bredouiller que certains mots clés. Il est tout à fait incapable de relater correctement l'histoire. Puis, l'enseignant fait entrer le deuxième étudiant en lui demandant à son tour de raconter l'histoire. Comme on peut le prévoir, ce deuxième étudiant est en mesure de tout raconter sans erreur.

Une fois le jeu de rôle terminé, l'enseignant fait remarquer que, sur le plan quantitatif, l'enseignement du premier étudiant a duré environ deux minutes et que celui du deuxième étudiant a été de quatre minutes. Inversement, quand est venu le moment de relater l'histoire, le premier étudiant a mis beaucoup plus de temps pour s'en souvenir et la raconter (environ 2 minutes) que le deuxième étudiant, qui n'a pas pris plus de 30 secondes. Globalement, la somme du temps investi par le soignant et le soigné est à peu près la même. Par la suite, l'enseignant demande aux étudiants de la classe d'indiquer les différences qui ont marqué les deux mises en scène. Les étudiants peuvent ainsi réaliser à la fois les conséquences de la perte de l'acuité auditive (les bouchons) et de l'approche des soignants sur les résultats de la rétention des informations lors d'un enseignement. L'enseignant complète la formation en s'assurant que les étudiants mentionnent les enjeux entourant les changements cognitifs (voir le chapitre 2) et sensoriels.

Activité 2 : déficits visuels

L'enseignant fait entrer le troisième étudiant. De nouveau, l'attitude de l'enseignant jouant le rôle du soignant est totalement inadéquate, c'est-à-dire rapide, non centrée sur le soigné, impatiente, et la demande est imprécise. L'enseignant remet à l'étudiant un texte ardu portant sur l'histoire des dynasties chinoises, écrit en petits caractères (8 points) et lui demande de le lire. Pendant ce temps, l'enseignant met de la musique et tape du pied d'un air pressé, tout en regardant sa montre. Au bout d'une minute et demie, l'enseignant retire la feuille des mains de l'étudiant et lui demande de quitter la classe. Inutile de dire que le malheureux ne comprend pas ce qui se passe et que les étudiants de la classe rigolent, d'où l'importance de solliciter la participation des étudiants qui ne sont pas timides.

L'enseignant fait ensuite entrer le quatrième étudiant, qu'il accueille chaleureusement. Il lui explique qu'il devra mémoriser le texte qu'il va lui remettre. Le texte en question est écrit en gros caractères, les informations y sont présentées à l'aide de phrases courtes et claires, et traite en termes simples d'un sujet en soins infirmiers. De plus, les informations les plus importantes, sur lesquelles l'étudiant sera interrogé plus tard, sont soulignées. L'enseignant laisse environ trois minutes à l'étudiant pour qu'il puisse lire le texte plusieurs fois. Il lui donne également des explications sur le texte à mesure que la lecture progresse. Enfin, il laisse la feuille à l'étudiant comme aide-mémoire pour qu'il puisse réviser les éléments qu'il doit retenir lorsqu'il sera sorti de la salle de classe.

Par la suite, le troisième étudiant est invité à revenir dans la classe. L'enseignant lui pose alors des questions sur les dynasties chinoises. Évidemment, il est totalement incapable de se souvenir du contenu du texte et de répondre. Puis, il fait entrer le quatrième étudiant et lui demande de répondre aux questions portant sur le texte qu'il a lu. La plupart du temps, comme l'enseignant lui avait indiqué les points importants qu'il devait se rappeler, il n'a même pas besoin de poser toute la question avant que l'étudiant donne la réponse.

En plus d'insister sur les mêmes points liés à l'approche du soignant et aux dimensions cognitives et sensorielles de la première mise en situation, l'enseignant discute des conséquences de la perte de l'acuité visuelle centrale. Il rappelle qu'il est important de remettre aux aînés des textes écrits en caractères suffisamment gros pour qu'ils puissent les lire sans problème. Il mentionne également qu'avec le vieillissement normal, les aînés ont tendance à retenir le sens général d'un texte et qu'il est donc capital, lors d'un enseignement, d'insister sur les points essentiels. Il en profite aussi pour dire que les aînés mémorisent plus difficilement les nouvelles informations qu'ils ne peuvent associer facilement à leurs connaissances antérieures. Dans le jeu de rôle, l'étudiant a retenu plus facilement le texte sur les soins infirmiers parce que le contenu lui était familier, comparativement au texte sur les dynasties chinoises. Enfin, l'enseignant sera d'autant plus en mesure de mettre en évidence les retombées de cette activité qu'il connaît bien les changements normaux associés au vieillissement. En effet, il pourra établir des liens entre la mise en situation et le vieillissement normal que subissent la concentration, l'attention, la capacité d'encodage et de récupération, ainsi que la vitesse de traitement des données.

En somme, cette activité permettra aux étudiants de mieux comprendre ce que ressent un aîné aux prises avec certains déficits sensoriels et comment les soignants peuvent intervenir pour donner un enseignement de qualité. L'enseignant devrait également inviter les étudiants qui ont joué le rôle de l'aîné à faire part des sentiments qu'ils ont ressentis durant ce jeu de rôle. Il demande notamment aux étudiants 1 et 3 de dire comment ils se sont sentis devant l'attitude inadéquate du soignant. L'enseignant en profite alors pour souligner que, dans les milieux cliniques, bien des aînés ressentent souvent cette pression du temps lorsqu'ils interagissent avec les infirmières. Ils se sentent bousculés et sont incapables de s'exprimer aussi clairement que lorsque l'ambiance est détendue. Comme ils le disent si souvent, ils ont peur de déranger...

Humanisation des soins apportés aux personnes atteintes de démence

Les connaissances relatives aux différentes pathologies associées au vieillissement, comme la démence, représentent bien sûr des apprentissages essentiels pour les futures infirmières et futurs infirmiers. Cependant, la question de l'humanisation des soins prodigués aux aînés souffrant de démence est un sujet tout aussi important. Rappelons que la démence entraîne de profonds bouleversements des facultés cognitives de l'être humain, des facultés auxquelles nos sociétés modernes accordent une très grande valeur. Préserver la dignité de ces personnes atteintes d'un déficit à la portée sociale si lourde devient donc un défi important pour tous les soignants. Il est bien sûr nécessaire de discuter de cette question avec les étudiants, puisqu'ils seront ou sont déjà confrontés à des situations susceptibles de compromettre la dignité de l'aîné. Ce phénomène ne survient pas seulement dans les CHSLD, mais c'est probablement l'endroit où il se manifeste le plus fréquemment, car bon nombre de résidents qui y vivent souffrent de démence.

Une façon de faire comprendre aux étudiants qu'une personne atteinte de démence demeure un être humain à part entière consiste à inviter un conférencier qui est lui-même atteint de démence. L'aîné qui présente un stade précoce de démence pourra expliquer aux étudiants ce que signifie pour lui vivre avec cette maladie. Il pourra parler entre autres de ses liens avec sa conjointe ou ses enfants, et de différents sujets comme le bonheur, la vie, la mort et les pensées suicidaires. Il peut également donner des conseils aux futures infirmières en se basant sur sa propre expérience. Par exemple, il est intéressant de lui demander ce qu'il ressent lorsque des infirmières lui font passer des tests cognitifs. Pour prendre contact avec un aîné atteint de démence, il est possible de faire appel à l'un des bureaux régionaux de la Société Alzheimer du Canada. À la Faculté des sciences infirmières de l'Université Laval, nous avons eu recours à plusieurs reprises à cette stratégie pédagogique, qui est particulièrement appréciée des étudiants.

Lorsque l'aîné atteint de démence parle de son vécu, c'est le silence absolu dans la classe. Aucun enseignant ne peut agir si profondément sur la dimension affective des étudiants, qui sont ébranlés émotionnellement par cette rencontre. Lorsque l'aîné évoque ses craintes quant à sa vie future en CHSLD et révèle avoir eu des idées suicidaires afin de se soustraire à l'hébergement, il est indéniable que les étudiants ne perçoivent plus les résidents des CHSLD de la même manière.

Une autre façon d'aborder la question de l'humanisation des soins aux aînés atteints de démence consiste à mettre l'accent sur la dimension affective de l'être humain. La biographie est un outil qu'il faut absolument présenter aux étudiants, puisqu'elle permet de considérer les événements du moment dans le contexte du cheminement de vie de la personne (voir le chapitre 24). Cette approche s'inspire principalement de la théorie de la continuité d'Atchley (1989), qui stipule que, malgré la démence, les passions, les habitudes de vie, les besoins, la personnalité, les intérêts et les qualités de la personne demeurent les mêmes. L'objectif principal de la biographie est de construire un programme thérapeutique infirmier individualisé qui répondra aux besoins particuliers de l'aîné.

Les jeux de rôle permettent aux étudiants d'acquérir certaines habiletés, et de prendre notamment conscience de l'importance de connaître le passé des résidents des CHSLD. Par exemple, l'enseignant pourrait demander aux étudiants d'imaginer les besoins d'un résident atteint de démence. Ils déterminent généralement plusieurs objectifs thérapeutiques tels que : éviter la dénutrition, prévenir les symptômes psychologiques et comportementaux de la démence, favoriser la stimulation cognitive, etc. Ensuite, l'enseignant demande aux étudiants de former des équipes de deux. À tour de rôle, les étudiants établissent la biographie de la mère ou du père de leur coéquipier. Par la suite, l'enseignant leur demande en quoi les informations recueillies modifient leur perception des besoins du résident. Par exemple : « Quels seraient les besoins de la mère de votre coéquipier si elle avait la maladie d'Alzheimer ? » Cette activité permet aux étudiants de constater que chaque individu exprime un certain nombre de besoins très personnels. Les étudiants mentionnent généralement de nouveaux besoins comme la marche, la lecture, l'écriture, le bricolage ou les sorties à l'extérieur. Ils prennent également conscience des besoins bien particuliers du parent de certains étudiants dont ils viennent d'établir la biographie. Par exemple, certains diront « mon père porte toujours une cravate et c'est très important pour lui » ; un autre dira « mon père est allergique à plusieurs savons », ou encore « mon père déteste le poisson ». En somme, la biographie permet de rappeler que les besoins des êtres humains sont multiples. Bien que l'individualité constitue un aspect de la vie qui semble simple et aller de soi chez l'adulte, elle est constamment menacée chez le résident atteint d'une démence, dans le contexte de vie en CHSLD (voir le chapitre 43).

Ces exemples témoignent de la richesse des contenus pédagogiques portant sur les soins de longue durée. Il devient donc nécessaire d'offrir aux étudiants un cours obligatoire portant spécialement sur les soins des aînés, et abordant notamment les questions relatives aux soins de longue durée. Il n'est pas conseillé de jumeler un cours en gérontologie avec des sujets comme celui des soins palliatifs. D'une part, les soins de fin de vie ne concernent pas seulement les aînés, et, d'autre part, ce type de soins ne représente qu'une facette des soins prodigués aux aînés. Enfin, ce jumelage perpétue une association fataliste entre le vieillissement et la mort.

Il est toutefois possible d'aborder certains sujets dans d'autres cours. Par exemple, les enjeux éthiques liés au vieillissement et aux soins des aînés pourraient faire partie d'un cours traitant de façon générale de l'éthique des soins de santé. De plus, il serait pertinent de traiter des rapports intergénérationnels dans la société à l'intérieur d'un cours portant sur la famille, ou de la promotion du « bien-vieillir » dans un cours portant sur la promotion de la santé. Finalement, la diversité culturelle est un aspect tout aussi important chez la clientèle des aînés. Habituellement, dans les cours abordant la question des dynamiques interculturelles, l'importance est surtout accordée à la famille, aux clientèles d'enfants ou d'adolescents et à la périnatalité. C'est pourquoi il faudrait que l'enseignant expert dans le domaine du vieillissement collabore à l'élaboration du contenu du cours. Les impératifs démographiques doivent guider la conception du programme de manière à axer davantage l'enseignement sur les soins aux aînés. Enfin, comme nous avons voulu l'illustrer avec les exemples de stratégies pédagogiques que nous avons présentés précédemment, si l'enseignement des notions relevant de la gérontologie est un facteur important du succès de la formation en soins gériatriques, il faut également intéresser les étudiants aux soins des aînés, car ils ne le sont pas spontanément. En plus de favoriser l'augmentation des connaissances, il convient donc d'augmenter l'intérêt des étudiants à l'égard de cette spécialité. L'enseignant doit être conscient de cette réalité.

Formation pratique

La formation pratique est nécessaire et complémentaire à l'enseignement théorique des soins aux aînés en CHSLD. Comme nous l'avons indiqué dans l'introduction, la formule idéale des stages en gérontologie devrait offrir aux étudiants la possibilité de visiter plusieurs milieux de stage. Il conviendrait également que les étudiants abordent le domaine du vieillissement en prenant contact avec des aînés en bonne santé. Par ailleurs, un stage en milieu de soins de longue durée devrait être obligatoire. Il faudrait le placer à la fin du programme, puisque les problèmes de santé éprouvés par les résidents sont complexes et que les soins prodigués par l'infirmière font intervenir plusieurs compétences. Qui plus est, le fait de placer un stage en CHSLD en début de formation indiquerait aux étudiantes et étudiants que le CHSLD représente le milieu de soins dans lequel les compétences cliniques sont les moins spécialisées (Roberts et Powell, 1978), ce qui risque d'être extrêmement nuisible pour leur recrutement.

Cette section propose d'abord une conception du stage en soins de longue durée, puis différents moyens de rendre les stages intéressants et dynamiques. Il est important de préciser que le modèle de stage proposé ici s'adresse particulièrement au milieu universitaire. Nous visons ce milieu parce que les professeurs des universités n'offrent pas aux étudiants le même encadrement que les professeurs des collèges. Ces derniers se rendent dans les unités de soins, ce qui permet une supervision immédiate. Néanmoins, les recommandations que nous faisons pour améliorer les stages dans les milieux universitaires peuvent très bien s'adapter aux stages des collèges.

Un stage dans un milieu de soins de longue durée devra viser l'acquisition de compétences en soins infirmiers gériatriques. La formation pratique d'un étudiant en soins

infirmiers ne doit pas avoir pour seul objectif de lui apprendre le rôle que joue actuellement l'infirmière dans les CHSLD. Présentement, dans la majorité des CHSLD, les infirmières consacrent beaucoup trop de temps aux tâches administratives et à la prestation de soins de base tels que l'habillement, le bain, l'alimentation, au détriment des interventions qui requièrent leur expertise (voir le chapitre 1), ce qui les empêche d'exercer un leadership clinique. Ainsi, donner pour modèle à l'étudiant le rôle actuel de l'infirmière risque de perpétuer la sous-utilisation des compétences de l'infirmière en CHSLD. Le stage devra donc placer l'étudiant face à différentes situations cliniques complexes afin de lui faire acquérir un jugement clinique. Cela signifie que le personnel des milieux de soins ne devra pas considérer les étudiants comme des employés et que ceux-ci n'exécuteront pas les mêmes tâches que l'infirmière. Pour mettre en œuvre ce principe, l'élaboration des objectifs de stage devrait s'appuyer sur des compétences associées au thème du stage choisi par l'étudiant en collaboration avec le milieu clinique et l'enseignant.

Il est également nécessaire de revoir le rôle du superviseur de stage. D'abord, la supervision directe devient minimale. La superviseure devrait être une infirmière de l'établissement, idéalement l'infirmière clinicienne spécialisée en gériatrie, qui pourra agir comme personne-ressource dans le milieu clinique. Toutefois, si l'infirmière clinicienne spécialisée ne peut accorder la disponibilité nécessaire aux stagiaires, le milieu pourrait recommander des infirmières reconnues pour leur expertise clinique en soins de longue durée.

La personne-ressource du milieu aura pour mandat d'accueillir, d'intégrer et de soutenir l'étudiant durant son stage. C'est elle qui présentera l'étudiant au personnel de l'unité et qui lui fera faire la visite guidée de l'établissement. Par la suite, elle demeurera disponible durant chaque étape du stage, que ce soit pour aider l'étudiant à choisir un thème particulier ou faciliter son intégration dans l'équipe interdisciplinaire. Même si la personne-ressource ne travaille pas directement dans l'unité, elle demeurera disponible lors des journées de stage de l'étudiant. Elle pourra aussi aider l'étudiant et les soignants lorsque la situation clinique d'un résident pose problème. Néanmoins, l'étudiant doit apprendre à collaborer avec les autres infirmières et professionnels de la santé. Il à noter que, pour le milieu collégial, la supervision devrait être confiée à l'enseignante, ce qui exige qu'on apporte des ajustements mineurs au modèle de stage proposé dans ce chapitre.

Sur le plan universitaire, un enseignant expert en soins infirmiers gériatriques assurera l'encadrement des étudiants, notamment en animant des rencontres en classe à plusieurs reprises durant le stage. Les rencontres, qui durent deux heures, pourraient se dérouler une fois par semaine, suivant la formule des cours théoriques. Les étudiants auraient alors l'occasion de partager leurs expériences et leur vécu personnel, de trouver des solutions à certains problèmes auxquels ils ont fait face et d'approfondir certains sujets qu'ils ont étudiés auparavant dans les cours théoriques. L'enseignant se devra de faire le lien entre l'étudiant et le milieu clinique, et de s'assurer que le stage se déroule dans de bonnes conditions.

Par ailleurs, l'enseignant devra vérifier si la personne-ressource du milieu clinique comprend bien la philosophie du stage et ses objectifs. De plus, l'enseignant profitera des questions posées par les étudiants à l'issue des lectures qu'ils ont effectuées sur le thème choisi ou sur les situations cliniques vécues, pour revoir certaines notions présentées durant le cours théorique. Il pourra aussi approfondir ces notions avec les étudiants et les orienter vers de nouvelles lectures. Le tableau 45-3 résume les étapes du stage.

Pour être conformes à la conception du stage que nous venons de présenter, et afin de faire de ce stage pratique

Tableau 45-3	Résumé des étapes du stage
PHASE	**DESCRIPTION**
Préparatoire	• Choix d'un thème • Choix d'un résident • Consultation d'ouvrages de référence sur le thème retenu • Détermination des objectifs de stage
Clinique	• Documentation de la situation du résident • Évaluation clinique initiale • Consultation d'ouvrages de référence sur les interventions et les solutions • Exploration des initiatives du milieu • Détermination des objectifs et des critères d'évaluation de l'intervention • Mise en œuvre de l'intervention • Réajustements • Seconde évaluation clinique • Évaluation finale au regard des objectifs
Échange et transfert des connaissances	• Présentation orale des résultats du stage au personnel de l'unité • Mise en place de mécanismes permettant la continuité de l'intervention dans le milieu clinique • Présentation orale et écrite des résultats du stage aux autres étudiants et à l'enseignant

une activité stimulante pour les étudiants, nous proposons une méthode d'apprentissage par situation clinique. L'étudiant commencera par choisir un thème qui l'intéresse dans une liste de thèmes se rapportant aux soins de longue durée. Cette liste peut être rédigée par les responsables de stages et les enseignants, ou par les infirmières du milieu clinique. Les chapitres de ce manuel constituent de bons exemples de thèmes pertinents. Après avoir sélectionné un sujet qui l'intéresse (par exemple la déshydratation, l'agitation verbale, etc.), l'étudiant, en collaboration avec l'infirmière clinicienne ou avec des infirmières de l'unité, trouve le résident auprès duquel il effectuera son stage. Avant d'évaluer l'état du résident, l'étudiant commence par faire des lectures sur le thème sélectionné. Par exemple, s'il s'agit du thème de l'incontinence urinaire, l'étudiant se documente sur la prévalence de l'incontinence chez les aînés, les différentes causes possibles, les manifestations et les conséquences du problème. Enfin, cette première étape s'achève avec la détermination des objectifs de stage.

L'étape suivante consiste à mettre en œuvre l'intervention proprement dite au moyen des ressources disponibles dans le milieu. L'étudiant se renseigne sur la situation particulière d'un résident. Pour ce faire, il consulte le dossier du résident, interroge le personnel de l'unité et procède à l'évaluation clinique du résident, à l'aide d'un examen clinique et des instruments appropriés. Par exemple, si le thème choisi se rapporte à la dépression, l'étudiant pourra utiliser une échelle d'évaluation de la dépression (voir le chapitre 9). Après avoir recueilli toutes les informations pertinentes à la description du problème, l'étudiant consulte de nouveau la documentation scientifique afin de prendre connaissance des différentes solutions. Il peut éventuellement tenir compte des initiatives prises dans le milieu, mais il doit absolument consulter des ouvrages de référence et des articles scientifiques récents sur le sujet. Ce stage a également pour but de mettre en pratique des interventions basées sur des données probantes. L'étudiant détermine donc quelles interventions il doit effectuer auprès du résident. Le choix de ces interventions devrait tenir compte du contexte, de la faisabilité et des échéances du stage. De

plus, il peut être nécessaire de modifier l'intervention en cours de route, par suite de la détérioration ou de l'amélioration de l'état du résident, ou parce qu'un événement extérieur est survenu. L'étudiant doit alors réajuster ses objectifs et adapter son intervention. Au cours de cette étape d'intervention, l'étudiant note ses faits et gestes, ainsi que la réaction du résident à l'intervention. Il évalue alors son intervention à l'aide des critères préalablement établis.

Au terme de son stage, l'étudiant reviendra sur les objectifs qu'il s'était fixés. Le tableau 45-4 propose un certain nombre de critères d'apprentissage pour un étudiant qui aurait retenu le thème des soins buccodentaires. Afin d'acquérir des habiletés de communication et de transfert de connaissances, l'étudiant sera invité par la suite à présenter aux soignants du milieu clinique et aux autres étudiants de son groupe l'ensemble de la démarche qu'il a réalisée. Dans le milieu clinique, la présentation pourrait se dérouler au cours d'une rencontre avec l'équipe interdisciplinaire, ou tout simplement durant un repas. Ainsi, les soignants auront l'occasion de réfléchir sur la situation actuelle et d'envisager d'autres pistes de solution. Finalement, l'étudiant rédigera un rapport qui retracera toutes les étapes du stage et il en laissera une copie à l'équipe soignante du milieu clinique. Nous sommes persuadés que ce type de stage permettra réellement d'accroître les compétences de l'étudiant à l'égard des soins que reçoivent les aînés. Il agira également comme source de stimulation et de motivation pour les soignants qui travaillent déjà dans le milieu.

La formation continue

La formation continue permet aux infirmières et aux soignants de mettre leurs connaissances à jour, contribuant ainsi à l'amélioration de la qualité des soins offerts aux aînés. Le sujet de cette section traite exclusivement de l'acquisition de nouvelles connaissances et de compétences particulières chez les infirmières. D'autres chapitres ont abordé plus globalement les changements organisationnels (voir les chapitres 38 et 39). Le principe de formation continue proposée dans ce chapitre repose sur l'apprentissage

Tableau 45-4	Critères d'apprentissage pour un stage en CHSLD (exemple des soins buccodentaires)
Savoir	• Connaître les changements normaux des structures buccodentaires associés au vieillissement. • Connaître les problèmes buccodentaires susceptibles de survenir fréquemment chez les aînés. • Connaître les différents facteurs de la santé buccodentaire. • Connaître les dimensions des soins buccodentaires (hygiène, évaluation et alimentation). • Connaître les produits recommandés pour les soins d'hygiène buccodentaire. • Connaître les instruments utilisés pour les soins d'hygiène buccodentaires aux aînés en perte d'autonomie.
Savoir-faire	• Effectuer l'examen buccodentaire. • Exécuter les soins d'hygiène buccodentaire. • Exécuter les soins d'hygiène buccodentaire chez un résident atteint d'une démence. • Utiliser les instruments de soins d'hygiène buccodentaire de façon appropriée.
Savoir-être	• Reconnaître les besoins en soins buccodentaires chez tous les êtres humains. • Faire preuve d'une communication non verbale cohérente avec la communication verbale. • Faire preuve d'une attitude positive à l'égard des soins buccodentaires.

au sein même des milieux de pratique, donc en fonction des besoins des soignants. Nous pensons que les principes généraux qui découlent de cette méthode peuvent s'appliquer aux différents contextes des CHSLD et faciliter l'acquisition de nouvelles connaissances et des compétences nécessaires à tout soignant désirant prodiguer des soins de qualité.

Selon les éléments d'une étude portant sur l'évaluation de l'efficacité d'un programme de réduction des contentions (Ejaz, Folmar, Kaufmann, Rose et Goldman, 1994) et des principes d'éducation présentés par Koroknay, Braun et Lipson (1993), nous suggérons plusieurs lignes directrices pour accroître l'efficacité d'un programme de formation continue. Dans le tableau 45-5, nous exposons ces principes directeurs en prenant l'examen clinique du cœur pour exemple. On note qu'il y a trois grands volets à ce programme de formation continue : la formation théorique, le mentorat et le suivi.

Volet théorique

La formation continue devrait se dérouler par petits groupes et s'adresser à toutes les infirmières concernées par le thème. La formation peut prendre la forme d'ateliers au cours desquels les aspects théoriques sont présentés de façon magistrale, tout en favorisant les interactions entre le formateur et les infirmières. Ce type de formation devrait également contenir des exercices pratiques afin de développer les habiletés des infirmières. Par exemple, les infirmières peuvent se pratiquer entre elles pour écouter les différents bruits normaux du cœur. C'est aussi l'occasion d'amener les infirmières à partager leurs expériences en fonction du thème de la formation.

Mentorat

Après cette formation théorique, l'enseignement se poursuit par l'approfondissement de situations cliniques que vivent les infirmières. La personne responsable de la formation se rend dans les unités et elle exécute elle-même les procédures devant une infirmière ou un petit groupe d'infirmières, selon le thème de la formation. Par la suite, elle supervise les infirmières individuellement quand elles exécutent la procédure et, enfin, elle participe à la résolution des problèmes plus complexes qui surviennent à l'occasion. Elle continue de soutenir les infirmières et elle les aide à résoudre les problèmes à mesure qu'ils se présentent. Cette période de mentorat est très importante, car elle permet de montrer aux infirmières comment rattacher les principes théoriques aux défis cliniques que pose chaque situation. En outre, le mentorat favorise une intégration plus rapide des nouvelles connaissances au sein du milieu de pratique. La durée du mentorat est variable. Elle dépend du sujet de la formation et du niveau de compétence préalable des infirmières.

Suivi

Il existe plusieurs moyens pour assurer la continuité des bénéfices liés à la formation. Un moyen efficace est de commencer par trouver une personne-ressource parmi les infirmières qui ont déjà reçu la formation. Les infirmières doivent avoir mandaté une de leurs collègues pour qu'elle

Tableau 45-5	Illustration des étapes d'un programme de formation continue d'infirmières en CHSLD	
VOLETS	**OBJECTIFS**	**EXEMPLE DE L'EXAMEN CLINIQUE DU CŒUR**
Théorique	• Enseigner à la clientèle visée par la formation les principes théoriques et pratiques sous-jacents au thème de formation choisi.	• Anatomie et physiologie du cœur • Vieillissement normal du cœur • Signes typiques et atypiques de l'infarctus du myocarde • Pathologies du cœur • Description de l'examen physique du cœur (inspection, palpation, percussion, auscultation) • Écoute des bruits normaux et anormaux du cœur (B1, B2, B3, B4, souffles) • Pratique en équipe de deux
Mentorat	• Favoriser les apprentissages et l'acquisition d'habiletés en fonction de situations réelles vécues par les soignants. • Favoriser un sentiment de confiance chez les soignants. • Soutenir les soignants en cas de situation problématique.	• Visite du formateur dans les unités du CHSLD • Application par le formateur de l'examen clinique à un résident en présence d'un soignant à la fois • Supervision par le formateur de la réalisation de l'examen clinique par une infirmière
Suivi	• Assurer la continuité de la formation et la préservation des connaissances et des compétences déjà acquises par les soignants.	• Formation plus approfondie donnée à une infirmière qui agira à titre d'experte dans son milieu • Disponibilité téléphonique du formateur pour cette infirmière experte • Rencontres d'une heure prévue tous les six mois avec le formateur

agisse à titre d'experte dans le domaine concerné par la formation. Cette personne-ressource devrait avoir bénéficié d'une formation plus approfondie dans le domaine en question. Elle devient alors responsable de soutenir les autres infirmières quand elles éprouvent des difficultés. Par exemple, elle peut offrir son aide aux infirmières éprouvant de la difficulté à procéder à l'examen clinique du cœur auprès de résidents atteints d'une démence.

Il est également recommandé d'installer une ligne téléphonique interne permettant de communiquer facilement avec cette personne-ressource. En effet, il faut absolument pouvoir joindre rapidement l'experte interne. Par ailleurs, il faut que l'infirmière experte puisse rester en contact avec le formateur responsable de la formation initiale, et ce, même après qu'il a quitté l'établissement. Ces moyens de communication assureront un certain nombre de retombées positives. Finalement, pour soutenir les infirmières dans les moments plus difficiles et les encourager, il est possible de créer un journal interne afin de faire connaître les bons coups de l'équipe.

Nous pensons que la majorité des sujets liés aux soins prodigués aux aînés en CHSLD devraient être traités dans des programmes de formation continue comprenant les trois volets que nous venons de décrire.

Conclusion

Les études le démontrent bien, les programmes de formation initiale des infirmières du Canada n'accordent pas une place suffisante à la gérontologie pour assurer des soins de qualité aux aînés. La littérature scientifique et certains milieux de soins ont démontré de façon convaincante le rôle positif que jouent les infirmières, un rôle qu'elles pourront effectivement assumer seulement si elles acquièrent dans des cours et des stages les connaissances et les compétences en gérontologie et en soins infirmiers gériatriques. Nous pensons que les stratégies présentées dans ce chapitre, tant pour la formation initiale que pour la formation continue, constituent un bon point de départ pour l'amélioration des soins aux aînés, notamment pour les résidents des CHSLD. Il est important de sensibiliser les milieux d'enseignement et les milieux cliniques pour stimuler leur créativité et faire émerger des solutions novatrices et inspirantes. Les stratégies proposées dans ce chapitre peuvent être utilisées et adaptées à la réalité et aux besoins particuliers de chaque établissement d'enseignement et de chaque milieu clinique.

ÉTUDE DE CAS

Vous êtes enseignant et vous devez préparer avec un étudiant les objectifs de son stage en CHSLD. L'étudiant indique qu'il aimerait acquérir des compétences dans le domaine des symptômes psychologiques et comportementaux de la démence. Il se dit particulièrement préoccupé par les comportements agressifs que présentent certains résidents.

Questions

1 Quels pourraient être les objectifs de stage de l'étudiant relatifs au savoir ?

2 Quels pourraient être les objectifs de stage de l'étudiant relatifs au savoir-faire ?

3 Quels pourraient être les objectifs de stage de l'étudiant relatifs au savoir-être ?

4 Quel instrument de mesure recommanderiez-vous à l'étudiant pour établir la fréquence de base des comportements agressifs du résident ?

BIBLIOGRAPHIE

CHAPITRE 1

Ballard, C., O'Brien, J., Morris, C.M., Barber, R., Swann, A., Neill, D. et McKeith, I. (2001). The progression of cognitive impairment in dementia with Lewy bodies, vascular dementia and Alzheimer's disease. *International Journal of Geriatric Psychiatry, 16,* 499-503.

Baltes, M.M. et Carstensen, L.L. (1996). The process of successful ageing. *Ageing and Society, 16,* 397-422.

Bliesmer, M.M., Smayling, M., Kane, R.L. et Shannon, I. (1998). The relationship between nursing staffing levels and nursing home outcomes. *Journal of Aging and Health, 10,* 351-371.

Bortz, W.M. (2002). A conceptual framework of frailty: A review. *Journal of Gerontology, 57A* (5), M283-M288.

Donius, M. (2000). Comprehensive assessment in an institutional setting. Dans D. Osterweil, K. Brummel-Smith et J. C. Beck, *Comprehensive Geriatric Assessment* (p. 225-251). Montréal: McGraw-Hill.

Eberle, C.M. et Besdine, R.W. (2001). The clinical approach. Dans T.T. Fulmer, M.D. Foreman, M. Walker et K.S. Montgomery (dir.), *Critical Care Nursing of the Elderly,* 2ᵉ éd. (p. 133-144). New York: Springer Series on Geriatric Nursing.

Engberg, S.J. et McDowell, J. (1999). Comprehensive geriatric assessment. Dans J.T. Stone, J.F. Wyman et S.A. Salisbury (dir.), *Clinical Gerontological Nursing,* 2ᵉ éd. (p. 63-84). Philadelphia: W.B. Saunders.

Fiatarone, M.A., O'Neill, E.F., Ryan, N.D., Clements, K.M., Solares, G.R., Nelson, M.E., Roberts, S.B., Kehayias, J.J., Lipsitz, L.A. et Evans, W.J. (1994). Exercise training and nutritional supplementation for physical frailty in very elderly people. *New England Journal of Medicine, 330,* 1769-1775.

Fried, L.P., Ferrucci, L., Darer, J., Williamson, J.F. et Anderson, G. (2004). Untangling the concepts of disability, frailty, and comorbidity: Implications for improved targeting and care. *Journal of Gerontology, 59,* 255-263.

Fried, L.P. et Walston, J. (1999). Frailty and failure to thrive. Dans W.R. Hazzard, J.P. Blass, W.H. Ettinger, J.B. Halter et J.G. Ouslander (dir.), *Principles of Geriatric Medicine and Gerontology* (p. 1387-1402). Toronto: McGraw-Hill.

Fulmer, T. et Mezey, M. (1999). Contemporary geriatric nursing. Dans W.R. Hazzard, J.P. Blass, W.H. Ettinger, J.B. Halter et J.G. Ouslander (dir.), *Principles of Geriatric Medicine and Gerontology* (p. 355-363). Toronto: McGraw-Hill.

Geneau, D. (2003). « Milieu de soins » ou « Milieu de vie » : un choix bien paradoxal. *Le bulletin d'information du centre de consultation et de formation en psychogériatrie, 8* (1), 1.

Harrington, C., Kovner, C., Mezey, M., Kayser-Jones, J., Burger, S., Mohler, M., Burke, R. et Zimmerman, D. (2000). Experts recommend minimum nurse staffing standards for nursing facilities in the United States. *The Gerontologist, 40,* 5-16.

Harrington, C., Zimmerman, D., Karon, S.L., Robinson, J. et Beutel, P. (2000). Nursing home staffing and its relationship to deficiencies. *Journal of Gerontology: Social Sciences, 55B* (5), S278-S287.

Hazzard, W.R., Blass, J.P., Ettinger, W.H., Halter, J.B. et Ouslander, J.G. (dir.) (1999). *Principles of Geriatric Medicine and Gerontology.* Toronto: McGraw-Hill.

Hogan, D.B., Macknight, C. et Bergman, H. (2003). On behalf of the steering committee, Canadian initiative on frailty and aging. Models, definitions, and criteria of frailty. *Aging, Clinical and Experimental Research, 15* (suppl. 3), 3-29.

Institute of Medicine (1996). *Nursing Staff in Hospitals and Nursing Homes: Is it Adequate?* Washington, DC: National Academy Press.

Kane, R.A., Kling, K.C., Bershadsky, B., Kane, R.L., Giles, K., Degenholtz, H.B., Liu, J. et Cutler, L.J. (2003). Quality of life measures for nursing home residents. *Journal of Gerontology, 58A* (3), 240-248.

Kane, R.L., Ouslander, J.G. et Abrass, I.B. (2004). *Essentials of Clinical Geriatrics,* 5ᵉ éd. Montréal: McGraw-Hill.

Lalande, G. et Leclerc, G. (2004). *L'approche Carpe Diem et l'approche prothétique élargie: Une étude descriptive et comparative.* Sherbrooke: Centre de recherche sur le vieillissement, Institut universitaire de gériatrie de Sherbrooke.

Mercier, C., Thibault, C. et D'Anjou, H. (2003). *Guide d'application de la nouvelle loi sur les infirmières et les infirmiers et de la loi modifiant le code des professions et d'autres dispositions législatives dans le domaine de la santé.* Bibliothèque nationale du Québec: Ordre des infirmières et infirmiers du Québec.

Mezey, M.D., Lynaugh, J.E. et Cartier, M.M. (1989). *Nursing Homes and Nursing Care: Lessons from the Teaching Nursing Homes.* New York: Springer.

Millsap, P. (1995). Nurses' role with the elderly in the long-term care setting. Dans M. Stanley et P.G. Beare (dir.), *Gerontological Nursing* (p. 98-106), Philadelphia: F.A. Davis Company.

Ministère de la Santé et des Services sociaux (2004). *Un milieu de vie de qualité pour les personnes hébergées en CHSLD: Visites d'appréciation de la qualité des services.* Québec: Bibliothèque nationale du Québec.

Nourhashémi, F., Andrieu, S., Gillette-Guyonnet, S., Vellas, B., Albarède, J.L. et Grandjean, H. (2001). Instrumental activities of daily living as a potential marker of frailty: A study of 7364 community-dwelling elderly women (the EPI-DOS study). *Journal of Gerontology: Medical Sciences, 56A* (7), M448-M453.

Ordre des infirmières et infirmiers du Québec (2000). *L'exploitation des aînés.* Mémoire de l'OIIQ présenté à la Commission des droits de la personne et des droits de la jeunesse dans le cadre de sa consultation générale sur le sujet en titre. Québec: Bibliothèque nationale du Québec.

Ordre des infirmières et infirmiers du Québec (H. Lévesque-Barbès) (2002). *L'exercice infirmier en soins de longue durée: Au carrefour du milieu de soins et du milieu de vie.* Bibliothèque nationale du Québec: Ordre des infirmières et infirmiers du Québec.

Ordre des infirmières et infirmiers du Québec (2004). *Enquête sur la qualité des soins infirmiers CHSLD Centre-Ville de Montréal: Résidence Saint-Charles-Borromée et résidence Manoir de l'âge d'or.* Bibliothèque nationale du Québec: Ordre des infirmières et infirmiers du Québec.

Ouslander, J.G., Osterweil, D. et Morley, J. (1997). *Medical Care in the Nursing Home,* 2ᵉ éd. Montréal: McGraw-Hill.

Ouslander, J.G. et Schnelle, J.F. (1999). Nursing home care. Dans W.R. Hazzard, J.P. Blass, W.H. Ettinger, J.B. Halter et J.G. Ouslander (dir.), *Principles of Geriatric Medicine and Gerontology* (p. 509-528). Toronto: McGraw-Hill.

Rowe, J.W. et Kahn, R.L. (1998). *Successful Aging.* Toronto: Random House.

Rumak, H. et Ravenda, J. (1997). *Brisons le silence: Dévoiler les mauvais traitements infligés dans les institutions.* New York: Institut Roeher.

Schnelle, J.F., Alessi, C.A., Simmons, S.F., Al-Samarrai, N.R., Beck, J.C. et Ouslander, J.G. (2002). Translating clinical research into practice: A randomized controlled trial of exercise and incontinence care with nursing home residents. *Journal of the American Geriatric Society, 50* (9),1476-1483.

Schnelle, J.F., Simmons, S.F., Harrington, C., Cadogan, M., Garcia, E. et Bates-Jensen, B.M. (2004). Relationship of nursing home staffing to quality of care. *HSR: Health Services Research, 39* (2), 225-250.

Timiras, P. (2003). *Physiological Basis of Aging and Geriatrics,* 3ᵉ éd. New York: CRC Press.

CHAPITRE 2

Adams, T. et Manthorpe, J. (2003). *Dementia Care.* London: Arnold.

American Psychiatric Association (2000). *Diagnostics and statistical manual of mentaldisorders,* 4ᵉ éd., texte révisé. Washington, DC: American Psychiatric Association.

Andersen, K., Launer, L.J., Ott, A., Hoes, A.W., Breteler, M.M.B. et Hofman, A. (1995). Do nonsteroidal anti-inflammatory drugs decrease the risk for Alzheimer's disease? The Rotterdam study. *Neurology, 45,* 1441-1445.

Arcand, M. et Hébert, R. (1997). *Précis pratique de gériatrie* (2e édition). Saint-Hyacinthe : Edisem.

Areosa-Sastre, A., Sherriff, F. et McShane, R. (2005). Memantine for dementia. *Cochrane Database of Systematic Reviews*, (3), CD003154.

Ballard, C., Ayre, G., O'Brien, J., Sahgal, A., McKeith, I.G., Ince, P.G. et Berry, R.H. (1999). Simple standardized neuropsychological assessments aid in the differential diagnosis of dementia with Lewy bodies from Alzheimer's disease and vascular dementia. *Dementia and Geriatric Cognitive Disorders*, 10 (2), 104-108.

Ballard, C., McKeith, I., Grace, J. et Holmes, C. (1998). Neuroleptic sensitivity in dementia with Lewy bodies and Alzheimer's disease. *Lancet*, 351, 1033.

Ballard, C., O'Brien, J., Morris, C.M., Barber, R., Swann, A., Neill, D. et McKeith, I. (2001). The progression of cognitive impairment in dementia with Lewy bodies, vascular dementia and Alzheimer's disease. *International Journal of Geriatric Psychiatry*, 16, 499-503.

Barber, R., Newby, J. et McKeith, I.G. (2004). Lewy body disease. Dans R.W. Richter et B.Z. Richter, *Alzheimer's Disease: A Physician's Guide to Practical Management* (p.127-136. Totowa, New Jersey : Humana Press.

Beck, C.K. et Shue, V.M. (1994). Interventions for treating disruptive behavior in demented elderly people. *The Nursing Clinics of North America*, 29 (1), 143-155.

Birks, J., Grimley Evans, J., Iakovidou, V. et Tsolaki, M. (2000). Rivastigmine for Alzheimer's disease. *Cochrane Database of Systematic Reviews*, (4), CD001191.

Birks, J. S. et Harvey, R. (2003). Donepezil for dementia due to Alzheimer's disease. *Cochrane Database of Systematic Reviews*, (3), CD001190.

Black, S.E., Patterson, C. et Feightner, J. (2001). Preventing dementia. *The Canadian Journal of Neurological Sciences*, 28 (suppl. 1), S56-S66.

Blacker, D. et Tanzi, R.E. (1998). The genetics of Alzheimer's disease : current status and future prospects. *Archives of Neurology*, 55 (3), 294-296.

Blazer, D.G., Steffens, D.C. et Busse, E.W. (2004). *Textbook of Geriatric Psychiatry*, 3e éd. Washington, DC : American Psychiatric Publishing.

Boeve, B.F., Silber, M.H., Ferman, T.J., Kokmen, E., Smith, G.E., Ivnik, R.J., Parisi, J.E., Olsom, E.J. et Petersen, R.C. (1998). REM sleep behaviour disorder and degenerative dementia : an association likely reflecting Lewy body disease. *Neurology*, 51 (2), 363-370.

Bowler, J.V. et Hachinski, V. (2003). *Vascular Cognitive Impairment, Preventable Dementia*. New York : Oxford University Press.

Bozeat, S., Gregory, C.A., Ralph, M.A.L. et Hodges, J.R. (2000). Which neuropsychiatric and behavioural features distinguish frontal and temporal variants of frontotemporal dementia from Alzheimer's disease ? *Journal of Neurology, Neurosurgery and Psychiatry*, 69, 178-186.

Broe, G.A., Henderson, A.S., Creasey, H., McCusker, E., Korten, A.E., Jorm, A.F., Longley, W. et Anthony, J.C. (1990). A case-control study of Alzheimer's disease in Australia. *Neurology*, 40 (11), 1698-1707.

Burgio, L. (1986). Interventions for the behavioural complications of Alzheimer's disease : behavioural approaches. *International Psychogeriatrics*, 8 (suppl. 1), 45-52.

Calderon, J., Perry, R.J., Erzinclioglu, S.W., Berrios, G.E. Dening, T.R. et Hodges, J.R. (2001). Perception, attention, and working memory are disproportionately impaired in dementia with Lewy bodies compared with Alzheimer's disease. *Journal of Neurology, Neurosurgery and Psychiatry*, 70, 157-164.

Canadian Study of Health and Aging Working Group (1994). Canadian study of health and aging : study methods and prevalence of dementia. *Canadian Medical Association Journal*, 150, 899-913.

Canadian Study of Health and Aging Working Group (2000). The incidence of dementia in Canada. The Canadian study of health and aging working group. *Neurology*, 55 (1), 66-73.

Carvalho-Bastone, A. de, et Filho, W.J. (2004). Effect of an exercise program on functional performance of institutionalized elderly. *Journal of Rehabilitation Research & Development*, 41 (5), 659-568.

Clark, C.M., Sheppard, L., Fillenbaum, G.G., Galasko, D., Morris, J.C., Koss, E., Mohs, R., Heyman, A. et CERAD Investigators (1999). Variability in annual Mini-Mental State Examination score in patients with probable Alzheimer's disease. *Archives in Neurology*, 56, 857-862.

Cobb, J.L., Wolf, P.A., Au, R., White, R. et D'Agostino, R.B. (1995). The effect of education on the incidence of dementia and Alzheimer's disease in the Framingham study. *Neurology*, 45 (9), 1707-1712.

Colerick, E.J. et George, L.K. (1986). Predictors of institutionalization among caregivers of patients with Alzheimer's disease. *Journal of the American Geriatrics Society*, 34 (7), 493-498.

Corder, E.H., Saunders, A.M., Strittmatter, W.J., Schmechel, D.E., Gaskell, P.C., Small, G.W., Roses, A.D., Haines, J.L. et Pericak-Vance, M.A. (1993). Gene dose of apolipoprotein E type 4 allele and the risk of Alzheimer's disease in late onset families. *Science*, 261 (5123), 921-923.

Cotter, V.T. et Strumpf, N.E. (2002). *Advanced Practice Nursing with Older Adults*. Toronto : McGraw-Hill.

Craig, D. et Birks, J. (2004). Rivastigmine for vasculaire cognitive impairment. *Cochrane Database of Systematic Reviews*, (2), CD004744.

Dartigues, J.F., Gagnon, M., Michel, P., Letenneur, L., Commenges, D., Barberger-Gateau, P., Auriacombe, S., Rigal, B., Bedry, R., Alperovitch, A., Orgogozo, J.M., Henry, P., Loiseau, P., Salamon, R. et le groupe d'étude Paquid (1991). Le programme de recherche Paquid sur l'épidémiologie de la démence : méthodes et résultats initiaux. *Revue neurologique* (Paris), 147, 225-230.

Deimling, G.T. et Bass, D.M. (1986). Symptoms of mental impairment among elderly adults and their effects on family caregivers. *Journal of Gerontology*, 41 (6), 778-784.

Doll, R. (1993). Review : Alzheimer's disease and environmental aluminium. *Age and Ageing*, 22 (2), 138-153.

Eustace, A., Coen, R., Walsh, C., Cunningham, C.J., Walsh, B.J., Coakley, D. et Lawlor, B.A. (2002). A longitudinal evaluation of behavioural and psychological symptoms of probable Alzheimer's disease. *International Journal of Geriatric psychiatry*, 17, 968-973.

Folstein, M.F., Folstein, S.E. et McHugh, P.R. (1975). « Mini-Mental-State » : a practical method for grading the cognitive state of patients for the clinician. *Journal of Psychiatry Research*, 12, 189-198.

Franczak, M., Kerwin, D. et Antuono, P. (2004). Frontotemporal lobe dementia. Dans R.W. Richter et B.Z. Richter, *Alzheimer's Disease: A Physician's Guide to Practical Management* (pp.137-145). Totowa, New Jersey : Humana Press.

Fratiglioni, L., Launer, L.J., Andersen, K., Breteler, M.M.B., Copeland, R.J.M., Dartigues, J-F., Lobo, A., Martinez-Lage, J., Soininen, H. et Hofman, A. (2000). Incidence of dementia and major subtypes in Europe : a collaborative study of population-based cohorts. Neurologic diseases in the elderly research group. *Neurology*, 54 (11, suppl. 5), S10-S15.

Gauthier, E., Fortier, I., Courchesne, F., Pepin, P., Mortimer, J., et Gauvreau, D. (2000). Aluminum forms in drinking water and risk of Alzheimer's disease. *Environmental Research*, 84 (3), 234-246.

Gauthier, E., Fortier, I., Courchesne, F., Pepin, P., Mortimer, J. et Gauvreau, D. (2001). Environmental pesticide exposure as a risk factor for Alzheimer's disease : a case-control study. *Environmental Research*, 86 (1), 37-45.

Gilley, D.W., Wilson, R.S., Beckett, L.A. et Evans, D.A. (1997). Psychotic symptoms and physically aggressive behavior in Alzheimer's disease. *Journal of the American Geriatrics Society*, 45, 1074-1079.

Godbolt, A.K., Cipolotti, L., Watt, H., Fox, N.C., Janssen, J.C. et Rossor, M.N. (2004). The natural history of Alzheimer disease. *Archives in Neurology*, 61, 1743-1748.

Graves, A.B., White, E., Koepsell, T.D., Reifler, B.V., Van Belle, G. et Larson, E.B. (1990). The association between aluminum-containing products and Alzheimer's disease. *Journal of Clinical Epidemiology*, 43 (1), 35-44.

Guo, Z., Viitanen, M., Fratiglioni, L. et Winblad, B. (1997). Blood pressure and dementia in the elderly : epidemiologic perspectives. *Biomedicine & Pharmacotherapy*, 51 (2), 68-73.

Hazzard, W.R., Blass, J.P., Ettinger, W.H., Halter, J.B. et Ouslander, J.G. (dir.) (1999). *Principles of Geriatric Medicine and Gerontology*, 4e éd. Toronto : McGraw-Hill.

Hébert, R. (1997). Functional decline in old age. *Canadian Medical Association Journal*, 157, 1037-1045.

Hébert, R. (2005). Communication personnelle. Estimé établi à partir des données de l'étude « Canadian Outcomes Study in Dementia ». Sherbrooke : Institut universitaire de gériatrie de Sherbrooke.

Hébert, R., Guilbeault, J. et Pinsonnault, E. (2005). *Système de mesure de l'autonomie fonctionnelle. Guide d'utilisation.* Sherbrooke : Centre d'expertise de l'Institut universitaire de gériatrie de Sherbrooke. Pour info sur le SMAF : tél. : (819) 821-5122, téléc. : (819) 821-5202, courriel : smaf.iugs@ssss.gouv.qc.ca.

Henderson, A.S. (1995). *Épidémiologie des troubles mentaux et des problèmes psychosociaux. Démence.* Genève : Organisation mondiale de la santé.

Heston, L.L., Mastri, A.R., Anderson, V.E. et White, J. (1981). Dementia of the Alzheimer's type. Clinical genetics, natural history, and associated conditions. *Archives of General Psychiatry, 38* (10), 1085-1090.

Huang, W., Qiu, C., Winblad, B. et Fratiglioni, L. (2002). Alcohol consumption and incidence of dementia in a community sample aged 75 years and older. *Journal of Clinical Epidemiology, 55* (10), 959-964.

Hudson, R. (2003). *Dementia Nursing: A Guide to Practice.* Melbourne (Australie): Ausmed Publications.

Hy, F. (2000). Comment reconnaître les démences fronto-temporales. Résumé effectué pour *Actualités en médecine gériatrique de Bobigny.* Document consulté le 8 avril 2005: http://www.agevillagepro.com/AgeNet/upload/Bob2000.pdf.

Johnson, C.S.J., Myers, A.M., Jones, G.R., Fitzgerald, C., Lazowski, D.A., Stolee, P., Orange, J.B., Segall, N. et Ecclestone, N.A. (2005). Evaluation of the restorative care education and training program for nursing homes. *Canadian Journal on Aging, 24* (2), 115-126.

Jones, R. (2004). Management of comorbidity in Alzheimer's disease. Dans S. Gauthier, P. Scheltens et J.L. Cummings (dir.), *Alzheimer's Disease and Related Disorders Annual* (pp.145-160). Scarborough (Ontario): Taylor & Francis Group.

Jorm, A.F. et Jolley, D. (1998). The incidence of dementia: a meta-analysis. *Neurology, 51* (3), 728-733.

Kane, R.L., Ouslander, J.G. et Abrass, I.B. (2004). *Essentials of Clinical Geriatrics,* 5ᵉ éd. Toronto: McGraw-Hill.

Katzman, R. (1993). Education and the prevalence of dementia and Alzheimer's disease. *Neurology, 43* (1), 13-20.

Kempler, D. (2005). *Neurocognitive Disorders in Aging.* London: SAGE publications.

Kertesz, A., Davidson, W. et Fox, H. (1997). Frontal behavioral inventory: diagnostic criteria for frontal lobe dementia. *The Canadian Journal of Neurological Sciences, 24* (1), 29-36.

Klatka, L.A., Louis, E.D. et Schiffer, R.B. (1996). Psychiatric features in diffuse Lewy body disease: a clinicopathologic study using Alzheimer's disease and Parkinson's disease comparison groups. *Neurology, 47* (5), 1148-1152.

Knopman, D.S. (2001). An overview of common non-Alzheimer dementias. *Clinics in Geriatric Medicine, 17* (2), 281-301.

Koroknay, V.J., Werner, P., Cohen-Mansfield, J. et Braun, J.V. (1995). Maintaining ambulation in the frail nursing home resident: a nursing administered walking program. *Journal of Gerontological Nursing, 21* (11), 18-24.

Kukull, W.A. et Ganguli, M. (2000). Epidemiology of dementia: concepts and overview. *Neurologic Clinics, 18* (4), 923-950.

Kukull, W.A., Larson, E.B., Bowen, J.D., McCormick, W.C., Teri, L., Pfanschmidt, M.L., Thompson, J.D., O'Meara, E.S., Brenner, D.E. et Van Belle, G. (1995). Solvent exposure as a risk factor for Alzheimer's disease: a case-control study. *American Journal of Epidemiology, 141* (11), 1059-1079.

Landreville, P., Bordes, M., Dicaire, L. et Verreault, R. (1998). Behavioural approaches for reducing agitation in residents of long-term-care facilities: critical review and suggestions for future research. *International Psychogeriatrics, 10* (4), 397-419.

Landreville, P., Rousseau, F., Vézina, J., Voyer, P. (2005). *Symptômes comportementaux et psychologiques de la démence.* Montréal: ÉDISEM.

Launer, L.J., Andersen, K., Dewey, M.E., Letenneur, L., Ott, A., Amaducci, L.A., Brayne, C., Copeland, J.R., Dartigues, J.F., Kragh-Sorensen, P., Lobo, A., Martinez-Lage, J.M., Stijnen, T. et Hofman, A. (1999). Rates and risk factors for dementia and Alzheimer's disease: results from eurodem pooled analyses. Eurodem incidence research group and work groups. European studies of dementia. *Neurology, 52* (1), 78-84.

Lebert, F., Pasquier, F., Souliez, L. et Petit, H. (1998). Frontotemporal behavioral scale. *Alzheimer's Disease and Associated Disorders, 12* (4), 335-339.

Levy, M.L., Miller, B.L., Cummings, J.L., Fairbanks, L.A. et Craig, A. (1996). Alzheimer's disease and frontotemporal dementias. Behavioral distinctions. *Archives of Neurology, 53* (7), 687-690.

Litvan, I., MacIntyre, A., Goetz, C.G., Wenning, G.K., Jellinger, K., Verny, M., Bartko, J.J., Jankovic, J., McKee, A., Brandel, J.P., Ray-Chaudhuri, K., Lai, E.C. D'Olhaberriague, L., Pearce, R.K.B. et Agid, Y. (1998). Accuracy of the clinical diagnosis of Lewy body disease, Parkinson disease, and dementia with Lewy bodies: a clinicopathologic study. *Archives of Neurology, 55,* 969-978.

Loy, C. et Schneider, L. (2004). Galantamine for Alzheimer's disease. *Cochrane Database of Systematic Reviews,* (4), CD001747.

Loy-English, I. et Feldman, H. (2004). L'éventail des démences parkinsoniennes. *La Revue canadienne de la maladie d'Alzheimer,* avril, 16-22.

Lund and Manchester groups (1994). Clinical and neuropathological criteria for front temporal dementia. The Lund and Manchester groups. *Journal of Neurology, Neurosurgery and Psychiatry, 57* (4), 416-418.

MacKnight, C. (2002). The management of Lewy body disease. *Geriatrics & Aging, 5* (5), 26-29.

MacRae, P.G., Asplund, L.A., Schnelle, J.F., Ouslander, J.G., Abrahamse, A. et Morris, C. (1996). A walking program for nursing home residents: effects on walk endurance, physical activity, mobility, and quality of life. *Journal of the American Geriatrics Society, 44* (2), 175-180.

Malouf, R. et Birks, J. (2004). Donepezil for vascular cognitive impairment. *Cochrane Database of Systematic Reviews,* (1), CD004395.

Margallo-Lana, M., Swann, A., O'Brien, J., Fairbairn, A., Reichelt, K., Potkins, D. et Ballard, C. (2001). Prevalence and pharmacological management of behavioural and psychological symptoms amongst dementia sufferers living in care environments. *International Journal of Geriatric Psychiatry, 16* (1), 39-44.

McKeith, I.G. (2002). Dementia with Lewy bodies. *British Journal of Psychiatry, 180,* 144-147.

McKeith, I.G., Fairbairn, A., Perry, R., Thompson, P. et Perry, E. (1992). Neuroleptic sensitivity in patients with senile dementia of Lewy body type. *British Medicine Journal, 305,* 673-678.

McKeith, I.G et O'Brien, J. (1999). Dementia with Lewy bodies. *Australian and New Zealand Journal of Psychiatry, 133,* 800-808.

McKeith, I.G., Galasko, D., Kosaka, K., Perry, E.K., Dickson, D.W., Hansen, L.A., Salmon, D.P., Lowe, J., Mirra, S.S., Byrne, E.J., Lennox, G., Quinn, N.P., Edwardson, J.A., Ince, P.G., Bergeron, C., Burns, A., Miller, B.L., Lovestone, S., Collerton, D., Jansen, E.N., Ballard, C., de Vos, R.A., Wilcock, G.K., Jellinger, K.A. et Perry, R.H. (1996). Consensus guidelines for the clinical and pathologic diagnosis of dementia with lewy bodies (DLB): report of the consortium on DLB international workshop. *Neurology, 47* (5), 1113-1124.

McKhann, G., Drachman, D., Folstein, M., Katzman, R., Price, D. et Stadlan, E.M. (1984). Clinical diagnosis of Alzheimer's disease: report of the NINCDS-ADRDA work group under the auspices of department of Health and Human Services task force on Alzheimer's disease. *Neurology, 34* (7), 939-944.

Miller, B.L., Ikonte, C., Ponton, M.,Levy, M., Boone, K., Darby, A., Berman, N., Mena, I. et Cummings, J.L. (1997). A study of the Lund-Manchester research criteria for frontotemporal dementia: clinical and single-photon emission CT correlations. *Neurology, 48,* 937.

Miller, C.A. (1999). *Nursing Care of Older Adults. Theory and Practice,* 3ᵉ éd. New York: Lippincott.

Moran, M., Walsh, C., Lynch, A., Coen, R.F., Coakley, D. et Lawlor, B.A. (2004). Syndromes of behavioural and psychological symptoms in mild Alzheimer's disease. *International Journal of Geriatric Psychiatry, 19,* 359-364.

Moretti, R., Torre, P., Antonello, R.M., Cattaruzza, T., Cazzato, G. et Bava, A. (2004). Rivastigmine in frontotemporal dementia: an open-label study. *Drugs & Aging, 21,* 931-937.

Mourik, J.C., Rosso, S.M., Niermeijer, M.F., Duivenvoorden, H.J., Van Swieten, J.C. et Tibben, A. (2004). Frontotemporal dementia: behavioral symptoms and caregiver distress. *Dementia and Geriatric Cognitive Disorders, 18* (3-4), 299-306.

Müller-Spahn, F. et Hock, C. (1999). Risk factors and differential diagnosis of Alzheimer's disease. *European Archives of Psychiatry Clinical Neuroscience, 249* (suppl. 3), 37-42.

Myllykangas-Luosujärvi, R. et Isomäki, H. (1994). Alzheimer's disease and rheumatoid arthritis. *British Journal of Rheumatology, 33,* 501-502.

O'Donnell, B.F., Drachman, D.A., Barnes, H.J., Peterson, K.E., Swearer, J.M. et Lew, R.A. (1992). Incontinence and troublesome behaviors predict institutionalization in dementia. *Journal of Geriatric Psychiatry Neurology, 5* (1), 45-52.

Organisation mondiale de la santé (1994). *Classification internationale des maladies. Troubles mentaux et troubles du comportement: Critères diagnostiques pour la recherche. CIM-10/ICD-10.* Paris: Masson.

Orgogozo, J.M., Dartigues, J.F., Lafont, S., Letenneur, L., Commenges, D., Salamon, R., Renaud, S. et Berteler, M. (1997). Wine consumption and dementia in the elderly: a prospective community study in the Bordeaux area. *Revue neurologique* (Paris), *153* (3), 185-192.

Ott, A., Breteler, M.M., van Harskamp, F., Claus, J.J., van der Cammen, T.J., Grobbee, D. E. et Hofman, A. (1995). Prevalence of Alzheimer's disease and vascular dementia: association with education. *The Rotterdam study. British Medical Journal, 310* (6985), 970-973.

Podhorodecki, A.D. et Simon, R.M. (2003). Exercise in the elderly. Dans T.S. Dharmarajan et R.A. Norman (dir.), *Clinical Geriatrics* (pp. 70-80). New York: Parthenon Publishing.

Prencipe, M., Casini, A.R., Ferretti, C., Lattanzio, M.T., Fiorelli, M. et Culasso, F. (1996). Prevalence of dementia in an elderly rural population: effects of age, sex, and education. *Journal of Neurology, Neurosurgery, and Psychiatry, 60* (6), 628-633.

Reisberg, B., Ferris, S.H., De Leon, M.J. et Crook, T. (1982). The global deterioration scale for assessment of primary degenerative dementia. *American Journal of Psychiatry, 139* (9), 1136-1139.

Reisberg, B., Franssen, E.H., Hasan, S.M., Monteiro, I., Boksay, I., Souren, L.E.M., Kenowsky, S., Auer, S.R., Elahi, S. et Kluger, A. (1999). Retrogenesis: clinical, physiologic, and pathologic mechanisms in brain aging, Alzheimer's and other dementing process. *European Archives of Psychiatry Clinical Neuroscience, 249*, 28-36.

Remsburg, R.E. (2004). Restorative care activities. Dans B. Resnick (dir.), *Restorative Care Nursing for Older Adults. A guide for All Care Settings* (pp. 74-95). New York: Springer Publishing.

Richter R.W. et Richter, B.Z. (2004). *Alzheimer's Disease: A Physician's Guide to Practical Management*. Totowa, New Jersey: Humana Press.

Roman, G.C., Tatemichi, T.K., Erkinjuntti, T., Cummings, J.L., Masdeu, J.C., Garcia, J.H., Amaducci, L., Orgogozo, J.M., Brun, A. et Hofman, A. (1993). Vascular dementia: diagnostic criteria for research studies. Report of the NINDS-AIREN international workshop. *Neurology, 43* (2), 250-260.

Rondeau, V., Commenges, D., Jacqmin-Gadda, H. et Dartigues, J.F. (2000). Relation between aluminum concentrations in drinking water and Alzheimer's disease: an 8-year follow-up study. *American Journal of Epidemiology, 152* (1), 59-66.

Rovner, B.W., German, P.S., Broadhead, J., Morriss, R.K., Brant, L.J., Blaustein, J., Folstein, M.F. (1990). The prevalence and management of dementia and other psychiatric disorders in nursing homes. *International Psychogeriatrics, 2* (1), 13-24.

Ruitenberg, A., Van Swieten, J.C., Witteman, J.C., Mehta, K.M., Van Duijn, C.M., Hofman, A. et Breteler, M.M.B. (2002). Alcohol consumption and risk of dementia: the Rotterdam study. *Lancet, 359* (9303), 281-286.

Schmidt, R., Schmidt, H. et Fazekas, F. (2000). Vascular risk factors in dementia. *Journal of Neurology, 247* (2), 81-87.

Sherman, B. (2000). *Dementia with Dignity: A Guide for Carer's*, 2e éd., Toronto: McGraw-Hill. 274 p.

Shimomura, T., Mori, E., Yamashita, H., Imamura, T., Hirono, N., Hashimoto, M., Tanimukai, S., Kazui, H. et Hanihara, T. (1998). Cognitive loss in dementia with Lewy bodies and Alzheimer's disease. *Archives in Neurology, 55*, 1547-1552.

Sobel, E., Davanipour, Z., Sulkava, R., Erkinjuntti, T., Wikstrom, J., Henderson, V.W., Buckwalter, G., Bowman, J.D. et Lee, P.-J. (1995). Occupations with exposure to electromagnetic fields: a possible risk factor for Alzheimer's disease. *American Journal of Epidemiology, 142* (5), 515-524.

Steele, C., Rovner, B., Chase, G.A. et Folstein, M. (1990). Psychiatric symptoms and nursing home placement of patients with Alzheimer's disease. *The American Journal of Psychiatry, 147* (8), 1049-1051.

Stern, Y., Gurland, B., Tatemichi, T.K., Tang, M.X., Wilder, D. et Mayeux, R. (1994). Influence of education and occupation on the incidence of Alzheimer's disease. *The Journal of the American Medical Association, 271* (13), 1004-1010.

Strittmatter, W.J. et Roses, A.D. (1995). Apolipoprotein and Alzheimer disease. *Proceedings of the National Academy of Sciences of the United States of America, 92* (11), 4725-4727.

Swaab, D.F. (1991). Brain aging and Alzheimer's disease, « wear and tear » versus « use it or lose it ». *Neurobiology of Aging, 12* (4), 317-324.

Tang, M.X., Jacobs, D. et Stern, Y. (1996). Effect of oestrogen during menopause on risk and age at onset of Alzheimer's disease. *Lancet, 348*, 429-432.

Tappen, R.M., Roach, K.E., Applegate, E.B. et Stowell, P. (2000). Effect of a combined walking and conversation intervention on functional mobility of nursing home residents with Alzheimer disease. *Alzheimer's Disease and Associated Disorders, 14* (4), 196-201.

Tariot, P.N. et Blazina, L. (1994). The psychopathology of dementia. Dans J.C. Morris (réd.) *Handbook of Dementing Illnesses* (pp. 461-475). New York: Marcel Decker.

Taylor, K.I. et Monsch, A.U. (2004). The neuropsychology of Alzheimer's disease. Dans R.W. Richter et B. Zoeller Richter (dir), *Alzheimer's Disease – The Basics: A Physician's Guide to the Practical Management* (pp. 109-120). Totowa, New Jersey: Humana Press.

Tulving, E. (1991). Concepts in human memory. Dans L.R. Squire, N.M. Weinberger, G. Lynch et J.L. McGaugh (dir.), *Memory: Organization and Locus of Change* (pp. 3-32). New York: Oxford University Press.

Van Duijn, C.M. (1996). Epidemiology of the dementias: recent developments and new approaches. *Journal of Neurology, Neurosurgery, and Psychiatry, 60* (5), 478-488.

Van Duijn, C.M., Clayton, D., Chandra, V., Fratiglioni, L., Graves, A.B., Heyman, A., Jorm, A.F., Kokmen, E., Kondo, K., Mortimer, J., Rocca, W.A., Shalat, S.I., Soininen, H. et Hofman, A. (1991). Familial aggregation of Alzheimer's disease and related disorders: a collaborative re-analysis of case-control studies. Eurodem risk factors research group. *International Journal of Epidemiology, 20* (suppl. 2), S13-S20.

Voyer, P. (2002). La personne âgée. Dans M. Brûlé, L. Cloutier et O. Doyon (dir.), *L'examen clinique dans la pratique infirmière* (pp. 636-676). Saint-Laurent: ERPI.

Walker, M.P., Ayre, G.A., Cummings, J.L., Wesnes, K., McKeith, I.G., O'Brien, J.T. et Ballard, C.G. (2000). The clinician assessment of fluctuation and the One Day Fluctuation Assessment Scale. Two methods to assess fluctuating confusion in dementia. *British Journal* of *Psychiatry, 177*, 252–256.

Wragg, R.E. et Jeste, D.V. (1989). Overview of depression and psychosis in Alzheimer's disease. *American Journal of Psychiatry, 146*, 577-587.

Waring, S.C., Rocca, W.A., Petersen, R.C., O'Brien, P.C., Tangalos, E.G. et Kokmen, E. (1999). Postmenopausal oestrogen replacement therapy and risk of AD: a population-based study. *Neurology, 52*, 965-970.

Wild, R., Pettit, T. et Burns, A. (2003). Cholinesterase inhibitors for dementia with Lewy bodies. *Cochrane Database of Systematic Reviews*, (3), CD003672.

Yoshitake, T., Kiyohara, Y., Kato, I., Ohmura, T., Iwamoto, H., Nakayama, K., Ohmori, S., Nomiyama, K., Kawano, H. et Ueda, K. (1995). Incidence and risk factors of vascular dementia and Alzheimer's disease in a defined elderly Japanese population: the Hisayama study. *Neurology, 45* (6), 1161-1168.

CHAPITRE 3

Agence nationale d'accréditation et d'évaluation en santé (2004). *La maladie de Parkinson: Critères diagnostiques et thérapeutiques*. Extrait du site Internet de l'Agence nationale d'accréditation et d'évaluation en santé le 27 octobre 2004: www.anaes.fr/ANAES/Publications.nsf/wEditionBack/TC_ASSI-57JEBF.

Avorn, J., Monane, M., Everitt, D.E., Beers, M.H. et Fields, D. (1994). Clinical assessment of extrapyramidal signs in nursing home residents given antipsychotic medication. *Archives of Internal Medicine, 154*, 1113-1117.

Bennett, D.A, Beckett, L.A., Murray, A.M. *et al.* (1996). Prevalence of parkinsonian signs and associated mortality in a community population of older people. *New England Journal of Medicine, 334* (2), 71-76.

Chow, T.W., Masterman, D.L. et Cummings, J.L. (2002). Depression. Dans S.A. Factor et W.J. Weiner (dir.), *Parkinson's Disease. Diagnosis and Clinical Management* (chap. 17, p. 145-159). New York: Demos.

Comella, C.L. (2002). Sleep disorders. Dans S.A. Factor et W.J. Weiner (dir.), *Parkinson's Disease Diagnosis and Clinical Management* (p. 101-108). New York: Demos.

Diamond, S.G., Markham, C.H., Hoehn, M.M., McDowell, F.H. et Muenter, M.D. (1989). Effect of age at onset on progression and mortality in Parkinson's disease. *Neurology, 39*, 1187-1190.

Elble, R.J. (2000). Diagnostic criteria for essential tremor and differential diagnosis. *Neurology, 54* (11), S2-6.

Findley, L., Aujla, M., Bain, P.G., Baker, M., Beech, C., Bowman, C., Holmes, J., Kingdom, W.K., MacMahon, D.G., Peto, V. et Playfer, J.R. (2003). Direct economic impact of Parkinson's disease: a research survey in the United Kingdom. *Movement Disorders, 18* (10), 1139-1145.

Hobson, D.E. (2003). Clinical manifestations of Parkinson's disease and parkinsonism. *Canadian Journal of Neurological Science, 30* (suppl. 1), S2-S9.

Hubble, J.P. et Weeks, C. (2002). Autonomic nervous system dysfunction. Dans S.A. Factor et W.J. Weiner (dir.), *Parkinson's Disease Diagnosis and Clinical Management* (p. 95-100). New York: Demos.

Hughes, A.J., Daniel, S.E. et Lees, A.J. (2001). Improved accuracy of clinical diagnosis of Lewy body Parkinson's disease. *Neurology, 57* (8), 1497-1499.

Juncos, J.L. et Watts, R.L. (2003). Management of neurobehavioral symptoms in Parkinson's disease. Dans R. Pahwa, K.E. Lyons et W.C. Koiller (dir.), *Handbook of Parkinson's Disease*, 3ᵉ éd. (p. 159-178). New York: Marcel Dekker Inc.

Kostic, V., Przedborski, S., Flaster, E. et Sternic, N. (1979). Early development of levodopa-induced dyskinesia and response fluctuations in young-onset Parkinson's disease. *Neurology, 29*, 1253-1260.

Lai, B.C., Marion, S.A., Teschke, K. et Tsui, J.K. (2002). Occupational and environmental risk factors for Parkinson's disease. *Parkinsonism & Related Disorders, 8* (5), 297-309.

Lang, A.E. (1990). Clinical rating scales and videotape analysis. Dans W.S. Koller et G. Paulson (dir.), *Therapy of Parkinson's Disease* (p. 3-30). New York: Marcel Dekker Inc.

Lang, A.E. et Lozano, A.M. (1998). Parkinson's disease: first of two parts. *New England Journal of Medicine, 339*, 1044-1053.

Masdeu, J.C., Wolfson, L.I., Lantos, G., Tobin, J.N., Grober, E., Whipple, R. et Amerman, P. (1989). Brain white matter disease in elderly prone to falling. *Archives of Neurology, 46*, 1292-1296.

Nutt, J.G. (2002). Motor fluctuations and dyskinesia. Dans S.A. Factor et W.J. Weiner (dir.), *Parkinson's Disease Diagnosis and Clinical Management* (p. 445-453). New York: Demos.

Panisset, M., Fortin, M.-J., Turcotte, H., Béland, M. et Hall, J. (2005). *Journal de 24 heures*. Document non publié (disponible en version française et anglaise à l'Unité des troubles du mouvement André-Barbeau du CHUM Hôtel-Dieu).

Petit, H., Allain, H. et Vermersch, P. (1994). Annexe 1 dans H. Petit, H. Allain et P. Vermersch, *La maladie de Parkinson, clinique et thérapeutique* (p. 143-151). Paris: Masson.

Potvin, A.R., Syndulko, K., Tourtelotte, W.W., Goldberg, Z., Potvin, J.H. et Hansch, E.G. (1981). Quantitative Evaluation in normal age-related changes in neurologic function. Dans J.A. Mortimer, F.J. Pirozzolo et G.J. Maletta (dir.), *Advances in Neurogerontology* (t. 2, p. 13). New York: Praeger.

Proulx, M., de Courval F.P., Wiseman M.A. et Panisset, M. (2005). Salivary production in Parkinson's disease. *Mov Disord, 20* (2), 204-207.

Rajput, A.H. (1992). Frequency and cause of Parkinson's disease. *Canadian Journal of Neurological Science, 19* (suppl. 1), 103-107.

Société Parkinson du Québec (2002). *Le guide info Parkinson: Mieux vivre avec la maladie de Parkinson*. Lavoie & Broquet: Ottawa.

Stoessl, A.J.(1999). Etiology of Parkinson's disease. *Canadian Journal of Neurological Science, 26* (suppl. 2), S5-S12.

Woollacott, M.H., Shumway-Cook, A. et Nashner, L. (1982). Postural reflexes and aging. Dans J.A. Mortimer, F.J. Pirozzolo et G.J. Maletta(dir.), *The Aging of the Motor System* (p. 98). New York: Praeger.

CHAPITRE 4

Ada, L., Dean, C.M., Hall, J.M., Bampton, J. et Crompton, S. (2003). A treadmill and overgrown walking program improves walking in persons residing in the community after stroke: a placebo-controlled, randomized trial. *Archives of Physical Medicine and Rehabilitation, 84*, 1486-1491.

American Heart Association (2001). Primary prevention of ischemic stroke: a statement for healthcare professionals from the stroke council of the American Heart Association. *Circulation, 103* (1), 163-182, www.circulationaha.org.

Chobanian, A.V., Bakris, G.L., Cushman, W.C., Green, L.A., Izzo, J.L., Jones, D.W., Materson, B.J., Oparil, S., Wright, J.T., Roccella, E.J. et The National High Blood Pressure Education Program Coordinating Committee (2003). The seventh report of the joint national committee on prevention, detection, evaluation, and treatment of high blood pressure. *Journal of the American Medical Association, 289* (19), 1206-1253.

Côté, R., Battista, R.N., Wolfson, C., Boucher, J., Adam, J. et Hachinski, V., (1989). The Canadian Neurologic Scale: Validation and reliability assessment. *Neurology, 5*, 638-643.

Côté, R., Deveber, G. et Roussin, A. (2003). Le groupe de travail sur la thrombose du Canada: Lignes directrices pratiques quant au traitement, à la prévention de l'AVC ischémique: www.tigc.org/french/fguideline/fvasculairescerebraux.htm.

Eliopoulos, C. (2001). *Gerontological Nursing*, 5ᵉ éd. Philadelphia: Lippincott.

Fondation des maladies du cœur du Canada (1998). *Accidents vasculaires cérébraux: Prévention, traitement, réadaptation. Guide complet à l'usage de la famille*. Montréal: Éditions du Trécarré.

Garnier, M., Delamare, V., Delamare, J. et Delamare, T. (2000). *Dictionnaire des termes de médecine*, 26ᵉ éd. Paris: Maloine.

Glader, E.-L., Stegmayr, B. et Asplund, K. (2002). Poststroke fatigue: a 2-year follow-up study of stroke patients in Sweden. *Stroke, 33* (5), 1327-1333. Disponible sur le site Internet de l'American Heart Association à l'adresse suivante: www.strokeaha.org.

Goldstein, L.B. et Chilukuri, V. (1997). Retrospective assessment of initial stroke severity with the Canadian Neurological Scale. *Stroke, 28*, 1181-1184.

Guillemin, M.-C., Michel, C., Pradat, P., Riéra, C. et Vignard, H. (1999). *Neuro Neurochir: L'infirmière en neurologie et neurochirurgie: Objectifs et soins*. Paris: Éditions Lamarre.

Heart and Stroke Foundation of Ontario (2001). *Tips and Tools for Everyday Living: A Guide for Stroke Caregivers*. Toronto: Heart and Stroke Foundation of Canada.

Heart and Stroke Foundation of Ontario (2003). *Best Practice Guidelines for Stroke Care*. Toronto: Heart and Stroke Foundation of Canada.

Hickey, J.V. (2003). *The Clinical Practice of Neurological and Neurosurgical Nursing*, 5ᵉ éd. Philadelphia: Lippincott Williams & Wilkins.

Hochstenbach, J.B., Den Otter, R. et Mulder, T.W. (2003). Cognitive recovery after stroke: a 2-year follow-up. *Archives of Physical Medicine and Rehabilitation, 84*, 1499-1504.

Kauhanen, M.-L., Korpelainen, J.T., Hiltunen, P., Brusin, E., Mononen, H., Mata, R., Nieminen, P., Sotaniemi, K.A. et Myllylâ, V.V. (1999). Poststroke depression correlates with cognitive impairment and neurological deficits. *Stroke, 30*, 1875-1880.

Kong, K.-H. et Young, S. (2000). Incidence and outcome of poststroke urinary retention: a prospective study. *Archives of Physical Medicine and Rehabilitation, 81*, 1464-1467.

Koudstaal, P.J. (2003). Anticoagulants for preventing stroke in patients with nonheumatic atrial fibrillation and a history of stroke or transient ischemic attacks (Cochrane Review). Dans *The Cochrane Library*, n° 4, 2003. Chichester, UK: John Wiley & Sons Ltd.

Kumlien, S. et Axelsson, K. (2002). Stroke patients in nursing homes: eating, feeding, nutrition and related care. *Journal of Clinical Nursing, 11*, 498-509.

Kwakkel, G., Kollen, B.J. et Wagenaar, R.C. (2001). Long term effects of intensity of upper and lower limb training after stroke: a randomized trial. *Journal of Neurology and Neurosurgery and Psychiatry, 72*, 473-479.

Lic, A.B., Polamaki, H., Lic, M.L., Lonnqvist, J. et Kaste, M. (2003). Poststroke depression: An 18-month follow-up. *Stroke, 34*, 138-143.

Ouslander, J.G., Osterweil, D. et Morley, J. (1997). Chronic neurological conditions. Dans J.G. Ouslander, *Medical Care in the Nursing Home*, 2ᵉ éd. New York: McGraw-Hill.

Registered Nurses' Association of Ontario (RNAO) (2002). Prevention of fall injuries in the older adult. Dans RNAO, *Nursing Best Practice Guidelines*. Toronto: RNAO.

Registered Nurses' Association of Ontario (RNAO) (2002). Risk assessment and prevention of pressure ulcers. Dans RNAO, *Nursing Best Practice Guidelines*. Toronto: RNAO.

Registered Nurses' Association of Ontario (RNAO) (2003). Screening for delirium, dementia and depression in older adults. Dans RNAO. *Nursing Best Practice Guidelines*. Toronto: RNAO.

Rodrigue, N., Côté, R., Kirsch, C., Germain, C., Couturier, C. et Fraser, R. (2002). Meeting the nutritional needs of patients with severe dysphagia following a stroke: an interdisciplinary approach. *AXON, 23* (3), 31-37.

Ruchinskas, R.A. et Curyto, K.J. (2003). Cognitive screening in geriatric rehabilitation. *Rehabilitation Psychology, 41* (1), 14-22.

Scottish Intercollegiate Guidelines Network (SIGN) (2002). *Management of Patients with Stroke: Identification and Management of Dysphagia: A National Clinical Guideline*. Ébauche pour le débat de la rencontre nationale du 16 mai 2002.

Sommerfeld, D.K., Svensson, A.K., Holmqvist, L.W. et von Arbin, M.H. (2004). Spasticity after stroke: Its occurence and association with motor impairments and activity limitations. *Stroke, 35*, 134-140.

Sundin, K. et Jansson, L. (2003). "Understanding and being understood" as a creative caring phenomenon – in care of patients with stroke and aphasia. *Journal of Clinical Nursing, 12*, 107-116.

Teasdale, G. et Jennett, B. (1979). Assessment of coma and impaired consciousness: a practical scale. *Lancet, 2*, 81-84.

CHAPITRE 5

Agence de santé publique du Canada (ASPC) (2005). *Surveillance des maladies cardiovasculaires en direct.* Disponible sur Internet à l'adresse suivante: http://dsol-smed.phac-aspc.gc.ca

Ajani, U.A., Ford, E.S. et Mokdad, A.H. (2005). Examining the coverage of influenza vaccination among people with cardiovascular disease in the United States. *American Heart Journal, 149* (2), 254-259.

Albert, N. (1999). Heart failure: the physiologic basis for current therapeutic concepts. *Critical Care Nurse,* supplément de juin, 2-15.

Aldred, H., Gott, M. et Gariballa, S. (2005). Advanced heart failure: impact on older patients and informal carers. *Journal of advanced Nursing, 49* (2), 116-124.

Anker, S.D. et Sharma, R. (2002). The syndrome of cardiac cachexia. *International Journal of Cardiology, 85* (1), 51-56.

Aronow, W.S. et Ahn, C. (2004). Elderly nursing home patients with congestive heart failure after myocardial infarction living in New York city have a higher prevalence of mortality in cold weather and warm weather months. *The Journals of Gerontology Series A: Biological Sciences and Medical Sciences, 59,* M146-M147.

Bennett, S.J., Huster, G.A., Baker, S.L., Braun Milgrom, L., Kirchgassner, A., Birt, J. et Pressler, M.L. (1998). Characterization of the precipitants of hospitalization for heart failure decompensation. *American Journal of Critical Care, 7* (3), 168-174.

Bennett, S.J., Pressler, M.L., Hays, L., Firestine, L.A. et Huster, G.A. (1997). Psychosocial variables and hospitalization in persons with chronic heart failure. *Progress in Cardiovascular Nursing, 12* (4), 4-11.

Blue, L., Lang, E., McMurray, J.V., Davie, A.P., McDonagh, T.A., Murdoch, D.R., Petrie, M.C., Connolly, E., Norrie, J., Round, C.E., Ford, I. et Morrison, C.E (2001). Randomised controlled trial of specialist nurse intervention in heart failure. *British Medical Journal, 323,* 715-718.

Brophy, J.M., Deslauriers, G., Boucher, B. et Rouleau, J.L. (1993). The hospital course and short term prognosis of patients presenting to the emergency room with decompensated congestive heart failure. *Canadian Journal of Cardiology, 9* (3), 219-224.

Brophy, J.M. et Rouleau, J.L. (2001). Beta-blockers in congestive heart failure. A Bayesian meta-analysis. *Annals of Internal Medicine, 134,* 550-560.

Bull, M.J., Hansen, H.E. et Gross, C.R. (2000). A professional-patient partnership model of discharge planning with elders hospitalized with heart failure. *Applied Nursing Research, 13* (1), 19-28.

Cacciatore, F., Abete, P., Ferrara, N., Calabrese, C., Napoli, C., Maggi, S., Varrichio, M. et Rengo, F (1998). Congestive heart failure and cognitive impairment in an older population. *Journal of American Geriatric Society, 46,* 1343-1348.

Capomolla, S., Febo, O., Ceresa, M., Caporotondi, A., Guazzotti, G. et La Rovere, M.T. (2002). Cost/utility ratio in chronic heart failure: comparison between heart failure management program delivered by day-hospital and usual care. *Journal American College of Cardiology, 40,* 1259-1266.

Chin, M.H. et Goldman, L. (1997). Correlates of early hospital readmission or death in patients with congestive heart failure. *The American Journal of Cardiology, 79,* 1640-1644.

Chriss, P.M., Sheposh, J., Carlson, B. et Riegel, B. (2004). Predictors of successful heart failure self-care maintenance in the first three months after hospitalization. *Heart and Lung, 33* (6), 345-353.

Cline, C.M.J., Israelsson, B.Y.A., Willenheimer, R.B., Broms, K. et Erhardt, L.R. (1998). Cost effective management program for heart failure reduces hospitalisation. *Heart, 80* (5), 442-446.

Coats, A.J.S., Adamopoulos, S., Radaelli, A., McCance, A., Meyer, T.E., Bernardi, L., Solda, P.L., Davey, P., Ormerod, O., Forfar, C., Conway, J. et Sleight, P. (1992). Controlled trial of physical training in chronic heart failure: exercise performance, hemodynamics, ventilation and autonomic function. *Circulation, 85,* 2119-2131.

Digitalis Investigation Group (1997). The effect of digoxin on mortality and morbidity in patients with heart failure. *New England Journal of Medicine, 336,* 525-533.

Doehner, W. et Anker, S. (2002). Cardiac cachexia in early literature: a review of research prior to Medline. *International Journal of Cardiology, 85,* 7-14.

Doughty, R.N., Wright, S.P., Pearl, A., Walsh, H.J., Muncaster, S., Whalley, G.A. Gamble, G. et Sharpe, N. (2002). Randomized, controlled trial of integrated heart failure management. The Auckland Heart Failure Management Study. *European Heart Journal, 23* (2), 139-146.

Doyon, O. (2002). La fonction cardiaque. Dans M. Brûlé, L. Cloutier et O. Doyon *L'examen clinique dans la pratique infirmière* (pp. 295-340). Saint-Laurent: Éditions du Renouveau pédagogique.

Ducharme, A., Doyon, O., White, M., Rouleau, J.L. et Brophy, J. (2005). Impact of care at a multidisciplinary congestive heart failure clinic: a randomized trial. *Canadian Medical Association Journal, 173* (1), 40-45.

Edwards, N.M., Maurer, M.S. et Wellner, R.B. (2003). *Aging, Heart Disease, and Its Management. Facts and Controversies.* New Jersey: Humana Press.

Ekman, I., Andersson, B., Ehnfors, M., Matejka, G., Persson, B. et Fagerberg, B. (1998). Feasibility of a nurse-monitored, outpatient-care programme for elderly patients with moderate-to-severe chronic heart failure. *European Heart Journal, 19,* 1254-1260.

Ekman, I., Fagerberg, B. et Skoog, I. (2001). The clinical implications of cognitive impairment in elderly patients with chronic heart failure. *Journal of Cardiovascular Nursing, 70,*109-112.

Fitchett, D. (dir.) (2002). *Consensus Conference 2002: Management of Heart disease in the elderly patient.* Canadian Cardiovascular Society.

Fondation des maladies du cœur du Canada (2003). *Le fardeau croissant des maladies cardiovasculaires et des accidents vasculaires cérébraux au Canada en 2003.* Ottawa: Fondation des maladies du cœur du Canada.

Friedman, M.M. (1997). Older adults' symptoms and their duration before hospitalisation for heart failure. *Heart et Lung, 26* (3), 169-176.

Froelicher, V.F. et Myers, J.N. (2000). *Exercise and the Heart,* 4ᵉ éd. Philadelphia: W.B. Saunders.

Garg, R. et Yusuf, S. pour le Collaborative Group on ACE Inhibitor Trials (1995). Overview of randomized trials of angiotensin-converting enzyme inhibitors on mortality and morbidity in patients with heart failure. *Journal of American Medical Association, 273,* 1450-1456.

Genth-Zotz, S., Bolger, A.P., Kalra, P.R., von Haehling, S., Doehner, W., Coats, A.J.S, Volk, H.-S. et Anker, S.D. (2004). Heat shock protein 70 in patients with chronic heart failure: relation to disease severity and survival. *International Journal of Cardiology, 96,* 397-401.

Ghali, J.K., Cooper, R. et Ford, E. (1990). Trends in hospitalization rates for heart failure in the United States, 1973-1986: evidence for increasing population prevalence. *Archives of Internal Medicine, 150,* 769-73.

Gibbs, J.S.R., McCoy, A.S.M., Gibbs, L.M.E., Rogers, A.E. et Addington-Hall, J.M. (2002). Living with and dying from heart failure: the role of palliative care. *Heart, 88,* ii36-ii39.

Gottdiener, J.S., McClelland, R.L., Marshall, R., Shemanski, L., Friberg, C.D., Kitzman, D.W., Cushman, M., Polak, J., Gardin, J.M., Gersh, B.J., Aurigemma, G.P. et Manolio, T.A. (2002). Outcome of congestive heart failure in elderly persons: influence of left ventricular systolic function. *Annals of Internal Medicine, 137* (8), 631-639.

Guérin, F. (1997) *Cardiologie: sémiologie clinique. Démarches diagnostiques. Cardiopathies.* Vélizy-Villacoublay: Doin.

Hambrecht, R., Fiehn, E., Weigl, C., Gielen, S., Hamann, C., Kaiser, R, Yu, J., Adams, V., Niebauer, J. et Schuler, G. (1998). Regular physical exercise corrects endothelial dysfunction and improves exercise capacity in patients with chronic heart failure. *Circulation, 98,* 2709-2715.

Hauptman, P.J. et Havranek, E.P. (2005). Integrating palliative care into heart failure care. *Archives of Internal Medicine, 165,* 374-378.

Havranek, E.P., Masoudi, F.A., Westfall, K.A., Wolfe, P., Ordin, D.L. et Krumholz, H.M. (2002). Spectrum of heart failure in older patients: results from the national heart failure project. *American Heart Journal, 143* (3), 412-417.

Hawthorne, M.H. et Hixon, M.E. (1994). Functional status, mood disturbance and quality of life in patients with heart failure. *Progress in Cardiovascular Nursing, 9* (1), 22-32.

Heiat, A., Gross, C.P. et Krumholz, H.M. (2002). Representations of the elderly, women, and minorities in heart failure clinical trials. *Archives of Internal Medicine, 162,* 1682-1688.

Heppell, S. (2002). La fonction vasculaire. Dans M. Brûlé, L. Cloutier et O. Doyon, *L'examen clinique dans la pratique infirmière* (pp. 341-381). Saint-Laurent: Éditions du Renouveau pédagogique.

Heymsfield, S.B. et Casper, K. (1988). Congestive heart failure: clinical management by use of continuous nasoenteric feeding. *American Journal of Clinical Nutrition, 47,* 900-910.

Houle, J. (2000). *Étude des déterminants psychosociaux de la pratique de l'activité physique chez les personnes atteintes d'une maladie coronarienne.* Mémoire de maîtrise inédit. Université de Montréal.

Houle, J. et Poirier, P. (2004). Effets bénéfiques de l'activité physique sur la santé cardiovasculaire. *Liaison-04*, *80*, 5-7.

Inouye, S.K. et Charpentier, P.A. (1996). Precipitating factors for delirium in hospitalized elderly persons. *Journal of American Medical Association*, *275*, 852-857.

Jacobsson, A., Pihl-Lindgren, E. et Fridlund, B. (2001). Malnutrition in patients suffering from chronic heart failure; the nurse's care. *European Journal of Heart failure*, *3*, 449-456.

Johnstone, D.E., Abdulla, A., Arnold, J.M.O., Bernstein, V., Bourassa, M., Brophy, J.M., Davies, R., Gardner, M., Hoeschen, R., Mickelborough, L., Moe, G., Montague, T., Paquet, M., Rouleau, J.L. et Yusuf, S. (1994). Diagnosis and management of heart failure (Consensus Conference Canadian Society of Cardiology). *Canadian Journal of Cardiology*, *10* (6), 635-654.

Jong, P., Vowinckel, E., Liu, P.P., Gong, Y. et Tu, J.V. (2002). Prognosis and determinants of survival in patients with newly hospitalized heart failure. *Archives of Internal Medicine*, *162*, 1689-1694.

Kasper, E.K., Gerstenblith, G., Hefter, G., Van Anden, E., Brinker, J.A., Thiemann, D.R. Terrin, M., Forman, S. et Gottlieb, S.H. (2002). A randomized trial of the efficacy of multidisciplinary care in heart failure outpatients at high risk of hospital readmission. *Journal of American College of Cardiology*, *39*, 471-480.

Krumholz, H.M., Parent, E.M., Tu, N., Vaccarino, V., Wang, Y., Radford, M. et Hennen, J. (1997). Readmissions after hospitalization for congestive heart failure among medicare beneficiairies. *Archives of Internal Medicine*, *157*, 99-104.

Levenson, J.W., McCarthy, E.P., Davis, L.J. et Phillips, R.S. (2000). The last six months of life for patients with congestive heart failure. *Journal of American Geriatric Society*, *48*, S101-S109.

Liu, P. et Arnold, J.M.O. (dir.) (2003). The 2002-2003 Canadian Cardiovascular Society consensus guideline update for the diagnosis and management of heart failure. *Canadian Journal of Cardiology*, *19*, 347-356.

Markowitz, A.J. et Rabow, M.W. (2004). Palliative care for patients with heart failure. *Journal of American Medical Association*, *292*, 1744.

McAlister, F.A., Lawson, F.M., Teo, K.K. et Armstrong, P.W. (2001). A systematic review of randomized trials of disease management programs in heart failure. *American Journal of Medicine*, *110*, 378-384.

McCarthy, M., Lay, M. et Addington-Hall, J. (1996). Dying from heart disease. *Journal of Royal College of Physicians of London*, *30*, 325-328.

Michalsen, A., König, G. et Thimme, W. (1998). Preventable causative factors leading to hospital admission with decompensated heart failure. *Heart*, *80*, 437-441.

Morrison, R.S. et Meier, D.E. (2004). Palliative care. *New England Journal of Medicine*, *350*, 2582-2590.

Moser, D.K. et Dracup, K. (1995). Psychosocial recovery from a cardiac event: the influence of perceived control. *Heart & Lung*, *24* (4), 273-280.

Murberg, T.A, Svebak, S., Tveteras, R. et Aarsland, T. (1999). Depressed mood and subjective health symptoms as predictors of mortality in patients with congestive heart failure. *International Journal of Psychiatric Medicine*, *29*, 311-326.

Naylor, M.D., Brooten, D., Campbell, R., Jacobsen, B.S., Mezey, M.D., Pauly, M.V. et Schwartz, J.S. (1999). Comprehensive discharge planning and home follow-up of hospitalized elders: a randomized clinical trial. *Journal of American Medical Association*, *281*, 613-620.

Nohria, A., Lewis, E. et Stevenson, L.W. (2002). Medical management of advanced heart failure. *Journal of American Medical Association*, *287*, 628-640.

Oka, R.K., DeMarco, T., Haskell, W.L., Botvinick, E., Dae, M.W, Bolen, K. et Chatterje, K. (2000). Impact of a home-based walking and resistance training program on quality of life in patients with heart failure. *The American Journal of Cardiology*, *83* (3), 365-369.

Owen, A. et Croucher, L. (2000). Effect of an exercise programme for elderly patients with heart failure. *European Journal of Heart Failure*, *2* (1), 65-70.

Packer, M. (1993). How should physicians view heart failure? The philosophic and physiologic evolution of three conceptual models of the disease. *American Journal of Cardiology*, *71*, 3C-11C.

Packer, M., Bristow, M., Cohn, J., Colucci, W. et Fowler, M.B. pour le Carvedilol Heart Failure Study Group (1996). The effect of carvedilol on morbidity and mortality in patients with chronic heart failure. *New England Journal of Medicine*, *334*, 1349-1355.

Pantilat, S.Z. et Steimle, A.E. (2004). Palliative care for patients with heart failure. *Journal of American Medical Association*, *291*, 2476-2482.

Philips, C.O., Wright, S.M., Kern, D.E., Singa, R.M., Shepperd, S. et Rubin, H.R. (2004). Comprehensive discharge planning with post-discharge support for older patients with congestive heart failure: a meta-analysis. *Journal of American Medical Association*, *291*, 1358-1367.

Pina, I.L., Apstein, C.S., Balady, G.J., Belardini, R., Chaitman, B., Duscha, B.D., Fletcher, B.J., Fleg, J.L., Myers, J.N. et Sullivan, M.J. (2003). Exercise and heart failure. A statement from the American Heart Association Committee on Exercise, Rehabilitation and Prevention. *Circulation*, *107*, 1210-1225.

Rich, M. (1997). Epidemiology, pathophysiology, and etiology of congestive heart failure in older adults. *Journal of the American Geriatric Society*, *45*, 968-974.

Rich, M.W. (2002). Management of heart failure in the elderly. *Heart Failure Review*, *7*, 89-97.

Rich, M.W., Vinson, J.M., Sperry, J.C., Shah, A.S., Spinner, L.R., Chung, M.K. et Davila-Roman, V. (1993). Prevention of readmission in elderly patients with congestive heart failure: results of a prospective, randomized pilot study. *Journal of General Internal Medicine*, *8*, 585-590.

Rich, M.W., Beckham, V., Wittenberg, C., Leven, C.L., Freedland, K.E. et Carney, R.M. (1995). A multidisciplinary intervention to prevent the readmission of elderly patients with congestive heart failure. *New England Journal of Medicine*, *333*, 1190-1195.

Robichaud-Ekstrand, S. (1993). Effets d'un programme d'exercices post-infarctus à domicile sur la capacité fonctionnelle, la capacité d'auto-soin et la perception d'auto-efficacité. Thèse de doctorat inédite,. Université de Montréal.

Rumsfeld, J.S., Havranek, E., Masoudi, J.S., Peterson, E.D., Jones, P., Tooley, J.F., Krumholz, H.M. et Spertus, J.A., (2003). Depressive symptoms are the strongest predictor of short term declines in health status in patients with heart failure. *Journal of American College of Cardiology*, *42*, 1811-1817.

Shamsham, F. et Mitchell, J. (2000). Essentials of the diagnosis of heart failure. *American Family Physician*, *61*, 1319-1328.

SOLVD Investigators (1991). Effect of enalapril on survival in patients with reduced left ventricular ejection fraction and congestive heart failure. *New England Journal of Medicine*, *325*, 293-302.

Stewart, S. et McMurray, J.J.V. (2002). Palliative care for heart failure. *British Medical Journal*, *325*, 915-916.

Stewart, S., Marley, J.E. et Horowitz, J.D. (1999). Effects of a multidisciplinary, home-based intervention on unplanned readmissions and survival among patients with chronic congestive heart failure: a randomised controlled study. *The Lancet*, *354*, 1077-1083.

Sullivan, M.J. et Cobb, F.R. (1992). Central hemodynamic response to exercise in patients with chronic heart failure. *Chest*, *101*, 340S-346S.

Sullivan, M.J., Higginbotham, M.B. et Cobb, F.R. (1989). Exercise training in patients with chronic heart failure delays ventilatory anaerobic threshold and improves submaximal exercise performance. *Circulation*, *79* (2), 324-329.

SUPPORT Principal Investigators (1995). A controlled trial to improve care for seriously ill hospitalized patients. *Journal of American Medical Association*, *274*, 1591-1598.

Turpie, I.D. et Heckman, G.A. (2004). *Aging Issues in Cardiology*. Boston: Kluwer Academic Publishers.

Vinson, J.M., Rich, M.W., Sperry, J.C, Shah, A.S. et McNamara, T. (1990). Early readmission of elderly patients with congestive heart failure. *Journal of American Geriatric Society*, *38*, 1290-1295.

Voyer, P. (2002). La personne âgée. Dans M. Brûlé, L. Cloutier et O. Doyon, *L'examen clinique dans la pratique infirmière* (pp. 635-676). Saint-Laurent: Éditions du renouveau pédagogique.

Wang, R., Mouliswar, M., Denman, S. et Kleban, M. (1998). Mortality of the institutionalized old-old hospitalized with congestive heart failure. *Archives of Internal Medicine*, *158*, 2464-2468.

Winters, C.A. (1999). Heart failure: living with uncertainty. *Progress in Cardiovascular Nursing*, *14*, 85-91.

Woods, S.L., Froelicher, E.S. et Motzer, S.U. (2000). *Cardiac Nursing*, 4e éd. Philadelphia: Lippincott.

Young, J.B. et Miles, R.M. (2001). *Clinical Management of Heart Failure*, 1re éd. New York: Professional Communications.

Zuccala, G., Cattel, C., Manes-Gravina, E., DiNiro, M.G., Cocci, A. et Bernabei, R. (1997). Left ventricular dysfunction: a clue to cognitive impairment in older persons with heart failure. *Journal of Neurosurgery Psychiatry*, *63*, 509-512.

Zuccala, G., Onder, G., Pedone, C., Carosella, L., Pahor, M., Bernabei, R. et Cocci, A. (2001). Hypotension and cognitive impairment: selective association in patients with heart failure. *Neurology*, *57*, 1986-1992.

CHAPITRE 6

Agence de développement de réseaux locaux de services de santé et de services sociaux (2002, rév. 2004). *Outils de suivi pour les soins infirmiers spécifiques à la clientèle BPCO*. Montréal : Agence de développement de réseaux locaux de services de santé et de services sociaux.

American Lung Association (2003). *Fact Sheet : Chronic Obstructive Pulmonary Disease (MPOC)*. www.lungusa.org/diseases/copd_factsheet.html, site consulté le 31 octobre 2004.

American Thoracic Society (1991). Lung function testing : selection of reference values and interpretative strategies. *American Rev Respiratory Disease*, 144, 1202-1218.

Association pulmonaire du Canada (2005). Maladies pulmonaires obstructives chroniques (MPOC) : Rapport d'évaluation national (www.poumon.ca).

Bach, P.B., Brown C, Gelfand, S.E. et McCrory D.C. (2001). Management of acute exacerbations of chronic obstructive pulmonary disease ; a summary and appraisal of published evidence. *Annual Internal Medicine*, 3 avril, 134 (7), 600-620.

Baltzan, M.A., Kamel, H., Alter, A. Rotaple, M. et Wolkove, N. (2004). Pulmonary rehabilitation improves functional capacity in patients 80 years of age or older. *Canadian Respiratory Journal*, 11 (6), 407-413.

Boucher, S. (1984). Oxygénothérapie à domicile : Recommandations de l'Association des pneumologues de la province de Québec. *Union médicale canadienne*, 113 (5), 394.

Boulet, L.P. et Bourbeau, J. (2002). L'asthme et la maladie pulmonaire obstructive chronique : comment les différencier. *Le clinicien*, novembre, 105-116.

Bourbeau, J., Julien, M., Maltais, F., Rouleau, M., Beaupre, A., Begin, R., Renzi, P., Nault, D., Borycki, E., Schwartzman, K., Singh, R. et Collet, J.P. (2003). Reduction of hospital utilization in patients with chronic obstructive pulmonary disease : a disease-specific self-management intervention. *Archive Internal Medicine*, 163 (5), 585-591.

British Thoracic Society (1997). The COPD Committee Group of the Standards of Care Committee of the BTS. *BTS Guidelines for the Management of Chronic Obstructive Pulmonary Disease*, 52, 1-28.

Britten, N., Dowies, J.M. et Colley, J.R. (1987). Early respiratory experience and subsequent cough and PEFR in 36-year-old men and women. *BMJ*, 294, 1317-1320.

Britton, J.R., Pavord, I.D., Richards, K.A., Knox, A.J., Wisniewski, A.F., Lewis, S.A., Tattersfield, A.E. et Weiss, S.T. (1995). Dietary antioxidant vitamin intake and lung function in the general population. *American Journal Respiratory Critical Care Medicine*, 151, 1383-1387.

Brulé, M., Cloutier, L. et Doyon, O. (dir.) (2002). *L'examen clinique dans la pratique infirmière*, Saint-Laurent : Éditions du Renouveau Pédagogique, 309-351.

Collège des médecins du Québec (CMQ) (1999). *La prévention et l'abandon du tabagisme : Lignes directrices*. www.santepub-mtl.qc.ca/tabagie/Expertise/pdf/Tabacang.pdf, site consulté le 7 juin 2005.

Comité consultatif national de l'immunisation (2004). *Déclaration sur la vaccination antigrippale pour la saison 2003-2004. Relevé des maladies transmissibles au Canada*, 30 (DCC – 2), 1-6.

Couser, J.L., Guthmann, R., Hamadeh, M.A. et Kane, C.S. (1995). Pulmonary rehabilitation improves exercise capacity in older elderly patients with COPD. *Chest*, 105, 1046-1052.

Finesilver, C. (2003). Pulmonary assessment : what you need to know. *Progress in Cardiovascular Nursing*, printemps, 83-92.

Fletcher, C.M., Elmes, P.C. et Wood, C.H. (2003). The significance of respiratory symptoms and diagnosis of chronic bronchitis in a working population. *Canadian Respiratory Journal*, 10 (8), 1-4.

Gauthier, M. (1988). *Interventions en soins infirmiers selon Orem pour aider l'insuffisant respiratoire à composer avec sa situation*. Rapport de stage de maîtrise. Université de Montréal, sciences infirmières.

Gélinas, C. (2004). Prévenir la dépression respiratoire liée à certains médicaments. *Perspective infirmière*, 2, 23-27.

Global Initiative for Chronic Obstructive Lung Disease (GOLD) (2003). Executive summary (mise à jour 2003) : *Global Strategy for the Diagnosis, Management, and Prevention of Chronic Obstructive Pulmonary Disease*. Disponible sur Internet à l'adresse suivante : www.goldcopd.com (site consulté le 9 mars 2005).

Irwin, R.S. Zawacki, J.K., Wilson, M.M., French, C.T. et Callery, M.P. (2002). Chronic cough due to gastroesophageal reflux disease. Failure to resolve despite total/near total elimination of esophageal acid. *Chest*, 121, 1132-1140.

Lacroix, C. (2005). Une dépendance qui se soigne. Présentation de l'Université de Montréal dans le cadre de la « Mise à jour sur les problèmes respiratoires » de septembre 2004. *Le Clinicien*, janvier.

Leblanc, P. (1988). La dyspnée : mécanisme, cause et investigation. *Le Clinicien*, avril, 117-135.

McIvor, Dr (2005). What is pulmonary rehabilitation ? How are exacerbations managed ? *The Canadian Journal of CME*, janvier, 62.

Meyer, P.A., Mannino, D.M., Reed, S.E. et Olson, D.R. (2002). Characteristics of adults dying with COPD. *Chest*, 122, 2003-2008.

Mikkelsen, R.L., Middelboe, T., Pinsinger, C. et Stage, K. (2004). Anxiety and depression in patients with chronic obstructive pulmonary disease (COPD). *A Review Nordic Journal psychiatry*, 58, 65-70.

Murray, C.J.L. et Lopez, A.D. (1999). *The Golbal Burden of Disease : A Comprehensive Assessment of Mortal. Disability from Diseases, Injuries and Risk Factors in 1990 and Projected to 2020*. Cambridge, MA : Harvard University Press.

Nadeau, P. et Gauthier, J.J. (1993). *Pneumologie clinique*. Montréal : Presses de l'Université de Montréal.

Noctural Oxygen Therapy Trial Group (1980). Continuous or noctural oxygen therapy in hypoxemic chronic obstructive lung disease. A clinical trial. *Annual Internal Medicine*, 93, 391-398.

O'Donnell, D.E., Aaron, S., Bourbeau, J., Hernandez, P., Marciniuk, D., Balter, M., Ford, G., Gervais, A., Goldstein, R., Hodder, R., Maltais, F. et Road, J. (2003). Recommandations de la Société canadienne de thoracologie relativement au traitement de la maladie pulmonaire obstructive chronique. *Canadian Respiration Journal*, 10 (suppl. A), 37A-59A.

Piché, A. (2005). Bronchite aiguë ou exacerbations aiguës de la bronchite chronique ? *Le Clinicien*, mars 2005, 73.

Pison, C., Cano, N., Chérion, C., Roth, H. et Pichard, C. (2004). Insuffisant respiratoire à domicile 2 (2e étude). Effet d'une réhabilitation à domicile chez l'insuffisant respiratoire chronique dénutri. *Revue Maladies Respiratoires*, 21, 573-582.

Prochaska, J.O. et DiClemente, C.C. (1995). *The Transtheoretical Approach : Crossing Traditional Boundaries of Change*. Homewood, IL : Dow Jones-Irwin.

Prochaska, J.O. et Goldstein, M.G. (1991). Process of smoking cessation. Implications for clinicians. *Clinics in Chest Medicine*, 12 (4), 727-735.

Prochaska, J.O. et Prochaska, J.M. (1999). Why don't continents move ? Why don't people change ? *Psychotherapy Integral*, 9, 83-102.

Régie régionale de Montréal (2004). *Guide pour la référence SRSAD/CLSC soins infirmiers respiratoires, clientèle MPOC*, révisé. Montréal : Régie régionale de Montréal.

Rennard, S., Decramer, M., Calverley, P.M., Pride, M.B., Soriano, J.B., Vermeire, P.A. et Vestbo, J. (2002). Impact of COPD in North America and Europe in 2000 : subjects' perspective of confronting COPD international survey. *European Respiratory Journal*, 20, 799-805.

Rohren, C.D. et Croghan, I.T. (1994). Predicting smoking cessation outcome in a medical center from stage of readiness : contemplation versus action. *Preventive Medicine*, 23, 335-344.

Rolnick, S., Butler, C. et Stott, N. (1997). Helping smokers make decisions : the enhancement of brief intervention for general medical practice. *Patient Education and Counselling*, 31, 191-203.

Scanlon, P.D., Connett, J.E., Waller, L.A., Altose, M.D., Bailey, W.C. et Buist, A.S. (2000). Smoking cessation and lung function in mild to moderate chronic obstructive pulmonary disease. The lung health study. *American Journal Respiratory Critical Care Medical*, 161, 381-90.

Schlike D.D. (1981). Psychosocial aspects of chronic lung disease. Dans D.L Sexton, *Chronic Obstructive Pulmonary Disease, Care of the Child and Adult*. Saint-Louis, MO : Mosby.

Sharp, J.T., Drutz, W.S., Moisan, T., Foster, J. et Machnach, W. (1980). Postural relief of dyspnea in severe chronic obstructive pulmonary disease. *American Review Respiratory Disease*. 122, 201-211.

Shwartzman, K. (2001). La spirométrie à la salle d'urgence, *Info Urgence*, 15 (1), 15-17.

Sin, D.D., McAlister, F.A., Man, S.F. et Anthonisen, N.R. (2003). Contemporary management of chronic obstructive pulmonary disease : scientific review. *JAMA*, 290, 2301-2312.

Smoller, J.W., Simon, N.M., Pollack, M.H., Kradin, R. et Stern, T. (1999). Anxiety in patients with pulmonary disease : co-morbidity and treatment. *Seminar in Clinical Neuropsychiatry*, 4 (2), 84-89.

Tashkin, D.P., Kanner, R., Bailey, W., Buist, S., Anderson, P., Nides, M., Gonzales, D., Dozier, G., Patel, M.K. et Jamerson, B. (2001). Smoking cessation in patients with chronic obstructive pulmonary disease: a double-blind, placebo-controlled, randomised trial. *Lancet, 357*, 1571-1575.

Timiras, P. (2003). *Physiological Basis of Aging and Geriatrics*, 3e éd. New York: CRC press.

Tockman, M.S., Anthonisen, N.R., Wright, E.C. et Donithan, M.G. (1987). Airways obstruction and the risk for lung cancer. *Annual Internal Medicine, 106*, 512-566.

Van Ede, L., Yzermans, C.J. et Brouwer, H.J. (1999). Prevalence of depression in patients with chronic obstructive pulmonary disease: a systematic review. *Thorax, 54*, 688-692.

Voyer, P. (2002). La personne âgée. Dans M. Brûlé, L. Cloutier et O. Doyon (dir.), *L'examen clinique dans la pratique infirmière* (p. 636-676). Saint-Laurent: Éditions du Renouveau Pédagogique.

CHAPITRE 7

American Psychiatric Association (2000). *Diagnostic and Statistical Manual of Mental Disorders*, 4e éd. (DSM-IV-TR [texte révisé]). Washington: American Psychiatric Association.

Armstrong-Esther, C.A., Browne, K.D., Armstrong-Esther, D.C. et Sander, L. (1996). The institutionalized elderly: dry to the bone. *International Journal of Nursing Studies, 33* (6), 619-628.

Chan, D. et Brennan, N.J. (1999). Delirium: making the diagnosis, improving the prognosis. *Geriatrics, 54* (3), 28-44.

Culp, K., Tripp-Reimer, T., Wadle, K., Wakefield, B., Akins, J., Mobily, P. et Kundradt, M. (1997). Screening for acute confusion in elderly long-term care residents. *Journal of Neuroscience Nursing, 29* (2), 86-100.

Fick, D. et Foreman, F.D. (2000). Consequences of not recognizing delirium superimposed on dementia in hospitalized elderly individuals. *Journal of Gerontological Nursing, 26*, 30-40.

Hazzard, W.R., Blass, J.P., Ettinger, W.H., Halter, J. et Ouslander, J.G. (1999). *Principles of Geriatric Medicine and Gerontology*. Montréal: McGraw-Hill.

Inouye, S.K. (1998). Delirium in hospitalized older patients. *Clinics in Geriatric Medicine, 14* (4), 745-764.

Inouye, S.K. (1999). Predisposing and precipitating factors for delirium in hospitalized older patients. *Dementia and Geriatric Cognitive Disorders, 10*, 393-400.

Inouye, S.K. (2000). Prevention of delirium in hospitalized older patients: risk factors and targeted intervention strategies. *Annals in Medicine, 32*, 257-263.

Inouye, S.K., Bogardus, S.T., Charpentier, P.A., Leo-Summers, L., Acampora, D., Holford, D.R. et Cooney, L.M. (1999). Clinical trial of a multicomponent intervention to prevent delirium in hospitalized older patients. *New England Journal of Medicine, 340*, 669-676.

Inouye, S.K. et Charpentier, P.A. (1996). Precipitating factors for delirium in hospitalized elderly persons: predictive model and interrelationship with baseline vulnerability. *JAMA, 275*, 852-862.

Inouye, S.K., Van Dyck, C.H., Alessi, C.A., Balkin, S., Siegal, A.P. et Horwitz, R.I. (1990). Clarifying confusion: the confusion assessment method (a new method for detection of delirium). *Annals of Internal Medicine, 113*, 941-948.

Kayser-Jones, J., Schell, E.S., Porter, C., Barbaccia, J.C. et Shaw, H. (1999). Factors contributing to dehydration in nursing homes: inadequate staffing and lack of professional supervision. *Journal of the American Geriatric Society, 47* (10), 1187-1194.

Marcantonio, E.R., Simon, S.E., Bergmann, M.A., Jones, R.N., Murphy, K.M. et Morris, J.N. (2003). Delirium symptoms in post-acute care: prevalent, persistent, and associated with poor functional recovery. *Journal of the American Geriatric Society, 51*, 4-9.

Morris, J.N., Murphy, K.M. et Nonemaker, S.N. (1995). *Long Term Care Resident Assessment Instrument User's Manual, Version 2*. Baltimore, MD: Health Care Financing Administration.

Robertson, B., Blennow, K., Gottfries, C.G. et Wallin, A. (1998). Delirium in dementia. *International Journal of Geriatric Psychiatry, 13*, 49-56.

Sandberg, O., Gustafson, Y., Brannstrom, B. et Bush, G. (1998). Prevalence of dementia, delirium and psychiatric symptoms in various care settings for the elderly. *Scandinavian Journal of Social Medicine, 26*, 56-62.

Sheehy, C.M., Perry, P.A. et Cromwell, S.L. (1999). Dehydration: biological considerations, age-related changes, and risk factors in older adults. *Biological Research for Nursing, 1* (1), 30-37.

Simon, L., Jewell, N. et Brokel, J. (1997). Management of acute delirium in hospitalized elderly: a process improvement project. *Geriatric Nursing, 18* (4), 150-154.

Sullivan-Marx, E.M. (1994). Delirium and physical restraint in the hospitalized elderly. *Image: Journal of Nursing Scholarship, 26* (4), 295-300.

Szokol, J.W. et Vender, J.S. (2001). Anxiety, delirium, and pain in the intensive care unit. *Critical Care Medicine, 17* (4), 20 p.

Treloar, A. (1998). Delirium: prevalence, prognosis and management. *Reviews in Clinical Gerontology, 8*, 241-249.

VanNewkirk, M.R., Weith, L., McCarty, C.A., Stanislavsky, Y.L., Keeffe, J.E. et Taylor, H.R. (2000). Visual impairment and eye diseases in elderly institutionalized Australians. *Ophthalmology, 107* (12), 2203-2208.

CHAPITRE 8

Allman, R.M. (1999). Pressure ulcers. Dans W.R. Hazzard, J.P. Blass, W.H. Ettinger, J.B. Halter et J.G. Ouslander (dir.), *Principles of Geriatric Medicine and Gerontology*, 4e éd. (p. 1577-1584). Toronto: McGraw-Hill.

Alvarez, S., Shell, C.G., Woolley, T.W., Berk, S.L. et Smith, J.K. (1988). Nosocomial infections in long-term facilities. *Journal of Gerontology, 43* (1), M9-17.

Barker, W.H., Borisute, H. et Cox, C. (1998). A study of the impact of influenza on the functional status of frail older people. *Archives of Internal Medicine, 158* (6), 645-650.

Beck-Sague, C., Villarino, E., Giuliano, D., Welbel, S., Latts, L., Manangan, L.M., Sinkowitz, R.L. et Jarvis, W.R. (1994). Infectious diseases and death among nursing home resident: results of surveillance in 13 nursing homes. *Infection Control and Hospital Epidemiology, 15* (7), 494-496.

Beers, M., Avorn, J., Soumerai, S.B., Everitt, D.E., Sherman, D.S. et Salem, S. (1988). Psychoactive medication in an intermediate facility. *The Journal of the American Medical Association, 260* (20), 3016-3020.

Bentley, D.W., Bradley, S., High, K., Schoenbaum, S., Taler, G. et Yoshikawa, T.T. (2000). Practice guideline for evaluation of fever and infection in long-term care facilities. *Clinical Infectious Diseases, 31*, 640-653.

Boivin, G., Hardy, I., Tellier, G. et Maziade, J. (2000). Predicting influenza infections during epidemics with use of a clinical case definition. *Clinical Infectious Diseases, 31* (5), 1166-1169.

Bradley, S.F. (1999). Prevention of influenza in long-term-care facilities. Long-Term-Care Committee of the Society for Healthcare Epidemiology of America. *Infection Control and Hospital Epidemiology, 20* (3), 629-637.

Brawley, R.L., Weber, D.J., Samsa, G.P. et Rutala, W.A. (1989). Multiple nosocomial infections. An incidence study. *American Journal of Epidemiology, 130* (4), 769-780.

Büla, C.J., Ghilardi, G., Wietlisbach, B.A., Petignat, C. et Francioli, P. (2004). Infections and functional impairment in nursing home residents: a reciprocal relationship. *Journal of the American Geriatrics Society, 52* (5), 700-706.

Cantrell, M. et Norman, D. (1999). Pneumonia. Dans W.R. Hazzard, J.P. Blass, W.H. Ettinger, J.B. Halter et J.G. Ouslander (dir.), *Principles of Geriatric Medicine and Gerontology*, 4e éd. (p. 729-736). Toronto: McGraw-Hill.

Capitano, B. et Nicolau, D.P. (2003). Evolving epidemiology and cost of resistance to antimicrobial agents in long-term care facilities. *Journal of the American Medical Directors Association, 4* (suppl. 3), S90-99.

Carman, W.F., Elder, A.G., Wallace, L.A., McAulay, K., Walker, A., Murray, G.D. et Stott, D.J. (2000). Effects of influenza vaccination of health-care workers on mortality of elderly people in long-term care: a randomised controlled trial. *The Lancet, 355* (9198), 93-97.

Castle, S.C., Toledo, S.D., Daskal, L. et Norman, D.C. (1992). The equivalency of infrared tympanic membrane thermometry with standard thermometry in nursing home residents. *Journal of the American Geriatrics Society, 40* (12), 1212-1216.

Castle, S.C., Yeh, M., Toledo, S., Yoshikawa, T.T. et Norman, D.C. (1993). Lowering the temperature criterion improves detection of infections in nursing home residents. *Aging: Immunology and Infectious Disease, 4* (2), 67-76.

Centers for Disease Control and Prevention (1994). Guidelines for preventing the transmission of Mycobacterium tuberculosis in health-care facilities. *Federal Register, 59* (208), 54242-54303.

Chassagne, P., Perol, M.B., Doucet, J., Trivalle, C., Menard, J.F., Manchon, N.D., Moynot, Y., Humbert, G., Bourreille, J. et Bercoff, E. (1996). Is presentation of bacteremia in the elderly the same as in younger patients? *The American Journal of Medicine, 100* (1), 65-70.

Comité consultatif national de l'immunisation (CCNI) (2001). Déclaration sur la vaccination antigrippale pour la saison 2001-2002. *Relevé des maladies transmissibles au Canada*, 27 (DCC-4), 1-24.

Comité consultatif national de l'immunisation (2002). *Guide canadien d'immunisation*, 6e éd. [ressource électronique]. Ottawa: Santé Canada. Disponible à l'adresse Internet suivante: www.hc-sc.gc.ca/pphb-dgspsp/publicat/cig-gci/pdf/guide_immuniz_cdn-2002-6.pdf.

Conly, J.M., Hill, S., Ross, J., Lertzman, J. et Louie, T.J. (1989). Handwashing practices in an intensive care unit: the effects of an educational program and its relationship to infection rates. *American Journal of Infection Control*, 17 (6), 330-339.

Cooper, G.S., Shlaes, D.M. et Salata, R.A. (1994). Intraabdominal infection: differences in presentation and outcome between younger patients and the elderly. *Clinical Infectious Diseases*, 19 (1), 146-148.

Cotter, V.T. et Strumpf, N.E. (2002). *Advanced Practice Nursing with Older Adults*. Toronto: McGraw-Hill.

Couch, R.B., Cate, T.R., Douglas, R.G.J., Gerone, P.J. et Knight, V. (1966). Effect of route of inoculation on experimental respiratory viral disease in volunteers and evidence for airborn transmission. *Bacteriological Reviews*, 30 (3), 517-529.

Cowan, D.T., Roberts, J.D., Fitzpatrick, J.M., While, A.E. et Baldwin, J. (2004). Nutritional status of older people in long-term care settings: current status and future directions. *International Journal of Nursing Studies*, 41 (3), 225-237.

Darowski, A., Najim, Z. et Weinberg, J.R. (1991). The febrile response to mild infections in elderly hospital residents. *Age Ageing*, 20 (3), 193-198.

Doebbeling, B.N., Dolce, J., Richter, W., Pfaller, M.A., Houston, A.K., Annis, L., Li, N. et Wenzel, R.P. (1992). Comparative efficacy of alternative handwashing agents in reducing nosocomial infections in intensive care units. *The New England Journal of Medicine*, 327 (2), 88-93.

Doezema, D., Lunt, M. et Tandberg, D. (1995). Cerumen occlusion lowers infrared tympanic membrane temperature measurement. *Academic Emergency Medicine*, 2 (1), 17-19.

Dubbert, P.M., Dolce, J., Richter, W., Miller, M. et Chapman, S.W. (1990). Increasing ICU staff handwashing: effects of education and group feedback. *Infection Control and Hospital Epidemiology*, 11 (4), 191-194.

Durand-Gasselin, B. et Rothan-Tondeur, M. (1998). Infections nosocomiales. *La Revue de gériatrie*, 23 (6), 543-548.

Emori, T.G., Banerjee, S.N., Culver, D.H., Gaynes, R.P., Horan, T.C., Edwards, J.R., Jarvis, W.R., Tolson, J.S., Henderson, T.S. et Martone, W.J. (1991). Nosocomial infections in elderly patients in the United States, 1986-1990. National Nosocomial Infections Surveillance System. *American Journal of Epidemiology*, 91 (3B), 289S-293S.

Ernst, M.E. et Ernst, E.J. (1999). Effectively treating common infections in residents of long-term care facilities. *Pharmacotherapy*, 19 (9), 1026-1035.

Falsey, A.R. (1991). Noninfluenza respiratory virus infection in long-term care facilities. *Infection Control and Hospital Epidemiology*, 12 (10), 602-608.

Falsey, A.R., Treanor, J.J., Betts, R.F. et Walsh, E.E. (1992). Viral respiratory infections in the institutionalized elderly: clinical and epidemiologic findings. *Journal of the American Geriatrics Society*, 40 (2), 115-119.

Fraser, D. (1993). Patient assessment. Infection in the elderly. *Journal of Gerontological Nursing*, 19 (7), 5-11.

Fraser, D. (1997). Assessing the elderly for infections. *Journal of Gerontological Nursing*, 23 (11), 5-10, 53.

Fried, T.R., Gillick, M.R. et Lipsitz, L.A. (1997). Short-term functional outcomes of long-term care residents with pneumonia treated with and without hospital transfer. *Journal of the American Geriatrics Society*, 45 (3), 302-306.

Garner, J.S. (1996). Guidelines for isolation precautions in hospitals. The Hospital Infection Control Practices Advisory Committee (HICPAC). *Infection Control and Hospital Epidemiology*, 17 (1), 53-80.

Garner, J.S. et Favero, M.S. (1985). *Guideline for Handwashing and Hospital Environmental Control*. Atlanta: Centers for Disease Control and Prevention.

Gavazzi, G. et Krause, K.H. (2002). Ageing and infection. *The Lancet Infectious Diseases*, 2 (11), 659-666.

Giuliano, K.K., Giuliano, A.J., Scott, S.S., MacLachlan, E., Pysznik, E., Elliot, S. et Woytowicz, D. (2000). Temperature measurement in critically ill adults: a comparison of tympanic and oral methods. *American Journal of Critical Care*, 9 (4), 254-261.

Gleckman, R.A. (1991). Pneumonia: update on diagnosis and treatment. *Geriatrics*, 46 (2), 49-50, 55-56.

Goronzy, J.J., Fulbright, J.W., Crowson, C.S., Poland, G.A., O'Fallon, W.M. et Weyand, C.M. (2001). Value of immunological markers in predictive responsiveness to influenza vaccination in elderly individuals. *Journal of Virology*, 75 (24), 12182-12187.

Govaert, T.M., Dinant, G.J., Aretz, K. et Knottnerus, J. (1998). The predictive value of influenza symptomatology in elderly people. *Family Practice*, 15 (1), 16-22.

Greene, J.N. (1996). The microbiology of colonization, including techniques for assessing and measuring colonization. *Infection Control and Hospital Epidemiology*, 17 (2), 114-118.

Gross, P.A. (1983). Nosocomial infections in the elderly described. *Infection Control Digest*, 4 (11), 1-2.

Gubavera, L.V., Kaiser, L. et Hayden, F.G. (2000). Influenza virus neuraminidase inhibitors. *Lancet*, 355 (9206), 827-835.

Harrington, C., Kovner, C., Mezey, M., Kayser-Jones, J., Burger, S., Mohler, M., Burke, R. et Zimmerman, D. (2000). Experts recommend minimum nurse staffing standards for nursing facilities in the United States. *Gerontologist*, 40 (1), 5-16.

Hazzard, W.R., Blass, J.P., Ettinger, W.H., Halter, J.B. et Ouslander, J.G. (dir.) (1999). *Principles of Geriatric Medicine and Gerontology*, 4e éd. Toronto: McGraw-Hill.

Hecht, A., Siple, J., Deitz, S. et Williams, P. (1995). Diagnosis and treatment of pneumonia in the nursing home. *Nurse Practice*, 20 (5), 24, 27-28, 35-39.

Hooker, E.A. et Houston, H. (1996). Screening for fever in an adult emergency department: oral vs tympanic thermometry. *Southern Medical Journal*, 89 (2), 230-234.

Houk, V.N., Baker, J.H., Sorensen, K. et Kent, D.C. (1968). The epidemiology of tuberculosis infection in a closed environment. *Archives of Environmental Health*, 16 (1), 26-35.

Irvine, P.W., Van Buren, N. et Crossley, K. (1984). Causes for hospitalization of nursing home residents: the role of infection. *Journal of the American Geriatrics Society*, 32 (2), 103-107.

Irwin, R.S.S., Whitaker, S., Pratter, M.R., Millard, C.E., Tarpey, J.T. et Corwin, R.W. (1982). The transiency of oropharyngeal colonization with gram negative bacilli in residents of skilled nursing facility. *Chest*, 81, 31-35.

Jarrett, P.G., Rockwood, K., Carver, D., Stolee, P. et Cosway, S. (1995). Illness presentation in elderly patients. *Archives of Internal Medicine*, 155 (10), 1060-1064.

Jarvis, W.R. (1996). The epidemiology of colonization. *Infection Control and Hospital Epidemiology*, 17 (1), 47-52.

Jensen, B.N., Jensen, F.S., Madsen, S.N. et Lossl, K. (2000). Accuracy of digital tympanic, oral, axillary, and rectal thermometers compared with standard rectal mercury thermometers. *European Journal of Surgery*, 166 (11), 848-851.

John, J.E. et Ribner, B.S. (1991). Antibiotic resistance in long-term care facilities. *Infection Control and Hospital Epidemiology*, 12 (4), 245-250.

Kammoun, S., Gold, G., Bouras, C., Giannakopoulos, P., McGee, W., Herrmann, F. et Michel, J.P. (2000). Immediate causes of death of demented and non-demented elderly. *Acta Neurologica Scandinavica*, 176 (suppl.), 96-99.

Kolterman, O.G., Olefsky, J.M., Kurahara, C. et Taylor, K. (1980). A defect in cell-mediated immune function in insulin-resistant diabetic and obese subjects. *The Journal of Laboratory and Clinical Medicine*, 96 (3), 535-543.

Ladouceur, R. (1987). Plaies de pression. Dans M. Arcand et R. Hébert (dir.), *Précis pratique de gériatrie* (p. 241-253). Saint-Hyacinthe: Édisem.

Larson, E., Bryan, J., Adler, L. et Blane, C. (1997). A multifaceted approach to changing handwashing behavior. *American Journal of Infection Control*, 25 (1), 3-10.

Lee, Y.L., Thrupp, L.D., Friis, P.H., Fine, M., Maleki, P. et Cesario, T.C. (1992). Nosocomial infection and antibiotic utilization in getriatric patients: a pilot prospective surveillance program in a skilled-nursing facitity. *Gerontology*, 38, 223-332.

Lesourd, B. et Mazari, L. (1999). Nutrition and immunity in the elderly. *The Proceedings of the Nutrition Society*, 58 (3), 685-695.

Loeb, M., McGeer, A., McArthur, M., Walter, S. et Simor, A.E. (1999). Risk factors for pneumonia and other lower respiratory tract infections in elderly residents of long-term care facilities. *Archives Internal Medicine*, 159 (17), 2058-2064.

Manian, F.A. et Griesenauer, S. (1998). Lack of agreement between tympanic and oral temperature measurements in adult hospitalized patients. *American Journal of Infection Control*, 26 (4), 428-430.

Mayer, J.A., Dubbert, P.M., Miller, M., Burkett, P.A. et Chapman, S.W. (1986). Increasing handwashing in an intensive care unit. *Infection Control*, 7 (5), 259-262.

McFadden, J.P., Price, R.C., Eastwood, H.D. et Briggs, R.S. (1984). Raised respiratory rate in elderly dehydrated elderly patients. *Clinical Endocrinology*, 20, 451-456.

McGee, W. (1993). Causes of death in a hospitalized geriatric population : an autopsy study of 3 000 patients Virchows. *Archives d'anatomie et de cytologie pathologiques*, 423 (5), 343-349S.

McGeer, A., Campbell, B., Emori, T.G., Hierholzer, W.J., Jackson, M.M., Nicolle, L.E., Peppler, C., Rivera, A., Schollenberger, D.G. et Simor, A.E. (1991). Definitions of infection for surveillance in long-term care facilities. *American Journal of Infection Control*, 19 (1), 1-7.

McGeer, A., Sitar, D.S., Tamblyn, S.E., Kolbe, F., Orr, P. et Aoki, F.Y. (2000). Use of antiviral prophylaxis in influenza outbreaks in long-term care facilities. *Canadian Journal of Infectious Diseases*, 11 (4), 187-192.

Mehr, D.R., Binder, E.F., Kruse, R.L., Zweig, S.C., Madsen, R., Popejoy, L. et D'Agostino, R.B. (2001). Predicting mortality in nursing home residents with lower respiratory tract infection : the Missouri LRI study. *The Journal of the American Medical Association*, 286 (19), 2427-2436.

Merrien, D. (2002). [Characteristics of infectious diseases in the elderly]. *La Presse médicale*, 31 (32), 1517-1520.

Ministère de la Santé et des Services sociaux (2003). *Protocole d'intervention influenza en milieu d'hébergement et de soins de longue durée. Prévention, surveillance et contrôle*. Québec : gouvernement du Québec, ministère de la Santé et des Services sociaux.

Muder, R.R. (2000). Management of nursing home-acquired pneumonia : unresolved issues and priorities for future investigation. *Journal of the American Geriatrics Society*, 48 (1), 95-96.

Murasko, D.M. et Bernstein, E.D. (1999). Immunology of aging. Dans W.R. Hazzard, J.P. Blass, W.H. Ettinger, J.B. Halter et J.G. Ouslander (dir), *Principles of Geriatric Medicine and Gerontology*, 4e éd. (p. 97-116). Toronto : McGraw-Hill.

Naughton, B.J. et Mylotte, J.M. (2000). Treatment guideline for nursing home-acquired pneumonia based on community practice. *Journal of the American Geriatrics Society*, 48 (1), 82-88.

Nicholson, K.G., Webster, R.G. et Hay, A.J. (1998). *Textbook of influenza*. Oxford : Blakwell Science.

Nicolle, L.E. (1999) Urinary tract infections in the elderly. Dans W.R. Hazzard, J.P. Blass, W.H. Ettinger, J.B. Halter et J.G. Ouslander (dir.), *Principles of Geriatric Medicine and Gerontology*, 4e éd. (p. 823-834). Toronto : McGraw-Hill.

Nicolle, L.E. (2000). Infection control in long-term care facilities. *Clinical Infectious Diseases*, 31 (3), 752-756.

Nicolle, L.E. et Garibaldi, R.A. (1995). Infections control in long-term care facilities. *Infection Control and Hospital Epidemiology*, 16 (1), 348-353.

Nicolle, L.E., McLeod, J., McIntyre, M. et MacDonell, J.A. (1986). Significance of pharyngeal colonization with aerobic gram-negative bacilli in elderly institutionalized men. *Age Ageing*, 15 (1), 47-52.

Nicolle, L.E., Strausbaugh, L.J. et Garibaldi, R.A. (1996). Infections and antibiotic resistance in nursing homes. *Clinical Microbiology Reviews*, 9 (1), 1-17.

Norman, D.C. et Toledo, S.D. (1992). Infections in elderly persons. An altered clinical presentation. *Clinics in Geriatric Medicine*, 8 (4), 713-719.

Norman, D.C. et Yoshikawa, T.T. (1996). Fever in the elderly. *Infectious Disease Clinics of North America*, 10 (1), 93-99.

Ouslander, J.G. (1989). Medical care in the nursing home. *The Journal of the American Medical Association*, 262 (18), 2582-2590.

Ouslander, J.G., Osterweil, D. et Morley, J. (1997). *Medical Care in the Nursing Home*. New York : McGraw-Hill.

Pals, J.K., Weinberg, A.D., Beal, L.F., Levesque, P.G., Cunnungham, T.J. et Minaker, K.L. (1995). Clinical triggers for detection of fever and dehydration : implications for long-term care nursing. *Journal of Gerontological Nursing*, 21 (4), 13-19.

Richards, C. (2002). Infections in residents of long-term care facilities : an agenda for research. Report of an expert panel. *Journal of the American Geriatrics Society*, 50 (3), 570-576.

Rossi, A., Ganassini, A., Tantucci, C. et Grassi, V. (1996). Aging and the respiratory system. *Aging (Milano)*, 8 (3), 143-161.

Rothan-Tondeur, M., Meaume, S., Girard, L., Weill-Engerer, S., Lancien, E., Abdelmalak, S., Rufat, P. et Le Blanche, A.F. (2003). Risk factors for nosocomial pneumonia in a geriatric hospital : a control-case one-center study. *Journal of the American Geriatrics Society*, 51 (7), 997-1001.

Roth, R.N., Verdile, V.P., Grollman, L.J. et Stone, D.A. (1996). Agreement between rectal and tympanic membrane temperatures in marathon runners. *Annals of Emergency Medicine*, 28 (4), 414-417.

Santé Canada (1995). *Guide de prévention des infections pour les établissements de soins prolongés*. Ottawa : gouvernement du Canada, Santé Canada.

Santé Canada (1999). *Guide de prévention des infections. Pratiques de base et précautions additionnelles visant à prévenir la transmission des infections dans les établissements de santé* (nº 25S4). Ottawa : gouvernement du Canada, Santé Canada.

Saviteer, S.M., Samsa, G.P. et Rutala, W.A. (1988). Nosocomial infections in the elderly. Increased risk per hospital day. *The American Journal of Medicine*, 84 (4), 661-666.

Shlaes, D.M., Lehman, M.H., Currie-McCumber, C.A., Kim, C.H. et Floyd, R. (1986). Prevalence of colonization with antibiotic resistant gram-negative bacilli in nursing home care unit : the importance of cross-colonization as documented by plasmid analysis. *Infection Control*, 7 (11), 538-545.

Simon, I., Cocquelin, A. et Cassou, B. (2002). L'infection nosocomiale en contexte gériatrique. *La Presse médicale*, 31 (32), 1506-1511.

Smith, P.W., Daly, P.B. et Roccaforte, J.S. (1991). Current status of nosocomial infection control in extended care facilities. *The American Journal of Medicine*, 91 (3B), 281S-285S.

Stavem, K., Saxholm, H. et Smith-Erichsen, N. (1997). Accuracy of infrared ear thermometry in adult patients. *Intensive Care Medicine*, 23 (1), 100-105.

Sterberg, H. (1997). Le système immunitaire. Dans P.S. Timiras (dir.), *Vieillissement et gériatrie : Les bases physiologiques*. Québec : Les Presses de l'Université Laval.

Stevenson, C.G., McArthur, M.A., Naus, M., Abraham, E. et McGeer, A.J. (2001). Prevention of influenza and pneumococcal pneumonia in Canadian long-term care facilities : how are we doing ? *Canadian Medical Association Journal*, 164 (10), 1413-1419.

Stevenson, K.B. (1999). Regional data set of infection rates for long-term care facilities : description of a valuable benchmarking tool. *American Journal of Infection Control*, 27 (1), 20-26.

Strausbaugh, L.J. (2000). Prevention and control of infection in long-term care facilities : an overview. *Journal of the American Medical Directors Association*, 1 (2), 62-68.

Tortora, G.J., Funke, B.R., Case, C.L. et Martin, L. (2003). *Introduction à la microbiologie*. Saint-Laurent : Éditions du Renouveau Pédagogique.

Tortora, G.J. et Grabrowski, S.R. (1994). *Principes d'anatomie et de physiologie*. Anjou, Québec : Centre éducatif et culturel.

Veyssier, P. et Belmin, J. (2004). *Conduites à tenir dans les infections du sujet âgé*. Paris : Masson.

Veyssier, P., Bergogne-Bérézin, E., Gallinari, C., Rocca-Serra, J.P., Benhamou, D., Taytard, A., Chiarelli, P. et Boumendil, O. (2001). Épidémiologie et prise en charge des pneumonies suspectées en maison de retraite. *La Presse médicale*, 30 (36), 1770-1776.

Voyer, P., Cloutier, L. et Michaud, D. (2003). Les infections des voies respiratoires : un problème critique chez les aînés l'hiver. *Perspective infirmière*, 1 (1), 45-50.

Warren, J.W., Palumbo, F.B., Fitterman, L. et Speedie, S.M. (1991). Incidence and characteristics of antibiotic use in aged nursing home patients. *Journal of the American Geriatrics Society*, 39 (10), 963-972.

Yates, M., Horan, M.A., Clague, J.E., Gonsalkorale, M., Chadwick, P.R. et Pendleton, N. (1999). A study of infection in elderly nursing/residential home and community-based residents. *The Journal of Hospital Infection*, 43 (2), 123-129.

Yeh, S.S. et Schuster, M.W. (1999). Geriatric cahexia : the role of cytokines. *The American Journal of Clinical Nutrition*, 70 (2), 183-197.

Yoshikawa, T.T. et Norman, D.C. (1996). Approach to fever and infection in the nursing home. *Journal of the American Geriatrics Society*, 44 (1), 74-82.

Yoshikawa, T.T. et Norman, D.C. (2001). *Infectious Disease in the Aging. A Clinical Handbook*. Totowa, NJ : Humana Press.

Zimmer, J.G., Bentley, D.W., Valenti, W.M. et Watson, N.M. (1986). Systemic antibiotic use in nursing homes : a quality assessment. *Journal of the American Geriatrics Society*, 34 (10), 703-710.

Zimmerman, S., Gruber-Aldini, A.L., Hebel, J.R., Sloane, P.D. et Magaziner, J. (2002). Nursing home facility risks factors for infection and hospitalisation : importance of registered nurse turnover, administration, and social factors. *Journal of the American Geriatrics Society*, 50 (12), 1987-1995.

CHAPITRE 9

Abraham, I.L., Onega, L.L., Reel, S.J. et Wofford, A.B. (1997). Effects of cognitive group interventions on depressed frail nursing home residents. Dans R.L. Rubinstein et M.P. Lawton (dir.), *Depression in Long-Term Care and Residential Care: Advances in Research and Treatment* (p. 154-168). New York: Springer.

Alexopoulos, G.S., Abrams, R.C., Young, R.C. et Shamoian, C.A. (1988). Cornell Scale for Depression in Dementia. *Biological Psychiatry, 23*, 271-284.

American Psychiatric Association (1994). *Diagnostic and Statistical Manual of Mental Disorders*, 4ᵉ éd. (DSM-IV). Washington, DC: American Psychiatric Association.

Bizzini, L. et Favre, C. (1997). La thérapie cognitive des troubles dépressifs chez la personne âgée: stratégies adaptatives et modèles d'intervention. *Journal de thérapie comportementale et cognitive, 7*, 153-162.

Bohlmeijer, E., Smit, F. et Cuijpers, P. (2003). Effects of reminiscence and life review on late-life depression: a meta-analysis. *International Journal of Geriatric Psychiatry, 18*, 1088-1094.

Bourque, P., Blanchard, L. et Vézina, J. (1990). Étude psychométrique de l'Échelle de dépression gériatrique. *Revue canadienne du vieillissement, 9*, 348-355.

Camus, V., Schmitt, L., Ousset, P.J. et Micas, M. (1995). Dépression et démence: contribution à la validation française de deux échelles de dépression: Cornell Scale for Depression in Dementia et Dementia Mood Assessment Scale. *L'Encéphale, xxi*, 201-208.

Cappeliez, P. et Watt, L.M. (2003). L'intégration de la rétrospective de vie et de la thérapie cognitive de la dépression avec des personnes âgées. *Revue francophone de clinique comportementale et cognitive, 8*, 20-27.

Conn, D.K. et Kaye, A. (2001). Mood and anxiety disorders. Dans D.K. Conn et Nathan Herrmann, *Practical Psychiatry in the Long-Term Care Facility: A Handbook for Staff* (p. 83-104). Ashland, OH: Hogrefe & Huber Publishers.

Hinrichsen, G.A. (1999). Interpersonal psychotherapy for late-life depression. Dans M. Duffy (dir.), *Handbook of Counselling and Psychotherapy with Older Adults* (p. 470-486). New York: Wiley.

Katz, I.R., et Parmelee, P.A. (1997). Overview. Dans R.L. Rubinstein et M.P. Lawton (dir.), *Depression in Long-Term Care and Residential Care: Advances in Research and Treatment* (p. 1-25). New York: Springer.

Konnert, C., Gatz, M. et Hertzsprung, E.A.M. (1999). Preventive interventions for older adults. Dans M. Duffy (dir.), *Handbook of Counselling and Psychotherapy with Older Adults* (p. 314-334). New York: Wiley.

Krause, N. (1999). Mental disorder in late life: exploring the influences of stress and socioeconomic status. Dans C.S. Aneshensel et J.C. Phelan (dir.), *Handbook of the Sociology of Mental Health* (p. 183-208). New York: Kluwer Academic/Plenum.

Laidlaw, K., Thompson, L.W., Dick-Siskin, L. et Gallagher-Thompson, D. (2003). *Cognitive Behaviour Therapy with Older People.* New York: Wiley.

Lichtenberg, P.A. (1998). *Mental Health Practice in Geriatric Health Care Settings.* Binghamton, NY: Haworth Press.

Lyketsos, C.G. et Olin, J. (2002). Depression in Alzheimer's disease: overview and treatment. *Biological Psychiatry, 52*, 243-252.

Lyness, J.M. et Caine, E.D. (2000). Vascular disease and depression: models of the interplay between psychopathology and medical comorbidity. Dans G.M. Williamson, D.R. Shaffer et P.A. Parmelee (dir.), *Physical Illness and Depression in Older Adults: A Handbook of Theory, Research, and Practice.* (p. 31-49). New York: Plenum.

Mather, M. (2004). Aging and emotional memory. Dans D. Reisberg et P. Hertel (dir.), *Memory and Emotion* (p. 272-307). New York: Oxford University Press.

Morin, A.J.S. et Chalfoun, C. (2003). La prévention de la dépression: l'état actuel des connaissances. *Psychologie canadienne, 44*, 39-60.

Mossey, J.M. (1997). Subdysthymic depression and the medically ill elderly. Dans R.L. Rubinstein et M.P. Lawton (dir.), *Depression in Long-Term Care and Residential Care: Advances in Research and Treatment* (p. 55-74). New York: Springer.

Newmann, J.P., Engel, R.J. et Jensen, J.E. (1991). Age differences in depressive symptom experiences. *Journal of Gerontology, 46*, P224-P235.

Olin, J.T., Schneider, L.S., Katz, I.R., Meyers, B.S., Alexopoulos, G.S., Breitner, J.C., Bruce, M.L., Caine, E.D., Cummings, J.L., Devanand, D.P., Krishnan, K.R., Lyketsos, C.G., Lyness, J.M., Rabins, P.V., Reynolds, C.F. 3ᵉ, Rovner, B.W., Steffens, D.C., Tariot, P.N. et Lebowitz, B.D. (2002). Provisional diagnostic criteria for depression of Alzheimer disease. *American Journal of Geriatric Psychiatry, 10*, 125-128.

Parmelee, P.A., Lawton, M.P. et Katz, I.R. (1989). Psychometric properties of the Geriatric Depression Scale among institutionalized aged. *Psychological Assessment, 1*, 331-338.

Rovner, B. et Katz, I.A. (1993). Psychiatric disorders in the nursing homes: a selective review of studies related to clinical care. *International Journal of Geriatric Psychiatry, 8*, 75-87.

Sheikh, J.Y.J. (1986). Geriatric Depression Scale: recent findings and development of a short version. Dans T.L. Brink (dir.), *Clinical Gerontology: A Guide to Assessment and Intervention.* New York: Howarth Press.

Stiles, P.G. et McGarrahan, J.F. (1998). The Geriatric Depression Scale: a comprehensive review. *Journal of Clinical Geropsychology, 4*, 89-110.

Thompson, L.W. et Gallagher-Thompson, D. (1997). Psychotherapeutic interventions with older adults in outpatient and extended care settings. Dans R.L. Rubinstein et M.P. Lawton (dir.), *Depression in Long-Term Care and Residential Care: Advances in Research and Treatment* (p. 169-184). New York: Springer.

Vézina, J., Landreville, P., Bizzini, L. et Soucy, P. (2000). Les dépressions. Dans P. Cappeliez, P. Landreville et J. Vézina (dir.), *Psychologie clinique de la personne âgée* (p. 23-41). Ottawa: Les Presses de l'Université d'Ottawa.

Vida, S., Des Rosiers, P., Carrier, L. et Gauthier, S. (1994). Depression in Alzheimer's disease: receiver operating characteristics analysis of the Cornell Scale for Depression in Dementia and the Hamilton Depression Scale. *Journal of Geriatric Psychiatry and Neurology, 7*, 159-162.

Watt, L.M. et Cappeliez, P. (1996). Efficacité de la rétrospective de vie intégrative et de la rétrospective de vie instrumentale en tant qu'interventions pour des personnes âgées dépressives. *Revue québécoise de psychologie, 17*, 101-114.

Watt, L.M. et Cappeliez, P. (2000). Integrative and instrumental reminiscence therapies for depression in older adults: intervention strategies and treatment effectiveness. *Aging & Mental Health, 4*, 166-177.

Williamson, G.M., Shaffer, D.R. et Parmelee, P.A. (dir.) (2000). *Physical Illness and Depression in Older Adults: A Handbook of Theory, Research, and Practice.* New York: Plenum.

Yesavage, J.A., Brink, T.L., Rose, T.L. Lum, O., Huang, V., Adey, M. et Leirer, V.O. (1983). Development and validation of a geriatric depression screening scale: a preliminary report. *Journal of Psychiatric Research, 17*, 37-49.

CHAPITRE 10

Beauchamp, L., Constance, M. et Deslauriers, C. (1996). *Programme de soins pour la clientèle présentant un potentiel suicidaire.* Montréal: Hôpital Douglas.

Beauchamp, L. et Deslauriers, C. (2000). La conduite suicidaire, de l'idée au geste: principes d'interventions. *Revue française de psychiatrie et de psychologie médicale, 35* (4), 22-27.

Berger, L. et Mailloux-Poirier, D. (1993). *Personnes âgées: Une approche globale.* Montréal: Édition Beauchemin.

Daigle, M., Labelle, R. et Girard, C. (2003). *Cadre de référence pour la prévention du suicide dans les établissements psychiatriques du Québec.* Montréal: Regroupement des directrices d'établissements de soins psychiatriques.

Douguet, F., (collaboration) Pennec, S. (2001). *Le suicide des personnes âgées. Recension de la littérature (France-Canada)*, 98 p. Brest, ARS, UBO, Direction départementale des Affaires sanitaires et sociales, Paris: appel à projet «Promotion de la Santé» 2001.

Fortin, A. (1996). *L'autonomie psychologique et les idéations suicidaires chez les personnes âgées vivant en institution.* Mémoire de maîtrise, Université du Québec à Trois-Rivières, Département de psychologie, Québec, Canada.

Fortinash, K.M. et Holoday-Worret, P.A. (2003). *Soins infirmiers: Santé mentale et psychiatrie.* Montréal: Éditions Beauchemin.

Lalonde P., Aubut, J. et Grundberg, F. (2001). *Psychiatrie clinique: Une approche bio-psycho-sociale*, t. 2. Boucherville: Éditions Gaétan Morin.

Ministère de la Santé et du Bien-être social (1994). *Le suicide au Canada: Mise à jour du rapport du Groupe d'étude sur le suicide au Canada.* Ottawa: Gouvernement du Canada.

Morissette, P. (1994). *Le suicide. Intervention. Mythes, tabous et réalités. Évaluation du potentiel suicidaire.* Montréal: Centre de prévention du suicide.

Préville, M., Boyer, R., Hébert, R., Bravo, G. et Séguin, M. (2003). *Étude des facteurs psychologiques, sociaux et de santé reliés au suicide chez les personnes âgées*. Sherbrooke : Centre de recherche sur le vieillissement, Institut universitaire de gériatrie de Sherbrooke.

Townsend, M.C. (2004). *Soins infirmiers, psychiatrie et santé mentale*. Saint-Laurent : Éditions du Renouveau Pédagogique.

CHAPITRE 11

Adams, F. (1988). How much do elders drink? *Geriatric Nursing, 9* (4), 218-221.

Armstrong, L., Maresh, C., Castellani, J., Bergeron, M., Kenefick, R., LaGrasse, K. et Reibe, D. (1994). Urinary indices of hydration status. *International Journal of Sport Nutrition, 4* (3), 265-279.

Armstrong-Esther, C.A., Browne, K.D., Armstrong-Esther, D.C. et Sander, L. (1996). The institutionalized elderly : dry to the bone! *International Journal of Nursing Studies, 33* (6), 619-628.

Arinzon, Z., Feldman, J., Fidelman, Z., Gepstein, R. et Berner, Y.N. (2004). Hypodermoclysis (subcutaneous infusion) effective mode of treatment of dehydration in long term care patients. *Archives of Gerontology and Geriatrics, 38,* 167-173.

Berger, E.Y. (1984). Nutrition by hypodermoclysis. *Journal of American Geriatrics Society, 32,* 199-203.

Black, J.M. et Matassarin-Jacob, E. (1993). *Luckmann and Sorensen's Medical-Surgical Nursing. A psychophysiologic approach*, 4ᵉ éd. Philadelphia : Saunders Company.

Castro, de, J.M. (1992). Age-related changes in natural spontaneous fluid ingestion and thirst in humans. *Journal of Gerontology : Psychological Sciences, 47* (5), 321-330.

Chidester, J.C. et Spangler, A.A. (1997). Fluid intake in the institutionalized elderly. *Journal of the American Dietetic Association, 97* (1), 23-30.

Colling, J., Owen, T. et McCreedy, M. (1994). Urine volume and voiding patterns among incontinent nursing home residents, *Geriatric Nursing, 15* (4), 188-192.

Dasgupta, M., Binns, M.A. et Rochon, P.A. (2000). Subcutaneous fluid infusion in a long term care setting. *Journal of American Geriatrics Society, 48,* 795-799.

Dharmarajan, T.S. et Ugalino, J.T. (2003). The physiology of aging. Dans T.S. Dharmarajan et R.A. Norman (dir.), *Clinical Nursing*. New York : Parthenon Publishing.

Dorrington, K.L. (1981.) Skin turgor : do we understand the clinical sign? *The Lancet, 31,* 264-266.

Feinsod, F.M., Levenson, S.A., Papp, K., Rapp, M.P., Beechinor, E. et Liebmann, L. (2002). Dehydration in frail, older residents in long-term care facilities. *Journal of the American Medical Directors Association, 3* (6), 371-376.

Food and Nutrition Board (1989). *Recommended Dietary Allowances*, 10ᵉ éd. Washington, DC : National Academy Press.

Gasford, W. et Evans, D.G. (1949). Hyaluronidase in paediatric therapy. *The Lancet, 2,* 505.

Gordon, J., An, L., Hayward, R. et Williams, B. (1998). Initial emergency department diagnosis and return visits : risk versus perception. *Annals of Emergency Medicine, 32* (5), 569-573.

Grant, A. et DeHoog, S. (1991). *Nutritional Assessment and Support*, 4ᵉ éd. Seattle, WA : Anne Grant/Susan DeHoog.

Gross, C.R., Lindquist, R.D., Woolley, A.C., Granieri, R., Allard, K. et Webster, B. (1992). Clinical indicators of dehydration severity in elderly patients. *The Journal of Emergency Medicine, 10,* 267-274.

Hazzard, W.R., Blass, J.P., Ettinger, W.H., Halter, J.B. et Ouslander, J.G. (1999). *Principles of Geriatric Medicine and Gerontology*. The McGraw-Hill Companies, inc.

Hodgkinson, B., Evans, D. et Wood, J. (2003). Maintaining oral hydration in older adults : a systematic review. *International Journal of Nursing Practice, 9,* S19-28.

Hoffman, N. (1991). Dehydration in the elderly : insidious and manageable. *Geriatrics, 46* (6), 35-39.

Holben, D.H., Hassell, J.T., Williams, J.L. et Helle, B. (1999). Fluid intake compared with established standards and symptoms of dehydration among elderly residents of a long term care facility. *Journal of the American Dietetic Association, 99* (11), 1447-1450.

Jassal, S.V. et Oreopoulos, D.G. (2000). The aging kidney. Dans D.G. Oreopoulos, W.R. Hazzard et R. Luke (dir.), *Nephrology and Geriatrics Integrated* (p. 27-36). Boston : Kluwer Academic Publisher.

Kayser-Jones, J. et Pengilly, K. (1999). Dysphagia among nursing home residents. *Geriatric Nursing, 20* (2), 77-84.

Kayser-Jones, J., Schell, E.S., Porter, C., Barbaccia, J.C. et Shaw, H. (1999). Factors contributing to dehydration in nursing homes : inadequate staffing and lack of professional supervision. *Journal of American Geriatrics Society, 47,* 1187-1194.

Kleiner, S.M. (1995). Water : an essential but overlooked nutrient. *Journal of American Dietetic Association, 99,* 200-206.

Kneisl, C.R. et Ames, S.A. (1986). *Adult Health Nursing : A Biophysical Approach.* Menlo Park, CA : Addison-Wesley Publishing Co.

Kobriger, A. (1999). Dehydration : stopping a « sentinel event ». *Nursing Homes, 48* (10), 60-65. Version électronique.

Larson, K. (2003). Fluid balance in the elderly : assessment and intervention – important role in community health and home care nursing. *Geriatric Nursing, 24* (5), 306-309.

Lavizzo-Mourey, R. (1987). Dehydration in the elderly : a short review. *Journal of the National Medical Association, 79* (10), 1033-1038.

Lavizzo-Mourey, R., Johnson, J. et Stolley, P. (1988). Risk factors for dehydration among elderly nursing home residents. *Journal of American Geriatrics Society, 36* (3), 213-218.

Lauque, S. et Vellas, B. (2004). *Hydratation et personnes âgées*. www.centre-evian.com/fonddoc/dos-science/pop_impression/dos24.html. Extrait du site Web www.centre-evian.com le 9 août 2004.

Lippmann, B. (1995). Fluid and electrolyte management. Dans G. Edwald et C. McKenzie (dir.). *Manual of Medical Therapeutics*, 28ᵉ éd. Boston : Little, Brown and Co.

Matteson, M.A. et McConnell, E.S. (1988). *Gerontological Nursing : Concepts and Practice*. Philadelphia : WB Saunders Co.

Mentes, J., Culp, K., Maas, M. et Rantz, M. (1999). Acute confusion indicators : risk factors and prevalence. *Research in Nursing & Health, 22* (2), 95-105.

Mentes, J., Iowa-Veterans Affairs Research Consortium (2000). Hydration management protocole. *Journal of gerontological nursing*, octobre, 6-15.

Mentes, J., Iowa-Veterans Affairs Research Consortium (2001). *Evidence-Based Protocol. Hydration Management.* The University of Iowa Gerontological Nursing Interventions Research Center Research Dissemination Core (RDC).

Metheny, N. (1996). *Fluid and Electrolyte Balance. Nursing Considerations*, 3ᵉ éd. Philadelphia : Lippincott.

Metheny, N. (2000). *Fluid and Electrolyte Balance. Nursing Considerations,* 4ᵉ éd. Philadelphia : Lippincott.

Minaker, K. (1995). Principles of fluid/electrolyte balance and renal disorders in the elderly. Dans W. Reichel (dir.) *Care of the Elderly : Clinical Aspects of Aging*, 4ᵉ éd. Baltimore : Williams and Wilkins.

Mueller, K.D. et Boisin, A.M. (1989). Keeping your patient's water level up. *Register Nurse, 52* (7), 65-68.

Musson, N.D., Kincaid, J., Ryan, P., Glussman, B., Varone, L., Gamarra, N., Wilson, R., Reefe, W. et Silverman, M. (1990). Nature, nurture, nutrition : interdisciplinary programs to address the prevention of malnutrition and dehydration. *Dysphagia, 5* (2), 96-101.

Naitoh, M. et Burrell, M.L. (1998). Thirst in elderly subjects. Dans M.J. Arnaud, R.J. Baumgartner et J.E. Morley (dir.), *Hydration and Aging*. New York : Springer.

O'Neil, P., Duggan, J. et Davies, I. (1997). Response to dehydration in elderly patient in long term care. *Aging Clinical Experimental Research, 9* (5), 372-377.

Pagana, K.D. et Pagana, T.J. (1991). *L'infirmière et les examens paracliniques*. Montréal : Edisem ; Paris : Éditions Maloine.

Palevsky, P., Bhagrath, R. et Greenberg, A. (1996). Hypernatremia in hospitalized patients. *Annals of Internal Medicine, 124* (2), 127-203.

Phillips, P.A., Bretherton, M., Johnston, C.I. et Gray, L. (1991). Reduced osmotic thirst in healthy elderly men. *American Journal of Physiology, 261,* R166-171.

Reedy, D. (1988). How can you prevent dehydration? *Geriatric Nursing, 9* (4), 224-226.

Robinson, S.B. et Rosher, R.B. (2002). Can a beverage cart help improve hydration? *Geriatric Nursing, 23* (4), 208-211.

Sansevero, A.C. (1997). Dehydration in the elderly: strategies for prevention and management. *The Nurse practitioner, 22* (4), 41-72.

Skipper, A. (1993). Monitoring and complications of enteral feeding. Dans A. Skipper (dir.), *Dietician's Handbook of Enteral and Parenteral Nutrition.* Rockville, MD: Aspen Publishers.

Slesac, G., Schnuerle, J.W., Kinzel, E. et Jakob, J. (2003). Comparison of subcutaneous and intravenous rehydration in geriatric patients: a randomized trial. *Journal of American Geriatrics Society, 51* (2), 155-160.

Timiras, P.S. (1997). *Vieillissement et gériatrie. Les bases physiologiques.* Université Laval, Québec: Les Presses de l'Université Laval; Paris: Éditions Maloine.

Warren, J.L., Bacon, E.W., Harris, T., Marshall-McBean, A., Foley, D.J. et Phillips, C. (1994). The burden and outcomes associated with dehydration among elderly persons: national statistics, 1991. *American Journal of Public Health, 84* (8), 1265-1269.

Wilson, M. (1998). The management of dehydration in the nursing home. Dans M.J. Arnaud, R.J. Baumgartner et J.E. Morley (dir.), *Hydration and Aging.* New York: Springer.

CHAPITRE 12

Bruhat, A., Bos, C., Sibony-Prat, N., Bojic, N., Pariel-Madlessi, S. et Belmin, J. (2000). L'assistance nutritionnelle chez les malades âgés dénutris. *La Presse Médicale, 29,* 2191-2201.

Desjardins, I., Sanscartier, M., Gaudreault, M., Arguzzi, A. et St-Denis, L. (2000). Troubles oro-pharyngés et de l'œsophage. Dans D. Chagon Decelles, M.D. Gélinas, L. Lavallée Côté *et al.* (dir.), *Manuel de nutrition clinique,* 3ᵉ éd. (chap. 5.2, p. 1-17). Montréal: OPDQ.

Dessureault, C., Major, C. et Pettigrew, F. (1999). *Étude de l'état nutritionnel des personnes âgées hébergées en CHSLD de l'Outaouais.* Résumé du rapport de recherche, Hull, avril 1998, *Diététique en action, 12*(3), 18-21.

Ferland, G. (1997). Personnes âgées. Dans D. Chagon Decelles, M.D. Gélinas, L. Lavallée Côté *et al.* (dir.), *Manuel de nutrition clinique,* 3ᵉ éd. (chap. 2.5, p. 1-7). Montréal: OPDQ.

Ferland, G. (2002). *Alimentation et vieillissement.* Montréal: Les Presses de l'Université de Montréal.

Harrington, C., Kovner, C., Mezey, M., Kayser-Jones, J., Burger, S., Mohler, M., Burke, R. et Zimmerman, D. (2000). Experts recommend minimum nurse staffing standards for nursing facilities in the United States. *The Gerontologist, 40,* 5-16.

Hudson, H.M., Daubert, C.R. et Mills, R.H. (2000). The interdepency of protein-energy malnutrition, aging, and dysphagia. *Dysphagia, 15,* 131-138.

Jackson, R. (2003). The dining experience: making it pleasurable for long-term residents. *Healthcare Food and Nutrition Focus, 20,* 1-6.

Kayser-Jones, J. et Schell, E. (1997). The effect of staffing on the quality of care at mealtime. *Nursing Outlook, 45,* 64-72.

Keller, H.H. (1993). Malnutrition in institutionalized elderly: how and why? *Journal of the American Geriatric Society, 41,* 1212-1218.

Kergoat, M.-J. (1998). La dénutrition protéino-énergétique comme élément de fragilité chez la personne âgée. *Le Clinicien,* mars, 84-105.

Lafleur, M. et Kergoat, M.-J. (2000). Maigrir en milieu d'hébergement: un appel à l'aide silencieux. *Le Médecin du Québec, 35,* 51-57.

Morley, J.E. (2003). Anorexia and weight loss in older persons. *Journal of Gerontology: Medical Sciences, 58A,* 131-137.

Morley, J.E. et Silver, A.J. (1995). Nutritional issues in nursing home care. *Annals of Internal Medicine, 123,* 850-859.

Paquet, C., St-Arnaud-McKenzie, D., Kergoat, M.-J., Ferland, G. et Dubé, L. (2003). Direct and indirect effects of everyday emotions on food intake of elderly patients in institutions. *Journal of Gerontology: Medical Sciences, 58,* M153-58.

Simmons, S.F. et Reuben, D. (2000). Nutritional intake monitoring for nursing home residents: a comparison of staff documentation, direct observation, and photography methods. *Journal of the American Geriatric Society, 48,* 209-213.

Steele, C.M., Greenwood, C., Ens, I., Robertson, C. et Seidman-Carlson, R. (1997). Mealtime difficulties in a home for the aged: not just dysphagia. *Dysphagia, 12,* 43-50.

Thomas, D.R. (2002). Distinguishing starvation from cachexia. *Clinics in Geriatric Medicine, 18,* 883-891.

Thomas, D.R., Ashmen, W., Morley, J.E., Evans, W.J. et The Council for Nutritional Strategies in Long-Term Care (2000). Nutritional management in long-term care: development of a clinical guideline. *Journal of Gerontology: Medical Sciences, 55A,* M725-M734.

Van Ort, S. et Phillips, L.R. (1995). Nursing interventions to promote functional feeding. *Journal of Gerontological Nursing, 21,* 6-14.

Young, C.W.H., Binns, M.A. et Greenwood, C.E. (2001). Meal delivery practices do not meet needs of Alzheimer patients with increased cognitive and behavioral difficulties in a long-term care facility. *Journal of Gerontology: Medical Sciences, 56A,* M656-M661.

CHAPITRE 13

Amella, E.J. (2004). Presentation of illness in older adults. *The American Journal of Nursing, 104* (10), 40-51; quiz 52.

Barnabé, W., de Mendonca Neto, T., Pimenta, F.C., Pegoraro, L. et Scolaro, J.M. (2004). Efficacy of sodium hypochlorite and coconut soap used as disinfecting agents in the reduction of denture stomatitis, *Streptoccocus mutans* and *Candida albicans. Journal of Oral Rehabilitation, 31* (5), 453-459.

Benslama, L. (2002). Oral pain. *La Revue du Praticien, 52* (4), 400-403.

Brodeur, J.M., Benigeri, M., Naccache, H., Olivier, M. et Payette, M. (1996). Trends in the level of edentulism in Quebec between 1980 and 1993. *Journal of the Canadian Dental Association, 62* (2), 159-160 et 162-166.

Brodeur, J.M., Payette, M., Benigeri, M., Olivier, M., Chabot, D., Williamson, S. et Lemay, A. (1995). *Étude sur la santé buccodentaire des adultes de 18 ans et plus du Québec.* Montréal: Direction de la santé publique, Montréal-Centre.

Brodeur, J.M., Simard, P. et Kandelman, D. (1982). *Étude sur la santé buccodentaire des personnes de 65 ans et plus. Rapport final.* Groupe de recherche interdisciplinaire en santé. Montréal: Université de Montréal.

DeBiase, C.B. et Austin, A.L. (2003). Oral health and older adults. *Journal of Dental Hygiene, 77* (2), 125-145.

De Oliveira, T.R., et Frigerio, M.L. (2004). Association between nutrition and the prosthetic condition in edentulous elderly. *Gerodontology, 21* (4), 205-208.

Douglass, A.B. et Douglass, J.M. (2003). Common dental emergencies. *American Family Physician, 67* (3), 511-516.

Douglass, C.W., Jette, A.M., Fox, C.H., Tennstedt, S.L., Joshi, A., Feldman, H.A., McGuire, S.M. et McKinlay, J.B. (1993). Oral health status of the elderly in New England. *Journal of Gerontology, 48* (2), M39-46.

Farge, P. (1998). Recent findings in the etiopathogenesis of caries. *Archives de pédiatrie, 5* (10), 1140-1144.

Ghezzi, E.M. et Ship, J.A. (2000). Systemic diseases and their treatments in the elderly: impact on oral health. *Journal of Public Health Dentistry, 60* (4), 289-296.

Jones, J.A., Lavallée, N., Alman, J., Sinclair, C. et Garcia, R.I. (1993). Caries incidence in patients with dementia. *Gerodontology, 10* (2), 76-82.

Keyf, F. et Gungor, T. (2003). Comparison of effects of bleach and cleansing tablet on reflectance and surface changes of a dental alloy used for removable partial dentures. *Journal of Biomaterials Applications, 18* (1), 5-14.

Locker, D. (1995). Health outcomes of oral disorders. *International Journal of Epidemiology, 24* (suppl. 1), S85-89.

MacEntee, M.I., Hole, R. et Stolar, E. (1997). The significance of the mouth in old age. *Social Science & Medicine, 45* (9), 1449-1458.

Matthias, R.E., Atchison, K.A., Lubben, J.E., De Jong, F. et Schweitzer, S.O. (1995). Factors affecting self-ratings of oral health. *Journal of Public Health Dentistry, 55* (4), 197-204.

Niessen, L.C. et Fedele, D.J. (2002). Aging successfully: oral health for the prime of life. *Compendium, 23* (suppl. 10), 4-11.

Pérusse, R. (2004). Manifestations cliniques du cancer buccal. *Le Journal dentaire du Québec* (suppl. fév. 2004), 16-21.

Preshaw, P.M., Seymour, R.A. et Heasman, P.A. (2004). Current concepts in periodontal pathogenesis. *Dental Update, 31* (10), 570-572, 574-578.

Ritchie, C.S. (2002). Oral health, taste, and olfaction. *Clinics in Geriatric Medicine, 18* (4), 709-17.

Shay, K. (1997). Root caries in the older patient: significance, prevention, and treatment. *Dental Clinics of North America, 41* (4), 763-793.

Shay, K. (2000). Denture hygiene: a review and update. *The Journal of Contemporary Dental Practice, 1* (2), 28-41.

Sicilia, A., Arregui, I., Gallego, M., Cabezas, B. et Cuesta, S. (2002) A systematic review of powered vs manual toothbrushes in periodontal cause-related therapy. *Journal of Clinical Periodontology, 29* (suppl. 3), 39-54; discussion 90-91.

Stiefel, D.J., Truelove, E.L., Chin, M.M., Zhu, X.C. et Leroux, B.G. (1995). Chlorhexidine swabbing applications under various conditions of use in preventive oral care for persons with disabilities. *Special Care in Dentistry, 15* (4), 159-165.

Ten Cate, A.R. (1994). *Oral Histology: Development, Structure and Function,* 4e éd. St. Louis: C.V. Mosby.

Vargas, C.M., Kramarow, E.A. et Yellowitz, J.A. (2002). The oral health of older Americans. *Aging Trends, (3),* 1-8.

Yeung, S. (2002). Oral malodour and its clinical management. *Annals of the Royal Australasian College of Dental Surgeons, 16,* 141-144.

CHAPITRE 14

Agency for Health Care Policy and Research (AHCPR) (1996). Urinary incontinence in adults: acute and chronic management. *Clinical Practice Guideline,* n° 2 (12 janvier 2004), disponible également sur le site Internet du National Center for Biotechnology Information à l'adresse suivante: www.ncbi.nlm.nib.gov/books/bv.fcgi?rib=hstat6.biblist.10647.

Angus Reid (1997). *Urinary Incontinence in the Canadian Adult Population.* Sondage commandé par la Canadian Continence Foundation. Toronto, Ont.: Angus Reid Group.

Chevalier, M. et Morin, M. (1994). L'incontinence urinaire gériatrique. *Le clinicien, 9* (8), 29-48.

Dowd, T. (1994). Fluid intake and urinary incontinence in older community-dwelling women. *Journal of Community Health Nursing, 13* (3), 179-186.

Fondation d'aide aux personnes incontinentes (FAPI) (2001). Conférence canadienne du consensus sur l'incontinence urinaire: Guide des pratiques cliniques chez les adultes. Disponible également sur le site Internet de la Fondation d'aide aux personnes incontinentes à l'adresse suivante: www.continence-fdn.ca/content.html (12 janvier 2004).

Funderburg, M.K. et Bakas, T. (2002). Nursing assistants' perceptions of their ability to provide continence care. *Geriatric Nursing, 23* (2), 76-81.

Grosshans, C. (1994). La grille de miction: un traitement de l'incontinence et un soin gériatrique de qualité. *Revue de gériatrie, 15* (8), 400.

Herzog, R. et Fultz, N. (1990). Prevalence and incidence of urinary incontinence in community-dwelling populations. *Journal of the American Geriatric Society, 38* (8), 273-281.

Hunskaar, S. et Vinsnes, A. (1991). The quality of life in women with urinary incontinence as measured by the sickness impact profile. *CNS: The Journal for Advanced Nursing Practice, 39* (4), 378-382.

Kaschak Newman, D., Wallace, J., Blackwood, N. et Spencer, C. (1996). Promoting healthy bladder habits for seniors. *Journal of Ostomy Wound Management, 42* (10), 18-28.

Klag, M. (1998). *Experiences, Perceptions and Needs Away: A Large Scale Canadian Population Experiencing Incontinence in the Community.* Rapport pour le compte de la Canadian Continence Foundation, Toronto.

Lekan-Rutledge, D. (2000). Diffusion of innovation: A model for implementation of prompted voiding in long-term care settings. *Journal of Gerontological Nursing, 26* (4), 25-33.

Locher, J.L., Goode, P.S., Roth, D.L., Worrell, R.L. et Burgio, K.L. (2001). Reliability assessment of the bladder diary for urinary incontinence of older women. *Journal of Gerontological and Biological Sciences and Medical Sciences, 56* (1), M32-M35.

McCormack, M. et Latouf, J.B. (2002). Les canneberges et la prévention des infections urinaires: Mythe ou réalité? *Le clinicien, 17* (12), 45.

Mueller, C. et Cain, H. (2002). Comprehensive management of urinary incontinence through quality improvement efforts. *Geriatric Nursing, 23* (2), 82-87.

O'Donnell, P.D., Beck, C. et Walls, R.C. (1990). Serial incontinence assessment in elderly inpatient men. *Journal of Rehabilitation Ressources development, 27* (1), 1-9.

Ouslander, J.G., Al-Samarraï, N. et Schnelle, J.F. (2001). Prompted voiding for nighttime incontinence in nursing home: Is it effective? *Journal of the American Geriatrics Society, 49,* 706-709.

Ouslander, J.G., Johnson, T., Uman, G. et Schnelle, J.F. (1993). Urinary incontinence in nursing homes: incidence, remission and associated factors. *The Journal of the American Geriatric Society, 41* (10), 1083-1085.

Ouslander, J.G. et Schnelle, J.F. (1995). *Incontinence in the Nursing Home,* New York: American College of Physicians.

Palmer, M.H. (1994). A health-promotion perspective of urinary continence. *Nursing Outlook, 42* (4), 163-169.

Pearson, B.D. et Droessler, D. (1991). Problems of aging: urinary incontinence prevention. *Health Care for Women International, 12,* 443-450.

Purce Jox, C. (1992). Un moyen de communication non verbal. *Soins, (558),* 47-49.

Registered Nurses' Association of Ontario (2002). *Promoting Continence Using Prompted Voiding.* Nursing Best Practice Guideline: www.rnao/bestpractices (12 janvier 2004).

Remsburg, R.E., Palmer, M.H., Langford, A.M. et Mendelson, G.F. (1999). Staff compliance with and ratings of effectiveness of a prompted voiding program in a long-term care facility. *Journal of Wound, Ostomy and Continence Nursing, 26* (5), 261-269.

Resnik, N.M. (1995). Urinary incontinence. *Lancet, 346,* 94-99.

Resnik, N.M. (1996). Geriatric incontinence. *Urologic Clinics of North America, 23,* 55-74.

Salsbury Lyons, S. (2000). Prompted voiding protocol for individuals with urinary incontinence. *Journal of Gerontological Nursing, 26* (6), 5-13.

Schnelle, J.F., Cruise, P.A., Rahman, A. et Ouslander, J.G. (1998). Developing rehabilitative behavioral interventions for long-term care: technology, transfer, acceptance, and maintenance issues. *Journal of the American Geriatrics Society, 46,* 771-777.

Sengler, J. et Minaire P. (1995). Épidémiologie et conséquences psychosociales de l'incontinence. *La revue du praticien, 45* (3), 281-285.

U.S. Department of Health and Human Services (1996). *Managing Acute and Chronic Urinary Incontinence: Quick Reference Guide for Clinicians,* n° 2, Washington, D.C., Public Health Service.

Victorian Order of Nurses of Canada (Von Canada) (1998). *Identification des obstacles à franchir pour accéder aux soins liés à la continence.* Disponible également sur le site Internet de la Victorian Order of Nurses of Canada à l'adresse suivante: www.von.ca (12 janvier 2004).

Wallace, S.A., Roe, B., Williams, K. et Palmer, M. (2004). Bladder training for urinary incontinence in adults (Cochrane Review). *The Cochrane Library,* n° 3, 58.

Wyman, J.F. et Fant, L. (1990). Psychosocial impact of urinary incontinence in the community dwelling population. *Journal of the American Geriatrics Society, 38,* 282-88.

CHAPITRE 15

Andrews, M.B., Claypool, S., Johnson, P.H., Mauro, E., Weinstack, D. et Wittig, P.A. (dir.) (1996). *Mastering Geriatric Care.* Philadelphie: Springhouse Corporation.

Annels, M. et Koch, T. (2002a). Faecal impaction: older people's experiences and nursing practice. *British Journal of Community Nursing, 7* (3), 118-126.

Annels, M. et Koch,T. (2002b). Older people seeking to constipation: the laxative mire. *Journal of Clinical Nursing, 11,* 603-612.

Arcand, M. et Hébert, R. (1997). *Précis pratique de gériatrie,* 2e éd. Montréal: Édisem.

Barbeau, G., Guimond, J. et Mallet, L. (1991). *Médicaments et personnes âgées.* St-Hyacinthe: Edisem.

Brûlé, M., Cloutier, L. et Doyon, O. (2002). *L'examen clinique dans la pratique infirmière.* Saint-Laurent: Éditions du Renouveau Pédagogique.

Buttery, J. (1996). La personne âgée et son besoin d'éliminer les déchets de l'organisme. Dans S. Lauzon et E. Adam (dir.), *La personne âgée et ses besoins. Interventions infirmières* (p. 329-408). Saint-Laurent: Éditions du Renouveau Pédagogique.

Chassagne, P., Jego, A., Gloc, P., Capet, C., Trivalle, C., Doucet, J., Denis, P. et Bercoff, E. (2000). Does treatment of constipation improve faecal incontinence in institutionalized elderly patients? *Age and ageing, 29*, 159-164.

Faigel, D.O. (2002). A clinical approach to constipation. *Clinical Cornerstone, 4* (4), 11-21.

Folden, S. (2002). Practice guidelines for the management of constipation in adults. *Rehabilitation Nursing, 27* (5), 169-175.

Frank, L., Schmier, J., Kleinman, L., Siddique, R., Beck, C., Schnelle, J. et Rothman, M. (2002). Time and economic cost of constipation in nursing home. *Journal American Medical Directors Association, 3*, 215-223.

Hinrichs, M. et Huseboe, J. (2001). Management of constipation, research-based protocol. *Journal of Gerontological Nursing, 27* (2), 17-28.

Karam, S.E. et Nies, D.M. (1994). Student/staff collaboration: A pilot bowel management program. *Journal of Gerontological Nursing, 20* (3), 32-40.

Kenny, K.A. et Skelly, J.M. (2002). Dietary fiber for constipation in older adults: a systematic review. *Clinical Effectiveness in Nursing, 5*, 120-128.

Lussier, M. et St-Jacques, M. (1993). *Le bénéficiaire victime d'un traumatisme cranio-encéphalique: Programme de soins.* Montréal: Institut de réadaptation de Montréal.

Marieb, E.N. (1999). *Anatomie et physiologie humaines,* 2ᵉ éd. Saint-Laurent: Éditions du Renouveau Pédagogique.

Merli, G.J. et Graham, M.G. (2003). Three steps to better management of constipation. *Patient Care, 37*, 37-40.

Phillips, C., Polakoff, D., Maue, S.K. et Mauch, R. (2001). Assessment of constipation management in long-term care patients. *Journal of the American Medical Directors Association, 2*, 149-154.

Plante, M.-A., Soucy, O. et Roy, L. (1997). *Protocole d'élimination. Protocole médical.* Conseil des médecins, dentistes et pharmaciens: Institut universitaire de gériatrie de Montréal.

Preece, J. (2002). Introducing abdominal massage in palliative care for the relief of constipation. *Complementary Therapies in Nursing and Midwifery, 8*, 101-105.

Registered Nurses' Association of Ontario (RNAO) (2002). *Prevention of Constipation in the Older Adult Population. Nursing Best Practice Guideline.* Toronto: Registered Nurses' Association of Ontario. Extrait du site Web de la Registered Nurses' Association of Ontario: www.rnao.org/bestpractices/.

Richmond, J. (2003). Prevention of constipation through risk management. *Nursing Standard, 17* (16), 39-47.

Salcido, R. (2000). Bowel problems in older adults. *Topics in Geriatric Rehabilitation, 16* (1), 92-96.

Sakakibara, R., Odaka, T., Uchiyama, T., Asahina, M., Yamaguchi, K., Yamaguchi, T., Yamanishi, T. et Hattori, T. (2003). Colonic transit time and rectoanal video-manometry in Parkinson's disease. *Journal of Neurology, Neurosurgery & Psychiatry, 74*, 268-272.

Sheehy, C. et Hall, G.R. (1998). Rethinking the obvious. A model for preventing constipation. *Journal of Gerontological Nursing, 24* (3), 38-44.

Bootzin, R.R. et Nicassio, W.B. (1978). Behavioral treatments for insomnia. Dans M. Hersen, R. M. Eisler et P.M. Miller (dir.), *Progress in Behavioral Modification* (pp. 133-172). New York: Academic Press.

Chevalier, H., Los, F., Boichut, D., Bianchi, M., Nutt, D.J., Hajak, G. *et al.* (1999). Evaluation of severe insomnia in the general population: results of a European multinational survey. *Journal of Psychopharmacology, 13* (4, suppl. 1), S21-24.

Clapin-French, E. (1986). Sleep patterns of aged persons in long-term care facilities. *Journal of Advanced Nursing, 11*, 57-66.

Drake, C.L., Roehrs, T. et Roth, T. (2003). Insomnia causes, consequences, and therapeutics: an overview. *Depression and Anxiety, 18* (4), 163-176.

Fetveit, A. et Bjorvatn, B. (2002). Sleep disturbances among nursing home residents. *International Journal of Geriatric Psychiatry, 17* (7), 604-609.

Guimond, J. (2003). Les anxiolytiques-sédatifs et les hypnotiques. Dans L. Mallet, L. Grenier, J. Guimond et G. Barbeau (dir.), *Manuel de soins pharmaceutiques en gériatrie* (pp. 199-222). Québec: Presses de l'Université Laval.

Janson, C., Lindberg, E., Gislason, T., Elmasry, A. et Boman, G. (2001). Insomnia in men: A 10-year prospective population based study. *Sleep, 24* (4), 425-430.

Lader, M.H. (1999). Limitations on the use of benzodiazepines in anxiety and insomnia: are they justified? *Neuropsychopharmacology, 9* (6), 399-405.

Leger, D., Stal, V., Guilleminault, C., Raffray, T., Dib, M. et Paillard, M. (2001). Les conséquences diurnes de l'insomnie: impact sur la qualité de vie. *Revue neurologique, 157* (10), 1270-1278.

Martin, J., Shochat, T. et Ancoli-Israel, S. (2000). Assessment and treatment of sleep disturbances in older adults. *Clinical Psychology Review, 20* (6), 783-805.

McDowell, J.A., Mion, L.C., Lydon, T.J. et Inouye, S.K. (1998). A nonpharmacologic sleep protocol for hospitalized older patients. *Journal of the American Geriatrics Society, 46* (6), 700-705.

Morin, C.M. (1997). *Vaincre les ennemis du sommeil.* Québec: Les Éditions de L'Homme.

Ohayon, M.M. et Lader, M.H. (2002). Use of psychotropic medication in the general population of France, Germany, Italy, and the United Kingdom. *Journal of Clinical Psychiatry, 63* (9), 817-825.

Ohayon, M.M. et Lemoine, P. (2002). Liens entre insomnie et pathologie psychiatrique dans la population générale française. *L'Encéphale, 28* (5 Pt 1), 420-428.

Ouellet, N. (2004). Promouvoir de saines habitudes chez les personnes âgées présentant des problèmes de sommeil et de consommation de somnifères. *La Gérontoise, 15*, 14-22.

Ouellet, N., Beaulieu, M. et Banville, J. (2000). *Bien dormir sans somnifères: Guide pour les personnes âgées.* Rimouski: Université du Québec à Rimouski.

Richards, K.C., Sullivan, S.C., Phillips, R.L., Beck, C.K. et Overton-McCoy, A.L. (2001). The effect of individualized activities on the sleep of nursing home residents who are cognitively impaired: a pilot study. *Journal of Gerontological Nursing, 27*(9), 30-37.

Zammit, G.K., Weiner, J., Damato, N., Sillup, G.P. et McMillan, C.A. (1999). Quality of life in people with insomnia. *Sleep, 22* (suppl. 2), S379-385.

CHAPITRE 16

Alessi, C.A. et Schnelle, J.F. (2000). Approach to sleep disorders in the nursing home setting. Article de synthèse. *Sleep Medicine Reviews, 4* (1), 45-56.

American Psychiatric Association (2003). *DSM-IV-TR. Manuel diagnostique et statistique des troubles mentaux,* texte révisé (traduction française par J.-D. Guelfi *et al.*, 4ᵉ éd.). Paris: Masson.

Ancoli-Israel, S., Klauber, M.R., Kripke, D.F., Parker, L. et Cobarrubias, M. (1989). Sleep apnea in female patients in a nursing home: increased risk of mortality. *Chest, 96*, 1054-1058.

Ancoli-Israel, S., Martin, J.L., Kripke, D.F., Marler, M. et Klauber, M.R. (2002). Effect of light treatment on sleep and circadian rhythms in demented nursing home patients. *Journal of the American Geriatrics Society, 50* (2), 282-289.

Baillargeon, L., Landreville, P., Verreault, R., Beauchemin, J.-P., Gregoire, J.-P. et Morin, C.M. (2003). Discontinuation of benzodiazepines among older insomniac adults treated with cognitive-behavioural therapy combined with gradual tapering: a randomized trial. *Canadian Medical Association Journal, 169* (10), 1015-1020.

Bastien, C.H., Vallières, A. et Morin, C.M. (2001). Validation of the Insomnia Severity Index as an outcome measure for insomnia research. *Sleep Medicine, 2* (4), 297-307.

CHAPITRE 17

American Geriatrics Society, British Geriatrics Society, and American Academy of Orthopædic Surgeons Panel on Falls Prevention (2001). Guideline for the prevention of falls in older persons. *Journal of the American Geriatrics Society, 49*, 664-672.

Arcand, M. et Hébert, R. (1987). *Précis de gériatrie* (p. 309). Québec: Edisem.

Berryman, E., Gaskin, D., Jones, A., Macmullen, J. et Tolley, F. (1989). Point by point: predicting elder's falls. *Geriatric Nursing, 10* (4), 199-201.

Caron, R., Drouin, D., Fortin, D., Gagnon, B., Gagnon, D.F., Lacroix, J., Marois, F.P. et Pomerleau, L. (1995). *Au Club Parachute, on a bon pied, bon œil!* Beauport, Québec: Centre hospitalier Robert-Giffard.

Collège national des enseignants de gériatrie (2000). Les chutes. Dans Collège national des enseignants de gériatrie (dir.), *Corpus de Gériatrie* (p. 41-50). Montmorency: Édition et communication.

Dunn, K.S. (2001). The effect of physical restraints on fall rates in older adults who are institutionalized. *Journal of Gerontological Nursing, 27* (10), 41-48.

Francœur, L. (2001). *Programme de prévention des chutes en institution.* Institut universitaire de gériatrie de Montréal.

Gagnon, D.F., Roy, G. et Tremblay, G. (1995). *Guide de prévention des chutes en centre d'hébergement et de soins de longue durée* (p. 51, 72-73, 97-105, 109-110). Québec: Ministère de la Santé et des Services sociaux.

Gillespie, L.D., Gillespie, W.J., Robertson, M.C., Lamb, S.E., Cumming, R.G. et Rowe, B.H. (2004). Interventions for preventing falls in elderly people (Cochrane Review). Dans *The Cochrane Library*, n° 2. Chichester, UK: John Wiley & Sons, Ltd.

Hill, K., Smith, R., Murray, K., Sims, J., Gough, J., Darzins, P., Vrantsidis, F. et Clark, R. (2000). *An Analysis of Research on Preventing Falls and Falls Injury in Older People: Community, Residential Aged Care and Acute Care Settings.* National Ageing Research Institute. Commonwealth of Australia: Commonwealth Department of Health and Aged Care.

Lauzon, S. et Adam, E. (1996). *La personne âgée et ses besoins – Interventions infirmières.* Saint-Laurent: Éditions du Renouveau Pédagogique.

Marieb, E.N. (1999). *Anatomie et physiologie humaines,* 2ᵉ éd. Saint-Laurent: Éditions du Renouveau Pédagogique.

Martin-Hunyadi, C., Kaltenbach, G., Demuynck-Roegel, C., Bouilleret, V., Kiesmann, M., Heitz, D., Souan, M.L., Berthel, M. et Kuntzmann, F. (1999). Troubles du comportement et risque de chute chez les patients déments. Dans J.-M. Jacquot, D. Strubel et J. Pélissier (dir.), *La chute de la personne âgée* (p. 123-128). Paris: Masson.

Mbourou Azizah, G. (2001). *Les caractéristiques de l'amorce de la marche et les effets d'une modification des informations sensorielles sur la programmation et l'exécution du premier pas chez les aînés chuteurs, non chuteurs et chez les jeunes adultes.* Thèse de doctorat inédite. Québec: Département de médecine sociale et préventive, Université Laval.

National Center for Injury Prevention and Control, Atlanta (2003, mars). *Falls among Older Adults: Summary of Research Findings.* Extrait du site Web des Centers for Disease Control and Prevention le 7 novembre 2003: www.cdc.gov/ncipc/duip/SummaryOfFalls.htm.

New South Wales Health Department (2001). *Preventing Injuries from Falls in Older People.* North Sydney: New South Wales Health Department.

Nouvel, F., Abric, M. et Jacquot, J.M. (1999). Les contentions et les dispositifs de protection sont-ils utiles chez les multi-chuteurs? Dans J.-M. Jacquot, D. Strubel et J. Pélissier (dir.), *La chute de la personne âgée* (p. 318-327). Paris: Masson.

Rubenstein, L.Z. et Robbins, A.S. (1984). Falls in the elderly: a clinical perspective. *Geriatrics, 39* (4), 71.

Savage, T. et Matheis-Kraft, C. (2001). Fall occurrence in a geriatric psychiatry setting – Before and after a fall prevention program. *Journal of Gerontological Nursing, 27* (10), 49-53.

Société scientifique de médecine générale (2000). *Prévention des chutes chez les personnes âgées – Recommandations de bonne pratique.* Institut de recherche et d'évaluation. Bruxelles: Société scientifique de médecine générale.

Takano Stone, J. et Wyman, J.F. (1999). Falls. Dans J. Takano Stone, J.F. Wyman et S.A. Salisbury (dir.), *Clinical Gerontological Nursing: A Guide to Advanced Practice.* Philadelphia: Saunders.

Tinetti, M.E. (2003). Preventing falls in elderly persons. *The New England Journal of Medicine, 348* (1), 42-49.

Université de Rennes 1, Rennes, Faculté de médecine, Réseau Pédagogique (2002, octobre). *Trouble de la marche et de l'équilibre, chutes chez le sujet âgé.* Extrait du site Web du Réseau Pédagogique le 24 octobre 2002: www.med.univ-rennes1.fr/resped/s/neuro/cours/referentielnational/chute.doc.

CHAPITRE 18

Boyko, E.J. et Lipsky, B.A., (1995). Infection and diabetes (p. 485-499). Dans *Diabetes in America, Diabetes Data Group, National Institutes of Health,* 2ᵉ éd. Bethesda, MD: National Institute of Diabetes and Digestive and Kidney Diseases.

Bryant, J.L. et Beinlich, N.R. (1999). Foot care: focus on the elderly. *Orthopaedic Nursing, 18* (6), 53-60.

Chumbler, N.R. et Robbins, J.M. (1994). Podiatric medical student's views toward geriatrics and elderly patients: a preliminary study. *Journal of the American Podiatric Medical Association, 84,* 338-343.

Ebrahim, S.B.J., Sainsbury, R. et Watson, S. (1981). Foot problems of the elderly: a hospital survey. *British Medical Journal, 283,* 949-50.

Evans, G. (2002). The aged foot. *Reviews in Clinical Gerontology, 12,* 175-180.

Got, I. (1999). Physiopathologie du pied diabétique et problèmes diagnostiques. *Revue de l'Acomen, 5* (4), 383-387.

Helfand, A.E. (1993). Podiatric assessment of the geriatric patient. *Clinics in Podiatric Medicine and Surgery, 10* (2), 285-296.

Helfand, A.E. (2003). Podiatric assessment of the geriatric patient. *Clinics in Podiatric Medicine and Surgery, 20,* 407-429.

Kelechi, T. et Lukacs, K. (1994). *Foot Care: A Self-instructional Manual.* Charleston: Center for the Study of Aging, Medical University of South Carolina.

Lelièvre, J. et Lelièvre, J.F. (1981). *Pathologie du pied: physiologie, clinique, traitement orthopédique et chirurgical,* 5ᵉ éd. Paris: Masson.

Levin, M.E., O'neal, L.W. et Bowker, J.H. (1993). *The Diabetic Foot,* 5ᵉ éd. St. Louis: Mosby.

Manes, C., Papazoglou, N., Sossidou, E., Soulis, K., Milikaris, D., Satsoglou, A. et Sakallerou, A. (2002). Prevalence of diabetic neuropathy and foot ulceration: identification of potential risk factors. A population-based study. *Wounds, 14* (1), 11-15.

Munro, B.J. et Steel, J.R. (1998). Foot-care awareness: a survey of persons aged 65 years and older. *Journal of the American Podiatric Medical Association, 88,* 242-48.

Ordre des infirmières et infirmiers du Québec (2002). *Guide de prévention des infections à l'intention des infirmières en soins des pieds.* Montréal: Centre de documentation.

Partanen, J., Niskanen, L., Lehtinen, J., Mervaala, E., Siitonen, O. et Uusitupa, M. (1995). Natural history of peripheral neuropathy in patients with non-insulin-dependent diabetes mellitus. *New England Journal of Medicine, 333,* 89-94.

Pothier, D. (1994). *Le soin du pied, approche pratique et globale.* Saint-Laurent: Éditions du Trécarré.

Pothier, D. (2002). *Guide pratique de podologie, annoté pour le diabétique.* Québec: Presses de l'Université du Québec.

Scherer, W.P., McCreary, J.P. et Hayes, W.W. (2001). The diagnosis of onychomycosis in a geriatric population. *Journal of the American Podiatric Medical Association, 91* (9), 456-464.

Tinetti, M.E., Speechley, M., Ginter, S.F. (1998). Risk factors for falls among the elderly persons living in the community. *New England Journal of Medicine, 319* (1) 701-707.

CHAPITRE 19

Agency for Health Care Policy and Research. (1994). *Clinical Practice Guideline, Number 15. Treatment of Pressure Ulcers.* AHCPR Publication n° 95-0652. Rockville, MD: Agency for Health Care Policy and Research, Public Health Service, U.S. Department of Health and Human Services.

Arnolds, M.C. (2003). Pressure ulcer prevention and management: the current evidence for care. *AACN Clinical Issues, 14* (4), 411-428.

Ayello, E.A. et Braden, B.J. (2002). How and why to do pressure ulcer risk assessment. *Advances in Skin et Wound Care, 15* (3), 125-133.

Baranoski, S. et Ayello, E.A. (2004). *Wound Care Essentials: Practice Principles.* Springhouse, PA: Lippincott William & Wilkins.

Barton, P. et Parslow, N. (1996). *Wound Care: A Comprehensive Guide for Community Nurses.* Don Mills, Ontario: Saint Elizabeth Health Care.

Bergstrom, N., Allman, R.M., Carlson, C.E. et al. (1992). *Clinical Practice Guideline Number 3. Pressure Ulcers in Adults: Prediction and Prevention.* AHCPR Publication n° 92-0050. Rockville, MD: Agency for Health Care Policy and Research, Public Health Service, U.S. Department of Health and Human Services.

Bergstrom, N.I. et Braden, B. (1992). A prospective study of pressure sore risk among institutionalized elderly. *Journal of the American Geriatrics Society, 40,* 747-758.

Bergstrom, N.I. et Braden, B. J. (1987). The Braden scale for predicting pressure sore risk. *Nursing Research, 36* (41), 205-210.

Braden, B.J. (2001). Risk assessment in pressure ulcer prevention. Dans D.L. Krasner, G.T. Rodeheaver et R.G. Sibbald (dir.), *Chronic Wound Care: A Clinical Source Book for Healthcare Professionals,* 3ᵉ éd. (p. 641-651) Wayne, PA: HMP Communications.

Bryant, R.A. et Rolstad, B.S. (2001). Examining threats to skin integrity. *Ostomy/Wound Management, 47* (6), 18-27.

Collier, M. (2000). Preventing and managing pressure ulcers on heel. *Nursing Times, 96* (29), 7-8.

Davis, C.M. et Caseby, N.G. (1974). Decubitus ulcers: Role of pressure and friction in causation. *Archives of Physical Medicine Rehabilitation, 55* (4), 147-152.

Dinsdale, S.M.(2001). Prevalence and incidence studies of pressure ulcers in two long-term care facilities in Canada. *Ostomy/Wound Management, 47* (11), 28-34.

Dolynchuk, K., Keast, D., Campbell, K., Houghton, P., Orsted, H., Sibbald, G. et Atkinson, A. (2000). Best practices for the prevention and treatment of pressure ulcers. *Ostomy/Wound Management, 46* (11), 38-52.

Foster, C., Frisch, S.R., Denis, N., Forler, Y. et Jago, M. (1992). Prevalence of pressure ulcers in Canadian institutions. *Canadian Association for Enterostomal Therapy Journal, 11* (2), 23-31.

Haneschlager, D.E. (2000). *Pressure ulcers in the elderly.* www.seniorhealth-care.org.

Henderson, C.T. *et al.* (1997). Draft definition of stage I pressure ulcers: inclusion of persons with darkly pigmented skin. NPUAP Task Force on Stage I Definition and Darkly Pigmented Skin. *Advances in Skin & Wound Care, 10* (5), 16-19.

Maklebust, J.A. et Sieggreen, M. (2001). *Pressure Ulcers: Guidelines for Prevention and Management,* 3e éd. Bethlehem Pike, PA: Springhouse Corporation.

National Pressure Ulcer Advisory Panel (1989). Pressure ulcer prevalence, cost, and risk assessment: consensus development conference statement. *Decubitus, 2* (2), 24-28.

Newman, D.K, Wallace, D.W. et Wallace, J. (2001). Moisture control and incontinence management. Dans D.L. Krasner. G.T. Rodeheaver et R.G. Sibbald (dir.), *Chronic Wound Care: A Clinical Source Book for Healthcare Professionals,* 3e éd. (p. 653-659) Wayne, PA: HMP Communications.

Panel for the Prediction and Prevention of Pressure Ulcers in Adults: prediction and prevention (1992). *Clinical Practice Guideline.* AHCPR Publication n° 92-0047. Rockville MD: Agency for Health Care Policy and Research, Public Health Service, U.S. Department of Health and Human Services.

Pieper, B. (2000). Mechanical forces: pressure, shear, and friction. Dans R.A. Bryant, *Acute & Chronic Wounds: Nursing Management* (p. 221-264). St. Louis, MI: Mosby Inc.

Robinson, J.M. *et al.* (2003). *Wound Care Made Incredibly easy.* Philadelphia: Lippincott Williams & Wilkins.

Van Rijswijk, L. et Braden, B.J. (1999). Pressure ulcer patient and wound assessment: an AHCPR guideline update. *Ostomy/Wound Management, 45* (suppl. 1A), 56S-67S.

Versluysen, M. (1986). How elderly patients with femoral fractures develop pressure ulcers in hospital. *Br Med J Clin Res Ed, 292* (6531), 1311-1313.

Weir, D. (2001). Pressure ulcers: assessment, classification, and management Dans D.L. Krasner, G.T. Rodeheaver et R.G. Sibbald (dir.), *Chronic Wound Care: A Clinical Source Book for Healthcare Professionals,* 3e éd. (p. 619-627). Wayne, PA: HMP Communications.

Woodbury, M.G. et Houghton, P.E. (2004). Prevalence of pressure ulcers in Canadian health care settings. *Ostomy/Wound Management, 50* (10), 22-38.

Wysocki, A.B. (2000). Anatomy and Physiology of Skin and Soft Tissue. Dans R. A. Bryant. *Acute & Chronic Wounds: Nursing Management,* 2e éd. (p. 1-15). St. Louis: Mosby Inc.

CHAPITRE 20

Abbey, J., Piller, N., De Bellis, A., Esterman, A., Parker, D., Giles, L. et Lowcay, B. (2004).The Abbey pain scale: a 1-minute numerical indicator for people with end-stage dementia. *International Journal of Palliative Nursing, 10* (1), 6-13.

Acute Pain Management Guideline Panel (APMGP) (1993). *Acute Pain Management: Post-operative of Medical Procedures and Trauma. Clinical Practice Guideline.* AHCPR pub 92-0032. Rockville, MD: Agency for Health Care Policy and Research, Public Health Service, U.S. Department of Health and Human Services.

Agence nationale d'accréditation et d'évaluation en santé (ANAES) (2000). *Évaluation et prise en charge thérapeutique de la douleur chez les personnes âgées ayant des troubles de la communication verbale.* Paris: ANAES/Service des recommandations et références professionnelles.

Agence nationale d'accréditation et d'évaluation en santé (ANAES) (2002). *Modalités de prise en charge de l'adulte nécessitant des soins palliatifs.* Paris: ANAES/Service des recommandations et références professionnelles.

Allcock, N., McGarry, J. et Elkan, R. (2002). Management of pain in older people within the nursing home: a preliminary study. *Health and Social Care in the Community, 10* (6), 464-471.

American Geriatrics Society (1998). The management of chronic pain in older persons, new guidelines from the American Geriatrics Society. *Clinician Reviews, 8* (9), 69-72, 75-78, 81-82, 87-89, 94, 99, 103-104.

American Geriatrics Society Panel on Persistent Pain in Older Persons (2002).The management of persistent pain in older persons. *Journal of the American Geriatrics Society, 50* (suppl. 6), S205-S224.

Association internationale de l'étude de la douleur (1979). *Pain, 6* (3), 249-252.

Bachino, C., Snow, A.L., Kunik, M.E., Cody, M. et Wrister, K. (2001). Principles of pain assessment and treatment in non-communicative demented patients. *Clinical Gerontologist, 23* (3/4), 97-115.

Beauchamp, Y. (2004). Gérialgie et pharmacothérapie: un survol. *Le Clinicien, 19* (3). 83-89.

Besson, J.M. (1992). *La douleur.* Paris: Éditions Odile Jacob.

Bonadonna, R. (2003). Meditation's impact on chronic illness. *Holistic Nursing Practice, 17* (6), 309-319.

Charette, S.L. et Ferrell, B.A. (2004). Pain management in long-term care. Dans M.F. 3e Gloth (dir.), *Handbook of Pain Relief in Older Adults. An Evidence-Based Approach* (p. 165-183). Totowa, NJ: Humana Press.

Chodosh, J., Solomon, D.H., Roth, C.P., Chang, J.T., MacLean, C.H., Ferrell, B.A., Shekelle, P.G. et Wenger, N.S. (2004). The quality of medical care provided to vulnerable older patients with chronic pain. *Journal of the American Geriatrics Society, 52* (5), 756-761.

Closs, S.J., Barr, B., Briggs, M., Cash, K. et Seers, K. (2004). A comparison of five pain assessment scales for nursing home residents with varying degrees of cognitive impairment. *Journal of Pain and Symptom Management, 27* (3), 196-205.

Cohen-Mansfield, J. (2004). The adequacy of the minimum data set assessment of pain in cognitively impaired nursing home residents. *Journal of Pain and Symptom Management, 27* (4), 343-351.

Cohen-Mansfield, J. et Creedon, M. (2002). Nursing staff members' perceptions of pain indicators in persons with severe dementia. *The Clinical Journal of Pain, 18* (1), 64-73.

Cook, A.K., Niven, C. et Downs, M.G. (1999). Assessing the pain of people with cognitive impairment. *International Journal of Geriatric Psychiatry, 14* (6), 421-425.

Cowan, D.T., Fitzpatrick, J.M., Roberts, J.D., While, A.E. et Baldwin, J. (2003). The assessment and management of pain among older people in care homes: current status and future directions. *Nursing Studies, 40* (3), 291-298.

Davis, M.P. et Srivastava, M. (2003). Demographics, assessment and management of pain in the elderly. *Drugs & Aging, 20* (1), 23-57.

Denison, B. (2004). Touch the pain away. New research on therapeutic touch and persons with fibromyalgia syndrome. *Holistic Nursing Practice, 18* (3), 142-151.

Desbiens, N.A. et Wu, A.W. (2000). Pain and suffering in seriously ill hospitalized patients. *Journal of the American Geriatrics Society, 48* (suppl. 5), S183-S186.

Desroches, F. et Savoie, M. (2000-2001). La douleur comme cinquième signe vital. *Artère,* 13-14.

Edwards, R.R. et Fillingim, R.B. (2001). Effects of age on temporal summation and habituation of thermal pain: clinical relevance in healthy older and younger adults. *The Journal of Pain, 2* (6), 307-317.

Epps, C.D. (2002). Recognizing pain in the institutionalized elder with dementia. *Geriatric Nursing, 22* (2), 71-79.

Feldt, K.S. (2000). The checklist of nonverbal pain indicators (CNPI). *Pain Management Nursing, 1* (1), 13- 21.

Feldt, K.S., Ryden, M.B. et Miles, S. (1998). Treatment of pain in cognitively impaired compared with cognitively intact older patients with hip fracture. *Journal of the American Geriatrics Society, 46* (9), 1079-1085.

Ferrell, B.A. (1995). Pain evaluation and management in the nursing home. *Annals of Internal Medicine, 123* (9), 681-687.

Ferrell, B.A. (2003). Acute and chronic pain. Dans *Geriatric Medicine. An Evidence-Based Approach,* 4e éd. (p. 323-342). New York: Springer-Verlag.

Ferrell, B.A., Ferrell, B.R. et Osterweil, D. (1990) Pain in the nursing home. *Journal of the American Geriatrics Society, 38* (4), 409-414.

Ferrell, B.A., Ferrell, B.R. et Rivera, L. (1995). Pain in cognitively impaired nursing home patients. *Journal of Pain and Symptom Management, 10* (8), 591-598.

Fisher, S.E., Burgio, L.D., Thorn, B.E., Allen-Burge, R., Gerstle, J., Roth, D.L. et Allen, S.J. (2002). Pain assessment and management in cognitively impaired nursing home residents: association of certified nursing assistant pain report, minimum data set pain report, and analgesic medication use. *Journal of the American Geriatrics Society, 50* (1), 152-156.

Fox, P.L., Raina, P. et Jadad, A.R. (1999). Prevalence and treatment of pain in older adults in nursing homes and other long-term care institutions: a systematic review. *Canadian Medical Association Journal, 160* (3), 329-333.

Frampton, M. (2003). Experience assessment and management of pain in people with dementia. *Age and Ageing, 32* (3), 248-251.

Fuchs-Lacelle, S. et Hadjistavropoulos, T. (2004). Development and preliminary validation of the Pain Assessment Checklist for Seniors with Limited Ability to Communicate (PACSLAC). *Pain Management Nursing, 5* (1), 37-49.

Gallob, R. (2003). A supportive therapy in nursing practice and self-care for nurses. *The Journal of the New York State Nurses Association, 34* (1), 9-13.

Gibson, S.J. et Farrell, M. (2004). A review of age difference in the neurophysiology of nociception and the perceptual experience of pain. *Clinical Journal of Pain, 20* (4), 227-239.

Gloth, M.F. 3e, Scheve, A.A., Stober, C.V., Chow, S. et Prosser, J. (2001). The functional pain scale: reliability, validity and responsiveness in an elderly population. *Journal of American Medical Directors Association, 2* (3), 110-114.

Gloth, M.F. 3e (2004a). Pain, pain everywhere… almost. Dans M.F. 3e Gloth (dir.), *Handbook of Pain Relief in Older Adults. An Evidence-Based Approach* (p. 1-14). Totowa, NJ: Humana Press.

Gloth, M F. 3e (2004b). Suggestions for change. Dans M.F. 3e Gloth (dir.), *Handbook of Pain Relief in Older Adults. An Evidence-Based Approach* (p. 233-243). Totowa, New Jersey: Humana Press.

Herr, K.A. et Mobily, P.R. (1991). Complexities of pain assessment in the elderly: clinical considerations. *Journal of Gerontological Nursing, 17* (4), 12-19.

Horgas, A.L. (2003). Pain management in elderly adults. *Journal of Infusion Nursing, 26* (3), 161-165.

Horgas, A.L. et Tsai, P.F. (1998). Analgesic drug prescription and use in cognitively impaired nursing home residents. *Nursing Research, 47* (4), 235-242.

Hurley, A.C., Volicer, B.J., Hanrahan, P.A., Houde, S. et Volicer, L. (1992). Assessment of discomfort in advanced Alzheimer patients. *Research in Nursing & Health, 15* (5), 369-377.

Institut national du cancer du Canada (2004). *Statistiques canadiennes sur le cancer 2004.* Toronto.

Kovach, C.R., Griffie, J., Muchka, S., Noonan, P.E. et Weissman, D.E. (2000). Nurses' perceptions of pain assessment and treatment in the cognitively impaired elderly. It's not a guessing game. *Clinical Nurse Specialist, 14* (5), 215-220.

Kovach, C.R., Weissman, D.E., Griffie, J., Matson, S. et Muchka, S. (1999). Assessment and treatment of discomfort for people with late-stage dementia. *Journal of Pain and Symptom Management, 18* (6), 412-449.

Kunz, R. (2002). Médecine palliative pour personnes âgées. *Forum médical suisse, 5,* 100-105.

Lewandowski, W. A. (2004). Patterning of pain and power with guided imagery. *Nursing Science Quarterly, 17* (3), 233-241.

Lordon, S.P., Cope, D.K. et Fine, P.G. (2002). Invasive pharmacologic and non-pharmacologic modalities. Dans D.K. Weiner, K. Herr et T. Rudy (dir.), *Persistent Pain in Older Adults. An Interdisciplinary Guide for Treatment* (p. 188-218). New York: Springer Publ.

Lussier, D. (2000). Approche et évaluation multidimensionnelle de la douleur chronique chez les patients gériatriques. *La Revue de gériatrie, 25* (9), 673-682.

Marzinski, L.R. (1991). The tragedy of dementia: clinically assessing pain in the confused, nonverbal elderly. *Journal of Gerontological Nursing, 17* (6), 25-28.

Matteliano, D. (2003). Holistic nursing management of pain and suffering: a historical view with contemporary applications. *The Journal of the New York State Nurses Association, 34* (1), 4-8.

Moore, A.R. et Clinch, D. (2004). Underlying mechanisms of impaired visceral pain perception. *Journal of the American Geriatrics Society, 52* (1), 132-136.

Morello, A.J. et Alix, M. (1998). Évaluation de la douleur du sujet très âgé hospitalisé en long séjour. *La Revue de gériatrie, 23* (3), 253-256.

Mrozek, J.E. et Werner, J.S. (2001). Nurses' attitudes toward pain, pain assessment, and pain management practices in long-term care facilities. *Pain Management Nursing, 2* (4), 154-162.

Newshan, G. et Schuller-Civitella, D. (2003). Large clinical study shows value of therapeutic touch program. *Holistic Nursing Practice, 17* (4), 189-192.

Organisation mondiale de la santé (1990). *Traitement de la douleur cancéreuse et soins palliatifs.* Rapport d'un comité d'expert de l'OMS. Genève: OMS.

Podichetty, V. K., Mazaned, D. J. et Biscup, R.S. (2003). Chronic non-malignant musculoskeletal pain in older adults: clinical issues and opioid intervention. *Postgraduate Medical Journal, 79* (937), 627-633.

Rochon, P.A., Fortin, P.R., Dear, K.B., Minaker, K.L. et Chalmers, T.C. (1993). Reporting of age data in clinical trials of arthritis. *Archives of Internal Medicine, 153,* 243-248.

Ruzniewski, M. (1995). *Face à la maladie grave, patients, familles, soignants.* Paris: Dunod.

Scudds, R.J. et Robertson, J.M. (2000). Pain factors associated with physical disability in a sample community-dwelling senior citizens. *Journals of Gerontology: Medical Sciences, 55* (7), M393-M399.

Sengstaken, E.A. et King, S.A. (1993). The problems of pain and its detection among geriatric nursing home residents. *Journal of the American Geriatrics Society, 41* (5), 541–544.

Simons, W. et Malabar, R. (1995). Assessing pain in elderly patients who cannot respond verbally. *Journal of Advanced Nursing, 22* (4), 663-669.

Société de l'ostéoporose du Canada (2003). *Fréquence de la maladie.* Extrait du site Internet de la Société de l'ostéoporose du Canada: http://www.osteoporosis.ca

Société française d'étude de la douleur (SOFRED) (1997). 7e congrès 16-17 octobre, Paris.

Sok, S.R. et Kim, K.B. (2004). Acupuncture usage shows relief of chronic symptoms. *Holistic Nursing Practice, 18* (4), 220.

Stein, W.M. (2001). Pain in nursing home. *Clinics in Geriatric Medicine, 17* (3), 575-594.

Stephenson, N.L. et Herman, J. (2000). Pain measurement: a comparison using horizontal and vertical visual analogue scales. *Applied Nursing Research, 13* (3), 157-158.

Villanueva, M.R., Smith, T.L., Erickson, N.S., Lee, A.L. et Singer, C.M. (2003). Pain assessment for the dementing elderly (PADE): reliability and validity of a new measure. *Journal of American Medical Directors Association, 4* (1), 1-8.

Wary, B. (1999). Doloplus-2, une échelle pour évaluer la douleur. *Soins. Gérontologie, 19,* 25-27.

Weiner, D., Peterson, B. et Keefe, F. (1999). Chronic pain associated behaviors in the nursing home: resident versus caregiver perceptions. *Pain, 80* (3), 577-588.

Weiner, D.K. et Herr, K. (2002). Comprehensive interdisciplinary assessment and treatment planning: an integrative overview. Dans D.K. Weiner, K. Herr et T. Rudy (dir.), *Persistent Pain in Older Adults. An Interdisciplinary Guide for Treatment* (pp. 18-58). New York: Springer Publ.

Whelan, K. et Wishnia, G.S. (2003). Reiki therapy: the benefits to a nurse/reiki practitioner. *Holistic Nursing Practice, 17* (4), 209-217.

Wynne, C.F., Ling, S.M. et Remsburg, R. (2000). Comparison of pain assessment instruments in Cognitively intact and cognitively impaired nursing home residents. *Geriatric Nursing, 21* (1), 20-23.

Yonan, C. et Wegener, S.T. (2003). Assessment and management of pain in the older adult. *Rehabilitation Psychology, 48* (1), 4-13

CHAPITRE 21

Beaulieu, M. et Tremblay, M.-J. (1995). *Les mauvais traitements et la négligence envers les personnes âgées en milieu institutionnel: document de travail rédigé à partir de documentation en langue française.* Division de la santé mentale, Santé Canada. Ottawa: gouvernement du Canada.

College of Nurses of Ontario (1993). *Abuse of Clients by Registered Nurses and Registered Nursing Assistants: Report to Council on Results of Canada Health Monitor Survey of Registrants* (p. 1-11). Toronto: College of Nurses of Ontario.

Gold, D.T. et Gwyther, L.P. (1989). The Prevention of elder abuse: an educational model. *Family Relations, 38* (1), 8-14.

Gray-Vickrey, P. (2000). Combating abuse, part I: protecting the older adult. *Nursing, 30* (7), 34-38.

Harris, C. (1988). Abuse of the elderly. *British Medical Journal, 297* (6652), 813-814.

Kosberg, J. (1988). Preventing elder abuse: identification of high risk factors to placement decision. *The Gerontologist, 28* (1), 43-50.

Murphy, N. (1994). *Trousse de formation et ressources à l'intention des fournisseurs de services: mauvais traitements et négligence envers les personnes âgées*. Division de la santé mentale, direction des services de la santé, direction générale des programmes et des services de la santé, Santé Canada. Ottawa: gouvernement du Canada.

Ordre des infirmières et infirmiers du Québec (OIIQ) (2000). *L'exercice infirmier en soins de longue durée: Au carrefour du milieu de vie et du milieu de soins*. Montréal: OIIQ.

Pillemer, K. et Finkelhor, D. (1989). Causes of elder abuse: caregiver stress versus problem relatives. *American Journal of Orthopsychiatry, 59* (2), 179-187.

Pillemer, K. et Moore, D.W. (1989). Abuse of patients in nursing homes: finding from a survey of staff. *The Gerontologist, 29* (3), 314-320.

Podniecks, E., Pillemer, K., Nicholson, J., Shillington, T. et Frizell, A. (1990). *National Survey on Abuse of the Elderly in Canada*. Toronto: Ryerson Polytechnical Institute.

Santé Canada (1999). *Mauvais traitements et négligence à l'égard des aînés. Renseignement du centre national d'information sur la violence dans la famille*. Ottawa: gouvernement du Canada.

Santé Canada (2000). *Comment déceler les mauvais traitements à l'égard des aînés en établissement*. Ottawa: gouvernement du Canada.

Santé Canada (2001). *Mauvais traitements et négligence à l'égard des personnes âgées: Sensibilisation et réaction de la collectivité*. Ottawa: gouvernement du Canada.

Sœurs de la charité chrétienne (1995). Prévention des mauvais traitements dans les établissements de soins de longue durée. Vidéo, module 6, 1995. Producteur: Jonathan Lareau, service de santé des Sœurs de la charité d'Ottawa et Bob Manser Reflection Video Productions, Ottawa, Ontario.

Sukosky, D.G. (1990). The paradoxe and perplexity of elder abuse. *Family Life Educator, 9* (2), 7-12.

Université de Montréal, Faculté de l'éducation permanente (2002). Réseau Internet Francophone Vieillir en Liberté (RIFVEL), www.fep.umontreal.ca/violence/quebec/.

CHAPITRE 22

American Geriatrics Society, (2002), *Position Statement – Restraint Use*. Extrait du site Web de l'American Geriatrics Society le 15 septembre 2005: www.americangeriatrics.org/products/positionpapers/restraintsupdatePF.shtml.

Agence nationale d'accréditation et d'évaluation en santé. (2000). *Limiter les risques de la contention physique de la personne âgée*. Paris: Agence nationale d'accréditation et d'évaluation en santé.

Association des hôpitaux du Québec (2004). *Cadre de référence. Utilisation exceptionnelle des mesures de contrôle: contention et isolement*, édition révisée. Montréal: Association des hôpitaux du Québec.

Association des hôpitaux du Québec. (2000). *Cadre de référence. Utilisation de la contention et de l'isolement: une approche intégrée*. Montréal: Association des hôpitaux du Québec.

Association des hôpitaux du Québec. (1996). *L'utilisation de la contention physique chez les personnes âgées: une pratique à réviser*. Montréal: Association des hôpitaux du Québec.

Blakeslee, J.A., Goldman, B.D., Papougenis, D. et Torell, C.A. (1991). Making the transition to restraint-free care. *Journal of Gerontological Nursing, 17* (2), 4-8.

Bradley, L., Siddique, C.M. et Dufton, B. (1995). Reducing the use of physical restraints in long-term care facilities. *Journal of Gerontological Nursing, 21* (9), 21-34.

Brower, H.T. (1991). The alternatives to restraints. *Journal of Gerontological Nursing, 17* (2), 18-22.

Code civil du Québec, L.Q., 1991, c.64.

Cohen, C., Neufeld, R., Dunbar, J., Pflug, L. et Breuer, B. (1996). Old problem, different approach: alternatives to physical restraints. *Journal of Gerontological Nursing, 22* (2), 23-29.

Collerette, P. et Delisle, G. (1982). *Le changement planifié: une approche pour intervenir dans les systèmes organisationnels*. Montréal: Les éditions agence d'arc inc.

Dunn, K. (2001) The effect of physical restraints on fall rates in older adults who are institutionalized. *Journal of Gerontological Nursing, 27* (10), 40-48

Durand, P.J. (1993) *Concordance entre la déclaration et l'observation de la contention physique en soins de longue durée*. Thèse de doctorat inédite, école des gradués de Université Laval, Québec, Canada.

Ejaz, F.K., Jones, J.A. et Rose, M.S. (1994). Falls among nursing home residents: an examination of incident reports before and after restraint reduction programs. *Journal of the American Geriatrics Society, 42* (9), 960-964.

Elon, R.D. (1995). Omnibus Budget Reconciliation Act of 1987 and its implications for the medical director. *Clinical Geriatry and Medecine 11* (3), 419-432.

Evans, L.K. et Strumpf, N.E. (1989). Tying down the elderly: review of the literature on physical restraints. *Journal of the American Geriatrics Society, 37*, 65-74.

Evans, L.K., Strumpf, N.E., Allen-Taylor, S.L., Capezuti, E., Maislin, G. et Jacobsen, B. (1997). A clinical trial to reduce restraints in nursing homes. *Journal of the American Geriatrics Society, 45* (6),675-681.

Godkin, M.D. et Onyskiw, J.E. (1999). A systematic overview of interventions to reduce physical restraint use in long-term care settings. *Worldviews on Evidence-based Nursing presents the archives of Online Journal of Knowledge Synthesis for Nursing*, E6 (1), 81-94

Gold, M. (1996). Ethics: blending resident rights and safety. *Provider, 22* (6), 37-45.

Karlsson, S., Bucht, G. et Sandman, P.O. (1998). Physical restraints in geriatric care. Knowledge, attitudes and use. *Scandinavian Journal of Caring Sciences, 12*, 48-56.

Kayser-Jones, J. (1992). Culture, environment, and restraints: a conceptual model for research and practice. *Journal of Gerontological Nursing, 18* (11), 13-20.

Koroknay, V.J. (1993). Implementing a restraint removal program. Dans J.V. Braun et S. Lipson (dir.), *Toward a Restraint-Free Environment: Reducing the Use of Physical and Chemical Restraints in Long-Term and Acute Care Settings* (pp. 53-60). Baltimore: Health Professions Press Inc.

Levine, J.M., Marchello, V. et Totolos, E. (1995). Progress toward a restraint-free environment in a large academic nursing facility. *Journal of the American Geriatrics Society, 43*, 914-918.

Loi sur les services de santé et les services sociaux (1998), L.R.Q., c.S-4-2, article 118.1.

Loi sur les infirmières et les infirmiers (2002), L.R.Q., c.I-8.

Mahoney, D.F. (1995). Analysis of restraint-free nursing homes. *Image: Journal of Nursing Scholarship, 27* (2), 155-159.

Ministère de la Santé et des Services sociaux (2002). *Orientations ministérielles relatives à l'utilisation exceptionnelle des mesures de contrôle: contention, isolement et substances chimiques*. Québec: Direction des communications du MSSS.

Mion, L.C. et Mercurio, A.T. (1992). Methods to reduce restraints: process, outcomes, and future directions. *Journal of Gerontological Nursing, 18* (11), 5-11.

Ordre des infirmières et infirmiers du Québec (2003). *Guide d'application de la nouvelle Loi sur les infirmières et les infirmiers et de la Loi modifiant le Code des professions et d'autres dispositions législatives dans le domaine de la santé*. Montréal: OIIQ.

Roberge, R. et Beauséjour, R. (1988). L'usage des contentions en milieu d'hébergement pour les personnes âgées. *Canadian Journal on Aging, 7* (4), 372-376.

Strumpf, N.E., Evans, L.K., Wagner, J. et Patterson, J. (1992) Reducing physical restraint: developing an educational program. *Journal of Gerontological Nursing, 18* (11), 21-27.

The Joanna Briggs Institute (2002a). *Physical Restraint Part 1: Use in Acute and Residential Care Facilities*. Extrait du site Web du Joanna Briggs Institute le 15 septembre 2005: www.joannabriggs.edu.au/pubs/best_practice.php.

The Joanna Briggs Institute (2002b). *Physical Restraint Part 2: Minimisation in Acute and Residential Care Facilities*. Extrait du site Web du Joanna Briggs Institute le 15 septembre 2005: www.joannabriggs.edu.au/pubs/best_practice.php.

Truchon, S., Gagnon, R., Ménard, G. et Roy, O. (2003). Journée d'étude sur l'application de la nouvelle Loi sur les infirmières et les infirmiers – Les contentions. Montréal: Ordre des infirmières et infirmiers du Québec

Voyer, P. (2004). *Projet de recherche: le delirium chez les aînés atteints de déficits cognitifs et hébergés dans les milieux de soins de longue durée*. Document de collecte des données. Subvention du Fonds de la recherche en santé du Québec.

Werner, P., Koroknay, V., Braun, J. et Cohen-Mansfield, J. (1994). Individualized care alternatives used in the process of removing physical restraints in the nursing home. *Journal of the American Geriatrics Society, 42*, 321-325.

CHAPITRE 23

Adnet, P., Lestavel, P. et Krivosic-Horber, R. (2000). Neuroleptic malignant syndrome. *British Journal of Anaesthesia, 85* (1), 129-135.

Al-Tureihi, F.I., Hassoun, A., Wolf-Klein, G. et Isenberg, H. (2005). Albumin, length of stay, and proton pump inhibitors: key factors in Clostridium difficile-associated disease in nursing home patients. *Journal of the American Medical Directors Association, 6* (2), 105-108.

Armour, D. et Cairns, C. (2002). *Medicines in the Elderly.* London: Pharmaceutical Press.

Avorn, J. et Gurwitz, J.H. (1995). Drug use in the nursing home. *Annals of Internal Medicine, 123* (3), 195-204.

Barry, K. (1993). Patient self-medication: an innovative approach to medication teaching. *Journal of Nursing Care Quality, 8* (1), 75-82.

Beczchlibnyk-Butler, K.Z. et Jeffries, J.J. (2002). *Clinical Handbook of Psychotropic Drugs,* 12ᵉ éd. Toronto: Hogrefe et Huber Publishers.

Beers, M.H., Ouslander, J.G., Fingold, S.F., Morgenstern, H., Reuben, D.B., Rogers, W., Zeffren, M.J. et Beck, J.C. (1992). Inappropriate medication prescribing in skilled-nursing facilities. *Annals of Internal Medicine, 117* (8), 684-689.

Bégaud, B., Evreux, J.C., Jouglard, J. et Lagier, G. (1985). Imputabilité des effets inattendus ou toxiques des médicaments. Actualisation de la méthode utilisée en France. *Thérapie, 40* (2), 111-118.

Bernabei, R., Gambassi, G., Lapane, K., Sgadari, A., Landi, F., Gatsonis, C. et Mor, V. (1999). Characteristics of the SAGE database: a new resource for research on outcomes in long-term care. *The Journal of Gerontology. Series A, Biological Sciences and Medical Sciences, 54* (1), M25-M33.

Blazer, D.G., Steffens, D.C. et Busse, E.W. (2004). *Textbook of Geriatric Psychiatry,* 3ᵉ éd. Washington, DC: American Psychiatric Publishing, Inc.

Blinch, J., Beaumon, R., Clontz, S., Goodwin, P., Hartwig, H., Kolhatkar, R., List, M. et Travis, S.S. (2005). Incorporating medication regimen reviews into the interdisciplinary care planning process. *Geriatric Nursing, 26* (2), 89-93.

Brown, C.S., Markowitz, J.S., Moore, T.R. et Parker, N.G. (1999). Atypical antipsychotics, part II: adverse effects, drug interactions, and costs. *The Annals of Pharmacotherapy, 33* (2), 210-217.

Burke, W.J. (1991). Neuroleptic drug use in the nursing home: the impact of OBRA. *American Family Physician, 43* (6), 2125-2130.

Caligiuri, M.R., Jeste, D.V. et Lacro, J.P. (2000). Antipsychotic-induced movement disorders in the elderly: epidemiology and treatment recommendations. *Drugs Aging, 17* (5), 363-384.

Carbonin, P., Pahor, M., Bernabei, R. et Sgadari, A. (1991). Is age an independent risk factor of adverse drug reactions in hospitalized patients? *Journal of the American Geriatrics Society, 39* (11), 1093-1099.

Carpenito-Moyet, L.J. (2004). *Nursing Care Plans and Documentation: Nursing Diagnoses and Collaborative Problems.* Philadelphia: Lippincott Williams & Wilkins.

Chandran, G.J., Mikler, J.R. et Keegan, D.L. (2003). Neuroleptic malignant syndrome: a case report and discussion. *Canadian Medical Association Journal, 169* (5), 439-442.

Chouinard, G., Ross-Chouinard, A., Annable, L. et Jones, B.D. (1980). Extrapyramidal Symptom Rating Scale. *Canadian Journal of Neurological Science, 7,* 233.

Chutka, D.S., Takahashi, P.Y. et Hoel, R.W. (2004). Inappropriate medications for elderly patients. *Mayo Clinic Proceedings, 79* (1), 122-139.

Cohen-Mansfield, J. et Deutsch, L.H. (1996). Agitation: subtypes and their mechanisms. *Seminars in Clinical Neuropsychiatry, 1,* 325-339.

Cohen-Mansfield, J., Marx, M.S. et Rosenthal, A.S. (1989). A description of agitation in a nursing home. *Journal of Gerontology, 44* (3), M77-M84.

Collingsworth, S., Gould, D. et Wainwright, S.P. (1997). Patient self-administration of medication: a review of the literature. *International Journal of Nursing Studies, 34* (4), 256-269.

Conseil du médicament (2005). *La définition de l'usage optimal des médicaments.* Extrait du site Web du Conseil du médicament le 5 novembre 2005: http://www.cdm.gouv.qc.ca/site/32.74.0.0.1.0.phtml.

Cossette, R. (1996). La personne âgée et son besoin de se vêtir et de se dévêtir. Dans S. Lauzon et E. Adam (dir.), *La personne âgée et ses besoins* (p. 481-528). Saint-Laurent: Éditions du Renouveau Pédagogique.

Cotter, V.T. et Strumpf, N.E. (2002). *Advanced Practice Nursing with Older Adults.* Toronto: McGraw-Hill.

Cummings, J.L. (1997). The Neuropsychiatric Inventory: assessing psychopathology in dementia patients. *Neurology, 48* (suppl. 6), S10-S16.

Dangoumau, J. et Bégaud, B. (1982). Imputabilité des effets indésirables des médicaments. *La Nouvelle Presse médicale, 11* (40), 2995-2997.

Doucet, J., Capet, C., Jégo, A., Trivalle, C., Noël, D., Chassagne, P. et al. (1999). Les effets indésirables des médicaments chez le sujet âgé: épidémiologie et prévention. *La Presse Médicale, 28* (32), 1789-1793.

Doucet, J., Chassagne, P., Trivalle, C., Landrin, I., Pauty, M.D., Kadri, N., Menard, J.F. et Bercoff, E. (1996). Drug-drug interactions related to hospital admissions in older adults: a prospective study of 1000 patients. *Journal of American Geriatrics Society, 44* (8), 944-948.

Ferchichi, S. et Antoine, V. (2004). Le bon usage des médicaments chez la personne âgée. *La Revue de médecine interne, 25* (8), 582-590.

French, D.G. (1996). Avoiding adverse drug reaction in the elderly patient: issues and strategies. *Nurse Practitioner, 21* (9), 90-107.

Furniss, L., Craig, S.K. et Burns, A. (1998). Medication use in nursing homes for elderly people. *International Journal of Geriatric Psychiatry, 13* (7), 433-439.

Ghoniem, G.M., Van Leeuwen, J.S., Elser, D.M., Freeman, R.M., Zhao, Y.D., Yalcin, I. et Bump, R.C., (2005). A randomized controlled trial of duloxetine alone, pelvic floor muscle training alone, combined treatment and no active treatment in women with stress urinary incontinence. *Journal of Urology, 173* (5), 1647-1653.

Gobert, M. et D'hoore, W. (2005). Prevalence of psychotropic drug use in nursing homes for the aged in Quebec and French-speaking area of Switzerland. *International Journal of Geriatric Psychiatry, 20* (8), 712-721.

Gray, S.H., Sager, M., Lestico, M.R. et Jalaluddin, M. (1998). Adverse drug events in hospitalised elderly. *The Journals of Gerontology. Series A, Biological sciences and Medical Sciences, 53* (1), M59-M63.

Grenier, L. (2003). Les interactions médicamenteuses. Dans L. Mallet, L. Grenier, J. Guimond et G. Barbeau (dir.), *Manuel de soins pharmaceutiques en gériatrie* (p. 129-152). Québec: Les Presses de l'Université Laval.

Gruchalla, R.S. (2003). Drug allergy. *The Journal of Allergy and Clinical Immunolgy, 111* (2 suppl.), S548-S559.

Grymonpre, R.E., Mitenko, P.A., Sitar, D.S., Aoki, F.Y. et Montgomery, P.R. (1988). Drug-associated hospital admissions in older medical patients. *Journal of the American Geriatrics Society, 36* (12), 1092-1098.

Gurwitz, J.H., Field, T.S., Avorn, J., McCormick, D., Jain, S., Ecker, M., Benser, M., Edmondson, A.C. et Bates, D.W. (2000). Incidence and preventability of adverse drug events in nursing homes. *The American Journal of Medicine, 109* (2), 87-94.

Gurwitz, J.H., Field, T.S., Judge, J., Rochon, P.A., Harrold, L.R., Cadoret, C., Lee, M., La Primo, J., Erramuspe-Mainard, J., De Florio, M., Gavendo, L., Auger, J. et Bates, D.W. (2005). The incidence of adverse drug events in two large academic long-term care facilities. *The American Journal of Medicine, 118* (3), 251-258.

Harrington, C., Tompkins, C., Curtis, M. et Grant, L. (1992). Psychotropic drug use in long-term care facilities: a review of literature. *The Gerontologist, 32* (6), 822-833.

Hudson, R. (2003). *Dementia Nursing. A Guide to Practice.* Melbourne: AUSMED.

Inouye, S.K., Bogardus, S.T., Charpentier, P.A., Leo-Summers, L., Acampora, D., Holford, T.R. et Cooney, L.M. (1999). A multicomponent intervention to prevent delirium in hospitalized older patients. *New England Journal of Medicine. 340* (9), 669-76.

Jensen, L. (2003). Self-administered cardiac medication program evaluation. *Canadian Journal of Cardiovascular Nursing, 13* (2), 35-44.

Jolliet, P. (1995). Pharmacologie du sujet âgé. *Annales de médecine interne, 146,* 328-334.

Kane, R.L., Ouslander, J.G. et Abrass, I.B. (2004). *Essentials of Clinical Geriatrics,* 5ᵉ éd. Montréal: McGraw-Hill.

Katzung, B.G. (2000). Aspects particuliers de la pharmacologie gériatrique. Dans B.G. Katzung et G. Lagier (dir.), *Pharmacologie fondamentale et clinique* (p. 1023-1032). Padoue: PICCIN.

Kron, M., Loy, S., Sturm, E., Nikolaus, T. et Becker, C. (2003). Risk indicators for falls in institutionalized frail elderly. *American Journal of Epidemiology, 158* (7), 645-653.

Laaksonen, D.E., Lindstrom, J., Lakka, T.A., Eriksson, J.G., Niskanen, L., Wikstrom, K., Aunola, S., Keinanen-Kiukaanniemi, S., Laakso, M., Valle, T.T., Ilanne-Parikka, P., Louheranta, A., Hamalainen, H., Rastas, M., Salminen, V., Cepaitis, Z., Hakumaki, M., Kaikkonen, H., Harkonen, P., Sundvall, J., Tuomilehto, J. et Uusitupa, M. (2005). Physical activity in the prevention of type 2 diabetes: the Finnish diabetes prevention study. *Diabetes. 54* (1), 158-165.

Langlois-Meurinne, G. (1987). Dépression. Dans M. Arcand et R. Hébert (dir.), *Précis pratique de gériatrie* (p. 377-400). Saint-Hyacinthe: Édisem.

Larrabee, S. et Brown, M.M. (2003). Recognizing the institutional benefits of bar-code point-of-care technology. *Joint Commission Journal on Quality and Safety, 29* (7), 345-353.

Lassetter, J.H. et Warnick, M.L. (2003). Medical errors, drug-related problems, and medication errors: a literature review on quality of care and cost issues. *Journal of Nursing Care Quality, 18* (3), 175-181.

Lavoie, M.E., Grenier, L. et Mallet, L. (2003). Les troubles du comportement associés à la démence. Dans L. Mallet, L. Grenier, J. Guimond et G. Barbeau (dir.), *Manuel de soins pharmaceutiques en gériatrie* (p. 331-353). Québec: Les Presses de l'Université Laval.

Lehne, R.A. (2001). *Pharmacology for Nursing Care,* 4ᵉ éd. Philadelphia: W.B. Saunders Company.

Lingjaerde, O., Ahlfors, U.G., Bech, P., Dencker, S.J. et Elgen, K. (1987). The UKU side effect rating scale. A new comprehensive rating scale for psychotropic drugs and cross-sectional study of side-effects in neuroleptic-treated patients. *Acta Psychiatrica Scandinavica, 76* (suppl. 334), 1-100.

Loney, P.L., Chambers, L.W., Bennett, K.J., Roberts, J.G. et Stratford, P.W. (1998). Critical appraisal of the health research literature: prevalence or incidence of a health problem. *Chronic Diseases in Canada, 19* (4), 170-176.

Lowe, C.J., Raynor, D.K., Courtney, E.A., Purvis, J., Teale, C. (1995). Effects of self medication programme on knowledge of drugs and compliance with treatment in elderly patients. *British Medical Journal, 310* (6989), 1229-1231.

Manchon, N.D., Bercoff, E., Lemarchand, P., Chassagne, P., Senant, J. et Bourreille, J. (1989). Fréquence et gravité des interactions médicamenteuses dans une population âgée: étude prospective concernant 639 malades. *Revue de médecine interne, 10* (6), 521-525.

Manciaux, M.A. (1993). *Thérapeutiques médicamenteuses en gériatrie.* Paris: Masson.

Manias, E., Beanland, C., Riley, R. et Baker, L. (2004). Self-administration of medication in hospital: patients' perspectives. *Journal of Advanced Nursing, 46* (2), 194-203.

Margolese, H.C., Chouinard, G., Kolivakis, T.T., Beauclair, L. et Miller, R. (2005). Tardive dyskinesia in the era of typical and atypical antipsychotics. Part 1: pathophysiology and mechanisms of induction. *Canadian Journal of Psychiatry, 50* (9), 541-547.

Mayo, A.M. et Duncan, D. (2004). Nurse perceptions of medication errors what we need to know for patient safety. *Journal of Nursing Care Quality, 19* (3), 209-217.

McShane, R., Keene, J., Gedling, K., Fairburn, C., Jacoby, R. et Hope, T. (1997). Do neuroleptic drugs hasten cognitive decline in dementia? Prospective study with necropsy follow up. *British Medical Journal, 314* (7076), 266-270.

Mets, T.F. (1995). Drug-induced orthostatic hypotension in older patients. *Drugs Aging, 6* (3), 219-228.

Miller, C.A. (1999). *Nursing Care of Older Adults,* 3ᵉ éd. New York: Lippincott.

Miller, C.A. (2004a). Drugs and the elderly: looking back and ahead. *Geriatric Nursing, 26* (1), 60-61.

Miller, C.A. (2004b). Teaching older adults medication self-care. *Geriatric Nursing, 25* (5), 318-319.

Morin, C.M., Colecchi, C., Stone, J., Sood, R. et Brink, D. (1999). Behavioral and pharmacological therapies for late-life insomnia: a randomized controlled trial. *Journal of the American Medical Association, 281* (11), 991-999.

Naranjo, C.A., Busto, U., Sellers, E.M., Sandor, P., Ruiz, I., Roberts, E.A., Janecek, E., Domecq, C. et Greenblatt, D.J. (1981). A method for estimating the probability of adverse drug reactions. *Clinical Pharmacology and Therapeutics, 30* (2), 239-245.

Neutel, C.I., Hirdes, J.P., Maxwell, C.J. et Patten, S.B. (1996). New evidence on benzodiazepine use and falls: the time factor. *Age Ageing, 25* (4), 273-278.

Nichol, K.L., Wuorenma, J. et von Sternberg, T. (1998). Benefits of influenza vaccination for low-intermediate, and high-risk senior citizens. *Archives of Internal Medicine, 158* (16), 1769-1776.

Nielson, C. (1994). Pharmacologic considerations in critical care of the elderly. *Clinics in Geriatric Medicine, 10* (1), 71-89.

Organisation mondiale de la santé (1966). *International Drug Monitoring: The Role of the Hospital.* Genève: Organisation mondiale de la santé.

Ordre des infirmières et infirmiers du Québec (2002). *L'exercice infirmier en soins de longue durée: Au carrefour du milieu de soins et du milieu de vie.* Bibliothèque nationale du Québec: Ordre des infirmières et infirmiers du Québec.

Ordre des infirmières et infirmiers du Québec (2004). *L'administration de médicaments: rappel des obligations déontologiques.* Extrait du site Web de l'Ordre des infirmières et des infirmiers du Québec le 7 novembre 2005: http://www.oiiq.org.

Ouslander, J.G., Osterweil, D. et Morley, J. (1997). *Medical Care in the Nursing Home,* 2ᵉ éd. New York: McGraw-Hill.

Pepper, G.A. (1999). Drug use and misuse. Dans J.T. Stone, J.F. Wyman et S.A. Salisbury (dir.), *Clinical Gerontological Nursing. A Guide to Advanced Practice,* 2ᵉ éd. (p. 589-621). Montréal: WB Saunders Company.

Pereles, L., Romonko, L., Murzyn, T., Hogan, D., Silvius, J., Stokes, E., Long, S. et Fung, T. (1996). Evaluation of a self-medication program. *Journal of the American Geriatrics Society, 44,* 161-165.

Plante, M.A. et Mallet, L. (1991). Antidépresseurs. Dans G. Barbeau, J. Guimond et L. Mallet (dir.), *Médicaments et personnes âgées* (p. 311-328). Saint-Hyacinthe: Edisem.

Pongracz, E. et Kaposzta, Z. (2005). Antiplatelet therapy in ischemic stroke. *Expert Review in Neurotherapy, 5* (4), 541-549.

Rancourt, C., Moisan, J., Baillargeon, L., Verreault, R., Laurin, D. et Grégoire, J.P. (2004). Potentially inappropriate prescriptions for older patients in long-term care. *BMC Geriatrics, 4* (9). Disponible sur le site Web de *BMC Geriatrics* à l'adresse suivante: http://www.biomedcentral.com/1471-2318/4/9.

Raynor, D.K., Booth, T.G. et Blenkinsopp, A. (1993). Effects of computer generated reminder charts on patients' compliance with drug regimens. *British Medical Journal, 306* (6886), 1158-1161.

Rawlins, M. et Thompson, W. (1991). Mechanisms of adverse drug reactions. Dans M. Davies (dir.), *Textbook of Adverse Drug Reactions.* New York: Oxford University Press.

Richelson, E. (1999). Receptor pharmacology of neuroleptics: relation to clinical effects. *The Journal of Clinical Psychiatry, 61* (suppl. 1), 5-14.

Saltz, B.L., Woerner, M.G., Robinson, D.G. et Kane, J.M. (2000). Side effects of antipsychotic drugs. Avoiding and minimizing their impact in elderly patients. *Postgraduate Medicine, 107* (2), 175-178.

Schmidt, I.K. et Svarstad, B.L. (2002). Nurse-physician communication and quality of drug use in Swedish nursing homes. *Social Science and Medicine, 54* (12), 1767-1777.

Schneider, L.S., Dagerman K.S. et Insel, P. (2005). Risk of death with atypical antipsychotic drug treatment for dementia. *Journal of the American Medical Association, 295* (15), 1934-1943.

Schwartz, J.B. (1999). Clinical pharmacology. Dans W.R. Hazzard, J.P. Blass, J.W.H. Ettinger, J.B. Halter et J.G. Ouslander (dir.), *Principals of Geriatric Medicine and Gerontology,* 4ᵉ éd. (p. 303-331) New York: McGraw-Hill.

Seals, D.R., Tanaka, H., Clevenger, C.M., Monahan, K.D., Reiling, M.J., Hiatt, W.R., Davy, K.P. et DeSouza, C.A. (2001). Blood pressure reductions with exercise and sodium restriction in postmenopausal women with elevated systolic pressure: role of arterial stiffness. *Journal of the American College of Cardiology, 38* (2), 506-513.

Stokes, J.A., Purdie, D.M. et Roberts, M.S. (2004). Factors influencing PRN medication use in nursing homes. *Pharmacy World and Science, 26,* 148-154.

Svarstad, B.L. et Mount, J.K. (2001). Chronic benzodiazepine use in nursing homes: effects of federal guidelines, resident mix, and nurse staffing. *Journal of the American Geriatrics Society, 49,* 1673-1678.

Svarstad, B.L., Mount, J.K. et Bigelow, W. (2001). Variations in the treatment culture of nursing homes and responses to regulations to reduce drug use. *Psychiatric services, 52* (5), 666-672.

Timiras, M.L. et Luxenberg, J. (2003). Pharmacology and drug management in the elderly. Dans P.S. Timiras (dir.), *Psychological basis of aging and geriatrics,* 3ᵉ éd. Florida: CRC Press.

The Trials of Hypertension Prevention Collaborative Research Group (1997). Effects of weight loss and sodium reduction intervention on blood pressure and hypertension incidence in overweight people with high-normal blood pressure. The Trials of Hypertension Prevention, phase II. *Archives in Internal Medicine, 157* (6), 657-667.

Tumer, N., Scarpace, P.J. et Lowenthal, D.T. (1992). Geriatric pharmacology: basic and clinical considerations. *Annual Review of Pharmacology and Toxicology, 32,* 271-302.

Van Gerven, P.W.M., Paas, F.G.W.C., Van Merriënboer, J.J.G. et Schmidt, H.G. (2000). Cognitive load theory and acquisition of complex cognitive skills in the elderly: towards an integrative framework. *Educational Gerontology, 26,* 503-521.

Veyssier, P., Bergogne-Bérézin, E., Gallinari, C., Rocca-Serra, J.P., Benhamou, D., Taytard, A., Chiarelli, P. et Boumendil, O. (2001). Épidémiologie et prise en charge des pneumonies suspectées en maison de retraite. *La Presse médicale, 30* (36), 1770-1776.

Walley, T. et Scott, A.T. (1995). Prescribing in the elderly. *Postgraduate Medicine, 71* (838), 466-471.

Wancata, J., Benda, N., Meise, U. et Müller, C. (1997). Psychotropic intake in residents newly admitted to nursing homes. *Psychopharmacology, 134* (2), 115-120.

Williams, B. et Betley, C. (1995). Inappropriate use of nonpsychotropic medications in nursing homes. *Journal of the American Geriatrics Society, 43* (5), 513-519.

Williams, B.R., Nichol, M.B., Yoon, P.S., McCombs, J.S. et Margolies, J. (1999). Medication use in residential care facilities for elderly. *The Annals of Pharmacotherapy, 33* (2), 149-155.

Wœrner, M.G., Alvir, J.M., Saltz, B.L., Liebman, J.A. et Kane, J.M. (1998). Prospective study of tardive dyskinesia in the elderly: rates and risk factors. *The American Journal of Psychiatry, 155* (11), 1521-1528.

Wright, D. (2002). Medication administration in nursing homes. *Nursing Standard, 16* (42), 33-38.

CHAPITRE 24

Algase, D.L. (1999). Wandering in dementia. *Annual Review of Nursing Research, 17*, 185-217.

Algase, D.L., Beck, C., Kolanowski, A., Whall, A., Berent, S., Richards, K. et Beattie, E. (1996). Need-driven dementia-compromised behavior: an alternative view of disruptive behavior. *American Journal of Alzheimer's Disease, 11* (6), 10-19.

Allen-Burge, R., Stevens, A.B. et Burgio, L.D. (1999). Effective behavioral interventions for decreasing dementia-related challenging behavior in nursing homes. *International Journal of Geriatric Psychiatry, 14* (3), 213-232.

Beck, C.K., Frank, L., Chumbler, N.R., O'Sullivan, P., Vogelpohl, T.S., Rasin, J., Walls, R. et Baldwin, B. (1998). Correlates of disruptive behavior in severely cognitively impaired nursing home residents. *The Gerontologist, 38* (2), 189-198.

Beck, C.K., Modlin, T., Heithoff, K. et Shue, V. (1992). Exercise as an intervention for behaviour problem. *Geriatric Nursing, 13*, 273-275.

Beck, C.K. et Shue, V.M. (1994). Interventions for treating disruptive behavior in demented elderly people. *Nursing Clinics of North America, 29* (1), 143-155.

Beck, C.K., Vogelpohl, T.S., Rasin, J.H., Uriri, J., O'Sullivan, P., Walls, R., Phillips, R. et Baldwin, B. (2002). Effects of behavioral interventions on disruptive behavior and affect in demented nursing home residents. *Nursing Research, 51* (4 / juillet-août), 219-228.

Bellelli, G., Frisoni, G.B., Bianchetti, A., Boffelli, S., Guerrini, G.B., Scotuzzi, A., Ranieri, P., Ritondale, G., Guglielmi, L., Fusari, A., Raggi, G., Gasparotti, A., Gheza, A., Nobili, G. et Trabucchi, M. (1998). Special care units for demented patients: a multicenter study. *The Gerontologist, 38* (4), 456-462.

Belmin, J. (2003). *Gérontologie pour le praticien*. Paris: Masson.

Bonin, C. et Bourque, M. (1993). Gérer les comportements perturbateurs en soins de longue durée. *Nursing Québec, 13* (2), 20-26.

Bourque, M. (2005). *Grille d'observation clinique*. Sherbrooke: Institut universitaire de gériatrie de Sherbrooke (document interne).

Brotons, M. et Pickett-Cooper, P.K. (1996). The effects of music therapy intervention on agitation behaviours of Alzheimer's disease patients. *Journal of Music Therapy, 33*, 2-18.

Buckwalter, K.C., Stolley, J.M. et Farran, C.J. (1999). Managing cognitive impairment in the elderly: conceptual, intervention and methodological issues. Extrait du site Web (document 10) de *The Online Journal of Knowledge Synthesis for Nursing*: www.stti.iupui.edu/library/ojksn/.

Burgio, L.D., Scilley, K., Hardin, J.M., Hsu, C. et Yancey, J. (1996). Environmental "white noise": an intervention for verbally agitated nursing home residents. *Journal of Gerontology Series B – Psychological Sciences & Social Sciences, 51B* (6), 364-373.

Castle, N.G., Fogel, B. et Mor, V. (1997). Risk factors for physical restraint use in nursing homes: pre- and post-implementation of the nursing. *The Gerontologist, 37* (6), 737-747.

Cohen-Mansfield, J. et Billig, N. (1986). Agitated behaviors in the elderly. A conceptual review. *Journal of the American Geriatric Society, 34*, 711-721.

Cohen-Mansfield, J., Marx, M.S. et Werner, P. (1993). Restraining cognitively impaired nursing home resident. *Nursing Management, 24* (9), 112Q-112W.

Cohen-Mansfield, J., Werner, P. et Marx, M. (1992). Observational data on time use and behavior problems in the nursing home. *American Journal of Alzheimer's Disease, 11* (1), 114-117.

Coltharp, W., Richie, M.F. et Kaas, M.J. (1996). Wandering. *Journal of Gerontological Nursing, 22* (11), 5-10.

Cummings, J.L. (1997). The neuropsychiatric inventory: assessing psychopathology in dementia patients. *Neurology, 48* (suppl. 6), 510-516.

De Santis, J., Engberg, S. et Roger, J. (1997). Geropsychiatric restraint use. *Journal of the American Geriatrics Society, 45* (12), 1515-1518.

Deslauriers, S., Landreville, P., Dicaire, L. et Verreault, R. (2001). Validité et fidélité de l'Inventaire d'agitation de Cohen-Mansfield. *Canadian Journal on Aging / La revue canadienne du vieillissement, 20* (3), 374-384.

Duffy, M. (2002). Disruptive behaviour: systemic and strategic management. *Clinical Gerontologist, 25*, 91-103.

Gardiner, J.C., Furois, M., Tansley, D.P. et Morgan, B. (2000). Music therapy and reading as interventions strategies for disruptive behaviour in dementia. *Clinical Gerontologist, 22* (1), 31-46.

Gerdner, L.A. et Buckwalter, K.C. (1994). A nursing challenge: assessment and management of agitation in Alzheimer's patients. *Journal of Gerontological Nursing, 20* (4), 11-20.

Gibson, M.C. (1997). Differentiating aggressive and resistive behaviors in long-term care. *Journal of Gerontological Nursing, 23* (4), 21-28.

Hall, R. et Buckwalter, C.K. (1987). Progressively lowered stress threshold: a conceptual model for care of adults with Alzheimer's disease. *Archives of Psychiatric Nursing, 1* (6), 399-406.

Hantikainen, V. (2001). Nursing staff perceptions of the behaviour of older nursing home residents and decision making on restraint use: a qualitative and interpretative study. *Journal of Clinical Nursing, 10* (2), 246-256.

Hottin, P., Bourque, M. et Bonin, C. (1997). Approche des troubles du comportement chez les personnes atteintes de déficits cognitifs. Dans M. Arcand et R. Hébert (dir.), *Précis pratique de gériatrie* (p. 229-238). Saint-Hyacinthe: Edisem.

International Psychogeriatric Association (2003). Behavioral and Psychological Symptoms of dementia 2e éd. Skokie: International Psychogeriatric Association.

Kino-Québec (1996). *Plan d'action 1996-2000. Ensemble pour un Québec physiquement actif*. Québec: gouvernement du Québec.

Kovach, C.R., Taneli, Y., Doherty, P., Schildt, A.M., Cashin, S. et Silva-Simth, A.M. (2004). Effect of the BACE intervention on agitation of people with dementia. *The Gerontologist, 44* (6), 797-806.

Lanctôt, K.L., Best, T.S., Mittmann, N., Liu, B., Oh, P.I., Einarson, T.R. et Naranjo, C.A. (1998). Efficacy and safety of neuroleptics in behavioral disorders associated with dementia. *Journal of Clinical Psychiatry, 59*, 550-561.

Landreville, P., Vézina, J. et Gosselin, N. (2000). Comportements excessifs dans les démences. Dans P. Cappeliez, P. Landreville et J. Vézina (dir.), *Psychologie clinique de la personne âgée* (p. 127-149). Ottawa / Paris: Presses de l'Université d'Ottawa / Masson.

Lévesque, L., Roux, C. et Lauzon, S. (1990). *Alzheimer, comprendre pour mieux aider*. Saint-Laurent: Éditions du Renouveau Pédagogique.

Lonergan, E., Luxemberg, J. et Colford, J. (2003). Haloperidol for agitation in dementia (Cochrane Review). Dans *The Cochrane Library*, no 1. Oxford: Update Software.

Mattiasson, A.C. et Andersson, L. (1995). Nursing home staff attitudes to ethical conflicts with respect to patient autonomy and paternalism. *Nursing Ethics, 2* (2), 115-130.

Moniz-Cook, E., Agar, S., Silver, M., Woods, R., Wang, M., Elston, C. et Win, T. (1998). Can staff training reduce behavioural problems in residential care for the elderly mentally ill? *International Journal of Geriatric Psychiatry, 13* (3), 149-158.

Neugroschi, J. (2002). Agitation. How to manage behaviour disturbances in the older patient with dementia. *Geriatrics, 57* (4), 33-40.

Phaneuf, M. (1998). *Le vieillissement perturbé*. Montréal: Chenelière/McGraw-Hill.

Philo, S.W., Richie, M.F. et Kaas, M.J. (1996). Inappropriate sexual behavior. *Journal of Gerontological Nursing, 22* (11), 17-22.

Schneider, L.S., Pollock, V.E. et Lyness, S.A. (1990). A meta-analysis of controlled trials of neuroleptic treatment in dementia. *Journal of the American Geriatrics Society, 38* (5), 553-563.

Slattery, E.A., Aarado, P., Abbey, M., Brose, J., Dodd, L., Evans, C. et Rosh, M. (1999). A behavioral intervention program for long-term care : Part II. *Annals of Long-Term Care, 7* (11), 421-426.

Voyer, P. (2005). Les milieux de soins et les symptômes comportementaux de la démence. Dans P. Landreville, F. Rousseau, J. Vézina et P. Voyer (dir.), *Les symptômes comportementaux et psychologiques de la démence* (p. 309-343). Saint-Hyacinthe : EDISEM.

Voyer, P., Verreault, R., Mengue, P.N., Laurin, D., Rochette, L. et Martin, L.S. (sous presse). Disruptive behaviors associated with consumption of neuroleptics by elderly people in nursing homes. *Journal of Gerontological Nursing.*

Werner, P., Tabak, N., Alpert, R. et Bergman, R. (2002). Interventions used by nursing staff members with psychogeriatric patients resisting care. *International Journal of Nursing Studies, 39* (4), 461-467.

Wiener, P.K., Kiosses, D.N., Klimstra, S., Murphy, C. et Alexopoulos, G.S. (2001). A short-term inpatient program for agitated demented nursing home residents. *International Journal of Geriatric Psychiatry, 16* (9), 866-872.

Williams-Burgess, C., Ugarriza, D. et Gabbai, M. (1996). Agitation in older persons with dementia : a research synthesis. Extrait du site Web (document 13) de *The Online Journal of Knowledge Synthesis for Nursing, 3* : www.stti.iupui.edu/library/ojksn/.

Sahadevan, S., Rockwood, K. et Morris, J.C. (1999). Global assessment measures in dementia. Dans S. Gauthier (dir.), *Clinical Diagnosis and Management of Alzheimer Disease* (p. 167-177). United Kingdom : Martin Dunitz.

Sclar, D.A. (1991). Improving medication compliance : a review of selected issues. *Clinical Therapeutics, 13* (4), 436-440.

Sifton, C.B. (2000). Maximizing the functional abilities of persons with Alzheimer's disease and related dementias. Dans P. Lawton et R.L. Rubinstein (dir.), *Interventions in Dementia Care : Toward Improving Quality of Care* (p. 11-63). New York : Springer.

Société canadienne de l'ouïe (2004). *Guide à l'intention des prestataires de services et des entreprises.* Extrait du site Web de la Société canadienne de l'ouïe : www.chs.ca.

Treloar, A., Beats, B. et Philpot, M. (2000). A pill in the sandwich : covert medication in food and drink. *Journal of the Royal Society of Medicine, 93* (8), 408-411.

Voyer, P., Verreault, R., Mengue, P.N., Laurin, D., Rochette, L., Martin, L.S. (sous presse). Disruptive behaviors associated with consumption of neuroleptics by elderly people in nursing homes. *Journal of Gerontological Nursing.*

Wright, D. (2002). Swallowing difficulties protocol : medication administration. *Nursing Standard, 17* (9), 43-45.

CHAPITRE 25

Beck, C. et Heacock, P. (1988). Nursing interventions for patients with Alzheimer's disease. *Nursing Clinics of North America, 23* (1), 95-124.

Beck, C., Heacock, P., Mercer, S., Walton, C.G. et Shook, J. (1991). Dressing for success. Promoting independence among cognitively impaired elderly. *Journal of Psychosocial Nursing and Mental Health Services, 29* (7), 30-35.

Berger, L. et Mailloux-Poirier, D. (1993). *Personnes âgées. Une approche globale.* Montréal : Études Vivantes.

Briller, S.H., Profetti, M.A., Perez, K., Calkins, M.P. et Marsden, J.P. (2001). Maximising cognitive and functional abilities. Dans M.P. Calkins (dir.), *Creating Successful Dementia Care Settings* (p. 143-164). Baltimore : Health Professions.

Burns, A., Byrne, J., Ballard, C. et Holmes C. (2002). Sensory stimulation in dementia : an effective option for managing behavioural problems. *British Medical Journal, 325* (12), 1312-1313.

Caron, H. (2003). *Guide du professionnel de la santé et de l'intervenant auprès de la personne aînée ou adulte ayant des problèmes d'audition.* Montréal : Institut Raymond-Dewar / Fondation de la surdité de Montréal / Le groupe Forget Audioprothésiste.

Conn, V., Taylor, S. et Miller, R. (1994). Cognitive impairment and medication adherence. *Journal of Gerontological Nursing, 20* (7), 41-47.

Doucet, G. (2002). Le goût des médicaments écrasés ou liquides : un facteur souvent négligé. *Québec Pharmacie, 49* (2), 124-126.

Gélinas, I. et Auer, S. (1999). Functional autonomy. Dans S. Gauthier (dir.), *Clinical Diagnosis and Management of Alzheimer's Disease* (p. 213-225). United Kingdom : Martin Dunitz.

Gray, S.G. et Clair, A.A. (2002). Influence of aromatherapy on medication administration to residential-care residents with dementia and behavioral challenges. *American Journal of Alzheimer's Disease and Other Dementias, 17* (3), 169-174.

Heacock, P.R., Beck, C.M., Souder, E. et Mercer, S. (1997). Assessing dressing ability in dementia. *Geriatric Nursing, 18* (3), 107-111.

Khosravi, M. (1999). *La vie quotidienne du malade d'Alzheimer. Guide pratique,* 2e éd., France : Doin.

Mahoney, E.K., Hurley, A.C., Ladislav, V., Bell, M., Gianotis, P., Hartshorn, M., Lane, P., Lesperance, R., MacDonald, S., Novakoff, L., Rheaume, Y., Timms, R. et Warden, V. (1999). Development and testing of the resistiveness to care scale. *Research in Nursing and Health, 22,* 27-38.

Mistretta, E.F. et Kee, C.K. (1997). Caring for Alzheimer's residents in dedicated units : developing and using expertise. *Journal of Gerontological Nursing, 23* (2), 41-46.

Potts, H.W., Richie, M.F. et Kaas, M.J. (1996). Resistance to care. *Journal of Gerontological Nursing, 22* (11), 11-16.

Reisberg, B., Franssen, E.H., Souren, L.E.M., Auer, S.R., Akram, I. et Kenowsky, S. (2002). Evidence and mechanisms of retrogenesis in Alzheimer's and other dementias : management and treatment import. *American Journal of Alzheimer's Disease and Other Dementias, 17* (4), 202-212.

CHAPITRE 26

Algase, D., Beck, C., Kolanowski, A., Whall, A., Berent, S., Richards, K. et Beattie, E. (1996). Need-driven dementia-compromised behaviour : an alternative view of disruptive behaviour. *American Journal of Alzheimer Disease, 11* (6), 12-19.

Asplund, R. (1999). Sleep disorders in the elderly. *Drugs and Aging, 14* (2), 91-103.

Barrick, A., Rader, J., Hoeffer, B. et Sloane, P. (2002). *Bathing Without a Battle : Personal Care of Individuals with Dementia.* New York : Springer.

Barrick, A., Rader, J. et Medina, D. (2002). General guidelines for bathing persons with dementia. Dans A. Barrick, J. Rader, B. Hoeffer et P. Sloane (dir.), *Bathing Without a Battle : Personal Care of Individuals with Dementia* (p. 11-15). New York : Springer.

Barrick, A., Rader, J. et Mitchell, M. (2002). Assessing behaviour. Dans A. Barrick, J. Rader, B. Hoeffer et P. Sloane (dir.), *Bathing Without a Battle : Personal Care of Individuals with Dementia* (p. 16-29). New York : Springer.

Beck, C., Baldwin, B., Modlin, T. et Lewis, S. (1990). Caregivers' perceptions of aggressive behavior in cognitively impaired nursing home residents. *Journal of Neuroscience Nursing, 22,* 169-172.

Bell, V. et Troxel, D. (1994). An Alzheimer's disease bill of rights. *The American Journal of Alzheimer's Care and Related Disorders & Research, 9* (5), 3-6.

Clark, A. Lipe et M. Bilbrey (1998). Use of music to decrease aggressive behaviors in people with dementia. *Journal of Gerontological Nursing, 24,* 10-17.

Cohen-Mansfield, J. (2000). Theoretical frameworks for behavioral problems in dementia. *Alzheimer's Care Quarterly, 1,* 8-21.

Cohen-Mansfield, J. et Taylor, L. (1998). Assessing and understanding agitated behaviors in older adults. Dans M. Kaplan et S. Hoffman (dir.), *Behaviors in Dementia : Best Practices for Successful Management* (p. 25-41). Winnipeg : Health Professions Press.

Cotton, D. (1999). Behaviour and the brain : it's all in your head. *Long Term Care,* mai-juin, 23-25.

Dawson, P., Wells, D. et Kline, K. (1993). *Enhancing the Abilities of Persons with Alzheimer's and Related Dementias.* New York : Springer.

Dorsey, C., Lukas, S., Teicher, M., Harper, D., Winkelman, J., Cunningham, S. et Satlin, A. (1996). Effects of passive body heating on the sleep of older female insomniacs. *Journal of Geriatric Psychiatry and Neurology, 9,* 83-90.

Dougherty, J. et Long, C. (2003). Techniques for bathing without a battle. *Home Healthcare Nurse, 21,* 38-39.

Dwyer, S., Sloane, P. et Barrick, A. (1995). *Solving Bathing Problems in Persons with Alzheimer's Disease and Related Dementias : A Training and Reference Manual for Caregivers.* Chapel Hill : University of North Carolina.

Everitt, D., Fields, D., Soumerai, S. et Avorn, J. (1991). Resident behaviour and staff distress in the nursing home. *Journal of the American Geriatrics Society, 39,* 792-798.

Foltz-Gray, D. (1995). Rough water. *Contemporary Long Term Care, 18,* 66-68.

Gates, D., Fitzwater, E. et Meyer, U. (1999). Violence against caregivers in nursing homes : expected, tolerated, and accepted. *Journal of Gerontological Nursing, 25* (4), 12-22.

Hagen, B. et Sayers, D. (1995). When caring leaves bruises: the effects of staff education on resident aggression. *Journal of Gerontological Nursing, 21*(11), 7-16.

Higgs, J. et Titchen, A. (2000). Knowledge and reasoning. Dans J. Higgs and M. Jones (dir.), *Clinical Reasoning in the Health Professions* (p. 23-32). Boston: Butterworth Heinemen.

Hoeffer, B., Rader, J. et Barrick, A. (2002). Understanding the battle. Dans A. Barrick, J. Rader, B. Hoeffer et P. Sloane (dir.). *Bathing Without a Battle: Personal Care of Individuals with Dementia* (p. 3-10). New York: Springer.

Hoeffer, B., Rader, J., McKenzie, D., Lavelle. M, et Stewart, B. (1997). Reducing aggressive behavior during bathing cognitively impaired nursing home residents. *Journal of Gerontological Nursing, 23,* 16-23.

Kilhgren, M., Kuremyr, D., Norberg, A., Brane, G., Karlson, I., Engstrom, B. et Melin, E. (1993). Nurse-patient interaction after training in integrity promoting care at a long-term care ward: analysis of video-recorded morning care sessions. *International Journal of Nursing Studies, 30,* 1-13.

Kitwood, T. (1997). *Dementia Reconsidered: The Person Comes First.* Philadelphia: Open University Press.

Kovach, C. et Meyer-Arnold, E. (1997). Preventing agitated behaviors during bath time. *Geriatric Nursing, 18,* 112-114.

Liao, W. (2002). Effects of passive body heating on body temperature and sleep regulation in the elder: a systematic review. *International Journal of Nursing Studies, 39,* 803-810.

Meddaugh, D. (1990). Reactance: understanding aggressive behavior in long-term care. *Journal of Psychosocial Nursing, 28,* 28-33.

Mickus, M., Wagenaar, D., Averill, M., Colenda, C., Gardiner, J. et Luo, A. (2002). Developing effective bathing strategies for reducing problematic behavior for residents with dementia: the PRIDE approach. *Journal of Mental Health and Aging, 8,* 37-43.

Namazi, K. et Johnson, B. (1996). Issues related to behaviour and the physical environment: bathing cognitively impaired patients. *Geriatric Nursing, 17* (5), 234-239.

Northwood, M. (2002). Understanding and treating sleep disturbance in dementia. *Long Term Care,* mai-juin, 22-25.

Ortigara, A. (2000). Understanding the language of behavior. *Alzheimer's Care Quarterly, 1,* 89-92.

Petrie, W., Lawson, E. et Hollender, M. (1982). Violence in geriatric patients. *JAMA, 248* (4), 443-444.

Pieces Consultation Team (2002). *Putting the P.I.E.C.E.S....Together: Long Term Care Facility P.I.E.C.E.S. Resource Guide,* 4ᵉ éd., subventionné par le ministère ontarien de la Santé et des Soins de longue durée. London: Cabhru Solutions.

Potts, H., Richie, M. et Kaas, M. (1996). Resistance to care. *Journal of Gerontological Nursing, 22,* 11-16.

Rader J. (1994). To bathe or not to bathe: that is the question. *Journal of Gerontological Nursing, 20,* 53-55.

Rader, J. et Barrick, A. (2000). Ways that work: bathing without a battle. *Alzheimer's Care Quarterly, 1* (4), 35-49.

Rader, J., Lavelle, M., Hoeffer, B. et McKenzie, D. (1996). Maintaining cleanliness: an individualized approach. *Journal of Gerontological Nursing, 22,* 32-38.

Reisberg, B. (1988). Functional assessment staging (FAST). *Psychopharmacology Bulletin, 24,* 653-659.

Reisberg, B. (1986). Dementia: a systematic approach to identifying reversible causes. *Geriatrics, 41* (4), 30-46.

Rossby, L., Beck, C. et Heacock, P. (1992). Disruptive behaviours of a cognitively impaired nursing home resident. *Archives of Psychiatric Nursing, 6* (2), 98-107.

Ryden, M. (1988). Aggressive behaviour in persons with dementia who live in the community. *Alzheimer's Disease and Associated Disorders, 2* (4), 342-355.

Ryden, M., Bossenmaier, M. et McLachlan, C. (1991). Aggressive behavior in cognitively impaired nursing home residents. *Research in Nursing and Health, 14,* 87-95.

Schindel Martin, L., Morden, P. et McDowell, C. (1999). Using the towel bath to give tender care in dementia: a case example. *Perspectives, 23,* 8-11.

Schindel Martin, L., Rozon, L., McDowell, S., Cetinski, G. et Kemp, K. (2004). Evaluation of a training program for long-term care staff on bathing techniques for persons with dementia. *Alzheimer's Care Quarterly, 5* (3), 217-229.

Skewes, S. (1997). Bathing: it's a tough job. *Journal of Gerontological Nursing, 23,* 45-49.

Sloane, P. et Barrick, A. (1998). Management of occasional and frequent problem behaviors in dementia: bathing and disruptive vocalization. Dans M. Kaplan et S. Hoffman (dir.), *Behaviors in Dementia: Best Practice for Successful Management* (p. 227-239). Baltimore: Health Professions Press.

Sloane, P., Barrick, A. et Horn, V. (1995). *Solving Bathing Problems in Persons with Alzheimer's Disease and Related Dementias.* Distribué par Terra Nova Films.

Sloane, P., Hoeffer, B., Mitchell, C.M., McKenzie, D.A., Barrick, A.L., Rader, J., Stewart, B.J., Talerico, K.A., Rasin, J.H., Zink, R.C. et Koch, G.G. (2004). Effect of person-centered showering and the towel bath on bathing-associated aggression, agitation, and discomfort in nursing home residents with dementia: a randomized, controlled trial. *Journal of the American Geriatrics Society, 52,* 1795-1804.

Sloane, P., Rader, J., Barrick, A., Hoeffer, B., Dwyer, S., McKenzie, D., Lavelle, M., Buckwalter, K., Arrington, L. et Pruitt, T. (1995). Bathing persons with dementia. *Gerontologist, 35,* 672-678.

Smolander, J. (2002). Effect of cold exposure on older humans. *International Journal of Sports Medicine, 23,* 86-92.

Somboontanont, W., Sloane, P., Floyd, F., Holditch-Davis, D., Hogue, C. et Mitchell, M. (2004). Assaultive behaviour in Alzheimer's disease: identifying immediate antecedents during bathing. *Journal of Gerontological Nursing, 30* (9), 22-29.

Volicer, L., Mahoney, E. et Brown, E. (1998). Nonpharmacological approaches to the management of the behavioural consequences of advanced dementia. Dans M. Kaplan et S. Hoffman (dir.), *Behaviours in Dementia: Best Practices for Successful Management* (p. 155-176). Winnipeg: Health Professions Press.

Voyer, P. (2002). La personne âgée. Dans M. Brûlé, L. Cloutier et O. Doyon (dir.), *L'examen clinique dans la pratique infirmière* (p. 636-676). Saint-Laurent: Éditions du Renouveau Pédagogique.

Wagnild, G. et Manning, R. (1985). Convey respect during bathing procedures: patient well-being depends on it! *Journal of Gerontological Nursing, 11,* 6-10.

Wells, D., Dawson, P., Sidani, S., Craig, D. et Pringle, D. (2000). Effects of an abilities-focused program of morning care on residents who have dementia and on caregivers. *Journal of the American Geriatric Society, 48,* 442-449.

Worfolk, J. (1997). Keep frail elders warm! *Geriatric Nursing, 18* (1), 7-11.

CHAPITRE 27

Aubert, J., Brochu, C., Vézina, J., Landreville, P., Primeau, G., Imbeault, S. et Laplante, C. (2001). Environmental conditions associated with agitated behavior among demented patients. *Gerontology, 47* (suppl. 1), 70.

Bédard, A. et Landreville, P. (sous presse). Intervention non pharmacologique pour réduire l'agitation verbale: une étude préliminaire. *Revue canadienne du vieillissement / Canadian Journal on Aging.*

Burgio, L.D., Scilley, K., Hardin, J.M., Hsu, C. et Yancey, J. (1996). Environmental "white noise": an intervention for verbally agitated nursing home residents. *Journal of Gerontology: Psychological Sciences, 51B,* P364-P373.

Burgio, L.D., Scilley, K., Hardin, J.M., Janosky, J., Bonino, P., Slater, S.C. et Engberg, R. (1994). Studying disruptive vocalization and contextual factors in the nursing home using computer-assisted real-time observation. *Journal of Gerontology: Psychological Sciences, 49,* P230-P239.

Cariaga, J., Burgio, L., Flynn, W. et Martin, D. (1991). A controlled study of disruptive vocalizations among geriatric residents in nursing homes. *Journal of the American Geriatrics Society, 39,* 501-507.

Cohen-Mansfield, J., Marx, M.S. et Rosenthal, A.S. (1989). A description of agitation in the nursing home. *Journal of Gerontology, 44,* M77-M84.

Cohen-Mansfield, J., Marx, M.S. et Rosenthal, A.S. (1990). Dementia and agitation in nursing home residents: how are they related? *Psychology and Aging, 5,* 3-8.

Cohen-Mansfield, J. et Werner, P. (1994). Verbally disruptive behaviors in elderly persons: a review. Dans B.J. Vellas, J.L. Albarede et J.P. Garry (dir.), *Facts and Research in Gerontology* (p. 73-89). New York: Springer.

Cohen-Mansfield, J. et Werner, P. (1997a). Typology of disruptive vocalizations in older persons suffering from dementia. *International Journal of Geriatric Psychiatry, 12,* 1079-1091.

Cohen-Mansfield, J. et Werner, P. (1997b). Management of verbally disruptive behaviors in nursing home residents. *Journal of Gerontology: Medical Sciences, 52A,* M369-M377.

Cohen-Mansfield, J., Werner, P. et Marx, M.S. (1990). Screaming in nursing home residents. *Journal of the American Geriatrics Society, 38,* 785-792.

Draper, B., Snowdon, J., Meares, S., Turner, J., Gonski, P., McMinn, B., McIntosh, H., Latham, L., Draper, D. et Luscombe, G. (2000). Case-controlled study of nursing home residents referred for treatment of vocally disruptive behavior. *International Psychogeriatrics, 12*, 333-344.

Friedman, R., Gryfe, C.I., Tal, D.T. et Freedman, M. (1992). The noisy elderly patient: prevalence, assessment, and response to the antidepressant doxepin. *Journal of Geriatric Psychiatry and Neurology, 5*, 187-191.

Hallberg, I.R., Norberg, A. et Eriksson, S. (1990a). A comparison between the care of vocally disruptive patients and that of other residents at psychogeriatric wards. *Journal of Advanced Nursing, 15*, 410-416.

Hallberg, I.R., Norberg, A. et Eriksson, S. (1990b). Functional impairment and behavioural disturbances in vocally disruptive patients in psychogeriatric wards compared with controls. *International Journal of Geriatric Psychiatry, 5*, 53-61.

Holst, G., Hallberg, I.R. et Gustafson, L. (1997). The relationship of vocally disruptive behavior and previous personality in severely demented institutionalized patients. *Archives of Psychiatric Nursing, 11*, 147-154.

Jackson, M.E., Drugovich, M.L., Fretwell, M.D., Spector, W.D., Sternberg, J. et Rosenstein, R.B. (1989). Prevalence and correlates of disruptive behavior in the nursing home. *Journal of Aging and Health, 1*, 349-369.

Kindermann, S.S., Dolder, C.R., Bailey, A., Katz, I.R. et Jeste, D.V. (2002). Pharmacological treatment of psychosis and agitation in elderly patients with dementia: four decades of experience. *Drugs Aging, 19*, 257-276.

Lai, C.K.Y. (1999). Vocally disruptive behaviors in people with cognitive impairment: current knowledge and future research directions. *American Journal of Alzheimer's Disease, 14*, 172-180.

Matteau, E., Landreville, P., Laplante, L. et Laplante, C. (2003). Disruptive vocalizations: a means to communicate in dementia? *American Journal of Alzheimer's Disease and Other Dementias, 18*, 147-153.

Patel, V. et Hope, R.A. (1992). Aggressive behaviour in elderly psychiatric inpatients. *Acta Psychiatrica Scandinavica, 85*, 131-135.

Pollock, B.G., Mulsant, B.H., Sweet, R., Burgio, L.D., Kirshner, M.A., Shuster, K. et Rosen, J. (1997). An open pilot study of citalopram for behavioral disturbances of dementia. Plasma levels and real-time observations. *American Journal of Geriatric Psychiatry, 5*, 70-78.

Ray, W.A., Taylor, J.A., Lichtenstein, M.J. et Meador, K.G. (1992). The nursing home behavior problem scale. *Journal of Gerontology: Medical Sciences, 47*, M9-M16.

Sloane, P.D., Davidson, S., Buckwalter, K., Lindsey, B.A., Ayers, S., Lenker, V. et Burgio, L.D. (1997). Management of the patient with disruptive vocalization. *The Gerontologist, 37*, 675-682.

Zimmer, J.G., Watson, N. et Treat, A. (1984). Behavioral problems among patients in skilled nursing facilities. *American Journal of Public Health, 74*, 1118-1119.

CHAPITRE 28

American Psychiatric Association (1997). Practice guidelines for the treatment of patients with Alzheimer's disease and other dementias of later life. *American Journal of Psychiatry, 154* (suppl.), 1-39.

Béland, C. (2004). *Comportements agressifs associés à la démence: Interactions entre les résidents et les soignants lors des soins d'hygiène*. Mémoire de maîtrise inédit, Université Laval, Québec, Canada.

Bridges-Parlet, S., Knopman, D. et Thompson, T. (1994). A descriptive study of aggressive behavior in dementia by direct observation. *Journal of the American Geriatrics Society, 42*, 192-197.

Brodaty, H., Draper, B., Saab, D., Low, L.-F., Richards, V., Paton, H. et Lie, D. (2001). Psychosis, depression and behavioural disturbances in Sydney nursing home residents: Prevalence and predictors. *International Journal of Geriatric Psychiatry, 16*, 504-512.

Burgio, L. (1996). Direct observation of behavioral disturbances of dementia and their environmental context. *International Psychogeriatrics, 8* (suppl. 3), 343-346.

Burns, A., Jacoby, R. et Levy, R. (1990). Psychiatry phenomena in Alzheimer's disease IV: Disorders of behaviour. *British Journal of Psychiatry, 157*, 86-94.

Chou, K.-R., Kaas, M.J. et Richie, M.F. (1996). Assaultive behavior in geriatric patients. *Journal of Gerontological Nursing, 22*, 30-38.

Cohen-Mansfield, J. (1995). Assessment of disruptive behavior/agitation in the elderly: function, methods, and difficulties. *Journal of Geriatric Psychiatry and Neurology, 8*, 52-60.

Cohen-Mansfield, J. et Werner, P. (1998). Longitudinal changes in behavioural problems in old age: a study in a adult day care population. *Journal of Gerontology: Medical Sciences, 53A*, M65-M71.

Cohen-Mansfield, J., Werner, P., Marx, M. et Lipson, S. (1993). *Assessment and management of behaviour problems in the nursing home*. Dans L.Z. Rubenstein et D. Wieland (dir.), *Improving care in the nursing home: Comprehensive reviews of clinical research* (p. 275-313). Newbury Park, CA: Sage Publications.

Eriksson, S. (2000). Impact of the environment on behavioral and psychological symptoms of dementia. *International Psychogeriatrics, 12*, 89-91.

Eustace, A., Coen, R., Walsh, C., Cunningham, C.J., Walsh, J.B., Coakley, D. et Lawlor, B.A. (2002). A longitudinal evaluation of behavioural and psychological symptoms of probable Alzheimer's disease. *International Journal of Geriatric Psychiatry, 17*, 968-973.

Eustace, A., Kidd, N., Greene, E., Fallon, C., Bhrain, N., Cunningham, C., Coen, R., Walsh, J.B., Coakley, D. et Lawlor, B.A. (2001). Verbal aggression in Alzheimer's disease. Clinical, functional and neuropsychological correlates. *International Journal of Geriatric Psychiatry, 16*, 858-861.

Evers, W., Tomic, W. et Brouwers, A. (2002). Aggressive behaviour and burnout among staff of homes for the elderly. *International Journal of Mental Health Nursing, 11* (1), 2-9.

Feldt, K.S., Warne, M.A. et Ryden, M.B. (1998). Examining pain in aggressive cognitively impaired older adults. *Journal of Gerontological Nursing, 24*, 14-22.

Fisher, J.E. et Swingen, D.N. (1997). Contextual factors in the assessment and management of aggression in dementia patients. *Cognitive and Behavioral Practice, 4*, 171-190.

Gilley, D.W., Wilson, R.S., Beckett, L.A. et Evans, D.A. (1997). Psychotic symptoms and physically aggressive behavior in Alzheimer's disease. *American Geriatrics Society, 45*, 1074-1079.

Gormley, N., Rizwan, M.R. et Lovestone, S. (1998). Clinical predictors of aggressive behaviour in Alzheimer's disease. *International Journal of Geriatric Psychiatry, 13*, 109-115.

Gosselin, N. (1998). *Utilisation du RDA afin de réduire les comportements agressifs chez une femme âgée atteinte de démence en institution*. Mémoire de maîtrise inédit, Université Laval, Québec, Canada.

Hope, T., Keene, J., Fairburn, C.G., Jacoby, R. et McShane, R. (1999). Natural history of behavioural changes and psychiatric symptoms in Alzheimer's disease. A longitudinal study. *British Journal of Psychiatry, 174*, 39-44.

Hope, T., Keene, J., Gedling, K., Cooper, S., Fairburn, C. et Jacoby, R. (1997). Behaviour changes in dementia 1: point of entry data of a prospective study. *International Journal of Geriatric Psychiatry, 12*, 1062-1073.

Kazdin, A.E. (1989). *Behavioral Modification in Applied Setting*, 4e éd., Pacific Grove, CA: Brooks/Cole.

Keene, J., Hope, T., Fairburn, C.G., Jacoby, R., Gedling, K. et Ware, C.J.G. (1999). Natural history of aggressive behaviour in dementia. *International Journal of Geriatric Psychiatry, 14*, 541-548.

Kolanowski, A.M., Strand, G. et Whall, A. (1997). A pilot study of the relation of premorbid characteristics to behavior in dementia. *Journal of Gerontological Nursing, 23* (2), 21-30.

Low, L.-F., Broday, H. et Draper, B. (2002). A study of premorbid personality and behavioural and psychological symptoms of dementia in nursing home residents. *International Journal of Geriatric Psychiatry, 17*, 779-783.

MacPherson, R., Eastly, R., Richards, S. et Mian, A. (1994). Psychological distress among workers caring for the elderly. *International Journal of Geriatric Psychiatry, 9*, 381-386.

Marx, M.S., Werner, P. et Cohen-Mansfield, J. (1989). Agitation and touch in the nursing home. *Psychological Reports, 64*, 1019-1026.

Middleton, J.I., Richardson, J.S. et Berman, E. (1997). An assessment and intervention study of aggressive behaviour in cognitively impaired institutionalized elderly. *American Journal of Alzheimer's Disease* (janvier-février), 24-29.

Miller, M.F. (1997). Physically aggressive resident behavior during hygienic care. *Journal of Gerontological Nursing, 23*, 24-39.

Nijman, H.L.I., À Campo, J.M.L.G., Ravelli, D.P. et Merckelbach, H.L.G.J. (1999). A tentative model of aggression on inpatient psychiatric wards. *Psychiatric Services, 50*, 832-834.

Patel, V. et Hope, T. (1992). Aggressive behaviour in elderly psychiatric inpatients. *Acta Psychiatrica Scandinavica, 85*, 131-135.

Patel, V. et Hope, T. (1993). Aggressive behaviour in elderly people with dementia: a review. *International Journal of Geriatric Psychiatry, 8*, 457-472.

Rapp, M.A. et Gutzmann, H. (2000). Invasions of personal space in demented and nondemented elderly persons. *International Psychogeriatrics, 12*, 345-352.

Rapp, M.S., Flint, A.J., Herrmann, N. et Proulx, G.-B. (1992). Behavioural disturbances in the demented elderly: phenomenology, pharmacotherapy and behavioural management. *Canadian Journal of Psychiatry, 37*, 651-657.

Ray, W.A., Thapa, P.B. et Gideon, P. (2000). Benzodiazepines and risk of falls in nursing home residents. *Journal of the American Geriatrics Society, 48*, 682-685.

Reisberg, B., Franssen, E., Sclan, S.G., Kluger, A. et Ferris, S.H. (1989). Stage-specific incidence of potentially remediable behavioural symptoms in aging and Alzheimer's disease. A study of 120 patients using the BEHAVE-AD. *Bulletin of Clinical Neurosciences, 54*, 95-112.

Richie, M.F. (1996). Meeting the challenge of disruptive behaviors in the nursing home. *Journal of Gerontological Nursing, 22* (11), 3.

Ryden, M.B. (1988). Aggressive behavior in persons with dementia who live in the community. *Alzheimer Disease and Associated Disorders, 2*, 342-355.

Schreiner, A.S. (2001). Aggressive behaviours among demented nursing home residents in Japan. *International Journal of Geriatric Psychiatry, 16*, 209-215.

Silliman, R.A., Sternberg, J. et Fretwell, M.D. (1988). Disruptive behavior in demented patients living within disturbed families. *Journal of the American Geriatrics Society, 36*, 617-618.

Souder, E., Heithoff, K., O'Sullivan, P.S., Lancaster, A.E. et Beck, C. (1999). Contexts and impacts of disruptive behavior in institutionalized elders. *Aging and Mental Health, 3* (1), 54-68.

Sullivan-Marx, E.M. (1995). Psychological responses to physical restraint use in older adults. *Journal of Psychosocial Nursing in Mental Health Services, 33*, 20-25.

Swearer, J.M., Drachman, D.A., O'Donnell, B.F. et Mitchell, A.L. (1988). Troublesome and disruptive behaviors in dementia; relationships to diagnosis and disease severity. *Journal of the American Geriatric Society, 36*, 784-790.

Swearer, J.M., Hoople, N.E., Kane, K.L. et Drachman, D.A. (1996). Predicting aberrant behaviour in Alzheimer's disease. *Neuropsychiatry, Neuropsychology, and Behavioral Neurology, 9*, 162-170.

Talerico, K.A., Evans, L.K. et Strumpf, N.E. (2002). Mental health correlates of aggression in nursing home residents with dementia. *The Gerontologist, 42*, 169-177.

Ware, C.J.G., Fairburn, C.G. et Hope, R.A. (1990). A community-based study of aggressive behavior in dementia. *International Journal of Geriatric Psychiatry, 5*, 337-342.

Woerner, M.G., Alvir, J.M.J., Kane, J.M., Saltz, B.L. et Lieberman, N. (1995). Neuroleptic treatment of elderly patients. *Psychopharmacology Bulletin, 31*, 333-337.

Wood, S.A., Cummings, J.L., Barclay, T., Hsu, M.-A., Allahyar, M. et Schnelle, J.F. (1999). Assessing the impact of neuropsychiatric symptoms on distress in professional caregivers. *Aging and Mental Health, 3*, 241-245.

Zeisel, J., Silverstein, N.M., Hyde, J., Levkoff, S., Lawton, M.P. et Holmes, W. (2003). Environmental correlates to behavorial health outcomes in Alzeihmer's special care units. *The Gerontologist, 43*, 697-711.

CHAPITRE 29

Algase, D.L. (1992). A century of progress: today's strategies for responding to wandering behavior. *Journal of Gerontological Nursing, 18* (11), 28-34.

Algase, D.L. (1999a). Wandering in dementia: state of the science. Dans J.J. Frizpatrick (dir.), *Annual Review of Nursing Research* (p. 185-217). New York: Springer.

Algase, D.L. (1999b). Wandering: a dementia-compromised behavior. *Journal of Gerontological Nursing, 25* (9), 10-16.

Algase, D.L., Beattie, E.R., Bogue, E.L. et Yao, L. (2001). The Algase Wandering Scale: initial psychometrics of a new caregiver reporting tool. *American Journal of Alzheimer's Disease and Other Dementias, 16* (3), 141-152.

Algase, D.L., Beattie, E.R., Song, J.-A., Milke, D., Duffield, C. et Cowan, B. (2004). Validation of the Algase Wandering Scale (version 2) in a cross-cultural sample. *Aging & Mental Health, 8* (2), 133-142.

Algase, D.L., Beattie, E.R. et Therrien, B. (2001). Impact of cognitive impairment on wandering behavior. *Western Journal of Nursing Research, 23* (3), 283-295.

Algase, D.L., Kupferschmid, B., Beel-Bates, C.A. et Beattie, E.R. (1997). Estimates of stability of daily wandering behavior among cognitively impaired long-term care residents. *Nursing Research, 46* (3), 172-178.

Alzheimer's Association (1995). *Activity Programming for Persons with Dementia: A Sourcebook.* Chicago: Alzheimer's Association.

Ancoli-Israel, S., Martin, J.L., Gehrman, P., Shochat, T., Corey-Bloom, J., Marler, M., Nolan, S. et Levi, L. (2003). Effect of light on agitation in institutionalized patients with severe Alzheimer's disease. *American Journal of Geriatric Psychiatry, 11* (2), 194-203.

Anderson, M.A., Wendler, M.C. et Congdon, J.C. (1998). Entering the world of dementia: CNA interventions for nursing home residents. *Journal of Gerontological Nursing, 24* (11), 31-37.

Aubert, J. (2002). *Éléments contextuels associés à l'émission de comportements d'agitation verbale présentés par des personnes âgées institutionnalisées atteintes de démence.* Mémoire de maîtrise inédit, Université Laval, École de psychologie, Québec, Canada.

Beck, C., Modlin, T., Heithoff, K. et Shue, V. (1992). Exercise as an intervention for behaviour problem. *Geriatric Nursing, 13* (5), 273-275.

Brochu, C. (2002). *Description des aspects environnementaux associés à l'émission de comportements d'agitation physique présentés par des personnes âgées atteintes de démence.* Mémoire de maîtrise inédit, Université Laval, École de psychologie, Québec, Canada.

Buckwalter, K.C., Stolley, J.M. et Farran, C.J. (1999). Managing cognitive impairment in the elderly: conceptual, intervention and methodological issues. *The Online Journal of Knowledge Synthesis for Nursing*, document 10.

Buettner, L. (1999). Simple pleasures: a multilevel sensorimotor intervention for nursing home residents with dementia. *American Journal of Alzheimer's Disease, 14* (1), 41-52.

Carillo, J., Albers, G., Statton, C. et Frederickson, E. (2000). Nature walk: from aimless wandering to purposeful walking. *Nursing Homes, 49* (11), 50-56.

Cesari, M., Landi, F., Torre, S., Onder, G., Lattanzio, F. et Bernabei, R. (2002). Prevalence and risk factors for fall in an older community dwelling population. *Journal of Gerontology: Medical Sciences, 57-A* (11), M722-M726.

Cohen-Mansfield, J. (1996). Conceptualization of agitation: results based on the Cohen-Mansfield agitation inventory and the agitation behavior mapping instrument. *International Psychogeriatrics, 8* (3), 309-315.

Cohen-Mansfield, J. (2001). Nonpharmacologic interventions for inappropriate behaviors in dementia: a review, summary, and critique. *American Journal of Geriatric Psychiatry, 9* (4), 361-381.

Cohen-Mansfield, J. et Billig, N. (1986). Agitated behaviors in the elderly: I. A conceptual review. *Journal of the American Geriatric Society, 34* (10), 711-712.

Cohen-Mansfield, J. et Werner, P. (1998). Visits to an outdoor garden: impact on behavior and mood of nursing home residents who pace. Dans B. Vellas, J. Fitten et G. Frisoni (dir.), *Research and Practice in Alzheimer's Disease* (p. 418-436). Paris / New York: Serdi Édition / Springer Publishing Company.

Cohen-Mansfield, J. et Werner, P. (1999). Outdoor wandering parks for persons with dementia: a survey of characteristics and use. *Alzheimer's Disease and Associated Disorders, 13* (2), 109-117.

Cohen-Mansfield, J., Werner, P. et Marx, M. (1992). Observational data on time use and behavior problems in the nursing home. *Journal of Applied Gerontology, 11*, 114-117.

Colombo, M., Vitali, S., Cairati, M., Perelli-Cippo, R., Bessi, O., Gioia, P. et Guaita, A. (2001). Wanderers: features, findings, issues. *Archives of Gerontology and Geriatrics, 33* (7), 99-106.

Colon-Emeric, C.S., Biggs, D.P., Schenck, A.P. et Lyles, K.W. (2003). Risk factors for hip fracture in skilled nursing facilities: who should be evaluated? *Osteoporosis International, 14* (6), 484-489.

Coltharp, W. Jr., Richie M.F. et Kaas, M.J. (1996). Wandering. *Journal of Gerontological Nursing, 22*, 5-10.

Crooks, E.A. et Geldmacher, D.S. (2004). Interdisciplinary approaches to Alzheimer's disease management. *Clinics in Geriatric Medicine, 20* (1), 121-139.

Cummings, J.L., Mega, M., Gray, K., Rosenberg-Thompson, S., Carusi, D.A. et Gornbein, J. (1994). The neuropsychoatric inventory: comprehensive assessment of psychopathology in dementia. *Neurology, 44*, 2308-2314.

Dénommée, G. (1999). *Répertoire d'activités pour résidents atteints de déficits cognitifs: Destiné aux intervenants et aux aidants.* Montréal: CLSC René-Cassin/Institut universitaire de gérontologie sociale.

Flaherty, G. et Scheft, J. (1995). *Law enforcement, Alzeimer's disease & the lost elder.* Cambridge: Alzeimer's Association, Massachusetts Chapter.

Gehrman, P.R., Martin, J.L., Shochat, T., Nolan, S., Corey-Bloom, J. et Ancoli-Israel, S. (2003). Sleep-disordered breathing and agitation in institutionalized adults with Alzheimer's disease. *American Journal of Geriatric Psychiatry,* *11* (4), 426-433.

Goldsmith, S.M., Hoeffer, B. et Rader, J. (1995). Problematic wandering behavior in the cognitively impaired elderly. A single-subject case study. *Journal of Psychosocial Nursing and Mental Health Service, 33* (2), 6-12.

Hoffman, S.B. et Platt, C.A. (2000). *Conforting the Confused: Strategies for Managing Dementia,* 2ᵉ éd. New York: Springer Publishing Company.

Holmberg, S.K. (1997a). A walking program for wanderers: volunteer training and development of an evening walker's group. *Geriatric Nursing, 18,* 160-165.

Holmberg, S.K. (1997b). Evaluation of a clinical intervention for wanderers on a geriatric nursing unit. *Archives of Psychiatric Nursing, 11,* 21-28.

Hope, T., Keene, J., McShane, R.H., Fairburn, C.G., Gedling, K. et Jacoby, R. (2001). Wandering in dementia: a longitudinal study. *International Psychogeriatrics, 13* (2), 137-147.

Hussian, R.A. et Brown, D.C. (1987). Use of two-dimensional grid patterns to limit hazardous ambulation in demented patients. *Journal of Gerontology, 42,* 558-560.

Ignatieff, M. (1992). Dans T. Perrin et H. May (2000), *Wellbeing in Dementia: An Occupational Approach for Therapists and Carers* (p. 41). Oxford: Churchill Livingstone.

Kiely, D.K., Morris, J.N. et Algase, D.L. (2000). Resident characteristics associated with wandering in nursing homes. *International Journal of Geriatric Psychiatry, 15* (11), 1013-1020.

Kincaid, C. et Peacock, J.R. (2003). The effect of a wall mural on decreasing four types of door-testing behaviors. *The Journal of Applied Gerontology, 22* (1), 76-88.

Klein, D.A., Steinberg, M., Galik, E., Steele, C., Sheppard, J.-M., Warren, A., Rosenblatt, A., Lyketsos, C.G. (1999). Wandering behaviour in community-residing persons with dementia. *International Journal of Geriatric Psychiatry, 14* (4), 272-279.

Kolanowski, A.M., Richards, K.C. et Sullivan, S.C. (2002). Derivation of an intervention for need-driven behavior: activity preferences of persons with dementia. *Journal of Gerontological Nursing, 28* (10), 12-15.

Kovach, C.R. et Henschel, H. (1996). Planning activities for patients with dementia: a descriptive study of therapeutic activities on special care units. *Journal of Gerontological Nursing, 22* (9), 33-38.

Lai, C.K. et Arthur, D.G. (2003). Wandering behaviour in people with dementia. *Journal of Advanced Nursing, 44* (2), 173-182.

Logsdon, R.G., Teri, L., McCurry, S., Gibbons, L.E., Kukull, W.A. et Larson, E.B. (1998). Wandering: a significant problem among community-residing individuals with Alzheimer's disease. *The Journals of Gerontology, 53B* (5), P294-P299.

Lopez, O.L., Becker, J.T., Sweet, R.A., Klunk, W., Kaufer, D.I., Saxton, J., Habeych, M., DeKosky, S.T. (2003). Psychiatric symptoms vary with the severity of dementia in probable Alzheimer's disease. *Journal of Neuropsychiatry and Clinical Neurosciences, 15* (3), 346-353.

Lyketsos, C.G., Steele, C., Baker, L., Galik, E., Kopunek, S., Steinberg, M. et Warren, A. (1997). Major and minor depression in Alzheimer's disease: prevalence and impact. *Journal of Neuropsychiatry and Clinical Neurosciences, 9,* 556-561.

Matteson, M.A. et Linton, A. (1996). Wandering behaviours in institutionalized persons with dementia. *Journal of Gerontological Nursing, 22* (9), 39-46.

McGrowder-Lin, R. et Bhatt, A. (1988). A wanderer's lounge program for nursing home residents with Alzheimer's disease. *The Gerontologist, 28,* 607-609.

McShane, R.H., Gedling, K., Keene, J., Fairburn, C.G., Jacoby, R. et Robin, H.T. (1998). Getting lost in dementia: a longitudinal study of a behavioural symptom. *International psychogeriatrics, 10* (3), 253-260.

NANDA (2001). *Nursing Diagnosis: Definitions and Classifications, 2001-2002.* Philadelphia: NANDA.

Opie, J., Doyle, C. et O'Connor, D. (2002). Challenging behaviours in nursing home residents with dementia: a randomised controlled trial of multidisciplinary interventions. *International Journal of Geriatric Psychiatry, 17,* 6-13.

Ott, B.R., Lapane, K.L. et Gambassi, G. (2000). Gender differences in the treatment of behavior problems in Alzheimer's disease. *Neurology, 54* (2), 427-432.

Perrin, T. et May, H. (2000). *Wellbeing in Dementia: An Occupational Approach for Therapists and Carers.* Oxford: Churchill Livingstone.

Philo, S.W., Richie, M.F. et Kaas, M.J. (1996). Inappropriate sexual behavior. *Journal of Gerontological Nursing, 22* (11), 17-22.

Price, J.D., Hermans, D.G. et Grimley, E.J. (2004). Subjective barriers to prevent wandering of cognitively impaired people. Dans *The Cochrane Library,* nᵒ 3. Chichester: Wiley & Sons, Ltd.

Primeau, G. (2001). *Le contexte de survenue des comportements agressifs chez les personnes âgées institutionnalisées souffrant de démence.* Mémoire de maîtrise inédit, Université Laval, École de psychologie, Québec, Canada.

Ross, C. (2003). Wandering or walking? Understanding individual cases. *Nursing & Residential Care, 5* (6), 291-293.

Rowe, M.A. et Bennett, V. (2003). Look at deaths occurring in persons with dementia lost in the community. *American Journal of Alzheimer's Disease and Other Dementias, 18* (6), 343-348.

Salmons, T. (1999). *Wandering, getting lost, and Alzheimer's disease: Influences on precautions taken and levels of supervision provided by caregivers.* Thèse de doctorat inédite, University of Massachusetts, programme de gérontologie, Boston, États-Unis.

Schreiner, A.S., Yamamoto, E. et Shiotani, H. (2000). Agited behavior in elderly nursing home residents with dementia in Japan. *Journal of Gerontology: Psychological Sciences, 55* (3), P180-P186.

Shinoda-Tagawa, T., Leonard, R., Pontikas, J., McDonough, J.E., Allen, D. et Dreyer, P.I. (2004). Resident-to-resident violent incidents in nursing homes. *Journal of American Medical Association, 291* (5), 591-598.

Siders, C., Nelson, A., Brown, L.M., Joseph, I., Algase, D., Beattie, E. et Verbosky-Cadena, S. (2004). Evidence for implementing nonpharmacological interventions for wandering. *Rehabilitation Nursing, 29* (6), 195-206.

Silverstein, N.M. et Flaherty, G. (2003). Dementia and wandering behaviour in long-term care facilities. *Geriatrics & Aging, 6* (1), 47-52.

Silverstein, N.M., Flaherty, G. et Tobin, T.S. (2002). *Dementia and Wandering Behavior: Concern for the Lost Elder.* New York: Springer Publishing Company.

Sloane, P.D., Mitchell, C.M., Preisser, J.S., Phillips, C., Commander, C. et Burker, E. (1998). Environmental correlates of resident agitation in Alzheimer's disease special care units. *Journal of the American Geriatrics Society, 46* (7), 862-869.

Song, J.A., Algase, D.L., Beattie, E.R., Milke, D., Duffield, C. et Cowan, B. (2003). Comparaison of U.S., Canadian, and Australian participants' performance on the Algase Wandering Scale-version 2 (AWS-V2). *Research and Theory for Nursing Practice: An International Journal, 17* (3), 241-256.

Soucy, O. (1999). *Intervention auprès des bénéficiaires présentant des comportements d'errance et de fugue.* Montréal: Institut universitaire de gériatrie de Montréal.

Teri, L., Ferretti, L.E., Gibbons, L.E., Logsdon, R.G., McCurry, S.M., Kukull, W.A., McCormick, W.C., Bowen, J.D. et Larson, E.B. (1999). Anxiety in Alzheimer's disease: prevalence and comorbidity. *Journal of Gerontology: Medical Sciences, 54* (7), M348-M352.

Thomas, D.W. (1997). Understanding the wanderer: A continuity of personality perspective. *Journal of Gerontological Nursing, 23,* 16-24.

Thomas, D.W. (1999). Evaluating the relationship between premorbid leisure preferences and wandering among patients with dementia. *Activities, Adaptation & Aging, 23* (4), 33-48.

Wagner, A.W., Teri, L. et Orr-Rainey, N. (1995). Behavior problems among dementia residents in special care units: change over time. *Journal of the American Geriatrics Society, 43,* 784-787.

Williams-Burgess, C., Ugarriza, D. et Gabbai, M. (1996). Agitation in older persons with dementia: a research synthesis. *The Online Journal of Knowledge Synthesis for Nursing, 3* (13).

Yang, C.-H., Hwang, J.-P., Tsai, S.-J. et Liu, C.-M. (1999). Wandering and associated factors in psychiatric inpatients with dementia of Alzheimer's type in Taiwan: clinical implications for management. *Journal of Nervous and Mental Disease, 187* (11), 695-697

CHAPITRE 30

Bliwise, D.L. (1994). What is sundowning? *Nursing Standard, 42* (9), 1009-1011.

Bliwise, D.L., Carroll, J.S., Dement, W.C. (1989). Apparent seasonal variation in sundowning behavior in a skilled nursing facility. *Sleep Research, 18,* 408 (résumé).

Bliwise, D.L., Carroll, J.S., Lee, K.A., Nekich, J.C. et Dement, W.C. (1993). Sleep and "sundowning" in nursing home patients with dementia. *Psychiatry Research, 48,* 277-292.

Bliwise, D.L., Yesavage, J.A. et Tinklenberg, J.R. (1992). Sundowning and rate of decline in mental function in Alzheimer's disease. *Dementia, 3*, 335-341.

Burney-Puckett, M. (1996). Sundown syndrome: etiology and management. *Journal of Psychosocial Nursing, 34* (5), 40-43.

Cohen-Mansfield, J. (1986). Agitated behaviours in the elderly. II: Preliminary results in cognitively deteriorated. *Journal of the American Geriatrics Society, 34* (10), 722-727.

Cohen-Mansfield, J., Marx, M.S. et Rosenthal, A.S. (1989). A description of agitation in the nursing home. *Journal of Gerontology, 44*, M77-M84.

Colenda, C.C., Cohen, W., McCall, W.V. et Rosenquist, P.B. (1997). Phototherapy for patients with Alzheimer disease with disturbed sleep patterns: results of a community-based pilot study. *Alzheimer Disease and Associated Disorders, 11* (3), 175-178.

Cook, J.S. et Fontaine, K.L. (1991). *Soins infirmiers en psychiatrie et santé mentale.* Saint-Laurent: Éditions du Renouveau Pédagogique.

Dewing, J. (2000). Sundowning: is it a syndrome? *The Journal of Dementia Care, 8* (6), 33-36.

Drake, L., Drake, V. et Curwen, J. (1997). A new account of sundown syndrome. *Nursing Standard, 12* (7), 37-40.

Duckett, S. (1993). Managing the sundowning patient. *Journal of Rehabilitation, 59*, 24-29.

Evans, L.K. (1987). Sundown syndrome in institutionalized elderly. *Journal of the American Geriatrics Society, 53* (2), 101-108.

Evans, L.K. (1991). The sundown syndrome: a nursing management problem. Dans C. Chenitz, J.T. Stone et S.A. Salisbury (dir.), *Clinical Gerontological Nursing: A Guide to Advanced Practice* (p. 345-357). Toronto: W.B. Saunders Company.

Exum, M.E., Phelps, B.J., Nabers, K.E. et Osborne, J.G. (1993). Sundown syndrome: is it reflected in the use of PRN medications for nursing home residents? *The Gerontologist, 33* (6), 756-761.

Gallagher-Thompson, D., Brooks, J.O., Bliwise, D., Leader, J. et Yesavage, J.A. (1992). The relations among caregiver stress, "sundowning" symptoms, and cognitive decline in Alzheimer's disease. *Journal of the American Geriatrics Society, 40*, 807-810.

Garnier, M. et Delamare, F. (1999). *Dictionnaire des termes de médecine,* 25e éd. Paris: Maloine.

Hall, G.R. et Gerdner, L.A. (1999). Managing problem behaviours. Dans J.T. Stone, J.F. Wyman et S.A. Salisbury (dir.), *Clinical Gerontological Nursing: A Guide to Advanced Practice,* 2e éd. (p. 623-643). Philadelphia: W.B. Saunders Company.

Hall, R. et Buckwalter, C.K. (1987). Progressively lowered stress threshold: a conceptual model for care of adults with Alzheimer's disease. *Archives of Psychiatric Nursing, 1* (6), 399-406.

Hoch, C.C., Reynolds III, C.F. et Houck, P.R. (1988). Sleep patterns in Alzheimer, depressed and healthy elderly. *Western Journal of Nursing Research, 10* (3), 239-256.

Lebert, F., Pasquier, F. et Petit, H. (1996). Sundowning syndrome in demented patients without neuroleptic therapy. *Archives of Gerontology and Geriatrics, 22*, 49-54.

Little, J.T., Satlin, A., Sunderland, T. et Volicer, L. (1995). Sundown syndrome in severely demented patients with probable Alzheimer's disease. *Journal of Geriatric Psychiatry Neurology, 8*, 103-106.

McGaffigan, S. et Bliwise, D.L. (1997). The treatment of sundowning: a selective review of pharmacological and non-pharmacological studies. *Drugs and Aging, 10* (1), 10-17.

Morin, C.M., Bastien, C.H., Blais, F.C. et Mimeault, V. (2000). Les troubles du sommeil chez les personnes âgées. Dans P. Cappeliez, P. Landreville et J. Vézina (dir.), *Psychologie clinique de la personne âgée* (p. 77-98). Paris: Masson.

Norton, D. (1991). Investigating the sundown syndrome. *Nursing Standard, 5* (47), 26-29.

Onega, L.L. et Tripp-Reimer, T. (1997). Expanding the scope of continuity theory: application to gerontological nursing. *Journal of Gerontological Nursing, 23* (6), 29-35.

Païva, Z. (1990). Sundown syndrome: calming the agitated patient. *Registered Nurse, 53* (7), 46-51.

Rindlisbacher, P. et Hopkins, R.W. (1991). The sundowning syndrome: a conceptual analysis and review. *The American Journal of Alzheimer's Care and Related Disorders and Research, 6* (4), 2-9.

Rousseau, T. (2000). La présence d'une personne significative et le syndrome des états crépusculaires. *L'infirmière du Québec, 22*, 49-54.

Satlin, A., Volicer, L., Ross, V., Herz, L. et Campbell, S. (1992). Bright light treatment of behavioural and sleep disturbances in patients with Alzheimer's disease. *American Journal of Psychiatry, 149*, 1028-1032.

Taylor, J.L., Friedman, L., Sheikh, J. et Yesavage, J.A. (1997). Assessment and management of "sundowning" phenomena. *Seminars in Clinical Neuropsychiatry, 2* (2), 113-122.

Vitiello, M.V., Bliwise, D.L. et Prinz, P.N. (1992). Sleep in Alzheimer's disease and the sundown syndrome. *Neurology, 42* (suppl. 6), 83-94.

Volicer, L., Harper, D.G., Manning, B.C., Goldstein, R. et Satlin, A. (2001). Sundowning and circadian rhythms in Alzheimer's disease. *The American Journal of Psychiatry, 158*, 704-711.

Wallace, M. (1994). The sundown syndrome: will the specialized training of nurse's aides help elders with sundown syndrome? *Geriatric Nursing, 15*, 164-166.

CHAPITRE 31

Bandler, R. et Grinder, J. (1982). *Les secrets de la communication.* Montréal: Le Jour.

Bennett, M. J. (2001). *The Empathic Healer: An Endangered Species?* San Diego (Calif.) / Toronto: Academic Press.

Berne, E. (1997). *Que dites-vous après avoir dit bonjour?* Paris: Tchou.

Bioy, A. et Maquet, A. (2003). *Se former à la relation d'aide: Concepts, méthodes, applications.* Paris: Dunod.

Cardon, A., Lenhardt, V. et Nicolas, P. (1979). L'analyse transactionnelle, outil de communication et d'évolution. Paris: Éditions d'Organisation.

Chalifour, J. (1999). *L'intervention thérapeutique.* Boucherville: Gaëtan Morin.

Charon, J.M. et Cahill, S. (2004). *Symbolic Interactionism: An Introduction, an Interpretation, an Integration,* 8e éd., Upper Saddle River (New-Jersey): Pearson Prentice Hall.

Conseil des aînés (2000). *Avis sur l'hébergement en milieux de vie substituts pour les aînés en perte d'autonomie.* Québec: Conseil des aînés.

Ducharme, F. (1987). *Principes généraux d'interventions auprès des personnes âgées atteintes de déficits cognitifs irréversibles.* Montréal: Laboratoire d'interventions cliniques appliquées Chevalier de Lorimier.

Ducros-Gagné, M. (1988). L'approche prothétique: Une mesure d'aide spécifique à la clientèle âgée. Dans L. Lévesque et O. Marot (dir.), *Un défi simplement humain: Des soins pour les personnes âgées atteintes de déficits cognitifs* (pp. 41-52). Saint-Laurent: Éditions du Renouveau Pédagogique.

Du Plooy, G.M. (2002). *Communication Research: Techniques, Methods and Applications.* Cape Town: Juta Education.

Forte, J.A. (2001). *Theories for Practice: Symbolic Interactionist Translations.* Lanham: University Press of America.

Gélinas, M.-C. (2001). *La communication efficace. De l'intention aux moyens d'expression,* 2e éd., Anjou: Centre éducatif et culturel.

Goffman, E. (1997). *The Goffman Reader.* Cambridge (Mass.): Blackwell Publishers.

Golander, H. et Raz, A.E. (1996). The mask of dementia: images of "demented residents" in a nursing ward. *Ageing and Society, 16*, 269-285.

Griffin, E. (2003). A First Look at Communication Theory. Boston (Mass.): McGraw-Hill.

Habermas, J. (2001). *On the Pragmatics of Social Interaction: Preliminary Studies in the Theory of Communicative Action.* Cambridge (Mass.): MIT Press.

Habermas, J., Cooke, M. et Netlibrary (1998). *On the Pragmatics of Communication.* Cambridge (Mass.): MIT Press.

Hall, E.T. (1979). *Au-delà de la culture.* Paris: Éditions du Seuil.

Hall, E.T. (1984). *Le langage silencieux.* Paris: Éditions du Seuil.

Hétu, J.-L. (2000). *La relation d'aide: Éléments de base et guide de perfectionnement.* Boucherville: Gaëtan Morin.

Jansen, S.C. (2002). *Critical Communication Theory: Power, Media, Gender, and Technology.* Lanham: Rowman & Littlefield.

Kohlberg, L. (1984). *The Psychology of Moral Development: The Nature and Validity of Moral Stages,* 1re éd., San Francisco: Harper & Row.

Kourilsky-Belliard, F. (2004). *Du désir au plaisir de changer: Comprendre et provoquer le changement,* 3e éd., Paris: Dunod.

Lévesque, L. et Marot, O. (1988). *Un défi simplement humain. Des soins pour les personnes âgées atteintes de déficits cognitifs*. Saint-Laurent: Éditions du Renouveau Pédagogique.

Lévesque, L., Roux, C. et Lauzon, S. (1990). *Alzheimer, comprendre pour mieux aider*. Ottawa / Saint-Laurent: Association canadienne de la maladie d'Alzheimer / Éditions du Renouveau Pédagogique.

Phaneuf, M. (2002). *Communication, entretien, relation d'aide et validation*. Montréal: Chenelière/McGraw-Hill.

Robichaud, L., Bédard, R., Durand, P.J. et Ouellet, J.-P. (2001). *Les caractéristiques d'un milieu de vie substitut optimal tel que perçu par les usagers*. Québec: Unité de recherche en gériatrie de l'Université Laval.

Robichaud, L. et Durand, P.J. (1999). Ma chambre, c'est moi. Grâce à toi. *Le Gérontophile, 21* (1), 37-39.

Rogers, C.R. (1970). *La relation d'aide et la psychothérapie*, t. I et II. Paris: Éditions sociales françaises.

Rosenberg, M.J. et Hovland, C.I. (1960). Cognitive, affective an behavioral components of attitudes. Dans M.J. Rosenberg et C.I. Hovland (dir.), *Attitude Organization and Change*. New Haven: Yale University Press.

Santé Canada (1998). *Les principes du cadre national sur le vieillissement: Guide d'analyse des politiques*. Ottawa: ministère des Travaux publics et des Services gouvernementaux.

Santé Canada (1999). *Communiquer avec les aînés: Conseils et techniques*. Ottawa: Santé Canada – Division du vieillissement et des aînés

Tierney, M. et Charles, J. (2002). Soins et traitement des personnes souffrant de démence et de déficience cognitive: Mise à jour. *DVA – Écrits en gérontologie: Santé mentale et vieillissement, 10*. Document électronique: http://64.26.138.100/writings_gerontology/writ18/writ18_8_f.htm.

Vézina, A. et Pelletier, D. (2004). La participation à l'aide et aux soins des conjoints et des enfants auprès de personnes âgées nouvellement hébergées en centre d'hébergement et de soins de longue durée. *Canadian Journal on Aging / La revue canadienne du vieillissement, 23* (1), 59-72.

Vézina, A., Pelletier, D. et Centre de recherche sur les services communautaires (2001). *Du domicile au centre d'hébergement et de soins de longue durée: Formes et sens de la participation des familles*. Québec: Centre de recherche sur les services communautaires, Université Laval (faculté des sciences sociales).

CHAPITRE 32

Bowlby Sifton, C. (1998). *Vivre à domicile avec une démence de type Alzheimer. Manuel de ressources, de références et d'information*. Ottawa: Association canadienne des ergothérapeutes.

Cadet, B. (1998). *Psychologie cognitive*. Paris: In Press Éditions.

Kovach, C.R., Dohearty, P., Schlidt, A.M., Cashin, S. et Silva-Smith, A.L. (2004). Effect of the BACE intervention on agitation of people with dementia. *Gerontologist, 44* (6), 797-806.

Lefebvre, C. et Vézina, F. (2002). Adapter l'environnement, un moyen pour aider à compenser les déficits cognitifs, *Le médecin du Québec, 37* (4), 83-87.

Lévesque, L., Roux, C. et Lauzon, S. (1990). *Alzheimer – Comprendre pour mieux aider*. Montréal: Éditions du Renouveau Pédagogique.

Mercier, L. (1997). Interventions socio-environnementales en milieu institutionnel pour personnes avec troubles cognitifs. Dans R. Hébert, K. Kouri, et G. Lacombe (dir.), *Vieillissement cognitif normal et pathologique* (p. 95-101). Sherbrooke: Édisem.

Monat, A. (1999). Répondre aux besoins spécifiques de la clientèle atteinte de déficits cognitifs: un défi réalisable – cahier de formation. (Document non publié)

Personne, M. (1996). *La désorientation sociale des personnes âgées*. Ramonville-Saint-Agne: Erès.

Phaneuf, M. (1998). *Le vieillissement perturbé – Les soins aux personnes qui souffrent de la maladie d'Alzheimer*. Montréal: Chenelière / McGraw-Hill.

Ploton, L., (1990). *La personne âgée. Son accompagnement médical et psychologique et la question de la démence*. Lyon: Chronique sociale.

Pushkar, D. et Arbuckle, T. (2000). Le contexte général du vieillissement: processus affectifs, sociaux et cognitifs. Dans P. Cappeliez, P. Landreville et J. Vézina (dir.), *Psychologie clinique de la personne âgée* (p. 1-22). Ottawa/ Paris: Les Presses de l'Université d'Ottawa / Masson.

Sève-Ferrieu, N. (2001). *Neuropsychologie corporelle, visuelle et gestuelle. Du trouble à la rééducation*. Paris: Masson.

Spector, A., Orrell, M., Davies, S. et Woods, B. (2000). Reality orientation for dementia. *The Cochrane Library, nº 3*, 1-19.

Van der Linden, M., Belleville, S. et Juillerat, A.-C. (2000). L'optimisation du fonctionnement cognitif dans le vieillissement normal et dans la maladie d'Alzheimer. Dans P. Cappeliez, P. Landreville et J. Vézina (dir.), *Psychologie clinique de la personne âgée* (p. 99-127). Ottawa / Paris: Les Presses de l'Université d'Ottawa / Masson.

Ylieff, M. (2000). Analyse et traitement des conduites déficitaires dans la démence. Dans P. Cappeliez, P. Landreville et J. Vézina (dir.), *Psychologie clinique de la personne âgée* (pp. 151-174). Ottawa / Paris: Les Presses de l'Université d'Ottawa / Masson.

CHAPITRE 33

Aneshensel, C.S., Pearlin, L., Mullan, J.T., Zarit, S.H. et Whitlatch, C.J. (1995). *Profiles in Caregiving: The Unexpected Career*. San Diego: Academic Press Inc.

Bouchard, J.M., Talbot, L.R., Pelchat, D. et Boudreault, P. (1997). Les relations parents et intervenants: où sont leurs relations? 2e partie. *Apprentissage et socialisation, 17* (3), 41-48.

Conseil de la famille (1996). *Reconnaître la dynamique familiale: Des actions communautaires et professionnelles inspirées par le Guide* Penser et Agir Famille. Conseil de la famille: Québec.

Duhamel, F. (1995). *La santé et la famille: une approche systémique en soins infirmiers*. Montréal: Gaëtan Morin.

Finnema, E., de Lange, J., Droes, R.-M., Ribbe, M. et van Tilburg, W. (2001). The quality of nursing home care: do the opinions of family members change after implementation of emotion-oriented care? *Journal of Advanced Nursing, 35* (5), 728-740

Fontaine, A.-M. et Pourtois, J.-P. (1998). *Regard sur l'éducation familiale: représentation, responsabilité, intervention*. Bruxelles: De Bœck & Larcier.

Janzen, W. (2001). Long-term care for older adults: the role of the family. *Journal of Gerontological Nursing, 27* (2), 36-43.

Lee, A. et Craft-Rosenberg, M. (2002). Ineffective family participation in professional care: a concept analysis of a proposed nursing diagnosis. *Nursing Diagnosis, 13* (1), 5-14.

Merette, M. (1998). *Conférence AQDR lavalloise*. Extrait du site Web de M. Merette le 28 avril 2005: www.mediom.com/~merette/aqdr.html.

Nolan, M., Walker, G., Nolan, J., Williams, S., Poland, F., Curran, M. et Kent, B. (1996). Entry to care: positive choice or *fait-accompli*? Developing a more proactive nursing response to the needs of older people and their carers. *Journal of Advanced Nursing, 24* (2), 265-274.

Roberge, D., Ducharme, F., Lebel, P., Pineault, R. et Loiselle, J. (2002). Qualité des soins dispensés en unités de courte durée gériatriques: la perspective des aidants familiaux. *La Revue canadienne du vieillissement, 21* (3), 393-403.

Ryan, A.A. et Scullion, H.F. (2000a). Family and staff perceptions of the role of families in nursing homes. *Journal of Advanced Nursing, 32* (3), 626-634.

Ryan, A.A. et Scullion, H.F. (2000b). Nursing home placement: an exploration of the experience of family carers. *Journal of Advanced Nursing, 32* (5), 1187-1195.

St-Arnaud, Y. (2003). *L'interaction professionnelle: Efficacité et coopération*, 2e éd. Montréal: Presses de l'Université de Montréal.

Talbot, L.R. et Landry, M. (2004). *Santé et pratique infirmière. Demande d'hébergement d'un parent âgé: Rencontre préparatoire à l'admission*. Hull: Université du Québec en Outaouais.

Wright, L.M. et Leahey, M. (2001). *L'infirmière et la famille: Guide d'évaluation et d'intervention*, 2e éd. Saint-Laurent: Éditions du Renouveau Pédagogique.

Wright, L.M., Watson, W.L. et Bell, J.M. (1990). The family nursing unit: a unique integration of research, education and clinical practice. Dans J.M. Bell, W.L. Watson et L.M. Wright (dir.), *The Cutting Edge of Family Nursing* (p. 95-112). Calgary: Nursing Unit Publications.

CHAPITRE 34

Beauchamp, A., Graveline, R. et Quiviger, C. (1979). *Comment animer un groupe*. Québec: Éditions de l'Homme.

Carbonneau, H. et Ouellet, G. (2002). *Profil individuel en loisir*. Sherbrooke: Centre d'expertise en gérontologie et gériatrie de Sherbrooke.

Deslauriers, J. (2000). *Guide d'éducation au loisir*, tome 2. Québec: Centre de formation et de recherche de la Fédération québécoise du loisir en institution.

Fédération québécoise du loisir en institution (2002). *Pour un sens à la vie – Utilisation de l'animation-loisirs dans l'approche prothétique*. Québec: Fédération québécoise du loisir en institution.

Lamarre, A. et Morier, J. (1989). *Le loisir avec intérêts*. Québec: Consultant en organisation, gestion, intervention et planification (COGIP).

Leitner, M.J. et Leitner, S.F. (1996). *Leisure in later life,* 2e éd. New York: Haworth Press Inc.

Orsulic-Jeras, S., Judge, K.S. et Camp, C.J. (2000). Montessori-based activities for long-term care residents with advanced dementia: effects on engagement and affect. *Gerontologist, 40* (1), 107-111.

Ouellet, G. (2000). *Éducation au loisir* (notes de cours). Trois-Rivières: Université du Québec à Trois-Rivières.

Tremblay, G. (1991). *La méthode Impact*, 3e éd. Québec: Fédération québécoise du loisir en institution.

CHAPITRE 35

Barnett, J. et Quigley, J. (1984). Animals in long-term care facilities: a framework for program planning. *The Journal of Long-Term Care Administration, 12* (4), 1-8.

Baun, M.M. et McCabe, B.W. (2000). The role animals play in enhancing quality of life for the elderly. Dans A. Fine (dir.), *Handbook on Animal-Assisted Therapy: Theoretical Foundations and Guidelines for Practice* (p. 237-251). New York: Academic Press.

Bernatchez, A. (1999). Le rôle modérateur de l'animal sur les comportements perturbateurs ou dérangeants. *La Gérontoise, 10* (2), 28-31.

Bernatchez, A. (2000). La thérapie assistée par l'animal (TAA) en tant qu'approche d'intervention auprès des personnes âgées vivant l'expérience de la solitude en institution. *Échanger pour mieux faire, 2* (4), 5-8.

Bernatchez, A. (2001). Les bienfaits de la thérapie assistée par l'animal auprès d'une population de personnes âgées atteintes de la démence de type Alzheimer. *L'Accolade, 4* (1), 1-4.

Brousseau, C. (1998). *La zoothérapie et les milieux de soins... La cohabitation est-elle possible?* Résumé de la conférence présentée au VIIe Symposium québécois sur les maladies infectieuses organisé par la Direction de la Santé publique, Régie régionale de la Santé et des Services sociaux de la Montérégie, Saint-Hyacinthe.

Cass, J. (1981). Pet-facilitated therapy in human health care. Dans B. Fogle (dir.), *Interrelations Between People and Pets* (p. 124-145). New York: Charles C. Thomas Publishers.

Churchill, M., Safaoui, J., McCabe, B. et Baun, M.M. (1999). Effects of a therapy dog in alleviating the agitation behavior of sundown syndrome and in increasing socialization for persons with Alzheimer's disease. *Journal of Psychosocial Nursing and Mental Health Services, 37* (4), 16-22.

Dubé, M. et Lemieux, C. (1998). *Personnes âgées atteintes de déficits cognitifs: Manuel d'intervention*. Trois-Rivières: Regroupement Cloutier-du Rivage.

Fortier, S., Villeneuve, A. et Higgins, R. (2001). *La zoothérapie et les risques pour la santé humaine associés à la présence de chiens, de chats ou d'oiseaux en institution. Guide de prévention des zoonoses et autres problèmes de santé en zoothérapie, Animots,* numéro d'automne, 1-8.

Friedman, E. (1991). Contribution des animaux familiers à la santé et à la guérison. Dans I.H. Burger (dir.), *Les bénéfices de la possession d'un animal de compagnie* (p. 8-18). Harogate (Royaume-Uni): BVA Publications (Symposium Waltham n° 20 donné à Harogate le 19 avril 1990).

Friedman, E., Katcher, A.H., Lynch, J.J. et Thomas, S.A. (1980). Animal companion and one-year survival of patients after discharge from a coronary unit. *Public Health Reports, 95,* 307-312.

Kongable, L.G., Buckwalter, K.C. et Stolley, J.M. (1989). The effects of pet therapy on the social behavior of institutionalized Alzheimer's clients. *Archives of Psychiatric Nursing, 3* (4), 191-198.

Martin, F. et Brousseau, C. (1998). *La zoothérapie de A à Zoothérapie Québec*. Montréal: Zoothérapie Québec.

Nebbe, L. (2000). Nature Therapy. Dans A. Fine (dir.), *Handbook on Animal-Assisted Therapy: Theoretical Foundations and Guidelines for Practice* (p. 385-414). New York: Academic Press.

Struckus, J.E. (1991). Pet-facilitated therapy and the elderly client. Dans P.A. Wisocki (dir.), *Handbook of Clinical Behavior Therapy with the Elderly Client. Applied Clinical Psychology,* vol. 18 (p. 403-419). New York: Plenum, Press.

Taillefer, D. (1997). *Stratégies de diversion dans la gestion des réactions catastrophiques aux actes de soins critiques en centre d'hébergement chez la personne atteinte de démence de type Alzheimer*. Saint-Hyacinthe (3e colloque de psychogériatrie: *Intervention chez la personne atteinte de démence*): Centre de consultation et de formation en psychogériatrie.

Vuillemenot, J.L. (1997). *La personne âgée et son animal pour le maintien du lien*. Ramonville-Saint-Agne: Érès.

CHAPITRE 36

Aldridge, D. (1994). Alzheimer's disease: rhythm, timing and music as therapy. *Biomedical Pharmacotherapy, 48* (7), 275-281.

Bédard, A. (2005). *Évaluation d'une intervention non pharmacologique pour réduire l'agitation verbale chez les personnes atteintes de démence*. Séminaire de doctorat. École de psychologie. Université Laval.

Brotons, M., Koger, S.M. et Pickett-Cooper, P. (1997). Music and dementias: a review of literature. *Journal of Music Therapy, 34* (4), 204-245.

Carruth, E.K. (1997). The effects of singing and the spaced retrieval technique on improving face-name recognition in nursing home residents with memory loss. *Journal of Music Therapy, 34* (3), 165-186.

Clair, A.A. et Allison, G.E. (1997). The effects of music therapy on interactions between family caregivers and their care receivers with late stage dementia. *Journal of Music Therapy, 34* (3), 148-164.

Lawton, M.P., Van Haitsma, K. et Klapper, J. (1996). Observed affect in nursing home residents with Alzheimer's disease. *Journal of Gerontology: Psychological Sciences, 51B,* P3-P14.

Orsulic-Jeras, S., Judge, K.S. et Camp, C.J. (2000). Montessori-based activities for long-term care residents with advanced dementia: effects on engagement and affect. *The Gerontologist, 40* (1), 107-111.

Thomas, D.W., Heitman, R. et Alexander, T. (1997). The effects of music on bathing cooperation for residents with dementia? *Journal of Music Therapy, 34* (4), 246-259.

Unkefer, R.F. et Thaut, M.H. (2002). *Music Therapy in the Treatment of Adults with Mental Disorders*. Saint Louis: MMB.

CHAPITRE 37

Association des CLSC et des CHSLD du Québec (ACCQ) (1999). *Guide de gestion de l'implantation de l'approche prothétique élargie*. Montréal: ACCQ.

Association des CLSC et des CHSLD du Québec (ACCQ) et Association des hôpitaux du Québec (AHQ) (1998). *Les comportements dysfonctionnels et perturbateurs chez la personne âgée: de la réflexion à l'action. Approche prothétique élargie*. Montréal: AHQ.

Association des services de loisirs en institution du Québec, région 04/17 (ASLIQ 04/17) et Fédération québécoise du loisir en institution (FQLI). (2002). *Pour un sens à la vie. Utilisation de l'animation-loisirs dans l'approche prothétique*. Loretteville: FQLI.

Bowlby-Sifton, C. (1998). *Vivre à domicile avec une démence de type Alzheimer. Manuel de ressources, de références et d'information.* Ottawa : Association canadienne des ergothérapeutes.

Calkins, M. et Arch, M. (1998). *Design for Dementia: Planning Environment for the Elderly and the Confused.* Maryland: National Health Publishing.

Carbonneau, H. et Hébert, R. (1999). Qualité de vie : un modèle conceptuel pour guider nos actions. *Le Gérontophile, 21* (2), 3-9.

Day, K., Carreon, D. et Stump, C. (2000). The therapeutic design of environments for people with dementia: a review of the empirical research. *The Gerontologist, 40* (4), 397-416.

Dubé, M. et Lemieux, C. (1998). *Personnes âgées atteintes de déficits cognitifs : Manuel d'intervention.* Trois-Rivières : Université du Québec à Trois-Rivières / Regroupement Cloutier / du Rivage.

Ducros-Gagné, M. (1988). L'approche prothétique : une mesure d'aide spécifique à la clientèle hébergée. Dans L. Lévesque et Q. Marot (dir.), *Un défi simplement humain : Des soins pour les personnes âgées atteintes de déficits cognitifs* (p. 41-52). Saint-Laurent : Éditions du Renouveau pédagogique.

Fleury, F. (2004). *Une expérience d'implantation de la communication prothétique préoccupée de clinique et de gestion : Vie et vieillissement.* Montréal : Association québécoise de gérontologie.

Francœur, J. (1997). Environnement prothétique : approches adaptées pour les bénéficiaires ayant des atteintes cognitives sévères. Dans R. Hébert, K. Kouri et G. Lacombe (dir.), *Vieillissement cognitif normal et pathologique. Actes du congrès scientifique* (p. 198-200). Sherbrooke : Édisem.

Gineste, Y., Marescotti, R., Taillefer, D., Geneau, D., Ménard, C. et Raymond, M.C. (2003). *La méthodologie des soins Gineste-Marescotti en CHSLD-CLSC : Programme de formation en psychogériatrie. Document d'accompagnement, 2ᵉ version.* Montréal : Centre de consultation et de formation en psychogériatrie (CCFP).

Hébert, R. (1999). La perte d'autonomie : définition et épidémiologie. Dans R. Hébert, K. Kouri et G. Lacombe (dir.), *Autonomie et vieillissement. Actes du congrès scientifique* (p. 51-52). Sherbrooke : Édisem.

Jones, M. (1998). *Gentle Care. Changing the Experience of Alzheimer's Disease in a Positive Way.* Vancouver: Hartley & Marks.

Lawton, M.P. (1981). Sensory deprivation and the effect of the environment on management of the patient with senile dementia. Dans N.E. Miller et G.D. Cohen (dir.), *Aging: Clinical Aspects of Alzheimer's Disease and Senile Dementia, vol. 15* (p. 228-251). New York: Raven Press.

Leclerc, G. et Lalande, G. (2003). L'approche *Carpe Diem* et l'approche prothétique élargie : une étude descriptive et comparative. Dans *Soutenir les proches aidants. Fonds de partenariat sur la maladie d'Alzheimer et affections connexes* (pp. 32-37). Québec : Ministère de la Santé et des Services sociaux du Québec.

Lévesque, L., Roux, C. et Lauzon, S. (1990). *Alzheimer : Comprendre pour mieux aider.* Saint-Laurent : Éditions du Renouveau pédagogique.

Mercier, L. (1997). Interventions socio-environnementales en milieu institutionnel pour personnes avec troubles cognitifs. Dans R. Hébert, K. Kouri et G. Lacombe (dir.), *Vieillissement cognitif normal et pathologique. Actes du congrès scientifique* (p. 95-101). Sherbrooke : Édisem.

Ministère de la Santé et des Services sociaux du Québec (MSSSQ) (1999). *Guide d'aménagement des centres d'hébergement et de soins de longue durée, édifices neufs, rénovation d'édifices existants. Service de l'expertise, normalisation et contrats.* Québec : Gouvernement du Québec.

Ministère de la Santé et des Services sociaux du Québec (MSSSQ) (2003). *Un milieu de vie de qualité pour les personnes hébergées en CHSLD : Orientations ministérielles.* Québec : Gouvernement du Québec.

Ministère de la Santé nationale et du Bien-être social Canada (1997). *L'aménagement des établissements pour les personnes atteintes de démence.* Ottawa : Gouvernement du Canada.

Monat, A. (1997). *L'organisation d'un milieu de vie adapté aux personnes âgées atteintes de déficits cognitifs.* Conférence présentée à Saint-Hyacinthe, IIIᵉ colloque de psychogériatrie : Centre de consultation et de formation en psychogériatrie (CCFP).

Monat, A. (1999). *Répondre aux besoins spécifiques de la clientèle atteinte de déficits cognitifs : Un défi réalisable. Cahier de formation.* Kirkland : document personnel.

Monat, A. et Bergeron, Y. (1996). *L'implantation réussie d'un programme d'autonomie fonctionnelle.* Lachine : CHSLD de Lachine.

Pasturel, J.F. (1999). *La dépendance des personnes âgées.* Marseille : Solal.

Phaneuf, M. (1998). *Le vieillissement perturbé : Les soins aux personnes qui souffrent de la maladie d'Alzheimer.* Montréal : Chenelière / McGraw-Hill.

Rogers, J.C., Holm, M.B., Burgio, L.D., Granieri, E., Hsuc, Hardin, J.M. et McDowee, B.J. (1999). Improving morning care routines of nursing home residents with dementia. *Journal of American Geriatric Society, 47,* 1049-1057.

Roux, C. (1998). La communication comme moyen de contact, d'action et de revitalisation des interactions avec la personne démente. *Info CCFP, 3* (1), 2-3.

Simard, J. (1999). The lifestyle approach. Dans L. Volicer et L. Charette-Bloom (dir.), *Enhancing the Quality of Life in Advanced Dementia* (p. 203-222). Philadelphie : Brunner/Mazel.

Taillefer, D. et Geneau, D. (1997). *Stratégies de diversion dans la gestion des réactions catastrophiques chez la personne âgée atteinte de la maladie d'Alzheimer lors d'actes de soins critiques : Un cadre théorique et pratique.* Montréal : Centre de consultation et de formation en psychogériatrie (CCFP).

Van der Linden, M., Belleville, S. et Juillerat, A.-C. (2000). L'optimisation du fonctionnement cognitif dans le vieillissement normal et dans la maladie d'Alzheimer. Dans P. Coppeliez, P. Landreville et J. Vézina (dir.), *Psychologie clinique de la personne âgée* (p. 99-126). Ottawa : Presses de l'Université d'Ottawa ; Paris : Masson.

Whall, A., Black, M., Groh, C.J., Yankou, D.J., Kupferschmid, B.J. et Foster, N.L. (1997). The effects of natural environments upon agitation and aggression in late stages dementia patients. *American Journal of Alzheimer's Disease, 12* (5), 216-220.

Ylieff, M. (2000). Analyse et traitement des conduites déficitaires dans la démence. Dans P. Coppeliez, P. Landreville et J. Vézina (dir.), *Psychologie clinique de la personne âgée* (pp. 152-173). Ottawa : Presses de l'Université d'Ottawa ; Paris : Masson.

Zeisel, J., Hyde, J. et Shi, L. (1999). Environmental design as a treatment to Alzheimer's disease. Dans L. Volicer et L. Charette-Bloom (dir.), *Enhancing the Quality of Life in Advanced Dementia* (p. 203-222). Philadelphie : Brunner/Mazel.

CHAPITRE 38

Adam Evelyn (1983). *Être infirmière,* 2ᵉ éd. Montréal : Les éditions HRW.

Association des hôpitaux du Québec (2000). *Organisation par programme-clientèle : L'expérience des centres hospitaliers.* Montréal : AHQ.

Association des hôpitaux du Québec (2004). *Guide d'implantation des centres de santé et de services sociaux,* t. 1. Montréal : AHQ.

Baumann, A., O'Brien-Pallas, L., Armstrong-Stassen, M., Blythe, J., Bourbonnais, R., Cameron, S., Irvine Doran, D., Kerr, M. McGillis, L., Vézina, M., Butt, M. et Ryan, L. (2001). *Engagement et soins : Les avantages d'un milieu de travail sain pour le personnel infirmier, leurs résidants et le système. Synthèse pour politiques.* Toronto : The Change Foundation. Ottawa : Fondation canadienne de la recherche sur les services de santé. Disponible sur le site Internet de la fondation, à l'adresse suivante : www.chsrf.ca.

Brault, B. (2002). *Exercer la saine gestion : Fondements, pratique et audit.* Brossard : Publications CCH ltée.

Collège canadien des directeurs de services de santé (2002). *Document de préparation à la certification professionnelle.* Document non publié.

Commission infirmière régionale de Laval (2003). *Avis de la Commission sur la proposition de modèles d'organisation de services de Laval.* Document non publié.

Doran, D. (2003). *Nursing-Sensitive Outcomes: State of the Science.* Sudbury (Mass.): Jones and Bartlett.

Fagin, C.M. (2001). *When Care Becomes a Burden: Diminishing Access to Adequate Nursing.* New York: Milbank Memorial Fund.

Greneen, H. Recherche Internet effectuée le 5 novembre 2004: http://www.evene.fr/citations/mot.php?mot=gestion+d%27une+entreprise.

Loi sur les services de santé et les services sociaux (L.S.S.S.S.), L.R.Q., c. S-4.2. (mars 2004, révisée). Québec : Bibliothèque nationale du Québec.

Moxey, E.D., O'Connor, J.P., White, E., Turk, B. et Nash, D.B. (2002). Developing a quality measurement tool and reporting format for long term care. *The Joint Commission Journal on Quality Improvement, 28* (4), 180-196.

Needleman, J., Buerhaus, P.I., Mattke, S., Stewart, T.M. et Zelevinsky, K. (2001). *Nurse Staffing and Patient Outcomes in Hospitals.* Rapport final fait au ministère de la Santé et des Services sociaux des États-Unis, Agence d'administration des ressources de services de santé, n° 230-99-0021. Boston, MA : Harvard School of Public Health.

Norrish, B.R. et Rundall, T.G. (2001). Hospital restructuring and the work of registered nurses. *Milbank Quarterly*, 79 (1), 55-70.

O'Brien-Pallas, L.L. et Murphy, G.T. (2002). *Commission sur l'avenir des soins de santé au Canada : Comment les politiques et les pratiques relatives aux ressources humaines de la santé entravent-elles le changement ?* Document déposé à la commission Romanov. Ottawa : Catalogue /CP32-79130-2002F-IN.

Ordre des infirmières et infirmiers du Québec (2000). *L'Exercice infirmier en soins de longue durée : Au carrefour du milieu de soins et du milieu de vie.* Montréal : OIIQ.

Ordre des infirmières et infirmiers du Québec (2001). *Étude sur la qualité des soins infirmiers dans les établissements de santé du Québec. Recommandations du bureau de l'Ordre des infirmières et infirmiers du Québec.* Montréal : OIIQ.

Ordre des infirmières et infirmiers du Québec (2004a). *Enquête sur la qualité des soins infirmiers – CHSLD Centre-Ville de Montréal : Résidence Saint-Charles-Borromée, résidence Manoir l'âge d'or. Avis du bureau de l'OIIQ au ministre de la Santé et des Services sociaux. Rapport d'enquête – Adopté par le Bureau de l'OIIQ à sa réunion du 14 mai 2004.* Montréal : Ordre des infirmières et infirmiers du Québec.

Ordre des infirmières et infirmiers du Québec (2004b). *La gouverne des soins infirmiers dans le cadre d'une organisation de services intégrés : Une contribution essentielle à la réussite du projet clinique.* Montréal : Ordre des infirmières et infirmiers du Québec.

Siegfried, A. Recherche Internet effectuée le 5 novembre 2004 : http://www.evene.fr/inter.php?urlback=%2Fcelebre%2Frecherche.php%3Fmotcherche%3DSiegfried.

Tremblay, R. et Plourde, L. (2002). *Découvrez… le bonheur au boulot.* Québec : Éditions Anne Sigier.

CHAPITRE 39

Revue de littérature générale sur le changement et l'organisation des soins et du travail :

Viens, C., Hamelin Brabant, L., Lavoie-Tremblay, M. et Brabant., F. (2005). *Organisation des soins et du travail : une revue de la littérature pour comprendre et réussir des transformations organisationnelles.* Cap-Rouge, Québec : Éditions Inter Universitaires.

Autres lectures recommandées :

Bédard, B., Benoît, D. et Viens, C. (2005). *Guide des pratiques novatrices en organisation des soins et du travail.* Montréal, Québec : Centre d'expertise en organisation des soins et du travail (CEOST). Disponible également sur le site Internet du CEOST à l'adresse suivante : http://www.ahq.org/ceost/coest.asp.

Viens, C., Bergevin, A. et Lavoie-Tremblay, M. (2005). Quand des soignants participent à l'organisation des soins et du travail. *Soins cadres Europe*, 54, 42-47.

Viens, C., Lavoie-Tremblay, M., Mayrand-Leclerc, M. (2002). *Optimisez votre environnement de travail en soins infirmiers.* Cap-Rouge, Québec : Éditions Presses Inter Universitaires.

Viens, C., Lavoie-Tremblay, M., Mayrand Leclerc, M. et Hamelin-Brabant, L. (2005). New approaches of organizing care and work : Giving way to participation, mobilization and innovation. *The Health Care Manager*, 24 (2), 150-158.

CHAPITRE 40

Badeau, D. (2001). Les altérations de l'expression de la sexualité chez la personne atteinte de démence. *Frontières*, 13 (2), 44-49.

Badeau, D. et Bergeron, A. (1991). *La Santé sexuelle après 60 ans.* Montréal : Méridien.

Christie, D. (2002). *Intimacy, Sexuality and Sexual Behaviour in Dementia. How to Develop Practice Guidelines and Policy for Long Term Care Facilities.* www.fhs.mcmaster.ca/mcah/cgec/toolkit.pdf.

Doyle, D., Bisson, D., Janes, N., Lynch, H. et Martin, C. (1999). Human sexuality in long-term care. *The Canadian Nurse*, 95 (1), 26-29.

Dupras, A. (1995). La politique institutionnelle en matière de sexualité : la nécessaire transformation du paradigme sexologique. *Santé mentale au Québec*, 20 (1), 57-76.

Dupras, A. (1997). La qualité de vie sexuelle des patients : innover à l'hôpital psychiatrique. *Perspectives psychiatriques*, 36 (5), 340-346.

Dupras, A. (2004a). La qualité de vie sexuelle des personnes âgées hébergées en CHSLD : une conséquence du vieillissement ou des contraintes institutionnelles ? *Intervention*, 121, 139-142.

Dupras, A. (2004b). Les droits sexuels des personnes hébergées en CHSLD. *Justice-Santé*, 29 (2), 18-19.

Duve, C. de (1996). *Poussière de vie : Une histoire du vivant.* Traduction de l'anglais par A. Bucher et J.-M. Luccioni. Paris : Fayard.

Felstein, I. (1970). *La Sexualité du troisième âge.* Paris : Robert Laffont.

Freud, S. (1963). *Trois essais sur la théorie de la sexualité.* Paris : Gallimard, coll. Idées.

Hillman, J.L. (2000). *Clinical Perspectives on Elderly Sexuality.* New York : Klumer Academic/Plenum Publishers.

Holstensson, L. et Rioufol, M.-O. (2000). *Besoins affectifs et sexualité des personnes âgées en institution.* Paris : Masson.

Jacquard, A. (1992). *La Légende de la vie.* Paris : Flammarion.

Masters, W. et Johnson, V. (1968). *Les Réactions sexuelles.* Paris : Robert Laffont.

Mercier, C. (1993). Qualité de vie et qualité des services. *Santé mentale au Québec*, 18 (2), 9-20.

Money, J. et Tucker, P. (1975). *Êtes-vous un homme ou une femme ?* Montréal : La Presse.

Mongeau, S. (1970). *Sexualité et société. La vieillesse.* Montréal : Éditions du Jour.

Monod, J. (1970). *Le Hasard et la Nécessité.* Paris : Seuil.

Parent, I. (2003). *Exploration des concepts d'intentionnalité et de projet de vie en vue de leur utilisation dans le traitement et la réadaptation des personnes présentant un trouble de personnalité limite.* Mémoire de maîtrise inédit, Université Laval, Faculté de médecine, Département de médecine sociale et préventive, Québec, Canada.

Raulin, F. (1994). *La Vie dans le cosmos.* Paris : Flammarion, coll. Dominos.

Ravinel, H. de (1980). Sexualité et troisième âge. *Santé mentale au Québec*, 5 (2), 112-118.

Schlesinger, B. (1983). Institutional life. Dans R.B. Weg (dir.), *Sexuality in the Later Years* (p. 259-269). New York : Academic Press.

Stryckman, J. (1989). Conditions sociales et sexualité au 3e âge. Dans L. Plouffe et L. Plamondon (dir.), *Sexualité et vieillissement* (p. 81-94). Montréal : Méridien.

Thériault, J. (2002). Anxiété de mort, psychosexualité et transition de retraite. *Frontières*, 14 (2), 73-77.

CHAPITRE 41

Abdallah-Pretceille, M. (1986). L'interculturel en éducation et en sciences humaines. Dans *Actes du colloque de Toulouse, juin 1985* (p. 25-32). Toulouse : Publications de l'Université de Toulouse, Le Mirail.

Alliance des communautés culturelles pour l'égalité dans la santé et les services sociaux (ACCÉSSS) (2000). *Vieillir en contexte migratoire : Revue de littérature*, 2e éd. Montréal : ACCÉSSS.

Andrews, M. et Boyle, J.S. (2003). *Transcultural Concepts in Nursing Care*, 4e éd. Lippincott.

Battaglini, A., Fortin, S., Heneman, B., Laurendeau, M.C. et Tousignant, M. (1997). *Bilan des interventions en soutien parental et en situation infantile auprès de clientèles pluriethniques.* Régie régionale de la santé et des services sociaux de Montréal-Centre : Direction de la santé publique de Montréal-Centre.

Choinière, R. et Robitaille, N. (1990). The aging of ethnic groups in Quebec. Dans Shiva S. Hall, Frank Trovato et Leo Driedger, *Ethnic Demography, Canadian Immigrant, Racial and Cultural Variation.* Ottawa : CUP. Dans ACCÉSSS (2000), *Vieillir en contexte migratoire : Revue de littérature*, 2e éd. Montréal : ACCÉSSS.

Cohen-Émerique, M. (1993). L'approche interculturelle dans le processus d'aide. *Santé mentale au Québec, 18* (1), 71-92.

Gelfand D.E. et Barresi, C.M. (1987). *Ethnic Dimension of Aging*, New York: Springer Publishing Company.

Guberman, N. et Maheu, P. (1997). *Les soins aux personnes âgées dans les familles d'origine italienne et haïtienne*. Montréal: Les éditions du remue-ménage.

Hagey, R., Choudhry, U., Guruge, S., Turritin, J., Collins E. et Lee, L., (2001). Immigrant nurses' experience of racism. *Journal of Nursing Scholarship, 33* (4), 389-394.

Leininger, M. (2002). Culture care theory: a major contribution to advance transcultural nursing knowledge and practice. *Journal of transcultural Nursing, 13,* 191.

Leininger, M. (1991). *Culture Care Theory: The Relevant Theory of Nursing*. New York: National League for Nursing Press.

Massé, R. (1995). *Culture et santé publique: Les contributions de l'anthropologie à la prévention et à la promotion de la santé*. Montréal: Gaëtan Morin Éditeur.

Mazanec, P. et Tyler, M.K. (2003). Cultural considerations. End-of-life care. *AJN, 103* (3), 50-59.

Ministère des Relations avec les citoyens et de l'Immigration (2004). *Compilation spéciale du recensement de 2001 de Statistique Canada*. Québec: Gouvernement du Québec.

Pereira, I., Lazarowich, M. et Wester, A.V. (1996). Ethnic centent in long-term care facilities for Portuguese and Italian elderly, *Études ethniques au Canada, 28* (2), 82-107. Dans ACCÉSSS (2000), *Vieillir en contexte migratoire: Revue de littérature*, 2e éd. Montréal: ACCÉSSS.

Roy, G. (1991). *Pratiques interculturelles sous l'angle de la modernité*. Montréal: Centre de services sociaux du Montréal métropolitain.

Sidenvall, B., Fjellstrom, C. et Ek, A. (1996). Cultural perspectives of meals expressed by patients in geriatric care. *International Journal of Nursing Studies, 33* (2), 212-222.

Stryckman J. (1991). La situation des aînés immigrants au Canada. *Le Gérontophile, 13* (2), 18-21. Dans ACCÉSSS (2000), *Vieillir en contexte migratoire: Revue de littérature*, 2e éd. (p. 44). Montréal: ACCÉSSS.

CHAPITRE 42

Association des CLSC et CHSLD du Québec (2003). *Rapport de l'opération d'identification des besoins et des programmes offerts aux clientèles hébergées en CHSLD publics*. Montréal.

Comité consultatif national (2000). *Guide des soins en fin de vie aux aînés*. Ottawa: Université de Toronto et Université d'Ottawa.

Comité de bioéthique de l'Institut universitaire de gériatrie de Montréal (1998). *Réflexion éthique sur les problèmes d'alimentation en milieu d'hébergement et de soins de longue durée*. Montréal: Institut universitaire de gériatrie de Montréal.

Conseil de la santé et du bien-être (2003). *Pour une plus grande humanisation des soins en fin de vie*. Québec: gouvernement du Québec.

Gagnon-Brousseau, N., Labbé, N. et Léveillé, G. (2002). *Les soins de la bouche*. Sillery: Maison Michel-Sarrazin.

Léveillé, G. (2003). *Guide d'intervention clinique en soins palliatifs*. Sillery: Éditions Anne Sigier.

Ministère de la Santé et des Services sociaux (2003). *Un milieu de vie de qualité pour les personnes hébergées en CHSLD. Orientations ministérielles*. Québec: gouvernement du Québec.

Ministère de la Santé et des Services sociaux (2004a). *Un milieu de vie de qualité pour les personnes hébergées en CHSLD: Visites d'appréciation de la qualité des services*. Québec: gouvernement du Québec.

Ministère de la Santé et des Services sociaux (2004b). *Politique en soins palliatifs de fin de vie*. Québec: gouvernement du Québec.

CHAPITRE 43

Bandman, E. et Bandman, B. (2002). *Nursing Ethics through the Life Span*, 4e éd. Upper Saddle River, New Jersey: Prentice Hall.

Blondeau, D. (dir.) (1999). *Éthique et soins infirmiers*. Montréal: Les Presses de l'Université de Montréal.

De Koninck, T. (1999). Dignité et respect de la personne humaine. Dans D. Blondeau (dir.), *Éthique et soins infirmiers* (p. 69-101). Montréal: Les Presses de l'Université de Montréal.

Desrosiers, G. (2004). La valorisation des soins en CHSLD: un incontournable. *Perspective infirmière, 1* (4), 8-9.

Durand, G. (1999). *Introduction générale à la bioéthique: Histoire, concepts et outils*. Montréal: Fides-Cerf.

Lavoie, M. (2003). *Philosophie du soin palliatif*. Thèse de doctorat inédite, Université Laval, faculté de philosophie, Québec, Canada.

Malherbe, J.-F. (1987). *Pour une éthique de la médecine*, 3e éd. Paris: Larousse.

Marcoux, H. (2001). *Soins prolongés: Nouvelle encyclopédie de bioéthique*. Bruxelles: DeBoeck Université.

Ministère de la Santé et des Services sociaux (2003). *Un milieu de vie de qualité pour les personnes hébergées en CHSLD: Orientations ministérielles*. Québec: gouvernement du Québec.

Robichaud, A. (2002). Disrespecting our elders: attitudes and practices of care(lessness). Dans J. Humber et R.F. Almeder (dir.), *Care of the Aged* (p. 43). Atlanta: Humana Press.

CHAPITRE 44

Dussault, G. (1990). Les déterminants de l'efficacité de la multidisciplinarité. *Le Gérontophile, 12* (2), 3-6.

Fortin, B. (2000). L'interdisciplinarité: rêves et réalité. *Psychologie Québec, 27* (3), 39-40.

Guyonnet, M. et Adam, E. (1992). L'infirmière dans l'équipe pluridisciplinaire. *L'infirmière canadienne, 88* (10), 41-44.

Hanson, C.M. et Spross, J.A. (1996). Collaboration. Dans A.B. Hamric, J.A. Spross et C.M. Hanson (dir), *Advanced nursing practice, an integrative approach* (p. 229-248). Montréal: W.B. Saunders cie.

Hébert, R. (1990). *L'interdisciplinarité en gérontologie*. Actes du IVe Congrès international francophone de gérontologie. Montréal: EDISEM.

Lescarbeau, R., Payette, M. et Saint-Arnaud, Y. (1990). *Profession: Consultant*. Montréal: Presses de l'Université de Montréal.

Ministère de la Santé et des Services sociaux du Québec (1996). *Un soutien à la démarche d'une équipe vers l'interdisciplinarité dans le contexte de l'actualisation du plan d'intervention*. Cahier de participation à la formation.

Ministère de la Santé et des Services sociaux (2003). *Un milieu de vie de qualité pour les personnes hébergées en CHSLD. Orientations ministérielles*. Québec: gouvernement du Québec.

Rogers, R. (2001). L'identité professionnelle et le travail d'équipe. *Info Nursing* (bulletin de l'Association des infirmiers et infirmières du Nouveau-Brunswick), décembre.

Satin, D.G. et Blakeney, B.A. (1994). *The Clinical Care of the Aged Person, An Interdisciplinary Perspective*, New York: Oxford University Press.

Schofield, R.S. et Amodeo, M. (1999). Interdisciplinary teams in health care and human services setting: are they effective? *Health and Social Work, 24,* 3.

Voyer, P. (2000). L'interdisciplinarité, un défi à relever pour les infirmières. *L'infirmière canadienne, 96* (5), 39-44.

Voyer, P. (2001). L'interdisciplinarité. *La gérontoise, 12,* 9-16.

CHAPITRE 45

American Association of Colleges of Nursing et John A. Hartford Foundation Institute for Geriatric Nursing (2000). *Older adults: recommended baccalaureate competencies and curricular guidelines for geriatric nursing care.* Extrait du site Web de l'American Association of Colleges of Nursing, le 2 février 2005 : http ://www.aacn.nche.edu/Education/gercomp.htm

Atchley, R.C. (1989). A continuity theory of normal aging. *The Gerontologist, 29*, 183-190.

Baumbusch, J.L. et Andrusyszyn, M.-A. (2002). Gerontological content in Canadian baccalaureate nursing programs: cause for concern? *Canadian Journal of Nursing Research, 34* (1), 119-129.

Baumbusch, J.L., Gero, D. et Goldenberg, D. (2000). The impact of an aging population in curriculum development in Canadian undergraduate nursing education. *Perspectives, 24* (2), 8-14.

Carmel, S., Cwikel, J. et Galinsky, D. (1992). Changes in knowledge, attitudes, and work preferences following courses in gerontology among medical, nursing, and social work students. *Educational Gerontology, 18*, 329-342.

Earthy, A. (1993). A survey of gerontological curricula in Canada. *Journal of Gerontological Nursing, 19* (12), 7-14.

Ejaz, F.K., Folmar, S.J., Kaufmann, M., Rose, M.S. et Goldman, B. (1994). Restraint reduction: can it be achieved? *The Gerontologist, 34* (5), 694-699.

Fox, S.D. et Wold, J.E. (1996). Baccalaureate student gerontological nursing experiences: Raising consciousness levels and affecting attitudes. *Journal of Nursing Education, 35* (8), 348-355.

Gavan, C.S. (2003). Successful aging families: a challenge for nurses. *Holistic Nursing Practice, 17* (1), 11-18.

Grocki, J.H. et Fox, G.E.B. (2004). Gerontology coursework in undergraduate nursing programs in the United States: a regional study. *Journal of Gerontological Nursing*, vol. 30, 46-51.

Kaempfer, D., Wellman, N.S. et Himburg, S.P. (2002). Dietetics students' low knowledge, attitudes, and work preferences toward older adults indicate need for improved education about aging. *Journal of The American Dietetic Association, 102* (2), 197-202.

Koroknay, V.J., Braun, J.V. et Lipson, S. (1993). Educating staff, residents, and families about restraint reduction. Dans J.V. Braun et S. Lipson (dir.), *Toward a Restraint Free Environment: Reduce the Use of Physical and Chemical Restraints in Long-term and Acute Care Settings* (p. 31-51). Baltimore, MD : Health Profession Press.

Mezey, M., Amella, E.J. et Fulmer, T.T. (1995). Gerontologial nursing: successes of the past, visions of the future. *Journal of the New York State Nurses Association, 26*, 25-27.

Mezey, M. et Fulmer, T. (2002). The future history of gerontological nursing. *Journal of Gerontology, Medical Sciences, 57a*, M438-M441.

Ministère de la Santé et des Services sociaux (2004). http://www.msss.gouv.qc.ca/statistiques/populations.html

Mion, L. (2003) Care provision for older adults: who will provide? *Online Journal of Issues in Nursing, 8* (2), manuscrit 3. Extrait du site Web du *Online Journal of Issues in Nursing*, le 31 mai 2003 : www.nursingworld.org/ojin/topic21/ tpc21_3.htm

Ordre des infirmières et infirmiers du Québec. (2000). *L'exercice infirmier en soins de longue durée: au carrefour du milieu de soins et du milieu de vie.* Montréal : OIIQ.

Ordre des infirmières et infirmiers du Québec. (2001). *Mosaïque des compétences cliniques de l'infirmière. Compétences initiales.* Montréal : OIIQ.

Roberts, M.J. et Powell, C. (1978). The rape of geriatrics by the fundamental nursing instructors. *Journal of gerontological nursing, 4* (5), 577-578.

Rosenfeld, P., Bottrell, M., Fulmer, T. et Mezey, M. (1999). Gerontological nursing content in baccalaureate nursing programs: findings from a national survey. *Journal of Professional Nursing, 15* (2), 84-94.

Simoens, S., Villeneuve, M. et Hurst, J. (2005). *Tackling nurses shortage in OECD countries.* OECD Health Working Papers n° 19. Directorate for employment, labour, and social affairs. Paris : OECD.

Strumpf, N.E., Wollman, M.C. et Mezey, M. (1993). Gerontological education for baccalaureate nursing students. *Gerontology and Geriatrics Education, 13*, 73-84.

Young, H. (2003). Challenges and solutions for care of frail older adults. *Online Journal of Issues in Nursing, 8* (2), manuscrit 4. Extrait du site Web du *Online Journal of Issues in Nursing*, le 31 mai 2003 : www.nursingworld.org/ojin/topic21/tpc21_4.htm

RÉPONSES AUX QUESTIONS DES ÉTUDES DE CAS

CHAPITRE 2

1. Parmi les trois résidents de cette histoire, lequel présente le plus de risques d'avoir des hallucinations?

Réponse: Mme Francœur, car c'est dans le cas de la démence à corps de Lewy que les hallucinations sont les plus fréquentes.

2. L'infirmière, témoin des hallucinations de Mme Francœur, téléphone au médecin pour lui demander de prescrire un neuroleptique. Ce médicament est-il approprié dans ce cas-ci? Justifiez votre réponse.

Réponse: Non, car l'une des caractéristiques de la démence à corps de Lewy est l'hypersensibilité aux neuroleptiques (McKeith *et al.*, 1992; Ballard *et al.*, 1998). Ces médicaments sont à proscrire, sinon à utiliser avec une grande prudence, dans le cas de la DCL en raison du développement très rapide de la dyskinésie tardive (contractions musculaires répétitives et involontaires du visage et de la langue). Leurs autres effets secondaires chez les aînés atteints de la DCL peuvent être une somnolence suivie d'une hypertonie sévère avec instabilité posturale et chutes, une confusion majeure, l'immobilité et des complications parfois létales. Plus de 50 % des résidents atteints de la DCL réagissent mal aux neuroleptiques; leur sensibilité à ces médica-

ments multiplie par deux ou trois les risques de mortalité (Richter et Richter, 2004).

3. Quelles mesures doit prendre l'infirmière qui veut faire un suivi rigoureux de l'état de santé des résidents atteints d'une démence, en CHSLD?

Réponse: L'infirmière doit au minimum évaluer chaque trimestre les capacités cognitives et l'autonomie fonctionnelle (voir la section «Détection du problème»), les symptômes psychologiques et comportementaux de la démence (voir le chapitre 24), la douleur (voir le chapitre 20) et la qualité de vie (voir le chapitre 1).

4. Par rapport aux trois types de démence évoqués dans l'étude de cas, quelle est la particularité de la démence vasculaire pour ce qui est du traitement?

Réponse: Dans le cas de la démence vasculaire, il est possible de ralentir l'évolution de la maladie en faisant de la prévention. Cette prévention doit cibler les facteurs de risque que sont notamment le tabagisme, l'hypercholestérolémie, l'hypertension et l'inactivité physique. Elle permet d'éviter d'autres infarctus cérébraux qui accéléreraient la perte de capacités cognitives (Bowler et Hachinski, 2003).

CHAPITRE 3

1. Pouvez-vous nommer deux types de complications motrices dont souffre M. S.?

Réponse: M. S. présente des fluctuations de type *on-off* avec les caractéristiques de ces phénomènes: alternance aléatoire entre les états *on* et *off*, mobilité fonctionnelle permettant l'autonomie en période *on*, dépendance à l'égard du personnel soignant due à un manque d'autonomie dans les activités quotidiennes en période *off*. De plus, M. S. présente des dyskinésies, qui, comme nous l'avons vu, sont des mouvements involontaires de forme choréique qui apparaissent lorsque la dose de médicament atteint un maximum dans le sang, sous sa forme simple. Elles empêchent M. S. d'être complètement autonome dans ses activités quotidiennes.

2. Nommez un symptôme primaire et un symptôme secondaire de la maladie de Parkinson dont souffre M. S.

Réponse: Symptômes primaires: tremblement de repos, rigidité, lenteur.
Symptômes secondaires: troubles de la marche, dysphagie, hypophonie, dépression, chutes, blocages.

3. Quel paramètre l'infirmière a-t-elle oublié d'évaluer?

Réponse: Lors de la réunion multidisciplinaire, l'infirmière n'a pas évoqué les signes de dépression que présente M. S.

4. Que sont les dystonies et à quoi peut-on les associer?

Réponse: Les dystonies sont des crampes musculaires douloureuses. Elles sont souvent provoquées par des taux de dopamine plasmatique inférieurs à la normale.

CHAPITRE 4

1. Quels sont les cinq signes et symptômes avant-coureurs de l'AVC?

Réponse:
- Faiblesse, engourdissement ou picotement soudains, pouvant être de courte durée, au visage, à un bras ou à une jambe.
- Problème d'élocution ou de compréhension soudain.
- Double vision ou perte subite de vision, surtout à un œil.
- Maux de tête soudains, intenses et inhabituels.
- Étourdissements, manque de stabilité ou chutes soudaines, surtout en association avec l'un des signes déjà cités.

2. Comment l'infirmière pourrait-elle aider M. Foulon à être le plus autonome possible?

Réponse: L'infirmière peut aider le résident à s'orienter dans le temps en l'invitant par exemple à utiliser un calendrier et une horloge. Elle peut aussi l'encourager à faire la réadaptation du côté négligé en le poussant à l'utiliser pour se nourrir, s'habiller et faire les transferts. Elle peut établir une routine d'élimination pour stimuler ses capacités fonctionnelles. Elle doit lui laisser du temps pour accomplir ses tâches seul et l'encourager sans cesse à faire de son mieux.

3. Quelles sont les interventions à mettre en place pour réduire la douleur que ressent M. Foulon à l'épaule?

Réponse: Pour réduire la douleur, il faut, après l'avoir évaluée (voir le chapitre 20), s'assurer que le résident se tient bien, manipuler son bras doucement durant la mobilisation et lui faire exécuter des exercices passifs et actifs en suivant les recommandations du médecin, de la physiothérapeute et de l'ergothérapeute. Ces derniers pourront, par exemple, suggérer l'utilisation d'une orthèse pour soutenir le bras. Il est également important d'évaluer les résultats des interventions.

4. Quels sont les enjeux de la situation pour M. Foulon et ses proches?

Réponse: M. Foulon et sa famille doivent d'abord s'adapter d'un coup à l'impact de l'AVC et à un nouveau milieu de vie. Ensuite, son épouse doit s'adapter à son nouveau rôle et sa nouvelle relation avec son époux. Il en est de même pour les proches. Enfin, l'épouse de M. Foulon comme ses proches doivent apprendre à comprendre les nouveaux comportements (impulsivité, agressivité…) et à s'y adapter.

CHAPITRE 5

1. Quelles sont les causes de l'insuffisance cardiaque globale de Mme Champagne?

Réponse: Deux affections primaires ont causé l'insuffisance cardiaque de Mme Champagne, l'hypertension artérielle puis l'infarctus du myocarde. Notons que, dans ce cas-ci, l'hypertension artérielle est à la fois une cause directe de l'insuffisance cardiaque et un facteur de risque ayant provoqué l'infarctus du myocarde.

2. Quels sont les signes et les symptômes de l'insuffisance cardiaque globale?

Réponse: L'insuffisance cardiaque globale se manifeste par une diminution du débit cardiaque et une surcharge en amont de l'insuffisance droite et gauche. Les signes de la diminution du débit cardiaque sont un bruit de galop ventriculaire se faisant entendre à l'auscultation en diastole et une diminution de la perfusion cérébrale causant des étourdissements, une perte de conscience éventuellement, des difficultés de concentration et des troubles de la mémoire, voire un delirium, de l'anxiété et de l'insomnie. La diminution de la perfusion coronarienne se manifeste par l'apparition de douleurs angineuses ou leur accentuation, des arythmies, une diminution de la tension artérielle, de l'orthostatisme, une intolérance à l'effort, de la fatigue et une faiblesse musculaire. La mauvaise perfusion du système digestif se traduit par des troubles digestifs tels que l'anorexie, des nausées, la distension abdominale et, éventuellement, la cachexie. La diminution de la perfusion rénale se manifeste par de l'oligurie, de la nycturie et de l'anurie.

Quant aux signes de la surcharge en amont, ils sont d'origine respiratoire et veineuse. Du côté respiratoire, on observe de la dyspnée de décubitus et de repos, de l'orthopnée, de la dyspnée paroxystique nocturne, une toux sèche, des crépitants fins à l'auscultation, bilatéraux, non déplacés par la toux et localisés en fin d'inspiration, et enfin des expectorations mousseuses blanchâtres puis rosées indiquant une surcharge pulmonaire. Du côté veineux, on observe une augmentation de la pression veineuse jugulaire (PVJ), de l'hépatalgie et de l'hépatomégalie, puis l'apparition progressive d'œdème prenant éventuellement le godet et une augmentation du poids corporel traduisant la surcharge veineuse.

3. Lors de son épisode de dyspnée, Mme Champagne a présenté des signes cliniques tels que confusion, léthargie, ralentissement psychomoteur, désorientation et inattention, ainsi que de l'hypotension, de la tachycardie, de la tachypnée, des crépitants à l'auscultation, un B3, une diminution de l'amplitude du pouls et une élévation de la PVJ. Parmi les signes que présente Mme Champagne, déterminez ceux qui sont liés à la défaillance cardiaque et ceux qui sont liés à la compensation homéostatique. Justifiez vos réponses.

Réponse: Les signes de la défaillance cardiaque sont les suivants:

- B3. Il s'agit d'un signe audible de la défaillance cardiaque aiguë causé par une brusque distension des ventricules défaillants lors de la diastole.
- Diminution de la TA et de l'amplitude du pouls. Ces signes reflètent la diminution de la force d'éjection de l'hémicœur gauche et la diminution du débit cardiaque. Ils indiquent que les mécanismes de compensation visant à rétablir la circulation ne sont pas très efficaces.
- Confusion, léthargie, ralentissement psychomoteur, désorientation, inattention. Ces signes révèlent la diminution de la perfusion cérébrale due au ralentissement du débit cardiaque.
- Dyspnée, crépitants à l'auscultation. Ces signes traduisent la présence d'une surcharge en amont de l'hémicœur gauche, au niveau du parenchyme pulmonaire, surcharge due à l'incapacité du ventricule gauche à éjecter son contenu.
- Augmentation de la PVJ. Ce signe indique la présence d'une surcharge en amont de l'hémicœur droit, dans les veines caves puis les jugulaires, surcharge due à l'incapacité du ventricule droit à éjecter son contenu.

Les signes de la compensation homéostatique sont la tachycardie et la tachypnée. Sous la réaction du système sympathique, les fréquences cardiaque et respiratoire s'accélèrent pour répondre aux besoins de l'organisme en oxygène. Les signes cliniques d'hypoperfusion de la résidente indiquent que cette accélération n'est pas suffisante et que l'organisme est en détresse.

4. Quels sont les paramètres de surveillance que l'infirmière devrait considérer pour effectuer le suivi clinique d'une résidente comme Mme Champagne?

Réponse: L'infirmière devrait considérer trois types de paramètres pour faire un suivi complet. Premièrement, elle devrait surveiller les paramètres hémodynamiques en observant tous les signes liés à la qualité du débit cardiaque. Il faudrait également qu'elle observe l'état de la perfusion de différents organes, c'est-à-dire l'état de la perfusion coronarienne (douleur rétro-sternale, arythmies, tension artérielle systolique), de la perfusion périphérique (pulsations, chaleur, coloration), de la perfusion cérébrale (état de vigilance et de conscience), de la perfusion rénale (débit urinaire). Deuxièmement, l'infirmière devrait surveiller spécifiquement les signes de surcharge droite et gauche, c'est-à-dire la pression veineuse jugulaire et les œdèmes aux membres inférieurs pour l'hémicœur droit et les crépitants, la tachypnée, l'orthopnée, la saturation artérielle en oxygène et le B3 pour l'hémicœur gauche. Troisièmement, elle devrait observer la capacité de compensation homéostatique de l'organisme, et donc vérifier la stabilité de la tension artérielle, de la fréquence cardiaque et de la vasoconstriction périphérique, et l'état de fatigue et d'épuisement. Ces trois types de paramètres constituent un suivi systématique et rigoureux de l'évolution de la situation clinique. Ils permettent de voir s'il y a aggravation ou amélioration de l'état de santé, et d'étudier les réponses aux divers traitements mis en œuvre.

CHAPITRE 6

1. Quel est le degré de la BPCO de Mme Leblanc? D'après le résultat de la saturométrie effectuée par l'infirmière au CHSLD, la résidente aura-t-elle besoin d'une oxygénothérapie à long terme?

Réponse: D'après la classification de la BPCO, et étant donné le résultat de la spirométrie et les symptômes, Mme Leblanc présente une BPCO sévère, car elle a une dyspnée de grade 5. De plus, la résidente fait de l'hypoxémie (saturation à 88 %) et a un œdème aux membres inférieurs signalant une insuffisance cardiaque droite.

D'après les critères établis par l'Association des pneumologues de la province de Québec pour l'oxygénothérapie à long terme, l'oxygénothérapie est administrée pour une saturation inférieure à 92 %. De plus, l'oxygène doit être utilisé pendant une durée minimale de 18 heures par jour, comprenant la nuit. Comme elle présente une saturation de 88 % à l'air ambiant, Mme Leblanc a besoin d'une oxygénothérapie à long terme. Si, au bout de trois mois, un contrôle en état stable indique une saturation supérieure à 92 %, on pourra cesser l'oxygénothérapie après une vérification par ponction artérielle.

2. Quels sont les signes et les symptômes à surveiller chez Mme Leblanc, qui présente de l'hypoxémie avec une saturation à 88 % et une tendance à l'hypercapnie avec une $PaCO_2$ à 50 mm Hg?

Réponse: Les signes et les symptômes d'hypoxie à surveiller sont la dyspnée ou une plus grande difficulté que d'habitude à respirer, le teint pâle et la cyanose aux extrémités (couleur bleutée aux lèvres, aux doigts ou aux lobes d'oreilles). Ce sont aussi une céphalée (serrement autour de la tête, sous forme de bandeau) se manifestant surtout au lever, une fatigue extrême, de la difficulté à se concentrer, une faiblesse musculaire, une diminution de l'appétit et une perte de mémoire.

Les signes et les symptômes d'hypercapnie, ou accumulation de gaz carbonique dans le sang, à surveiller sont la bradypnée, ou respiration lente, un changement d'humeur se traduisant par un manque de concentration, de l'irritabilité et de l'agressivité, et la somnolence, ou tendance irrésistible à s'endormir, s'accompagnant de cauchemars.

3. En tant qu'infirmière, quelles évaluations et interventions feriez-vous auprès de Mme Leblanc, qui dit avoir la sensation d'étouffer?

Réponse: En tant qu'infirmière, vous devriez utiliser le questionnaire clinique et faire un examen physique pour évaluer la situation. La crise de dyspnée peut être causée par une exacerbation de l'état respiratoire ou de l'anxiété. Si vous ne détectez aucun signe d'exacerbation, vous devez déterminer avec Mme Leblanc la cause de la crise. Si Mme Leblanc est anxieuse, il faut rester avec elle et respirer avec elle tout en l'incitant à pratiquer la technique de la respiration avec les lèvres pincées. Si ce type de respiration aide la résidente, vous pouvez discuter avec elle des causes possibles de la crise de dyspnée et éliminer les causes physiques telles qu'un trop grand effort ou une exposition à un facteur aggravant comme du parfum ou de la fumée. Si vous découvrez que l'agent déclenchant est une émotion, un stress, vous devez expliquer à Mme Leblanc la relation qui existe entre la dyspnée et l'anxiété, si cela est possible, et lui proposer des moyens pour maîtriser la dyspnée. Vous lui enseignez alors la respiration avec les lèvres pincées ainsi que des techniques de relaxation.

4. Pensez-vous que Mme Leblanc a besoin d'oxygène pour calmer sa dyspnée?

Réponse: Bien que certains résidents perçoivent une diminution de la dyspnée avec l'oxygène, le but de l'oxygénothérapie n'est pas de diminuer la dyspnée, mais d'apporter plus d'oxygène aux organes. L'infirmière détecte le besoin d'oxygène à l'aide du saturomètre, qui doit indiquer une saturation inférieure à 92 % pour que l'on traite une résidente ayant une insuffisance respiratoire et une insuffisance cardiaque droite. Cependant, quand la résidente est hypercapnique ($PaCO_2 > 45$) comme c'est le cas ici, il faut faire particulièrement attention. En effet, pour traiter l'hypoxémie, il faut éviter de fournir de fortes concentrations d'oxygène. L'oxygénothérapie cause une augmentation physiologique de la PCO_2 de 4 à 5 mm Hg. En général, toute augmentation de la PCO_2 témoigne d'une fatigue respiratoire non maîtrisée plutôt que d'une toxicité de l'oxygène. Comme le saturomètre ne donne pas d'information sur le CO_2, il faut vérifier la $PaCO_2$ en faisant une ponction artérielle, si possible. Étant donné sa tendance à l'hypercapnie, mise en évidence par le rapport de gaz artériel au congé de l'hôpital ($PaCO_2 > 50$ mm Hg), la résidente requiert une surveillance plus étroite pour la détection des signes d'hypercapnie: hypertension artérielle, bradypnée, tachycardie, irritabilité, perte de mémoire, somnolence ou tendance irrésistible à s'endormir et confusion.

CHAPITRE 7

1. Comment Mme Sirois vit-elle psychologiquement le delirium?

Réponse: Le delirium réduit les capacités cognitives résiduelles du résident, qui a plus de difficulté à communiquer. Il engendre ainsi de la peur, de la méfiance et de l'anxiété. C'est pourquoi il est très important de réconforter et de rassurer le résident.

2. Quels sont les facteurs prédisposants du delirium dans la situation décrite?

Réponse: La démence, l'insomnie et le problème visuel.

3. Quels sont les facteurs précipitants du delirium dans la situation décrite?

Réponse: Les médicaments, l'Ativan (lorazepam) et le Risperdal (risperidone), et la contention physique.

4. Que pourrait faire l'infirmière concernant les médicaments pour aider à la guérison du delirium de Mme Sirois?

Réponse: Comme l'Ativan (lorazepam) et le Risperdal (risperidone) peuvent contribuer au delirium, l'infirmière devrait en évaluer l'efficacité. Elle devrait évaluer la qualité du sommeil de Mme Sirois et mettre en place des interventions d'hygiène du sommeil. Elle pourrait aussi évaluer la fréquence des symptômes comportementaux de la démence, afin d'estimer l'efficacité du Risperdal. Certaines interventions (voir les chapitres 24 à 30) pourraient remplacer les médicaments pour diminuer la fréquence des symptômes comportementaux.

CHAPITRE 8

1. Quels sont, chez Mme Côté, les signes atypiques de l'infection respiratoire?

Réponse: En général, les signes atypiques d'une pneumonie sont les suivants: faiblesse, apathie et retrait, perte d'appétit et de poids, delirium, léthargie, chutes, changement inexpliqué de comportement, déclin soudain de l'autonomie fonctionnelle, tension artérielle systolique inférieure à 100 et apparition d'incontinence urinaire. La toux serait absente dans 20 à 25 % des cas, la fièvre dans 68 % des cas et la dyspnée dans 71 % des cas. Les expectorations seraient absentes dans 65 % des cas, les frissons dans 76 % des cas et la douleur dans 86 % des cas. À l'inverse, on observe un delirium dans 63 % des cas.

Chez Mme Côté, les signes atypiques sont les suivants: changement de comportement et retrait (ne participe plus aux activités), perte d'appétit, déclin de l'autonomie fonctionnelle, possibilité d'un delirium (est facilement distraite) et faiblesse.

2. Quelle est la signification d'une saturométrie de 84 % chez Mme Côté?

Réponse: Lors d'une infection comme la pneumonie, la saturométrie chute à cause des problèmes d'échanges gazeux. Même si Mme Côté a une saturométrie plus basse que la normale en raison de son emphysème (normale à 94 %), une chute jusqu'à 84 % est très importante. La saturométrie est un élément d'information supplémentaire que l'infirmière pourra communiquer au médecin. Elle sera par ailleurs utile lors du suivi de la résidente, durant le traitement.

3. Quelle est la signification d'une fréquence respiratoire de 26 chez Mme Côté?

Réponse: La tachypnée constitue un excellent indicateur d'infection respiratoire chez les résidents âgés des CHSLD. Une fréquence respiratoire normale varie de 12 à 20 respirations par minute. Au-dessus de 25 respirations par minute, la fréquence respiratoire présente une sensibilité de 90 % et une sensibilité de 95 % pour la détection de la pneumonie (Bentley *et al.*, 2000; McFadden, Price, Eastwood et Briggs, 1984). Ainsi, une fréquence respiratoire de 26, chez Mme Côté, suggère fortement un problème respiratoire aigu.

4. Quels sont les bruits au niveau des bronches et au niveau vésiculaire que l'infirmière peut entendre à l'auscultation et qui sont les signes d'une infection respiratoire?

Réponse: Si Mme Côté a les bronches très encombrées, l'infirmière pourra entendre des ronchi. Le murmure vésiculaire pourra être modifié, être moins fort. L'infirmière entendra aussi des crépitants indiquant la présence de liquide dans les alvéoles, due à l'infection. En raison de l'inflammation, une éventuelle bronchoconstriction des bronchioles provoquera un sifflement nommé sibilant. L'infirmière devrait faire un suivi serré de tous ces bruits, les noter dans le dossier et les rapporter au médecin.

CHAPITRE 9

1. Est-il surprenant que Mme Potvin, qui souffre de la maladie d'Alzheimer, fasse une dépression?

Réponse: Certainement pas. La dépression est fréquente parmi les patients atteints de la maladie d'Alzheimer: de 20 à 25 % souffrent de dépression majeure, et une autre proportion de 20 à 30 % souffrent de dépression mineure. En CHSLD, l'incidence de dépression chez les résidents ayant la maladie d'Alzheimer est d'au moins 6 % par année.

2. Pourquoi l'infirmière considère-t-elle une thérapie de la réminiscence, en plus de l'antidépresseur?

Réponse: La recherche indique que la combinaison des deux types d'interventions permet de traiter plus efficacement un cas de dépression sévère ou chronique. Qui plus est, la thérapie de la réminiscence a l'avantage de réduire les risques de rechute, puisque la personne acquiert des habiletés pour combattre les sentiments dépressifs à long terme.

3. Pourquoi l'infirmière a-t-elle utilisé l'Échelle de Cornell pour son évaluation?

Réponse: L'Échelle de Cornell est particulièrement appropriée pour une personne démente dont le fonctionnement cognitif est affaibli. Elle se fonde en effet en grande partie sur les observations des soignants et sur les informations recueillies en entrevue, et non pas, comme d'autres outils, sur l'autoévaluation, qui serait non valable ici.

4. Mme Potvin présente-t-elle des symptômes que l'on pourrait considérer comme atypiques?

Réponse: Le profil des symptômes de Mme Potvin est relativement atypique par rapport à celui d'une personne dépressive d'âge moyen, mais pas par rapport à celui des personnes de son âge. Les aînés dépressifs, en effet, ne manifestent pas ouvertement leur détresse, mais s'isolent progressivement et ont peu de réactions émotionnelles positives.

CHAPITRE 10

1. Nommez deux facteurs prédisposants du suicide qui ne sont pas illustrés dans la situation.

Réponse: La dépression et les antécédents de dépression; la démence.

2. Suggérez deux questions que l'infirmière pourrait poser à M. Dupont pour évaluer son projet suicidaire.

Réponse: Avez-vous des idées suicidaires présentement? Avec quels moyens pensez-vous vous suicider? Ce ou ces moyens sont-ils accessibles? À quel moment prévoyez-vous passer à l'acte? À quel endroit prévoyez-vous le faire?

3. Dans la situation décrite, M. Dupont présente-t-il un risque suicidaire ou une urgence suicidaire? Justifiez votre réponse.

Réponse: M. Dupont présente une urgence suicidaire, car il est activement suicidaire dans ses gestes et ses propos.

4. Concernant le principe d'intervention «préserver l'intégrité psychologique de la personne afin de soulager sa souffrance», indiquez trois interventions infirmières spécifiques évoquées dans la situation.

Réponse: Encouragement à exprimer les sentiments difficiles comme l'impuissance et le désespoir; normalisation des sentiments exprimés; évocation des succès pour augmenter l'estime de soi.

CHAPITRE 11

1. Quels sont les principaux changements rénaux que cause le vieillissement normal?

Réponse: La diminution du volume du rein, la diminution de la filtration glomérulaire et la diminution de la réabsorption et de l'excrétion tubulaires.

2. Quels sont les facteurs prédisposants de la déshydratation chez Mme Germain?

Réponse: Le vieillissement normal, la démence, la dépression et l'arthrite.

3. Si Mme Germain pèse 44,5 kg, quelle quantité de liquide doit-elle boire en une journée, d'après la troisième méthode de mesure de Skipper?

Réponse: $(100 \text{ mL} \times 10 \text{ kg}) + (50 \text{ mL} \times 10 \text{ kg}) + (15 \text{ mL} \times 24,5 \text{ kg}) = 1\,867,5 \text{ mL}$.

4. Quel est le premier symptôme qui a permis de diagnostiquer la déshydratation chez Mme Germain?

Réponse: Le delirium est souvent le premier signe de déshydratation chez l'aîné.

CHAPITRE 12

1. Nommez au moins trois facteurs prédisposants associés au vieillissement normal pouvant contribuer à la dénutrition.

Réponse: 1) Les changements sensoriels reliés aux perturbations du goût et de l'odorat, ce qui contribue à la perte du plaisir de manger; 2) le ralentissement de la vidange gastrique, qui contribue à la satiété précoce; 3) des changements dans la sécrétion des hormones qui interviennent dans la régulation de l'appétit (cholecystokinine, leptine, ghreline, testostérone); 4) les troubles de la cavité buccale (mauvaise denture, mauvais ajustement des prothèses, troubles de la mastication).

2. Quels sont les principaux facteurs précipitants qui ont pu contribuer à la dénutrition de cette résidente?

Réponse: Le contexte du repas: une salle à manger bruyante (radio, préposés qui parlent fort), l'obligation de manger en compagnie d'un résident dont les comportements inspirent le dégoût; l'absence de menus ethniques; le manque de souplesse par rapport aux heures de repas.

3. Calculez l'IMC de Mme Di Maria en considérant son poids le plus récent.

Réponse: $\text{IMC} = \dfrac{\text{Poids (kg)}}{\text{Taille}^2\text{ (m)}} = \dfrac{48}{2,59} = 18,5$

4. À partir de quels signes cliniques l'infirmière a-t-elle pu suspecter une dénutrition?

Réponse: La perte de poids observée depuis son arrivée au CHSLD. Mme Di Maria a perdu 4 kg en trois mois, ce qui correspond à une perte pondérale de 7,7 %. Son IMC de 18,5 se situe en dessous des valeurs recommandées (entre 24 et 27). De plus, la réduction de la prise alimentaire observée au dîner et au souper ainsi qu'une prise alimentaire inférieure à 75 % au cours des sept derniers jours constituent d'autres signes cliniques d'une dénutrition.

CHAPITRE 13

1. Décrivez en détail le processus d'inspection visuelle auquel procède l'infirmière.

Réponse: L'infirmière doit se laver les mains, porter un sarrau et des gants jetables.

Elle a besoin d'un abaisse-langue et d'une source de lumière portative.

Elle demande à la résidente de s'installer confortablement dans une chaise gériatrique inclinée ou de s'allonger sur son lit. Elle enlève les prothèses dentaires, vérifie l'état des lèvres et demande ensuite à la résidente d'ouvrir la bouche. Elle examine l'intérieur de la cavité buccale en procédant de droite à gauche à la recherche d'ulcérations, de rougeurs, de plaques blanchâtres sur les tissus mous. Elle observe attentivement les joues, les gencives, le palais dur, le palais mou et ses piliers antérieurs et postérieurs, la langue et son bord latéral, et enfin le plancher de la bouche. Pour bien inspecter la langue, elle la tient au moyen d'un carré de gaze. Elle examine ensuite les dents pour vérifier la présence de décolorations, de caries, de dents cassées ou branlantes et de dépôts de calcaire.

2. Décrivez ce que doit faire l'infirmière après avoir effectué l'inspection visuelle de la bouche de Florence.

Réponse: L'infirmière doit noter les anomalies des tissus examinés et les symptômes qu'elle a observés. Ensuite, elle appelle le dentiste et indique au dossier la date et l'heure de l'appel. Elle prépare la demande de services professionnels ou de consultation et, au besoin, elle soumet ce cas à l'ordre du jour de la prochaine réunion de l'équipe interdisciplinaire pour déterminer s'il est nécessaire de faire intervenir le dentiste. Après la visite du dentiste, l'infirmière informera le médecin traitant des mesures prises pour résoudre les problèmes détectés.

3. Nommez les différents problèmes buccodentaires dont souffre Florence.

Réponse: Les différents problèmes observés sont la douleur, la rougeur et l'enflure, localisées à l'angle de la mandibule, du côté gauche, au niveau de la dernière prémolaire. La dent douloureuse présente une carie. Aucune dent n'est branlante. On observe également une substance blanchâtre adhérant autour du collet de toutes les dents, ainsi qu'une ulcération sur la gencive de la crête édentée gauche et postérieure à la prémolaire atteinte. Le palais est très rouge et irrité.

4. Quelle devrait être l'apparence normale des gencives de Florence ?

Réponse : La gencive attachée est d'un rose plus pâle que la muqueuse buccale, sa surface a l'apparence d'une pelure d'orange et elle ne peut être déplacée. Le soignant remarque sa présence par une bande de plusieurs millimètres autour des dents. Elle recouvre la totalité des crêtes édentées et le palais dur. Elle ne devrait pas porter de traces d'enflure ou de rougeur, et elle ne devrait pas être douloureuse.

CHAPITRE 14

1. De quelle forme d'incontinence Mme Lemire souffre-t-elle ?

Réponse : Mme Lemire souffre d'incontinence mixte. Elle présente des symptômes d'incontinence de stress lors de la toux et des changements de position, ainsi que des signes d'incontinence d'urgence tels que la fréquence mictionnelle élevée et la difficulté à se retenir.

2. Que doit comprendre le programme personnalisé pour réduire l'incontinence de Mme Lemire ?

Réponse :
- Traitement de la constipation
- Ajustement des apports liquidiens quotidiens et diminution de la consommation de liquides irritants
- Prévention des infections urinaires par la consommation de jus de canneberges et enseignement sur l'hygiène périnéale après l'élimination
- Incitation à marcher tous les jours
- Programme de rappel programmé

3. Quelles interventions pourrait-on envisager pour diminuer la fréquence urinaire élevée (10 fois par jour et 3 fois la nuit) constatée chez Mme Lemire ?

Réponse : Augmenter l'hydratation pour rétablir la capacité vésicale et maintenir l'élasticité de la vessie. Suggérer une intervention d'entraînement vésical durant une période d'essai de trois semaines. Si les résultats sont positifs, poursuivre jusqu'au moment où Mme Lemire atteindra un intervalle mictionnel de trois heures.

4. Vous décidez de proposer à Mme Lemire l'entraînement vésical. Quel sera l'intervalle mictionnel choisi pour commencer l'entraînement ? Pourquoi ?

Réponse : 60 minutes. L'intervalle mictionnel actuel est de 1 h 30 min, soit plus de 60 minutes. Selon tableau 14-5, on doit proposer un intervalle de 60 minutes.

CHAPITRE 15

1. Quels sont les signes de constipation de Mme Tremblay ?

Réponse : Les selles sont rares, dures et difficiles à expulser. Les problèmes d'élimination datent de plus de huit mois. L'élimination est accompagnée de douleurs abdominales et de gaz, deux symptômes provoqués par le ralentissement du transit des selles.

2. Quels sont les facteurs qui prédisposent Mme Tremblay à la constipation ?

Réponse : La mobilité réduite et un faible apport liquidien et alimentaire.

3. Étant donné les facteurs de risque de constipation de Mme Tremblay, serait-il approprié de lui administrer un laxatif quotidiennement ?

Réponse : Non, car il faut d'abord s'assurer que les méthodes préventives sont appliquées adéquatement (par exemple optimiser l'apport liquidien et alimentaire et encourager l'activité physique quotidienne) avant de rechercher une solution pharmacologique. Il faut se rappeler que l'usage quotidien de laxatif médicamenteux de type suppositoire est à proscrire en raison de son effet nocif sur la muqueuse intestinale.

4. Les méthodes de base sont cruciales dans la prise en charge de la constipation. Pourquoi faut-il tenir compte de l'hydratation avant d'augmenter l'apport en fibres ? Quelles seraient les conséquences dans le cas contraire ?

Réponse : Il est nécessaire de modifier l'apport liquidien si l'on désire introduire des fibres, car elles absorbent une quantité importante d'eau. L'une des fonctions du côlon est d'absorber l'eau, qu'elle soit en quantité suffisante ou non. Par conséquent, la présence de fibres augmente l'assèchement des matières fécales. Il s'ensuit donc une augmentation du risque de constipation.

CHAPITRE 16

1. Quelles sont les causes possibles de l'insomnie de Mme Tremblay?

Réponse: Les causes sont des changements dans ses habitudes de vie et dans sa routine du coucher, l'anxiété liée à l'hébergement et aux changements, ainsi que la prise d'Ativan.

2. Quelles sont les manifestations de l'insomnie de Mme Tremblay?

Réponse: L'insomnie se manifeste par une latence élevée d'endormissement, par des éveils prolongés durant la nuit et par de la fatigue durant la journée.

3. Quels facteurs ont pu précipiter les problèmes d'insomnie de Mme Tremblay depuis son arrivée au CHSLD?

Réponse: Les soins et les traitements, l'environnement et les médicaments sont des facteurs susceptibles de nuire au sommeil des résidents. Certains soins ou traitements constituent parfois une source de stress importante pour Mme Tremblay. Ils peuvent devenir une source d'anxiété s'ils vont à l'encontre de ses croyances et de sa routine. Le bruit, le changement d'habitudes et un cadre de vie inhabituel font partie des changements environnementaux susceptibles d'occasionner de l'insomnie. De plus, la consommation de benzodiazépines (Ativan) aggrave le problème, par suite de la tolérance et de la dépendance au médicament. De plus, ces somnifères risquent d'entraîner plusieurs effets secondaires, tels la fatigue et un sommeil moins profond.

4. Quelles sont les interventions à mettre en œuvre pour Mme Tremblay?

Réponse: Mme Tremblay se plaint du bruit et se sent anxieuse. Les objectifs d'un programme d'hygiène du sommeil devraient donc favoriser la création d'un environnement calme, exempt de stimuli susceptibles d'exacerber l'anxiété et de nuire au sommeil. Le personnel soignant doit tout faire pour réduire au maximum les bruits durant la nuit. Mme Tremblay peut également mettre des bouchons dans ses oreilles quand elle se couche pour diminuer encore plus l'intensité du bruit.

De plus, l'infirmière devrait discuter avec Mme Tremblay des activités qu'elle pourrait faire pour favoriser son sommeil, notamment en ce qui a trait aux habitudes de vie et aux comportements à adopter. Les activités proposées doivent convenir à Mme Tremblay. Plus tard, l'infirmière pourra envisager avec elle la possibilité de réduire sa consommation de benzodiazépines puisque ces somnifères nuisent au sommeil lorsqu'ils sont utilisés sur une période prolongée.

CHAPITRE 17

1. Selon l'instrument de dépistage des personnes à risque de chute, Madame présentait-elle des risques de chute dès son arrivée à l'unité?

Réponse: Oui, car déjà en raison de son âge, de son manque de familiarisation avec les lieux, de son incontinence, de ses antécédents de chute, de son déficit visuel et des différents médicaments qu'elle prend, le score de l'indice de chute de Madame était supérieur à 10.

2. Décrivez les interventions infirmières qu'il faudrait effectuer normalement à l'arrivée de Madame pour évaluer les risques de chute. À partir de cette évaluation et des informations disponibles, décrivez trois mesures préventives que l'infirmière aurait pu instaurer pour éviter les chutes.

Réponse: En ce qui concerne l'évaluation du risque de chute de Madame, l'infirmière devrait:
• Interroger Madame et sa fille au sujet des facteurs qui ont pu provoquer les deux chutes survenues avant son arrivée à l'unité.
• Mesurer la tension artérielle en position couchée et debout.
• Vérifier la température corporelle.
• Remplir le formulaire de dépistage de chute afin de désigner les risques.
• Consulter les autres membres de l'équipe interdisciplinaire en vue d'évaluer systématiquement les risques particuliers de chute établis à l'issue du dépistage.

En regard des interventions préventives possibles, l'infirmière aurait pu instaurer les mesures suivantes:
• Effectuer une visite de familiarisation des lieux avec la résidente.
• Vérifier la sécurité des lieux, notamment quant à l'encombrement, la disposition du mobilier, l'éclairage, la hauteur du lit et l'application des freins sur les roulettes du lit.
• Mettre une sonnette d'appel à la portée de Madame et lui rappeler de l'utiliser pour demander de se faire accompagner lors de ses déplacements.
• Surveiller Madame de près, afin d'observer son comportement et de prévoir ses besoins.

• Établir un horaire mictionnel pour la résidente.
• En présence d'orthostatisme détecté et d'une d'hyperthermie évidente, accompagnée d'une toux grasse persistante, enseigner à Madame comment se lever de son lit de façon sécuritaire. Il faudrait également administrer au besoin un antipyrétique, consulter le médecin et prodiguer les traitements consécutifs prescrits.

3. Madame est tombée deux fois quand elle était chez elle et deux fois depuis qu'elle est arrivée au CHSLD. Quelle est la probabilité qu'elle chute de nouveau au cours de la prochaine année?

Réponse: Les chutes récurrentes demeurent un phénomène répandu en CHSLD. La probabilité de chuter au cours de la prochaine année est de deux à trois fois supérieure chez le résident qui est déjà tombé.

4. Quelles conséquences semblent résulter des deux dernières chutes de Madame?

Réponse: En plus des conséquences physiques reliées à une douleur à l'épaule gauche, Madame présente les signes précoces d'un syndrome post-chute.

CHAPITRE 18

1. À partir de l'histoire médicale, déterminez les facteurs prédisposants aux problèmes de pieds chez M. Grondin.

Réponse:
• L'âge avancé (79 ans)
• Le statut de diabétique de type 2
• La glycémie non contrôlée
• Un problème vasculaire périphérique (angioplastie à la jambe gauche)
• Le tabagisme
• L'utilisation d'un auxiliaire de marche (marchette)
• Les déformations aux orteils et le port de pantoufles

2. À l'examen clinique, certains signes évoquent une insuffisance artérielle. Nommez-en au moins deux.

Réponse: 1) La peau des jambes est glabre, mince et lustrée; 2) les ongles sont durs et épais.

3. Quel est le degré de risque de M. Grondin relativement à des complications aux pieds? Encerclez la bonne réponse: 0   1   2   3.

Réponse: 2

4. Parmi les interventions suivantes, choisissez celles qui devraient être privilégiées pour prévenir les complications aux des pieds chez M. Grondin.

a) Réduire régulièrement l'hyperkératose, tout en essayant d'éliminer et de prévenir les facteurs qui contribuent à son apparition.

b) Demander une consultation médicale pour évaluer la pertinence de prescrire une chaussure orthopédique et une thérapie orthésique.

c) Encourager l'arrêt du tabac, et assurer la normalisation des paramètres lipidiques et de la tension artérielle.

d) Voir à ce que M. Grondin porte des chaussures et des chaussettes en tout temps.

e) Toutes ces réponses.

Réponse: e)

CHAPITRE 19

1. Quels facteurs prédisposants ont favorisé l'apparition d'une plaie de pression chez cette résidente?

Réponse: L'âge de la résidente la prédispose aux plaies de pression, car la peau des aînés est plus mince et plus fragile. De plus, les aînés perçoivent moins bien les changements de pression captés par les récepteurs sensoriels, car les nerfs sensitifs fonctionnent généralement moins bien. Par ailleurs, la résidente souffre de diabète, d'hypertension et d'insuffisance cardiaque, trois facteurs qui influent sur la perfusion et sur l'oxygénation des tissus, ainsi que sur la capacité des tissus à cicatriser et à évoluer normalement vers la guérison. Elle ne mange pas suffisamment, et l'incontinence double est une source d'agression chimique qui altère les propriétés protectrices de sa peau.

2. Lorsque le risque de plaie de pression est établi à l'aide de l'échelle de Braden, comment doit-on interpréter le résultat global comparativement aux résultats obtenus pour les différents paramètres de cet instrument d'évaluation dans le plan d'intervention?

Réponse: Le résultat global détermine premièrement si l'aîné risque d'avoir une plaie de pression. Un résultat de 15 à 18 indique un risque faible, de 13 ou 14, un risque modéré, de 10 à 12, un risque élevé, tandis qu'un résultat inférieur à 9 indique un risque très élevé. Les résultats des paramètres individuels aident les soignants à planifier un programme d'intervention personnalisé, en tenant compte des paramètres pour lesquels la résidente a obtenu les résultats les plus faibles.

3. Nommez des interventions qui permettraient de prévenir l'apparition de plaies de pression additionnelles et de favoriser la guérison de la plaie déjà traitée.

Réponse: Lorsque la résidente est au lit, il faudrait mettre des oreillers sous ses jambes, de manière à placer ses talons en décharge, spécialement le talon droit où se situe la plaie de stade 2. De plus, il serait indiqué d'utiliser une attelle afin de s'assurer que son talon ne subit aucune pression lorsqu'elle repose dans son lit. Il faudrait planifier un horaire de positions et l'afficher au chevet de la résidente afin d'optimiser la rotation des positions. La tête du lit devrait être élevée à un angle maximal de 30° lorsque la résidente est placée en décubitus dorsal. Il serait nécessaire d'utiliser une alèse pour déplacer la résidente dans son lit, afin de réduire la friction durant les déplacements.

Il faudrait procéder à une analyse d'urine afin de vérifier si elle ne souffre pas d'infection urinaire, car une telle infection pourrait aggraver les épisodes d'incontinence. Il faut nettoyer le périnée après chaque incontinence à l'aide d'un produit nettoyant à pH équilibré, puis appliquer une crème barrière. Par ailleurs, la physiothérapeute pourrait intervenir pour élaborer un programme d'exercices adaptés visant à maintenir ou à améliorer la mobilité de la résidente. Il faudrait également demander à la diététiste d'évaluer les besoins nutritionnels de cette résidente. Après avoir vérifié le bilan sanguin, le médecin pourrait prescrire des suppléments oraux pour personnes diabétiques. Puisque la résidente ne prend pas ses repas avec les autres, il serait utile de demander la présence d'un bénévole qui tiendrait compagnie à la résidente. Cette présence pourrait stimuler ses interactions sociales et favoriser un meilleur apport alimentaire. Enfin, il faudrait choisir pour la plaie de pression un pansement qui favorise le milieu humide, en vérifier l'étanchéité au moins à chaque quart de travail et le renouveler au besoin.

4. Pensez-vous que la plaie de cette résidente présente des risques élevés d'infection?

Réponse: Les risques d'infection de la plaie de pression de cette résidente sont élevés, et ce, pour plusieurs raisons. D'abord, le vieillissement s'accompagne d'une diminution du nombre des cellules immunitaires qui protègent habituellement l'organisme contre les infections; c'est pourquoi les infections cutanées sont plus fréquentes chez les aînés. De plus, il est bien connu que le diabète prédispose la personne aux infections. Comme la peau se régénère plus lentement chez les aînés, la plaie représente une porte d'entrée pour les microorganismes. En effet, la peau dont l'intégrité est rompue ne joue plus son rôle de barrière contre les agresseurs microbiens provenant de l'environnement. Bref, le risque d'infection est très élevé.

CHAPITRE 20

1. Déterminez le type de douleur dont souffre la résidente.

Réponse: Douleur neuropathique.

2. Quels sont les facteurs prédisposants de la douleur chez la résidente?

Réponse: La présence de zona, d'ostéoporose sévère et l'âge avancé.

3. Quel type d'approche faudrait-il privilégier pour cette résidente?

Réponse: Une approche interdisciplinaire, car la douleur est multidimensionnelle et ses manifestations ne sont pas uniquement d'ordre physique. Comme ces manifestations sont à la fois sensorielles, affectives, émotionnelles, cognitives et comportementales, les épisodes douloureux nécessitent la mise en place d'un processus systématique de détection et de traitement de la douleur qui exige l'intervention de plusieurs disciplines.

4. Quelles interventions préventives faut-il établir pour cette résidente?

Réponse: La mobilisation pour la prévention des plaies de pression et l'apparition de complications pulmonaires. L'hydratation et une alimentation équilibrée pour prévenir la déshydratation et la dénutrition.

CHAPITRE 21

1. Quels principes guident l'action de l'infirmière?

Réponse: Les résidents qui vivent en CHSLD bénéficient de tous les droits garantis par la *Charte des droits et libertés de la personne*. Par conséquent, ils possèdent tous les droits et les libertés dont ils ont besoin pour assurer leur protection et leur épanouissement.

Les résidents bénéficient de la présomption de compétence et ils ont le droit de prendre des décisions éclairées. De ce fait, si la résidente n'est pas placée sous l'autorité d'un régime de protection, ses consignes doivent être respectées en tout temps.

Par ailleurs, tout aîné a le droit d'être protégé contre n'importe quelle forme d'exploitation, et ses proches ont le devoir de lui apporter protection et sécurité. Si l'aîné ne peut compter sur cette bienveillance, un régime de protection doit être mis en place.

Les CHSLD doivent élaborer un énoncé de mission axé sur les besoins des résidents et s'engager à offrir des soins et une vie de qualité. De plus, ils doivent s'engager à réaliser cette mission par des actions concrètes.

2. Quels types de violence ce cas décrit-il?

Réponse: Dans cette étude de cas, il est possible de reconnaître trois types de violence : 1) la violence psychologique envers la mère et les soignants; 2) la violence financière, le fils refusant d'acheter des chaussures appropriées aux besoins de sa mère; 3) la négligence, car la résidente ne peut pas bénéficier des soins qu'elle demande aux soignants et son fils ne lui fournit pas les vêtements nécessaires.

3. Quels sont les facteurs prédisposants de la victime?

Réponse: La résidente présente des caractéristiques démographiques qui la rendent plus vulnérable. Cette femme est âgée de plus de 75 ans, et la perte d'autonomie physique et cognitive l'a rendue encore plus vulné-rable. En raison des problèmes cognitifs dont elle souffre, elle ne saisit pas toujours les enjeux dans toute leur complexité et elle ne peut prendre de décision éclairée. Elle change constamment d'avis et oublie qu'elle a donné des consignes.

L'état de cette femme la rend dépendante, tant à l'égard de son fils que des soignants. Le lien filial la rend plus loyale envers son fils.

4. Quels sont les signes de violence financière?

Réponse: Cette étude de cas fait ressortir trois signes de violence financière. Premièrement, le fils ne règle pas les factures malgré la procuration que sa mère lui a confiée à cette fin. Deuxièmement, il ne s'acquitte pas du devoir de procurer à sa mère les vêtements et les chaussures adaptées dont elle a besoin. Troisièmement, il s'approprie les biens de sa mère ainsi que sa maison. Comme la résidente ne se trouve pas sous un régime de protection, son fils n'a pas à rendre compte de ses agissements.

CHAPITRE 22

1. Quelle principale croyance circule généralement quant à l'efficacité de la contention physique en ce qui a trait au risque de chute? Précisez comment le fait d'ébranler cette croyance agit directement sur le changement de pratique.

Réponse: Plusieurs soignants croient que l'utilisation de la contention empêche les résidents de tomber. Or, il est prouvé que la contention physique, plutôt que de préve-nir les chutes, augmente le risque que le résident tombe et se blesse encore plus sévèrement. Le fait de recon-naître l'inefficacité de la contention physique pour contrer le risque de chute favorise un changement de pratique des soignants centré sur le respect de l'autono-mie et de la dignité du résident.

2. Dans cette étude de cas, quels comportements à risque prédisposent la résidente à une application de la con-tention physique?

Réponse: Ses comportements d'errance et d'agitation, sa chute et le risque de chute.

3. Déterminez si la chaise gériatrique avec tablette est une forme de contention physique et si le préposé aux béné-ficiaires peut décider seul d'y recourir.

Réponse: La chaise gériatrique avec tablette constitue une forme de contention physique au même titre que des ridelles de lit. L'infirmière, le médecin, l'ergothéra-peute et le physiothérapeute sont les seuls profession-nels de la santé qui, à la suite d'une évaluation, peuvent décider de l'application d'une contention. Le préposé aux bénéficiaires ne peut utiliser cette forme de conten-tion que si le plan de soins et de traitements infirmiers le recommande. Toutefois, il doit le faire en respectant les conditions et les exigences consignées dans ce plan.

4. Si l'infirmière soignante, après évaluation, décidait qu'il est pertinent de recourir à la contention physique à des moments précis et dans certaines conditions, quels soins et quelle forme de surveillance faudrait-il norma-lement consigner dans le plan de soins et de traitements infirmiers de manière à assurer la sécurité de la résidente et la continuité des soins?

Réponse: Le plan de soins et de traitements infirmiers doit contenir des précisions sur les soins et la forme de surveillance à adopter, concernant par exemple le retrait de la contention, les soins ayant trait aux besoins fonda-mentaux d'élimination, d'hydratation, de mobilité et de relation, et la date de réévaluation de la pertinence de la contention (voir le tableau 22-6).

CHAPITRE 23

1. Lucie a procédé à un examen cognitif et, sur cette base, affirme que le résident est apte à participer à un programme d'autoadministration des médicaments. Quel est le score minimal que doit obtenir un résident au mini-examen de l'état mental pour participer à un tel programme?

Réponse: Selon une étude effectuée à cet égard, un résident qui obtient un score de 26 et plus au mini-examen de l'état mental (voir le chapitre 2) est en mesure de s'autoadministrer ses médicaments (Pereles *et al.*, 1996).

2. Lucie ne devrait-elle pas évaluer d'autres facteurs pour déterminer si le résident est apte à participer à un programme d'autoadministration?

Réponse: Puisqu'elle n'a évalué que la cognition et la vision du résident, elle devrait effectivement se pencher sur d'autres facteurs et en discuter avec le résident. Ces facteurs sont présentés dans le tableau ci-contre: >>>

3. Le médecin a prescrit un hypnotique à M. Cloutier pour corriger son problème de sommeil. Afin de faciliter le suivi des effets indésirables, qu'est-ce que Lucie pourrait faire?

Réponse: Elle pourrait utiliser l'échelle abrégée *Udvalg for Kliniske Undersogelser* (UKU) (voir le tableau 23-5), qui permet d'évaluer la présence de symptômes psychiques, neurologiques, neurovégétatifs ou autres pouvant apparaître chez le résident à la suite d'une exposition aux psychotropes.

Facteurs permettant de déterminer si un résident est apte à s'autoadministrer ses médicaments

Résident
- Aptitudes personnelles
  - Motivation
  - Attitude et croyances envers les médicaments
  - Capacité de lecture
- Examen clinique
  - Capacité cognitive, mémoire prospective et à court terme
  - Santé mentale
  - Capacité visuelle
  - Capacité motrice, dextérité fine

Thérapie
- Connaissance de la médication
  - Complexité du régime médicamenteux
  - Nombre de médicaments
  - Nombre de doses quotidiennes par médicament
  - Voie d'administration des médicaments
  - Types de médicaments

4. Lucie a la responsabilité de M. Cloutier. Elle a effectué au cours des dernières semaines la surveillance de sa pharmacothérapie. Selon vous, quels sont les cibles thérapeutiques et les effets indésirables que surveille Lucie?

Réponse: Voir le tableau ci-dessous.

MÉDICAMENTS	EXEMPLES DE CIBLES THÉRAPEUTIQUES À ÉVALUER	EXEMPLES D'EFFETS INDÉSIRABLES À SURVEILLER
Anti-inflammatoires non stéroïdiens	• Douleur	• Malaise gastrique • Saignement
Hypotenseurs	• Examen clinique du cœur • Tension artérielle	• Hypotension • Somnolence • Chute • Faiblesse • Delirium
Hypoglycémiants	• Glycémie • Appétit • Bilan de santé du diabétique • Santé des membres inférieurs (voir le chapitre 18)	• Hypoglycémie • Tremblements • Céphalée • Delirium • Diarrhée
Anticoagulants	• Retour capillaire • Examen physique de la peau	• Saignement • Nausée • Vomissement • Douleur épigastrique

1. Par quelles principales étapes l'infirmière doit-elle passer pour gérer efficacement les symptômes psychologiques et comportementaux de la démence de M. Dugas?

Réponse: Elle doit tout d'abord se demander s'il est justifié d'intervenir auprès du résident et de revoir les pratiques de soins. Elle doit ensuite établir la fréquence des symptômes psychologiques et comportementaux de la démence du résident au moyen de l'inventaire d'agitation de Cohen-Mansfield et de l'inventaire neuropsychiatrique de Cummings. Puis, elle doit se livrer à une évaluation interdisciplinaire des facteurs prédisposants et précipitants des symptômes de M. Dugas. Après quoi, elle doit observer objectivement ces symptômes en se servant de la grille d'observation clinique. Enfin, elle doit proposer un programme d'intervention. De quatre à six semaines après l'introduction du programme, elle doit réévaluer les symptômes de M. Dugas avec les inventaires dont il vient d'être question.

2. Selon le modèle d'Algase, quels sont les facteurs contextuels en cause pour M. Dugas?

Réponse:
- Les fonctions cognitives. M. Dugas souffre de troubles de la mémoire à court terme et à long terme, et il a des problèmes d'orientation ainsi que des difficultés de compréhension et de raisonnement.
- La personnalité. Il était un homme autoritaire qui prenait les décisions.
- Les habitudes de vie. Il avait de nombreuses habitudes de vie déterminantes, comme faire de longues promenades, aller à la bibliothèque, rendre visite à ses frères à Sherbrooke. L'errance des résidents et leur façon d'errer reproduisent leurs habitudes.
- L'âge. M. Dugas a 72 ans, ce qui est relativement jeune pour un résident. Or, on sait que les résidents plus jeunes auront davantage tendance à adopter des comportements d'agitation non agressifs (l'errance en est un), mais qu'ils peuvent également manifester des comportements d'agitation agressifs (frapper les soignants et les résidents).
- Le sexe. M. Dugas est un homme. Or, des études démontrent que les hommes auront davantage tendance à être agressifs, que ce soit physiquement ou verbalement.
- L'accumulation des pertes. M. Dugas cumule les pertes: perte d'autonomie, perte de son milieu de vie, perte de ses habitudes de vie, etc.

3. Selon le modèle d'Algase, quels sont les facteurs proximaux en cause pour M. Dugas?

Réponse:
- La non-satisfaction des besoins de base. Il faudra vérifier si les besoins physiques de base de M. Dugas sont comblés. Cela dit, il apparaît évident que les besoins psychosociaux de base de M. Dugas ne sont en aucun cas satisfaits, notamment ses besoins d'autonomie (décision) et d'identité personnelle (notaire, droit d'être libre).
- La qualité du sommeil. M. Dugas ne dort presque plus, car il erre toute la soirée et la nuit. Ce sommeil fragmenté a pour effet de diminuer la durée des stades 3 et 4 du sommeil profond. Or, il est démontré que le manque de sommeil dans ces stades cause de l'irritabilité, de l'apathie, de la somnolence et, par conséquent, une augmentation de l'agitation.
- L'environnement. Il faudra vérifier si l'environnement présente une surcharge de stimuli pour M. Dugas ou, au contraire, une sous-stimulation qui le porte à l'ennui.
- Les interactions sociales. Il faudra vérifier si M. Dugas bénéficie suffisamment d'interactions sociales et si celles-ci sont de qualité.

4. Quel est le type d'agitation de M. Dugas selon le modèle de Beck *et al.* (1998)?

Réponse:
- Comportements d'agitation physique agressifs: M. Dugas frappe.
- Comportements d'agitation physique non agressifs: il erre.
- Comportements d'agitation verbale non agressifs: il parle constamment.
- Comportements d'agitation verbale agressifs: il utilise un langage injurieux, accusateur envers les autres.

1. Quels facteurs peuvent prédisposer Mme Gauthier à refuser de prendre ses médicaments?

Réponse: Il y a tout d'abord cette sensation de brûlure que Mme Gauthier se plaint de ressentir lorsqu'elle avale ses comprimés. Il faudra à cet égard déterminer s'il s'agit d'une dysphagie. Ensuite, il y a les croyances de Mme Gauthier. Il faudra examiner pourquoi elle considère que prendre des médicaments n'est pas bon pour la santé. Il se peut que son jugement soit altéré à cet égard, en raison des atteintes cognitives associées au stade avancé de sa maladie.

2. Est-ce que la stratégie de l'infirmière (camoufler l'Aricept dans la soupe) est une intervention adéquate?

Réponse: Non. Le mélange du médicament à l'ensemble de la soupe n'a fait que couper l'appétit de Mme Gauthier, qui a d'ailleurs cessé de vouloir la manger. Il aurait mieux valu utiliser une seule cuillerée de soupe et administrer le médicament à la fin du repas. Au surplus, avant de prendre la décision de camoufler des médicaments dans la nourriture de Mme Gauthier, l'infirmière aurait dû consulter le médecin, la pharmacienne, le résident ou son mandataire.

3. Si l'infirmière arrive à la conclusion qu'elle doit camoufler l'antibiotique prescrit pour traiter l'infection urinaire, quelle démarche devra-t-elle suivre?

Réponse: En raison du stade avancé de la maladie de Mme Gauthier, il est possible que celle-ci ne puisse prendre une décision éclairée. L'infirmière aura avantage à discuter avec Mme Gauthier en présence de ses proches. Ensuite, elle devra décider avec le médecin et la pharmacienne sous quelle forme l'antibiotique sera administré. Si Mme Gauthier ne peut le prendre en comprimé ou en capsule, l'infirmière devra évaluer si le médicament peut être écrasé ou administré sous forme liquide. La façon dont on camouflera le médicament dépendra grandement de son goût. À cet égard, l'infirmière devra également consulter le médecin et la pharmacienne.

4. Pourquoi l'infirmière doit-elle consulter les proches de Mme Gauthier avant de camoufler les médicaments de celle-ci dans sa nourriture?

Réponse: Mme Gauthier souffre de pertes cognitives importantes et n'est peut-être plus en mesure de prendre des décisions éclairées quant à la prise de ses médicaments. L'infirmière doit donc consulter son mandataire ou ses proches, car ils la représentent légalement. Le mandataire ou les proches doivent donner leur accord à l'infirmière avant qu'elle puisse appliquer sa stratégie d'intervention.

CHAPITRE 26

1. Vous voyez M. Tremblay le lendemain matin de son admission, et vous constatez qu'il refuse de prendre une douche. Il déclare: «Hélène vient me chercher bientôt, je n'ai donc pas besoin de me laver ou de me changer.» Il ajoute sur un ton ferme: «Je n'ai pas besoin de vous.» Insistez-vous auprès de M. Tremblay pour qu'il prenne une douche? Pourquoi? Si vous n'insistez pas, expliquez également pourquoi.

Réponse: Non, il n'est pas nécessaire d'insister et d'obliger M. Tremblay à se laver. Il ne court pas de risques immédiats d'irritations cutanées, puisqu'il est continent et peut se déplacer. En tant qu'infirmière, vous devez inciter les soignants à faire preuve de souplesse dans de tels cas, à établir un climat de confiance avec le résident afin que la relation ne dégénère pas en une lutte de pouvoir. Le soignant permettra à cet égard à M. Tremblay de se laver au lavabo, dans sa chambre, s'il le désire. En général, il faut éviter les soins d'hygiène dans la baignoire si le résident risque d'adopter des comportements d'agressivité. Dans un cas comme celui-ci, il serait indiqué de demander au personnel d'effectuer l'autoanalyse de ses valeurs à l'aide du tableau 26-6.

2. Mme Rivard, l'épouse de M. Tremblay, vient le visiter deux jours après son admission et se dit inquiète du fait que celui-ci n'a pas encore pris un bain ou changé de vêtements. Que lui répondez-vous?

Réponse: Il est essentiel de soutenir Mme Rivard et de lui dire que le personnel comprend son anxiété. Il faut aussi lui expliquer l'effet négatif que peut avoir le fait d'obliger un résident à prendre un bain contre sa volonté.

Il pourrait s'avérer pertinent par la suite de procéder à l'historique des soins d'hygiène de son époux, à l'aide du tableau 26-3. Cela permettrait d'intéresser Mme Rivard à la démarche de soins.

Ensuite, il s'agira pour l'infirmière de réunir l'équipe de soins pour lui transmettre les renseignements concernant les préférences et les pratiques antérieures de M. Tremblay, afin d'établir un programme d'intervention individualisé. À cette étape, il faut également soutenir le personnel de première ligne relativement aux approches qu'il adopte pour les soins d'hygiène, en se servant du Registre d'observation de soins d'hygiène (voir le tableau 26-4) et de la Liste de contrôle des pratiques de soins d'hygiène (voir le tableau 26-5), afin de déterminer quelles approches doivent être modifiées pour M. Tremblay.

3. Le troisième jour de son admission, M. Tremblay vous confie qu'il n'est pas comme tous les autres résidents du CHSLD et qu'il n'a pas besoin de cette «baignoire spéciale», désignant par là la baignoire utilisée pour les résidents du centre. Il vous indique qu'il préférerait utiliser la douche de sa maison. Que faites-vous de cette requête?

Réponse: Il s'agit de préciser à M. Tremblay que vous pouvez lui offrir une solution de rechange. Indiquez-lui que vous allez demander à un soignant (un homme) de l'emmener au vestiaire du personnel, à l'appartement des visiteurs ou dans tout autre endroit dont le décor est plus familier, et que ce soignant lui fera prendre une douche privée, dans une douche qui ressemble à celle de sa maison.

Si aucun endroit du CHSLD ne se prête aux besoins de M. Tremblay, il s'agira de faire l'impossible pour lui fournir le matériel nécessaire afin qu'il puisse se laver lui-même, dans sa chambre, là où il se sent en sécurité. Il faudra lui fournir beaucoup de serviettes et de débarbouillettes pour qu'il puisse se laver au lavabo. L'infirmière pourra également prendre des dispositions pour que les soignants ou le coiffeur de l'établissement lui lavent les cheveux et le coiffent. De plus, l'infirmière pourra lui offrir de faire tremper ses pieds hors du contexte d'une douche ou d'un bain, s'il préfère se laver par parties. Bref, souplesse et créativité sont les clés du succès dans ce domaine.

4. En quoi consiste le rôle de l'infirmière lorsqu'un résident résiste de façon persistante aux soins d'hygiène?

Réponse: L'infirmière est un entraîneur et un mentor. Il est essentiel qu'elle écoute attentivement les inquiétudes et les craintes des membres de l'équipe de soins. Elle a également la responsabilité, le cas échéant, d'aider l'équipe à comprendre qu'un comportement agressif est un comportement d'autoprotection. L'infirmière doit s'assurer que tous les membres de l'équipe participent aux séances de remue-méninges et de résolution positive de problèmes, en vue d'établir un programme d'intervention adapté. L'infirmière doit aussi veiller à ce que tous les membres de l'équipe travaillent à mettre en place le programme d'intervention. Enfin, l'infirmière doit demander aux soignants de participer à l'évaluation qui déterminera si les objectifs du programme d'intervention ont été atteints.

CHAPITRE 27

1. Décrivez les conséquences potentielles de l'agitation verbale de Mme Dupont.

Réponse: Les autres résidents, les visiteurs et les soignants peuvent être dérangés par les cris de Mme Dupont. Les soignants peuvent éprouver de la difficulté à lui donner des soins lorsqu'elle crie.

2. Classez l'agitation verbale de Mme Dupont selon la typologie de Cohen-Mansfield et Werner (1997a).

Réponse: a) Le comportement de Mme Dupont est de type non verbal; b) le sens en est probablement la recherche d'attention, de stimulation sensorielle et de confort; c) la distribution dans le temps est régulière et se concentre en milieu d'après-midi; d) la qualité dérangeante du comportement est élevée.

3. Décrivez les facteurs prédisposants de l'agitation verbale de Mme Dupont.

Réponse: Les facteurs qui prédisposent Mme Dupont à adopter de tels comportements d'agitation verbale relèvent de son atteinte cognitive et de ses déficits langagiers très prononcés.

4. Quels sont les avantages et les inconvénients possibles de l'intervention retenue?

Réponse: L'intervention ne comporte pas d'effets négatifs apparents. Toutefois, elle requiert que les infirmières soient familiarisées avec le déroulement et les implications de l'intervention et qu'elles fassent preuve d'une grande assiduité pendant la durée des séances d'intervention.

CHAPITRE 28

1. Décrivez les types de renforçateurs que Gosselin (1998) a utilisés lors de sa recherche et en quoi ils consistent.

Réponse: Gosselin a eu recours à deux types de renforçateurs. Le premier consiste en un renforçateur social, un stimulus résultant d'une interaction interpersonnelle qui maintient ou augmente la fréquence d'apparition du comportement qu'il suit immédiatement. Dans l'étude de Gosselin, il tenait à des commentaires positifs portant sur la collaboration ou l'attitude de la résidente. Le second renforçateur est un renforçateur tangible, un stimulus qui possède des propriétés renforçantes intrinsèques, c'est-à-dire qu'il vise à satisfaire des besoins physiologiques. Gosselin a utilisé pour ce faire de petits cœurs en chocolat.

2. Comme l'illustre l'étude de cas qui précède, quel facteur déclenche le plus souvent des comportements agressifs chez les résidents atteints de démence?

Réponse: Le facteur qui déclenche le plus souvent des comportements agressifs chez les résidents atteints de démence tient à l'intervention des soignants lorsqu'il leur faut prodiguer les soins quotidiens tels les soins d'hygiène.

3. Décrivez en quoi consiste la technique de renforcement différentiel des comportements.

Réponse: Le renforcement différentiel du comportement est un programme ayant pour but la gestion des comportements agressifs. Il consiste à renforcer l'absence, pendant un intervalle de temps précis, du ou des comportements agressifs. Il permet ainsi de diminuer la manifestation des comportements indésirables et de multiplier les comportements plus adaptés ou appropriés.

4. Nommez les paramètres à déterminer lors de la planification de la technique du renforcement différentiel du comportement.

Réponse: Lors de la planification de l'intervention, on doit déterminer sa durée d'application, le moment de la journée où elle sera appliquée, l'intervalle de renforcement et le ou les renforçateurs qui seront employés.

CHAPITRE 29

1. Quels sont les effets positifs que peut avoir l'errance sur l'état de M. Lamarche?

Réponse: L'errance peut favoriser l'autonomie fonctionnelle de M. Lamarche. Le fait de se déplacer lui permet de conserver sa masse musculaire et osseuse le plus longtemps possible, facilite le fonctionnement intestinal et vésical, le désennuie et lui permet de dépenser son énergie. Enfin, l'errance de M. Lamarche ne peut être que bénéfique pour son appétit, son moral, son sommeil et sa santé en général.

2. Nommez trois facteurs qui prédisposent, ou pourraient prédisposer, M. Lamarche à errer.

Réponse:
- L'atteinte neurodégénérative dont M. Lamarche souffre, à savoir une démence arthériopathique qui lui cause des déficits cognitifs.
- La gravité de cette atteinte. Puisque M. Lamarche n'est plus en mesure de parler, de comprendre le langage et qu'il est désorienté dans les trois sphères (spatiale, temporelle et identitaire), il est juste de penser qu'il se trouve à un stade avancé de la maladie.
- Le fait que M. Lamarche présente des atteintes de certaines habiletés cognitives (il présente par exemple des déficits visuo-spatiaux et de mémoire à court terme) peut constituer un facteur prédisposant à l'errance.
- Dans le cas de M. Lamarche, il faut enfin considérer le style de vie prémorbide, puisque M. Lamarche a longtemps joué au golf, sport où il faut marcher de longues distances.

3. Quelles caractéristiques de l'intervention infirmière permettront de mieux gérer l'errance de M. Lamarche?

Réponse: L'intervention infirmière doit se fonder sur l'engagement de l'équipe de soins, la connaissance du résident et de son histoire, la continuité et l'homogénéité de l'intervention, et enfin la capacité de concevoir des stratégies de soins novatrices, malléables et applicables. L'intervention doit également favoriser la participation des proches et s'effectuer dans le respect du résident, de ses valeurs et de celles de ses proches. Finalement, elle doit promouvoir la sécurité, la dignité et le soutien psychologique, et reposer sur la prémisse que chaque résident est un humain à part entière.

Lorsque cela est possible, l'intervention doit se faire dans un cadre d'interdisciplinarité (tous les membres de l'équipe de soins doivent y participer) et être issue d'un consensus. L'intervention doit être appliquée par tous, à chaque quart de travail.

Il faut se rappeler qu'il n'y a pas une seule intervention en matière d'errance, applicable à toutes les situations. En fait, il importe de choisir une intervention en fonction de ce qui caractérise l'errance du résident, de ce qui la cause, des capacités résiduelles de l'errant et des caractéristiques de sa personnalité. L'infirmière ne doit pas craindre de tenter diverses solutions, même celles qui paraissent parfois trop simples. Elle ne doit pas craindre d'échouer.

4. Que vise la thérapie occupationnelle en CHSLD?

Réponse:
- Procurer au résident un sentiment de bien-être en l'occupant par des activités qui lui plaisent.
- Placer le résident en situation de réussite ou de bien-être apparent grâce à ces activités.
- Amener le résident à utiliser de façon optimale ses capacités résiduelles, tout en tenant compte de ses limites.
- Amener le résident à s'occuper au moyen d'activités qui lui sont significatives.
- Encourager le résident à participer à un processus de création où le processus est plus important que la création elle-même.

CHAPITRE 30

1. Nommez les symptômes comportementaux et psychologiques qui sont associés au syndrome crépusculaire.

Réponse: Les signes comportementaux consistent le plus souvent en de l'agitation verbale ou physique, parfois accompagnée d'agressivité. Les symptômes psychologiques se traduisent le plus souvent par un délire, un sentiment d'anxiété ou de peur, et des hallucinations.

2. Le sentiment d'anxiété de Mme Desgagné peut-il constituer un symptôme du syndrome crépusculaire?

Réponse: Oui.

3. Quel facteur prédisposant rend Mme Desgagné vulnérable au syndrome crépusculaire?

Réponse: La démence dont elle est atteinte, à savoir la maladie d'Alzheimer.

4. Nommez deux interventions qui permettraient de réduire l'agitation qui découle du syndrome crépusculaire.

Réponse: La thérapie occupationnelle et la photothérapie.

CHAPITRE 31

1. Quels modèles de la communication avons-nous abordés dans ce chapitre, et quels principaux éléments les distinguent?

Réponse: Les deux principaux modèles de la communication sont le modèle émetteur-récepteur et le modèle orchestral. Le premier se base sur des séries d'échanges entre des interlocuteurs qui sont alternativement émetteur et récepteur des messages. Ce modèle repose sur de nombreuses dimensions du traitement des messages, telles que le canal de communication, l'encodage et le décodage, et le bruit. Il théorise linéairement les multiples composantes et moments de la communication, tout en rendant possible une analyse des difficultés inhérentes à chaque composante.

Le second modèle, dit orchestral, se base sur la simultanéité et la complexité des registres et des interactions spécifiques aux relations interpersonnelles. Chacun est simultanément émetteur et récepteur de messages en raison des gestes qu'il fait, de la posture qu'il adopte, du ton et du débit de voix qu'il emprunte. Ce modèle insiste sur l'importance du contexte, des codes, de la symbolique et des registres multiples qui attirent l'attention de chacun des interlocuteurs. Les rôles, statuts et autres particularités de chacun interviennent dans la communication en donnant un sens particulier aux messages, même lorsqu'il y a absence apparente de communication.

Le second modèle oppose donc la simultanéité et la multiplicité des registres à la linéarité apparente du premier modèle, axé sur la transmission d'informations. Il intègre les dimensions psychosociales, émotionnelles et relationnelles de la communication, ce qui n'est pas le cas du modèle émetteur-récepteur.

2. Quelles sont les attitudes et les habiletés de base en matière de communication avec les résidents dans un contexte de relation d'aide?

Réponse: Sur le plan des attitudes, on retiendra principalement l'écoute, l'empathie, l'acceptation, l'authenticité et la congruence. Ces attitudes requièrent des soignants de la disponibilité, de l'ouverture et une bonne aptitude à observer les comportements des résidents. Elles impliquent à la fois des aspects émotionnels, cognitifs et comportementaux, et l'infirmière doit s'en servir et demeurer congruente dans le rôle thérapeutique qu'elle assume.

Les habiletés de base en matière de communication correspondent à la capacité d'actualiser ces attitudes dans des comportements et d'utiliser des techniques de communication comme le reflet, la reformulation et la répétition. Ces habiletés font également appel à des capacités d'observation et à une maîtrise relative du codage et du décodage des éléments de la communication, selon les multiples registres concernés, qu'ils soient verbaux, non verbaux ou symboliques.

3. Quelles sont les composantes relationnelles-émotionnelles du niveau implicite de la communication, et comment se définissent-elles?

Réponse: Les trois composantes du niveau implicite de la communication sont l'engagement, le contrôle et les sentiments ou émotions. L'engagement tient au fait d'être ou de se sentir partie prenante de la relation de communication, de se sentir inclus ou exclu, de vouloir se rapprocher ou s'éloigner. Le contrôle se rapporte au pouvoir et aux différentes formes qu'il prend dans les relations interpersonnelles. Les sentiments ou les émotions correspondent à la dimension émotionnelle toujours présente dans une communication, même quand les interlocuteurs se disent neutres ou affirment faire preuve d'un certain détachement « professionnel ». « Relation » et « neutralité » (ou « détachement ») s'opposent ici. Une communication comporte toujours un pôle émotionnel.

4. Pourquoi dit-on qu'« on ne peut pas ne pas communiquer » ?

Réponse : Parce que, dans les communications interpersonnelles, chaque individu cherche à donner un sens aux éléments qui l'entourent. De ce fait, même lorsqu'il y a absence de communication, cette non-communication est interprétée comme telle et transmet de l'information sur la situation où se trouvent deux interlocuteurs potentiels. La communication peut être comprise comme un traitement de l'information dans la relation que chacun entretient avec son milieu environnant.

CHAPITRE 32

1. Pourquoi l'infirmière a-t-elle proposé aux soignants d'inclure dans leurs interventions les stratégies de stimulation cognitive ?

Réponse : Parce qu'elle est convaincue qu'en agissant de la sorte, l'équipe de soins :
• répondra à un besoin fondamental de M. Picard ;
• pourra stimuler certaines des capacités d'adaptation de M. Picard, malgré ses déficits cognitifs ;
• pourra favoriser l'autonomie fonctionnelle et psychosociale de M. Picard et prévenir ou diminuer les troubles de comportement.

2. Quelles précautions devront prendre les soignants avant d'appliquer l'une ou l'autre des stratégies de stimulation cognitive ?

Réponse : Ils devront :
• Procéder à une évaluation interdisciplinaire, qui leur permettra de déterminer les incapacités de M. Picard, mais aussi et surtout les capacités physiques et cognitives qu'il faudra stimuler par des stratégies adéquates.
• Personnaliser les stratégies de stimulation cognitive en tenant compte le plus possible des habitudes de M. Picard, de ses valeurs et des rôles qu'il a occupés tout au long de sa vie.
• Veiller à ce que tous les soignants, d'une équipe à l'autre ou d'une personne à l'autre, utilisent de façon continue les stratégies de stimulation cognitive adaptées à M. Picard.
• Utiliser la communication prothétique (voir le chapitre 37), qui facilite l'application des stratégies de stimulation cognitive.

3. Les soignants constatent lors des repas que M. Picard s'alimente difficilement, même si les aliments qu'on lui présente ont été préparés. Avant de décider de se suppléer complètement à M. Picard pour ce qui est de son alimentation, les soignants recourent à une série d'interventions successives, à appliquer dans l'ordre, pour trouver le degré approprié de consignes à lui fournir afin qu'il puisse s'alimenter seul. Quelle est cette série d'interventions ?

Réponse : Il s'agit de suivre, dans l'ordre, les interventions suivantes :
• Utiliser des incitations verbales et non verbales.
• Recourir au mimétisme ou imiter le geste à faire.
• Aider le résident à effectuer la première étape du geste afin d'enclencher l'automatisme du geste et de le stimuler.
• S'il ne peut accomplir le geste initial, effectuer à la place du résident cette première étape.

4. M. Picard souffre d'une désorientation temporelle. Certains soignants préconisent le maintien des stratégies d'orientation temporelle pour remédier à cet aspect, alors que d'autres prétendent qu'il n'y a plus rien à attendre de ce type d'intervention pour M. Picard. Quelle est votre position à ce sujet et pourquoi ?

Réponse : Peu importe le degré de désorientation de M. Picard, il demeure important de continuer à utiliser certaines stratégies d'orientation temporelle. En tout temps, elles permettent aux soignants d'établir un contact chaleureux et valorisant pour M. Picard, qui tente malgré tout de rester en contact avec la réalité en fonction du moment présent.

CHAPITRE 33

1. Comment susciter la participation de la famille dans le plan d'intervention?

Réponse: Il s'agira tout d'abord d'effectuer une entrevue afin d'instaurer un climat de confiance et de connaître les attentes des proches. Au cours de cette entrevue, l'infirmière pourra aussi déterminer quelles sont leurs inquiétudes, leurs croyances, leurs expériences avec les intervenants du système de santé et surtout leurs forces et leurs compétences.

2. Quels sont les principaux facteurs entravant l'intégration des proches en CHSLD?

Réponse:
- Certains processus d'admission, comme le choix discrédité ou le fait accompli, rendent les relations entre le résident et les soignants plus difficiles.
- Des expériences négatives concernant le système de santé.
- L'opinion négative que peuvent avoir les proches aidants sur les soins et les services offerts en CHSLD.
- Les réactions émotives comme la culpabilité ou la tristesse provoquées par l'idée de l'hébergement définitif du parent âgé.

- Les conflits de rôle entre le personnel soignant et les proches.

3. Que peut-on déduire de la situation de Maude lorsqu'on consulte le génogramme et l'écocarte?

Réponse:
- Maude n'a pas reçu beaucoup de soutien lorsqu'elle prenait soin de son père (sa mère étant décédée et ses frères, dépressifs).
- La maladie est partout présente dans cette famille.
- Le décès de la mère de Maude est récent.

4. Comment doit-on se préparer à intervenir auprès des proches?

Réponse:
- Il faut prendre connaissance du dossier du résident, de l'histoire de la famille.
- Il faut formuler des hypothèses.
- Il faut formuler quelques questions.
- Il faut déterminer à quel moment tous auront au moins 15 minutes pour une entrevue.
- Il faut se faire accompagner par une personne expérimentée, au besoin.

1. Parmi les cinq catégories d'activités de loisir, quelles sont celles qui pourraient intéresser Mme Labonté?

Réponse: Des catégories d'activités de loisir que nous avons vues, les activités de divertissement et les activités intellectuelles sont certainement celles qui intéresseront le plus Mme Labonté. Pensons notamment à des activités telles que l'écoute de musique et de la télévision, la lecture et les jeux de cartes.

2. Parmi les activités de loisir qui se déroulent en groupe, lesquelles pourraient convenir à Mme Labonté, d'après ce que vous savez d'elle?

Réponse: Mme Labonté aimerait certainement prendre part à des conférences ou à des activités telles que des jeux-questionnaires sur des pays étrangers. Comme elle a déjà joué aux cartes, un groupe de joueurs de cartes pourrait également l'intéresser. Les activités d'animation musicale avec chansonnier ou musique de paroliers l'attireraient sûrement, puisqu'elle aime les chanteurs français. Enfin, elle participerait sûrement avec entrain à des jeux, à des groupes de discussion et à des cafés-rencontres, étant cultivée et très sociable.

3. Nommez trois bienfaits que Mme Labonté peut retirer de la pratique régulière d'activités de loisir.

Réponse: Les bienfaits se divisent en deux catégories, à savoir les bienfaits physiologiques, qui relèvent d'une amélioration de l'endurance physique, de la mobilité et de l'état global de santé, et les bienfaits psychologiques, qui consistent en une meilleure estime de soi, une diminution de l'anxiété et un risque moins élevé de dépression.

4. Nommez deux moyens par lesquels les soignants peuvent encourager Mme Labonté à participer à des activités de loisir.

Réponse: Premièrement, pour l'encourager à participer aux activités de loisir, les soignants peuvent informer Mme Labonté de l'horaire des activités. Deuxièmement, ils peuvent la préparer de façon qu'elle soit prête à temps pour les activités qui l'intéressent. Troisièmement, ils peuvent tout simplement l'encourager à participer à l'activité.

CHAPITRE 35

1. En quoi les interventions de zoothérapie dont a bénéficié Mme Sicotte s'inscrivent-elles dans les principes des soins infirmiers?

Réponse: Les interventions de zoothérapie contribuent d'une part à rendre l'environnement institutionnel stimulant et familier et, d'autre part, à ce que la résidente utilise ses capacités résiduelles. De plus, les activités de zoothérapie font jouer à Mme Sicotte un rôle actif dans ses soins.

2. Décrivez le rôle et la contribution de l'infirmière dans ce cas.

Réponse: L'infirmière détermine le cadre de l'intervention en procédant à l'analyse des comportements d'agitation de la résidente et des conditions favorisant leur apparition. Elle établit d'autre part les objectifs thérapeutiques liés à la condition de Mme Sicotte. Les soins et la participation à la stratégie de diversion relèvent aussi de l'infirmière (d'un infirmier dans ce cas-ci).

3. Expliquez comment les interventions de zoothérapie se trouvent modifiées par les pertes cognitives de Mme Sicotte.

Réponse: Les interventions de zoothérapie doivent être adaptées en fonction de l'évolution de la maladie de Mme Sicotte et de la fréquence des comportements d'agitation. Ainsi, alors qu'au début des activités de zoothérapie Mme Sicotte pouvait promener l'animal, son état de santé s'est détérioré de telle sorte que l'intervenante en zoothérapie a dû progressivement la soutenir pour qu'elle puisse accomplir des gestes aussi simples que brosser l'animal. Finalement, son état s'est tellement détérioré que l'animal pouvait seulement servir d'agent de stimulation tactile.

4. Si vous aviez à évaluer les effets du programme de zoothérapie sur Mme Sicotte, quels seraient les résultats de votre évaluation?

Réponse: Si l'on se reporte aux deux objectifs, soit réduire l'agitation crépusculaire de Mme Sicotte et faciliter sa collaboration lors des soins de ses pieds, on peut conclure que le programme de zoothérapie a atteint ses objectifs. En effet, l'animal a un effet thérapeutique élevé auprès de Mme Sicotte.

CHAPITRE 36

1. Quelles caractéristiques indiquent chez un résident qu'il vaut mieux recourir à la musicothérapie individuelle plutôt qu'à la musicothérapie de groupe?

Réponse: On aura recours à l'intervention individuelle lorsqu'un résident nécessite une prise en charge plus grande, lorsque la présence des autres résidents provoque chez lui de l'anxiété ou de l'agitation, ou encore lorsqu'il perturbe le groupe par son comportement durant l'activité de musicothérapie.

2. Quelles observations l'infirmière doit-elle consigner dans le dossier du résident pour attester l'efficacité de l'activité de musicothérapie?

Réponse: Elle doit noter dans son dossier le degré d'intérêt du résident et la durée de sa participation. Elle décrira les réactions verbales et non verbales du résident durant l'activité, et s'il a su respecter les consignes de la thérapeute. Elle indiquera aussi si les objectifs relatifs à l'activité ont été atteints, et décrira le comportement du résident durant l'activité, la coordination de ses gestes et sa motricité. Enfin, elle doit consigner (après les avoir évalués) les niveaux d'engagement et de plaisir du résident durant l'activité.

3. Est-il préférable de former des groupes homogènes ou hétérogènes pour le bon déroulement de l'activité de musicothérapie?

Réponse: Pour le bon déroulement de l'activité de musicothérapie, mieux vaut former des groupes homogènes en tenant compte du profil clinique des résidents, de leurs intérêts généraux et de leur âge. De plus, le score obtenu au mini-examen de l'état mental de Folstein (voir le chapitre 2) peut constituer une donnée permettant de former des groupes homogènes.

4. Pour une intervention individuelle, comment l'infirmière choisit-elle la musique la plus appropriée pour le résident?

Réponse: L'infirmière interroge le résident ou ses proches sur ses goûts musicaux et lui demande s'il sait se servir d'un instrument de musique en particulier. Connaître les intérêts du résident est un aspect essentiel pour la réussite de l'activité.

1. De quels facteurs prédisposants et précipitants les soignants ont-ils dû tenir compte pour déterminer pourquoi Mme Doucet refusait de déjeuner ?

Réponse : Les soignants ont dû tenir compte des facteurs suivants :
• L'état de santé physique et émotif de la résidente
• La présence de déficits cognitifs particuliers
• Les données biographiques et les habitudes de vie de Mme Doucet
• L'environnement physique
• Le degré de stimulation associé au déjeuner
• Les moyens de communication des soignants
• L'organisation du travail

2. Si les soignants avaient décidé de faire déjeuner Mme Doucet sans se donner la peine de chercher une solution selon l'approche prothétique, quelles auraient été les conséquences ?

Réponse :
• Les capacités fonctionnelles qui permettent à Mme Doucet de s'alimenter auraient pu diminuer, et ce, même pour le dîner et le souper. Cette altération aurait même pu se propager à d'autres activités de la vie quotidienne, faisant ainsi globalement chuter la relative autonomie de Mme Doucet.
• Mme Doucet aurait pu ressentir plus de frustration, ce qui aurait pu engendrer chez elle de la détresse et des troubles de comportement.
• L'estime de soi de Mme Doucet aurait pu diminuer.
• Il aurait peut-être fallu recourir aux contentions physiques ou chimiques.

3. Vous visitez un CHSLD et concluez que les repas sont donnés selon l'approche prothétique élargie. Qu'est-ce qui vous permet d'arriver à cette conclusion ?

Réponse : L'utilisation de l'approche prothétique élargie se remarque grâce aux changements tangibles que provoquent dans le milieu de vie les trois aspects qui la composent, à savoir :

a) L'environnement physique est prothétique :
  • Le milieu est de type familial (cuisinette, salle à manger).
  • Le niveau sonore est acceptable : on entend une musique douce, et il n'y a pas de bruits de télévision, de radio ou de sonnette d'appel.

• L'éclairage est adéquat.
• Les tables et les chaises sont adaptées et sécuritaires.
• Une horloge et un calendrier sont affichés au mur.
• La salle à manger est décorée.

b) L'activité consistant à se nourrir est conçue de façon prothétique :
  • Les soignants reconnaissent le fait de prendre un repas comme une activité de la vie quotidienne où sont stimulées, entre autres, l'autonomie fonctionnelle, l'estime de soi et les capacités perceptuelles, mentales, sensorielles et sociales des résidents.
  • L'organisation du travail s'effectue selon des heures de repas normales et une durée d'environ une heure.
  • Le travail des soignants est guidé par la volonté de créer une ambiance affective favorisant le bien-être et la détente des résidents, tout en stimulant le désir de s'alimenter.
  • Les soignants servent les repas plat par plat.

c) La communication entre les soignants et les résidents est prothétique :
  • Les soignants sont calmes, s'adressent aux résidents en les vouvoyant et les appellent par leurs noms, sans recourir à des surnoms.
  • Ils expliquent aux résidents ce qu'ils mangent.
  • Ils observent attentivement le comportement verbal et non verbal des résidents.
  • Les soignants s'assoient pour aider les résidents qui ne peuvent s'alimenter eux-mêmes.
  • Les soignants utilisent parfois certaines techniques spécialisées de communication.

4. Mme Doucet demeure dans un îlot prothétique. Quelles sont les principales caractéristiques d'un îlot prothétique ?

Réponse :
• Les résidents y sont regroupés selon leur profil de besoins.
• Les trois composantes de l'approche prothétique élargie y sont adaptées en fonction des besoins des résidents regroupés dans l'îlot.
• Les soignants ont une formation et des compétences spécifiques leur permettant de répondre adéquatement aux besoins spécifiques des résidents de l'îlot.

CHAPITRE 38

1. Nommez quatre indicateurs sensibles aux soins infirmiers qui peuvent être utilisés dans le cadre de la gestion d'une unité de vie de longue durée.

Réponse:
- Erreurs de médicaments
- Chutes des résidents
- Ulcères de pression
- Infections nosocomiales
- Gestion des symptômes
- Contrôle de la douleur
- État fonctionnel et capacités d'autosoins des résidents
- Satisfaction des résidents

2. Quels moyens permettent d'assurer une bonne communication dans une unité de vie de longue durée?

Réponse:
- Rencontres individuelles
- Rencontres d'équipe
- Rapport interdisciplinaire et intradisciplinaire
- Réunions interdisciplinaires et intradisciplinaires
- Communiqués
- Diffusion écrite de politiques et de procédures
- Cahiers de communication

3. Quelles sont les neuf compétences clés que doit posséder l'infirmière gestionnaire d'une unité de vie de longue durée pour l'administrer adéquatement?

Réponse:
- Sensibilité au milieu politique et au milieu de la santé
- Gestion de soi et formation continue
- Sensibilité aux consommateurs et à la collectivité
- Leadership
- Communication
- Gestion des ressources
- Gestion de la complexité
- Gestion axée sur les résultats
- Conformité aux normes

4. Pourquoi est-il si important de mesurer les résultats obtenus?

Réponse: Si on ne mesure pas les résultats, on ne peut distinguer le succès de l'échec. Si on ne reconnaît pas le succès, on ne peut le récompenser et si on ne reconnaît pas l'échec, on ne peut le corriger. Bref, on ne peut profiter de l'expérience, tirer bénéfice des apprentissages. Enfin, si on n'affiche pas les résultats, on n'a pas le soutien du public.

CHAPITRE 39

1. Quels éléments permettent de conclure que cette situation problématique nécessite un changement?

Réponse:
- Élément de nature politique, car le système de santé fait en sorte que la clientèle atteinte de problèmes de santé mentale doit désormais être admise dans les CHSLD.
- Élément de nature technologique, car les soignants n'ont pas les compétences nécessaires pour comprendre la nouvelle clientèle et pour répondre à ses besoins.

2. Que peut répondre Mᵐᵉ Bonelli aux réactions de peur exprimées par le personnel soignant?

Réponse: Mᵐᵉ Bonelli manifeste son écoute et son respect envers l'équipe de soins. Elle fait part de ses propres limites en expliquant que la nouvelle politique concernant l'admission de la clientèle présentant des problèmes de santé mentale doit être appliquée et en rappelant qu'elle n'a pas de pouvoir sur ce changement. De plus, elle propose à l'équipe de participer à l'élaboration de solutions susceptibles de remédier à la situation. Il est certain que cette attitude et cette proposition permettent d'encadrer positivement les résistances de l'équipe de soins.

3. À quelle forme de résistance Mᵐᵉ Bonelli fait-elle face?

Réponse: Mᵐᵉ Bonelli se heurte à une résistance active, car l'équipe de soins exprime ouvertement ses frustrations.

4. Pourriez-vous décrire les facteurs qui rendent la situation insatisfaisante?

Réponse:
- Le manque de compétences et de connaissances exprimé par le personnel soignant et par les autres résidents à propos des problèmes et des comportements associés aux personnes souffrant de maladies mentales.

- L'impression de surcharge de travail pour le personnel soignant depuis l'arrivée des nouvelles résidentes.
- L'absence de plan plan visant à intégrer une nouvelle clientèle avant son arrivée au CHSLD.

5. Après la lecture de ce chapitre, comment percevez-vous le changement en CHSLD et quels sont pour vous les mots clés d'un processus de changement réussi?

Réponse: Un certain nombre d'entre vous répondront que le changement est une occasion de grandir, de s'interroger et de revoir les façons de faire. D'autres y verront plutôt une menace à la stabilité et à la sécurité. Toutefois, un changement bien planifié peut aplanir bien des résistances! Planification, participation, petits pas, persévérance, respect du rythme du changement, innovation et évaluation sont des éléments clés pour définir un processus réussi de changement. Voilà un défi attrayant pour les infirmières en CHSLD.

CHAPITRE 40

1. Quels sont les trois objectifs spécifiques, tenant compte des aspects physique, psychique et social de la sexualité, qu'il faut poursuivre pour aider M. Saint-Onge à améliorer son bien-être sexuel?

Réponse: Restaurer la réponse sexuelle, préserver le désir sexuel et fournir les conditions d'intimité permettant d'avoir des rapports sexuels.

2. Que doit faire et ne pas faire l'infirmière pour respecter le droit à l'intimité sexuelle d'un résident?

Réponse: Respecter l'écriteau «Ne pas déranger» ou «Frapper avant d'entrer». Éviter de poser des questions indiscrètes sur la vie sexuelle du résident. S'abstenir de propager des ragots sur le vécu sexuel du résident. Agir avec discrétion quand il s'agit de donner des informations ou des consignes concernant la sexualité.

3. Nommez trois critères qui permettraient d'évaluer la capacité de Mme Hudon à consentir librement à une activité sexuelle.

Réponse: Savoir: avoir des notions de base sur la sexualité. Comprendre: connaître les implications de l'acte sexuel. Vouloir: s'engager dans une activité sexuelle volontairement et de son plein gré.

4. Quels sont les trois types de questions à poser à un résident pour le guider dans son projet de vie sexuelle individuel?

Réponse: Questions sur sa qualité de vie sexuelle dans le passé: Quel bilan faites-vous de votre vie sexuelle passée? Qu'avez-vous vécu de particulièrement agréable ou désagréable sur le plan sexuel? Questions sur la qualité de vie sexuelle présente: Où en êtes-vous actuellement avec votre vie sexuelle? Quels sont vos besoins sexuels actuels? Questions sur la qualité de vie sexuelle future: Que voulez-vous que soit votre vie sexuelle? Que souhaitez-vous vivre comme expériences sexuelles?

CHAPITRE 41

1. Dans quelle catégorie d'immigrants pensez-vous que Mme Ahmad a été admise au Canada? Expliquez.

Réponse: Deux réponses sont possibles. Mme Ahmad a pu être admise dans la catégorie «famille», si elle cherchait à rejoindre sa famille. Mais elle a également pu être admise avec le statut de «réfugiée», étant donné la situation conflictuelle persistante en Algérie.

2. Quelles sont les principales dimensions culturelles qui influent sur le bien-être de Mme Ahmad?

Réponse: La vision du monde, la communication, la famille et la religion.

3. Quelle vision du monde domine dans cette situation?

Réponse: La vision magico-religieuse.

4. De quelle manière l'infirmière va-t-elle pouvoir prodiguer ses soins tout en préservant les pratiques religieuses de Mme Ahmad?

Réponse: Mme Ahmad est de religion islamique. L'infirmière devra notamment mettre en place un contexte favorable à la pratique de la prière cinq fois par jour, et respecter les croyances relatives à l'alimentation et à l'habillement.

CHAPITRE 42

1. Décrivez les éléments qui, dans cette étude de cas, permettent d'établir que Mme Lamarre reçoit plutôt des soins palliatifs que des soins prolongés.

Réponse: Le premier élément à considérer est la dégradation de la condition physique de Mme Lamarre, qui semble devenir irréversible. On note une diminution de la mobilité de la malade, de la qualité de son sommeil, de son appétit et de son désir de maintenir ses capacités. Il faut également considérer le fait que la malade devient grabataire, car l'anorexie causée par des nausées persistantes entraîne une importante perte de poids. Cette faiblesse favorise l'apparition de problèmes respiratoires. D'abord légers, ces problèmes évoluent vers une surinfection bronchique, accompagnée d'un état fébrile et semi-comateux.

2. Nommez différentes causes susceptibles d'entraîner des nausées chez Mme Lamarre et énumérez les observations cliniques sur lesquelles l'infirmière pourrait se baser pour préciser l'étiologie de ces nausées.

Réponse: Les nausées de Mme Lamarre peuvent être causées par la constipation, laquelle résulte probablement de la prise d'opioïdes et de calcitonine, de la perte de mobilité et des faibles apports alimentaire et hydrique. De plus, la prise d'opioïdes provoque une stase gastrique, qui est une autre cause de nausées.

Pour établir l'étiologie des nausées de Mme Lamarre, l'infirmière doit se baser sur l'heure à laquelle elles surviennent et sur leur fréquence, de même que sur ce qui les soulage ou les exacerbe.

3. Comme Mme Lamarre ne s'alimente plus et ne s'hydrate plus, est-il utile de continuer à surveiller l'élimination intestinale?

Réponse: Contrairement à ce que l'on entend régulièrement, il est nécessaire de surveiller étroitement l'élimination intestinale des personnes qui se trouvent dans l'état de Mme Lamarre. En effet, l'intestin continue de produire des déchets cellulaires, des sécrétions et du mucus en quantités suffisantes pour causer des problèmes advenant l'arrêt ou le ralentissement prolongé de l'évacuation intestinale. À moins d'avis contraire, il faut s'assurer que la résidente reçoit des laxatifs, car elle prend des opioïdes et d'autres médicaments susceptibles d'entraîner de la constipation.

4. Indiquez les observations que l'infirmière doit effectuer après l'administration d'une médication PRN, ainsi que les informations qu'elle doit consigner dans le dossier de la malade.

Réponse: L'infirmière doit observer attentivement les effets de la médication administrée, ce qui comprend l'efficacité et le délai d'action des médicaments. Par ailleurs, l'infirmière consigne soigneusement dans le dossier de la malade la médication administrée, les effets obtenus de même que les délais d'action.

CHAPITRE 43

Résolvez le problème éthique que pose le cas de Mme Moïsan en suivant les cinq étapes de la démarche éthique de Blondeau.

1. Délimitez le problème de nature éthique.

Réponse: Le dilemme éthique présenté est complexe et se situe sur différents plans. D'abord, il repose sur des valeurs qui s'opposent. Premièrement, la valeur « sécurité » implique la protection, à court terme, du résident par le recours à la contention. Deuxièmement, la valeur « dignité » justifie le recours à d'autres solutions. Troisièmement, l'autonomie est une valeur importante à respecter.

Dans certaines occasions, quand son état cognitif le lui permet, le résident peut exprimer son choix. Dans la situation décrite, Mme Moïsan ne peut le faire. Elle ne peut exercer son autonomie. Généralement, un tuteur, un mandataire ou un proche devient le substitut du résident pour la prise de décision dans ce genre de cas.

Dans la recherche de la meilleure intervention possible pour diminuer le risque de chute, il faudra comparer, notamment à l'aide de la règle de proportionnalité, les différentes solutions possibles et les bénéfices recherchés et escomptés.

2. Déterminez les différentes solutions possibles.

Réponse:
- Pour corriger l'anémie:
  - Arrêter le traitement anti-inflammatoire.
  - Administrer un traitement de sulfate ferreux.
  - Faire une transfusion sanguine et, par conséquent, transférer la patiente dans un autre établissement de santé.
- Pour traiter l'ulcère peptique:
  - Offrir une médication par voie orale.
  - Recourir à des mesures diagnostiques effractives.
- Pour prévenir les chutes en attendant la correction de l'anémie:
  - Recourir à la contention.

3. Évaluez chacune des solutions ainsi que les conséquences qui y sont associées.

Réponse:

• Pour corriger l'anémie, l'arrêt de l'anti-inflammatoire s'impose, au détriment du soulagement de la douleur associée à l'arthrose de la hanche. Cependant, d'autres modalités pharmacologiques permettent de soulager la douleur. Concernant l'administration de sulfate ferreux, compte tenu du temps d'action, le risque de chute demeure élevé. C'est pourquoi cette solution doit s'accompagner du recours à la contention. Cependant, la contention rend Mme Moïsan agressive, l'empêche de circuler, ce qu'elle aime beaucoup, et comporte différents problèmes liés à l'immobilisation. Enfin, la transfusion sanguine comporte de nombreux avantages. L'un d'eux est qu'elle règle rapidement le problème de l'anémie et prévient les chutes de façon plus efficace. Cependant, pour l'efficacité du traitement, le recours à un moyen de contention chimique ou physique, voire à la sédation, s'impose, puisque la résidente ne collabore pas. De plus, étant donné le personnel limité, la transfusion est impossible dans ce milieu de vie. Un transfert en centre hospitalier pourrait être envisagé. Cependant, l'organisation des soins et des services interinstitutionnels ne favorise pas une telle entreprise.

• Pour traiter l'ulcère peptique, une médication par voie orale semble appropriée, puisqu'elle limitera le saignement occulte qui est probablement à l'origine de l'anémie, facteur de risque pour les chutes. Compte tenu de la non-collaboration de Mme Moïsan, le recours à des mesures diagnostiques effractives est exclu.

• Enfin, pour prévenir les chutes en attendant la correction de l'anémie, la contention est une solution qui comporte de nombreux inconvénients déjà mentionnés. De plus, elle doit s'accompagner du traitement de la cause première, l'anémie. Par ailleurs, ne pas recourir à la contention compromet l'efficacité de certains traitements. Il s'agit donc ici d'évaluer les risques, ainsi que les inconvénients et les bénéfices pour la résidente.

4. Choisissez l'intervention la plus bénéfique pour la résidente.

Réponse: On n'indiquera pas ici de choix, l'intérêt de l'exercice étant avant tout lié à la réflexion et à la discussion qu'il suscite. Notons que le caractère éthique du choix repose notamment sur la qualité de sa justification et des arguments, ainsi que sur le dialogue qui exclut les rapports de pouvoir. Concernant le dialogue et la discussion, Guy Durand écrit:

> Dans des situations difficiles, comme il en arrive fréquemment en milieu de santé, dans des cas complexes où interviennent plusieurs agents, le dialogue et la discussion permettent souvent

d'arriver à une solution heureuse, à tout le moins de protéger les relations entre les gens qui se sont sentis écoutés, et donc de protéger le climat des relations de travail.

[…]

> Plus fondamentalement, l'intérêt et la valeur du processus de discussion reposent sur le fait que celui-ci fait appel chez l'individu à «ce qu'il y a de plus humain en lui: l'aptitude au dialogue, l'aptitude à la parole et à l'écoute, l'aptitude à entendre le point de vue de l'autre, à tenter de le comprendre, à apprendre sa norme d'une certaine façon» (Jean-François Malherbe (1996). *Homicide et compassion,* Montréal: Mediaspaul, p. 135-136).

(Durand, 1999, p. 426-427.)

Quelle que soit la décision, l'important est d'établir une démarche qui garantisse la validité éthique de la décision et, par conséquent, de l'action correspondante. Durand énumère un certain nombre de règles de discussion à respecter:

• Reconnaître et accepter la présence de l'autre, donc ne pas chercher à l'exclure.

• Reconnaître et accepter la différence d'autrui, ce qui implique en contrepartie d'accepter sa propre différence et donc d'accepter de se faire connaître.

• Reconnaître l'équivalence morale de l'autre, c'est-à-dire reconnaître que nous avons la même valeur sur le plan humain et donc que l'autre a compétence au dialogue.

(Durand, 1999, p. 429.)

De façon plus spécifique, mentionnons quelques éléments qui favorisent la discussion et qui sont tirés de l'ouvrage *Introduction générale à la bioéthique: Histoire, concepts et outils*, de Durand.

1. Refus de l'intimidation. L'intimidation est une façon de refuser la présence de l'autre. Elle peut prendre diverses formes plus ou moins subtiles: jeu d'autorité, pressions diverses, etc. C'est le cas, par exemple, «lorsqu'un leader, une personnalité forte du groupe, oblige – de façon souvent non volontaire – des personnalités plus effacées à se rallier sans discussion à sa position» (Bégin, Luc. «L'éthique par consensus», dans *Hôpital et éthique*, M.-H. Parizeau (dir.), Québec: Presses de l'Université Laval, 1995, p. 183). L'utilisation de jargon ou d'un certain langage technique, ésotérique pour les non-initiés, peut être un mode subtil d'intimidation.

2. Refus de la manipulation, laquelle équivaut à refuser la différence de l'autre. La manipulation peut prendre elle aussi des formes

variées et subtiles: du chantage explicite jusqu'à la séduction, la séduction sexuelle n'étant pas la plus sournoise.

3. Refus du mensonge. Si le mensonge explicite est probablement rarissime dans la pratique, d'autres manifestations sont possibles: exagérer un élément, cacher un point d'information.

4. L'écoute, l'ouverture d'esprit. Malgré les apparences, l'ouverture au point de vue de l'autre n'est pas une disposition facile à développer. Elle exige d'abord l'écoute, l'attention, la prise en considération de ce que l'autre dit. Elle va jusqu'au préjugé favorable: l'autre a quelque chose de positif à m'apprendre sur la situation, l'autre est compétent à sa manière.

5. S'exprimer, dire son opinion. Beaucoup de personnes dans un groupe ont de la difficulté à dire ce qu'elles pensent. Intimidées ou simplement timides de nature, elles interviennent peu, privant ainsi les autres de la richesse de leur point de vue. Besoin de courage pour dire je.

6. Chercher à considérer tous les facteurs. Il s'agit d'un objectif majeur de l'interdisciplinaire. Pour y arriver existe un outil approprié: l'utilisation d'une grille d'analyse de cas [...].

7. Interpeller les exclus, c'est-à-dire s'interroger sur le point de vue de ceux qui ne sont pas présents à la discussion; interroger directement ceux du groupe qui n'ont pas donné leur point de vue. Cela est peut-être à proprement parler le rôle de l'animateur, mais rien n'empêche chaque participant d'être attentif à cette règle, surtout si le meneur l'oublie. Question de responsabilité partagée pour la fécondité des échanges.

8. Mettre en relief les divergences et prendre le temps de les analyser. En cours de discussion, le cas échéant, identifier collectivement les désaccords: l'objet, leur nature, leurs causes. En acceptant l'inconfort que cela provoque dans le groupe. [...]

9. Aider le groupe à progresser. C'est la responsabilité propre de l'animateur. Il importe cependant que d'autres portent aussi ce souci et contribuent à clarifier le problème, à cerner la question, à dégager les convergences et divergences, à identifier les valeurs en jeu, les dilemmes éventuels et enfin, à ramasser les éléments susceptibles de faire consensus et d'entrer dans la rédaction d'un éventuel avis.
(Durand, 1999, p. 429-431.)

5. Convertissez votre choix en action.

Réponse: Une fois que la discussion a abouti au choix de l'intervention la plus bénéfique pour la résidente, il faut mettre en pratique la décision. L'action peut prendre la forme d'une prescription, d'un plan d'intervention, d'un plan de soins, etc. Elle doit avoir du sens pour la majorité des personnes concernées. De plus, à des fins de cohérence dans l'application de la décision, ces dernières doivent connaître les finalités poursuivies. Il n'est pas rare que l'application d'une décision soit sabotée par des personnes qui ne comprennent pas le pourquoi de ce qui doit être fait.

CHAPITRE 44

1. Comment Yvette Beaupré, l'infirmière, pourra-t-elle aider l'équipe à se mettre d'accord sur la personne qui doit s'occuper du problème de transfert de Mme Sanschagrin?

Réponse: Yvette Beaupré doit favoriser le dialogue et le centrer sur les besoins de la résidente. En ce sens, elle soulignera que Mme Sanschagrin a besoin d'une réadaptation pour retrouver de la force musculaire et de la flexibilité, mais aussi d'un environnement plus adapté à son état. Elle affirmera également la nécessité de s'assurer que le soignant ne se blesse pas lors des transferts. Elle mettra en évidence le fait qu'il y a une différence entre l'expertise d'un professionnel de la santé pour régler un problème et l'importance de tous les soignants pour faire face à ce problème. De plus, elle fera remarquer qu'il est possible d'aborder un problème sous plusieurs angles et que chaque discipline peut y apporter sa solution. Ainsi, elle soulignera la contribution positive que peut avoir l'ergothérapeute, puisque des modifications pourraient être apportées au lit et au fauteuil pour favoriser le soutien et le transfert. De plus, l'infirmière pourra demander à la préposée d'expliquer comment elle exécute les transferts, puisqu'elle ne rencontre pas de difficulté. Son récit sera instructif pour tous les soignants. Pour sa part, l'infirmière rapportera les résultats de son évaluation des risques de chute de Mme Sanschagrin. Enfin, elle demandera à la thérapeute en réadaptation physique de suggérer des exercices pour améliorer la force et la flexibilité de la résidente et faciliter les transferts. La thérapeute, seule professionnelle en réadaptation physique au sein du CHSLD, sollicitera certainement la collaboration de l'infirmière pour s'assurer que les exercices physiques sont faits. En conclusion, lorsqu'on place les besoins de la résidente au centre des préoccupations, on se rend compte que les soignants ont soulevé un faux problème en évoquant la responsabilité professionnelle concernée, et qu'ils n'ont pas encore intégré la conception interdisciplinaire des soins.

2. Quel est le premier objectif de l'équipe interdisciplinaire?

Réponse: Le premier objectif de l'équipe interdisciplinaire est de réaliser un plan d'intervention qui fournit une réponse holistique aux besoins du résident.

3. Quelles habiletés l'infirmière doit-elle posséder pour travailler efficacement en équipe?

Réponse: Outre les connaissances de base sur le travail d'équipe, l'infirmière doit avoir une bonne compréhension de son rôle et avoir une bonne capacité d'écoute et de communication. Elle doit faire preuve d'ouverture aux autres et de maturité professionnelle. Comme tous les membres de l'équipe, elle doit accepter de se laisser influencer par les autres… sans se sentir menacée.

4. Qu'est-ce que l'identité professionnelle?

Réponse: Les professeurs enseignent aux étudiants une vision particulière de leur discipline, une compréhension de ses grands principes directeurs et de ses schémas de référence. Ainsi, progressivement, les étudiants se font une certaine idée de leur rôle futur, de leur identité professionnelle, de leur autonomie professionnelle. Cependant, il y aura toujours des «zones grises» entre les disciplines. Dans le contexte des CHSLD, il est primordial de les clarifier. Dans le cas de Mme Sanschagrin, les professionnels de la réadaptation doivent s'entendre sur une définition de leur rôle et comprendre que les autres soignants ont aussi des compétences en rapport avec le problème soulevé. Par exemple, l'infirmière a la responsabilité de faire la surveillance clinique d'une personne présentant des risques. Cela l'amène à effectuer un examen clinique en profondeur dont les résultats peuvent renseigner sur les différents problèmes du résident. C'est le cas pour la situation vécue par Mme Sanschagrin.

5. Quels indices permettent de conclure qu'une équipe interdisciplinaire travaille avec efficacité?

Réponse: Plusieurs indices peuvent nous informer du degré d'efficacité de l'équipe:
- Les membres arrivent à l'heure et ont préparé la rencontre.
- Les rôles d'animateur de la réunion et de secrétaire sont bien définis.
- Il règne un climat propice au travail d'équipe (humour, partage des tâches, écoute).
- Les membres partagent leurs connaissances.
- Les membres se soutiennent les uns les autres.
- Le leadership du groupe est partagé et ne revient pas à une seule personne.

CHAPITRE 45

1. Quels pourraient être les objectifs de stage de l'étudiant relatifs au savoir?

Réponse:
- Connaître la définition, l'étiologie et les différentes manifestations des symptômes psychologiques et comportementaux de la démence.
- Connaître les cadres théoriques utilisés en sciences infirmières pour expliquer les SPCD et guider les interventions.
- Connaître les approches pharmacologiques et non pharmacologiques à la gestion des SPCD.
- Connaître les outils utilisés pour mesurer les SPCD.

2. Quels pourraient être les objectifs de stage de l'étudiant relatifs au savoir-faire?

Réponse:
- Proposer des solutions de rechange à la contention chez les aînés présentant des SPCD.
- Mesurer la fréquence de la manifestation des SPCD.
- Utiliser des stratégies de communication verbale et non verbale appropriées durant les interactions avec un aîné présentant des SPCD.

3. Quels pourraient être les objectifs de stage de l'étudiant relatifs au savoir-être?

Réponse:
- Démontrer une attitude respectueuse envers les aînés manifestant des SPCD.
- Faire preuve d'une communication non verbale cohérente avec la communication verbale.
- Reconnaître la dignité de l'aîné manifestant des SPCD.

4. Quel instrument de mesure recommanderiez-vous à l'étudiant pour établir la fréquence de base des comportements agressifs du résident?

Réponse: L'Inventaire d'agitation de Cohen-Mansfield (voir le chapitre 24).

INDEX

SOURCES DES PHOTOGRAPHIES, DES TABLEAUX ET DES FIGURES

Page couverture (photo de gauche) et premières pages des parties (4e photo à partir de la gauche): Philippe Voyer.

Quatrième de couverture et premières pages des parties (photo de gauche): Michal Heron/Prentice Hall, Inc./Pearson Asset Library.

CHAPITRE 2: *Tableau 2-5:* Reproduction autorisée par le Centre d'expertise en gérontologie et gériatrie, Institut universitaire de gériatrie de Sherbrooke.

CHAPITRE 4: *Figure 4-1* et *figure 4-2:* Illustrations de Stéphane Bourrelle.

CHAPITRE 5: *Figure 5-1:* Philippe Voyer.

CHAPITRE 8: *Figure 8-1:* Adaptée avec la permission du Ministère des Travaux publics et Services gouvernementaux Canada, 2005. *Figure 8-2:* Reproduite avec la permission du Ministère des Travaux publics et Services gouvernementaux Canada, 2005. *Figure 8-3:* Reproduction autorisée par les Publications du Québec. *Figure 8-4:* Illustration de Stéphane Bourrelle.

CHAPITRE 13: *Figure 13-1:* Christian Caron. *Figure 13-2:* Christian Caron. *Figure 13-3:* Christian Caron. *Tableau 13-1:* (1re ligne) Guy Gagnon; (2e et 3e lignes) Christian Caron; (4e ligne gauche et centre) Christian Caron; (4e ligne droite) Rénald Pérusse; (5e ligne) Lise Payant; (6e ligne) Christian Caron. *Figure 13-4:* Christian Caron. *Figure 13-5:* Christian Caron.

CHAPITRE 15: *Figure 15-1:* Illustrations de Stéphane Bourrelle. *Tableau 15-3:* Illustration de Stéphane Bourrelle.

CHAPITRE 17: *Tableaux 17-2 17-4, 17-5 et 17-6:* Reproduction autorisée par les Publications du Québec.

CHAPITRE 18: *Figure 18-1:* Illustration de Stéphane Bourrelle. *Figure 18-2:* Denise Pothier. *Figure 18-3:* Denise Pothier. *Figure 18-4:* Denise Pothier. *Figure 18-5:* Illustration de Stéphane Bourrelle. *Figure 18-6:* Illustration de Stéphane Bourrelle. *Figure 18-7:* Denise Pothier. *Figure 18-8:* Denise Pothier. *Figure 18-9:* Illustration de Stéphane Bourrelle.

CHAPITRE 19: *Figure 19-1:* Illustration de Stéphane Bourrelle. *Tableau 19-1:* Diane St-Cyr. *Figure 19-2:* Illustration de Stéphane Bourrelle. *Figure 19-3:* Illustration de Stéphane Bourrelle. *Figure 19-4:* Illustration de Stéphane Bourrelle.

CHAPITRE 20: *Figure 20-1:* Syndicat national des infirmiers libéraux.

CHAPITRE 23: *Figure 23-1:* Michal Heron/Pearson Education, Inc./Pearson Asset Library.

CHAPITRE 24: *Tableau 24-3:* Reproduction autorisée par la Canadian Association of Gerontology, www.utpjournals.com.

CHAPITRE 35: *Figures 35-1* et *35-2:* Éric Piché.

CHAPITRE 38: *Figure 38-1:* Illustration de Jean-Patrice Tremblay.

CHAPITRE 44: *Tableau 44-4:* Reproduction autorisée par les Publications du Québec.